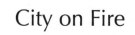

City on Fire

Garth Risk Hallberg

City on Fire

Traduit de l'anglais (États-Unis)
par Élisabeth Peellaert

FEUX CROISÉS
PLON

© Garth Risk Hallberg, 2015
Tous droits réservés
Publié pour la première fois en 2015 aux États-Unis par Alfred A. Knopf,
une filiale de Penguin Random House LLC, New York
ISBN édition originale : 978-0-385-35377-9

Édition française publiée par :
© Éditions Plon, un département d'Édi8, 2016
12, avenue d'Italie
75013 Paris
Tél. : 01 44 16 09 00
Fax : 01 44 16 09 01

ISBN Plon : 978-2-259-24929-4

À Elise, qui garde la foi.

— Voici cet ordre qui vous est si cher, cette mince lanterne de fer, laide et stérile ; et voici l'anarchie, riche, vigoureuse, féconde, voici l'anarchie, splendide, verte et dorée.

— Et pourtant, répliqua Syme avec patience, en ce moment précis vous ne voyez l'arbre qu'à la lumière de la lanterne. Se peut-il que vous puissiez voir la lanterne à la lumière de l'arbre ?

G. K. Chesterton,
Le Nommé Jeudi

SOMMAIRE

CITY ON FIRE

Prologue

À NEW YORK, on peut tout se faire livrer. Du moins, je me fie à ce principe. C'est le milieu de l'été, le milieu de la vie. J'occupe un appartement déserté sur la 16ᵉ Rue Ouest, guettant le ronronnement placide du frigo dans la pièce d'à côté, et même s'il ne contient qu'une demi-plaquette de beurre datant du mésozoïque et abandonnée par mes hôtes le jour de leur départ pour la côte, je peux dans les quarante minutes manger plus ou moins tout ce qui me fait envie. Quand j'étais jeune – je devrais dire, plus jeune – je pouvais même commander de la drogue. Ces cartes de visite avec le tampon d'un numéro précédé de l'indicatif 212 et un seul mot, *livraison*, ou bien, le plus souvent, un truc débile du genre massage thérapeutique. Comment croire que j'aie pu oublier ça.

Cela dit, ce n'est plus la même ville maintenant, ou bien les gens sont en quête d'autres choses. Sur Union Square les buissons qui abritaient les transactions de la main à la main n'existent plus, ni les cabines téléphoniques d'où on appelait son dealer. Hier après-midi, quand j'y suis allé pour me changer les idées, un spectacle de danse moderne au tempo lent faisait un tabac sous les arbres revitalisés. Des familles tranquillement assises sur des couvertures baignaient dans une lumière lie-de-vin. On voit ces trucs-là partout aujourd'hui, l'art de rue se distingue difficilement de la vie de rue, ces voitures à pois sur Canal Street, ces kiosques à journaux enrubannés tels des paquets-cadeaux. Comme si les rêves se résumaient à des articles référencés dans un catalogue d'expériences disponibles. Curieusement, cependant, la possibilité de satisfaire son moindre désir – la profusion qu'offre à profusion la ville aujourd'hui – tend à vous rappeler que ce dont vous avez réellement faim, c'est précisément ce que vous ne trouverez jamais *là-bas*.

En ce qui me concerne, ce dont j'ai faim depuis mon arrivée il y a six mois, c'est de ressentir les choses dans ma tête d'une certaine façon. Sur le moment, je n'aurais pas été capable de verbaliser cette sensation, mais maintenant je pense pouvoir dire qu'il s'agit peut-être de croire que tout, à tout instant, peut encore changer.

J'ai été jadis un enfant d'ici – sautant par-dessus les tourniquets, fouillant dans les poubelles, m'introduisant dans les appartements par les toits – et cette certitude constituait le socle de ma vie. Ces temps-ci, je ne l'éprouve plus que par intermittence. Il n'empêche, j'ai accepté d'habiter cet appartement vide jusqu'au mois de septembre, dans l'espoir d'avoir assez de temps. Il est configuré comme les blocs empilables d'un jeu vidéo primitif : chambre et salon en façade, salle à manger et chambre parentale à l'arrière, la cuisine tout au fond. Tandis que devant la table je suis aux prises avec ces remarques préliminaires, l'obscurité s'épaissit derrière les hautes fenêtres et produit l'impression que les cendriers et les documents amoncelés devant moi appartiennent à quelqu'un d'autre.

Mais mon endroit préféré, c'est de loin la partie située tout à l'arrière, après la cuisine et la porte latérale : une véranda, posée sur des pilotis à une hauteur telle qu'on pourrait se croire à Nantucket. Bois peint en vert banc-de-jardin, et tapis de feuilles répandues par deux ginkgos dégarnis. « Cour », c'est le mot que je m'obstine à vouloir employer, bien que « puits d'aération » conviendrait aussi ; des immeubles ceinturent l'espace sur trois côtés, de telle sorte que personne n'y a accès. Sur le bâtiment d'en face, la brique blanche s'écaille, et le soir, quand j'ai presque envie d'abandonner mon projet, je sors plutôt regarder la lumière grimpante s'adoucir à mesure que le soleil descend une fois encore dans un ciel sans pluie. Je laisse mon téléphone vibrer dans ma poche et je regarde les ombres des branches tendre vers ce bleu lointain traversé par un avion dont la traînée grossit et se disperse. Dans les avenues, les sirènes et les bruits de circulation et les clameurs des radios sont comme les souvenirs des sirènes et des bruits de circulation et des clameurs des radios. Derrière les fenêtres des autres appartements, les télévisions s'allument mais nul ne prend la peine de baisser les stores. Et là encore, je recommence à sentir que les lignes entre lesquelles ma vie s'est trouvée enfermée – entre le passé et le présent, le dehors et le dedans – s'effacent. Que je pourrais moi-même être délivré.

Après tout, il n'y a rien dans cette cour qui n'y était pas en 1977 ; ce n'est peut-être pas cette année-là mais une autre, et tout ce qui suit reste encore en germe. Peut-être un jet de cocktail Molotov illumine-t-il l'obscurité, peut-être un journaliste de magazine traverse-t-il un cimetière en courant, peut-être la fille de l'artificier reste-t-elle perchée sur un banc couvert de neige, guetteuse solitaire. Car si les faits indiquent quelque chose, c'est que la Ville unique et monolithique n'existe pas. Ou si elle existe, elle est la somme de milliers de variations qui toutes rivalisent pour occuper le même lieu géographique. Peut-être est-ce irréaliste et vain, mais je ne peux m'empêcher d'imaginer que les points de contact entre cette cité et ma ville perdue n'ont pas cicatrisé complètement, qu'ils ont laissé ces stigmates toujours vifs quand mon esprit vole au-dessus des escaliers de secours et au-delà vers ce carré bleu de liberté. Et vous, là-bas, n'êtes-vous pas en quelque sorte juste ici, à côté de moi ? C'est vrai, qui ne rêve plus d'un monde différent ? Qui d'entre nous – si cela signifie renoncer à la folie, au mystère, à la beauté parfaitement inutile des millions de New York autrefois possibles – est prêt, maintenant, à abandonner tout espoir ?

NOUS AVONS RENCONTRÉ L'ENNEMI, ET C'EST NOUS

(DÉCEMBRE 1976–JANVIER 1977)

Life in the hive puckered up my night;
the kiss of death, the embrace of life.

Television,
« Marquee Moon »

1

UN SAPIN DE NOËL remontait la 11ᵉ Avenue. Il s'escrimait plutôt; emmêlé dans un chariot de supermarché abandonné au carrefour, il tremblait, se hérissait, tanguait, menaçant de s'embraser. Telle était du moins l'impression de Mercer Goodman qui s'efforçait d'extraire la cime de l'entrelacs métallique cabossé. Ces jours-ci tout semblait menaçant. Sur le trottoir d'en face, des restes calcinés souillaient les quais de chargement où les gueux du coin allumaient des feux la nuit. Les putes qui, le jour, y prenaient le soleil regardaient à présent à travers des stores de bazar et l'espace d'une seconde Mercer fut pleinement conscient du spectacle qu'il devait offrir : un Noir à lunettes, habillé de velours côtelé, s'efforçant de faire marche arrière tandis qu'à l'autre extrémité de l'arbre un Blanc hirsute en blouson de cuir essayait de tirer le tronc d'un coup sec et au diable le chariot. C'est alors que le feu piéton passa de *DON'T WALK* à *WALK* et, par miracle, sous l'effet d'une suite de je-te-pousse tu-me-tires, ils retrouvèrent la liberté.

— Je sais, tu es énervé, dit Mercer, mais tu voudrais bien essayer de ne pas te faire remarquer ?

— Je me fais remarquer ? demanda William.

— Tu attires les regards.

Amis hypothétiques, ou même simples voisins, ils formaient un couple improbable, ce qui expliquait sans doute pourquoi l'homme qui tenait le stand de sapins des scouts près de l'accès au Lincoln Tunnel avait hésité à prendre leur argent. C'était aussi pourquoi Mercer n'aurait jamais pu inviter

William chez lui pour le présenter à sa famille – et donc pourquoi ils étaient obligés de fêter Noël tout seuls. On le devinait tout de suite à les voir, le bourgeois noir enrobé et le punk blafard maigre et nerveux : qu'est-ce qui avait bien pu sceller une telle association, sinon la puissance occulte du sexe ?

C'est William qui avait choisi l'arbre le plus grand restant sur le stand. Mercer l'avait exhorté à tenir compte de l'encombrement déjà critique de l'appartement, sans parler de la demi-douzaine de pâtés de maisons à parcourir entre ici et là-bas, mais c'était le châtiment que lui réservait William pour avoir eu l'idée saugrenue d'acheter un arbre. Il avait retiré deux billets de dix dollars de la liasse pliée dans sa poche et, sardonique, assez fort pour que le type entende, lancé : *Ça, c'en est une grosse.* Ensuite, entre deux nuages de respiration, il avait ajouté :

— Tu sais… Jésus nous aurait jetés tous les deux dans les flammes. C'est dans… le Lévitique quelque part, je crois. Je ne vois pas l'intérêt d'un Messie qui vous envoie en enfer.

Pas le bon Testament, aurait pu objecter Mercer, sans compter que nous n'avons pas péché ensemble depuis des semaines, mais il fallait impérativement éviter de mordre à l'hameçon. Le Chef Scout était à moins de cent mètres, au bout d'un chemin tapissé d'aiguilles.

Progressivement, les pâtés de maisons se dépeuplaient. Hell's Kitchen, à cette heure, se résumait à des terrains vagues, à des carcasses de voitures calcinées et à un laveur de pare-brise à la dérive. On eût dit qu'une bombe avait explosé, n'épargnant que les proscrits, ce qui pour William Hamilton-Sweeney, vers la fin des années 60, avait dû représenter l'attrait majeur du quartier. Effectivement, une bombe avait explosé, quelques années avant que Mercer vienne s'y installer. Un groupe affublé d'un de ces acronymes tordus qu'il ne parvenait jamais à se rappeler avait fait sauter un camion devant la dernière usine en exploitation, faisant place à d'autres trous à rats baptisés lofts. Leur immeuble, dans une vie antérieure, avait abrité une fabrique de bonbons à la menthe de la marque Knickerbocker. À maints égards, il y avait eu peu de changements : le passage de l'industriel au résidentiel s'était fait à la va-vite, probablement de façon illégale, laissant un résidu poudreux et compact entre les lames du parquet. On avait beau récurer, il restait un parfum de menthe tenace, léger et écœurant.

Le monte-charge étant de nouveau, ou encore, en panne, il leur fallut une demi-heure pour grimper les cinq étages avec le sapin. Le blouson de William était couvert de sève. Ses toiles avaient migré dans son atelier du Bronx, mais il n'y avait d'espace disponible pour le sapin que devant la fenêtre du coin salon, où ses branches masquaient le soleil. Prévoyant, Mercer s'était procuré de quoi égayer l'atmosphère: des lumières à accrocher aux murs, un tapis de sapin, une brique de lait de poule sans alcool. Il les déposa sur le plan de travail, pendant que William allait bouder sur le futon et manger un bol de boules de gomme, en compagnie de sa chatte Eartha K., insolemment perchée sur sa poitrine.

— Au moins, tu n'as pas acheté de crèche, dit-il.

Mercer se sentit piqué au vif, en partie parce qu'il était à l'instant même occupé à chercher sous l'évier les figurines des Rois mages que Mama avait envoyées dans son colis. Au lieu de quoi il trouva la pile de courrier qu'il aurait juré avoir laissée bien en vue le matin sur le radiateur. D'ordinaire, il ne l'aurait pas toléré — il ne passait jamais devant une boule de poils d'Eartha sans aller chercher la pelle — mais une certaine enveloppe scellée traînait là depuis une semaine au milieu des deuxième et troisième rappels de la Famille Americard des Cartes de crédit, pléonastique *sic*, et il avait espéré qu'aujourd'hui enfin William remarquerait sa présence. Il rebattit la pile de façon à placer l'enveloppe au-dessus. Il la reposa sur le radiateur. Mais son amant se levait déjà pour verser du lait de poule sur le tas de gommes vertes, comme pour se préparer des céréales futuristes.

— Petit déjeuner des champions, annonça-t-il.

Le problème de William, c'était le talent qu'il avait pour ne pas remarquer ce qu'il avait décidé de ne pas remarquer. Autre bon exemple: aujourd'hui, soir de Noël 1976, était une date anniversaire, il y avait dix-huit mois que Mercer, ayant quitté la petite ville d'Altana, en Géorgie, était arrivé à New York. *Oh, Atlanta, je connais*, lui assuraient les gens, avec une condescendance joyeuse. *Non*, les corrigeait-il: *Al*-ta-*na* — mais il avait fini par ne plus se donner cette peine. Il trouvait la simplicité plus facile que la précision. Pour ce qu'en savaient tous ceux restés là-bas, il était parti dans le Nord enseigner l'anglais en classe de seconde au lycée de filles Wenceslas-Mockingbird de Greenwich Village. Derrière ça, bien sûr, il y avait eu son ambition dévorante d'écrire le Grand Roman Américain (elle le dévorait toujours, mais dans un sens différent). Et derrière ça… eh bien, le plus simple aurait été de dire qu'il avait rencontré quelqu'un.

L'amour, ainsi que Mercer l'avait compris jusqu'ici, entraînait d'immenses champs gravitationnels de devoirs et de réprobation pesant sur les parties concernées, transformant la conversation la plus banale en lutte acharnée pour parvenir à respirer. Et voilà un personnage qui pouvait très bien ne pas le rappeler pendant des semaines sans éprouver le besoin de s'excuser.

Un Blanc qui se promenait dans la 125ᵉ Rue comme dans son royaume. Un adulte âgé de trente-trois ans qui, dès le début de leur vie commune, dormait encore jusqu'à trois heures de l'après-midi. Le serment de William, faire exactement ce qu'il voulait, quand il le voulait, avait d'abord agi comme une révélation. Il était donc possible, tout à coup, de séparer l'amour de la *contrainte*.

Mais, depuis peu, il voyait bien que cette liberté avait un prix, que William oblitérait le passé. Il n'évoquait qu'en termes très vagues sa vie avant Mercer : sa période de dépendance à l'héroïne, au début des années 70, dont il avait gardé une envie insatiable de sucre ; la quantité de tableaux qu'il refusait de montrer, à Mercer ou à tout acheteur potentiel ; le groupe de rock qui avait implosé, Ex Post Facto, dont il avait fondu le nom à l'aide d'un cintre en fil de fer dans le dos de son blouson de cuir. Et sa famille ? Silence total. Longtemps, Mercer n'avait même pas fait le rapprochement entre William et *les* Hamilton-Sweeney, ce qui revenait à peu près à rencontrer Frank Tecumseh Sherman sans penser à demander s'il appartenait à la famille du Général. Encore maintenant, William se figeait dès qu'on parlait en sa présence de la Société Hamilton-Sweeney, comme s'il venait de découvrir un ongle dans sa soupe et qu'il s'efforçait de l'ôter sans attirer l'attention des convives. Mercer se disait que ses sentiments n'auraient pas changé d'un iota si William s'était appelé Doe ou Dinkelfelder. Mais tout de même, comment ne pas se poser de questions.

Et cela datait d'avant la fête interconfessionnelle organisée pour les classes de primaire au début du mois, où le Principal, pourtant, n'était pas allé jusqu'à exiger la présence de l'ensemble des professeurs de l'établissement. Pendant quarante minutes, Mercer avait cherché à se distraire en lisant l'interminable distribution lorsqu'un nom avait attiré son attention. Il avait parcouru la ligne du doigt dans l'éclairage réduit de l'auditorium : Cate Hamilton-Sweeney Lamplighter (Chœur des enfants). Il s'en tenait généralement au lycée – à vingt-quatre ans, il était le plus jeune professeur, et l'unique Afro-Américain, les plus petits semblaient voir en lui une sorte de portier vêtu avec élégance – mais après les rappels, il était allé parler à une collègue qui enseignait en maternelle. Elle indiqua un groupe de petits lutins œcuméniques debout près de l'entrée des artistes. Cette « Cate », semblait-il, était du nombre. C.a.d. une de ses élèves.

— Et sais-tu s'il y a un William dans sa famille ?

— Son frère Will ? Il est au cours moyen, je crois, dans une école Uptown. C'est une école mixte, je ne comprends pas pourquoi ils n'y mettent pas Cate aussi.

La collègue parut soudain méfiante.

— Pourquoi cette question ?

— Pour rien, répondit-il en s'éloignant.

C'était bien ce qu'il avait pensé : une erreur, une coïncidence, qu'il s'efforçait déjà d'oublier.

Mais était-ce Faulkner qui disait que le passé n'était même pas passé ? La semaine dernière, le dernier jour du semestre, après que la dernière boursière retardataire avait rendu son examen final, une Blanche visiblement mal à l'aise s'était matérialisée sur le seuil de sa classe. Elle avait cet air avenant de jeune mère – sa jupe coûtait certainement plus que toute la garde-robe de Mercer – mais quelque chose d'autre chez elle lui était familier, sans qu'il sût mettre le doigt dessus.

— Puis-je vous aider ?

Elle vérifia sur son papier que le nom correspondait à celui qu'elle lisait sur la porte :

— Monsieur Goodman ?

— C'est moi.

Ou : *Moi-même* ? Dur à dire. Il posa les mains sur la table et s'efforça d'adopter une attitude non menaçante, ainsi qu'il en avait l'habitude avec les mères.

— Je ne sais pas comment aborder les choses avec tact. Cate Lamplighter est ma fille. Son institutrice m'a informée que vous aviez posé des questions après le spectacle de la semaine dernière ?

— Oh, mon Dieu, rougit-il. C'était une erreur. Mais pardonnez-moi si…

C'est alors qu'il vit la ressemblance : le menton pointu, le regard bleu sur le qui-vive – il aurait pu s'agir d'une version féminine de William, au détail près qu'elle avait les cheveux auburn et pas noirs, et simplement coupés au carré. Et bien sûr, il y avait l'élégance vestimentaire.

— Vous parliez de l'oncle de Cate, je crois, qui porte le même nom que son frère. Mais il ne peut pas le savoir, il ne le connaît pas. Mon frère, bien sûr. William Hamilton-Sweeney.

La main qu'elle tendit, en contraste avec sa voix, était ferme :

— Regan.

Prudence, songea Mercer. Ici, à Mockingbird, un chromosome Y représentait déjà un handicap, et être noir aussi, indépendamment de ce qu'on avait pu affirmer en lui offrant le poste. Naviguant entre le Scylla du beaucoup-trop et le Charybde du pas-assez, il avait tout fait pour projeter une image asexuée. Pour ce qu'en savaient ses collègues, il ne vivait qu'en compagnie de ses livres. Et cependant, il savoura son nom dans sa bouche.

— Regan.

— Puis-je vous demander quel intérêt vous portez à mon frère ? Il ne vous doit pas d'argent, j'espère ?

— Oh, mon Dieu, non. Rien de tel. C'est un… ami. Simplement je ne savais pas qu'il avait une sœur.

— Nous avons perdu le contact. Depuis des années. Pour être franche, je ne sais pas du tout comment le retrouver. Je ne voudrais pas abuser, mais pourrais-je vous confier cette tâche ?

Elle s'avança pour déposer quelque chose sur le bureau et, quand elle recula, il sentit une petite douleur le traverser. Dans le vaste océan de silence qu'était la vie de William, un mât était apparu, virant aussitôt de bord en direction de l'horizon.

Attends, se dit-il.

— J'étais sur le point d'aller chercher un café. Je vous en apporte un ?

L'inquiétude flottait sur son visage, ou la tristesse, à la fois abstraite et dominante. Elle était vraiment très belle, bien qu'un peu trop maigre. La plupart du temps, quand ils étaient tristes, les adultes semblaient se replier sur eux-mêmes, vieillir et perdre leur séduction ; peut-être était-ce un effet de l'adaptation que de produire progressivement une race supérieure d'hominidés émotionnellement détachés, mais si tel était le cas, le gène n'avait pas transité par ces Hamilton-Sweeney.

— Je ne peux pas, dit-elle enfin. Il faut que j'accompagne mes enfants chez leur père.

Elle indiqua l'enveloppe.

— Pourriez-vous juste, si vous le voyez avant le Nouvel An, lui remettre ceci et lui dire… lui dire que j'ai besoin de sa présence cette année.

— De sa présence où ? Pardonnez-moi. Ça ne me regarde pas, bien sûr.

— J'ai été ravie de vous rencontrer, monsieur Goodman.

Elle marqua un temps d'arrêt à la porte.

— Et oubliez les convenances. Je suis simplement heureuse de savoir qu'il a quelqu'un.

Sans lui laisser le temps de demander ce qu'elle entendait par là, elle s'était retirée. Il courut dans le couloir pour la regarder s'éloigner, talons claquant sur les carrés de lumière ponctuant le dallage. Puis il baissa les yeux sur l'enveloppe scellée qu'il tenait entre ses mains. Il n'y avait pas de tampon de la poste, rien qu'une zone passée au fluide correcteur à l'endroit où aurait dû se trouver l'adresse et une ligne griffonnée à la main indiquant *William Hamilton-Sweeney III*. Il ignorait que son nom comportât un chiffre romain.

LIVRE I

Il se réveilla le matin de Noël avec un sentiment coupable. Dormir plus longtemps ne lui aurait pas fait de mal, mais des années de réflexes pavloviens avaient rendu la chose impossible. Mama ouvrait la porte de leurs chambres alors qu'il faisait encore nuit et jetait des bas de Noël gonflés d'oranges de Floride et de bric-à-brac sur ses jambes et sur celles de C.L. – pour faire ensuite semblant de s'étonner quand ils se réveillaient. Maintenant qu'il était en théorie un adulte, il n'y avait pas de bas, et il resta auprès de son amant ronfleur un temps qui lui parut interminable, à observer l'avancée de la lumière sur le mur en Placoplâtre. William l'avait posé à la hâte pour délimiter un coin chambre dans le loft d'un seul tenant, et n'avait jamais pris le temps de le peindre. Hormis le matelas, les seules concessions à la domesticité consistaient en un autoportrait non terminé et un long miroir, placé sur le côté parallèlement au lit. Le plus gênant, c'est qu'il surprenait parfois William en train de regarder dans le miroir et de les prendre *in flagrante delicto*, mais c'était l'une de ces choses dont il savait qu'il ne devait pas parler. Pourquoi ne pas simplement respecter ces poches de réticence ? Au lieu de quoi, elles l'attiraient toujours plus jusqu'au moment où, pour protéger les secrets de William, il était, fatalement, contraint de garder ses propres secrets.

Mais le message de Noël, n'est-ce pas, c'est de ne plus détourner la tête en ruminant. La température baissait de jour en jour et William ne possédait rien de plus épais que le blouson Ex Post Facto. Mercer avait donc décidé de lui offrir une parka, un cocon de chaleur qui l'envelopperait partout où il irait. Il avait économisé cinquante dollars sur chacun de ses cinq derniers salaires et il était entré chez Bloomingdale's encore vêtu de ce que William appelait son costume d'enseignant – cravate, blazer, pièces aux coudes – sans parvenir toutefois à convaincre les vendeurs de sa légitimité de client. En effet, un détective du grand magasin affublé d'une petite moustache de rongeur l'avait suivi entre le rayon des manteaux, le rayon homme et le rayon cérémonie. Mais peut-être étaient-ce les voies de la Providence ; autrement Mercer n'aurait sans doute pas découvert ce pardessus. Il était superbe, de couleur fauve, comme tissé dans de délicates fourrures de chatons. Quatre boutons et trois poches intérieures pour les pinceaux, les crayons et les carnets de croquis. Le col, la ceinture et le corps étaient en peau de mouton, de trois nuances différentes. Il était assez spectaculaire pour que William ait envie de le porter et chaud à brûler un damné. Mais il dépassait aussi largement les moyens de Mercer et pourtant une rébellion extatique, ou une extase rebelle, l'avait poussé jusqu'à la caisse et de là il était allé faire emballer son cadeau qu'il reçut emmailloté dans un papier imprimé d'un essaim de B dorés. Depuis maintenant une semaine et demie, il était caché sous le futon. Incapable d'attendre plus longtemps, Mercer improvisa une quinte de toux et enfin William se réveilla.

Après avoir préparé du café et allumé le sapin, Mercer plaça la boîte sur les genoux de William.

— Mince, dit-il, c'est lourd!

Mercer écarta un mouton de poussière.

— Ouvre.

Il scruta William tandis que le couvercle exhalait son petit soupir et que crépitait le papier de soie.

— Un manteau.

William tenta de faire entendre un point d'exclamation, mais dire le nom du cadeau, c'était bien sûr ce qu'on faisait quand on était déçu.

— Essaie-le.

— Par-dessus mon peignoir?

— Il faudra bien que tu l'essaies à un moment ou un autre.

C'est alors seulement que William commença à dire ce qu'il fallait: qu'il avait besoin d'un manteau; qu'il était magnifique. Il disparut dans le coin chambre et s'y attarda excessivement longtemps. Mercer pouvait presque l'entendre se retourner devant le miroir déformé en essayant de décider comment il se trouvait.

— Il est génial, dit-il.

Il avait l'air génial, tout au moins. Le col remonté, il mettait en valeur les traits fins de William, l'aristocratie naturelle de ses pommettes.

— Il te plaît?

— Le Manteau de Joseph en Technicolor, répondit William en mimant une série de gestes: tapoter ses poches, jouer avec la caméra.

— C'est comme de porter un Jacuzzi. Maintenant, à ton tour, Merce.

Dans la pièce, rivalisant avec la lumière de midi, les guirlandes de drug-store clignotaient faiblement. Le tapis de sapin était vide, hormis des poils de chat et quelques aiguilles; Mercer avait ouvert le cadeau de Mama la veille au soir, tout en lui parlant au téléphone, et tout de suite compris, en voyant les noms qu'elle avait écrits sur l'étiquette, que C. L. et P'pa n'avaient pas pensé, ou s'étaient refusés, à envoyer des cadeaux distincts. Il s'était armé pour affronter la possibilité que William ne lui offre rien non plus, mais voilà que celui-ci revenait du coin chambre avec un paquet qu'il avait recouvert de papier journal, comme sous l'effet de l'alcool.

— Vas-y doucement, dit-il en le posant par terre.

Mercer procédait-il jamais autrement? Une odeur de graisse l'assaillit quand, ôtant le papier, il découvrit les rangées de touches blanches bien alignées: une machine à écrire.

— Elle est électrique. Je l'ai dénichée chez un prêteur sur gages Downtown, comme neuve. Elle est censée être beaucoup plus rapide.

— Tu n'aurais pas dû, dit Mercer.

— L'autre est tellement déglinguée. Si c'était un cheval, tu l'achèverais.

Non, *vraiment*, il n'aurait pas dû. Mercer devait encore trouver le cran de le dire à William, mais le long chantier de son œuvre en chantier – ou plutôt son absence de résultats – n'avait rien à voir avec son matériel, du moins pas au sens conventionnel. Pour éviter de continuer à cacher son secret, il entoura William de ses bras. La chaleur de son corps le pénétra même à travers l'opulent manteau. Mais William avait dû apercevoir l'horloge du four:

— Merde! Ça t'ennuie si j'allume la télé?

— Ne me dis pas qu'il y a un match. C'est jour férié.

— Je savais que tu comprendrais.

Mercer s'efforça quelques minutes de rester assis auprès de William et de regarder son sport adoré, mais à ses yeux le football télévisé n'offrait pas plus d'intérêt, voire d'intelligibilité narrative, qu'un numéro de puces savantes. Il se leva et alla dans la kitchenette poursuivre le chemin de croix de Noël. Tandis que la foule sifflait et que les publicités vantaient les vertus du rasoir double lame et des macaronis au fromage Velveeta, Mercer badigeonna le jambon de miel, coupa les patates douces et ouvrit le vin pour l'aérer. Lui-même ne buvait pas d'alcool – il en avait constaté les effets sur le cerveau de C. L. – mais il s'était dit qu'un peu de chianti aiderait William à se mettre dans l'ambiance.

Il commença à faire chaud au-dessus des deux brûleurs. Il alla entrouvrir la fenêtre, faisant fuir des pigeons installés dans son bac à géranium défleuri par l'hiver. Enfin, plutôt son parpaing. Ils descendirent à tire-d'aile dans les canyons de vieilles manufactures, tantôt engloutis dans les ombres, tantôt surgissant dans la lumière. Quand il tourna la tête vers William, le pardessus avait regagné sa boîte par terre près du futon, et le paquet géant de boules de gomme était presque vide. Il se sentait devenir comme sa mère.

À la mi-temps, ils s'installèrent avec leurs plateaux en équilibre sur les genoux. Mercer avait espéré que dans l'intervalle entre les actions William éteindrait la télévision, mais il ne daigna ni baisser le son ni détourner le regard.

— Super les patates, dit-il.

Comme le reggae et le Crochet des Amateurs à l'Apollo, la cuisine du Sud était l'une des affinités électives de William avec la négritude.

— Si seulement tu arrêtais de me regarder comme ça.

— Comment?

— Comme si j'avais noyé ton chiot. Désolé si la journée n'est pas à la hauteur de ce que tu avais en tête.

Mercer n'avait pas eu conscience de le dévisager. Il posa les yeux sur le sapin qui se desséchait déjà dans son pied en aluminium.

— C'est mon premier Noël loin de la maison. Si le fait de vouloir préserver quelques traditions signifie que je vis dans le fantasme, alors, oui, je vis dans le fantasme.

— Tu ne remarques pas comme c'est révélateur? Tu parles toujours de « la maison ».

William s'essuya un coin de la bouche avec sa serviette. Sa façon de se tenir à table, incongrue et belle, aurait dû lui mettre la puce à l'oreille depuis longtemps.

— Nous sommes des hommes adultes, tu sais, Merce. Nous inventons nos propres traditions. Noël, ça pourrait être douze nuits en boîte. Si on voulait, on pourrait manger des huîtres tous les jours au déjeuner.

Mercer ne pouvait deviner quelle était la part de sincérité là-dedans, et dans quelle mesure William cherchait seulement à avoir le dernier mot.

— Franchement, William, des huîtres?

— Cartes sur table, mon chou. Il doit s'agir de cette enveloppe que tu ne cesses de vouloir me fourrer sous le nez, ou est-ce que je me trompe?

— Et alors, tu ne vas pas l'ouvrir?

— Pour quoi faire? Rien de ce qu'il y a à l'intérieur ne me mettra de meilleure humeur. Ah, *merde*!

Il lui fallut une seconde pour comprendre que William s'adressait au match de football, où quelque chose d'irritant annonçait le début du troisième quart-temps.

— Tu sais ce que je crois? Je crois que tu sais déjà ce qu'il y a dedans.

Tout comme Mercer lui-même, en réalité. Ou du moins, il avait son idée. Il prit l'enveloppe et la plaça entre lui et la télé; une ombre excitante nichait à l'intérieur, tel le secret au cœur d'une radiographie.

— Je crois qu'elle vient de ta famille.

— Ce que je voudrais savoir, c'est comment elle est arrivée jusqu'ici, sans timbre?

— Ce que je voudrais savoir, c'est pourquoi elle représente une telle menace.

LIVRE I

— Je ne peux pas te parler quand tu es comme ça, Mercer.

— Pourquoi n'ai-je pas le droit de désirer des choses ?

— Tu sais très bien que je n'ai pas dit ça.

À présent, c'était au tour de Mercer de s'interroger sur la sincérité des paroles qui s'échappaient de sa bouche, et de se demander à quel point il voulait simplement avoir le dernier mot. Il pouvait voir à proximité les ustensiles de cuisine, l'étagère de livres rangés par ordre alphabétique, le sapin, tous ces accommodements matériels que William, certes, lui avait concédés. Mais les accommodements émotionnels ? Quoi qu'il en soit, il en avait trop dit maintenant pour reculer.

— Ce que tu veux, c'est que ta vie reste exactement telle qu'elle est, pendant que, moi, je m'enroule autour de toi comme une plante grimpante.

Les joues de William se constellèrent de petits points blancs, comme c'était toujours le cas lorsqu'on violait la frontière entre sa vie extérieure et intérieure. L'espace d'une seconde, il sembla qu'il allait se jeter sur lui au-dessus de la table basse. L'espace d'une seconde, il sembla à Mercer qu'il l'en aurait remercié. C'eût été la preuve qu'il comptait davantage aux yeux de William que son indépendance, et après avoir été aux prises avec la colère, ils auraient pu poursuivre avec d'autres prises, plus exquises. Au lieu de quoi William saisit son manteau neuf.

— Je sors.

— C'est Noël.

— Encore une chose à laquelle nous avons droit, Mercer. Nous avons droit à un moment de solitude.

Mais *Solitas radix malorum est*, se dirait Mercer plus tard, en y repensant. La porte se referma, le laissant seul avec la nourriture presque intacte. Son appétit, lui aussi, l'avait abandonné. Il y avait un aspect eschatologique dans la lumière pâle de l'après-midi, rendue plus pâle encore par le sapin et l'épaisse couche de suie sur la fenêtre, et dans le froid qui soufflait de l'interstice resté ouvert. Chaque fois que passait un camion, les franges de la robe en osier revêtant la bouteille de vin tremblaient comme les aiguilles d'un délicat sismomètre. Oui, tout, dans son histoire, dans celle du monde, s'effondrait. Pendant un moment, il fit semblant de se distraire en regardant le tourbillon des maillots sur l'écran. En réalité, il s'était subrepticement retiré à l'intérieur de son crâne, armé des minuscules clés qui lui permettraient de réaliser les ajustements nécessaires pour continuer à vivre de cette façon, avec un petit ami qui vous laissait choir le jour de Noël.

2

DERNIÈREMENT, Charlie Weisbarger, dix-sept ans, passait beaucoup de temps à soigner son style. Il n'était pas vaniteux, lui semblait-il, et il ne savait pas trop quel était son style, mais la perspective de revoir Sam le ramenait sans cesse devant le miroir. Étrange : l'amour devait vous transporter au-delà de vos limites, mais son amour pour elle – comme la musique qu'il avait découverte cet été-là, ou le dérèglement conscient de tous ses sens – l'avait au contraire rejeté sur son propre rivage. C'était comme si l'univers cherchait à lui donner une leçon. Le défi consistait peut-être à refuser d'apprendre.

Il prit un disque sur le tas à côté de la stéréo et posa un cent sur le bras pour l'empêcher de sauter. Le premier album d'Ex Post Facto, de 1974. Détails complémentaires : sorti quelques mois à peine avant la séparation du groupe, c'était aussi le dernier. Tandis que des accords puissants s'échappaient des enceintes, il alla chercher une boîte ronde, noire, à l'intérieur de la penderie dans laquelle il avait exilé tout ce qui lui rappelait son enfance. Une poussière grise collait au couvercle, comme une peau sur la soupe froide. Au lieu de partir quand il souffla dessus, elle s'éleva en volutes et pénétra dans sa bouche. Il essuya le reste avec ce qui lui tomba sous la main, un vieux gant de hockey ratatiné comme un scrotum au pied de sa table de chevet.

Il connaissait le contenu de la boîte, mais il lui suffisait de voir le chapeau noir bordé de fourrure de Grand-Père pour être frappé par un sentiment de solitude, comme s'il tombait sur un nid dont les oiseaux se sont envolés. Maman l'avait baptisé le Chapeau du Pays – par exemple : *David, est-ce qu'il faut absolument qu'il porte encore le Chapeau du Pays?* Mais pour Charlie, il resterait toujours le Chapeau de Manhattan, celui dont Grand-Père s'était coiffé deux décembres auparavant quand ils avaient pris le métro à destination de la Ville, seuls tous les deux. Leur alibi, c'était un match des Rangers mais, il avait fait jurer à Charlie de garder le secret, ils allaient en réalité voir le Spectacle de Noël de Radio City. Drôlement brutal, le vieux de Bialystok, en jouant des coudes dans la foule. Franchement, Charlie ne voyait pas la nécessité de tous ces mystères : personne n'irait imaginer que son grand-père paierait pour voir danser des shikse. Ensuite, peut-être une heure durant, ils étaient restés au-dessus de la patinoire du Rockefeller Center à regarder les patineurs. Charlie n'était pas assez habillé pour le froid, mais il résista à l'envie de se plaindre. Pour finir, Grand-Père avait tendu la main et ouvert son poing noueux. À l'intérieur, embaumé dans du papier sulfurisé, il y avait un caramel au beurre dont Charlie n'aurait su dire l'origine, pareil au dernier souvenir arraché à la guerre, d'autant plus précieux qu'il était resté caché.

À vrai dire, Grand-Père avait de la peine pour lui. Depuis la naissance miraculeuse de ses frères jumeaux, nul n'était censé reconnaître que le fils aîné se retrouvait laissé pour compte, or Grand-Père voulait réparer la faute – candeur que Charlie appréciait. Il avait demandé à aller à Montréal cette année pour Hanoukah, mais Maman et Grand-Père se reprochaient toujours mutuellement la mort de Papa. C'était donc un peu comme deux morts. À Charlie, il ne restait plus que le chapeau.

À sa grande surprise, il s'aperçut que l'énorme tête de Grand-Père n'était pas plus grosse que la sienne. Il posa devant le miroir de sa penderie, de trois quarts, profil droit. Difficile d'estimer ce qu'en penserait Sam, parce que, hormis le chapeau, il ne portait qu'un slip et un tee-shirt, et aussi parce que attrait et répulsion, ces brouillards mouvants, s'interposaient entre Charlie et la glace. Ses longs membres blancs, le duvet goy sur ses joues provoquaient un tressaillement hormonal, mais ces derniers temps c'était aussi le cas du tremblement du siège dans le car de ramassage scolaire, du parfum d'huile de bébé, de certains produits de consommation de forme provocante. Et son asthme était un problème. Ses cheveux roux couleur sauce Clamato étaient un problème. Il ôta le chapeau, gonfla d'air sa cage thoracique d'oiseau. Il changea de position pour cacher le bourgeon sur sa cuisse droite. (Était-ce même possible d'avoir un bouton sur la cuisse?) Il se compara à la photo de couverture de l'album : trois hommes ingénus, maigres comme lui, et un travesti à l'allure effrayante. Il n'était pas certain de pouvoir imaginer le chapeau sur aucun d'entre eux, mais peu importait ; lui le trouvait beau.

Et puis, il l'avait choisi précisément parce qu'il violait les canons du goût. Au milieu de la vaste moyenne du vaste et moyen Long Island, la mode de 1976 était à l'après-ski. L'idée consistait à avoir l'air de quelqu'un qui a effectué un slalom sur le chemin de l'école : pulls et bonnets en acrylique, blousons en duvet matelassés ornés de forfaits accrochés au zip. Seuls ces forfaits, désormais jaune sale parce que la saison était passée, permettaient à Charlie de connaître les noms de stations de ski ; sa tribu, en règle générale, ne skiait pas. Et le chapeau de Grand-Père... Bon, il aurait tout aussi bien pu se promener en perruque poudrée. Mais, lui avait expliqué Sam, telle était la raison d'être du punk. La rébellion. Le *renversement*. Des souvenirs de leur été clandestin, de leurs dizaines d'expéditions en ville avant que Maman gâche tout, remuaient en lui de façon délicieuse, comme la semaine dernière quand il avait décroché le téléphone et parlé à Sam à l'autre bout du fil. Mais avec quelle rapidité le plaisir retombait dans la boue ordinaire des sensations : le mélange d'anticipation et de regret, comme si quelque chose qu'il était et n'était pas prêt à lâcher allait incessamment lui être retiré.

Il mit la face B, pour le cas où il y aurait manqué un riff, une nuance de phrasé qu'il n'aurait pas mémorisée. *Brass Tactics*, s'intitulait l'album. C'était le favori de Sam, elle était gaga du chanteur, le petit mec en blouson de cuir à crête de Sioux qui faisait un doigt d'honneur sur la couverture. C'était maintenant aussi le favori de Charlie. Cet automne il l'avait écouté encore et encore, communiant comme il n'avait plus communié depuis *Ziggy Stardust*. *Oui*, lui aussi était seul. *Oui*, lui aussi avait connu la douleur. *Oui*, il s'était couché par terre, sur le côté, dans le grenier l'après-midi des obsèques de Papa en écoutant le vent chaud souffler dehors dans les arbres et *Oui*, il avait entendu les feuilles brunir par degrés imperceptibles et s'était demandé, vraiment, si quelque chose avait le moindre sens. *Oui*, cette année-là, il avait passé une jambe par-dessus le rebord de la fenêtre et vu son crâne éclater comme un ballon d'eau sur le béton fissuré de l'allée, mais *Oui*, il s'était retenu pour une raison inconnue et peut-être était-ce là la raison. Il avait découvert Ex Post Facto trop tard pour les voir jouer en live, mais le groupe se reformait pour un concert du Nouvel An, avec un type que Sam connaissait en remplacement de Billy Three-Sticks au chant, c'est ce qu'elle avait dit, et un genre de feu d'artifice programmé pour le final. Ce « un type » lui restait en travers de la gorge, mais n'avait-elle pas admis à l'instant qu'elle avait besoin de *lui* – c'est-à-dire de *Charlie*?

La neige s'amoncelait sur le rebord de la fenêtre tandis qu'il passait une dernière fois sa penderie en revue. Frissonner n'était pas viril et il était résolu à ne pas avoir froid. D'un autre côté, son caleçon long lui donnait un air asexué et quand Sam, ce soir, lui baisserait son pantalon – quand ils se retrouveraient seuls dans la chambre baignée de lune de son imagination (en vue de quoi il avait glissé dans sa poche un vieux préservatif Trojan, taille Magnum) –, il ne voulait pas foirer. Il décida, pour transiger, d'enfiler un pantalon de pyjama sous son jean. Le jean aurait l'air plus moulant, et lui du cinquième Ramones. Il aspira une longue bouffée de son inhalateur, éteignit la stéréo et accrocha son sac à l'épaule.

En haut, sa mère lavait la vaisselle. À ses pieds, les jumeaux étaient assis sur le lino ondulé, faisant des va-et-vient avec un jouet. Une auto miniature Matchbox, constata Charlie, avec une figurine fixée au toit à l'aide d'un élastique, telle une valise.

« Lui malade », expliqua Izzy. Abe imita le « Houhou houhou » d'une ambulance. Charlie se renfrogna. Maman était maintenant prévenue de sa présence et il lui semblait qu'elle ne pourrait pas ne pas lire le mensonge écrit sur sa figure dès qu'elle se serait retournée. Il remarqua alors le tortillon de fil qui partait de sa tête jusqu'au support fixé au mur.

— C'est toi, chéri ?

Puis, au téléphone :

— Il vient de monter.

S'il ne l'avait pas déjà deviné, il aurait demandé qui c'était.

— Oui, j'y vais, dit-il prudemment.

Elle coinçait le téléphone entre son épaule et son menton. Ses bras poursuivaient leurs ablutions dans l'évier au-dessus de l'eau fumante.

— Tu as besoin qu'on te dépose ?

— C'est juste chez Mickey. Je peux y aller à pied.

— La neige ne va pas se calmer tout de suite, au contraire.

— Maman, ça va.

— On te voit l'année prochaine, alors ?

La plaisanterie le laissa un moment perplexe, comme tous les ans, comme la première fille qui le pinçait le jour de la Saint-Patrick. Même après avoir compris, il eut l'impression qu'un liquide amer inondait sa gorge. Ce qu'il voulait vraiment, c'était justement qu'elle se retourne, le regarde et essaie de l'arrêter. Mais pourquoi ? Il ne faisait que passer une nuit dehors en douce, il serait rentré à l'aube, et rien ne changerait parce que rien ne changeait jamais.

Dehors, libérés des rets indéfinissables de la maison, ses mouvements devinrent plus déliés. Il prit sa bicyclette à côté du garage et dissimula le sac derrière le caisson de ventilation. Il l'avait rempli de linge sale ramassé par terre dans sa chambre et destiné à détourner l'attention. La neige, à présent, s'épaississait, elle commençait à coller au trottoir, nappe lisse de papier sulfurisé. Derrière lui, ses roues dessinaient de grands arcs noirs. Comme il passait sous un lampadaire, un monstre surgit de terre et se dressa devant lui : filiforme en bas, épaules et crinière gigantesques (son gros blouson, son chapeau bordé de fourrure). Il avança, plissant les yeux pour les protéger des morsures de la neige.

Le centre de Flower Hill, en dépit de tous les efforts de la municipalité, ne parvenait pas vraiment à faire mieux que ce qu'il était. Dans la journée, il imitait une urbanité indigente – il y avait un fleuriste, une boutique de robes de mariée, un disquaire assez médiocre – mais la nuit, les devantures lumineuses annonçaient en lettres de feu les véritables coordonnées d'urgence de la ville. Massages. Tatouages. Armes et Prêts sur gages. Devant un Deli désert, un Père Noël mécanique dansait avec raideur sur « Jingle Bells », les jambes enchaînées à une clôture. Charlie, qui ne sentait plus ses mains, s'arrêta et entra avaler un café. Il commençait juste à faire son effet, dix minutes plus tard, quand il rangea son vélo sous des buissons devant la gare. Il faudrait vraiment qu'il achète un antivol, sans faute.

Il trouva Sam en train d'attendre dans un cône de lumière à l'autre bout du quai. Cela faisait six mois qu'il ne l'avait vue, mais il devina, à la voir se mordiller le pouce de la main tenant sa cigarette, que quelque chose la rongeait. (Ou de toute façon, il *aurait* dû le deviner, *via* leur liaison télépathique.) Combien de nuits depuis qu'on l'avait consigné chez lui était-il resté éveillé à lui parler dans sa tête ? Mais la vérité, c'était que la télépathie, la gnose et tous les autres superpouvoirs qu'il s'était imaginé posséder à divers moments n'existaient pas. Personne, dans la vraie vie, ne pouvait voir à travers les murs. Personne (penserait-il ultérieurement, après que serait arrivé ce qui serait arrivé) ne pouvait inverser la flèche du temps. Étonnamment, elle ne le vit pas glisser sur la neige quand il courut vers elle. Même quand il lui tomba pratiquement dessus, elle continua à fixer le cadran lunaire de l'horloge et les flocons blancs que ce dernier dérobait à la vue. Il avait envie de passer un bras autour d'elle, mais l'angle que formaient leurs corps ne s'y prêtait pas, il décida alors de lui taper sur l'épaule – pour un résultat incertain, fort éloigné du geste d'affection qu'il eût manifesté avec des mains plus expertes, si bien qu'il le transforma en petite danse, lançant les poings en l'air, faisant comme s'il l'avait touchée par simple accident. 'Ey ! 'O ! Let's go ! Et elle finit par tourner vers lui le visage dont il avait été si longtemps privé : les yeux noirs et brûlants, le nez en trompette avec son anneau en argent, la bouche de cinéma, légèrement trop large, d'où à présent surgissait la voix rendue rauque par la fumée – ce qu'elle avait de mieux.

— Ça fait un bail.

— Ouais. Bon, j'étais occupé.

— Je croyais que tu étais puni, Charlie.

— Ça aussi.

Elle tendit le bras vers le chapeau bordé de fourrure. Il sentit ses joues s'enflammer tandis qu'elle examinait la torture capillaire auto-infligée qui lui avait indirectement valu son exil. *On dirait un malade mental*, avait dit sa mère. Les cheveux avaient presque repoussé. Pendant ce temps, Sam avait aussi fait quelque chose à ses cheveux, ils étaient coupés court comme ceux d'un garçon, et leur couleur passée du caramel au noir. Elle avait presque la même taille que Charlie ; avec la veste noire qui dissimulait ses formes, elle ressemblait à Patti Smith sur la couverture de *Horses* – leur deuxième album préféré. Qui savait pourtant ce qu'elle écoutait maintenant qu'elle allait à la fac dans la Ville. Sur la question de la vie en dortoir, elle déclara que c'était chiant. Il lui proposa le chapeau.

— Tu veux le porter ? Il tient chaud.

— Ça ne fait que quinze minutes.

— La route est vachement glissante. Et j'ai dû m'arrêter pour boire un café. Désolé, pas de voiture.

Il ne parlait jamais du problème que représentaient pour son asthme les cigarettes qu'elle fumait à la chaîne, et elle, réciproquement, faisait maintenant semblant de ne pas remarquer qu'il aspirait une longue bouffée chimique de cet inhalateur à la con.

— Ma mère croit que je dors chez Mickey Sullivan, tu vois sur quelle planète elle vit.

Mais Sam avait déjà tourné la tête vers l'endroit où les rails disparaissaient dans un virage et dans la nuit. Une lumière ronde glissait vers eux telle une balle blanche et satinée lancée sur son arc et plongeant vers la base. Le 8.33 pour Penn Station. Dans quelques heures la grosse boule tomberait au-dessus de Times Square et les hommes et les femmes, partout dans New York, se tourneraient vers la première personne venue pour un baiser innocent ou pas si innocent. En montant, il fit comme si la pression dans sa cage thoracique n'était due qu'à la caféine.

— De toute façon, je me fous de ce que pense Mickey. Ce con ne me dit même plus bonjour à la cantine.

Tous les trois – Mickey, Charlie et Samantha – auraient dû aller dans la même classe au même lycée. Mais le redoutable père de Sam, le génie des feux d'artifice, l'avait envoyée à l'école élémentaire chez les sœurs, puis dans une école privée de New York. Le résultat était là : Sam, qui avait seulement six mois de plus, avait réussi à sauter la sixième et allait maintenant à NYU. Tandis que Mickey et lui étaient des lycéens médiocres et avaient cessé d'être amis. Peut-être finalement aurait-il dû trouver quelqu'un de plus disposé à lui servir d'alibi ce soir car si Maman appelait les Sullivan le lendemain après-midi pour les remercier (elle n'y penserait sans doute pas, mais juste *si*), il serait dans la merde, un gros tas bien fumant. Et si elle découvrait comment il s'était procuré l'argent pour les deux allers et retours pour la Ville. Il serait privé de sorties jusque, disons, 1980.

— Tu as les billets ?

— Je croyais que c'était toi, dit-elle.

— Non, pour les Ex Post Facto.

Elle extirpa de sa poche un flyer froissé.

— Ils s'appellent Ex *Nihilo* maintenant. Autre leader, autre nom.

Un court instant son humeur parut s'assombrir.

— Mais on ne va pas à l'Opéra. Ce n'est pas comme si on pouvait acheter des billets.

Il la suivit dans l'allée, sous les lumières tremblotantes, en attendant le plus possible avant de lui rappeler qu'il ne pouvait pas voyager à contresens parce que ça lui donnait la nausée. De nouveau, le visage de Sam se ferma ; il craignit une seconde d'avoir déjà foiré (ce qu'il ne pouvait pas s'empêcher d'appeler) son *rencart*. Mais elle poussait la porte et l'entraînait dans l'autre wagon.

Cette nuit, le Long Island Rail Road était livré aux gamins. Même les adultes étaient des gamins. En nombre si réduit que chaque petite bande de fêtards pouvait instaurer des zones tampons des deux côtés sur plusieurs rangs de sièges blanc et bleu aux couleurs du bicentenaire. Ils parlaient plus fort que des adultes, et on devinait que c'était pour qu'on les entende, une façon de garder la main haute, de dire : *Vous ne me faites pas peur.* Charlie se demandait combien de mères du comté de Nassau ignoraient totalement où se trouvaient leurs gamins – combien de mères leur avaient tout simplement laissé la bride sur le cou. Tout de suite après le passage du contrôleur, les bières se mirent à circuler. Quelqu'un avait un transistor, mais les haut-parleurs étaient pourris et avec un son pareil on n'entendait qu'une plainte frustrée. Led Zeppelin, probablement, dont les guitares tolkiniennes tournaient en boucle à la station de lavage où Charlie travaillait quand il était en troisième, mais qu'il avait renié quand Sam, l'été dernier, avait traité Robert Plant de *faux-cul crypto-misogyne*. Elle pouvait être comme ça, affûtée et crachant le feu, et son silence à présent le déstabilisait. Quand un môme, quelques rangées plus loin, fit mine de lancer vers eux une canette de bière,

Charlie, comme un con, chercha à l'attraper. Les amis qui l'entouraient éclatèrent de rire. «Tarés», marmonna Charlie de son ton le plus cinglant, mais
pas assez fort pour être entendu, puis il se renfonça dans le skaï crissant du
siège qu'il occupait dans le sens de la marche. Sam avait de nouveau tourné
la tête et regardait les lumières des cités du Queens défiler derrière la vitre,
ou la buée produite par sa respiration qui les transformait en spectres.

— Hé, tout va bien? demanda-t-il.

— Pourquoi?

— C'est la fête, tu sais. On dirait que t'es pas, tu vois, très festive. Et tu ne
dois pas prendre des photos du truc pour ton genre de magazine?

Depuis un an, elle publiait un fanzine ronéotypé sur la scène punk
Downtown. C'était une part importante de ce qu'elle était, ou avait été.

— Où est ton appareil?

Elle soupira:

— Je ne sais pas, Charlie. J'ai dû l'oublier quelque part. Mais je t'ai
apporté ça.

De son sac de surplus militaire posé sur ses genoux, elle sortit une bouteille marronnasse dépourvue d'étiquette.

— C'est tout ce que j'ai pu trouver dans le placard. Au point où on en est,
il ne reste que de l'eau.

Il renifla la capsule. Liqueur de pêche. Il la porta à ses lèvres, espérant qu'il
n'y avait pas de microbes, puis il les essuya sur la manche de son blouson.

— T'es sûre que tu vas bien?

— Tu sais, tu es la seule personne qui me pose cette question.

Elle posa la tête sur son épaule. Il n'aurait toujours pas su dire à quoi elle
pensait, mais la puissance médicinale de l'alcool avait atteint ses tripes, et
l'embrasser – *se la faire*, aurait dit R. Plant – lui parut de nouveau dans le
domaine du possible. Le reste du trajet, il se força à imaginer les bajoues
tremblantes du président Ford pour ne pas bander comme un âne.

Une fois à Penn Station, pourtant, l'inquiétude ressaisit Sam. Elle fonça
dans la foule à l'odeur de hot-dog, à travers des visages trop nombreux pour
que l'œil pût les distinguer. Charlie, maintenant bien parti, croyait voir une
grande lumière rayonnant quelque part derrière lui mettre le feu à chacun
des cheveux teints en noir de sa tête, à ses multiples anneaux d'oreilles, aux
drôles de pointes délicates aplaties au-dessus de ses oreilles – comme si une
équipe de tournage la suivait et l'éclairait. Une lumière qui ne renvoyait pas
la surface des choses, mais qui provenait de l'intérieur d'elles. De l'intérieur
d'*elle*.

Ils attrapèrent un train express de la ligne 2, agréablement désert, en direction de Flatbush Avenue, et, tandis qu'ils traversaient à grand fracas une station locale, le train sembla renvoyer l'écho des syllabes ânonnées par le contrôleur : *Flat-bush, Flat-bush.* Sam pivota sur son siège. Les poutrelles en enfilade sur le quai découpaient la lumière comme un stroboscope. Pour la première fois, Charlie remarqua un petit tatouage sur la nuque de Sam. Une sorte de petite couronne dessinée par un enfant malhabile, mais il ne voulut pas l'interroger et lui rappeler par la même occasion toutes les choses qu'il semblait ne plus savoir d'elle. Il lâcha la barre à laquelle il s'était accroché et enfonça les mains dans ses poches, s'efforçant d'absorber les secousses – *Flat-bush, Flat-bush.* C'était un jeu qu'elle lui avait appris, ça s'appelait « surfer le métro ». Le premier qui ne tenait plus avait perdu.

— Regarde, dit-il.

Comme elle ne regardait pas, il recommença.

— À toi.

— Pas maintenant.

La voix de Sam n'avait plus son habituelle indulgence maternelle et familière ; une fois de plus il sentit la nuit chanceler, comme la lumière dans la station que le train avait traversée.

— Trois sur cinq.

— Ce que tu peux être puéril, Charles.

— Tu sais ce que je pense de ça.

— Alors arrête de te comporter comme un Charles.

Il avait honte, elle avait parlé si fort. Quelqu'un d'extérieur aurait pu s'imaginer qu'elle ne l'aimait pas. Alors il se jeta sur le siège en face, comme s'il avait décidé tout seul que telle était sa place. À l'arrêt de la 14e Rue, l'une des portes se bloqua et ne laissa qu'un espace de sortie exigu. Naturellement, étant un gentleman, il la laissa descendre la première, sans se voir gratifié du moindre merci. Du coup, Charlie dut prendre l'omnibus jusqu'à la station suivante et marcher jusqu'à Christopher Street. Avant qu'il se fasse boucler, ils traînaient toujours par là à manger des glaces, avaler des Quaaludes et boire le whisky du père de Sam. À moitié défoncé dès l'après-midi, il rigolait des homos qui entraient dans les sex-shops, tandis que loin vers le sud les gratte-ciel surgissaient comme des royaumes. Le ciel auparavant tendu entre eux, vaste peau de tambour rythmée orange-bleu, se détachait maintenant en petites écailles et s'affaissait. Et lui rôtissait dans ses deux couches de pantalons. Il lui dit qu'il devait pisser.

— Charlie, on est un peu pressés, là.

Mais il s'engouffra dans les toilettes d'une pizzéria barrées d'une pancarte **RÉSERVÉES À LA CLIENTÈLE !** La porte verrouillée, il ôta son pantalon et son bas de pyjama, fourra le pyjama dans la poche de son blouson et remit le pantalon. Quand il ressortit, le type au comptoir lui lança un regard furieux.

— Tu sais, si tu continues comme ça…, commença-t-elle.

— Comme quoi ?

— Comme ça. J'ai l'impression que tu me *refiles* ton angoisse. Et regarde un peu autour de toi. Tu bloques le trottoir.

Et oui, c'était vrai, il bloquait le trottoir. Les rues de traverse, depuis West Village jusqu'à l'Est, étaient grouillantes de touristes, de freaks et d'étudiants de NYU. Depuis quand se préoccupait-elle de la courtoisie ?

— Sam, j'ai l'impression que je te fais chier et pourtant je n'ai rien fait.

— Qu'est-ce que tu attends de moi, Charlie ?

— J'attends rien, dit-il, presque en train de chialer. C'est toi qui m'as appelé, tu te souviens ? Je veux juste qu'on redevienne copains.

Elle réfléchit une seconde. Si seulement il disposait d'un signe qu'il aurait pu échanger avec elle, un de ces obscurs codes de collégiens, poignée de main, crachat dans la paume, dessin de croix.

— D'accord, dit-elle. Si on essayait d'aller là où on va ?

Là où ils allaient était un bâtiment couvert de fientes de pigeons qui avait abrité une banque. Il se trouvait sur une portion de Bowery particulièrement délabrée, son portique à colonnade noyé sous les graffitis qu'elle aurait autrefois insisté pour photographier. La queue s'étirait devant une porte latérale et ils attendirent leur tour au bout sous un lampadaire fantasque. Une épingle à nourrice sur le visage d'un grand type douze rangs devant eux faisait un clin d'œil à Charlie. Il lui rappelait un ami de Sam, un type ogresque, qu'il avait rencontré une fois, pas loin d'ici. Charlie se sentit gêné par son chapeau. Il eut envie de l'enlever avant que le mec, si c'était lui, les ait aperçus, mais il y eut une coupure de lumière. Quand elle revint, il donna un coup de coude à Sam :

— Hé, tu le connais ?

Elle regarda autour d'elle, le visage crispé.

— Qui ?

Mais l'épingle à nourrice avait été engloutie à l'intérieur du bâtiment et son regard tomba sur un autre homme, de la taille et de la forme d'un réfrigérateur industriel, qui ouvrait et refermait la porte sans paraître remarquer ceux qui la franchissaient.

— Oh, c'est juste Bullet.

Elle semblait presque collectionner ces relations obscures avec des hommes plus âgés. Celui-là était lourdement tatoué – lames d'encre noire jaillissant de son cou pour se répandre sur son visage couleur caramel à la manière d'une peinture de guerre – et vêtu de cuir de pied en cap, avec un piercing à l'oreille en forme de couteau.

— C'est le videur.

— Je n'ai pas ma carte d'identité, siffla Charlie.

— Pourquoi tu aurais besoin d'une carte d'identité? Reste cool. Suis-moi.

Il renfonça le chapeau bordé de fourrure sur ses yeux et se força à ne pas arrondir le dos. Ses efforts pour paraître adulte se révélèrent inutiles; déjà le videur étreignait Sam en la soulevant du sol.

— Je croyais bien ne pas te voir ce soir, beauté.

— Tellement d'endroits où aller, de gens à voir, tu sais comment c'est.

— Qui c'est, l'échalas?

Il hochait la tête en direction de Charlie sans le regarder.

— Charles.

— Ce Charles, on dirait qu'il travaille aux Stups avec ce chapeau.

— Charles est cool. Dis bonjour, Charles.

Charlie marmonna quelque chose et ne tendit pas la main. Il avait un peu peur des Noirs en général, et en particulier de cet homme qui, si l'envie lui en prenait, pourrait le casser en deux sur ses genoux comme du petit bois. S'il était vraiment noir et pas simplement super-basané, ou turc ou allez savoir quoi – difficile à dire avec les tatouages.

— Écoute, dit Sam en se penchant vers lui. Est-ce que quelqu'un m'a demandée?

— Toi?

— Oui, quoi... Est-ce que quelqu'un t'a demandé si j'étais là? Un type BCBG? Assez beau? La trentaine? Pas vraiment du genre à venir ici?

Elle frémissait, le visage luisant de neige fondue, plein d'espoir. Charlie fit de son mieux pour conserver une expression neutre. Ne jamais leur montrer que tu saignes, avait dit Grand-Père, avant de disparaître dans un DC-10 à la fin de la semaine de deuil.

Pendant ce temps, quelque chose de l'ordre de la commisération, cet air de dire *Où sont tes parents?*, avait remplacé le masque jovial du videur.

— Je ne sais pas, poulette. Je suis là depuis huit heures et, comme je te le disais, je ne m'attendais pas à te voir.

— Charlie, pourrais-tu rester là juste une seconde avec Bullet, le temps que j'entre et que je voie quelque chose?

Il attendit donc, dansant d'un pied sur l'autre, en s'efforçant de s'écarter du videur. Des pigeons étaient installés sur le col-de-cygne d'un lampadaire. Une fille, habillée en mime, mais dont le visage de craie pouvait se passer de maquillage, franchit précipitamment la porte et tomba sur le trottoir verglacé. Elle ne pouvait s'arrêter de rire et Charlie voulut aller vers elle, mais personne d'autre ne bougeait. Le videur haussa les épaules, comme pour dire : *Qu'est-ce que tu peux y faire ?*

Autrement dit, t'es *qui*, toi ? Cet été du bicentenaire, l'été de Sam, avait déferlé comme une vague bleu glacier, soulevé son existence paumée à une hauteur vertigineuse, la balayant et la retournant de sorte qu'il avait été forcé de lever les yeux pour voir la côte. Mais comme toutes les vagues, elle s'était brisée et, de toute façon, il avait toujours eu le vertige. Il avait revu Sam une fois, depuis le siège passager du break que sa mère ne l'autorisait plus à conduire. Elle attendait, assise à un arrêt d'autobus à Manhasset. Peut-être l'avait-elle vu elle aussi, mais quelque chose l'avait retenu, et quelque chose l'avait retenue également – cette part d'elle qui était restée ici, chevauchant une vague deux fois plus grosse, mettant la ville à l'épreuve pour voir si celle-ci était assez forte pour elle. *Reste cool*, se dit-il. *Contente-toi de rester cool.*

— Charlie, écoute-moi, dit Sam en ressortant. Si je dois aller Uptown vite fait, crois-tu que tu pourrais rester seul une heure ?

Il aurait fait n'importe quoi pour elle, naturellement. Si elle voulait, il raterait même les Ex Post Facto ou allez savoir comment ils s'appelaient maintenant. Mais que faire quand elle voulait qu'il ne fasse rien ?

— Putain, Sam ? Je croyais que tu voulais passer le Nouvel An avec *moi*.

— Oui, mais je vais me faire l'effet d'une vraie merde si tu rates le premier set, et je… C'est un truc que je ne peux pas remettre.

Derrière la cloison du mur de l'entrepôt, un coup de batterie annonçait l'arrêt de la musique enregistrée et le passage au live.

— Ça commence. Ça ira pour toi ?

Elle se tourna vers le videur :

— Bullet, tu veux bien t'occuper de Charlie, là ?

— Il peut pas s'occuper de lui tout seul ? Charlie est débile ou quoi ?

— C'est un truc foireux, dit Charlie, à personne en particulier.

— Bullet…

Le videur déplia son bras et, formant une énorme pince avec le pouce et l'index, souleva le bord du chapeau de Grand-Père, pour que Charlie puisse voir ses yeux.

— Tu sais bien que je rigole, mec.

Charlie resta de glace, fixant Sam.

— Et « J'ai besoin de toi, Charlie » ? Ça devient quoi ?

— Charlie, j'ai vraiment besoin de toi. Je vais avoir besoin de toi. Écoute, si je ne suis pas de retour à onze heures, tu viens me chercher. Tu peux me retrouver à minuit moins le quart sur les bancs près de la station de métro IND de la 72ᵉ Rue. Tu vois où c'est ?

— Bien sûr, je vois où c'est.

Il n'en avait pas la moindre idée.

— De toute façon, je te le jure, on le fêtera ensemble.

La paume de sa main entre le rabat du chapeau et sa joue lui fit l'effet d'une eau fraîche par une journée brûlante. Après quoi elle marcha à reculons et, pour la première fois depuis le quai du LIRR, elle semblait réellement le voir. En dépit des secrets qu'elle cachait encore ouvertement, il voulait la croire. Il voulait croire que cette créature blessée puisse avoir besoin de lui. Mais elle s'était évanouie. Bullet, le videur, ouvrit grand la porte. Charlie pensa à une voiture roulant portières ouvertes dans le parking de l'école, hors d'atteinte malgré les voix à l'intérieur qui lui disaient : *Viens, Weisbarger. Monte !* Mais tout cela n'avait plus aucune réalité – et qu'il ait embrassé Sam, dans la cave de cette étrange maison de la 3ᵉ Rue Est, tant de mois auparavant, n'avait plus de réalité non plus. Ce qui était réel, dans le vide qu'elle laissait, c'était le souvenir de sa peau à elle sur sa peau à lui, et la musique qui jaillissait maintenant à plein volume de la gueule du club.

3

I L N'Y AVAIT PAS D'ENDROIT AU MONDE plus sinistre qu'un Gristedes le soir du Nouvel An : branches de persil fané accrochées aux trous des paniers ; lampes fluorescentes lugubres, dont une ampoule grise comme une dent morte ; le vieux paralytique devant la caisse qui secouait son porte-monnaie. C'était le dernier endroit où l'on voudrait dresser l'inventaire de sa vie. De fait, presque tout au long de la décennie écoulée, Keith Lamplighter avait réussi à éviter de penser aux courses. Dès le matin il se rendait chez Lamplighter Capital Associates, et quand il rentrait chez lui comme aujourd'hui entre sept et huit heures, il trouvait le réfrigérateur plein – comme si les salades avaient poussé là, derrière la porte fermée, avait dit Regan à la fin. «Tu ne sais même pas où se *trouve* le supermarché.» C'était inexact ; il savait. C'est juste que les numéros lui échappaient : entre la 65ᵉ et la 64ᵉ Rue? Ou 64ᵉ et 63ᵉ? Il était passé devant bien des fois, mais le supermarché n'occupait aucun espace dans sa conscience, de même que le numéro de poste de son bureau n'occupait aucun espace, parce qu'il n'avait jamais l'occasion de le composer. Désormais, il connaissait le Gristedes comme on connaît quelqu'un avec qui on est vraiment fâché : intimement, de l'intérieur, pensa-t-il à l'instant où une sonnerie faisait bondir le tiroir-caisse de sa niche.

Non, Regan avait raison, comme d'habitude. En Amérique, pour réussir, il fallait presque recourir à la Méthode de Lee Strasberg. On vous donnait à résoudre un problème unique, bien défini, et si vous étiez assez bon dans votre rôle, vous réussissiez à vous convaincre de son importance – celle du problème. Pendant ce temps-là, les acteurs qui ne faisaient pas l'affaire couraient dans les coulisses, tiraient sur des cordes, veillant à ce qu'au moment où vous vous tourniez pour vous adresser à la lune, celle-ci soit bien en place. Vous étiez convaincu d'être le seul à suer sang et eau, alors même que le rideau derrière vous ondoyait, comme sous l'effet d'une rapide et légère débandade de souris. Combien de fois dernièrement Keith avait-il résolu de garder à l'esprit ses humbles partenaires? D'incarner mieux et plus souvent un personnage christique? Mais c'était comme si une réaction allergique au Gristedes le paralysait. La lumière répandait une lueur verdâtre qui donnait l'air maladif à tout ce qu'il touchait. Peut-être était-elle destinée à irradier la nourriture, à empêcher les germes microscopiques de se multiplier à la surface de ses provisions de célibataire – bretzels, saucisses Sabrett et petits pains Air-Puft – jusqu'à ce qu'il ait quitté le magasin. S'il parvenait jamais à quitter le magasin.

Le vieil homme en tête de la file ayant péniblement franchi la porte, il ne restait plus que des femmes. Elles regardaient fixement le sol terne en carrelage moucheté ou les stars de séries télé sur les présentoirs de magazines. Juste devant, quelques mèches de cheveux s'échappaient de la queue-de-cheval d'une fille mère déjà enceinte de son prochain enfant – la coiffure de quelqu'un qui n'a pas le temps de se coiffer. Elle semblait ne pas voir la fillette qui tirait sur sa longue écharpe, suppliant s'il te plaît un Almond Joy. L'espace d'une seconde, le rideau sembla sur le point de s'écarter, le cœur de Keith se mit à battre… Ç'aurait pu être son écharpe, autrefois. Sa main, cherchant les vingt-cinq cents qu'il aurait sûrement trouvés s'il s'était agi de sa propre fille. Mais il avait cru avoir d'autres chats à fouetter, et la fille parut l'avoir deviné; quand il lui adressa un sourire qu'il voulait anodin, elle enfouit son visage dans les jambes de sa mère, laquelle se retourna vers lui avec une expression qui ne trompait pas, signifiant: « Obsédé. »

Il lui fallut plusieurs autres vies pour payer. Pour *passer à la caisse*, comme disaient les jeunes. Quand il était petit, Will voulait être *caissier*. Il avait alors trois ou quatre ans et Regan s'occupait encore de lui toute la journée, sauf quand elle se rendait à ses réunions. Elle avait rougi, quand bien même Keith n'avait pas trahi la moindre désapprobation. « Ce n'est pas ce que tu as dit hier, chéri. Dis à Papa ce que tu as dit hier. » Keith sentait sa poitrine se gonfler. *Il voulait être comme son père!* Mais Will ne répondait pas, et Regan le fit à sa place: « Camion de pompiers. Il voulait être camion de pompiers. » Oui, évidemment: comment à quatre ans, ou quel âge avait-il encore, aurait-il pu comprendre le travail d'un courtier? Au final, Keith lui-même ne comprenait pas. Mais ce moment s'ajouterait à d'autres petits moments quotidiens qu'il avait laissés se dérouler derrière le rideau tandis que, sur le devant de la scène, il était occupé à Réussir. Et à présent, en s'efforçant de capter le regard de l'adolescente maussade qui enregistrait ses achats et de se rappeler qu'elle était tout aussi réelle que lui, ça recommençait. Il ne pensait qu'à lui, qu'à la façon d'aller là où il voulait aller. Et il savait qu'il serait en retard.

En vérité, depuis le début, il cherchait une excuse pour échapper au réveillon annuel chez les Hamilton-Sweeney. Oncle Amory avait signé l'invitation de sa main, mais les cinq minutes que durait l'*interlude* au cours duquel Regan et lui se retrouvaient pour se passer les enfants étaient déjà insupportables ; certes, dans une foule de plusieurs centaines d'invités, il devait être possible de ne pas se croiser, mais bien sûr ce ne serait pas le cas. Regan resterait à côté de lui, pour bien montrer qu'ils étaient adultes et capables de se comporter comme tels, mais en réalité c'était une forme d'autopunition. Il avait compris récemment qu'elle se punissait depuis longtemps.

Sauf que depuis qu'elle avait pris Will et Cate et déménagé à Brooklyn, il avait le sentiment d'être puni, *lui*. Il errait dans l'ancien appartement tel un spectre incapable de rien changer autour de lui. Il manquait la moitié de la bibliothèque, les livres restants s'étaient couchés en tas désordonnés ou répandus sur le sol. Elle avait également emporté les lampes et ses milliers de photos encadrées. La nuit, dans l'obscurité, il lui arrivait d'imaginer entendre des enfants glisser en chaussettes dans les couloirs. Ils seraient encore avec lui si Regan n'avait pas appris qu'il avait un jour fait venir sa maîtresse dans l'appartement. C'était le seul détail qu'il avait omis de confesser, conscient de la douleur qu'il risquait d'entraîner. (Enfin, ça et son âge. Et son nom.)

Il s'était juré de ne plus y amener Samantha et, après leur rupture, avait refusé de prendre ses appels. Et puis, en début de semaine, elle lui avait téléphoné au bureau. Elle s'était débrouillée pour obtenir son numéro – celui qu'il ne connaissait pas lui-même. Elle serait en ville pour le Nouvel An ; est-ce qu'ils pouvaient se voir ? Il avait eu une érection désespérée en pensant à elle, ou plutôt à son fantôme, agenouillée sur le divan en culotte de coton blanc, les avant-bras sur les accoudoirs, regardant par-dessus son épaule, comme pour le défier. « Il faut qu'on se parle, avait-elle dit. Je ne suis pas enceinte, si tu veux savoir. Mais c'est important. » Il avait expliqué que ses beaux-parents l'attendaient pour la soirée. C'était vrai, techniquement, et pour le cas où elle croirait avoir détruit sa vie, il voulait qu'elle comprenne que non. Mais, avait-il ajouté, il aurait peut-être un peu de temps en début de soirée, du moment qu'ils se retrouvaient dans un lieu public. « Ne t'inquiète pas, Keith, tu n'es pas irrésistible à ce point. Et je viendrai avec un ami. » Ils avaient donc prévu de se retrouver à neuf heures et demie, au Vault, un club Downtown.

L'air nocturne, glacé, l'obligea à sortir de sa coquille. L'avenue s'étendait, feutrée, sous la première couche de neige. Il attendit une minute, debout, humant, l'oreille tendue vers l'imperceptible floc des flocons sur le sac de courses qu'il retenait contre sa hanche. À un demi-pâté de maisons, une silhouette s'était engagée dans le carrefour avec un chariot de supermarché. Le feu *DON'T WALK* s'alluma, diffusant une lueur rouge sur la neige. Plus haut, vers le nord, Keith aperçut les lumières d'une file de taxis accélérant dans la descente. Les chauffeurs y voyaient-ils, par ce temps ?

Il parvint à la hauteur de l'acheteur égaré juste à temps pour le pousser jusqu'au trottoir d'en face. C'était le vieil homme du supermarché, un petit chauve coiffé d'une casquette de pêcheur souillée.

— Hé, il faut faire attention, dit Keith.

L'homme cligna des paupières derrière ses verres épais ; il avait les yeux mouillés et défiants d'un animal de ferme. Il dit quelque chose d'une voix haut perchée qui évoquait l'espagnol mais dont les consonnes étaient complètement avalées. Keith se surprit à répondre au ralenti et avec un accent, comme s'il espérait rendre son anglais plus intelligible. Pour finir, après avoir montré plusieurs directions et formé des chiffres avec les doigts en une pantomime ridicule, il parvint à comprendre que l'homme habitait à quelques rues vers le sud.

En réalité, c'était sacrément plus loin que ça. Le vieil homme parvenait bien à progresser, mais au bras de Keith et dans la couche de neige qui s'épaississait, il avançait de mauvais gré et à tout petits pas traînants. Il fallut dix minutes pour parcourir les cents premiers mètres ; traverser la 59e nécessita plus de temps encore. Keith se demanda si, au lieu de lui venir en aide, il ne terrorisait pas le bonhomme – peut-être croyait-il qu'on le kidnappait. Silencieusement, il en appelait aux passants, mais ceux-ci étaient déjà occupés et peut-être – conscients de ce qu'il cherchait à leur imposer – faisaient-ils semblant de ne pas le voir. De toute évidence, Dieu avait décidé de remettre ce vieil homme entre les mains de Keith.

Quand ils eurent atteint le no man's land à l'est de la gare de Grand Central, Keith avait les mains engourdies, son sac de courses trempé menaçait de se déchirer. Il n'avait aucune idée de l'heure ; Samantha avait peut-être déjà cessé de l'attendre. Pour finir, devant un immeuble délabré, l'homme s'immobilisa.

— C'est là ? interrogea Keith. C'est là où vous allez ? *Seh la ou vou-zallez ? Domicilia ? La casa ?*

Prudemment, il relâcha sa manche. L'homme s'effondra contre les barreaux de la petite grille protégeant les poubelles de ce dont les poubelles avaient besoin d'être protégées. Ses doigts s'enroulèrent autour des barreaux.

— *Déjà allah li,* dit-il, du moins ça ressemblait à ça, et il lécha la salive sur ses lèvres.

Keith secoua un petit frisson de déjà-vu.

— Venez, monsieur, on y va.

Mais l'homme ne voulait pas lâcher prise.

— *Ja allah li,* insista-t-il.

Ou bien était-ce une question ? Il regarda par-dessus l'épaule de Keith, les yeux écarquillés de frayeur. Un taxi sauvage passa devant eux dans la rue enneigée. Obstiné, le vieux. Keith s'écarta et alla inspecter le hall d'entrée, espérant y trouver quelqu'un qui le connaîtrait et pourrait le faire entrer, si toutefois c'était bien son immeuble. Il vit une moquette constellée de brûlures de cigarette, de vieux annuaires de téléphone empilés contre un mur, l'indicateur lumineux d'un ascenseur arrêté au quatrième étage, mais pas âme qui vive. Qui pouvait bien laisser seul comme ça un homme au cerveau dérangé ?

Il se rappela, tout à coup, un volume des *Mille et Une Nuits* qu'il avait un jour acheté à Will pour Noël. Ou plutôt que Regan avait acheté en son nom. Couverture pelliculée, illustrations à l'aquarelle, reliure sentant la colle. Parfois, à son retour du travail, il lui faisait la lecture. L'histoire que Will réclamait toujours racontait celle d'un vieil homme qui demandait à un voyageur de l'aider à traverser la rivière. Une fois sur le dos du voyageur, il ne voulait plus redescendre. Will n'avait pas semblé troublé, mais Keith trouvait ça effrayant, surtout l'illustration ; la peau bleu pâle du vieil homme, ses jambes maigres étouffant la cage thoracique de son bienfaiteur devenu son esclave. Une allégorie de la paternité, peut-être, ou de l'amour romantique. Mais il ne se rappelait pas comment le sortilège finissait par se briser, car dans les contes tous les mauvais sorts ont une fin. Était-ce seulement la particularité des contes ?

Soudain, une jeune femme apparut devant lui, surgie de la neige. Les lèvres pleines, dominicaine ou boricua, elle portait une minijupe et des collants résilles qui ne devaient guère la protéger du froid.

— Isidor, dit-elle. Vilain garçon !

En l'amadouant, elle détacha doucement l'homme de la grille, comme on cueillerait une rose sur un treillage.

— Tu fais ton petit numéro à ce monsieur, c'est ça ?

De loin, les tremblements de l'homme ressemblaient à un hochement de tête triomphant. Elle se tourna vers Keith. Il constata qu'elle n'était pas jeune du tout – elle avait probablement le même âge que lui – mais elle avait mis du fard à joues et du mascara en couches si épaisses que dans les phares d'une voiture, mettons, elle aurait pu passer pour une figurante de film porno. Le rouleau de graisse qui apparaissait entre sa taille et sa parka, tel un excès de matière utilisée dans sa fabrication, ne fit qu'accentuer la tendresse qu'elle provoquait chez lui.

— Il fait ça avec tout le monde. Je ne sais pas pourquoi. Il marche très bien.

Ils regardèrent le vieil homme se diriger en traînant les pieds, les orteils en dedans, vers la porte de l'immeuble. Un ongle peint dessina un cercle au-dessus d'une oreille.

— *La locura.*

Après quoi, ayant une fois de plus considéré Keith des pieds à la tête, elle s'éloigna vers le coin de la rue de sa démarche chaloupée.

En la regardant partir, Keith fut frappé par la suprême ironie de la situation : il connaissait ce pâté de maisons. Là, au carrefour, se trouvait la boîte de strip-tease Lickety Splitz. Et juste à côté, l'hôtel où il venait avec Samantha, où les chambres se louaient à l'heure et devant lequel, après le travail, les go-go girls se mêlaient aux prostitués travestis de la 3ᵉ Avenue. Il perdit courage. Downtown, Uptown ; à quoi bon vouloir décider quoi que ce soit ? Il jeta son sac de provisions dans une poubelle défoncée et se mit à suivre la stripteaseuse. C'était, pensait-il, comme si quelqu'un avait pris la décision à sa place. Comme si son cerveau ne lui disait pas que chaque avenue dans laquelle il s'engageait pour leur échapper l'entraînait plus profondément à l'intérieur de ses péchés. La neige qui tombait tout autour de lui résonnait comme des bruits de pas derrière une tapisserie flamande ou comme des rires glottiques, légers, sinon les rires de Dieu le père, peut-être ceux de l'un de Ses anges, archanges, principautés, trônes, dominations, puissances, séraphins, enfant de chœur à Stamford il les récitait de mémoire. Quel était le dernier ? Un oiseau décrivit un arc au-dessus de lui, d'un toit à l'autre. Ah, oui, le chérubin, le cupidon, le petit angelot rieur.

4

U'ÉTAIT-IL VENU FAIRE ICI AU JUSTE ? Pourquoi ce jour précis, à cette heure précise ? (Et derrière ça, l'imperceptible et perpétuel carillon : Pourquoi moi plutôt que rien du tout ?) William Hamilton-Sweeney ne tarderait pas à revenir sur ces questions. Mais sur le moment il aurait répondu qu'il était allé à Grand Central pour la raison exacte qu'il avait donnée à Mercer : être seul. Depuis des années, il venait ici quand il avait besoin de penser ou de ne pas penser, d'agir ou de ne pas agir sur les choses auxquelles il pensait ou ne pensait pas. D'accord, il y avait aussi l'architecture et le reste, tout ce qui lui avait coupé le souffle dans sa jeunesse, les arches, les chandeliers, ainsi que la voûte bleue étoilée – au centre de tout – où les pigeons nichaient parmi les constellations. Mais la saleté avait depuis longtemps effacé les couleurs et les publicités détruisaient les perspectives. Ce qui demeurait, c'était l'impression que la vie de tout un chacun se désagrégeait jusqu'à se fondre dans la foule. Autrefois, la proximité de la tour de bureaux de quarante étages portant le nom de sa famille augmentait la menace du scandale, ou de la commisération, mais dans l'hypothèse où, en grimpant au premier niveau, il serait tombé sur quelque subalterne banlieusard de Papa, il y aurait eu peu de chances que l'homme se donne la peine de détourner les yeux du tableau des départs avant de foncer. Au contraire, avec les années, l'anonymat dont William jouissait en ces lieux était devenu plus puissant et plus total. À l'intérieur des cercles où William se mouvait à présent (dans la mesure où il se mouvait encore dans quelque cercle), traverser la frontière nord au-dessus de

51

la 14ᵉ Rue, du moins à l'est de la 8ᵉ Avenue, équivalait à disparaître derrière l'horizon terrestre.

William, posté au pied d'un escalier, attendait maintenant de savoir combien cette lettre et la trahison qu'elle représentait l'avaient secoué. Le souvenir du regard plaintif de Mercer menaçait de faire surgir celui de sa mère, et il fit alors ce qu'un professeur de dessin lui avait un jour appris, se couler dans le flot du monde, oublier ce que ses yeux étaient censés voir. *Tu es ce que tu perçois.* Il perçut des bas de pantalons salis par la poussière des escalators. Des portes au niveau de la rue qui s'ouvraient et laissaient s'engouffrer le son des clochettes des Pères Noël de l'Armée du Salut. Des particules dorées flottant dans des rectangles de lumière terne et crépusculaire, poussière de papier, de cendre de cigarette et de desquamations de peaux américaines. Les foules, occupées à ce qui devait les occuper en cette période de fêtes, n'en étaient pas moins une présence illusoire. Ces consommateurs pitoyables qui couraient chargés de leurs cadeaux de dernière minute se trouvaient, en réalité, déjà chez eux, à Westchester, ils avaient chaussé leurs pantoufles fourrées et regardaient flamber la bûche de Noël. Seule une âme rare pouvait réellement être *ici*, songeait William, lorsque du tunnel qui conduisait à la ligne 7 surgit un punk massif baptisé Solomon Grungy.

Il aurait eu du mal à ne pas attirer l'attention même sans les épingles à nourrice, sans l'uniforme de hockey d'un blanc éblouissant ou le gros sac de toile accroché à son épaule. Il mesurait un mètre quatre-vingt-quinze et son visage paraissait encore plus pâle qu'à l'ordinaire, sa bouche pincée comme celle d'un lapin. Avec un certain soulagement, William constata qu'il regardait encore par terre. Et puis, comme flairant le danger, il leva les yeux. Faire semblant de ne pas l'avoir vu eût été pousser trop loin la crédulité. Comme le monde serait plus simple si les gens pouvaient avouer ouvertement leur détestation mutuelle ! Mais le monde n'était pas ainsi fait. Et William croyait toujours, questions d'utopie mises à part, aux bonnes manières.

— Sol ! dit-il, en s'efforçant d'y mettre un peu de chaleur.

— Billy.

— De toutes les gares du monde…

Que le regard de Sol fût déjà à la recherche d'une porte de sortie indiquait que William avait l'avantage. *Idem* pour le maillot au logo des Rangers ; Sol était un punk orthodoxe, au crâne rasé, aux piercings multiples, couvert de tatouages (dans le cou, là, c'en était pas un nouveau ?), il aurait dû, par principe, rejeter le fascisme des sports d'équipe. Mais alors William se rappela son propre accoutrement, ce manteau ridicule qui balayait le sol quand il marchait. La chose serait presque certainement rapportée à son ex-némésis,

Nicky Chaos, auquel Sol servait de fantassin, d'échanson, d'avatar. Le truc consistait à conserver l'offensive, à faire en sorte que Sol ne remarque rien.

— Achats de dernière minute?

— Quoi? Oh.

Sol regarda son sac de toile comme s'il s'agissait d'un animal de la jungle tombé sur lui depuis le haut d'un arbre.

— Non, euh… entraînement. La patinoire gratuite la plus proche est dans le Queens.

— Le jour de Noël? Je ne savais même pas que tu jouais.

— Si, si.

Nul n'allait accuser Solomon Grungy d'avoir le sens de la repartie.

— Et je suis sûr que tu as l'étoffe d'un attaquant, dit William. Assure-toi seulement d'enlever ces piercings avant le match.

Pas de réponse.

— Mais comment ça va? Comment va Nicky?

Sol s'énerva; pourquoi tout le monde pensait-il toujours qu'il savait comment allait Nicky?

— J'essaie juste d'être poli. Je me demande seulement ce que vous faites, les gars, sans le groupe.

— Il y en a qui doivent travailler.

— Je n'ai pas le souvenir que Nicky faisait partie de cette catégorie. J'ai entendu dire qu'il s'est mis à la peinture.

— C'est bien toi, Billy, de penser que la peinture a encore un sens, alors que c'est la merde partout.

Et là, ayant enfourché le vieux cheval de bataille de Nicky, l'art opposé à la culture, Sol parut se détendre; on pouvait même voir une pensée tordue courir à grandes enjambées sur son visage, là où sur n'importe quel autre elle aurait voltigé comme un papillon.

— Mais je crois que Nicky avait l'intention de te parler. Ce qu'on veut, c'est reformer le groupe.

— Fous-toi de ma gueule.

Depuis sa conception, Ex Post Facto était le bébé de William. Enfin, le sien et celui de Venus de Nylon. Il était sorti de leur imagination cet été brumeux de 1973. William avait griffonné un manifeste et quelques chansons, ils avaient enrôlé deux amis pour la section rythmique, Venus avait trouvé aux puces de vieux uniformes de bowling, les avait retouchés pour leur donner une allure paramilitaire et ils les avaient revêtus pour aller à ce club où un Hells Angel qui habitait dans le même immeuble que William faisait parfois office de videur. Ils avaient joué à quatre lors de premières parties. Nicky

Chaos ne les avait rejoints qu'après leur premier enregistrement. Il leur fallait une deuxième guitare, avait-il insisté, bien qu'avec son talent musical à la basse Nastanovich fasse penser à un putain de Charlie Mingus. Non, Nicky voulait jouer de la guitare parce que William jouait de la guitare, peindre parce que William peignait. Parfois, il semblait que Nicky Chaos essayait d'être plus William que William, même si William faisait tout ce qu'il pouvait pour devenir autre chose. Sol changea son grand sac d'épaule et fit la grimace :

— C'est vrai. Nicky a organisé un concert de Nouvel An, un come-back.

— Comment il a pu faire ça ? Il a exactement zéro membre du groupe d'origine.

— J'ai une vraie sono cette fois, avec les façades.

Volées, probablement, connaissant Sol. Tout comme la tenue de hockey, à la propreté suspecte quand ses bottes étaient couvertes de boue et ses ongles en deuil.

— Et en plus on a Big Mike.

Ah. Ils avaient aussi volé son batteur. Et s'ils avaient Big Mike, qui d'autre pouvait leur barrer le chemin ? Venus s'en était lavé les mains, et Nastanovich ne se trouvait plus du tout en état de protester. Brusquement, William ne voyait plus ce à quoi il essayait de se raccrocher. Pourtant, cette indifférence de Nicky à l'égard des autres fit ressortir son côté autocrate.

— Bon, du moment que vous n'utilisez pas le même nom…

— Quoi ?

— Dis-lui qu'il peut avoir Big Mike, mais Ex Post Facto – ça, c'est à moi.

— Mais on a besoin du nom, mec. Comment crois-tu qu'on a eu un concert au Vault ?

— Je suis sûr que vous trouverez quelque chose. Nicky a toujours su s'y prendre avec les mots.

Un court instant, quelque chose de désespéré se fit sentir, un appel à une camaraderie qui n'avait jamais vraiment existé.

— Écoute, viens nous voir. Tu seras surpris.

— Je pourrais. Mais attends, tu n'as rien perdu ?

— Hein ?

— Ta crosse.

Il tendit le bras pour effleurer l'endroit où aurait dû se trouver la crosse de hockey sur l'épaule large de Sol. Son manteau bruissant devait être chargé d'électricité statique, car une petite étincelle jaillit entre eux, inaudible dans le bruit de la gare. Étrangement, le temps parut ralentir. Étrangement, à l'apex de son sursaut littéral, Sol, brusquement livide, laissa paraître une frayeur qu'il changea de force en un fac-similé acceptable du vieux ricanement Grungy.

— Je l'ai cassée sur la tête d'un mec qui m'a fait chier.

— Tu m'étonnes, dit William. Bon, à un de ces jours.

Sol hocha la tête – peut-être au Nouvel An ? – puis courut vers la ligne 6 en direction du sud.

Putains de fêtes. L'occasion de repenser sa vie, à ce qu'on dit, mais comment faisait-on quand les autres vous obligeaient sans cesse à redevenir la personne que vous étiez autrefois ? En ce moment précis, par exemple, William savait qu'il n'allait pas résister à la curiosité de savoir ce que tramait Nicky Chaos – tout comme il savait que, dans quelques minutes, il redescendrait dans les toilettes du sous-sol, à la recherche des diverses formes de libération exquise qu'elles promettaient. Pour être honnête, c'était probablement la première raison de sa venue ici. Mais dans ce cas, hormis la mascarade avec la tenue de hockey, quel était le prétexte de Sol Grungy ?

5

MERCER DÉFIT LE MAIGRE TAS DE PAGES du manuscrit, le posa face sur la table basse, et inséra un feuillet A4 dans le rouleau de la nouvelle IBM Selectric au bourdonnement accusateur. Depuis six mois maintenant, il laissait William croire qu'il s'agissait d'un rituel plus ou moins quotidien. Si, à son retour du lycée, William était dans le Bronx en train de réaliser son propre grand œuvre – un diptyque appelé *Evidence I et II* – parfait; Mercer pouvait en profiter pour cultiver son vignoble romanesque. Et si plus tard, pendant le dîner, Mercer refusait de parler des progrès du jour, c'était parce qu'il avait pour règle de ne pas en dévoiler les détails et non parce que ceux-ci n'existaient pas. De temps à autre, il lui arrivait vraiment de s'installer devant la vieille Olivetti, comme autrefois à Altana. Mais la plupart du temps, il s'allongeait sur le futon en compagnie d'un volume de Proust fatigué. L'angoisse de la page blanche, s'était-il répété. Mais cette angoisse avait-elle arrêté le vieux Marcel? C'était probablement le synonyme de l'impossibilité de s'atteler à la tâche, et à peine aurait-il effleuré les touches virginales, son cervelet s'embraserait, les lettres de feu surgissant sous ses doigts pour enflammer la page. Au retour de William, le miracle de Noël serait accompli – le mensonge exorcisé à tout jamais, la substance des mois d'inertie convertie en création.

Mais les choses ne se passaient pas comme dans les romans, et le néant continuait à venir. Les dernières lueurs du jour défilaient en cortège devant les meubles d'occasion, l'affiche de *Les hommes préfèrent les blondes*, le chat tigré en odalisque sur la Magnavox à antennes, le lino découpé autour de la kitchenette, le petit miroir placé au-dessus de l'évier parce que les toilettes se trouvaient dehors, dans le couloir, partagées par tout l'étage (une autre bizarrerie du temps où l'immeuble abritait une fabrique). Les cendres du dîner de Noël étaient comme des pièces exposées dans le musée de ses échecs personnels.

Ce qui mesurait bien la nature dérivative de la distraction chez Mercer – distraction de la distraction –, c'est qu'il n'entendit pas qu'on montait l'escalier jusqu'au moment où la poignée de porte grinça. La nuit était tombée, celui qui cherchait à entrer ne dessinait qu'une silhouette derrière le verre bosselé et il se tenait de façon étrange. Un drogué halluciné penché sur sa lame? Un milicien blanc voulant à lui seul chasser les Noirs du quartier? C'était William. Il ouvrit la porte et alluma le plafonnier, éclairant sa lèvre fendue, son œil droit tuméfié et fermé. Sous le manteau qui lui couvrait les épaules, une attelle de fortune lui plaquait le bras droit contre la poitrine. Dans la microseconde vertigineuse avant de bondir, Mercer oscilla entre présent et passé, entre *eros* et *philia*.

— Seigneur, William, que t'est-il arrivé?

— C'est rien.

Sa voix provenait de très haut dans sa poitrine, d'un endroit dont Mercer ignorait même l'existence. Il détourna la tête tandis que Mercer l'examinait de près.

— Mon Dieu! Ce n'est pas rien!

— Ne dramatise pas. C'est juste une entorse. Ça va guérir.

Mercer fourrageait déjà dans son nécessaire à raser à la recherche de mercurochrome, remède dont Mama se servait quand C. L. rentrait dans le même état. Le salaire du péché. Faisant asseoir William sur le futon, il pencha la lampe articulée, dirigea son visage vers la lumière et écarta du pouce une mèche de cheveux noirs emmêlés. Il y avait une autre coupure sur le front et une ecchymose grosse comme le poing.

— Et bien sûr, tu ne vas pas me raconter ce qui s'est passé.

William était pâle. Il tremblait un peu.

— Je t'en prie, Mercer. Je suis tombé dans un escalier.

On lui avait plus sûrement volé son portefeuille. William aimait taquiner Mercer sur sa «peur de l'homme noir», mais la seule fois où Mercer s'était laissé entraîner au nord de la 110e Rue – travers de porc chez Sylvia, et Patti LaBelle à l'Apollo –, leurs conditions de vie, à l'aune de la pauvreté, lui étaient apparues comme carrément luxueuses. Des clochards parcheminés se grattaient dans les portes cochères en le regardant comme une espèce de

Benedict Arnold... Il passa doucement le mercurochrome sur la coupure. William retint sa respiration.

— Aïe !

— Bien fait, chéri. Me faire mourir de peur comme ça. Maintenant ne bouge plus.

Ce soir-là et toute la dernière semaine de 1976, William refusa de voir un médecin. Typique, pensa Mercer. Secrètement, néanmoins, il avait toujours admiré l'indépendance de son amant : le sourire qui ne le quittait pas même pendant les dîners entre amis, au cours des disputes les plus enflammées, et les messages en morse que sa main semblait lui transmettre en se posant sur sa cuisse sous le bord blanc de la nappe, cet air d'innocence insondable. Vivre avec lui, c'était jouir du privilège de voir la face que la lune nous cache toujours. Et en soignant les blessures de William – œil poché, côtes contusionnées, entorse qualifiée par lui-même de « légère » – Mercer recommença à croire que, à condition de s'y prendre comme il fallait, William finirait peut-être par dépendre de *lui*. Il plaça la télévision dans le coin chambre. Il prépara des plats élaborés, sans souffler mot quand William préférait s'empiffrer de bonbons. Luttant contre sa tendance naturelle, il ne chercha pas à lui tirer les vers du nez. Et le soir du Nouvel An, lorsque William déclara finalement qu'il ne tenait plus en place et qu'il allait passer une ou deux heures à l'atelier, Mercer ravala ses reproches et le poussa vers la porte.

Dès qu'il fut seul, Mercer débarrassa du mieux qu'il put le plan de travail repliable et sortit la petite table à repasser. Dans le placard près de la porte, il prit le smoking de William ainsi que son propre costume, celui qu'il portait à son arrivée à New York et qui, il s'en rendait compte à présent, lui donnait l'air d'un courtier en assurances. Il avait réservé à neuf heures dans ce petit bistro déconstructionniste Downtown que William avait tant apprécié l'été dernier. Peut-être pourraient-ils sortir après, juste tous les deux. De fait, ils n'étaient pas allés danser depuis longtemps. Il s'attaqua méthodiquement aux faux plis puis coucha les vêtements sur le couvre-lit. Ils ressemblaient à des poupées en carton : la veste de smoking blanche de William et son propre costume couleur chocolat se touchaient à peine aux poignets, à l'endroit où se seraient trouvées les mains. Mais quand le téléphone sonna, il sut avant même de décrocher qui serait au bout du fil.

— Où es-tu ? demanda-t-il sans pouvoir s'en empêcher. Il est presque huit heures.

Changement de programme, expliqua William. Il lui avait raconté, n'est-ce pas, être tombé sur une vieille connaissance qui lui avait dit que Nicky et les autres donnaient leur premier concert ce soir avec leur nouvelle formation ? Il estimait de son devoir d'aller constater par lui-même que c'était un désastre total.

— Tu devrais venir. Ce sera comme de regarder le Hindenburg.

On entendait des voix derrière lui.

— Tu es déjà avec des gens, on dirait.

— Je suis dans une cabine, Mercer. Une Chinoise est en train d'essayer de me vendre des cigarettes de sa camionnette.

Il y eut des bruits étouffés et en effet il entendit William, à quelque distance du combiné, dire : *Non. Non, merci.*

— Mais oui, j'ai pensé qu'on pourrait retrouver des gens au club. Tu n'auras pas besoin de payer. Bullet sera devant la porte.

— Bullet me fait peur, William.

— Je ne peux pas ne pas y aller. Il faut que je voie de mes propres yeux l'étendue de la parodie.

— Je sais, mais je me disais qu'avec ce bras pas tout à fait guéri...

— C'est du punk rock, Merce. Viens comme tu es.

Le bruit de fond s'intensifia. Une télévision ou une radio semblait faire l'article pour quelque chose, mais ce dont il s'agissait exactement se perdait dans les kilomètres de câbles. Perception visuelle à distance. Perception auditive à distance. Quelqu'un d'assez proche pour couvrir même les publicités riait ou toussait. Pour la première fois, Mercer reconnut consciemment qu'il lui arrivait de se demander si William le trompait.

— Tu sais quoi ? Je me sens un peu mal fichu.

— Qu'est-ce que tu racontes ?

— Un peu endolori. Grippé.

Trop de détails ; le secret du mensonge, il le savait, c'était de ne jamais paraître trop désireux de convaincre. Mais il voulait que William soupçonne le bobard, rentre à la maison et lui parle en face. La seconde qui passa suffit à Mercer pour comprendre qu'il ne le ferait pas. Sa voix s'enfonça dans les graves.

— Tu ne veux pas au moins rentrer te changer ?

— Pourquoi tu ne viens pas, chéri ? Lâche-toi un peu.

— Je te l'ai dit, je ne me sens pas bien. Je vais me coucher.

Après cela, le silence devint audible ; le câble s'en empara, le tritura jusqu'à lui faire produire un son, un léger bourdonnement cotonneux.

— Alors ne m'attends pas. On rentrera sûrement tard.

— Qui, on ?

— Prends soin de toi, Merce. Bois beaucoup de liquide. Je te verrai l'année prochaine !

Dans une nouvelle éruption sonore – des rires, à coup sûr – la communication se coupa, et il n'entendit plus que la tonalité.

Mercer regagna le coin chambre où gisaient les deux vestes. Il avait voulu l'arranger, présenter à William une charmille du bonheur ; maintenant cette perspective lui était retirée et il ne voyait plus, en chaussant ses lunettes, que l'air jeune que lui renvoyait le miroir du mur. Non pas une jeunesse sexy et androgyne, comme le voulait la mode du moment, mais pour être franc, plutôt ingénue. Son ventre lisse, la peau foncée en contraste avec l'élastique blanc de son slip. Il avait cru que le malaise qu'il ressentait parfois en public avec William s'expliquait par la honte de… disons, de ce qu'ils étaient. Mais il se demandait à présent si ce n'était pas plutôt la peur qu'aux yeux de William il ne soit rien d'autre que sa peau noire. Que les gens le voient comme un trophée. Leurs meilleurs moments, ils les avaient connus ici, dans cet appartement, où ils ne jouaient que pour eux-mêmes : les rêves racontés, les parties de Scrabble disputées, les émissions sportives appréciées (William) ou tolérées (Mercer). Derrière lui, reflété dans la glace, gisait le sapin desséché. Et sur le radiateur, cette foutue enveloppe.

Il n'y avait pas touché depuis Noël, mais il la prit : crémeuse, le grain dense, son parfum (au milieu des odeurs de litière du loft) évoquant une substance si précieuse qu'elle n'existait que dans les livres – myrrhe, peut-être, ou mandragore. Le fer était encore assez chaud pour l'ouvrir à la vapeur. La carte, il l'avait deviné, était une invitation. *Les Gould richement emblasonnés*, avait dit William de sa belle-mère et de son oncle, la seule fois qu'il avait parlé d'eux, la semaine où Mercer avait découvert que, oui, il était bien l'héritier, maintenant désavoué, des Hamilton-Sweeney. *D'Azur au club de golf*. Il recopia l'adresse avant de resceller l'enveloppe. Sur la bobine de câble servant de table basse, William avait laissé une bouteille de ce whisky de seigle qui avait toujours eu pour Mercer des connotations littéraires, évoquant Robert Burns et Salinger. Il en prit une gorgée exploratoire, puis une autre. Il fut incapable de reconnaître aucune des sensations légendaires de suavité et de sophistication. Peu à peu, cependant, il sentit la cuirasse d'une détermination intraitable.

Il se glissa dans le smoking de son amant puis dans le manteau que William avait laissé, préférant son blouson de cuir – presque comme s'il avait su par avance. Il entortilla le nœud papillon de William autour de sa main, espérant avoir mal. Il but. Quand la personne dans la glace lui parut suffisamment étrangère, il sortit à la hâte, de peur de changer d'avis. Impossible de trouver un taxi dans Hell's Kitchen après la nuit tombée, d'autant plus quand on se fondait soi-même dans la nuit. Mais le froid rendait l'air transparent, de sorte qu'il pouvait voir, deux longs pâtés de maisons plus loin, le globe vert à demi cassé du métro. Les branches d'un unique arbre survivant, un poirier de Chine stérile, se détachaient en blanc. Derrière, dans un tourbillon de neige, le sommet de l'Empire State Building flottait dans une lumière arachnéenne et Mercer sentit quelque chose d'autre flotter en lui – ses espoirs, peut-être. Cette année d'existence passive touchait à sa fin. Ce soir, il prenait les commandes et il en ressortirait quelque chose de grand. Il le fallait. Oui, cette année, l'Année de Mercer, tout serait différent.

6

ÉTANT UNE HAMILTON-SWEENEY, Regan avait pénétré trop profondément dans ce que cela représentait pour en saisir la portée. À ses yeux, la maison de Sutton Place où elle avait grandi n'offrait guère de différences avec celles de ses camarades de classe : vaste, rassurante, mais pas de façon ostentatoire. Papa travaillait de longues heures, ainsi William et elle en avaient eu l'entière disposition. Dès son année de troisième, elle en connaissait tous les recoins, les cachettes les plus sûres, elle savait quelles fenêtres laissaient entrer le soleil au maximum à quelles heures du jour, et cela aurait pu continuer éternellement, comme un village à l'intérieur d'une boule de neige, eux trois (ou quatre, en comptant Doonie, leur cuisinière et, de fait, nounou), reclus dans la limpidité hermétique laissée par la mort de sa mère, si les Gould n'en avaient pas décidé autrement.

Elle en était venue à les considérer ainsi, comme un tout – *les Gould* –, alors même que Felicia était d'abord arrivée seule. Un soir, on avait dressé la table pour quatre, et voilà qu'elle était apparue dans le hall : une femme minuscule, frêle comme un oiseau, dont Papa avait pris lui-même le manteau. Il avait présenté son « amie » à Regan qui les observait depuis l'escalier et qui n'avait pas eu besoin d'autres indices – la façon dont les mains avides de Felicia frôlaient le dossier des chaises et les tables, distinguant déjà les valeurs sûres des autres, purement sentimentales, ou les regards entendus de Doonie, la tête qu'elle secouait en pinçant les lèvres. Et puis, quelques mois plus tard, ce fut au tour d'Amory d'apparaître, comme un poing sorti d'un gant en chevreau. Il allait rejoindre la société, avait annoncé Papa, après une succession inhabituelle de verres de vin. À l'autre bout de la table, William dissimulait son irritation sous une épaisse couche d'obséquiosité. Le frère de Felicia ne voulant pas se montrer moins servile, le dîner était devenu une sorte de tournoi de gladiateurs rivalisant d'hypocrisie, sous le nez de Papa qui souriait sans discontinuer, comme s'il était assis à une autre table installée dans un rêve délicieux.

Papa n'avait pas tardé, de sa propre initiative selon lui, à estimer que les dons de William seraient mieux cultivés en pension. *Tu vois ?* avait dit William, au téléphone depuis le Vermont, en révélant le surnom qu'il leur avait trouvé. *Les Goules jouent serré.* Elle l'avait mis sur le compte de sa paranoïa, mais en vérité, quand William était absent, Amory et Felicia venaient plus souvent. Et lorsque Papa l'avait finalement demandée en mariage, Felicia s'était préparée à installer tout le clan dans ce château de l'Upper West Side.

Ou peut-être n'était-ce pas un château, difficile à dire. Perché au sommet d'un immeuble de brique, il restait invisible depuis la rue, de telle sorte qu'on ne le voyait jamais que de l'intérieur – comme sa propre tête, se dit Regan devant l'entrée le soir du Nouvel An. Il n'y avait pas de numéro d'appartement, et le terme « penthouse », merci Bob Guccione, n'eût pas été digne du nom de famille, dont naturellement Felicia s'était emparée. Il fallait dire qu'on venait « pour les Hamilton-Sweeney ». Jamais ces cinq syllabes n'avaient paru à Regan aussi étrangères. Derrière leur comptoir, le portier et un collègue regardaient une petite télévision, ce que Felicia n'approuverait guère, supposa Regan. Mais avant même que les yeux du portier quittent l'écran, elle se reprocha cette condescendance. Comment s'appelait-il ? Manuel ? Miguel ?

— Pour la soirée, précisa-t-elle.

Sa façon de la regarder lui donnait une conscience aiguë de certaines parties de son corps auxquelles elle ne songeait pas, les clavicules nues sous son manteau, le triste décolleté qu'une broche en forme de papillon s'efforçait de dissimuler, les mèches échappées d'un chignon qui lui chatouillaient la nuque. Elle devait ressembler à une lycéenne qui se serait mise sur son trente et un pour le bal de fin d'année. Et pourquoi Miguel l'aurait-il reconnue ? Elle évitait cet endroit autant que possible. Mais récemment, la mémoire de Papa ayant commencé à faiblir, elle venait plus souvent pour lui faire apposer sa griffe sur divers papiers. En outre, depuis un mois, elle n'était plus la même personne ; elle était célibataire.

— Je suis Regan. La fille.

— Oui, Madame Regan.

Il baissa les yeux sur sa liste, comme pour vérifier malgré tout qu'elle n'appartenait pas à une cellule terroriste cherchant à infiltrer l'appartement.

— Je vous fais monter tout de suite.

L'ascenseur était à l'ancienne mode, avec sa grille en accordéon et cette impression désagréable de flottement. Il disposait d'un tabouret à côté des leviers qui actionnaient le moteur, mais Miguel resta debout. Regan ne trouvait rien à dire. La grille se replia, révélant un hall d'entrée haut de plafond et vide, hormis le grand Rothko bleu accroché au mur et, de part et d'autre, deux hautes, comment les appelait-on…?, torchères, peut-être, couronnées chacune d'une flamme nourrie à l'alcool à brûler.

Au cours de la décennie, la soirée du Nouvel An de Felicia n'avait guère changé. C'était comme avec ce jeu, un-deux-trois soleil. On tournait le dos pendant un an, la vie continuait, mais quand on se retournait, on retrouvait une scène immuable. Les mêmes quatre cents personnes, les mêmes conversations, les mêmes rires alcoolisés sur les mêmes blagues éculées. Seule différence, le thème. Un thème, croyait Felicia, imposait une mesure de discipline à un corps social autrement indocile. L'année dernière (mon Dieu, s'était-il vraiment passé si peu de temps?) elle avait choisi «Les Nuits hawaïennes», et par conséquent à la place de ce qui décorait généralement les tables basses, on avait posé des vases d'oiseaux de paradis et des coupes d'ananas gluants, couverts de colle scintillante. Des guirlandes d'orchidées véritables, envoyées par avion du Pacifique, s'entrecroisaient le long des balustrades. La silhouette menue de Felicia disparaissait presque entièrement dans sa jupe en raphia. L'année précédente, il y avait eu quelque chose d'ibérique. Regan ne se rappelait que les kilomètres de velours et les culottes de toréador. Et que signifiaient ces torchères? *Que la lumière soit? Let me stand next to your fire*[1]. Si Keith était venu, il se serait amusé à le deviner, mais une fois entré, en se mêlant aux autres, il n'aurait eu aucun mal à dissimuler combien tout ça lui paraissait frivole. Sans Keith, la perspective d'affronter Papa et les Gould lui donna envie de retourner aussitôt se réfugier à Brooklyn Heights et de passer la soirée avec la baby-sitter. La moitié des cartons dans le nouvel appartement n'étaient pas encore ouverts. Trop tard. Miguel avait probablement déjà regagné son bureau et elle se retrouvait là, sur le seuil, seule. Elle accrocha son manteau dans le vestiaire de l'entrée, sans un regard pour celui qu'on avait prévu à gauche dans le hall. Elle se sentait encore coupable quand elle bénéficiait d'un traitement particulier. De plusieurs pièces

---

1. Allusion à la chanson de Jimi Hendrix, «Fire» (1969): «Fais-moi une place près de ton feu.» *(Toutes les notes sont de la traductrice.)*

plus loin lui parvenaient les accords avinés du piano. Elle décida de plonger, prit une profonde inspiration et se dirigea vers eux.

Elle ressentait toujours le même effet de surprise : cette vague de bruit dès qu'elle approchait la grande salle de réception, la légion d'invités. Les pièces de tissu vert qui drapaient les murs lui rappelaient un match auquel son père l'avait emmenée, des années auparavant, avant la démolition du Polo Grounds et sa conversion aux Yankees – les halls obscurs, infestés de pigeons, piqués de carrés lumineux vert vif au-delà desquels s'étendaient l'été, l'humanité et la vie. À la différence que, dans la lueur d'une demi-douzaine d'autres torchères, le vert évoquait l'antre d'un démon irascible. Les conversations montaient jusqu'aux voûtes du plafond. En dessous, chaque invité portait un loup, comme dans la *commedia dell'arte*. Encore une fois, son estomac se noua : personne ne lui avait précisé qu'on devait porter un masque. De toute manière, elle n'en voyait pas bien l'intérêt ; suffisait-il vraiment qu'un bout de visage – les pommettes, l'arête du nez – soit couvert pour que les gens ne se reconnaissent pas ? Non, la véritable fonction de ces masques était de confirmer à l'hôtesse qu'elle avait imposé sa volonté à l'assemblée. Face à Felicia, on ne pouvait adopter que deux attitudes viables : la fuite sans retour, celle que William avait choisie, ou la soumission.

À cet instant précis, l'apparition d'un Scaramouche à côté d'elle lui donna la chair de poule. Le faux nez, long et couvert de furoncles, semblait remuer de façon suggestive.

— Mon Dieu, dit-elle en posant la main sur sa poitrine. Vous m'avez fait une de ces peurs.

Sous le masque, la voix produisait un son laborieux et nasal. Il n'était pas plus âgé que son fils, de toute évidence, et elle ne comprenait pas ses paroles.

— Quoi ?

— J'ai dit : puis-je vous en offrir un ?

Elle baissa les yeux : sur le panier qu'il lui présentait s'empilaient des masques de Lone Ranger en plastique noir bon marché. Pour être polie, elle en prit un et passa l'élastique autour de sa tête. Sans lui laisser le temps de le remercier, le môme s'était éclipsé.

Les domestiques ne manquaient pas. Ils paraissaient même plus nombreux que les invités. Les canapés circulaient à hauteur d'épaule. Derrière le bar disposé le long de chaque mur, un couple de Polichinelles armés de shakers s'efforçait de répondre à la demande à la manière d'un organisme doté de quatre bras. Regan attendit son tour. De fait, elle se sentait plus à l'aise depuis qu'elle portait un masque, elle aussi. Malgré la silhouette en robe de cocktail reconnaissable à sa maigreur, aucun invité ne semblait savoir qui elle était. Nul ne devinait chez elle la retardataire, la nouvelle directrice des RP de la société, l'héritière désignée et plus jeune membre du conseil d'administration, et personne ne lui avait parlé de Keith ou des enfants. Elle pouvait très bien continuer comme ça pendant une heure et ensuite rentrer. Ôter ses souliers, s'abaisser à boire un peu de Gallo, mettre Carly Simon en sourdine pour ne pas réveiller Will et Cate... et aller jeter un coup d'œil à leurs visages, éclairé chacun par un rai de lumière venu du couloir, avant de regagner le salon et de faire la fête à sa façon, le genre de fête où on pouvait pleurer si on en avait envie. Son analyste serait fière.

Son tour venu, elle prit un verre de champagne et pivota sur ses talons. La foule s'ouvrit et lui offrit la première image de la femme de son père, éclairée à contre-jour par une cheminée de pierre si grande qu'on aurait pu pénétrer à l'intérieur. Devant l'écran de flammes, le corps de Felicia paraissait flou, excepté son masque dont les paillettes rouges scintillaient savamment. De chacune de ses tempes partaient des plumes de paon. Et puis la fête l'engloutit de nouveau. Regan n'aurait su dire si Felicia ne l'avait pas vue ou si elle avait fait semblant. Dans un cas comme dans l'autre, elle s'en félicitait, mais il était vexant que ce soit toujours Felicia qui domine la situation. Enhardie par le masque, ou peut-être par le champagne qui lui chatouillait l'arrière-gorge, Regan prit un autre verre sur un plateau de passage puis, sans se rappeler avoir traversé la pièce, attendit que Felicia ait pris les mains du dignitaire ou du potentat avec qui elle s'entretenait. C'est en pressant vos mains dans les siennes qu'elle vous faisait comprendre que vous pouviez disposer.

Quand l'homme se retira, Regan et sa belle-mère se retrouvèrent face à face. Les yeux de Felicia semblèrent reculer dans le magnifique plumage, et une fois là, bien à l'abri, se risquer à la voir. Voir, en effet, ne représentait-il pas toujours un risque? Regan ressentit l'assaut de la sagesse, d'une vérité surgie du fond d'elle-même, jusque-là endiguée, et qui se manifesta comme une aura au moment où Felicia lui tendit les bras.

— Regan, chérie, c'est toi? Je te reconnais à peine!

— Et toi, tu es époustouflante. Ce masque, c'est quelque chose.

— Oh, c'est juste un accessoire de carnaval que ton père a rapporté des tropiques la dernière fois. Maintenant il faut que tu me donnes ton opinion sincère sur le décor, je sais que la plupart des gens diraient n'importe quoi pour rester dans mes bonnes grâces. Les temps sont durs, mais nous y avons mis plus de moyens que jamais.

Plus de moyens venant de Papa, autrement dit. Plus que les moyens dont Regan aurait disposé si elle n'avait pas depuis longtemps renoncé à sa part de la fortune Hamilton-Sweeney.

— Une fois encore, tu t'es surpassée, dit-elle. À propos de Papa... il est quelque part ?

— Je lui ai conseillé de ne pas réserver son billet de retour le soir du réveillon. Je lui ai dit, Bill, on ne sait jamais. Chicago ? La façon dont la tempête souffle depuis ces lacs sans prévenir ? Amory et moi avons vécu à Buffalo des dizaines d'années. Un hiver, un vrai, nous savons ce que c'est.

— Je croyais que la clinique se trouvait dans le Minnesota. Que faisait-il à Chicago ?

— Une escale. Sa secrétaire a appelé à quatre heures pour prévenir que la piste ne serait dégagée qu'après la tempête de neige, à neuf heures au plus tôt, et c'était il y a...

Elle consulta sa montre, un ravissant modèle en or.

— ... une heure. Naturellement, je ne me suis même pas *approchée* d'un téléphone depuis. Je pense que cette vague de froid ne tardera pas à parvenir jusqu'à nous.

— Et tu as maintenu la fête ?

— Évidemment. Ne pas le faire eût été irresponsable. Ces gens comptent tous sur nous.

Les yeux semblaient vouloir sortir de leurs terriers pailletés. Le reste de la pièce disparaissait dans le brouillard.

— Mais où est passé ton mari ? Il est toujours si amusant, en société.

— Keith ne viendra pas ce soir, je ne crois pas, dit-elle d'un ton calme.

— Mmmm ?

Regan avait depuis longtemps renoncé à analyser la boîte noire qu'était le mariage de son père, et elle ne savait pas si, en privé, leur attachement prévalait sur une intimité publique désormais relativement tiédie ; néanmoins, il semblait à Regan impossible de s'être engagée sur le chemin du divorce sans que la rumeur soit parvenue à Felicia. Comme tout régime autoritaire, celui des Gould dépendait d'un réseau actif d'informateurs. D'ailleurs, jeune homme, Amory avait servi dans le Bureau des services stratégiques avant de se tourner vers le secteur privé.

— Nous avons décidé de nous séparer. À l'essai.

Regan détestait toutes les formulations possibles, y compris celle-là, dès qu'elles franchissaient ses lèvres. *Une parenthèse. Remettre les choses en perspective.* Étrange à dire, cependant, le cortège attendu des émotions semblait marquer une pause ; les lèvres de Felicia s'entrouvrirent et Regan eut l'impression qu'elle voulait ôter les masques. Peut-être ne savait-elle *rien*, en fin de compte. Mais ce fut de courte durée.

— Tu en as informé ton père, je pense.

— Bien sûr.

— Il a toujours été un connaisseur avisé du cœur humain.

— Papa *adorait* Keith.

— Oui, c'est bien ce que je veux dire. Nous serons tous tristes de le perdre. Dis-le-lui quand tu le verras, veux-tu ? Mais bien sûr nos pensées vont vers toi et les enfants.

— Tout ira bien pour les enfants. Ils savent s'adapter à ce genre de situation, comme tu t'en souviens probablement. Je ne vois pas pourquoi Papa ne t'en a pas parlé, même dans son état.

La fête avait retrouvé ses contours nets. La foule devenait visiblement dense, c'était un grouillement de bras et d'épaules en habit de soirée. Tout près, un plateau laissait dans son sillage un fumet de viande rôtie. De nouveau, on malmenait le piano. On continuait à le malmener.

— Je me demande si ce n'est pas pour cela qu'Oncle Amory promène ce soir un air sinistre. Il te cherche, tu sais. Il s'agirait du conseil d'administration, quelque chose ayant trait à la société, ce à quoi je ne comprendrai jamais rien. Mais où est-il donc passé ?

Sans craindre le ridicule, la petite femme se dressa sur la pointe des pieds comme si se hisser de quelques centimètres lui permettrait d'apercevoir son frère dans la foule. Regan fut soulagée de la voir redescendre avec, sur ce qu'elle montrait de son visage, un air de déception peut-être trop manifeste.

— Eh bien, je ne sais pas. Mais tu vas tomber sur lui à un moment ou un autre avant la fin de la soirée, c'est certain. Il tenait absolument à ce que tu restes jusqu'à ce qu'il ait pu te parler.

Regan ne lui accorderait pas la satisfaction de voir qu'elle se sentait menacée.

— Je suis sûre que tu as beaucoup de gens à qui parler, je vais aller reprendre un verre.

— Bien sûr.

— Mais, encore une fois, tu t'es vraiment surpassée. Y a-t-il un thème, à propos, un fil conducteur ?

— Tu n'as pas reçu l'invitation ?

— Je devais être pressée, j'ai dû la lire un peu vite.

— Le Masque de la Mort Rouge. Une petite plaisanterie de mon frère. La peste et que sais-je encore, dit-il. Il a un sens de l'humour peu ordinaire.

— Très cocasse.

— Merveilleux de te voir, Regan.

C'était la conversation la plus longue qu'elles aient eue depuis des années, et sûrement la plus déconcertante, de sorte qu'à un certain moment Regan avait baissé sa garde, du moins en ce qui concernait les mains, et Felicia fondit sur elle. Ses doigts se refermèrent sur ceux de Regan, glacés, telles des plantes carnivores. Elle parvenait à exercer une pression colossale.

— Et, Regan chérie, il faut garder la tête haute. C'est notre lot à toutes dans la vie et c'est celui des hommes d'être des créatures incorrigibles. Mais au bout du compte qui sait ce qui est le plus difficile?

Ils *savaient* donc, pensa Regan en se mêlant à la foule, avec plus d'appréhension que d'amertume. Quand elle se retourna, sa belle-mère était redevenue une forme noire qui se détachait contre la cheminée, tel un fagot de petit bois en attente des flammes.

Échapper à Amory Gould n'avait jamais été chose facile, et ce soir ne faisait pas exception. La salle de réception présentait des dangers évidents; le taux d'occupation et d'alcool augmentait aux approches de minuit et il pouvait se tapir derrière n'importe quel masque. D'un autre côté, les petits espaces n'étaient pas plus rassurants. Elle s'enferma un long moment dans les toilettes mais elle ne pouvait pas y rester éternellement et quand la balance l'invita à se peser, chose interdite par le Dr Altschul, elle se réfugia dans une pièce voisine habituellement réservée à la musique (et d'où parvenaient les sons du piano). Le dos appuyé au mur elle but son troisième verre de champagne. Accroche-toi jusqu'à minuit, se dit-elle. Une heure encore et tu auras fait ton devoir. Sur une table drapée d'orange, une télévision colorait l'obscurité. Dick Clark n'avait pas vieilli depuis l'époque où elle allait à la fac. Un homme changea de chaîne pour mettre le football. Ça dérange quelqu'un?

— Je vous en prie, dit-elle.

Si, quinze ans auparavant – disons le week-end au cours duquel avaient été annoncées les fiançailles de son père et de Felicia dans la maison de vacances des Gould à Block Island –, on avait suggéré qu'elle exercerait un jour un quelconque pouvoir sur ces gens, les hommes en pantalon de gabardine, les femmes en foulard et en corsaire, elle ne l'aurait pas cru. En coulisses, dépourvue de la prolixité de son frère, elle faisait plutôt tapisserie. C'est ce qui l'avait attirée vers le théâtre à Vassar : vos dialogues, quelqu'un les avait déjà écrits. Et pourtant, la veille de son mariage, Papa lui avait proposé d'entrer au conseil d'administration de la société. Il avait dû remarquer tout le poids qu'elle avait perdu, et deviné qu'elle n'était pas heureuse (dans leur théologie commune, cela revenait à une faiblesse spirituelle). «Rien ne t'y oblige », lui avait-elle dit. Ils avaient échangé un long regard. Il lui faisait confiance, avait-il affirmé. C'était comme s'il avait gardé cette place pour William, son héritier mâle, mais qu'il venait brusquement de juger Regan apte à l'occuper. De toute façon, elle n'allait pas faire carrière au théâtre ; elle était une Hamilton-Sweeney, bon sang !

Durant toutes ces années de réunions mensuelles du conseil d'administration, elle s'était montrée discrète mais diligente, et puis l'été dernier, au moment même où le Dr Altschul avait suggéré à Regan, maintenant que Cate rentrait à l'école, de trouver comment mieux employer son temps, le poste dans un service en difficulté, celui des Relations Publiques et des Collectivités, se trouva libre. Elle avait insisté pour passer un entretien comme tout le monde, mais le résultat était couru d'avance. Elle ne voyait pas de meilleure candidate ; montrer les choses sous leur meilleur jour était plus ou moins ce qu'elle s'efforçait de faire tout le temps.

D'un autre côté, elle ignorait si le départ de son prédécesseur à la direction des Relations Publiques n'avait pas été décidé par Amory, car décider, c'était sa fonction première. Naturellement, on ne voyait pas exactement les décisions se prendre ; on le voyait simplement courir d'un coin à l'autre de la pièce, agile comme un calmar, brouillant les pistes... et on devinait ensuite son ingérence parce que les choses s'étaient déroulées selon sa volonté. Les jeunes collaborateurs le surnommaient le Frère Démon. Quand on travaillait assez longtemps pour la société, on finissait par sentir sa présence à la fois partout et nulle part, comme un déiste envisage Dieu. Mais selon elle, son génie consistait en partie à n'intervenir qu'en cas de véritable nécessité. Elle n'avait personnellement senti son pouvoir de décision qu'à une seule occasion, au cours de ce lointain week-end à Block Island. Il était encore jeune, et son visage luisait dans les flammes dansantes des torchères quand il lui apportait des cocktails fruités dans des coupes en forme de tikis polynésiens, les mains douces et insistantes sur sa taille. Elle n'avait pas remarqué les nuages noirs qui s'amoncelaient déjà vers l'ouest, sur l'horizon bleu.

D'une certaine façon, ils ne s'étaient jamais dissipés. Et quand sa voix lui parvint depuis le couloir, à une dizaine de mètres, cette voix reconnaissable, forte et douce, lançant à quelqu'un qu'il « revenait tout de suite pour voir le score », elle se sentit rapetisser. Elle pressa la flûte de champagne sur sa joue pour faire descendre sa température, le pied du verre se prit dans l'élastique de son masque, l'arrachant à son agrafe. Le masque tomba. Une des femmes la regarda d'un air réprobateur. D'accord, elle était peut-être ivre, mais où en était la solidarité féminine ? La porte des toilettes se referma dans le couloir, lui laissant entrevoir une possibilité de fuir. Elle vida son verre, le posa sur la surface la plus proche et quitta la pièce. Amory n'était nulle part. Derrière elle, la salle de réception devenait une maison de fous. Dans la direction opposée, les portes battantes de la cuisine se détachaient en blanc. Elle courut, espérant disparaître avant qu'Amory n'émerge des toilettes. Mais les invités semblaient se multiplier, refluer vers le centre de la fête. Pire, elle était sans masque. Les autres années, ils avaient été heureux de parler à Keith, avec qui on pouvait bavarder de tout et de rien. Avec Regan, ils n'échangeaient pratiquement aucun mot. Maintenant qu'il était urgent pour elle de parvenir à l'autre bout de ce couloir, des mains lui caressaient les manches. Regan, tu es superbe, si mince! Comment va Keith? Où est Keith? Ce qui signifiait, supposait-elle: *La rumeur est-elle vraie?* Elle avait perdu, semblait-il, sa capacité à donner des réponses évasives. Elle crut entendre la chasse d'eau. «Très mal, en fait, nous allons divorcer», balança-t-elle. Et, sans attendre la réaction, elle courut vers les portes battantes.

La cuisine se réduisait à un office étroit, tout en longueur, visiblement mal assorti au reste de la maison, jusqu'au moment où on comprenait que c'était la seule pièce que les invités n'étaient pas censés admirer. À l'époque où Regan s'imaginait pouvoir y passer les après-midi à compatir avec Doonie, Felicia avait renvoyé la cuisinière, préférant la sienne. Regan s'était alors résignée à demeurer une proscrite, refoulée avec les riches derrière la porte. Il y avait maintenant six ou sept femmes à la peau noire. Elles œuvraient à différents plans de travail, essuyant la vaisselle, pétrissant la pâte qui embaumait la levure. À la différence des serveurs qui entraient et sortaient, elles ne portaient pas de masques. Et tout au bout, assis à une petite table encombrée de bouteilles de vin, il y avait un Noir en veste blanche dont personne ne s'occupait. Il avait remonté son visage artificiel sur le front et, même ivre, il lui suffit d'une seconde pour reconnaître les traits véritables en dessous : joues rondes, lunettes sans chic, dents de lapin.

— Monsieur Goodman? C'est vous?

Elle avait oublié que les Noirs pouvaient rougir. Il murmura quelque chose qu'elle ne saisit pas bien puis, l'ayant fait se lever, elle lui offrit sa joue à embrasser. La cuisinière la plus proche eut un regard désapprobateur. Regan s'assit, décidée à faire croire qu'elle et l'amant de William – car à l'évidence il était son amant – se connaissaient depuis longtemps.

— Ne me dites pas que vous l'avez convaincu de venir! Où est-il?

Elle le chercha du regard.

— William? Il, euh… ne sait pas que je suis là. Pas exactement.

— Pas exactement? interrogea-t-elle, découragée.

— Non. J'ai décidé de venir à sa place. C'est une longue histoire.

Il examina l'une des bouteilles de vin. L'humidité produite par toutes ces vapeurs de cuisson commençait à décoller l'étiquette. À voir la tristesse qui émanait de lui, elle en oublia la sienne.

— Mais que faites-vous ici ? Ne devriez-vous pas côtoyer le beau monde ? Norman Mailer est là, vous savez.

Elle donna une tape sur la manche de sa veste trop étroite. Peut-être était-ce un geste exagérément familier, car elle ne l'avait rencontré qu'une seule fois, mais au moins *quelqu'un* ici n'avait aucun devoir de loyauté envers les Gould.

— Ça n'a pas duré dix minutes. Une femme m'a donné ça.

De sa poche il sortit une serviette froissée, un minuscule baluchon de nourriture à peine entamée.

— Je crois qu'elle m'a pris pour un serveur.

— La veste de smoking n'a pas dû arranger les choses. C'est celle de William ?

Le sourire de Mercer, malgré son embarras, était adorable, en effet.

— Vous trouvez que c'est trop ?

— Au moins, vous aurez une bonne histoire à raconter, une fois retourné à votre autre vie. Moi, je n'ai rien à retrouver. Mon autre vie, c'est celle-ci.

— Elle vous va bien, me semble-t-il.

— Oui ?

Elle porta les mains à ses joues. Les unes ou les autres – mains ou joues – étaient encore brûlantes, mais elle ne savait vraiment pas lesquelles. C'était généralement le signe que sa tête et son corps coupaient le contact.

— C'est l'alcool. À propos, on devrait boire quelque chose.

Elle avait pris une bouteille de vin sur la table et son regard balayait les plans de travail à la recherche d'un tire-bouchon.

— Êtes-vous sûre de vouloir un autre verre ?

Elle fouilla dans un tiroir, sans voir autour d'elle les mines accablées des serveurs.

— Pour fêter nos retrouvailles. Quelle merveilleuse surprise.

Impossible de mettre la main sur un tire-bouchon, mais là, au milieu des élastiques, des goupillons et des pinceaux, le désordre caché du foyer de Felicia, apparut un petit couteau suisse. Elle en déplia les divers appendices. Tire-bouchon, tire-bouchon… On aurait imaginé que les Helvètes auraient prévu cette éventualité, mais elle ne réussit qu'à trouver une longue lame fine. Elle l'enfonça dans le bouchon et se mit à tirer dessus, un peu frénétiquement.

— Euh, Regan ? dit Mercer en venant à son aide.

LIVRE I

C'est alors que la lame du couteau se replia vers le manche. Il y eut un moment, après que le tranchant de l'instrument avait pénétré la peau et la chair de son pouce (mais avant que les signaux d'alarme aient franchi les vastes distances neurochimiques pour parvenir jusqu'à elle) où il aurait pu s'agir du doigt de quelqu'un d'autre, ou d'un organe en cire. *Meeerde*, pensa-t-elle. Ça a l'air profond. Et puis il y eut un pétillement presque audible au moment où le futur qu'elle projetait – boire le vin; lever son verre en compagnie de Mercer Goodman; quitter la fête sans qu'Amory tombe sur elle – s'évapora et où le pouce devint son pouce. Le sang jaillit, une éruption, un flot, retombant entre eux sur le marbre gris-blanc. Constater que ce liquide épais et rouge provenait bien de son corps avait quelque chose d'incongru. Elle avait toujours pensé que sa vie ne lui appartenait pas, et voilà qu'elle palpitait au-dedans d'elle. Il y avait toujours cette seconde de quasi-vertige avant la conscience de la douleur.

7

C HARLIE AVAIT ESSAYÉ DE RÉAGIR comme si ce soir rien n'était bien grave – comme s'il passait sa vie dans les clubs – alors qu'en réalité il comptait sur Sam pour lui servir de sherpa dans cette contrée où il s'imaginait que l'attendaient cordes en velours et boules à facettes. Au lieu de quoi il se retrouvait complètement seul, au fond d'une salle plongée dans le noir, étouffante, aussi bondée qu'une rame de métro. La scène se dérobait à lui; il ne voyait que des épaules, des nuques, des têtes et, dans les interstices, à l'avant, une aura lumineuse, parfois un micro, un poing ou un jet de... – c'était quoi? de la salive? – projetés en l'air. Dans le chaos musical, sans album où distinguer les plages successives, il ne savait plus où se terminait une chanson et où commençait la suivante, ni même s'il entendait vraiment des chansons. Le mieux à faire, c'était de regarder dans la même direction que les autres, sautiller sur un semblant de rythme et espérer que nul ne remarquerait sa déconvenue. Et d'ailleurs qui remarquerait quoi que ce soit? Tout au fond, il n'y avait que le barman. Charlie ôta son blouson et voulut nouer les manches autour de sa taille comme ils faisaient tous à l'école, mais le vêtement, lesté par le bas de pyjama dans la poche, tomba au sol; maintenant on le regardait, une fille, et il dut faire semblant de l'avoir laissé tomber exprès, tant la musique le passionnait. Affichant son air le plus maussade, il s'efforça d'imaginer quelle tête on avait quand on était en transe.

— Ah! Ce fils de pute! dit la fille à la fin du set.

C'est à lui qu'elle parlait?

— Quoi ?

— Mortel, non ?

De la musique enregistrée beuglait maintenant dans la sono ; on avait rallumé un enchevêtrement de guirlandes de Noël au-dessus du bar, dédoublées par les surfaces du long miroir vierges de peinture aérosol, et la foule refluait vers eux, comme de l'eau dans un bol. La fille était grande – mais pas aussi grande que Sam – et bien en chair sous un maillot des Rangers trop large. Elle avait un visage doux et féminin.

— Je crois que tu marches sur un manteau.

— Oh, je... C'est le mien.

Il se baissa pour le ramasser dans une flaque, en espérant seulement que c'était de la bière. Quand il se releva, la fille était en train de se livrer à une pantomime frénétique pour communiquer avec quelqu'un à l'autre bout de la salle. Selon toute vraisemblance, elle se moquait de lui ; Charlie crut détecter le symbole universel traduisant l'ivresse – pouce dirigé vers la bouche, petit doigt levé comme une trompe d'éléphant. Bon, qu'elle aille se faire foutre.

— Je vais aller me mettre là-bas, dit-il.

— Non, attends.

Elle lui saisit le haut de la manche.

— J'adore ta façon de danser. T'as l'air de te foutre complètement de savoir si on te regarde. Pas comme ces petits étudiants poseurs qui essaient d'avoir l'air cool. Maintenant, les gens ont peur de se déchaîner comme ça.

Elle doit avoir *pris* quelque chose, pensa Charlie, pour que ses yeux soient aussi vitreux et que les lumières de Noël s'y reflètent comme de pauvres étoiles ; ça lui donnait l'air plus âgée et plus cool que lui. Il haussa les épaules.

— C'est juste que c'est mon groupe préféré.

— Get The Fuck Out ?

— Pardon ?

— Si tu aimes Get The Fuck Out, attends un peu le groupe vedette.

Charlie eut honte de son erreur. Pas étonnant qu'il ne les ait pas aimés tant que ça.

— Non, c'est ce que je disais. Ex Post Facto. Ou Nihalo.

— *Nihilo*, avec un *i*.

— Oui, c'est ça. C'est les meilleurs.

— Vraiment ? Mon copain s'occupe de la sono. Je peux te faire entrer backstage. Mais il faudra que tu me rendes un petit service, toi aussi. Oh, putain, j'adore cette chanson. Viens danser avec moi.

— Je ne sais même pas comment tu t'appelles.

— Appelle-moi S. G., lança-t-elle par-dessus son épaule en forçant le passage au milieu d'un flot de punks.

— Charlie, marmonna-t-il.

Et puis le disque changea. Une voix s'éleva dans les enceintes, avec les intonations d'une vieille amie : *Jesus died/For somebody's sins,/but not mine*[1]. Dans le miroir couvert de graffitis au-dessus du bar, il avait toujours l'air dépassé, mais quelqu'un, semblait-il, ne le voyait pas ainsi et rien à foutre si elle était un peu trop grosse. Son seul regret, c'était que Sam ne puisse pas assister à ça.

Ils dansèrent près d'une planche en bois qui courait le long du mur à hauteur d'épaule. Charlie ne l'aurait pas remarquée s'il n'y avait eu des tas de verres en plastique alignés là comme des lemmings, diversement colorés par la glace en train de fondre. Il en prit un pour que S. G. ne devine pas qu'il était mineur. Lui-même avait du mal à se rappeler qu'il n'avait que dix-sept ans, jeune pousse timorée germant dans ses rangers. Quand la chanson approcha la vitesse de libération, Charlie en fit autant. Incroyable, ce n'était plus le même endroit que celui où il se sentait tellement seul quelques minutes auparavant. Il y avait des gens partout, musqués, funky, ondoyants. Et cette nana douce et gironde en maillot trop grand pour elle, qui petit à petit venait plus près, et quand par accident il lui toucha les nichons, elle se contenta de sourire, comme s'il y avait une télé sur le mur derrière lui et qu'elle avait vu quelque chose d'amusant. Charlie vida ce qui restait de liquide bleu translucide ; le palais anesthésié, la peau du visage comme flottant sur son crâne, il passa les bras autour d'elle.

— Je suis content que tu sois venue me parler, cria-t-il.

Il était en train d'expérimenter la sagesse ou la bêtise consistant à expliquer qu'il s'était fait plaquer lorsqu'elle lui posa un doigt sur la bouche.

— Attends. C'est le meilleur moment.

Il laissa passer la demi-seconde où il aurait pu se sentir vexé et s'abandonna au reste de la chanson, au bourdonnement planant dans la salle enfumée et palpitante, cheveux collés au front, le blouson à la main comme un accessoire de pom-pom girl.

À la fin du disque, Charlie regarda les Nazgûl qui circulaient autour d'eux et dont pouvait faire partie le copain dont il venait de se souvenir. Il ne savait pas trop ce qu'on attendait de lui à présent ; son entrejambe s'éveilla

---

1. Patti Smith, album *Horses*, sorti en 1975 : « Jésus est mort pour les péchés de quelqu'un, mais pas les miens. »

joyeusement lorsque, dans la partie invisible à hauteur d'épaules, elle le toucha du dos de la main.

— Alors, hé, Charlie, ce petit service. T'en as ?

— J'en ai ?

— De ce que t'as pris. Car, quoi que ce soit, j'en veux.

— Euh… je suis à court.

C'était Sam qui achetait les drogues, quand il y avait des drogues disponibles. Il n'aurait pas su à qui s'adresser, hormis aux garçons du lycée qui vendaient des comprimés de Valium chipés dans les armoires à pharmacie de leurs mères. Et maintenant la fille allait s'en aller, dégoûtée ; sa main déjà s'écartait de son entrejambe.

— La poisse, dit-elle en rejetant ses cheveux en arrière. Parce que tu ne l'aurais vraiment pas regretté.

Elle ne paraissait pas spécialement accablée. Peut-être était-elle déjà trop défoncée.

— Bon, Sol trouvera sûrement quelque chose, si tu veux venir backstage avec moi. Il me faut juste dix dollars.

Sol, c'était ce mec un peu débile que Sam connaissait. Alors c'était bien lui qu'il avait vu dehors, finalement.

— Attends. Solomon Grungy est ton copain ?

— Ouais, l'ingénieur du son. Tu disais que c'était ton groupe préféré.

Au même instant les lumières s'éteignirent. La musique enregistrée se tut en plein milieu d'une syllabe. La foule reflua vers le devant de la scène, manquant le renverser. « Écoutez-moi, bande de minables… », commença une voix, la suite se noyant dans le rugissement qui s'éleva tout autour de Charlie. Il fut poussé en avant et bien que la foule augmentât en densité à chaque pas – son avance fut stoppée à quelques mètres de la scène par un mur de blousons de cuir cloutés –, jamais, excepté le jour de sa bar-mitzvah, il ne s'était retrouvé aussi près d'une musique live. La puissance brute du son monophonique abolit jusqu'à la dernière impression laissée par ces connards en smoking. Une avalanche, glissant à toute vitesse, brisant arbres et maisons comme des jouets, emportant tous les sons sur son passage pour les anéantir dans un rugissement blanc. Tout comme Charlie se sentait aspiré à l'intérieur, entièrement, incapable de dire si c'était bien ou mal – incapable même de se poser la question. Dans leur version Ex Post Facto de l'album, les chansons étaient tendues et anguleuses, chaque instrument en concurrence avec les autres : la batterie spasmodique, la basse laconique, et la Farfisa étincelante de Venus de Nylon. C'était, surtout, le fossé qui séparait le chant parlé, le pastiche d'anglais et le brame de guitare passionné qui subjuguait

Charlie. C'était comme si la guitare articulait la souffrance que le leader, Billy Three-Sticks, ne pouvait pas se permettre de nommer. Tous les musiciens de la couverture avaient disparu, hormis le batteur. Il y avait une guitare entre les mains d'un Noir aux cheveux verts, une autre passée au cou épais qui venait d'apparaître au-dessus de lui. C'était le nouveau chanteur du groupe, devenu l'ami de Sam. Cheveux noirs coupés ras, farouche, stature énorme. Quelqu'un qui *faisait* des choses, avait-elle dit au téléphone, laissant planer l'ambiguïté. Son visage en sueur, blanc et grimaçant, à quelques centimètres à peine de lui, se penchait au-dessus de la foule. Il semblait promettre une liberté totale, en échange d'une capitulation totale. Et la capitulation, Charlie Weisbarger s'en était fait une spécialité. Il avait les mains posées sur des épaules d'inconnus. Il s'élançait vers le chanteur en lui renvoyant les mots qui jadis n'appartenaient qu'à Sam et Charlie : *City on fire, city on fire/One is a gas, two is a match/and we too are a city on fire*[1].

Et puis tout s'arrêta. Lumières rallumées, la salle à bout de souffle. Une voix désincarnée annonça que le groupe reviendrait à minuit pour son second set, et Charlie sentit son corps se contracter douloureusement pour reprendre sa taille normale. En guise de médicament, il prit un verre à moitié vide sur l'étagère le long du mur, mais c'était surtout de la glace fondue. Et là, il aperçut S. G. D'un côté de la scène, elle parlait avec un autre type aux airs de motard. Ce fut au tour de Charlie de lui prendre le bras. Il fallut à la fille une minute pour le reconnaître.

— Quoi ?

— On devait aller backstage, non ?

— Je croyais que tu t'étais barré.

— J'ai un billet de vingt dans mon portefeuille. Ne m'oblige pas à te supplier.

Haussant les épaules, elle se retourna vers le motard.

— C'est cool si mon copain vient aussi ?

Le type, en bâillant, décrocha une corde rouge mitée.

Le backstage se révéla un soubassement labyrinthique éclairé par des ampoules nues, si encombré d'objets divers, d'affiches et de lambeaux de vieux flyers qu'on ne voyait même plus sa couleur d'origine. Ils parvinrent à une pièce au plafond bas, avec une bonde incrustée dans le sol et, seules concessions à une forme de convivialité, des bougies votives et un canapé-lit

---

1. « Ville en feu, ville en feu / Un c'est le gaz, deux l'allumette / et nous aussi on est une ville en feu. »

couleur de morve où le chanteur était affalé. Vu de la porte, il semblait tronqué, sa taille étroite s'élargissant sur des jambes épaisses qui à leur tour se terminaient sur de grosses bottes de combat. Il avait un petit bouc, une dent de devant ébréchée et à partir du cou, la peau couverte de tatouages. Sur le devant de son tee-shirt sans manches, on avait tracé au marqueur noir les mots *Please, Kill Me*. Il sembla reprendre vie à la vue de S. G. Il tapota le coussin à côté de lui.

— Hé, toi, viens ici.

En deux pas, elle avait traversé la pièce et atterri à genoux sur le canapé. Elle mit son bras autour des épaules du chanteur puis regarda en direction de la porte, l'air vaguement victorieuse. Charlie, brusquement, avait oublié ce qu'on faisait de ses mains.

— Vous avez été bons, les mecs. Oh, Nicky Chaos, c'est, euh…

— Charlie, dit Charlie.

Devait-il ajouter autre chose? *Super concert*? Oh, non, pas *Super concert* – tout sauf ça! De toute façon, Nicky Chaos n'aurait même pas entendu. Il avait rapproché sa tête de la fille pour chuchoter quelque chose. Charlie ne savait plus sur quel pied danser; il avait cru que son petit ami, c'était Sol Grungy. Il ne pouvait pas s'en aller sans avoir l'air d'abdiquer, mais il ne pouvait pas rester sans qu'on s'aperçoive qu'il n'avait aucune raison de s'éterniser. Dans le couloir derrière lui des membres de Get The Fuck Out déménageaient des guitares et des amplis. De plus loin, lui parvenait le bourdonnement de la foule, distordu par le sol en ciment. L'œil de Nicky se posa de nouveau sur lui:

— Tu vas dire quelque chose, Charlie, ou tu vas te contenter de regarder?

— Qu'est-ce que tu voudrais que je fasse?

C'était sorti comme ça, vraiment, et de façon sincère: Charlie était prêt à faire ce qu'on attendait de lui. Mais, même à ses propres oreilles, sa réplique trahissait le petit malin. Nicky Chaos devint intensément fixe, comme s'il essayait de prendre une décision.

— On peut lui apporter une bière, dit-il enfin, bien qu'il parût en fait s'adresser à Charlie. Il me plaît, ce môme.

Quelqu'un venu du couloir posa une bière glacée sur l'épaule de Charlie. Le Noir aux cheveux verts, le guitariste. Charlie s'efforça d'empêcher ses mains de trembler, mais la canette de bière s'éloigna à la vitesse exacte avec laquelle il voulut la prendre, comme avec les mecs dans le LIRR. Et puis, ça s'arrêta. Ses doigts, reconnaissants, se refermèrent sur la canette.

Quand il regarda de nouveau vers le canapé, S. G., la tête sur un coussin, semblait dans les vapes. Le chanteur la regardait comme il aurait regardé un tas d'argent déposé sur ses genoux.

— Et comment tu connais notre amie, là, Charlie ?

Charlie rougit.

— On vient de se rencontrer.

— Bon, si tu as l'intention de la toucher, assure-toi de mettre au moins trois capotes, dit le guitariste derrière lui, d'un ton sec.

— Hé, Tremens, c'est de ma copine que tu parles, dit une autre voix dans le couloir.

C'était un skinhead incroyablement grand, des épingles à nourrice embrochées sur les sourcils et les deux oreilles, l'air d'avoir sucé un citron. Pas d'erreur : Solomon Grungy, à qui Charlie avait déjà eu le grand déplaisir d'être présenté, le 4 juillet dernier. Il lui avait paru intimidant, mais il ressemblait maintenant à un Nicky Chaos édulcoré. Pareillement bâti, mais plus grand, plus pâle, moins chevelu. Et moins intelligent.

— Bon, alors tu ferais bien de l'éloigner de Charlie. Je crois qu'elle s'apprêtait à le sucer.

Charlie fixa le mur pendant que Sol l'examinait. Reniflait.

— Je te connais. De cet été. Tu es le chien-chien à Sam. Tu te ferais même pas sucer par un aspirateur.

Tremens éclata de rire, mais Nicky, glacial, ordonna qu'on lui fiche la paix.

— Ouais, d'accord, dis-lui de ne pas s'approcher de ma copine, fit Sol.

Après quoi, tournant les talons, il s'éloigna en marmonnant quelque chose à propos de la console.

— Il semblerait qu'on fasse une nouvelle crise de jalousie, dit Nicky, s'adressant à la fille qui, ayant entendu quelque chose, avait ouvert les yeux. C'est contre-révolutionnaire. Pré-post-humain. Il va falloir que tu fasses quelque chose pour lui.

Puis, à l'adresse de Charlie :

— Hé, tu te décides à la boire ?

Charlie descendit la moitié de sa bière, conscient qu'à tout instant ils pouvaient se fatiguer de lui, lui demander de partir, et après, fini de *traîner* avec Ex Quelque chose. Big Mike, le bassiste, venait d'entrer, en compagnie du nouvel organiste, tous deux hochant la tête en apercevant Charlie comme s'ils s'attendaient à le trouver là. Les Rheingold exhalèrent un soupir de contentement quand on les ouvrit et on lui en mit une fraîche dans la main. Il se demanda d'où elles venaient : un réfrigérateur, une glacière, un arbre en aluminium aux fruits inépuisables poussant dans ce lieu de miracles qu'on appelait « backstage ».

Les écouter parler du public lui rappela que c'était leur premier vrai concert. *Ce pédé de galerie de Bruno était là, tu l'as vu ? Et les Angels de*

Bullet, ils font peur, ces mecs, ils font peur. Et les dissertationnistes, ta Brigade Nietzsche. Mais quelqu'un a vu Billy? Ce con est sans doute trop... Hé!...

Tout ce temps-là, la fille sur le canapé, revenue à la position assise, fixait Charlie.

— Alors tu connais Sam? Tu me l'as jamais dit.

— Ouais, c'est ma meilleure amie.

L'intérêt de Nicky sembla grandir, mais Charlie avait le sentiment qu'il tentait de le dissimuler.

— Sam Cicciaro? Elle est ici, avec toi?

— Oui, enfin, elle était avec moi, mais elle a dû courir Uptown pour s'occuper d'un truc. Hé, les mecs, vous savez où se trouve la station IND 72e Rue? Je suis censé la retrouver là si elle ne revient pas sous peu, fit-il d'un air important. Je ne voudrais pas rater le deuxième set, mais...

S. G. se mit debout.

— Justement, il faut que j'aille empêcher Sol de faire des conneries avant qu'il sabote vos morceaux. Viens, D.T. Tu vas être trop bourré pour jouer.

Charlie fit mine de suivre la fille et le guitariste, mais elle l'arrêta:

— Sol peut se montrer très possessif. C'est peut-être pas une bonne idée qu'il te voie avec moi.

Des rires cascadèrent dans l'espace clos de la pièce.

— Non, je...

Mais elle l'avait planté là. Il voulait expliquer aux nouveaux venus: *Elle a été gentille avec moi*, au lieu de quoi il se surprit à dire:

— Elle allait me faire...

Nicky Chaos s'esclaffa et il n'en fallut pas plus pour noyer la haine de soi qui y allait de sa petite musique.

— C'est bon, mec.

Quelqu'un d'autre dit:

— Mec, Charlie est un bébé.

— Il te faut un pseudo, mec.

— Un pseudo?

— Oui. Comme ta copine. Que dis-tu de Backstage Charlie?

— Charlie Brown. Charlie Baby, reprit Nicky, lancé dans une association libre. Charliemagne. Le Charmeur de Serpents.

— Ou Charlie Pipe. Chuck Fellatio.

Charlie ne voyait pas ce qu'il y avait de si drôle, ni s'ils riaient avec lui, de lui, ou s'ils le charriaient... Il trouvait rassurante la main de Nicky Chaos posée sur son épaule.

— Viens, Prééééésident Mao. Je veux te montrer quelque chose.

Charlie fit semblant de ne pas le voir cligner de l'œil et se laissa entraîner plus profondément dans les entrailles du club. Il n'y avait pas d'arbre à bière – rien que des plafonds toujours plus bas, des ampoules nues et des papiers tue-mouches.

— Gaffe où tu mets les pieds, dit le chanteur.

Toutes sortes de détritus craquaient sous leurs pas : câbles électriques, os de poulet, mystérieux morceaux de brique. Une certaine nervosité recommença à gagner Charlie. C'était, comment disait-on déjà, *sépulcral*. Catacomb-esque. Ils franchirent le seuil d'un cabinet de toilette sans porte au sol carrelé.

— On a encore un set à jouer, dit Nicky Chaos. Tu sais ce que ça veut dire ?

Il sortit de sa poche un sachet en plastique. « Vavavooomm ! »

Cet été-là, avec Sam, Charlie avait eu dans la tête une ligne claire, comme une ligne sur une bande de papier tournesol. Elle marquait la limite entre les jeux auxquels ils s'adonnaient avec des substances réglementées et les drogues dures. Liquides ambrés, champignons grisâtres, bonbonnes rouge vif de crème Chantilly, capsules d'analgésiques d'un bleu laiteux qui lui donnaient l'eau à la bouche : tout était permis (excepté les fins confettis verts provenant de Washington Square, une herbe de mauvaise qualité qu'il ne pouvait pas fumer à cause de son asthme). Mais ils ne touchaient pas à tout ce qui était blanc. Il avait vu *Panique à Needle Park* ; cette merde détruisait des vies. Seulement, il ne s'était jamais imaginé ici, dans le sous-sous-sol d'une ancienne banque, seul avec un homme qui allait, à tout instant, lui proposer de sceller leur amitié. C'était comme si cette pochette de papier cristal grande comme le pouce contenait non pas de la drogue ordinaire, mais quelque substance magique, un œil de salamandre couleur de craie ou de la poudre de défense de narval.

L'envoûtement s'exerçait aussi sur Nicky Chaos. Ses gestes auparavant expansifs étaient maintenant contrôlés : il serra étroitement le robinet qui gouttait, il ôta son tee-shirt et s'en servit pour essuyer toute trace d'humidité sur le lavabo. Avec tous ces tatouages, son corps de superhéros ressemblait à Visible Man, l'Écorché, mais il agissait avec un parfait naturel – inconscient même de la présence de quelqu'un avec lui. Charlie comprit aussitôt qu'il monterait sur scène comme ça, emporté par le moment, demi-nu, et que son absence d'intérêt pour les amabilités ferait partie de son pouvoir. Il avait le visage tendu et concentré, mais aussi vide d'expression. Il pinça le sachet, l'ouvrit, et se servit de l'index pour verser une petite quantité de poudre blanche sur le bord du lavabo en acier. Un canif sortit de sa poche arrière et, du dos de la lame, il partagea la poudre en deux monticules distincts, un petit et un grand, c'était ce qui brillait le plus dans la pièce. Le couteau tomba en cliquetant dans le lavabo, restant ouvert et bien visible tandis que Nicky se tournait vers Charlie, tel un nouveau riche faisant visiter son domaine aux membres de sa famille restés pauvres.

— T'as déjà pris de la coke?

Amplifiée par le carrelage sale, la toux de Charlie explosa comme une petite grenade. Au-dessus de lui, quelque part, la musique pulsait.

Il mentit.

— Oui, bien sûr, une fois.

— Alors, attaque.

Charlie eut soudain une vision fugitive de lui-même, édenté et dormant dans un carton, mais autre chose aussi était à l'œuvre, la séduction profonde, la fascination d'un long et lent plongeon dans un bassin vide, et les visages de tous ceux qui l'avaient laissé tomber et qui regardaient, regrettant leur impuissance à l'arrêter. Le visage de Maman. Le visage de Sam.

— Oh, tu peux y aller le premier.

— Hospitalité, *hombre*. Les invités passent avant les hôtes.

Charlie prit une inspiration et baissa la tête jusqu'au lavabo. On mettait un doigt sur une narine, pensait-il, et il suffisait de renifler d'un seul coup. Mais derrière lui, quelqu'un d'autre regardait depuis le seuil.

— Oh, fiche la paix à ce gosse, Nicholas.

C'était un homme de petite taille vêtu d'un blouson de cuir; il avait une masse d'épais cheveux noirs et sous un bras serrait bizarrement une pochette de disque. Le côté droit de son visage était tuméfié, l'œil gonflé et violacé, raison pour laquelle il fallut une minute à Charlie pour reconnaître le grand Billy Three-Sticks.

— Seigneur, que t'est-il arrivé? demanda Nicky, qui s'était aussitôt redressé, au garde-à-vous.

— C'est l'histoire d'un mec qui entre dans un bar.

— Je savais que tu avais un Père Fouettard, mais pas au sens littéral. C'est vraiment ça? Le fouet?

— Rien n'allait m'empêcher d'assister à vos dernières bouffonneries.

— Tu es sacrément généreux de ton temps, dit Nick avec un peu d'agressivité.

— Pur égoïsme. Je tenais à vérifier que vous n'alliez pas salir mon nom.

— Ton nom, tu as refusé qu'on le garde, tu te souviens? Mais tu vas être heureux d'apprendre que ça a été foutrement *énorme*. Vas-y, dis-lui.

Nicky poussa Charlie du coude, mais Billy Three-Sticks ne se laissa pas impressionner.

— C'est qui ton ami, là ? Tu veux vraiment t'amuser à corrompre la jeunesse ? Hé, si tu as un peu de jugeotte, petit, je te conseille de ne pas t'approcher de ces tocards.

— Il dit qu'il fait ça tout le temps. Et puis, tu peux parler, toi.

— D'ailleurs, reprit Billy, tu dois garder la tête claire. À ce qu'on dit, tu as l'intention de finir en pleine gloire. Simple et radical, non ?

Nicky se figea. Dans l'espace qui les séparait l'air sembla soudain raréfié.

— Qui t'a dit ça ?

— Comment, qui m'a dit ça ? La boule tombe dans une demi-heure. D'après Bullet, tu nous prépares un véritable feu d'artifice pour la fin du dernier set. Un big bang du feu de Dieu.

Nicky se détendit, mais son armure avait souffert.

— Billy, on peut encore essayer, tu sais, reformer le groupe. Il n'est jamais trop tard pour changer.

— Pour être franc, je suis simplement soulagé de voir Ex Nihilo en chair et en os ; je soupçonnais un peu qu'il y avait une ruse. J'allais oublier… Je t'ai apporté un cadeau de Noël tardif.

Billy lui tendit l'album qu'il avait sous le bras.

— Considère ça comme un gage de paix, si tu veux. C'est un truc profond, mais en écoutant bien, tu comprendras le message.

Dans un élan obscur, Charlie voulut dire à Billy Three-Sticks de ne pas céder ou abandonner si facilement, mais il n'ouvrit pas la bouche, car ce qui se déroulait ici ne le concernait pas. Et Sam aurait tourné de l'œil si elle avait su qu'elle ratait ce bras de fer, Ex Post Facto, Ex Nihilo. Et soudain, la mémoire lui revint : *Minuit moins le quart… Sam !* Il voyait le tableau : elle attendait devant une sortie de métro sous la neige oblique, elle regardait à gauche, à droite, seule. Sous ses yeux, le petit tas de neige scintilla puissamment, une dernière fois, mais même la promesse des feux d'artifice de Nicky n'était pas assez puissante pour rivaliser avec la pureté de la vision de Charlie, qui était la pureté des rêves.

— Je viens de me rappeler, dit-il. Il faut que j'y aille.

En franchissant le seuil, il bouscula l'homme qu'une minute plus tôt il n'aurait pas osé toucher, mais qui paraissait diminué par ce qu'il venait de céder à son remplaçant. Une fois dans le couloir, et là seulement, il se retourna, de sorte que la dernière image qu'il garderait, avant de s'engouffrer dans le dédale des sous-sols et de remonter les escaliers, serait celle des deux hommes, un grand et un petit, penchés sur le lavabo, deux talmudistes, glosant à voix basse de son contenu.

8

LE BANC AVAIT PRATIQUEMENT DISPARU dès les cinq ou dix premières minutes, ses lattes vert bouteille devenues d'une blancheur pareille à la blancheur accumulée en dessous. À présent, le vent ayant gagné en vitesse, la fourrure qui bordait sa capuche lui rentrait dans la bouche, mais elle s'en apercevait à peine, tout comme du vent, ou de la neige, ou même du fait que Charlie n'était pas encore arrivé – parce qu'il finirait par arriver, telles étaient la beauté et la tragédie de Charlie. Son attention se portait plutôt sur les globes de lumière ouatée dans la rue devant l'immeuble, et sur la porte du hall d'entrée huppé. Dès qu'elle s'ouvrait, elle se penchait un peu… mais il en sortait toujours un couple élégant, qui s'engouffrait dans la tempête en direction d'une limousine noire et luisante, au moment même où, comme obéissant à un ordre secret, elle s'arrêtait le long du trottoir. Sam finit sa cigarette et resserra son manteau autour d'elle, plissant les yeux dans une volute de fumée. Elle avait pris une résolution : demain, elle arrêtait de fumer, elle arrêtait de se réveiller avec cette douleur sifflante dans les poumons, elle arrêtait d'allonger cinq dollars par semaine pour le bénéfice de multinationales pourries. Un dernier petit cylindre de mort, toutefois, roulait dans son paquet. Elle se demanda combien de temps elle attendrait encore.

Prendre des résolutions, c'était quelque chose qu'elle faisait autrefois avec sa mère. Au Nouvel An, et uniquement ce jour-là, délaissant le boulgour et le germe de blé, Maman achetait plutôt les friandises que Sam réclamait, après quoi elles s'installaient sur le canapé en trempant des pizzelle dans du chocolat chaud jusqu'à l'hyperglycémie. À l'époque Sam était grosse. Maman très certainement défoncée. Et Papa, où était-il ? Il travaillait, probablement. Le Nouvel An était la deuxième grande nuit de l'année pour les feux d'artifice et il n'avait pas encore perdu le marché des spectacles organisés par la municipalité, ni pris l'habitude, en buvant des pintes, de se faire mousser auprès du journaliste qui deviendrait son Boswell. Son Groskoph, en l'occurrence. La moitié du temps, la télévision passait des publicités, mais Maman la laissait allumée. Chaque image de Guy Lombardo en nœud papillon avec son micro en forme de batte les rapprochait du grand moment. Le dessin d'une horloge, sponsorisé par Timex, apparaissait en bas à droite de l'écran, et à l'heure H moins trente minutes, Maman allait chercher ses résolutions de l'année écoulée, peu à peu oubliées au milieu du florilège d'aimants collés au réfrigérateur. Sam se rappelait encore l'odeur de sa mère quand elle regagnait le canapé, poudre de cacao et marshmallow fondu, certes, mais aussi un mélange boisé évoquant la Californie d'où, chose impensable, elle était originaire.

Ce qu'on faisait, c'était lire ses résolutions à voix haute en cochant celles qu'on avait réussi à tenir. Les autres devenaient le point de départ d'une nouvelle liste. Cinquante pour cent, c'était une belle réussite, pas comme à l'école. En y repensant maintenant, Sam était pourtant frappée par une série de détails. En premier lieu, Maman avait déjà formulé certaines aspirations, oubliant que celles-ci étaient restées lisibles là, dans les résolutions affichées à la vue de tous au cours des 364 derniers jours, sans que Papa ait jamais pris la peine de regarder. Ensuite, l'expression coupable de Maman quand elle voyait la traînée de sucre en poudre sur les collants en Dacron de sa fille au moment où Sam lisait à haute voix son serment antérieur de perdre dix kilos. Et en dernier lieu – maintenant qu'elle disposait de dix ans de statistiques sur elles deux et de cinq autres sur elle seule (car Sam, maniaque de l'archive, avait conservé toutes les listes) – il y avait ceci : le peu de différence constatée. Pour finir, comme tout projet humain, ces promesses qui, le 31 décembre, flamboyaient d'une lumière si vive dans le prosencéphale allaient passer à la trappe ou connaître l'échec. Il était intéressant de voir le nombre de résolutions que Sam aurait oubliées au cours de l'année. Au terme de celle-ci, elles lui seraient renvoyées, messages cachetés, bouteilles jetées à la mer par un autre moi sur les côtes lointaines d'un océan immense.

Un exemple : après avoir juré de ne plus revoir Keith (c'était tout en haut de sa liste de 1977), elle se retrouvait en train de l'attendre. La porte en verre était comme l'obturateur d'une lanterne Coleman : le carré de lumière jaune reflété sur le trottoir brûlait plus vivement quand elle s'ouvrait, mais cette fois-ci elle ne vit qu'un portier en long manteau et épaulettes, sorti en griller une. Comme par solidarité, et sans pouvoir s'en empêcher, elle alluma sa dernière cigarette et regarda la silhouette solitaire, le visage couleur d'une coquille de noix de pécan, faire les cent pas dans le nuage formé par sa propre respiration. Le piercing lui enflammait le nez. Il était difficile de ne pas écraser le paquet de cigarettes maintenant que ses doigts étaient devenus insensibles, mais elle n'avait pas – *elle n'avait pas* – froid. C'était là un dernier ajout à sa liste : cette nuit seulement, juste pour avoir le courage de faire ce qu'elle était venue faire ici, elle ne se soucierait ni de l'heure ni de la température. *La fille la plus têtue que je connaisse*, disait d'elle son père. Il n'avait pas tout vu. Avec ceux qu'elle aimait – avec Charlie ou même avec Papa – elle pouvait, selon ses propres critères, se montrer accommodante. Elle devenait têtue de la façon la plus implacable quand elle était elle-même son adversaire. Car combien de ses résolutions étaient en réalité des interdictions ? Je ne *x* point ; je ne ferai point *y*. Elle avait étudié sa mère de très près, à cette époque lointaine où elle était trop petite pour savoir exactement quelles choses on devait se promettre. Elle avait recopié la syntaxe de Maman, négation pour négation, inondée de reconnaissance chaque fois que Maman disait : « Hé, elle est bien celle-là. » Épouser Papa avait en soi été une sorte de négation. Le problème avec Sam, c'était que jusqu'à la dernière limite, minuit ou l'heure choisie pour abandonner quelque chose, elle cédait doublement à son vice, comme pour constituer des réserves. Une année, ayant décidé d'arrêter les bonbons pendant le carême, elle avait mangé des Pez jusqu'à l'écœurement la veille du mercredi des Cendres, si bien qu'elle en avait eu envie encore plus. Au moment de la messe de midi, elle avait la migraine, elle salivait, et dès le jour de Pâques elle avait englouti une quantité astronomique d'œufs Cadbury. En vérité, en son for intérieur, elle ne voulait *rien* lâcher.

Après le départ de Maman, elle était restée prostrée toute une année, et il lui avait fallu ensuite plus ou moins se reconstruire de A à Z. Elle s'y était appliquée en secret, entre les quatre murs de sa chambre, sans autre outil que des photos de magazines, une radio AM, et pour tout faire tenir ensemble, le besoin de ne plus souffrir à nouveau. Elle s'était créé un personnage, une Minerve de banlieue : farouche, cosmopolite, ne dépendant de personne. Son corps changeait – elle l'aida en se nourrissant exclusivement de Marlboro pendant six mois, en soufflant la fumée par la ventilation – et quand elle émergea, sa mère l'aurait à peine reconnue. Elle s'était débarrassée de sa virginité à quatorze ans, au cours de sa première année dans sa nouvelle école privée dans la Ville, avec un garçon de première, le meilleur buteur de l'équipe de lacrosse et le deuxième garçon le plus riche de sa classe. Ses parents n'étaient jamais à la maison, et il y avait quelque chose d'excitant et de dangereux dans cet appartement vide du dix-septième étage où ils pouvaient faire tout ce qu'ils voulaient. Pendant un mois, ils avaient traîné là après les cours, ils se défonçaient, regardaient les magazines porno de son père, qu'elle jugeait « dégueulasses », et baisaient. Il savait ce qu'il faisait, estimait-elle alors. De toute façon, elle avait beaucoup appris. Elle avait appris à se comporter, sexuellement, comme une fille qui savait ce qu'*elle* faisait.

Et elle avait appris qu'on ne pouvait pas vraiment constituer des réserves avec ce qui comptait. Les sentiments, les gens, les chansons, le sexe, les feux d'artifice : ils n'existaient que dans le moment présent et, quand le moment se terminait, ils se terminaient eux aussi. À cet instant précis, les branches nues de l'arbre au-dessus d'elle formaient comme des doigts, comme des traces de doigts d'enfant sur le léger voile pourpre du ciel, et la neige trempait son jean, et l'eau aux coins de ses yeux restait là, figée, refusant de tomber, et le petit bonhomme faisait les cent pas devant la forteresse en pierre calcaire, mais dès la seconde où cesserait cette interminable attente, tout commencerait, pour elle, à disparaître dans le passé, à devenir irréel. Son besoin de parler à Keith était maintenant quelque chose de physique, comme si les cellules de son corps lançaient un appel de détresse, bien qu'elle eût à peine entrouvert sa porte intérieure. Mais elle tiendrait une minute de plus, et une de plus, parce qu'elle en avait la force.

Certes, elle savait déjà ce qui se préparait, six semaines auparavant, tandis qu'elle l'attendait dans le parc voisin de son bureau. Il choisissait de jouer la scène en public pour l'obliger à garder son calme fragile (selon lui). Ce qui l'avait d'abord attirée chez lui, c'était la manière dont il pouvait lui paraître complètement transparent tout en restant opaque à lui-même. Elle aimait chez lui certains traits auxquels il voulait croire, comme on aime un petit enfant qui ment en désignant qui a cassé le vase. Il voulait croire, par exemple, être allé vers elle au cours des derniers mois quand, en réalité, l'important était ce qu'il fuyait. En le regardant grimper les marches montant au parc, une oasis négligée perchée un étage au-dessus du tohu-bohu du centre de Midtown, elle vit que cette fuite l'avait vieilli. Il y avait des rides autour de sa bouche qu'elle n'avait jamais remarquées, et de petites poches tendues sous ses yeux à cause du manque de sommeil. Pour être honnête, elles l'excitaient : leur charge érotique entamait sa résignation. Elle s'imagina en train de les embrasser. En train de le chevaucher dans une chambre aux rideaux tirés, la tête penchée pour effacer le souci d'un coup de langue. Mais il n'allait lui accorder qu'un rapide baiser sur la joue, et même ainsi c'était comme s'il lui offrait un énorme cadeau. Le parc appartenait pour moitié aux propriétaires de ce grand immeuble en brique de Tudor City Place, et peu de monde y venait à midi. Ils en firent le tour tels des cygnes sur une pièce d'eau, une lente, très lente révolution sur le sentier qui semblait n'avoir été tracé que pour eux.

— Il y a une chose dont je voulais te parler, Samantha.

— Oh, oh. Ça m'a l'air sérieux.

Il ne l'appelait par son prénom que lorsqu'il éprouvait une vraie sollicitude paternelle. Elle prit quelques cacahuètes dans le sachet blanc qu'il tenait à la main – mais sérieux à quel point, s'il s'était arrêté pour acheter des cacahuètes ? – et les mit dans sa bouche, l'esprit léger, espérait-elle.

— Mais nous sommes en train de parler.

— Je n'aurais pas dû te laisser monter à l'appartement l'autre jour.

Non, bien sûr, il n'aurait pas dû. Ils n'auraient pas dû baiser, pour commencer, si vraiment il voulait voir l'aspect éthique de la chose. C'était incroyable ; il semblait convaincu que ses actes entraînaient des conséquences, comme seuls les enfants sont convaincus que la Petite Souris existe : parce que les autres le disent, et que lorsqu'on soulève son oreiller... Oh ! Une pièce !

— Il y a tout un versant de ma vie que tu ne vois pas, Samantha. C'est comme si je m'étais scindé en deux quelque part... D'être avec toi, j'avais l'impression que l'un de mes moi regardait l'autre, et je me suis rendu compte que tout ça, c'était véritablement un acte d'imprudence délibérée. J'ai de l'affection pour toi, tu le sais. Mais cet autre moi est toujours resté la personne que je voulais être.

À ce stade, en le ponctuant d'arrêts lourdement chargés, ils avaient effectué un circuit complet du parc, mais un sentier de gravier sur lequel un petit garçon courait derrière une balle semblait l'attirer. Ou peut-être était-ce seulement toutes les facettes brillantes du discours qu'il avait dû retourner dans sa tête des jours durant, comme une pierre à polir particulièrement résistante dans un tonneau rotatif. Il disait ressentir le besoin de prendre du recul et de mettre les choses en perspective, parce qu'il avait l'impression d'une... méprise quelque part, et que quelle que soit l'issue, ses gosses étaient... voilà, ils étaient ce qui comptait le plus dans sa vie. Il ne les méritait pas. (*C'était une évidence*, se dit Sam. *Les parents ne méritent jamais leurs enfants.*)

Le froid lui mordait le visage, et il s'était donné un air mélancolique, sinon au bord des larmes ; elle ressentit une sorte de dégoût quand il affirma que ça n'avait rien de personnel et qu'il espérait qu'elle le comprenait.

— Ne me prends pas pour une idiote, Keith. Bien sûr que c'est personnel.

— J'ai juste besoin d'un peu de recul.

— Parfait. Cessons de nous voir dans ce cas. Je ne suis pas une petite fille.

Il s'arrêta net et la regarda. Est-ce qu'*elle* rompait avec *lui*? Dans son regard, la lueur allumée par le démon de midi avait disparu, et son corps tout entier hésitait à égale distance entre la colère et la convoitise, à l'endroit exact où elle raffolait de lui. À l'instant même où elle se dit qu'il allait peut-être l'embrasser violemment, elle sentit à quel point elle allait avoir du mal, en réalité, à renoncer à lui, à cet animal rebelle auquel elle avait appris le trot et le petit galop. Mais elle s'obligea à plonger la main dans le sachet qu'il tenait, à prendre ce qui restait dedans et à dire, la bouche pleine de cacahuètes:

— De toute façon ça commençait à sentir le moisi.

Et sur ces mots, les dés avaient été jetés, mais ils avaient encore fait quelques tours dans le parc, un premier où il lui parla sur le mode impulsif et ardent, un autre sur le mode condescendant – *pauvre petite fille, elle est complètement dépassée, elle ne sait plus ce qu'elle dit* – et un dernier où il revint à son ego impossible, vide d'ego et égoïste. Il lui prit les mains entre ses gants luxueux, il la regarda, et elle vit alors combien il voulait que ces trois derniers mois ne la laissent pas complètement bousillée. (Il était catholique, lui aussi, elle le savait. Dans la tombe scellée de la chambre d'hôtel louée à l'heure, elle posait la tête sur son torse et jouait avec la petite croix d'argent qu'il portait jusqu'à ce qu'il lui demande d'arrêter.) Il voulait, dit-il, qu'elle se souvienne qu'il avait de l'affection pour elle et qu'elle méritait mieux. Il ne prononça pas le mot amour, et elle non plus. Il n'aurait eu aucune réalité, et puis elle ne voulait pas lui donner cette satisfaction.

Il devait être près de minuit à présent. Les taxis s'étaient envolés de Central Park Ouest pour se poser, telle une rosée, dans d'autres quartiers plus populeux. (Étrange comme, dans la Ville, l'argent suivait l'énergie, sans jamais vraiment soutenir l'allure.) La chaleur laissée par leurs pneus dessinait des rubans noirs sur la chaussée. Autrement, la pure blancheur perdurait. Aucun pas n'avait laissé son empreinte sur le trottoir où Sam était assise. Aucun chien n'était venu la jaunir. La lueur des feux de circulation parvenait presque à balayer le hall d'entrée, la fête, Keith: rouge, puis verte. Elle n'avait jamais remarqué le petit déclic que produisait le passage de l'une à l'autre. En face, devant la synagogue, un halo vert marquait l'entrée de la station desservie par les lignes B et C d'où Charlie s'obstinait à ne pas émerger, et brusquement, frissonnante, elle vit la fracture profonde dans l'équilibre des choses. L'adulte qui l'avait baisée, qui l'avait abandonnée, pouvait retourner au monde, vingt étages au-dessus du niveau de la rue, tandis qu'elle, la jeune fille de dix-sept ans, se retrouvait seule, oubliée dans le froid. Elle éteignit sa cigarette, la dernière. Elle se dirigea vers la porte. Elle avait changé d'avis ; elle allait prendre d'assaut le château, au diable la bienséance. Foncer dans le tas de smokings et de fourrures pour rendre justice à toutes les femmes lésées depuis la nuit des temps, se donner en spectacle, à titre d'avertissement. Elle lui conseillerait d'écouter ce qu'elle avait à dire s'il ne voulait pas les voir finir en prison tous les deux, ou pire encore, et quand elle aurait accompli ce devoir, tous ceux qu'il connaissait et respectait, tous ceux dont l'opinion comptait sauraient la vérité.

Elle s'apprêtait à saisir la poignée en cuivre arrondie. Elle voyait le portier à son poste et, flottant au premier plan, le fantôme de son propre visage. Son indignation la rendait belle, même à ses propres yeux. Elle ne saurait pas reconnaître la femme, mais cela ne signifiait pas que la femme ne devinerait pas qui *elle* était, elle, et le moment venu, quand leurs regards se croiseraient, Sam ne pourrait ignorer ce qu'elle avait fait à cette femme, la douleur qu'elle lui avait infligée. Sam pensa alors aux enfants de Keith, et particulièrement à son fils, qui avait cinq ans de moins qu'elle. À la scène qu'elle allait provoquer, aux murmures qui parviendraient jusqu'à lui, à la faute que, d'une façon ou d'une autre, il ne manquerait pas de s'attribuer. Elle adressa au portier un haussement d'épaules, l'équivalent visuel de « Désolée, pas le bon numéro ». Elle s'éloigna, glacée, vers son banc, sans pouvoir fumer. C'était presque un blizzard, à présent ; comment les gens allaient-ils voir la boule tomber ? Peut-être l'avait-on déjà descendue, et les feux d'artifice sur le port étaient trop loin, inaudibles. Mais alors où était Charlie ? Elle avait vraiment hâte qu'il arrive. Elle allait s'asseoir quand quelqu'un, depuis l'entrée du parc, appela son nom. Elle ne parvenait pas à distinguer la silhouette noire là-bas, une autre dimension dans les ténèbres, dans la neige, mais la voix fit céder à l'intérieur d'elle-même les goupilles d'une serrure qui avait gardé, verrouillées, d'autres choses qu'elle aurait dû savoir.

— Hé, dit la voix. On te cherche partout.

9

— C'ÉTAIT QUOI ?

— Quoi ?

— Vous n'avez pas entendu ?

Il y avait eu un éclat, une impureté métallique dans le silence autrement immaculé du Parc, si petite que Mercer pouvait l'avoir imaginée. Il pencha la tête comme pour la rappeler. Des réjouissances lointaines filtraient au travers des épaisseurs de pierre et de verre ; plus loin sur Columbus, un chasse-neige passait lourdement dans la bouillie glacée. Pas d'autre bruit, hormis la sœur de William qui toussait à côté de lui. La lumière, en s'insinuant par la porte garnie de rideaux, lui rayait l'oreille et la mâchoire, mais son visage, tourné vers l'autre bout de la rue, restait invisible.

— Peut-être un feu d'artifice ou quelque chose, dit-il.

— On est déjà l'année prochaine, vous croyez ? Si c'est le cas, il faut m'embrasser.

— William adorerait ça.

— Vous direz que c'est l'alcool.

Regan était fin soûle, en effet. Et défoncée.

— Il sait que je ne bois pas.

— Que faisiez-vous avec ce vin, alors, quand je vous ai trouvé dans la cuisine ?

— Attendez, est-ce que c'était… ? Mince, j'ai cru l'entendre de nouveau. Je dois avoir quelque chose qui cloche.

Le balcon prolongeait la chambre de Regan. Ou plutôt, *la suite de pièces que la femme de son père affectait de désigner comme les siennes*, ainsi qu'elle l'avait expliqué quelques minutes auparavant, tandis qu'il tenait sa main blessée sous le robinet (il semblait que le sort l'avait désigné pour jouer les infirmières auprès des Hamilton-Sweeney). L'eau rougie par le sang éclaboussait le lavabo en porcelaine en y accrochant des gouttes, et quand un lambeau de peau grise se retourna sous le jet, il vit qu'elle garderait une belle cicatrice. Elle avait eu de la chance, elle n'avait pas touché l'os. Il fouilla l'armoire à pharmacie. Il n'y avait pas de mercurochrome, et pas de pansements non plus.

— Oh, vous ne trouverez rien sous la surface, dit-elle d'un ton dégagé.

Le champagne agissait comme un analgésique.

— Je n'ai pas passé une nuit ici depuis la fac. Mais Felicia aime que cette chambre ait l'air d'être habitée.

Il avait plié en trois une petite serviette monogrammée et, ayant séché la plaie, il l'entoura du pansement improvisé. Il fallait serrer fort, lui dit-il, jusqu'à ce qu'elle coagule. Mais comment faire tenir le pansement?

— Et ça?

Elle hocha la tête en direction de la glace. Il chercha dans le reflet – la moquette ivoire de la chambre, derrière. Il vit alors ce qu'elle regardait: sa propre poitrine, et la broche papillon qui y était épinglée.

— Oh, pas ça. Elle va être toute tordue.

— C'est un cadeau de Noël de Felicia, je ne l'ai mise que pour que Papa me voie la porter.

— Que va-t-elle penser en voyant qu'elle sert d'épingle à nourrice?

— Que va-t-elle penser en voyant que vous me serrez la main? Parce que c'est l'un ou l'autre.

Elle raisonnait étonnamment bien pour une femme ivre. De la main gauche, il maintint la pression sur la coupure et dut se servir de la droite pour dégrafer la broche puis l'ôter de sa robe au décolleté plongeant. C'était comme de jouer au Docteur Maboul. Les seins de la sœur de son amant se trouvaient à quelques centimètres de son petit doigt.

— Vous ne m'aidez pas beaucoup en me regardant comme ça.

— Un peu d'indulgence, Mercer. Je ne me suis pas autant amusée depuis le début de la soirée.

La broche, finalement, se détacha. Une fois la serviette épinglée, il se retira dans la chambre et se laissa tomber sur le lit. La lampe de chevet baignait la pièce dans une lumière plus forte. C'était l'idée platonicienne d'une chambre de jeune fille, celle où il imaginait que ses élèves rentraient le soir après un rude après-midi d'entraînement au hockey sur gazon : couvre-lit à volants, coiffeuse en bois laqué. Regan, tenant sa main blessée, marchait d'un pas mal assuré vers les portes-fenêtres.

— Dès que vous serez rentrée, il faudra nettoyer ça un peu mieux, dit-il. Je ne voudrais pas que vous attrapiez le tétanos.

— Venez ici. Je vais vous montrer quelque chose.

Et elle l'avait précédé sur le petit balcon. La vue était magique, un décor de cinéma : la Ville telle qu'il l'imaginait depuis le coin ingrat où il était né, à plus de mille kilomètres de là. De la neige, comme une image floue sur un écran de télévision, surgissaient des immeubles crénelés, des fenêtres jaunes poinçonnées dans le noir, et à Central Park Sud, sur les hôtels en forme de pièces montées, tombait du sucre glace. La pollution lumineuse semblait provenir de l'intérieur des nuages, dériver d'un processus organique invisible, à la manière dont le sang génère de la chaleur. Vers l'est, la vaste carrière sombre du Parc. Linteaux, avant-toits et gargouilles, massés au-dessus d'eux, les protégeaient en grande partie de la neige, mais il s'étonnait que Regan, en robe légère, ne veuille pas retourner à l'intérieur. Au contraire, elle semblait respirer plus librement, ici, dans le silence.

— Vous devriez voir ça par temps clair.

— Non, quel spectacle extraordinaire.

— Je ne voudrais pas avoir l'air solidaire de Felicia, ni rien, mais puisque vous êtes monté je trouvais vraiment dommage de ne pas vous montrer le plus bel atout de cette chambre. Et puis…

Fouillant d'une seule main dans son sac, elle en sortit un briquet et ce qui ressemblait à un cure-dent en léger surpoids.

— C'est ma coiffeuse qui me l'a donné. Vous en voulez ?

— Je ne fais pas ça non plus, hésita Mercer.

— Je refuse, en temps normal, mais je suis en plein divorce et cette soirée est une telle catastrophe, je me suis dit… Vous voulez bien me tenir ce briquet ?

Il commençait à avoir froid, mais il lui donna du feu et quand elle eut aspiré une longue bouffée de la substance à l'odeur de brûlé – sa chaleur irradiait – il décida qu'il avait de toute façon déjà largement dépassé les bornes, ce soir. Sans demander, il prit le joint de sa main valide et l'imita : serrant à trois doigts et retenant sa respiration.

— N'exhalez pas tout de suite. Comme ça. Lentement.

Il toussa :

— Vous vous ressemblez vraiment comme deux gouttes d'eau, n'est-ce pas ?

— Qui ?

— William et vous. Il ne vous parle pas, vous ne parlez pas à votre belle-mère...

— Femme de mon père.

Leurs voix se heurtaient mais leurs mains bougeaient conjointement pour qu'elle puisse reprendre possession du joint. En dessous, les rues ressemblaient à des rues sur une carte, débarrassées des gens et du désordre au ras du sol ; il sentait la force de l'appréciation mutuelle qui les cimentait.

— Mon frère aussi la déteste. Il n'en parle jamais ?

— Non, pas de ça.

Elle soupira.

— Que faites-vous vraiment ici, Mercer ? C'est-à-dire, qu'êtes-vous exactement l'un pour l'autre, William et vous ? Pas de problème... vous pouvez me parler.

C'est à ce moment-là qu'il avait entendu le premier éclat.

— Honnêtement, je ne sais pas, disait-il à présent, comme si la question venait de lui parvenir. Je ne sais plus. C'est-à-dire, oui, c'est bien d'avoir quelqu'un. Mais ce qui a pu se passer entre vous deux, ça le ronge, c'est comme un trou invisible qu'il croit devoir occulter. Je crois que ce halo de mystère m'a en partie séduit. Mais je ne suis pas venu à New York parce que j'avais envie de vivre avec un étranger. À un certain moment, j'ai cru qu'il... je ne sais pas.

Il indiqua le joint, mais celui-ci était maintenant trop court pour le fumer sans se brûler les doigts, alors d'une pichenette il l'envoya voltiger d'étages en étages, une étincelle dans l'obscurité.

— Regardez ça. Quelle adresse !

Elle enfonça le briquet au fond de son sac, en disant quelque chose comme quoi il ne fallait pas que les enfants tombent dessus, mais elle ne semblait pas vouloir regagner la fête.

— Vous n'êtes pas gelée ?

— Je n'ai pas encore le courage de retourner là-bas. Il y a des gens à qui je n'ai vraiment pas envie de parler.

Il serra les bras autour de lui, tapant des pieds, en attendant que quelque chose se produise.

— De toute façon, William a une expérience beaucoup plus étendue que moi, vous savez ? Des relations de couple.

— C'est ce qu'il vous a dit ?

— J'ai cru, comme je suis un garçon, enfin un homme, qu'il compartimentait, moi d'un côté, et vous tous d'un autre. Mais quand vous êtes venue au lycée, la semaine dernière...

— Désolée de vous avoir placé dans une position délicate. Je venais de quitter l'appartement de mon mari. J'avais tellement besoin de parler à quelqu'un. J'ai pensé que le divorce allait tout changer, que William voudrait enfin démolir ce mur idiot.

— Et sans doute que pour ma part j'ai cru qu'il trouverait cette invitation, qu'une porte dorée s'ouvrirait en grand et que nous ne serions plus obligés de vivre comme nous le faisons. Oh, ça a son charme, mais comment envisager un avenir ensemble si je n'ai même pas accès aux éléments essentiels de son passé?

— Il a toujours été secret, mon frère. Depuis tout petit. Il croit que mener une double vie lui donne des pouvoirs. Je crois, moi, qu'il a lu trop de bandes dessinées.

— Peut-être qu'en réalité je suis venu parce que je savais que ça le ferait chier s'il l'apprenait. Ne vous méprenez pas, je passe un moment agréable avec vous.

Un sourire presque indéfinissable réussit alors à percer sur son visage. C'était vrai. Il *aimait bien* Regan. Elle lui rappelait d'autres filles blanches qu'il avait connues, des étudiantes en lettres comme lui, qui l'avaient adopté à l'université de Géorgie.

— On peut rentrer maintenant? S'il vous plaît, je gèle.

Elle lui prit le bras de sa main valide.

— Hé, pourquoi ne pas m'accompagner?

— Vous accompagner?

— Je suis convoquée par le frère de Felicia. Quand je vous aurai présenté, vous comprendrez à quoi se heurte William. Et peut-être pourrez-vous me protéger.

— Vous protéger de quoi?

Mais elle s'était déjà tournée vers la chaleur de la chambre. Il reprit son masque.

— Vous êtes sûre? Vous n'avez pas entendu ce bruit? demanda-t-il avant de refermer les portes. Je suis du Sud. Les armes, on connaît.

Elle haussa les épaules.

— Nous sommes à Central Park Ouest, Mercer. Sans doute un raté de moteur, un camion peut-être.

À l'intérieur, à mesure qu'elle franchissait un seuil après l'autre, sa démarche se fit plus assurée, comme si elle tirait une force de sa présence,

ou de la drogue, mais il pouvait s'agir plutôt du tempo que le vertige impri-
mait dans son propre crâne. Car les invités semblaient avoir décuplé. D'un
enchevêtrement de corps apparaissaient des mains enserrant des bouteilles,
des dentures découvertes par des braiements de rire républicain, dents ter-
rifiantes de perfection, comme des Chiclets. Il était le seul invité non blanc.
Mais à strictement parler, il n'avait pas été invité. Et il devait être minuit
passé. Où était William en ce moment? Dans un bar, appuyé contre le
mur des toilettes pour hommes, pompé par une tête blonde? Il repoussa ce
tableau, laissant plutôt sa conscience courir comme la marée sur les tapis
d'Orient. Laissant Regan le conduire.

Il ne comptait plus le nombre de fois où elle s'était trouvée coincée, le
nombre d'hommes d'âge mûr qui lui avaient imposé des baisers au whisky,
le nombre de compliments sur sa robe – tu es *superbe*, dit une femme,
éclatante, euphémismes dont il voyait mal à quoi ils renvoyaient –, le
nombre de froncements de sourcils à cause de la main dans la serviette, le
nombre d'yeux qui le jaugeaient derrière les trous découpés dans du papier
cartonné. Un domestique? Un pique-assiette? Un indigent? Néanmoins, il
n'éprouvait pas la même gêne que pendant la première heure de la réception, passée à se cacher derrière un énorme palmier en pot. S'il ne pouvait
pas encore pénétrer le cercle enchanté des Hamilton-Sweeney, il pouvait au
moins en observer les effets de plus près et peut-être un jour reviendrait-il,
main dans la main avec William, et nul parmi eux n'oserait dire un mot.
Regan, si misérable quand il l'avait aperçue dans la cuisine – était-ce vraiment une demi-heure auparavant? –, était sublime, même sans son masque.
Il avait constaté cela chez William, aussi, cette façon dont la présence
d'une foule pouvait provoquer un déclic. Ce que Mercer avait attribué à
une pathologie personnelle était de toute évidence génétique. Elle brillait
comme une boule de Noël et il lui emboîtait le pas, sans savoir s'il passait
un moment extraordinaire ou un moment atroce.

Et puis, arrivé au centre d'une salle haute et grouillante de gens, il leva
les yeux. À trois mètres au-dessus de sa tête, là où aurait dû se trouver le
premier étage, une galerie courait sur tout le périmètre, ponctuée de portes
sur chacun des quatre côtés. Et là-haut, leur faisant face, se tenait un petit
homme aux cheveux blancs qui semblait sourire à Mercer. Il ne portait ni
déguisement ni masque. Il avait l'air pourtant, avec son smoking noir, d'un
milord contemplant son royaume. Mercer sentit les silhouettes masquées
reculer, le bruit se retirer telle la mer à l'intérieur d'un coquillage, la chaleur
des corps assemblés s'atténuer. L'homme décrocha une main de la rampe en
fer forgé, la leva en l'air, paume ouverte, et la referma d'un coup sec.

Mercer comprit alors qu'Oncle Amory – car il ne pouvait s'agir d'aucun autre – faisait signe non pas à lui, mais à Regan. Il la poussa en avant, et elle s'excusa d'interrompre la conversation dans laquelle elle était engagée. Glissant son bras blessé dans celui de Mercer, elle l'entraîna vers un escalier en spirale. Ils montèrent jusqu'à la galerie comme au travers d'un fluide consistant et glacé. L'homme ne se départit jamais de son mince sourire. Il avait dû être beau, un jour ; plus une seule mèche de couleur n'apparaissait désormais sur sa tête parfaitement soignée.

— Ma chère, dit-il à Regan. J'espérais beaucoup te voir ce soir.

— Amory Gould. Je voudrais te présenter Mercer Goodman.

Mercer remarqua, le cœur serré, qu'elle l'avait présenté sans préciser *en tant que quoi*, laissant entendre qu'il avait un lien avec elle, plutôt qu'avec William. Sa simple présence servait d'instrument pour choquer, blesser peut-être. Mais dissiper le malentendu reviendrait à la trahir, et il en était incapable ; sa main valide, toujours glissée à son bras, lui pressait le biceps comme un tensiomètre. Il sentait avec acuité la sécheresse de sa bouche, les battements audibles dans sa poitrine. Bizarrement, Oncle Amory n'avait pas cessé de sourire. Impossible de dire ce qui déstabilisait chez lui, à moins que ce ne fût son regard bleu glacé.

— Eh bien, monsieur Goodman, dit-il. Quel est votre domaine ?

Mercer toussa. Il devait sentir Woodstock.

— Pardon ?

— Que faites-vous, mon petit ?

Il avait appris à ne pas laisser les expressions dévalorisantes, voire l'insulte manifeste, lui dicter sa réaction. *Toi seul as le pouvoir sur toi*, lui avait rappelé sa mère quand il était parti pour la fac ; mais il n'était pas sûr de l'avoir jamais vraiment cru. Ce dont il était sûr, c'était qu'Amory Gould, lui, ne le croyait pas. L'homme l'observait comme un gosse observe une fourmi en braquant sur elle les rayons du soleil à travers une loupe.

— Je suis professeur, risqua-t-il. J'enseigne au lycée Wenceslas-Mockingbird.

— Vous devez donc connaître Ed Buncombe, le directeur des études.

— Il a été remplacé par le Dr Runcible.

Il se demanderait plus tard pourquoi il ne s'était pas arrêté là. Mais les griffes de Regan transperçaient littéralement le tissu de sa veste de smoking, Amory Gould maintenait ce sourire insaisissable et, dans le silence toujours plus épais, en haut dans la galerie, Mercer sentait que les gens en bas commençaient à lever la tête.

— Et j'écris.

Il sut instantanément que c'était une erreur.

— Ah. Et qu'écrivez-vous, monsieur Goodman ?

— Amory, je t'en prie, ne sois pas indiscret, dit Regan. Mercer, vous n'êtes pas obligé de répondre.

— Elle a raison. Oui, tout à fait, dit Amory. Quand on parvient à un certain âge, on oublie que les écrivains sont des êtres fragiles. Un souffle les renverse. Étudiant, croyez-le ou non, j'ai moi aussi tâté de la poésie. Horrible. Pour finir, je suis passé à autre chose, et je me suis lancé dans une carrière pragmatique, d'abord en politique, puis dans les affaires. Les trois âges de l'homme, vous savez. Mais dites-moi une chose, monsieur Goodman.

Sa tête se rapprocha, elle parut enfler. Il avait les yeux bordés de rouge, comme des morceaux de glace qui auraient percé des trous dans les mains qui les tiennent.

— Là où vous travaillez, dans l'enseignement, sait-on que vous cédez à d'autres propensions ? Car nous leur devons, ainsi qu'à nous-mêmes, d'être honnêtes.

— Je vous demande pardon ?

— L'écriture, mon garçon. Oh ! Vous avez cru que… Je suis terriblement gêné.

Propensions. Le sous-entendu n'avait rien à voir avec lui en tant que tel, ou à peine ; la cible, il le savait, était sa compagne présumée. Et pourtant ce peu de cas était en soi humiliant. Regan, de son côté, ne faisait aucun effort pour voler à son secours. Comment avait-il pu se tromper à ce point, avoir l'illusion qu'il pourrait faire partie de ce monde ?

Marmonnant quelque chose signifiant qu'il se faisait tard, il prit congé. Amory ne daigna pas lui serrer la main ou déclarer qu'il avait été ravi de le rencontrer ; il se tournait déjà vers Regan, il lui disait que, si elle disposait d'une minute, ils avaient des *affaires importantes* à traiter ; et qu'était-il arrivé à son doigt ? Quand Mercer se retourna, pour le cas où elle, au moins, le regarderait partir à regret, ils avaient tous deux été engloutis par l'une des portes. Il aurait voulu disparaître aussi aisément, mais la seule issue se situait au bas de l'escalier en spirale et à l'autre bout de l'immense pièce. Son masque tout à coup ne servait plus à rien. Il ressentait fortement le contraste entre sa peau noire et la veste de smoking blanche, la sécheresse qui affectait sa bouche et ses yeux, ses cheveux crépus. Les femmes, dans leurs petits dominos bigarrés, ressemblaient à des oiseaux exotiques assistant navrés à la course d'un rhinocéros blessé. Même la préposée au vestiaire semblait sentir la faiblesse émanant de Mercer. Elle prit son temps pour rapporter le Manteau de Joseph mais, soucieux de ne pas confirmer ses pires intuitions, il voulut malgré tout lui laisser un pourboire. L'ascenseur se fit odieusement attendre.

Quand il ressortit dans l'air nocturne, il avait déjà commencé à reprendre ses esprits, la honte s'émoussant en une forme de mélancolie. Chassé du Paradis, il était de retour dans la rue, où un lampadaire reprenait son essence de lampadaire, une voiture garée la taille exacte d'une voiture garée. Les sommets de Midtown disparaissaient dans la neige et le balcon lui-même – depuis lequel (fût-ce brièvement) il avait possédé cette vie étincelante et tant désirée – devenait indistinct et flou, comme le souvenir d'un rêve. L'espace d'une minute, pour seule preuve qu'il se trouvait dans une ville en état de marche et non dans les ruines du futur, il y eut le banc, sur le trottoir d'en face, où, au milieu de la neige, un carré de couleur verte attestait une occupation récente. Quelqu'un, sûrement, qui avait attendu l'autobus.

Et puis, miracle, du côté de Central Park Ouest, aux confins de ce que la neige, en s'étiolant, lui permettait de voir, il en vit surgir un : deux points lumineux surmontés d'un diadème de lumière. C'était toujours un pari risqué d'espérer calculer lequel, du transport de surface ou du métro, vous ramènerait plus vite chez vous, mais il avait appris à force de tâtonnements à ne jamais négliger l'oiseau de passage, surtout après minuit, et comme il serait à propos, n'est-ce pas, de finir la nuit et l'année dans un minable autobus municipal, parmi les alcooliques, épileptiques et autres damnés, dans une fluorescence mortuaire, sur un sol poisseux, juste derrière le chauffeur ?

Le temps que ces angoisses défoncées se traînent sur le théâtre de ses réflexions et fassent leur petite pirouette, les feux de circulation étaient passés du jaune au rouge, immobilisant l'autobus une dizaine de rues plus haut. Prenant appui contre le poteau de l'arrêt, il s'efforça de retrouver cette image antérieure de lui-même en figure romantique, le solitaire en long manteau marron. Il sifflota quelques mesures de *La Traviata*. Il se représenta avec émotion en train de penser. Il admirait le nuage attendrissant que sa respiration formait devant lui, lorsque, de derrière le mur de pierre, sur le trottoir d'en face, depuis le parc ténébreux, lui parvint le bruit le plus bouleversant qu'il eût jamais entendu. Un sanglot : haut perché, à bout de souffle, hoquetant, comme un phoque à l'agonie. Et il se tut. Une autre fantasmagorie, sûrement, ou du moins rien qui ne le concernât, mais avant même qu'il ne récidive, une pulsion animale s'était mise en branle sous la membrane entourant sa conscience. L'autobus, arrêté à seulement dix rues de là, peut-être moins, se penchait pour libérer un passager. Qu'il obéisse à sa volonté, qu'il arrive, vite. Il sauterait à l'intérieur, le bruit, était-ce même un bruit, deviendrait le problème de la personne qui descendait. Sauf que le feu était de nouveau passé au rouge. *Merde*, pensa-t-il. Merde. Il était censé faire quoi ?

Le bruit ne s'était pas répété. Il passa en revue toutes les possibilités anodines. Un renard en train de mourir ; il y avait des renards dans Central Park, non ? Le vent mugissant dans un sac en plastique accroché à un arbre. Un de ces obsédés pitoyables, errant dans les lieux publics en quête de sexe brutal et anonyme. Qu'importe, ça n'engageait pas sa responsabilité, et cette opportunité de rentrer à la maison, sa récompense après tout ce qu'il avait enduré ce soir, c'était…

Le chauffeur klaxonna au moment où Mercer se précipita devant l'autobus en direction de l'autre côté de la rue et de l'entrée du parc. En plongeant sous l'enchevêtrement de branchages rendu indémêlable par la neige, il lui fallut se fier à sa mémoire, à une impression laissée par quelque chose à quoi il n'avait pas prêté l'oreille. Il avait eu l'impression que ça venait de vers le mur, n'est-ce pas ? Il maudit ses souliers élégants qui menaçaient de se dérober sous lui sur la pente glacée. Un amas de rochers noirs se dressait à gauche, un mur de buissons à droite. Tu es un imbécile, Mercer Goodman, pensa-t-il – un fou sur la lande sans roi Lear. Mais si c'était un être humain ? Oui, et alors ? Dans ce cas, il y en aurait probablement au moins deux, un agresseur et une victime, et Mercer, à coup sûr, avec son nœud papillon et ses douces mains d'esthète, serait de la chair fraîche.

Il enjamba la barrière métallique qui bordait le sentier à hauteur de genou et se fraya un chemin entre deux buissons. L'étendue de terre qui allait jusqu'au mur se présenta d'abord comme une plaque indéchiffrable de neige et d'ombre. Mais, avec ce même instinct animal qui l'avait conduit à marche forcée jusqu'ici, il avait dû flairer une respiration, ou une chaleur, car au moment où il scrutait la base du mur, une forme recroquevillée s'en détacha. Il approcha. Des oiseaux perchés sur l'ouvrage de maçonnerie se blottirent dans leurs plumes, sur le qui-vive. Un enfant, visiblement. Un garçon. Non, une fille, cheveux courts. Le visage tourné vers le ciel, vers la cascade de lumière qui ricochait au-dessus du mur, la tête impossiblement tordue en arrière. Elle était inconsciente, peut-être morte. Du sang avait coulé de son épaule et s'était répandu en colorant la neige. Mercer se rappela avec horreur que le sang avait une odeur, une odeur vaguement cuivrée. Il crut une seconde qu'il allait vomir.

— À l'aide ! hurla-t-il.

Sa voix se réverbéra contre le mur et se dissipa dans le néant derrière lui. Il hurla de nouveau :

— À l'aide !

Les oiseaux corrigèrent leur posture. La fille ne bougea pas. Il ne fallait pas déplacer un blessé et il ne voulait pas la toucher, il resta donc debout une minute, à regarder la forme noire à laquelle il serait désormais toujours associé. Après quoi, il détala, dans le sous-bois, sur le sentier, fantôme expulsé des mâchoires de l'enfer, appelant à grands cris comme si quelqu'un pouvait le sauver.

10

ELLE AVAIT SENTI LE REGARD avant de l'avoir vu, qui la mesurait comme les doigts d'un prêteur sur gages. Et si elle avait cru se protéger en venant au bras de ce Noir homo, petit ami de William, ce regard lui faisait sentir que tout, y compris cela, avait été chorégraphié, le divorce, la tempête à Chicago, le couteau avec lequel elle s'était coupée. Et bien sûr, ce n'était pas loin du fondement du pouvoir d'Amory : en sa présence, on pénétrait au cœur de desseins plus vastes et plus anciens que soi-même, d'immenses cartes du ciel projetées sur le dôme d'un planétarium vide. À sa connaissance, ces desseins constituaient l'unique socle de l'intérêt qu'il portait aux autres. Ce n'était ni la curiosité, ni la sympathie, ni même l'envie de se distraire mais, sous l'allure habilement déguisée d'une personnalité normale, la simple question du profit qu'il pourrait en tirer. Dans le cas présent, quel qu'ait été ce profit, il avait dû être considérable, car la dernière fois qu'il l'avait examinée ainsi, sans souci d'aucune retenue, datait d'un lointain week-end à Block Island, où elle avait cru à tort à une tentative de séduction. Et maintenant, comme il avait expédié ce pauvre Mercer, le perçant à jour au premier regard. Elle se sentait un peu coupable, mais comparée à sa propre blessure, vieille de plusieurs décennies, c'était une égratignure ; Mercer guérirait. Elle s'était hâtée de disparaître dans la pièce qui donnait sur la galerie non pas pour l'abandonner, mais pour ne pas laisser à Amory l'occasion de lui dicter sa conduite.

C'était l'ancien jardin d'hiver, la seule pièce du triplex où elle se soit jamais sentie à l'aise. Quand il avait acheté cet appartement pour Felicia, Papa l'avait transformé en véritable bibliothèque. Regan aimait y voir une façon détournée de se faire pardonner son remariage prochain. (Naturellement, à ce moment-là, William était parti pour sa deuxième, ou peut-être troisième école et, de toute façon, il avait toujours confondu stoïcisme et absence de douleur.) Les livres de sa mère, aux reliures disparates, se distinguaient facilement de la collection complète de *gesammelte Schriften* en cuir de même couleur que Felicia avait commandés en nombre chez Strand. Au cours de son premier, et unique, été dans cette maison, Regan, convalescente, avait élu domicile au milieu des échelles coulissantes et des canapés profonds. Au coucher du soleil, la lumière du sud-ouest, que n'arrêtait aucun immeuble plus élevé entre ici et le fleuve, se déversait à travers les panneaux vitrés. Elle avait l'impression d'être une passagère à bord du *Titanic* : le vaisseau était condamné, mais sa mémoire serait éclatante. À quoi bon cependant revenir sur tout cela ? Les échelles avaient disparu. À l'emplacement d'une des étagères où Maman rangeait ses livres se trouvait une sorte de télévision qu'elle reconnut comme le nouvel écran électronique de la société destiné à afficher les cours boursiers. Et au lieu du canapé en cuir dans lequel elle s'allongeait pour secrètement pleurer tout ce qu'elle avait perdu, il y avait un bureau énorme occupé par une maquette d'architecte en trois dimensions presque aussi grande. Amory l'observait toujours, elle le devinait à son silence lourd de sens. Elle se raidit. Se rappela à l'ordre.

— Tu es vraiment ici comme chez toi, maintenant, dit-elle.

— Ça ?

Il passa derrière elle, traînant la main sur le bois de la table, et s'installa sur le fauteuil pivotant.

— C'est une idée de ton père. Comme il travaille beaucoup à la maison ces temps-ci, il a décidé d'avoir un bureau où je serais à portée de main. Son fidèle Vendredi, pour ainsi dire.

Il arrivait parfois à Regan de se demander si son père existait même encore, ou s'il ne relevait plus que d'une convenance syllogistique, variable flottante utile pour équilibrer les comptes.

— Assieds-toi.

— Je suis restée assise toute la soirée, improvisa-t-elle, sachant pourtant que sa façon de se tenir derrière le fauteuil, les mains sur le dossier, trahissait probablement la peur.

— À ta guise.

Amory sourit innocemment. Après quoi il se cala dans son fauteuil comme pour mieux voir la maquette sur le bureau. Pour Regan, ça ressemblait à un stade, dressé au milieu de dizaines d'immeubles plus effilés en bordure d'une rivière bleue au énième de sa taille réelle. Il interpréta son regard, plutôt délibérément, comme une question.

— Personne ne t'a montré les plans de Liberty Heights?

— Ne me dis pas que nous allons acheter une équipe de football?

— Non, évidemment. Rien que le stade. Le construire, en fait. En tant que locataire principal d'une zone d'activité de trente-deux hectares.

— C'est dans le South Bronx? Ça flambe depuis des années, là-bas. Nos assureurs vont se cabrer.

— Ce qui est un obstacle pour l'un, Regan, est une opportunité pour l'autre. Tu serais étonnée de voir à quelle vitesse on peut déclarer une Zone Insalubre, à condition que le quartier soit suffisamment délabré. Et alors on a une succession de terrains revendus pour trois sous. Fonds complémentaires. Exonérations fiscales.

— Pas exactement la définition du marché libre.

Mais c'était comme s'il s'était mis inconsciemment à réciter son argumentaire, sans plus pouvoir l'entendre.

— Nous avons procédé à la Phase 1 en novembre, quand l'Arrêté de Zone Insalubre a été pris, mais sans rien d'officiel. Je ne comprends pas comment tu n'as pas été mise au courant. Quoi qu'il en soit, tu ne vas pas tarder à y travailler, dès que nous aurons formellement dévoilé le projet.

Diversification, tel était le mot d'ordre d'Amory depuis son entrée dans la société; Regan y avait vu en gros une succession d'acquisitions financées par endettement et exigeant l'approbation du conseil d'administration. Elle était portée à voter contre, comme quelques autres membres de la vieille garde, mais pendant les pauses dans les réunions, ce petit homme toujours élégant, resté assis sans se faire remarquer dans son fauteuil en bout de table, s'esquivait dans des coins déserts en compagnie d'un membre ou d'un autre. Plus tard, quand ils reprenaient pour passer au vote, Amory, inévitablement, l'emportait. Et Regan, au cours de ces années, avait été accaparée par des problèmes d'ordre plus personnel. C'est seulement en commençant à travailler à plein temps qu'elle avait constaté l'ampleur des projets qu'on lui demandait de défendre: mines de bauxite, cigarettes, une grosse affaire de café en Amérique centrale, et à présent, une fois de plus, un de ces projets immobiliers à propos desquels il se montrait toujours étrangement confiant. *À quoi bon investir sur les autres quand les autres peuvent investir sur vous?* Tel était l'argument d'Amory. Il recouvrit la maquette d'un tissu qu'on avait plié et rangé derrière. Le feu prosélyte semblait se calmer.

— Mais nous avons tant à faire en ce moment, Regan, qui pourrait nous reprocher de ne pas être au courant de tout?

— Au courant de quoi ?

— Des nouvelles qui ne me font pas plaisir et que je dois t'annoncer avant qu'elles ne te parviennent autrement. Une affaire de famille. D'une certaine façon, c'est peut-être une chance que ton père ne soit pas là ce soir, ça nous laisse le temps de prendre des dispositions.

Nouvelles était le synonyme de mauvaises nouvelles et elle ne put s'empêcher de penser au pire. Les examens le confirmaient ; une tumeur au cerveau brouillait l'esprit de Papa. Ou bien son avion avait pris feu dans un fossé près de la piste d'envol de O'Hare. Les deux. Mais elle n'allait pas supplier Amory de le lui dire.

— Je ne peux malheureusement pas prendre de gants, dit-il après une pause trop appuyée. Demain, à sa descente d'avion, ton père sera arrêté.

— Quoi ?

— Pour délit d'initié, me dit-on. C'est plutôt compliqué.

— Qui te l'a dit ? Je croyais que les accusations étaient secrètes, ou, comment dit-on, protégées.

— J'ai un réseau très actif. Tu le sais.

— Tu inventes.

Maintenant qu'il avait pu lui tirer cela, Amory était libre de se pencher en avant, de montrer son empressement. Il était, pensa-t-elle, bizarrement bronzé pour un mois de décembre. Il avait dû aller de nouveau dans l'isthme, retrouver sa bande du café El Bandito, ou ses copains de la *junta*.

— Et pourquoi donc, chère nièce, aurais-je envie de faire ça ?

Pourquoi, en effet, pensa-t-elle, alors que dès le retour de Papa, elle aurait su qu'il mentait.

— Très bien. Il se peut que ce soit vrai. Mais nous faisons face à des procès tout le temps. C'est bien pour cela que nous avons un service juridique.

— Cette fois, c'est différent. Il y a une taupe dans la société. Ton père est le principal accusé. Il y a de la prison en jeu, sans parler du scandale…

— Et que proposes-tu de faire ?

Ravalant son dégoût, elle parvint avec lui à la conclusion que Papa devait rester à Chicago jusqu'à lundi et se présenter ensuite en personne devant le juge. De cette façon, on parviendrait à éviter que l'histoire ne paraisse dans les journaux, ou du moins à la limiter aux pages économie. Amory, bien sûr, l'ayant assez torturée, se déclara certain qu'aucun acte répréhensible n'avait été commis. Que tout serait oublié.

Vraiment ? Quand une demi-heure plus tard Regan fut redescendue au rez-de-chaussée, les sirènes qu'elle avait entendues au loin étaient toutes proches. Des lumières rouges et bleues donnaient des coups de langue sur la grille de l'ascenseur. Derrière les vitres du hall, le pâté de maisons s'était brusquement changé en scène d'horreur avec voitures de police, ambulances, foule débordant des trottoirs : invités de la fête, invités d'autres fêtes, femmes aux cheveux de neige sorties en pantoufles des immeubles environnants, prétendument pour promener leurs chiens minuscules une dernière fois avant l'aube, mais en réalité seulement pour assister au spectacle. Et honte à toi, Regan, si tu affectes d'avoir un cœur plus pur. Son premier réflexe, malgré les endorphines et les cannabinoïdes qui se bousculaient dans son système sanguin, fut d'aller se renseigner : La police était-elle déjà là ? Miguel avait alors expliqué, d'une voix retenue, qu'on avait tiré sur quelqu'un dans le parc. Elle avait tout de suite regretté de ne pouvoir remonter le temps et effacer cette part d'elle-même qui avait cru qu'il s'agissait de son père, de ses problèmes.

— C'est horrible, dit le portier. Un môme.

Aussitôt, elle avait pensé à ses propres enfants dans leurs lits, sans carapaces, sans autre protection que trois serrures et Mme Santos qui les gardait, et sa seule envie fut de voler vers eux.

Chancelant sur ses talons, elle marcha en direction d'Amsterdam Avenue pour arrêter un taxi. Elle demanda au chauffeur de prendre par la Transverse pour ne pas se retrouver immobilisé dans les rues autour de chez Papa. Au bout d'une minute à peine, elle s'aperçut qu'elle avait indiqué au chauffeur l'ancienne adresse, par habitude. Elle se pencha en avant pour le prier de prendre à droite à la hauteur de la 5e Avenue – ils allaient à Brooklyn en fait. Elle y pensait encore en ces termes, une *prière* plutôt qu'une *indication*. Il aurait pu sans problème choisir un autre itinéraire pour augmenter le prix de la course, ou la laisser pour morte dans un champ près de l'un des aéroports après lui avoir volé son portefeuille. Elle avait eu tendance à faire confiance aux gens qui disaient connaître le chemin, mais où que vous regardiez maintenant, vous vous preniez ces scénarios de cauchemar en pleine figure, comme des feuilles de journal soufflées des caniveaux. Voleurs maquillés en chauffeurs de taxi. Tueurs maquillés en flics. Et maintenant *Un jeune tué à Central Park*.

Luttant contre la nausée, elle appuya le front sur la vitre. À travers le verre froid et la neige, elle voyait le haut du mur qui longeait la route transversale. Les branches tatouaient le ciel. Un homme armé d'un revolver courait d'un arbre à l'autre, il la suivait, mais pas vraiment. Quand avait-elle commencé à avoir peur de son ombre ? Elle était parvenue en déployant des stratégies occultes à garder la réponse secrète, même pour elle-même. En cause, il y avait toujours un homme, l'analyse l'avait aidée à comprendre ça. Il y avait eu Papa, puis William, puis Keith, chacun d'eux prenant le relais là où son prédécesseur avait échoué. Mais elle n'avait plus personne à présent pour la protéger, plus personne pour demander des comptes à qui lui voudrait du mal. C'était elle le rempart, elle, la dernière ligne de défense entre Will et Cate et le monde, et sa peur, il lui faudrait l'affronter.

Les nids-de-poule de la 5ᵉ Avenue et la suspension gélifiée du taxi lui soulevaient l'estomac de nouveau. La neige commençait à diminuer derrière la vitre embuée. Tout au bout d'une rue perpendiculaire, Times Square brillait, froide et inhumaine. Étonnant, la rapidité avec laquelle la place se dépeuplait dès que les caméras arrêtaient de tourner. Elle eut la vision soudaine d'une ville retournée à l'état sauvage. La neige, en disparaissant, laisserait apparaître des lianes grimpant aux maisons, des pumas rôdant à l'entrée des métros. Pas l'ordre naturel des choses, mais le chaos : enfants dressés contre leurs parents, voitures aspirées par des trous au milieu de la chaussée. Rues commerçantes désertes, quartiers grouillants. Indigents terrés dans les ruelles, leurs yeux de ratons laveurs suivant les phares des voitures, pattes serrées, visages ensanglantés. Et en fond sonore, se répétant en écho, le clac ! – ce coup de feu dont elle se rendait compte maintenant qu'elle l'avait entendu, elle aussi, là-haut sur le balcon. Dans un monde juste, pensa-t-elle, le môme en question serait encore debout sur ses deux jambes, et Amory dans l'ambulance, filant sirènes hurlantes vers Downtown.

Elle ne parvenait pas à s'ôter sa voix de la tête. *Tout ça sera vite oublié.* Une Zone Insalubre. Ni à oublier ce coup de feu. Un filet de bile brûlante lui montait dans la gorge. Elle parvint à tenir jusqu'à la voie express, mais dut alors demander au chauffeur de s'arrêter. Elle se pencha, mains sur les genoux, au-dessus d'une barrière de séparation. Elle n'avait pas refermé la portière, et celle-ci laissait se répandre la lumière du plafonnier et le son de la radio dont le chauffeur avait dû augmenter le volume pour couvrir ses haut-le-cœur. C'était l'animateur de cette tribune radiophonique, le crieur primal, Dr Machin, avec un Z, pas vraiment un docteur. Mais se pouvait-il que son émission soit diffusée maintenant un samedi à… on était quelle heure du matin ? Et qu'elle soit vraiment là, à l'entendre fulminer contre un marché corrompu, tout de suite après avoir décidé avec Amory de taire l'accusation ? Elle sentait l'habituelle montée de fièvre. L'alcool se cramponnait à elle. Elle ne voulait pas, ne voulait pas s'enfoncer les doigts dans la gorge ; cela faisait six mois qu'elle ne s'était pas fait vomir, et si ses enfants voyaient leur mère maintenant ? Les voitures sifflaient derrière elle, tapis roulant de lumières saccadées, dessinant sur le béton des ombres hypnotiques. Et ça jaillit enfin, son combat s'acheva, de telle sorte que, indéniablement, en 1977, le premier geste officiel de Regan fut de rendre ses tripes sur le bas-côté de la FDR.

11

BANDEAUX EN ALUMINIUM GAUFRÉS détachés des diadèmes, confettis ternis par la crasse, sifflets écrasés sous les pas, fonds craquelés des flûtes de champagne en plastique, mégots de Lucky kaki et de pâles Pall Mall, poumons perforés des pétards, et les bouteilles : à moitié pleines, vides, au col cassé en vue de commettre des crimes ou brisées en éclats verts et marron que le clignement rouge d'un peep-show peint d'une couleur romantique, dans le genre esthétique des rebuts. Tout ce qu'on ne montre pas à la télé. Séquences coupées, images non montées de ce qui vient après. Les présentateurs célèbres laissent leurs larbins noirs les installer dans les moelleuses cabines à l'arrière des limousines. Un technicien en blouson de satin enroule un câble autour de son bras comme un cordage ; son extrémité laisse des entailles dans la neige. Quand la boule, unique testicule descendu, s'est éteinte au-dessus de Times Square, les derniers groupes humains ont déjà été aspirés sous terre. L'espace d'une seconde la ville semble se pencher en avant et toucher du doigt son avenir : en ruine, dépeuplé, et presque inanimé. Dans un hangar hermétique, des experts judiciaires, armés de compas et de pieds à coulisse, estiment la valeur de parcelles numérotées. Sûrs d'être allés au-delà des illusions et de la solitude, au-delà de la maladie, du besoin et du sexe, ils fredonnent distraitement en se demandant ce que tout cela voulait dire. Dans la mesure où ils voient juste, ils ne le sauront jamais.

Et n'oublions pas les pigeons, qui ne devraient pas s'activer à pareille heure, mais qui le font pourtant. Ils se jettent sur des emballages de hamburgers que le vent plaque contre les murs des immeubles, emportent leur butin beaucoup plus loin, sur les lions ornant l'entrée de la Bibliothèque Publique. Ils ne vont pas jusque-là d'habitude, mais ce soir, ils sont perturbés par les sirènes qui chantent le temps chaotique, les circonstances terriblement déréglées. Ce qui pourrait expliquer pourquoi ils sont un petit groupe à avoir trouvé refuge sur la verrière cassée d'un commissariat situé dans un pâté de maisons plus tranquille au sud de Lincoln Center. Ils se sont réunis autour de la partie affaissée d'une bâche en plastique transparent. Quand ils bougent, leurs pattes font des petits bruits de tic-tac.

Mercer Goodman mettra un long moment à identifier les ombres ovoïdes là-haut, seulement voilà, assis presque exactement à la verticale du trou pratiqué dans le faux plafond de la Salle d'Interrogatoire 2, le temps, il n'a que ça. Autour du trou, les dalles acoustiques présentent des bords décolorés qui, plutôt que découpés, semblent rongés. Un peu d'eau stagne dans le ventre mou de la bâche retenue par des agrafes. Dès que le vent souffle, les coutures émettent un sifflement asthmatique, laissent passer l'air glacial et alors, dans le silence qui suit, le tic-tac recommence. Mercer frissonne. Juste derrière les yeux, il ressent une pression en pointillé comme un millier de bouchons de champagne qui éclatent. Ou, plus exactement, de vaisseaux sanguins. Enfoncer les poings dans ses orbites lui apporte un léger soulagement, mais pour des raisons auxquelles il s'efforce de ne pas penser, il ne veut pas fermer les yeux. Il a commencé à se demander, et c'est loin d'être abstrait, si le trou au plafond constitue une sorte d'invitation – si, en grimpant sur la table devant lui, il parviendrait à l'atteindre et à s'échapper – lorsqu'il s'aperçoit que les ombres ne sont pas des œufs mais des oiseaux. Ce qui explique l'odeur qui règne ici, l'odeur de sciure et de fiente des poulaillers de son enfance. Comme s'ils l'avaient suivi jusqu'ici.

Et, à leur façon, ils représentent une diversion bienvenue ; cette pièce, à bien d'autres égards, est un néant angoissant. À hauteur des yeux, le blanc est monolithique : porte blanche, table en Formica blanc, murs blancs sur lesquels les yeux se fixent pendant qu'on attend le retour d'un Blanc, celui qui vous a conduit jusqu'ici à l'arrière d'une voiture dont les portières sont dépourvues de poignées intérieures. Comment s'appelait le type ? McMahon ? McManus ? Mercer, trop secoué, n'avait pas prêté attention à ce détail, mais il peut jurer que c'était McQuelquechose. Il avait fait glisser un gobelet en plastique d'un ou deux centimètres, de façon à le placer exactement à égale distance de lui et de son prisonnier, blanc sur la table blanche. Son grand corps occupait toute l'embrasure de la porte. Derrière, Mercer pouvait voir l'espace ouvert et les bureaux qu'il venait de traverser sous escorte, la paroi de verre comme un mur de glace que le soleil ne réchauffait pas, bien que Mercer, à en juger par sa gorge (un goût de cendre amer) et ses yeux (frottés au papier de verre), devinât que l'aube se levait. Sous les tubes de néon du plafond, les lunettes de l'inspecteur McQuelquechose s'étaient révélées subtilement teintées. Leur partie inférieure, aussi bleue que ses iris, réduisait ses yeux à leur pupille. *Asseyez-vous*, avait-il dit. *Je reviens dans cinq minutes.*

Bien sûr, sans horloge, Mercer n'avait aucun moyen de mesurer les minutes. Aucun moyen de savoir combien de temps s'était écoulé depuis que, dans un accès de compassion, il avait introduit sa pièce de dix cents dans la fente du NYTel Uptown. Était-il assez tard pour que William soit rentré ? Et si c'était le cas – commençait-il à se poser des questions ?

Mercer n'était pas en état d'arrestation. Pas encore, du moins. Il semblait plutôt la victime d'une sorte d'ambiguïté sur le sens du mot « témoin » dont, croyait-il, la connotation renvoyait vraiment au fait d'avoir été le témoin d'un événement. Au lieu de quoi, ce dont il avait été le témoin, c'était ce qui s'était passé après, et dont les secours qui avaient pris son appel et les flics eux-mêmes auraient pu tout aussi bien témoigner. Il les voyait encore, les premiers à être intervenus, émergeant du parc plus sombres que lorsqu'ils y étaient entrés. Il voyait le brancard, la bosse ridicule des pieds sous le drap blanc. Et les bras en croix, la neige ensanglantée. C'était imprimé en lettres de feu à l'intérieur de ses paupières. D'où ses efforts pour se concentrer sur ce qui se trouvait devant lui et rien d'autre.

La chaise était dure, vissée au sol en ciment et, dans la table, on avait percé un trou dans lequel on aurait passé les menottes s'il avait eu des menottes. Sur le bord du gobelet de café, il y avait comme une morsure. L'ensemble concourait à donner à la pièce cet aspect de champ d'expérience, de défi élaboré. Incrusté dans le mur, il voyait un miroir qui n'était probablement pas un miroir et il imaginait sans peine que trois ou quatre flics l'observaient, dépenaillés, sujets à l'embonpoint. *Cinq dollars qu'il essaie la verrière. Non, cinq dollars qu'il prend le gobelet. Je parie cinq dollars que dans cinq minutes ce nègre craque et avoue.*

Mais ça pouvait être une paranoïa persistante due à la marijuana qu'il avait fumée – et à coup sûr ils le savaient – ou quelque part un désir de châtiment, ou encore l'écume des émissions de télévision de William qui, la nuit, ensanglantait le rideau de perles et ses rêves, *Baretta, Starsky, Barnaby Jones.* Car lorsque la porte se rouvrit enfin, il n'y avait de nouveau que l'Inspecteur McQuelquechose et les longues rangées de murs bas séparant les box derrière lui, délimitant les bureaux du commissariat désert, imbrications de rectangles cauchemardesques.

— Ça va bien, là-dedans ?

Sans attendre une réponse, il accrocha son blouson en imitation cuir au dos d'une chaise vide. La poignée de son arme dépassait de son étui comme une main qui se tend.

Pour être franc, ça n'allait pas – outre que l'incertitude le rendait à moitié fou, Mercer se pelait le cul et aurait fait bon usage de ce blouson – mais il savait que la franchise lui serait inutile ; il voyait déjà comment les choses allaient se passer.

De la poche d'une chemise hawaïenne aux couleurs criardes, émergèrent un carnet à rabat et, après quelques tâtonnements surjoués – nouvel ater-moiement –, un crayon court dépourvu de gomme, du modèle présent dans les golfs miniatures et sur les comptoirs des bibliothèques.

— À présent je vais vous poser quelques questions, monsieur Freeman.

— Goodman.

— Oui. Goodman.

Le flic bâilla, comme s'il était plus fatigant d'être assis de ce côté-là de la table, pour juger, que de ce côté-ci, pour être jugé. Puis il entreprit de noter les informations que Mercer avait, au détail près, déjà fournies là-haut, à Central Park Ouest, cherchant probablement à savoir si les réponses allaient changer. Mercer donna sa date de naissance.

— Ce qui vous fait quel âge ?

— Vingt-cinq ans.

Ou presque vingt-cinq ans, mais si le mec ne se donnait pas la peine de faire le calcul…

Sous la table, une chaussure de sport trouva refuge sur la chaise vide à côté de lui. L'inspecteur se réinstalla dans une position décontractée. Son chewing-gum claqua comme un pneu crevé. Mercer était-il censé se dire : *Waouh, on est pareils vous et moi*, ou était-ce simplement la baisse générale des formes, processus entropique de toutes choses ?

— Et vous êtes donc un nouveau venu ?

— Je ne suis pas d'ici, non.

Il sentit une petite étincelle de danger quand le flic leva les yeux de son carnet pour voir si on se moquait de lui. Non, pour une raison mystérieuse, McQuelquechose ne l'aimait pas. La paranoïa grimpait. C'était comme de passer devant un détecteur de vitesse : tout à coup il était fort possible que vous transportiez un cadavre dans le coffre. Est-ce qu'ils savaient ça aussi ? Qu'ils le sachent était peut-être l'une des ficelles du scénario ?

On lui demanda une adresse, il donna une adresse.

— C'est permanent, ou… ?

— J'habite avec un ami le temps de mettre le pied à l'étrier.

C'était une explication qui avait déjà servi pour sa mère. Il ne savait plus si c'était un mensonge ou pas, techniquement parlant.

— Oui, ça me revient. Et rappelez-moi, quel était le nom de cet ami ?

Ses intonations banlieusardes s'étaient accentuées pour mieux signifier la distance toujours plus vaste qui les séparait. Mercer l'avait déjà entendu, cet accent machiste réservé à ceux qu'on soupçonne d'être homo. *Tu ne m'auras pas, pédé !* Comme si Mercer pouvait être attiré par un visage aussi quelconque. Enlevez les lunettes, et vous obtenez le modèle de tous les visages new-yorkais d'origine américano-irlandaise : les mêmes taches de rousseur sur l'arête des mêmes nez retroussés. Mais quand il souriait, des fossettes se creusaient sur ses joues.

— Oh, attendez, je l'ai. C'est Bill quelque chose. Billy Boy. Bill Wilson.

Mercer avait pioché un nom dans une nouvelle de Poe ; si on découvrait la vérité, il pourrait toujours dire qu'on l'avait mal entendu.

— C'est juste une colocation, n'est-ce pas ? Juste deux bons amis ?

La chemise hawaïenne semblait gonfler et emplir la pièce, et Mercer était là, minuscule et sans défense, en chute libre à travers cocotiers et mer baignée de lune sans trouver à quoi se raccrocher. Il souffla dans ses mains.

— Puis-je vous poser une question, inspecteur ?

— Vous venez de le faire.

Dix-huit ans sous le vent de C. L. auraient dû suffire à lui faire tourner le dos à toute forme de résistance. Vous gardiez votre tête de con baissée. Vous disiez, *Oui, monsieur, Non, monsieur,* et vous ne leur fournissiez aucun prétexte. Mais on était en 1976, pas en 1936 – ou plutôt 1977, dans la capitale du monde libre, et *il n'avait rien fait de répréhensible.*

— Puisque vous savez déjà tout ça, pourquoi tout recommencer ?

Le silence qui suivit n'était pas de bon augure. Et c'est là qu'on frappa à la porte, ta – ta ta ta – taa – ta ta, et qu'une tête grise, plus basse que de raison, passa dans l'entrebâillement.

— Je ne dérange pas ?

L'inspecteur ne répondit pas, ne tourna même pas la tête.

— Formidable.

La porte s'ouvrit plus largement et un corps suivit la tête à l'intérieur de la pièce. Étant donné l'obstacle que représentaient les épaules de McQuelquechose, sans parler des autres calculs auxquels il se livrait, Mercer eut besoin d'une seconde pour comprendre ce qui n'allait pas avec cette tête : elle ne se redressait jamais. Avec ses yeux ahuris, ses joues rouges et rondes comme des boules de billard, sa bouche qui disparaissait pratiquement sous une moustache gris anthracite, elle semblait tomber en avant, entraînant le corps dans sa chute comme une ancre avec sa chaîne. Une béquille en métal était arrimée à la manche du pardessus du nouvel arrivant; le bruit sourd de l'extrémité distale sur le sol en béton dérangea les pigeons sur la verrière. *Tic-tac.* De l'autre bras, l'homme tenait un sac en papier kraft qu'il déposa sur la table. Lâchant la béquille, il s'agrippa au rebord de la table puis se pencha vers Mercer en souriant :

— Larry Pulaski.

Mercer prit la main avec réticence. Ses jointures remuèrent dans la sienne comme des billes dans une trousse en suédine. L'homme sortit trois gobelets bleus provenant d'un Deli.

— Il faut parcourir plusieurs pâtés de maisons pour trouver du café à cette heure de la nuit.

— Il est venu d'où, alors, celui-là? demanda Mercer en désignant le gobelet en polystyrène sur la table.

Il n'avait pas pu s'en empêcher, encore une attitude de défi, et il se prépara pour le moment où la grosse main de l'inspecteur McQuelquechose lâcherait son carnet et volerait vers sa bouche tel un baiser. (Et comment allait-il à son tour expliquer à William sa lèvre fendue sans lui révéler où il était allé?) Au lieu de quoi, il dut se contenter d'un sourire de mépris.

— Ça, c'est pour quand la verrière fuit. Si vous voulez boire de la merde de pigeon, allez-y.

L'homme plus âgé souriait sans discontinuer.

— Certains de mes jeunes collègues, monsieur Goodman, comme l'inspecteur McFadden ici présent, se contentent de ce truc dans lequel on verse de l'eau et qu'on mélange.

— Je ne vois pas ce que vous reprochez au Nescafé, dit McFadden. Je ne vous cache pas que je me sens un peu… comment dites-vous… Dévalué.

— Mais les dinosaures comme moi, nous avons nos habitudes.

Ainsi, Pulaski était aussi inspecteur, et tout ça faisait partie de leur boniment, de leur numéro. Mais il y avait quelque chose de rouillé là-dedans. En vieux de la vieille, Pulaski ne mettait pas assez la pression. Et donc McFadden, avec sa chemise hawaïenne hypnotique, paraissait soudain moins convaincant. Comme si, avant de venir, ils étaient passés par le département des costumes pour prendre ce qui leur tomberait sous la main.

— Alors vous, vous faites le bon flic ?

McFadden se tourna vers son partenaire.

— M. Goodman a décidé de jouer au malin.

— Ai-je droit à un avocat ?

— Vous voyez ce que je veux dire, commissaire?

Puis, s'adressant à Mercer:

— Vous n'êtes pas en état d'arrestation, petit futé. Pas d'arrestation, pas d'avocat.

— Je suis donc libre de partir?

Pulaski laissa flotter au-dessus de la table un sourire de croupier.

— J'espérais qu'avec un caoua digne de ce nom nous pourrions procéder de façon moins conflictuelle, monsieur Goodman. Allez-y, faites votre déposition, et ensuite la porte est ouverte. J'en ai pris un léger et sucré, un avec du lait et un noir.

En les désignant, il toucha le bord de chacun des gobelets.

— Je suis accommodant, je prends n'importe lequel. Une préférence, inspecteur?

McFadden haussa les épaules:

— Tant qu'il est chaud.

— Je vous le disais, nous sommes accommodants. À vous de choisir, monsieur Goodman.

Si Papa avait été là, il l'aurait mis en garde contre Pulaski. C'étaient des hommes comme lui qui surveillaient les ancêtres de Mercer dans les champs de canne à sucre et les plantations de coton; jouer la comédie ou du bâton, quelle différence? Mais vous ne connaissez pas l'odeur du café tant que vous n'avez pas respiré celle d'un café de Deli brûlant et sucré à, mettons, quatre heures et demie du matin la nuit où vous avez vu votre premier meurtre. Ou tentative de meurtre?

— Je prends celui au lait, dit-il.

Une fois les cafés distribués, Pulaski tira la chaise sur laquelle reposait le pied de McFadden. Il garda sa veste, comme s'il pouvait repartir à tout moment, mais décrocha sa béquille et l'appuya sur la table. McFadden fit glisser le carnet vers lui.

— Nous en étions juste à la fin des questions préliminaires. Je vais reprendre à présent. Vous n'y voyez pas d'inconvénient?

Il y avait mis une pointe d'irritation, mais Pulaski leva la main sans jeter un regard sur le carnet, comme pour signifier qu'il ne valait pas la peine qu'on tienne compte de lui.

— Je vous en prie.

Donc, dans le cas où il incarnerait réellement ce personnage mythique, le bon flic, il ne serait strictement d'aucune utilité pour défendre le témoin contre son jeune collègue mastoc qui à présent se penchait, coudes sur la table. Mercer but une longue gorgée de café, juste pour placer un objet quelconque entre lui et son interrogateur.

— Alors, ce que vous me disiez dans le parc, vous quittez une fête sur la 72ᵉ et vous allez attendre l'autobus. Vous ne portiez pas juste ce déguisement, n'est-ce pas? Je veux dire, il fait froid.

— C'est un smoking, inspecteur. Et non, j'avais un manteau.

— Oui, vous m'avez l'air de vous y connaître en mode masculine. Ce serait, quoi, un beau manteau en mouton? Acheté quelque part sur la 5ᵉ Avenue?

— Chez Bloomingdale's. Vous avez dû le trouver sur la…

— La victime. C'est exact.

La disparition du manteau, songea-t-il alors, encore une chose qu'il aurait du mal à expliquer à William.

— Il est probablement dans l'ambulance, je ne sais pas, ou toujours dans le parc. Je ne vois pas quelle importance ça peut avoir.

— Oh, une pièce à conviction comme celle-là, nous ne l'aurions pas laissée dans le parc, je peux vous le garantir.

McFadden s'animait, lancé dans son numéro, mais Pulaski fit la grimace, comme si les bonnes manières l'obligeaient à avaler un hors-d'œuvre qui n'était pas à son goût.

— Je pense que nous pouvons passer sur ces détails, renvoyer M. Goodman chez lui plus vite.

— C'est bizarre, pourtant, dit McFadden, porter un si beau manteau et attendre l'autobus au lieu de prendre un taxi.

— Il appartient à mon colocataire, si vous voulez le savoir.

— Ah. Nous y revoilà. Le mystérieux colocataire. William Wilson.

Pulaski leva les yeux.

— Ça me rappelle quelqu'un que nous connaissons bien tous les deux, inspecteur, quand vous vous attachez, comme ça, aux détails.

— Très bien. Revenons en arrière. Cette fête, cette fête tellement sélecte à laquelle vous avez déclaré être allé. Y a-t-il eu usage de substances réglementées, à votre connaissance?

Mercer était cuit.

— Je ne sais pas de quoi vous parlez. Du champagne?

— Je parle de… Vous savez de quoi je parle, monsieur Goodman. Au cours de la soirée, avez-vous été sous l'influence de narcotiques?

Mais de nouveau, Pulaski fit la grimace, en s'accompagnant cette fois d'une petite toux.

McFadden semblait au moins aussi déconfit que Mercer.

— Le truc, Pulaski, c'est que cette histoire ne me plaît pas.

— C'est moi qui vous ai appelés, dit Mercer. *Moi* qui *vous* ai appelés. J'aurais pu la laisser là, faire comme si je n'avais rien vu. J'ai attendu que vous soyez tous arrivés.

— Quelque chose ne colle pas. Vous faites quoi, monsieur Goodman ? Pour gagner votre vie ?

Mercer sentit ses joues brûler.

— Je travaille au lycée Wenceslas-Mockingbird. C'est un établissement très prestigieux, sur la 4e Avenue.

— Bon, et vous répondez au téléphone, nettoyez les sols, ou quoi ?

— Pourquoi vous ne les appelez pas, pour voir ?

— Il est quatre heures du matin et c'est un jour férié, ça vous arrange bien. Mais dès qu'ils ouvrent, vous pouvez être sûr que je les appelle.

La mâchoire de McFadden se contracta au moment même où Pulaski levait la main de nouveau.

— Permettez-moi, inspecteur. M. Goodman nous a bien appelés et je vois que vous avez une bonne quantité de notes là-dessus. Si vous alliez taper ces notes préliminaires, M. Goodman et moi pourrions peut-être un peu clarifier ce qui reste flou.

Les deux hommes échangèrent un regard que Mercer, il en était sûr, n'aurait pas dû voir. Deux mains serrant le même relais ineffable. À sa surprise, Pulaski l'emporta.

À la minute où McFadden s'en alla, la tension du danger disparut. Ce que Mercer ressentit à l'égard de Pulaski était de l'ordre de la gratitude. Le petit homme, voûté même lorsqu'il était assis, mit un temps fou à se débarrasser de sa veste de sport et à la plier sur le dossier de la chaise.

— Polio quand j'étais petit, dit-il *sotto voce,* comme s'il avait remarqué le regard de Mercer mais ne voulait pas le mettre mal à l'aise. Plus fréquent (et que je me tortille) qu'on pense. Ne vous inquiétez pas. Ça ne fait pas mal.

Lorsqu'il se rassit, un peu hors d'haleine, il positionna la béquille de façon qu'elle forme un angle droit avec le bord de la table. Il sortit son carnet de sa poche de poitrine, qui semblait être la place désignée, et le plaça devant lui perpendiculairement. Il palpa son pantalon.

— Mais où ai-je mis ce stylo ?

Après quoi, avec un grand geste d'illusionniste, il fit apparaître un stylo en argent, pareil à un Waterman que Mercer avait possédé autrefois.

— C'est mon point faible, dit ma femme. Mais à besoin modeste, satisfaction princière, telle est ma devise depuis toujours.

Lorsque le stylo fut parfaitement parallèle au carnet, Mercer crut entendre un ronronnement de plaisir.

— Je dois vous expliquer, monsieur Goodman…

— Vous pouvez m'appeler Mercer.

— Mercer, merci. L'inspecteur McF, malgré son abord rugueux, est un excellent policier. Il croit, et cela n'a pas été réfuté, que les gens sont par essence des animaux, et que pour obtenir quelque chose d'eux, il faut montrer qui est le maître. Cela dit (léger ajustement de la position du carnet) j'ai ma propre croyance, construite au fil des années, bien trop nombreuses à mon goût, à savoir : s'il existe un esprit de coopération mutuelle, pourquoi rendre les choses difficiles ?

Mercer aurait pu percevoir là une menace latente, mais son corps, encore bourdonnant des hormones sécrétées par le soulagement, refusa de se donner plus de mal. Et en l'absence soudaine de la tension qui maintenait sa vigilance, il se rendit compte qu'il était épuisé.

— On gèle ici.

— Coupes budgétaires.

— La nuit a été longue.

— J'imagine bien.

Bien sûr que Pulaski pouvait l'imaginer. Au bilan de dix mille nuits comme celle-là s'inscrivaient les cheveux blancs généreusement disséminés dans sa coupe noire et rase. Dans les aspérités de sa colonne vertébrale, visibles sous l'étoffe de la chemise quand il se baissait sur son carnet. C'était Mercer qui ne pouvait pas l'imaginer. *Le témoin est incurablement tourné vers lui-même*, écrirait le Waterman.

— À présent, Mercer, ce que j'aimerais, ce qui m'aiderait, c'est que vous commenciez par le commencement, que vous me racontiez, le plus clairement possible, comment vous vous êtes trouvé devant Mlle Cicciaro. C'est la victime. Et le nom est confidentiel pour le moment, elle est mineure. Je vous demanderais de ne pas le répéter.

— Puis-je vous poser une question d'abord, inspecteur ?

— Allez-y.

— Est-elle vivante ?

Pulaski leva les yeux, le regard empreint d'une infinie compassion.

— Aux dernières nouvelles, elle était entre deux opérations.

— Qu'est-ce que cela signifie ?

— Écoutez, si j'étais médecin…

Il eût été superflu pour lui de toucher sa béquille ; arrivé là, Mercer avait l'impression qu'ils se comprenaient parfaitement. Il en eut la confirmation quand Pulaski sortit un paquet de cigarettes de la poche de sa veste et le poussa dans cet espace médian où se trouvait toujours le gobelet en polystyrène.

— Et j'ai pris ça aussi.

Les mains de Mercer tremblaient, de fatigue, de froid ou de nervosité, et il dut se concentrer pour guider sa cigarette jusqu'au briquet de l'inspecteur. La flamme dansait, petite croix dorée.

— Pour être franc, Mercer, qu'elle vive ou meure n'est pas de notre ressort au point où nous en sommes. Nous devons nous intéresser à la justice, et donc traiter cela comme une tentative de meurtre. Alors, tout ce que vous pourrez me dire. N'importe quoi, en commençant par le commencement.

Il dut s'efforcer de ne pas tousser. Il y avait longtemps que C. L. avait tenté de lui apprendre à fumer, mais ce soir tous ses petits efforts d'abstinence semblaient vains. Au-dessus de lui, une tache d'humidité brune aux contours de la Floride souillait la mousse blanche du faux plafond. Une dalle déformée pendait sous le bord de la bâche semi-opaque, laissant voir une zone obscure où se cachaient câbles, conduits, caméras, allez savoir. D'une certaine façon, par quoi commencer était la grande question de la vie de Mercer. Mais maintenant, en fermant les yeux, il sentait la mémoire affluer comme une migraine : déclencheur, puis aura, puis douleur.

L'entretien avait peut-être duré une heure de plus, progressant pas à pas sous les relances de Pulaski. Colocataire empêché d'aller à la fête. Mercer présent à sa place. Salles bondées, une cuisine, un lavabo rose, une conversation sur un balcon, aussi inconsistante que la fumée. Il avait cru – Mercer était maintenant livide, dans la salle d'interrogatoire –, il avait cru entendre deux éclats, résonnant dans la nuit comme des feux d'artifice. Et puis le parc, le corps. Peut-être vingt minutes plus tard. Jambes écartées comme pour dessiner un ange dans la neige. Il voyait sa main reposer le combiné sur la fourche. Il était resté là, seul, une éternité, dans la lumière blafarde de la cabine. Et puis il était retourné auprès d'elle. Puis, revenu pour l'arrivée des sirènes, contre le véhicule de police, s'efforçant d'expliquer à qui voulait l'entendre, le pare-chocs glacé contre ses cuisses, le sel collé dessus. D'autres véhicules dans les rues, immobilisés à des angles bizarres, les foules de fêtards massés au-delà, visages apparaissant et disparaissant dans les flashes des ambulances. À l'arrière de ce même véhicule, les projections des roues, l'air sec et les ténèbres, le chauffage atteint d'emphysème tenaient le monde à distance derrière la vitre. La lumière du tableau de bord les conduisant dans des carrefours déjà déserts.

Quand il eut terminé le récit de son retour dans le petit cube blanc où ils étaient à présent assis, le détective et lui bâillèrent tous les deux, de manière quasi simultanée si bien qu'il était impossible de savoir qui avait entraîné l'autre. Honteux de constater à quel point il avait baissé sa garde, Mercer ne savait plus quoi dire d'autre. Comme lui, Pulaski gardait le silence. Les ampoules fluorescentes, derrière leurs carreaux de plastique strié, produisaient une vibration blême et insistante. Pulaski avait pris des notes en petites majuscules et quand il en feuilleta les pages (comment avait-il pu écrire autant, si lisiblement, et en un temps si court?) Mercer tenta de les lire à l'envers. REGAN, vit-il. Et BUS : MIO ? Avait-il perçu ce que Mercer cherchait consciemment à omettre? Avec qui Mercer choisissait de coucher ne concernait absolument pas Pulaski et, si le fait de savoir qu'il était en pleine descente de marijuana pouvait bel et bien le concerner, ça n'avait aucun lien avec le crime lui-même. Il crut percevoir d'autres lacunes, involontaires, dans l'attention de l'inspecteur : des questions qu'il n'avait pas songé à poser, alliées ténébreuses sous la surface des choses. Mais peut-être le tic-tac des pigeons le rendait-il fou? Le Waterman claqua sur le carnet et Pulaski leva les yeux, son regard lapidaire :

— Le nœud.

— Pardon?

— Vous aviez un nœud papillon en arrivant à la fête. Vous avez dit que vous vous étiez arrêté pour le refaire avant d'entrer.

Le bout du stylo en argent pointait vers le col ouvert de la chemise de Mercer.

— Vous avez dû l'enlever à un moment donné.

— Oui. C'est ça. Quand j'attendais l'autobus, je crois.

Mais il se rappelait seulement l'avoir sur lui. D'un versant de la nuit, il regarda l'autre, un garçon dans une rue déserte. L'immeuble d'en face était un grand bateau de verre. S'il pouvait seulement franchir la porte, tous ses rêves deviendraient réalité. Il s'était baissé pour ôter la neige sur un rétroviseur et dénouer, renouer. L'ayant fait un millier de fois, il n'avait eu besoin du miroir que pour s'assurer que le nœud était parfait. Il n'avait pas encore compris qu'il fallait davantage qu'un nœud papillon pour que les choses soient parfaites.

— J'ai dû le laisser dans la poche de mon manteau.

Pulaski fit un signe de la main et la porte s'ouvrit. C'était McFadden, avec le manteau de William. Il le jeta au milieu de la table comme un gantelet informe, posa sur Mercer un regard satisfait puis tourna les talons et sortit.

— Une idée de l'endroit où il était, monsieur Goodman ? demanda Pulaski.

— Je voulais la tenir au chaud jusqu'à l'arrivée de l'ambulance.

— Et une idée de ce qu'on a trouvé dedans ?

Il enfouit les deux mains dans la poche. L'une d'elles en sortit, s'ouvrit et un nœud papillon noir se déplia. Quand Mercer le prit, l'autre main posa sur la table, avec une tendresse inquiète, une trousse en cuir ouverte de la taille d'une petite bible. À l'intérieur il y avait deux seringues et une boule de poudre enveloppée de cellophane.

— Vous comprenez, Mercer, tout ça ne me paraît pas très clair. Je suis flic. Vous connaissez le métier ? Trouver des preuves. Ça, et la paperasse. Écriture, empreintes, ça se résume à ça. Et ce que nous avons là, c'est un manteau, lié à vous, lié à la fille et à ce qui m'a tout l'air d'un gramme d'héroïne pure.

— Mais ce n'est pas à moi !

Il avait l'impression d'avoir reçu un coup de pied dans les couilles – même nausée sourde irradiant partout. C'était un coup monté. Il voulait un avocat. Et il se rappela soudain où il avait déjà vu la trousse : oh. Oh.

— Elle appartient à quelqu'un d'autre. À la personne à qui appartient le manteau.

— On dirait que cette personne et vous avez besoin de parler, dans ce cas.

Ils se dévisagèrent pendant Dieu sait combien de temps. Sous la moustache en brosse, le petit visage du flic tressaillait. Mercer allait présenter ses poignets et demander les menottes lorsque Pulaski ajouta :

— D'ici là, vous voudrez sans doute donner le manteau à nettoyer. Il y a du sang dessus. Ça, on le garde, bien sûr.

Il saisit la trousse.

— Attendez, vous ne m'arrêtez pas ?

— Mercer, je vais vous dire, je me mets dans le pétrin, mais vous avez un visage auquel j'ai envie de faire confiance et j'ai l'impression que vous avez été de bonne foi, autant que vous pouvez l'être.

— Oui, je jure que oui.

— Alors je vous propose un marché…

Et là, sortie d'entre les plis mystérieux du carnet, une carte de visite apparut.

— Si quelque chose vous revient – le détail le plus insignifiant – vous m'appelez. Sinon, je connais votre adresse.

Mercer prit la carte. L'espace d'une seconde leurs doigts se touchèrent.

— Et maintenant, c'est le moment de déguerpir.

Pulaski le laissa se lever, prendre le manteau et s'éloigner vers la porte, tout en feignant de jeter quelques notes. Il était sur le seuil quand le type dit, sans paraître s'adresser à quelqu'un en particulier :

— Vous vous rendez compte ? Vous avez peut-être sauvé une vie cette nuit.

Et il trouva cela drôle ; à ce moment précis c'est exactement l'effet que fit à Mercer le petit inspecteur. Ou commissaire, plutôt. **COMMISSAIRE ADJOINT LAWRENCE J. PULASKI**, disait la carte. Et tandis qu'il se tenait là, debout, quelque chose déjà lui revenait, quelque chose qu'il aurait pu dire à Pulaski s'il n'avait pas eu la crainte d'être retenu plus longtemps. Il lui avait semblé un moment que quelqu'un dans le parc l'observait. À genoux dans la neige – aussi stupide qu'un pigeon, recouvrant du somptueux manteau le corps tordu et à présent silencieux dont l'odeur ne le quitterait jamais plus – il avait eu la certitude, une fraction de seconde, de ne pas être seul.

12

Câbles courant d'accords en triolets, renflés ici ou là au contact de connections corrodées, étranges dessins dans le ciel, triangles et sphères s'ingéniant à lui délivrer un message codé. Ce matin, toute l'étendue muette de Long Island s'ingéniait à lui délivrer un message : qu'il était un foutu dégonflé, qu'il aurait dû être là-bas avec Sam, au lieu d'être ici, dans ce train, pas en jean mais en pantalon de pyjama, avec ce chapeau sur la tête qui lui donnait l'air d'un vrai crétin. Les transformateurs s'inclinaient, crucifix fatigués, marqués par la rouille et la neige à l'autre bout de la vitre à travers laquelle il ne voyait qu'imparfaitement, tout comme il ne se rappelait la nuit qu'imparfaitement. La condensation dessinait des traits sur la partie embuée de la glace et, au-delà de ces traits, des oiseaux planaient dans le ciel dégagé, les mouettes de la Jamaïque. Des touffes d'herbe surgissaient de la neige comme des moustaches sur un visage grisâtre. « Billets, dit le contrôleur. Billets. » En sourdine, Charlie se mit à fredonner, à la fois pour se calmer et aussi parce que comme ça le contrôleur le prendrait pour un vrai débile et passerait son chemin. *Keep your 'lectric eye on me, babe. Press your raygun to my head*[1]…

La vérité, c'est qu'il n'avait pas de billet. Il avait passé les dernières heures caché, dans le cirque surréaliste de Penn Station avant l'aube, en s'efforçant

---

1. « Moonage Daydream », David Bowie, *The Rise and Fall of Ziggy Stardust and the Spiders from Mars*, 1972.

de dégoter un endroit où dormir tranquillement à l'écart des touristes, des putes, des junkies ou d'un flic poupin. Mais il sentait les regards avides posés sur lui. *Je suis un être humain !* avait-il envie de crier. *Fichez-moi la paix !* Et quand il trouva enfin, là-haut, dans la salle d'attente déserte d'Amtrak, un espace entre deux bacs d'hostas chétives, dormir fut la dernière chose dont il se sentit capable. La puanteur du rez-de-chaussée parvenait jusqu'à lui, eau de cuisson de hot-dogs mélangée à du goudron de toiture pourrissant dans une ruelle, et quand il fermait les yeux, des éclats de blanc brillant pulsaient contre le rose normal, rassurant. Peut-être un mélange de bière, de schnaps, et de panique. Parce qu'il n'avait pas la moindre idée de l'endroit où elle avait été emmenée. Combien y avait-il d'hôpitaux dans la Ville ? Avec un annuaire et un rouleau de pièces, il aurait pu appeler chacun d'eux. Mais si à l'intérieur toutes ses cellules tressautaient et s'agitaient, à l'extérieur il était comateux, recroquevillé sur lui-même, le chapeau de Grand-Père lui protégeant la tête, son pantalon de pyjama ramassant les salissures des carreaux et ses bottes de combat taille 49 essayant de ne pas se montrer entre les affreux bacs en stuc. Et comment osait-il se plaindre alors que, sous *lui*, il aurait pu y avoir de la neige, un brancard, ou…

Il essayait de se rappeler la prière, *Baruch atah*, quand il entendit une vague de disco quelque part pas loin. Il ouvrit les yeux et vit un vieux Noir traînant comme un boulet son chariot entre les sièges vides, rangée après rangée. Ils étaient sûrement les deux seuls présents au niveau d'Amtrak à pareille heure, et l'homme feignait de ne pas voir Charlie en ramassant sur les chaises les journaux de la veille pour les fourrer dans une poubelle. Mais surtout, il y avait un transistor accroché à l'un des pieds du chariot. Il était trop tôt pour que les journaux du matin soient jetés devant les kiosques fermés, mais les informations passaient toutes les dix minutes sur 1010 WINS, si seulement Charlie parvenait à changer le réglage de la radio. Si la AM parvenait jusqu'ici. Quand l'homme fut presque hors de son champ de vision, Charlie le prit en filature. Et quand le chariot disparut derrière une colonne, Charlie se cacha de l'autre côté. Il resta assez près pour entendre le disco céder la place à d'interminables annonces publicitaires, mais l'homme n'était jamais à moins de trois mètres de son chariot et, quand il descendit, la fréquence se brouilla. Une heure plus tard, Charlie attendait encore son retour quand le tableau des départs commença à afficher les premiers trains du samedi matin. Pouvait-on lui reprocher d'avoir oublié que son billet de retour se trouvait dans la poche de son jean, derrière un buisson dans Central Park, et qu'il avait donné tout son argent à une gonzesse dans un club où il n'aurait jamais dû aller ?

Presque à sa hauteur à présent, il entendait le clic de la poinçonneuse, un bruit ténu, élégant, comme un coup de bec sur un arbre. Il plongea la main dans la poche de son blouson et en extirpa un gant fripé ainsi qu'un bâton de Juicy Fruit durci dans son emballage. Et si le contrôleur le reconnaissait? Si on recherchait dans tous les trains en direction de l'est un garçon, taille 28, longueur 34, ayant perdu son jean? Il ne voulait pas attirer l'attention, et il cessa de fredonner. Il avait décidé – il le devait à Sam – de rentrer chez lui sans se faire attraper.

Peut-être était-ce bon signe, alors, qu'on n'ait pas encore parlé d'elle. Parce que, disons qu'elle soit à Bellevue, qu'un présentateur, entre Wild Cherry et le Sunshine Band, ait annoncé, comme ça : *Coups de feu dans Central Park, traumatologie, Bellevue*; pourrait-il affirmer qu'il serait encore dans ce train, essayant de fuir, essayant de se convaincre qu'il lui serait plus utile s'il était libre et si personne ne savait que tout ça, indirectement, était sa faute?

Il tenta encore de prier. Il ignorait dans quel but – remonter le temps, agir autrement, obtenir qu'elle se rétablisse? – et il avait cru, à Penn Station, que le problème venait de là. Mais ce n'était pas le cas. Pas plus que de son hébreu inexistant, de la multitude de distractions, du léger bourdonnement de la locomotive tirant ce petit train électrique, des cités défilant bruyamment, des autres passagers, du cliquetis de la poinçonneuse; c'était le silence derrière tout ça, le silence en réponse. Et peut-être les prières de Charlie Weisbarger n'obtenaient-elles pas de réponse parce qu'il ne savait pas à qui les adresser: au D. de Maman et de Papa, qui l'avaient (bien qu'il fît de son mieux pour l'oublier) sauvé de l'orphelinat à l'âge de dix semaines, ou à la Vierge propitiatoire vers laquelle s'étaient tournés ses ancêtres biologiques, ou au Jésus débonnaire aux cheveux longs, le Jésus de *Godspell* que les gars au lycée trouvaient si génial…? Sans lui laisser le temps de décider, le contrôleur s'arrêta devant lui.

— Billets, s'il vous plaît, tous les billets.

— Je crois que je me suis trompé de train, s'entendit-il marmonner, au culot. Je suis sur le Garden City?

— Non, l'Oyster Bay, fiston. Tu n'écoutes pas les annonces?

— Je voulais aller à Garden City.

Le contrôleur, un homme de petite taille, avait de grandes mains et le visage impassible – c'était un long service – mais il était maigre, comme l'avait été le père du garçon. Père adoptif, ainsi que Charlie se força à se rappeler, et pourtant le meilleur et le seul qu'il ait connu.

— Il va falloir descendre au prochain arrêt, revenir en arrière et changer de train.

— Je ne peux pas rester ? J'appellerai ma mère pour qu'elle vienne me chercher à… euh, Glen Cove peut-être.

— Il faut quand même un billet.

— Mais je n'ai assez d'argent que pour Garden City.

Là encore, c'était du bluff. Mais peut-être était-ce encore un effet de son stratagème pour passer pour un crétin, ou parce que le contrôleur, le prenant pour un clochard, avait pitié de lui ou simplement qu'il avait envie de tourner le dos aux vilenies de l'année écoulée, car il se contenta d'un « Nom de Dieu, petit. Fais ce que tu as à faire », et s'éloigna.

Non, décidément, c'était une lueur divine. Une force quelque part voulait qu'il rentre à la maison et le réservait pour un plus grand dessein. Dès qu'il serait chez lui, libre, il éplucherait tous les journaux, appellerait tous les hôpitaux, si nécessaire, pour retrouver Sam. Quand les câbles commencèrent à ralentir et que le train s'arrêta à Flower Hill, il était déjà, en esprit, à son chevet, pour se faire pardonner.

13

LEVER DE RIDEAU. Mais non, il n'y avait pas de rideau. Où était-elle? Une grande fenêtre. Lumière sur un mur peint. Ah oui: le nouvel appartement. Quatorzième étage. Brooklyn. Comme presque la totalité de sa vie maintenant, les rideaux étaient dans un carton quelque part dans le grand éboulis de cartons, probablement le dernier dans lequel elle aurait l'idée de regarder. Regan croyait, ou croyait croire, que les objets contenus dans les cartons se déplaçaient quand les couvercles étaient mis, et même parfois se téléportaient de l'un à l'autre, de sorte que ce dont on avait un besoin urgent à tel ou tel moment se trouvait là où on ne le cherchait pas. Était-ce une métaphore? La lumière de la fenêtre côté est lui écrasait la figure comme un choc violent. Et *ça*, c'était une métaphore? Et pourquoi le remarquait-elle pour la première fois? Elle se levait plus tôt d'ordinaire, voilà pourquoi. *Quelqu'un* était levé – elle sentait l'odeur des œufs, et la télé était allumée dans le salon – mais ce n'était pas, à l'évidence, elle. Pourquoi la télé ne pourrait-elle pas plutôt être dans un carton et le rideau à la fenêtre? Une poussière crayeuse semblait tapisser sa bouche et sa gorge. Son pouce palpitait. Une douleur fusante refluait de ses tempes dans la cavité crânienne où se tenait son cerveau rabougri, tyran minuscule sur un trône démesuré où il bavassait intérieurement au lieu de faire ce qu'on attendait de lui, dormir et dissiper cette gueule de bois. Elle avait bu trop de champagne – elle l'avait vomi, elle s'en souvenait maintenant, au bord de la FDR, ce qui expliquait la bouche pâteuse, elle avait bien dû se brosser les dents, elle ne serait jamais allée se coucher sans se brosser les dents, si ? Franchement, qui pourrait s'en souvenir ? Si elle se retournait, si elle tournait le dos au soleil, l'arrière de son cerveau viendrait frapper contre sa boîte crânienne et la douleur commencerait à pulser, mais c'était ça ou elle ne parviendrait jamais à se rendormir. Gardant étroitement tirés les rideaux de ses paupières, elle inspira et roula sur le côté en gémissant. Dans la pièce voisine, le courant sous-jacent d'activité s'arrêta net. « Maman ? » Elle devait vraiment se lever, elle n'aimait pas trop l'idée de savoir Will devant le fourneau pendant qu'elle dormait, mais les œufs sentaient la mort. C'était, elle s'en souvenait, l'un des symptômes de ses gueules de bois qui, quand elle avait mis un terme aux gueules de bois, présentaient une profusion baroque de symptômes. Synesthésie. Palpitations. Hallucinations auditives. Folie des grandeurs. Haine de soi. Névrose. Une impossibilité, une fois réveillée, de faire la seule chose en mesure de la soulager, se rendormir. Elle plaqua un oreiller sur son visage et jeta un coup d'œil prudent au réveil de la table de nuit. 8 : 15. Ils étaient déjà levés, comment était-ce possible, alors que tous les matins, sortir Will de son lit de si bonne heure revenait à lui arracher une dent ? Pourquoi, dans cette boîte-ci, ne pouvaient-ils pas rester couchés, visités par de beaux rêves, purs possibles ? La douleur ne plaisantait plus, à présent, elle se précipitait sur son cervelet avec couteau et poignard. Intérieurement, elle se figura les étapes à venir. S'asseoir. Se brosser les dents de nouveau ; boire au robinet ; avaler de l'aspirine. Préparer son visage à affronter les visages… Affreux, mais indispensable. Car si Regan savait une chose, c'est qu'elle ne se rendor

Lever de rideau. La télé était toujours allumée, mais plus de dessins animés ; derrière le mur, les voix étouffées étaient trop adultes pour ça. Et aussi : la douche coulait. Des coussins en flanelle lui enveloppaient la tête comme une momie, mais à l'intérieur, c'était simple, il n'y avait rien. Elle aurait été incapable de nouer ses lacets. Le plus extraordinaire, c'était qu'il lui restât une langue pour penser, si tant est que les gens pensent en langue. Elle laissa s'agrandir la fente de lumière entre les coussins. Il était près de dix heures, d'après le réveil. Se rendormir eût été une abdication ; elle avait eu ses huit heures, plus ou moins. Et déjà le moindre mouvement l'emportait toujours plus loin au-delà du cocon de chaleur que son corps avait tissé au cours de la nuit. Il lui fallait retrouver l'endroit exact. Mais qu'est-ce qui l'avait réveillée cette fois ? Pas le réveil, elle n'avait pas mis la sonnerie, et pas la télé, elle était déjà allumée. Non, c'était l'impression qu'on l'observait. Au prix d'un effort héroïque, elle roula sur le dos, en laissant retomber sa main blessée et là, sur le seuil de la porte ouverte, deux jambes en bâtons de sucette dépassaient d'une chemise de nuit. Les cheveux en bataille, électriques. C'était Cate.

— Will a dit de ne pas venir, mais j'ai dit que tu voudrais bien.

Chaque syllabe était un coup de marteau miniature contre le barrage endiguant la migraine de Regan. Elle écarta la couverture sur un coin tiède du lit et le tapota.

— Viens ici, ma puce. Mais… doucement, Maman a mal à la tête.

Trop tard. Toute hésitation avait déserté Cate qui courut se jeter dans le lit. Et bien sûr, c'était une sorte de réconfort, ce petit corps de chauffe qui se tortillait à côté de soi, rappelant qu'il existait d'autres corps plus importants que le sien. Une main se glissa sur son front tel un petit animal domestique, pour voir si elle avait de la fièvre, comme elle avait fait si souvent avec Cate. C'était devenu l'une de ses feintes favorites quand elle ne voulait pas aller chez Keith. *Maman, j'ai de la fièvre, pose ta main sur mon front.*

— Ça va, chérie.

Des rides se formaient sur le visage sans ride, le fronçant en une moue de dégoût. Devinant qu'elle devait avoir mauvaise haleine, Regan se couvrit la bouche.

— Pardon.

— Maman ! Qu'est-ce que tu t'es fait à la main ?

Cate examinait déjà le pouce bandé comme une diseuse de bonne aventure et, malgré la douleur, Regan trouva adorable cette considération inconsidérée, la manière dont Cate, à six ans, n'avait pas tout à fait introjecté-slash-projeté la différence entre la douleur des autres et la sienne propre.

— Ce n'est rien, ma puce. Une écorchure.

— On doit quand même aller chez Papa ?

— Absolument.

Comme Regan s'asseyait, un spasme provoqua une explosion dans sa tête.

— Écoute, crois-tu pouvoir apporter à Maman un verre d'eau et de l'aspirine ?

— Will ne veut pas sortir de la salle de bains.

— On ne rapporte pas, ma puce. De toute façon, elle est dans *ma* salle de bains. Il doit y avoir une trousse sur le comptoir. Sur le flacon il y a écrit A-S-P… Si ce n'est pas là, cherche dans un des cartons.

Avoir une tâche à accomplir semblait absorber l'anxiété baignant autour de Cate. Elle était la fille de sa mère. Mais pour trouver l'aspirine il lui fallut le quart du temps qu'aurait mis Regan. Satisfaite, elle regarda sa mère secouer trois comprimés dans sa main et s'assura qu'elle les avalait bien avec de l'eau.

— Un jour, tu seras un docteur formidable, Cate.

— Un docteur de poney.

— Vétérinaire. Maintenant, chérie, dit Regan presque en chuchotant, la rendant complice d'une conspiration. Il me faut vingt minutes avant que ça commence à faire de l'effet. Est-ce que tu peux empêcher ton frère d'entrer ?

Cate hocha la tête.

— Vingt minutes, et je me lève, c'est promis. Viens ici.

Elle plaqua un baiser sur le front de Cate, et en se recouchant au milieu des oreillers, tandis que ses paupières s'abaissaient, elle entendit la fillette courir se poster devant la porte de la salle de bains des enfants pour exercer son autorité sur Will.

Lever de rideau, encore. Il était près de midi, selon le réveil, les murs blancs et les parquets vitrifiés envoyaient des pulsations de lumière jaune. Il y avait des fenêtres de chaque côté. L'agent immobilier avait longuement insisté sur l'« exposition sud » – sa réplique, semblait-il, à chacune des réserves exprimées par Regan à propos de l'appartement qu'il lui avait fallu trouver dans un délai très court : « Oh, mais l'exposition est fabuleuse. » À ce stade Regan nourrissait des préjugés négatifs à l'égard de l'humanité entière, elle ne pouvait donc pas vraiment se fier à l'enthousiasme de la femme qui, après tout, essayait de lui vendre quelque chose. Sur la 66ᵉ Rue Ouest aussi, ils étaient exposés au sud, mais ça s'était limité à une jolie vue sur les fenêtres de l'immeuble d'en face, presque identique. Et au bout de deux semaines dans le nouvel appartement, elle n'y avait plus pensé, comme elle n'avait plus pensé à ses autres points forts. *Charges incluses* signifiait : à la merci du propriétaire pour la température et la durée du chauffage ainsi que pour l'eau chaude. *Vastes chambres/placards* signifiait l'un ou l'autre, à vous de choisir. Ils avaient emménagé en plein milieu de la période la moins ensoleillée de l'année, quand le ciel prenait au mieux une couleur de lait écrémé. Quand elle rentrait du travail, le dernier soleil finissait de saigner à l'horizon derrière le World Trade Center et, juste avant le moment où elle baissait les stores, le bassin oblique du port devenait un lac de plomb que seules brisaient les lumières d'un ferry glissant au ralenti. Elle comprenait maintenant : ici, à Brooklyn Heights, aucun obstacle n'obstruait la vue et lorsque, comme aujourd'hui, les nuages s'écartaient, l'eau reflétait la lumière de midi, tel un deuxième ciel. C'était comme d'essayer de dormir à la surface du soleil.

Elle ôta la gaze qui enveloppait son pouce et qu'elle n'avait pas le souvenir d'avoir posée. Contre le couvre-lit orange, la blessure, peut-être infectée, présentait une teinte gris bleuâtre. Mais à côté de ça, il y avait cet autre malheur : son père, soixante-huit ans, et au mieux à demi sénile, serait interpellé lundi. Une fois de plus, elle regrettait l'absence de son frère qui l'aurait aidée à tenir bon. Pourtant, la lumière sur les murs, sur le couvre-lit et sur les poils dorés de ses avant-bras répondait à quelque chose de profondément enfoui dans son corps. Et il y avait la perspective toute proche du café qu'elle avait, avec un grand sens de l'anticipation, acheté la veille. Voilà pour l'alcoolisme. D'accord, la terre. D'accord. Elle allait se lever.

Elle passa dans la grande pièce en chaussons et robe de chambre, veillant à ne pas renverser son café brûlant ou trébucher sur les cartons empilés près de la porte. Le sapin de Noël paraissait solitaire dans son coin, sans meubles pour l'entourer. Il fallait peu de chose pour enlaidir un Tannenbaum, un soleil direct. Quelques lambeaux de papier cadeau avaient été chassés dans un coin, comme des moutons de poussière. Une couronne d'aiguilles sèches décorait le sol.

— Mince, Maman, tu ressembles à Edith Bunker, dit Will en se retournant vers la télé sans lui laisser le temps d'imprimer sur son visage la réaction qu'il souhaitait.

La séparation semblait l'avoir vieilli, déjà. La façon dont il se refermait en sa présence et rentrait en lui-même, cette lassitude à l'égard du monde, elle les plaçait en haut de l'inventaire de ses regrets. Elle s'installa sur le canapé à côté de lui, tandis qu'il regardait les publicités sans jamais détourner le regard, comme si les réponses aux grandes questions de la vie allaient apparaître à tout instant au bas de l'écran. Dans l'ancien appartement, la limite était stricte : cinq heures de télé par semaine ; il l'avait peut-être déjà dépassée aujourd'hui, mais parmi les nombreuses règles du système précédent qui s'étaient brusquement dissoutes, celle-là, pour l'instant, semblait le moins mériter d'être débattue.

— Où est ta sœur ?

Il haussa les épaules.

— Merci de lui avoir préparé le petit déjeuner.

Elle écarta de ses yeux une mèche de cheveux mouillés. Il se trouvait laid, elle le savait, parce que c'était de son âge, mais pour elle, même avec son pantalon de pyjama et le vieux tee-shirt de Keith au col tout déformé – même s'il ne lui pardonnerait jamais –, il était beau.

— Tu as été formidable avec elle, tout ce temps-là. Je sais qu'un jour elle t'en sera reconnaissante. Je t'en suis reconnaissante.

— Maman...

— D'accord.

Elle lui tendit son gobelet et il prit une gorgée de café, dont l'amertume entraîna une grimace qu'il essaya de ne pas montrer.

— Cate a dit que tu étais malade.

— Je vais bien. Tout ira bien.

— Tu t'es bien amusée au moins ? Tu as vu Grand-Père ?

— Grand-Mère et lui ont adoré les cadeaux, dit-elle.

Les enfants ne savaient rien du séjour à la clinique Mayo, et ce n'était pas le moment.

— Cate est dans sa chambre, je crois, elle prépare ses affaires. On dirait qu'elle doit choisir ses cinq peluches préférées et tous ses albums préférés et tous les pulls qu'elle pourrait avoir envie de mettre.

— On pourrait vous acheter des vêtements pour chez Papa. Vous auriez des habits dans chaque maison.

— C'est pas ça.

Il reprit le café. Pour le moment, en tout cas, il était furieux contre elle, il lui en voulait surtout parce qu'elle les avait laissés seuls trop longtemps : seize, dix-huit heures depuis qu'elle avait fait monter Mme Santos et les avait embrassés en leur souhaitant bonne nuit. Il lui faudrait changer ça ; le livre que lui avait donné son analyste évoquait les syndromes d'abandon que les enfants risquaient de développer. Mais avec un divorce, comment les éviter ? Alors qu'ils avaient besoin de deux fois plus d'attention et d'amour, vous vous retrouviez avec deux fois moins à donner, parce qu'il vous fallait travailler deux fois plus, gagner le double et satisfaire vos propres besoins, eux-mêmes redoublés.

— Ça ne me paraît pas raisonnable. Nous n'y allons qu'une nuit.

— Je vais peut-être avoir besoin que vous restiez aussi dimanche.

— Pourquoi ?

Les informations de midi commençaient et brusquement, elle s'alarma : et si elle n'avait pas fait qu'imaginer ce bout d'émission du « Dr » Zig hier soir à la radio, mais que cette fois encore Amory l'avait trahie ? Et s'il n'avait pas réussi à reporter l'interpellation jusqu'à lundi matin ? Si son fils voyait son grand-père et homonyme arrêté à sa descente d'avion et menotté ? Elle devait éviter la tentation qu'elle avait parfois de se confier à lui comme à l'adulte dont il empruntait le discours.

— Ne me demande pas pourquoi. Simplement, en prenant tes affaires, ajoute une chemise et des sous-vêtements. Le rendez-vous avec Papa est dans une heure.

— Je suis rapide.

— Je sais, mais fais-le tout de suite, nous nous occuperons de Cate après.

Une fois Will à l'abri hors de la pièce, Regan put céder à sa curiosité. Elle baissa le son et resta tout près du poste. Et en effet, le troisième reportage montrait un journaliste muni d'écouteurs, avec en toile de fond Central Park inondé de soleil. Son cœur battait furieusement ; sa migraine se réveillait renforcée par l'afflux de tout ce sang. Elle s'agenouilla pour mieux entendre. Mais ce dont parlait le reporter, c'était des coups de feu de la nuit dernière. La victime, une étudiante de première année dans une faculté de la ville, se trouvait dans un état critique. Mineure. Peut-être tentative de vol. La police disposait de plusieurs pistes, mais on n'en savait pas davantage. Elle s'en voulut de ressentir une telle gratitude : c'était comme si, grâce à ces coups de feu, l'interpellation de Papa n'avait jamais eu lieu. *Le nom n'a pas été révélé, à cause de son âge,* disait le type, lorsqu'une voix derrière Regan la fit sursauter.

— Maman ?

— Tu n'es pas en train de préparer tes affaires ?

— Je t'ai dit que j'étais rapide.

— Bon, laisse-moi le temps de m'habiller, on peut aller au parc et se défouler un peu avant que Papa arrive.

— J'ai douze ans, Maman, je ne vais pas me défouler un peu.

— Moi, j'en ai trente-six et j'ai parfois besoin de me défouler un peu, répliqua-t-elle.

Ce dont elle avait besoin, en réalité, c'était d'échapper à ses souvenirs.

— Allez viens, le temps se réchauffe, d'après la météo. On n'aura peut-être pas de journée comme celle-ci pendant des siècles.

Moins de cent pas séparaient la porte d'entrée du nouvel immeuble et la grille ouvragée du parc de Pierrepont Street – aux dires de l'agent immobilier, ce que Cate avait vérifié l'après-midi de l'emménagement, en marchant à grandes enjambées, plus grandes qu'à son habitude, « des pas d'adulte », avait-elle précisé à Regan en les comptant scrupuleusement. C'était un joli petit parc, occupant un espace où auraient pu loger deux ou trois maisons mitoyennes, avec vue sur le port, et aujourd'hui, la neige ayant presque entièrement fondu, les agrès fourmillaient d'enfants que Cate courut rejoindre. Leurs petits corps pompaient le sang bien plus efficacement ; d'une minute à l'autre, la fillette allait revenir en courant pour demander si elle pouvait ôter son manteau. Regan prit place sur un banc près d'un groupe de femmes qu'elle croyait avoir vues à l'épicerie de la rue commerçante. Jouant de son mieux la mère responsable qui n'a pas la gueule de bois, elle hocha la tête assez nettement pour susciter une réponse, mais assez discrètement pour ne pas avoir l'air de la solliciter. Les signes en retour étant trop légers pour être interprétés comme une invitation, elle reporta son attention sur les enfants. Cate, avec son sens inné des distances, avait été la plus véhémente au sujet du déménagement loin de la 67ᵉ Rue, au motif qu'elle serait séparée de ses amies. À présent, elle en comptait deux nouvelles. Elles s'étaient détachées de la cohue, à la manière secrète des petites filles, et jouaient avec des bouts de bois autour d'un tronc toujours entouré de congères. Elles auraient préféré plus de neige, songea-t-elle ; c'était la première de l'année, elles étaient trop jeunes pour savoir que le redoux ne durerait pas. Elle résista à l'envie de leur crier de prendre garde aux oiseaux dans les branches, dont les fientes maculaient l'asphalte mouillé en dessous de plaques marbrées gris-vert, car quiconque disait que jeunesse ne savait pas se trompait lourdement. C'étaient les adultes qui ne savaient pas.

Will, de son côté, s'appuyait à la grille, à un endroit où il n'y avait personne, l'air maussade, son sac et celui de sa sœur à ses pieds. S'asseoir avec sa mère aurait été très peu cool, il ne s'en serait pas relevé, ç'aurait été la preuve qu'il ne savait pas se faire des amis, et pourtant comment ne pas vouloir être ami avec ce garçon intelligent, chaleureux et d'une sensibilité effrayante qui écartait les bras en croix pour agripper les barreaux, sinon par jalousie. Il était une publicité vivante pour l'ennui. Derrière lui, le ciel, le New Jersey et l'eau dessinaient une tranche de crème glacée, trois couches de luminosité décroissante. Il avait raison : il était trop âgé pour aller au parc. Mais elle ne voulait pas les laisser effectuer seuls le long trajet en métro ou en taxi jusqu'en ville – c'était risqué – et quand Keith, parce qu'elle avait refusé de faire la moitié du chemin (rien ne l'y obligeait), avait accepté de venir les chercher, l'idée de le voir dans l'appartement, ou même sur le palier dehors, lui avait paru intolérable. C'était bien pour ça qu'elle avait déménagé, après tout, ce qui expliquait peut-être que tout soit resté dans des cartons – elle ne savait pas trop ce qu'*elle* (l'autre *elle*, quelle qu'elle fût) avait pu toucher. Et donc, le jeudi et le samedi, jusqu'au jour où les enfants seraient assez grands, ils viendraient tous les trois ici attendre Keith… ce qu'elle était en train de faire, évidemment. Elle avait choisi ce banc pour la vue qu'il offrait, non pas de ses enfants, mais de l'entrée du parc. Et que penseraient les autres femmes quand il arriverait ? Elle croisa les bras.

Cate était allée chercher son frère et l'avait traîné jusqu'à l'arbre ; les autres fillettes jetaient des cris, riaient et fuyaient devant l'intrus géant. Will s'accroupit pour examiner l'endroit où elles avaient enfoncé leurs bâtons. Il jeta un regard à Regan et son expression lui fit comprendre qu'il y avait autre chose par terre.

— Chéri… chéris… surtout, n'y touchez pas.

Les têtes des autres femmes se tournèrent vers elle, alertées par les basses fréquences de son inquiétude, mais elle s'était déjà levée et marchait vers le tas de plumes qu'ils avaient mis au jour.

— Ça doit être plein de microbes.

Replacée par cette urgence mineure dans son rôle de mère, elle s'age-nouilla sur l'asphalte, faisant fi des cristaux de sel qui s'enfonçaient dans ses genoux, pour regarder.

Ce n'était pas le genre d'oiseau qu'on peut voir en ville. Il était deux fois plus gros, de la taille d'un ballon de football ou d'un chihuahua. Et trop bariolé pour se fondre dans les immeubles et les rues. Son plumage bleu et orange, mêlé de noir, rappelait une fleur exotique. Elle chercha dans sa mémoire ce qu'elle avait pu un jour savoir en matière d'oiseaux. Un pic-vert, peut-être, ou un geai mutant. Sa tête avait dû se replier sous son corps. Un bâton, également, était entré dans son champ de vision, dont le bout s'agitait à quelques centimètres de l'oiseau, et que Will, selon elle, devait tenir, mais quand elle tendit la main pour le prendre, elle s'aperçut qu'il remontait jusqu'à un nouvel enfant, enfin, non – ses enfants, plutôt, étaient les nouveaux –, à un enfant qui ne lui appartenait pas. Japonais ou coréen, d'un âge situé entre celui de Cate et celui de Will, avec des cheveux comme de la paille noire qui jaillissaient de derrière sa casquette des Yankees et un petit visage lisse qui ne laissait rien paraître. Au cours des quelques secondes pendant lesquelles il soutint son regard, elle eut l'impression qu'il était plus vieux que Will. Qu'elle-même en réalité. Un contrecoup de sa gueule de bois, sans aucun doute, ce mysticisme délirant ou ce racisme, ou ce qu'on voudra. Mais le garçon haussa les épaules et lâcha le bâton.

Il trembla un peu dans sa main. Elle voulut renoncer dès qu'elle sentit à son extrémité la consistance légère de l'oiseau, mais (c'était ridicule) le petit Japonais, dans l'ombre de sa visière, semblait surveiller ses gestes, et derrière, dans un lointain proche et flou, elle était sûre que les mères, qui régnaient sur ce parc, l'observaient.

— Maman, qu'est-ce que tu fais ? demanda Cate.

Will la fit taire mais son visage pâlit quand Regan enfonça le bâton dans l'espace entre l'aile et l'asphalte. En vérité, elle ne savait pas. L'oiseau respirait-il encore ? Lui faudrait-il lui donner le coup de grâce ? Il y avait quelque chose d'écœurant dans cette élasticité, dans la façon dont l'articulation saillante refusait de se détacher du sol. Et soudain, comme si un photogramme avait sauté, le corps culbuta et la tête, auparavant cachée, apparut. Un œil manquait, ou il était enfoncé, impossible de le savoir avec le sang séché, collé aux plumes, qui les plaquait au sol. Mais l'autre œil, intact, de la taille d'un petit pois, regardait fixement les cieux vides. Il avait, remarqua-t-elle, une paupière minuscule. Elle s'imagina l'oiseau désorienté par la tempête de neige, interrompant sa migration, se perdant dans le mauvais quartier, seul, espérant pourtant se maintenir en vol, espérant que tout continuerait comme avant. Elle n'avait pas pleuré la nuit dernière en voyant le brancard, mais à présent elle était sur le point – sur le point – de lâcher prise. L'enfant étranger l'en empêcha.

— Madame, tout va bien ?

Elle renifla. Elle allait bien. Il fallait qu'elle aille bien.

— Un chat a dû l'attraper.

— Si c'était un chat, il y aurait plus de sang, dit le garçon d'un ton savant.

— Un prédateur, en tout cas. Will, tu peux me chercher un sac ou une boîte ou quelque chose, s'il te plaît ? On ne va pas le laisser là, quelqu'un va marcher dessus.

Quand Will revint avec un vieux journal, elle ramassa l'oiseau dans la rubrique sports, ce qui manquait de dignité. Elle songea à demander au Japonais s'il connaissait un pliage particulier, mais elle se ravisa. Elle trouva une poubelle presque pleine et posa à l'intérieur le petit paquet en papier journal. Par terre, à côté, il y avait des branches mortes auxquelles s'accrochaient quelques feuilles. Elle en ramassa une et la déposa doucement sur le journal.

— Est-ce que quelqu'un veut prononcer quelques mots ?

Comme personne ne répondait, elle dit :

— Adieu, l'oiseau.

— Adieu, l'oiseau, répéta Cate en déposant une autre branche.

Will et l'autre garçon étaient trop vieux ou trop virils pour manifester autant de sensiblerie, mais chacun ajouta une branche et, cela fait, les lignes imprimées porteuses des nouvelles d'une autre défaite des Knicks disparurent sous le bûcher de feuilles roussies par l'hiver. Pendant un moment, Regan se détendit.

Et puis, quelque chose la fit se retourner. Keith les observait tous les quatre depuis la grille du parc. Mais surtout, elle ne put s'empêcher de le remarquer, il l'observait, elle. À en juger par sa barbe naissante et une certaine tension autour de ses yeux, elle devinait qu'il avait passé la nuit comme elle, ivre – peut-être avec l'autre femme, malgré ses dénégations, ou une autre encore. C'était injuste, cette façon dont la vie dissolue ajoutait encore à sa séduction, l'ombre bleu-gris dessinant le contour solide de la mâchoire, les yeux bleus blessés, le sillon décentré qui n'apparaissait sur son front que lorsqu'il était plongé dans ses pensées. Et c'était injuste qu'il puisse la regarder ouvertement et sans rancœur alors que la séparation était sa faute. Pour ne pas aller vers lui, elle prit l'épaule de ses enfants. Les derniers devoirs rendus à l'oiseau les avaient plongés dans une communion étroite ; ils levèrent la tête dans un même mouvement, comme un troupeau d'antilopes quand résonne un bruit lointain. Ils ne couraient pas au-devant de leur père, nota-t-elle, soulagée, peinée aussi. Keith non plus ne venait pas à leur rencontre. Il semblait se représenter la ligne de démarcation invisible sur l'asphalte. Ce n'était ni le lieu de Regan, ni le sien. Will alla chercher les sacs qu'il avait laissés le long de la grille, et ensemble ils traversèrent le parc en plein dégel.

— Bonne et heureuse année, telles furent les premières paroles de Keith une fois Cate enroulée autour de sa jambe. J'ai envoyé le chèque pour le prochain trimestre.

— Déjà déposé.

Regan ne savait pas s'ils devaient se serrer la main ou s'embrasser. Elle se laissa baiser la joue.

— Heureuse, je doute que ce soit le bon mot.

— Pleine de chance, peut-être. Double sept. Mieux que l'année dernière, en tout cas.

Ayant eu la bonne idée d'éviter la fête, se dit soudain Regan, il n'avait sûrement pas eu vent de l'interpellation, ou des détonations dans le parc, rien de tout ça. Elle avait une envie irrationnelle de se confier à lui, mais les enfants étaient là, Will déjà plus proche de lui que d'elle.

— Keith, j'ai besoin que tu me rendes un service. Il y a un imprévu au travail et il faudrait que j'y aille lundi matin de bonne heure. Ça t'ennuierait de les garder ?

Derrière son presque ex-mari, le grès brun de Brooklyn se brouillait : dames tirant leurs chariots, promeneurs avec leurs chiens, marbrures de neige devant les bâtiments où les propriétaires n'avaient pas jeté de sel, et jusqu'en haut de la colline les arbres qui ployaient dans l'air raréfié. Il semblait chercher à lire en elle.

— Non, Regan, aucun problème.

— Je te suis vraiment reconnaissante. Je sais, ce n'est pas ton jour.

— Non. Arrête ça. C'est déjà assez difficile.

Détachant Cate de sa jambe, il la prit dans ses bras et la petite fille montra un visage souillé de larmes.

Regan posa la main sur son dos :

— Chérie, qu'est-ce qui ne va pas ?

— À ton avis ? fit Will.

Il fallut à Cate quelques secondes pour reprendre sa respiration et donner sa réponse.

— Qui est-ce qui va s'occuper de Maman ? gémit-elle, et elle enfouit de nouveau son visage dans le manteau de Keith.

Il lui demanda de quoi elle parlait.

— Ce n'est rien, rougit Regan. J'étais un peu patraque ce matin, et Cate m'a bien aidée.

Ce n'était rien, vraiment ? Elle allait rester seule au cours des trente-six prochaines heures, dans l'appartement vide. Elle se débrouillait très bien, en ville, quand Keith dormait sur le canapé chez son ami Greg Tadelis, et venait chercher les enfants pour les emmener à la patinoire ou au cinéma. Cet appartement était son complice. Ce miroir, celui qu'elle avait regardé tout l'automne pour se rappeler qu'en dépit de ce désastre elle ne devait pas s'enfoncer les doigts dans la gorge. Mais hier, elle avait vomi de nouveau et, en l'absence des enfants, rien ne l'empêcherait d'aller dans la salle de bains et de recommencer, recommencer. Rien, sinon elle-même.

— Tout ira bien, ma puce, dit-elle.

Elle dut s'approcher de Keith pour serrer l'épaule de sa fille. Elle sentit l'odeur de son après-rasage. Et son regard sur elle.

— On devrait se parler un de ces jours, dit-il.

Elle ne releva pas.

— Tu trouveras un taxi sur Clinton. Assure-toi que ces deux-là se lavent les mains dès votre arrivée. (Elle serra Cate de nouveau.) Embrasse Maman, ma puce. Tout se passera bien pour moi. Et pour toi.

Cate renifla et hocha la tête.

— Prenez soin l'un de l'autre, chuchota Regan à l'oreille de Will.

— C'est juste deux nuits.

Elle sentit la raideur de son étreinte. Ensuite, elle se força à reculer, à rompre le contact. Autrement, elle ne les laisserait jamais partir.

— Dis à ton père que je lui souhaite une bonne année, lança Keith négligemment.

Elle les regarda remonter Pierrepont Street, Keith tenant d'une main celle de Cate, de l'autre les deux sacs. Will avait enfoncé les siennes dans ses poches et, tête baissée, il regardait les cristaux de sel se soulever à la pointe

de ses chaussures avant de ricocher vers le caniveau. Et elle s'en accom-
modait, non parce qu'elle était une mauvaise personne, mais parce qu'elle
n'avait pas le choix. Elle aurait de quoi employer son temps jusqu'à leur
retour. Il y avait les coups de fil à donner. Il y avait – Dieu était témoin – les
cartons à défaire. Elle irait bien. Tout irait bien.

14

SI LE GRINCEMENT DE LA CLÉ DANS LA SERRURE avait fait accourir William
à la porte – si William l'avait attendu à l'intérieur sur le futon, bras croisés, dans le kimono bleu brillant du jugement et avait voulu savoir ce qu'il
avait bien pu foutre toute la nuit –, Mercer lui aurait aussitôt demandé des
comptes sur cette histoire d'héroïne. Mais à six heures quinze du matin, le
premier jour de l'an de grâce 1977, il n'y avait personne dans le loft hormis
le chat. Dans la lumière gris-bleu des fenêtres, sur le lit, le modelé des draps
n'était que le modelé des draps. Voulait-il donc se venger en rangeant le
manteau dans sa boîte puis sous le futon où il avait attendu si longtemps? Ou
s'agissait-il plutôt d'une petite expérience, pour voir si William remarquerait
sa disparition? Trop fatigué pour répondre avec certitude, Mercer traîna les
pieds jusqu'au coin chambre, chassa Eartha de son oreiller, rampa à demi
habillé sous le couvre-lit et s'abandonna à des rêves agités.

Il fut tiré de son sommeil, des heures après, par la chaleur d'un autre corps
dans le lit, un avant-bras lourd en travers de sa poitrine, le flux et le reflux,
contre sa nuque, d'un souffle au parfum neutre de dentifrice. L'imperceptible
ralentissement dans la respiration de William signifiait qu'à son tour il commençait à rêver. Pour ne pas enclencher les inévitables jérémiades, Mercer
décida de se lever.

Il mit l'un des disques de Puccini à rendre, empruntés à la bibliothèque.
Il monta le son. Dans la cuisine, il prépara bruyamment un seul petit déjeuner; d'une manière ou d'une autre, il aurait sa bagarre. Mais quand William

franchit, nu, le rideau de perles (car il dormait toujours nu) il apparut dans l'innocence d'Adam. Des bleus en forme de doigts étaient visibles sur son bras blessé une semaine auparavant, et il tenait toujours celui-ci serré contre sa poitrine, le protégeant d'instinct. Où étaient les traces de piqûres ?

— Qu'est-ce que tu fais, espèce d'idiot ? C'est le Jour de l'An et tu es malade.

— *Je* suis malade ?

C'était bien là Mercer, toujours/encore plein de doute.

— Ton rhume.

Ah, oui, son rhume.

— Va plutôt te recoucher, je vais m'occuper de toi. Dieu sait que tu l'as fait pour moi quand j'étais au plus mal.

William emporta la Magnavox dans le coin chambre et la posa sur une serviette, sur le radiateur au pied du lit. Mercer le regarda régler les antennes. Il décida de dire quelque chose.

— Tu t'es amusé hier soir ?

— *Comme ci, comme ça*[1]*. Les nouveaux Ex-Post ne cassent rien, mais je suis à moitié sourd. Tu m'as manqué.

Et si en fin de compte, depuis leur conversation au téléphone tout se résumait à un malentendu, songea Mercer. Peut-être préférait-il ne pas le savoir. Il posa la tête sur le torse de son amant et se laissa dériver sur les fritures et les éclats d'un feuilleton.

Au déjeuner – ou au dîner plus exactement – ils commandèrent des plats chinois. Concession à l'état de santé de Mercer, ils piquèrent leurs fourchettes dans le porc moo shu, au lit, à même les cartons blancs. De toute façon, passer la journée au lit lui avait suffi pour se *sentir* un peu souffrant, comme un gosse qui sèche un jour d'école. William lâchait des bribes d'informations sur ses ex-partenaires, présentées sous forme d'anecdotes – juste assez pour ne pas donner l'impression de cacher quelque chose. De temps à autre, Mercer lui faisait l'amabilité de tousser. Il ne trouva pas le moyen d'orienter la conversation sur la drogue, et William se rendormit.

Rien de nouveau, pourtant, dans ces papotages et ces ajournements, dans ces élégantes pantomimes de théâtre Nô pour tourner autour du véritable sujet. William, avec un instinct surnaturel, savait jusqu'où il pouvait aller, à quel moment avancer ou reculer. Dans la lueur placentaire de la télévision, Mercer examina le visage endormi, essayant d'y voir celui d'un junkie. L'œil au beurre noir cadrait, en effet. Il avait un tel désir de raconter à ce visage ce

---

1. Les mots ou expressions suivis d'un astérisque sont en français dans le texte.

qui lui était arrivé – et de lui demander : Et *toi*, que t'est-il arrivé ? Mais que se passerait-il s'il se lançait ? Le souvenir de la petite trousse, avec sa cuillère et sa seringue, toujours aussi vivace dans la blancheur de la salle d'interrogatoire, semblait relié par des fils invisibles au tourment qui rongeait Mercer de l'intérieur, cette chose dont William ne parlait jamais, cette esquive secrète que lui, Mercer, feignait de ne pas voir. L'équilibre de l'édifice tenait à cela. En ôter un seul élément mettrait leur vie commune entière en péril. À côté, une sonnerie commença à retentir.

Le crépuscule était maintenant bien là, les étagères et le téléphone noyés d'ombre. La sonnerie semblait mystérieusement ancienne, précocement pittoresque, comme le carillon d'une église de village vouée à la démolition. Mercer laissa sonner, pour voir si William sortirait du sommeil. En pure perte. Il prit sa respiration et tendit le bras. C'était un jour de fête, et donc sûrement sa mère.

— Je commençais à me demander si tu avais été renversé par un autobus, démarra-t-elle.

Il voulait ne pas soupirer, ne pas être le genre de personne qui soupire en parlant à sa mère.

— Rasoir d'Ockham, Mama. Et bonne année à toi aussi.

— La liaison est mauvaise. Je ne comprends pas ce que tu dis.

— Je dis : pourquoi renversé par un autobus ? J'aurais pu être en train de travailler, ou dehors, ou simplement avoir décidé de ne pas appeler. Je pourrais être occupé par mille choses.

— Bon, quoi qu'il en soit, je suis contente de te savoir sain et sauf. Qu'est-ce que c'est ?

— Quoi ?

— Tu as dit quelque chose ?

Dans le coin chambre, William avait poussé un gémissement théâtral. Mercer lança un coussin, visant le rideau de perles, mais il rata sa cible et vint frapper contre la fenêtre. Des oiseaux, encore, installés dans la jardinière-parpaing, s'envolèrent : éruptions lumineuses dans le crépuscule. En bas, dans la rue, une camionnette était garée en double file, engloutie sous les graffitis, mais aussi, quelle drôle d'idée, à New York en 1977, de peindre une camionnette en blanc ?

— Rien, Mama, j'ouvre la fenêtre.

— Il ne fait pas froid ? La radio ce matin annonçait moins un. Tu sais, j'écoute toujours la météo, la tienne et celle de ton frère. Moi, je ne pourrais pas vivre comme toi, dans ce froid. Et comment ça se passe avec ton colocataire ? Je ne me souviens pas qu'il t'ait donné le moindre message de ma part.

La première fois qu'il l'avait prononcé, elle avait pris le mot *colocataire* au sens propre et elle s'en servait depuis comme d'un bouclier ou d'une arme. Ce n'était pas grand-chose, et plutôt le reflet de la réalité, mais chaque répétition d'un côté ou de l'autre, sur les cartes postales, cartes d'anniversaire et cartes de remerciement qu'il rédigeait dès qu'un chèque lui parvenait sans raison (dans le but de provoquer un remerciement) augmentait sa culpabilité, au point qu'il avait cessé de lui écrire – autre manquement qu'elle s'était empressée de détecter.

— Tu dois être très occupé, Mercer, parce que chaque fois qu'on décroche, c'est généralement, comment s'appelle-t-il déjà?

Traduction : *Tu crois vraiment être trop occupé pour parler à ta propre mère?* Elle était le Rembrandt de l'insinuation.

— Oh, j'ai fait passer le dernier examen il y a deux semaines, comme je te l'ai dit. Depuis, je suis plus ou moins libre.

— Tu nous as manqué à Noël. Tu as manqué à C. L., je le sais.

— On le laisse de nouveau rentrer à la maison?

— Tu as manqué à ton père.

Et toujours ce *sfumato* de culpabilité. Toujours *ton père*. Mais s'il lui avait demandé de lui passer le vieux au téléphone... ils auraient fait quoi, l'un comme l'autre?

— Tu pourras peut-être descendre à Pâques.

— Mama, pour l'amour du ciel, on est le 1er janvier. Il faut que je voie mon emploi du temps.

— On ne donne pas de vacances aux enfants pour la semaine sainte? Qu'est-ce que c'est que cette école?

— Mama, tout le monde n'est pas chrétien.

— Bon. Aux vacances de printemps, au moins, dit-elle alors qu'ils savaient tous les deux qu'il ne viendrait pas non plus à ce moment-là.

Et, comme il n'y en avait pas un pour rattraper l'autre, il laissa entendre qu'il réfléchirait.

Après avoir raccroché, il dut rester allongé sur le futon, le coussin sur la tête. Il entendait William en train de s'habiller de l'autre côté du rideau de perles, qui s'écarta et se referma en cliquetant.

— Dois-je en conclure que tu as encore parlé à ta famille?

Mercer émit un grognement, incapable de ne pas s'apitoyer un peu sur lui-même.

— Nous en avons déjà discuté, non? Tu crées une petite boîte dans ta tête, tu la ranges dedans et tu refermes la boîte.

Mercer attendait de la commisération, pas des conseils. Il roula sur le dos et laissa tomber le coussin par terre. William avait allumé une lampe, mais pour le reste il faisait noir. De l'autre côté de la rue, les fenêtres bleues de l'entrepôt s'étaient obscurcies.

— Mon père est un malade mental, dit Mercer.

— N'en fais pas un drame, mon chou. Les pères sont toujours des malades mentaux. C'est une case qu'on leur demande de cocher pour être autorisés à vous ramener à la maison.

William s'était remis en pilotage automatique; sans regarder Mercer, il fouillait le portant qui leur servait de penderie. Depuis le futon, celui-ci l'observait, comme pour réunir des preuves : la lumière qui caressait la nuque de William, son visage légèrement anxieux, son œil tuméfié. La journée au lit, le festin chinois, un mensonge auquel ils avaient voulu croire tous les deux, mais William était redevenu distant et lointain, et les choses touchaient à leur fin. Rechute ou pas, William le quitterait un jour.

— Tu as vu mon manteau ?

— Lequel ? fit Mercer qui savait très bien lequel.

— Celui que tu m'as offert, chéri. Le beau manteau.

Enfin, une ouverture. Mais comment lui expliquer pourquoi il avait pris le manteau, comment il y avait trouvé de la drogue, sans lui révéler où il était allé la veille au soir ? Il avait besoin de plus temps pour mettre ça au point.

— Oh, celui-là ? J'ai dû le déposer chez le teinturier.

— Pourquoi ? Quel teinturier ?

— Ils sont tous fermés maintenant. J'ai allumé une bougie sur l'étagère, je l'ai fait tomber comme un idiot, et j'ai renversé de la cire partout. Je suis vraiment désolé.

— C'était hier ? Et ils ont dit quand il serait prêt ?

— Je ne sais pas. Une semaine ?

— Une semaine ?

— Je n'ai pas pensé que tu en ferais toute une affaire, William. Tu ne le portes même pas.

Il essayait de voir si les efforts de William pour rester calme confirmeraient ses craintes. Mais ce besoin de confirmation était sans doute en soi une confirmation.

— Bon, je crois que je vais prendre celui-là, dit William en ramassant par terre son blouson de cuir, son blouson Ex Post Facto. J'essaierai de ne pas faire de bruit en rentrant.

— Tu sors ?

— Je tire au flanc depuis trop longtemps, chéri. Je vais travailler; j'ai des semaines de retard sur le diptyque. Et je pense que tu vas te coucher tôt, avec ton rhume et tout.

William déposa sur sa joue un baiser rapide et froid, avant de disparaître aussitôt, renvoyant Mercer à une solitude plus douloureuse – comme si avoir échappé à la solitude un moment faisait toute la différence.

15

C E DIMANCHE-LÀ, quand Ramona Weisbarger alla jeter un coup d'œil au sous-sol, elle trouva Charlie allongé sur son cher tapis jaune pissenlit à longs poils, les écouteurs collés aux oreilles, les yeux fermés et les mains croisées sur le torse tel un pharaon. Il était très chatouilleux sur la lumière, comme sur tout le reste; deux ans auparavant, l'année de David Bowie, des foulards recouvraient toutes les lampes de sa chambre et elle l'avait soupçonné d'être homosexuel. Aujourd'hui, dans la seule lueur grise de la fenêtre près du plafond, il semblait avoir les traits tirés. Il avait mauvaise mine, déjà, au dîner hier soir, c'est à peine s'il avait dit un mot, mais elle l'avait attribué à la nuit blanche du Nouvel An avec les enfants Sullivan à qui Maimie lâchait la bride. Et elle n'avait pas tout de suite remarqué son absence le matin au petit déjeuner – elle avait eu quantité d'autres chats à fouetter – mais quand l'un des jumeaux s'était plaint des bruits bizarres venant de la chambre de Charlie, elle était descendue et l'avait trouvé dans cette position. Elle savait qu'il valait mieux ne pas demander si quelque chose n'allait pas; c'était l'assurance d'engager une dispute. Au lieu de quoi elle s'enquit de ce qu'il faisait et n'obtint aucune réponse. Ses doigts pianotèrent un solo contre le chambranle de la porte.

— Ici la Terre!

Il ouvrit les yeux. Le visage inexpressif, il désigna les écouteurs. Sa bouche forma le mot: *Écouteurs.*

LIVRE I

Tu ne voudrais pas me retirer ce foutu truc, aurait-elle pu dire, à l'époque où elle avait un mari pour la soutenir. Mais depuis les événements de l'été, les petits échanges sans incidents comme celui-là passaient pour des bénédictions, et elle ne pensait jamais à se demander s'il valait la peine de tout compliquer.

Cela dit, les écouteurs n'isolaient pas grand-chose. La radio était baissée au maximum, elle l'aurait remarqué si elle l'avait voulu, et au-delà du vide interstellaire autour de ses oreilles, Charlie l'entendait très clairement, tout comme il entendait maintenant l'escalier craquer tandis qu'elle battait en retraite, et juste au-dessus, les jumeaux se disputer pour savoir qui allait affronter le monstre et qui resterait en arrière. Comment avait-elle pu ne pas remarquer qu'il manquait de l'argent dans l'enveloppe destinée au baby-sitting ? Comment avait-elle pu le voir rentrer si tôt samedi matin sans s'étonner ? Comment avait-elle pu ne pas sentir l'odeur d'alcool qui transpirait de ses pores au dîner ? Quand elle parvint au rez-de-chaussée, il se leva et referma la porte, qu'elle avait laissée ouverte, dans une pathétique tentative d'omnipotence maternelle. Cette fois il la verrouilla.

Il se recoucha sur le tapis, avec précaution. À trente kilomètres de là, à l'hôpital Beth Israel, son amie, la meilleure qu'il ait jamais eue, gisait dans plus ou moins la même position, et tout ce qu'il voulait c'était la rejoindre, veiller sur elle, la protéger, mais il avait laissé passer l'occasion et il se retrouvait enfermé dans cette prison lambrissée, où nul ne savait que la victime, celle dont la radio disait qu'ils ne dévoileraient pas le nom, s'appelait Samantha Cicciaro, ou que son ami Charlie Weisbarger était avec elle avant *et* après les coups de feu, ou qu'à tout instant une machine pouvait émettre le terrible bip signifiant que son cœur s'était arrêté. Il lui semblait, en scrutant les stalactites chaotiques sur le crépi du plafond, que chacun sur terre était isolé dans sa propre petite bulle, incapable d'atteindre, d'aider ou même de comprendre les autres. On ne pouvait qu'aggraver les choses.

Il s'était employé tout le week-end à faire remonter un à un les faits à l'appui de sa théorie : les graffitis sur les carreaux de la station de la 81ᵉ Rue, la grille de sortie, pareille à un pot rempli de peignes chez un coiffeur, le bruit déchirant quand il l'avait poussée. Et il avait même fredonné – oui, fredonné ! – sur le trajet pour aller la retrouver. C'était une habitude qu'il avait depuis l'enfance, si profondément ancrée en lui qu'il ne savait jamais avec certitude s'il le faisait ou pas. Ou peut-être aimait-il l'idée de ne pas être tout à fait capable de se maîtriser, de ne pas être obligé de rendre des comptes. Et puis, quand on fredonnait en public de façon audible, les autres gardaient leurs distances. Ça s'était accentué au cours de l'année précédente, quand on l'avait forcé à passer plus de temps dans des salles d'attente, dans une maison grouillant de cousins vêtus de noir et de gens de la synagogue, dans le cabinet du Dr Altschul, psychologue accrédité spécialiste du deuil. Mais il n'y avait pas foule dans le métro. Il devait être juste avant ou juste après minuit – une heure à laquelle personne ne voulait se retrouver loin de la télévision et des amis et des filles avec qui perdre sa virginité. Charlie n'était présent à bord du train que parce qu'il avait perdu la notion du temps. Son père lui avait légué une montre, mais Charlie refusait de la porter, d'abord au titre d'une rébellion générale contre la tyrannie de l'heure, et ensuite (Grand-Père lui ayant fait observer que c'était une excellente montre et que David aurait parfaitement pu la léguer à ses descendants biologiques, Abe et Izzy) pour se punir. Il n'avait donc aucune idée du retard qu'il aurait à son rendez-vous avec Sam. En revanche, il avait de l'espoir. Ça et – pour de bon cette fois – une sérieuse envie de pisser.

À la surface, la neige avait recommencé à tomber. Les arbres sur la pelouse du Muséum d'histoire naturelle, qui apparemment se trouvait juste ici, étaient enveloppés dans un filet d'ampoules en céramique et, dans les halos de lumière rouge, bleue et orange, il voyait les gros flocons tomber de biais. Au feu vert, un autobus solitaire passa en écrasant la bouillie. Incroyable comme la ville était calme ici, entre les buildings élancés et l'étendue déserte du parc.

Elle avait dit les bancs à côté de la sortie du métro, et Charlie, incapable de suivre le fil des mensonges inventés quant à sa connaissance de Manhattan, avait feint de savoir de quoi elle parlait. Et voilà qu'il y avait un kilomètre de bancs de part et d'autre de la 81ᵉ Rue, le long du mur en granite qui longeait le parc, et pas trace de Sam : soit on était avant minuit et elle n'était pas encore arrivée, soit après et elle avait renoncé. Ou elle avait dit 72ᵉ au lieu de 81ᵉ – *merde* – c'était ça.

Il lui fallut une minute pour repérer la direction du sud. Il partit au trot, scrutant la neige en espérant distinguer une silhouette au loin. Ses bottes crissaient. À gauche, les ténèbres hostiles noyaient le parc et il était bien connu qu'à la tombée de la nuit l'endroit devenait le domaine réservé des voleurs, des drogués et des pédés. Les histoires racontant la Ville en décomposition parvenaient même jusqu'à Long Island. D'un autre côté, le mouvement secouait le contenu de sa vessie et, s'il ne pissait pas très vite, il allait éclater. Il parvint à la hauteur d'une brèche dans le mur. Toujours sans aucune trace de Sam, il décida de s'y introduire et plongea sous les arbres.

Il s'était écarté du sentier et s'apprêtait à ouvrir sa braguette quand une voix l'arrêta : un appel isolé qui lui sembla provenir d'abord du mur, puis du sentier et s'éloigner inutilement, au galop, à travers les sous-bois enténébrés. « À l'aide!», criait-elle. Dans le silence qui suivit, il entendit son propre souffle, les rafales du vent, le chevrotement puissant du sang dans ses oreilles. Peut-être, dans son agitation, avait-il pris l'un de ces bruits, ou leur combinaison, pour la vox humana. Il s'écarta un peu plus du sentier. Il éprouvait maintenant une douleur continue dans la région située derrière sa boucle de ceinture; des systèmes hydrauliques de tubes et de réservoirs dont il n'avait pas réussi à apprendre les noms au premier trimestre de biologie exprimaient des besoins impérieux: s'il ne libérait pas la pression *tout de suite*… mais sans lui laisser le temps de parcourir les deux mètres qui lui auraient garanti un peu d'intimité, le cri s'éleva de nouveau. «À l'aide!» Et là, en plein désarroi, de nouveau sur le sentier, il quitta le cercle de lumière pour bondir en direction de ce qui avait pénétré sa moelle comme une sorte d'appel aux armes.

Et quel appelé improbable, Charlie Weisbarger, luttant contre les branches dénudées, glissant sur des plaques de neige durcie par d'autres pas. Pourtant, il ne se voyait pas ne pas voler au secours de la personne qui avait lancé ce cri. Un homme, il semblait bien, peut-être acculé par un agresseur, ou peut-être – si Charlie avait un peu de chance et que l'affaire était terminée – ayant seulement besoin d'aide pour appeler la police. Il sortirait du parc en héros. Sam, qui l'attendrait sous un réverbère, se jetterait à son cou.

Sur le sentier grisâtre, les empreintes de chaussures s'emmêlaient, puis se séparaient. Il n'y eut pas de troisième cri; il commençait à penser qu'il s'était égaré, ou avait tout imaginé, quand il entendit, derrière lui, une suite de pas rapides. Il se retourna, vit le sentier désert. Sauf. Sauf que derrière les buissons, quelqu'un haletait. Au mépris du bon sens, il s'écarta du sentier et tourna autour des buissons, attendant le moment où les branchages en s'espaçant cesseraient de lui boucher la vue.

Le sol descendait en pente. Là, sous les arbres, la première neige était intacte. Elle formait une déclivité grise contre laquelle se détachaient des ombres noires, des rochers. Il y avait le mur d'enceinte, très élevé à cet endroit parce que le sol se trouvait à plus de quatre mètres sous le niveau de la rue. Et là, dans le soubassement, une ombre noire murmurait, à genoux, à environ dix mètres de Charlie, le dos tourné. Ou plutôt deux ombres noires. Un homme noir, penché, menaçant, et le corps allongé dans la neige.

Charlie fut incapable d'avancer, ou de respirer, de peur que la buée en dérivant dans l'espace découvert ne signale sa présence, et de devenir alors, à son tour, un corps étendu dans la neige. Mais il ne pouvait pas non plus s'en aller – même avec sa queue qui l'élançait maintenant tellement il avait besoin de pisser – parce qu'il comprit, il le comprenait à mesure que sa vision devenait plus nette, où Sam avait été tout ce temps-là.

149

Et puis une sirène retentit quelque part, une plainte lointaine, et l'homme noir leva les yeux, interrompant ce qu'il faisait. Il se redressa, vacilla sur ses pieds et s'éloigna, en suivant le mur de la main, comme s'il cherchait la sortie d'un labyrinthe. Les manches de sa veste remontées, il était moins habillé encore que Charlie, et le plus bizarre, il s'en souviendrait plus tard, c'est qu'il semblait se diriger vers la sirène et non pas s'en éloigner. Dès qu'il fut hors de vue, Charlie tomba à genoux à côté de Sam. Comme elle paraissait petite, tout à coup – putain, depuis quand était-elle devenue si petite ? – sous l'épais manteau qui la recouvrait. Elle ne frissonnait pas, et ça lui fichait la trouille. Elle avait la bouche flaccide, les yeux fermés. Le manteau dessinait une tache noire. La neige autour de sa tête aussi était noire, et boueuse la neige dans laquelle il enfonçait les genoux ; quand il la toucha et approcha les doigts de son visage, il sentit une odeur de brûlé, comme celle de la fraise chez le dentiste. Ce bras rigide contre sa jambe. Ce poids mort. « Oh, mon Dieu, dit-il. Qu'est-ce qu'il t'a fait ? »

Le trou béant dans sa poitrine menaçait de l'engloutir. Il avait peut-être pissé un peu. Au-dessus de sa tête, les sirènes appelaient et répondaient, un kaddish se ramifiant dans les rues vides. *Ça y est. Ça recommence.* Il lui donna un coup dans l'épaule. « Allez, Sam. Réveille-toi. » Il savait déjà qu'il ne s'agissait plus de se réveiller. « Sam, c'est moi. Je suis venu te sauver. » Si seulement elle était restée avec lui. Pourquoi n'était-elle pas restée avec lui ? Et cela, aussi, le tourmenterait après coup, parce qu'il n'aurait pas dû à ce moment-là penser à lui-même, ou imaginer que ce n'était pas arrivé de la façon dont c'était arrivé. Il lui faudrait vivre avec ça, avec cette manière de réagir à la souffrance des autres – égoïstement – et il y aurait des moments, il le savait déjà, où il regretterait de ne pas avoir été étendu à sa place, inconscient plutôt que réveillé et confronté à des choix.

Au-dessus du mur, des faisceaux de lumière bleue et rouge tournoyaient, se déployaient dans le parc. Il entendit le claquement des portières comme maintenant, dans sa chambre en sous-sol de Flower Hill, il entendait le sifflement du radiateur, les pas candides des petits frères dans l'escalier. Sans leur laisser le temps de frapper à la porte, il cria : « Allez-vous-en ! » Les yeux fermés, il avait l'impression d'arracher une tumeur de sa poitrine, mais sans pouvoir ôter le mal. Il essaya une fois de plus d'appeler un visage imprécis et barbu qui l'entendrait. *Dieu, aie pitié de moi, pauvre pécheur*, mais Abe et Izzy avaient battu en retraite et le silence régnait au-delà des écouteurs. Le visage barbu aussi s'était détourné. Ou bien était-ce lui, Charlie, qui s'était détourné ? Parce que, au moment critique, il s'était également détourné de Sam. Il se revit à genoux près de son amie, avec, littéralement, du sang sur les mains. Une voix, la voix qui avait crié à l'aide, lui parvenait au-dessus du mur, où les lampes torches trouaient la nuit et faisaient fuir les oiseaux : « C'est par là. » La vessie de Charlie s'était finalement relâchée, une chaleur ruisselait le long de sa jambe et il se mordait la lèvre pour ne pas hurler de honte, de désespoir et de terreur, et à la toute dernière seconde, n'obéissant qu'à l'instinct, il avait détalé dans les buissons et sur un autre sentier, s'enfonçant dans le parc à toute vitesse, les mains cramponnées à son entrejambe. Il était sûr qu'ils étaient à ses trousses.

Quand il comprit qu'ils n'allaient pas le rattraper, que personne ne savait même qu'il s'était trouvé là, il était parvenu au milieu du parc : un immense champ désolé s'étirant jusqu'à une bordure d'arbres noirs. Il régnait un silence absolu, à peine troublé par sa respiration. Les nuages gris violacé étaient immobiles, friables. Les truands qui devaient rôder restaient invisibles. Au loin, les immeubles se dressaient telles des tours-prisons, sans vie à l'intérieur. C'était comme un désert nucléaire où seul Charlie aurait survécu. Son jean était trempé d'urine. Et les larmes et la morve avaient gelé sur son visage, il avait dû pleurer. Sa seule envie, c'était de se coucher et de fermer les yeux, mais quelque chose lui disait que, s'il cédait, il ne les ouvrirait jamais plus et quelque chose d'autre, quelque chose de pusillanime et de non punk, ne pouvait pas encore consentir à cela. Il ôta son jean mouillé et son tee-shirt Fruit of the Loom, les roula en boule et les fourra sous un buisson. Nu à partir de la taille, il prit une poignée de neige pour essayer de laver l'urine sur sa jambe. Il avait entendu parler de gens perdus dans l'Arctique qui s'enterraient dans la neige pour avoir chaud, mais il était bien trop chochotte pour continuer plus d'une seconde. Il sortit le pantalon de pyjama de la poche de son blouson et l'enfila, abandonnant le reste avant de s'élancer à travers le champ, avec en ligne de mire la tour qui se dressait, semblait-il, au coin du parc. Ses jambes devenaient plus gourdes, gourdes, mais gourdes, à mesure que le vent pénétrait le coton léger et l'engourdissement facilitait un peu les choses, il se mit alors à courir plus vite, en se promettant qu'il serait bientôt à la maison, dans son lit, et que le matin, à son réveil, tout cela n'aurait été en fin de compte qu'un cauchemar bien merdique.

Dimanche après-midi, quand il se glissa là-haut, il trouva de nouveau sa mère au téléphone avec le Connard ; depuis l'entrée, il entendait la voix murmurer à l'autre bout du fil. Le moment où la lumière disponible à l'extérieur de la maison excédait celle du salon était passé, mais Maman ne se donnait pas la peine d'avancer d'un mètre pour tirer sur la chaîne de la lampe. Elle restait là, assise comme une vieille. Aussitôt, il franchit l'encadrement de la porte, ses doigts saisirent le blouson qu'elle ne lui avait pas rappelé de mettre, et le décrochèrent. Il lui paraissait impensable que deux nuits auparavant, quand ce blouson l'avait accompagné dans la Ville, il ait cru nourrir tant d'espoir. Et maintenant la porte de la cuisine se refermait, comme sa jeunesse, derrière lui.

Le souffle retenu du monde à cinq heures du soir en hiver. Le ciel au-dessus du halo des lampadaires, air électrique indifférent à tout ce qui avait lieu en dessous.

Il se laissa emporter par la pesanteur et parvint à la petite église au coin de la route, Notre-Dame de la Déploration Perpétuelle. En dehors des spots braqués sur la crèche devant l'entrée, rien n'indiquait que l'église était ouverte. Il crut un instant être venu pour rien. Dans le panneau vitré près de la porte, on avait garni le feutre noir de lettres en plastique blanc. *MESSE MATIN, MIDI, APRÈS-MIDI, AUCUN SECRET POUR LUI.* Quand il avait voulu expliquer son impression que le monde entier parfois cherchait à communiquer avec lui, le psychologue spécialiste du deuil avait croisé les doigts sur ses genoux en disant :

— Charlie, je me demande si, comme ça, il t'est plus facile de croire.

— De croire quoi ?

— Eh bien, ce que tu as l'impression qu'on veut te communiquer.

Il inspecta le bas du panneau pour voir si des lettres n'étaient pas tombées, s'il ne manquait pas une partie du message, mais il n'y avait rien. Il saisit la poignée. La porte de l'église n'était pas verrouillée. Il entra.

Ce n'était pas la première fois qu'il pénétrait dans une église et même dans cette église. Au collège, il était venu le jour de la première communion de Mickey Sullivan. Et l'année dernière, à l'Hôpital catholique, quand Maman avait demandé à rester quelques minutes seule avec Papa, il avait rangé la poussette, désormais trop petite pour Abe et Izzy, dans le magasin de souvenirs, il s'était faufilé à l'intérieur de la chapelle donnant sur le hall d'entrée et il était resté là, assis les mains sur les genoux. Ses frères n'avaient pas protesté, aggravant d'une certaine façon son tropisme, son apostasie secrète. L'hôpital avait dû estomper ce souvenir, cependant, parce qu'il avait oublié le Messie émaillé et ses yeux baissés, tristes, au milieu des gouttes de ketchup. Vers les premiers rangs, trois femmes en noir occupaient un banc. Comme le prêtre qui jacassait sur l'estrade, elles avaient la tête inclinée, les yeux probablement clos. Charlie avança discrètement, se glissa sur un banc dans une zone d'ombre et fit semblant de ne pas regarder à travers ses paupières fermées. Ils firent ce genre de croix sur leur poitrine, trop vite pour qu'il pût les imiter. Le prêtre annonça ensuite qu'il lirait un extrait du livre de Daniel. *Existait-il* seulement un livre de Daniel ? Ah, oui. Il se rappelait les grandes lignes étudiées à l'école hébraïque. Une fois de plus Israël était vaincu.

Inquiet, le roi Gentil fit venir un Juif qui manifestait un don de prophétie. Car contrairement au roi, le Seigneur savait ce que réservait l'avenir. Le Seigneur savait tout, aussi sûrement que s'Il était assis là en ce moment.

La première lecture, malheureusement, se déroula en anglais, pas en latin. Puis lui succéda un hymne. Et tout à coup, au moment où le prêtre reprenait la lecture, Charlie, enfin, sentit Sa présence dans l'air qui se déplaçait contre sa nuque – ni un bon géant ni une figure de plâtre, mais un homme athlétique, à peine plus âgé que Charlie lui-même, un peu d'acné sous sa barbe, à genoux sur le banc juste derrière, le regard pénétrant entre les omoplates de Charlie et dans son cœur démoli.

Oui, l'heure vient où quiconque vous tuera pensera rendre service à Dieu. Et ils vous feront ces choses, parce qu'ils n'ont connu ni le Père ni moi. Mais je vous ai dit ces choses, afin que lorsque l'heure sera venue, vous puissiez vous souvenir que je vous en ai parlé. Et je ne vous ai pas dit ces choses au commencement parce que j'étais avec vous. Mais maintenant je m'en vais à celui qui m'a envoyé ; et aucun de vous ne me demande : Où vas-tu ? Mais parce que je vous ai dit ces choses, la tristesse a empli votre cœur.

Oui, oh, oui ! La tristesse avait empli le cœur de Charlie. C'était comme si Jésus s'adressait tout spécialement à lui. Mais il ne pouvait pas se retourner et vérifier qu'il s'imaginait des choses, car qu'arriverait-il s'il découvrait qu'il n'était *pas* en train de s'imaginer qu'un clochard s'était glissé sur le banc derrière lui. Et qu'en vérité c'était le Seigneur Jésus-Christ venu l'obliger à se rendre ?

Quand lui, l'Esprit de vérité, sera venu, il vous guidera en toute vérité, car il ne parlera pas de lui-même ; mais il dira tout ce qu'il aura entendu, et il vous déclarera les choses à venir. Il me glorifiera : car il recevra de ce qui est à moi, et vous le montrera. Toutes les choses que le Père a sont à moi : par conséquent j'ai dit qu'il prendra de ce qui est à moi, et vous le manifestera. Un peu de temps, et vous ne me verrez pas ; et encore un peu de temps, et vous me verrez.

Charlie joignit les mains, se pencha en avant et ferma les yeux, mais dans le noir velouté derrière ses paupières, tel un rideau baissé sur une scène où les lumières sont éteintes, il voyait encore Jésus-Christ le Sauveur, avec des épaules de nageur et une expression proche du regret. La voix du prêtre continuait au loin. Beaucoup plus près, une voix chuchotait : *N'aie crainte,*

Charlie Weisbarger. Maintenant il était terrifié, dans les ténèbres de ses yeux clos, totalement seul et au bord des larmes. *J'ai posé ma marque sur toi. Je ferai de toi l'instrument de ma main droite. Il te faut seulement te repentir.*

Je me repens, pensa Charlie, sans pouvoir s'en empêcher, tout en se demandant à quoi il s'engageait – quel véritable sens avait ce mot, si souvent entendu. Et puis la vision disparut, ne laissant qu'un immense silence emplissant tout l'espace dans la poitrine de Charlie, évacuant tout ce qui s'y trouvait avant. Quand il regarda, il n'y avait pas de clochard.

Malgré ce qui venait de se produire, il ne put se résoudre à aller recevoir la communion. Dès que les veuves baissèrent la tête pour prier, il se retira discrètement dans la nef latérale et se hâta vers le fond de l'église. Le prêtre l'observait, perplexe, mais Charlie continua d'un pas assuré, comme si la rédemption était un bol de bouillon qu'il veillait à ne pas renverser.

Dehors, le vent tournait, fouettait les arbres mouillés, donnait l'assaut aux oiseaux de Long Island. Des légions entières de vengeurs aux rangs serrés, qu'il repoussait contre le ciel meurtri. Il ralentit sur le trottoir pour ne pas devoir surveiller ses pas, et là, sous un lampadaire grillé, il se figea. *Arrête*, entendit-il. *Arrête et sache que tu es avec Dieu.* Au-dessus du rectangle blanc de la station d'essence Exxon, les ombres des oiseaux volaient comme des flèches, isolément, l'une après l'autre, comme catapultées depuis l'autre versant du toit. Des mouettes, des pigeons, des moineaux, des geais et des étourneaux, une nuée d'oiseaux convergeaient, mystérieusement, vers le comté de Nassau, toutes les créatures ailées sur la terre s'apprêtant à prendre leurs places le long des barricades.

𝕴𝖑 𝖆 𝖗𝖊𝖒𝖎𝖘 𝖊𝖓𝖙𝖗𝖊 𝖙𝖊𝖘 𝖒𝖆𝖎𝖓𝖘, 𝖊𝖓 𝖖𝖚𝖊𝖑𝖖𝖚𝖊 𝖑𝖎𝖊𝖚 𝖖𝖚'𝖎𝖑𝖘 𝖍𝖆𝖇𝖎𝖙𝖊𝖓𝖙, 𝖑𝖊𝖘 𝖊𝖓𝖋𝖆𝖓𝖙𝖘 𝖉𝖊𝖘 𝖍𝖔𝖒𝖒𝖊𝖘, 𝖑𝖊𝖘 𝖇𝖊𝖙𝖊𝖘 𝖉𝖊𝖘 𝖈𝖍𝖆𝖒𝖕𝖘 𝖊𝖙, disait le livre, 𝖑𝖊𝖘 𝖔𝖎𝖘𝖊𝖆𝖚𝖝 𝖉𝖚 𝕮𝖎𝖊𝖑.

Pas entre les mains de Charlie, bien sûr. Quelque part dans son arbre généalogique d'emprunt, il y avait un patriarche à qui étaient revenues diverses autres missions, et voilà ce qui était arrivé depuis. De ses mains enfoncées dans ses poches on ne pouvait rien espérer, ni de celles de quiconque, hormis celles du Messie. Et le Messie, Charlie le savait, ne sortirait de l'église en face de la station-service que lorsqu'il ne serait plus là. Le Messie n'était pas prêt à apparaître. Mais il était venu reprendre les bêtes et les oiseaux et les enfants des hommes et Sam, et lui-même sauver Charlie de ses péchés. Son cœur était animé de battements d'ailes, et derrière, de nouveau, Charlie entendit les mots. 𝕰𝖙 𝖘𝖔𝖓 𝖗𝖔𝖞𝖆𝖚𝖒𝖊 𝖓𝖊 𝖕𝖆𝖘𝖘𝖊𝖗𝖆 𝖕𝖔𝖎𝖓𝖙 𝖆 𝖚𝖓 𝖆𝖚𝖙𝖗𝖊 𝖕𝖊𝖚𝖕𝖑𝖊 ; 𝖎𝖑 𝖇𝖗𝖔𝖎𝖊𝖗𝖆 𝖊𝖙 𝖉𝖊𝖙𝖗𝖚𝖎𝖗𝖆 𝖙𝖔𝖚𝖘 𝖈𝖊𝖘 𝖗𝖔𝖞𝖆𝖚𝖒𝖊𝖘. 𝕰𝖙 𝖑𝖚𝖎-𝖒𝖊𝖒𝖊 𝖘𝖚𝖇𝖘𝖎𝖘𝖙𝖊𝖗𝖆 𝖊𝖙𝖊𝖗𝖓𝖊𝖑𝖑𝖊𝖒𝖊𝖓𝖙. Mais d'abord il fallait préparer la terre. Pour cela, sous une tempête d'oiseaux, armé par le ciel contre la tentation de se retourner, Charlie Weisbarger courut jusque chez lui pour y attendre les ordres.

AFFAIRES DE FAMILLE

14 mai 1961

Quel souvenir as-tu gardé, je me demande, de
la vieille maison des Hamilton, dans le comté
de Fairfield ? Tu ne devais pas avoir plus de
trois ou quatre ans la dernière fois que tu
l'as vue. À cette époque, nous avions engagé un
gardien ; tous les meubles étaient recouverts
des draps couleur crème sous lesquels toi
et ta sœur passiez l'après-midi à jouer à
cache-cache, à emplir de vos cris les pièces
abandonnées.

Quand j'étais enfant, pourtant, nous
étions plus d'une douzaine à vivre encore
sous ce grand toit d'ardoise. L'arrière-pays
du Connecticut était alors l'opposé d'une
ville : prairies vallonnées, longues routes
de campagne et allées cavalières, forêts
touchant presque l'horizon et occultant la
vie des autres. Six matins par semaine, Hans,
notre chauffeur, allait chercher la Packard
noire dans la remise, parcourait les quatre
cents mètres de gravier et s'arrêtait devant
le perron. Le moteur à manivelle, même au
ralenti, faisait trembler toute la maison.

Et quand je pense à mon grand-père, ton arrière-grand-père, Roebuck Hamilton Jr, c'est ce tremblement qui me revient d'abord en mémoire. Quand le lustre de la salle du petit déjeuner commençait à vibrer, une sorte d'agitation intérieure s'emparait de lui, avec la violence d'un pistolet armé. Il était bien trop discipliné pour bondir aussitôt de sa chaise, mais il avait déjà envoyé une centaine de petits signaux démontrant que sa présence parmi nous avait une importance mineure. Le chapeau melon noir posé sur son genou; la canne accrochée au bord de la longue table; la montre gousset placée à côté de son coquetier et les regards répétés qu'il jetait dessus en attaquant la coquille à la cuillère... tout cela agité de légers soubresauts, comme si, puisque l'explosion faisait obstacle entre lui et ses affaires en attente, il avait hâte qu'elle se produise.

À en croire ta grand-tante Agnes, notre autorité en matière d'histoire familiale, Grand-Père, parti de Manchester, avait débarqué à New York et gagné la Virginie occidentale à pied, à l'âge de dix-neuf ans.

Malgré plus d'un an de prospections infructueuses, il avait persévéré, parcourant toutes ces collines, chassant le gibier qu'il fumait sur des feux de bois vert. En cinq ans, il deviendrait propriétaire de la moitié des gisements de charbon sous la surface de l'État.

Se raser était la dernière chose qu'il avait coutume de faire le matin avant de sortir rejoindre Hans. Il fallait que la peau autour de sa moustache soit parfaitement glabre quand il arrivait dans ses bureaux de Manhattan qui, pour le petit garçon que j'étais, était une contrée aussi éloignée que l'Inde ou les Territoires indiens. Il verrouillait la porte du cabinet de toilette sous l'escalier, contre laquelle parfois, j'appliquais mon oreille. Les bruits que je percevais sous les vrombissements océaniques de la Packard étaient différents et plus riches d'une certaine façon que ceux que mon père faisait en se rasant. En particulier, j'étais fasciné par le rasoir de Grand-Père, comme tout objet interdit fascine un enfant sur lequel le monde n'a pas encore imprimé sa discipline. Je le vois encore sortir de son étui en cuir pour être aiguisé. Le manche monogrammé. La lame comme de la pâte de verre.

Un matin, je me souviens, après avoir demandé à quitter la table du petit déjeuner plus tôt, je me suis glissé dans le cabinet de toilette sous l'escalier dans l'intention de l'examiner. L'étui était posé sur un panier à linge. Je l'ai déplié et j'en ai extrait le rasoir avec précaution, par le manche, de son logement entre les ciseaux à moustache et le blaireau à deux tons.

La lumière a étincelé sur la lame, diffusée par le verre dépoli de la fenêtre sur laquelle, dehors, les branches projetaient des ombres grises. Quand je l'ai fait bouger, les reflets ont dansé sur mon pull.

Je n'ai pas tardé à brandir le rasoir comme un pirate dans les livres, obligeant les prisonniers à monter sur la planche. J'oubliais souvent à l'époque l'existence du monde réel; noyés sous les trépidations du moteur, les pas de Grand-Père et le bruit de sa canne ne me sont parvenus qu'au moment où ils étaient tout près de la porte. Une voix a appelé dans le hall, et il a marqué une pause, en tenant la poignée à angle droit. C'est alors seulement que j'ai pris conscience de l'étendue de ma transgression. J'ai eu le temps de ranger le rasoir dans son étui, mais il m'était impossible de quitter le cabinet de toilette. Il y avait cependant une grosse commode surmontée d'un miroir en face de l'armoire à pharmacie, et au tout dernier instant, je me suis glissé en boule à l'intérieur, j'ai refermé la porte et tout n'a plus été que grondements et ténèbres.

Pour rythmer le temps, je n'ai eu d'abord que les battements de mon cœur. Dans quelle position était la lame quand je l'avais trouvée ? Quand je l'avais rangée ? Il y avait devant moi un ruban de lumière large de plus de deux centimètres ; les secousses de la maison avaient délogé la porte de la commode. J'aurais dû tirer dessus, mais je me suis au contraire rapproché de la fente. En voyant le dos nu de Grand-Père j'ai eu un terrible pressentiment : je l'avais surpris au cours d'un de ces rituels occultes que mes cousins évoquaient en chuchotant. En fait, il ne lui manquait que la chemise. L'œil pressé contre l'interstice, je la voyais accrochée derrière la porte, je voyais ses bretelles pendre à la taille haute de son pantalon. Sa peau, sur le haut du corps, s'était tavelée avec le temps, mais en dessous il avait des muscles de jeune homme, qui roulaient et se contractaient tandis qu'il passait le rasoir sur sa peau sans l'avoir savonnée. Et il sifflait, je m'en souviens, comme pour accroître le danger, ou parce qu'il était sincèrement heureux (cet homme que je n'avais jamais vu sourire), un air que je reconnaissais à peine au-dessus des trépidations de l'automobile, le lied de Schubert à propos de la petite truite. Soudain mon front cogna une nouvelle fois contre la porte de ma cachette, celle-ci s'ouvrit plus largement et, dans le miroir au-dessus du lavabo, nos regards se croisèrent. L'instant d'après cet inconnu qui vivait dans ma maison m'extirpait de l'obscurité. Le rasoir se dressait entre nous. Eh bien ? demanda-t-il.

Pour toute réponse, il me vint cette question : Pourquoi n'utilisez-vous pas de savon ?

Il y eut un éclat de rire. Comme un aboiement. Petit, il y a une chose qu'on apprend quand on doit vivre sans rien (une autorité souveraine lui empourprait le visage tandis qu'il insistait sur ce dernier mot). L'efficacité du rasage ne tient pas au savon, elle tient au rasoir lui-même.

Il me prit la main et passa le fil de la lame sur mon index, si prestement que je ne sentis rien. Comme la caresse ténue d'une plume de calligraphe, un trait de sang apparut, devint une goutte, deux gouttes. Puis il ouvrit la porte. Je m'élançai dans le couloir, sûr qu'il était à mes trousses, que je sentais contre la nuque son haleine acide, mais quand je me retournai, la vision troublée par mes larmes, il était toujours là, debout, à demi nu sur le seuil du cabinet de toilette, avec un sourire grimaçant. Tel était ton arrière-grand-père : un homme distant et parfaitement terrifiant.

Curieusement, c'est mon propre père que je blâmerais pour la cicatrice à mon doigt. Je crois que je ne lui ai jamais pardonné de n'avoir pas su me protéger ce jour-là, ou

de nous avoir contraints, ma mère et moi,
à vivre, sans protester, auprès d'un homme
qui, me semblait-il à présent, pouvait nous
tuer en sifflotant un air de Schubert et se
curer les dents avec nos os. Même après
notre déménagement au nord de la 5e Avenue,
pour rapprocher mon père des bureaux de la
Société (dont la gestion quotidienne lui avait
été confiée), je désirais ardemment briser
tous les liens avec la famille.

Je voulais être dramaturge; ta mère te
l'a-t-elle raconté? Un après-midi, je ne devais
pas être beaucoup plus jeune que toi, Tante
Agnes m'a emmené voir Désir sous les ormes,
de M. Eugene O'Neill. La scène m'a offert
la solution à un problème que je n'avais
pas encore formulé. Peut-être, en allant
étudier quelque part dans le Middle West,
loin de mon existence solitaire et étouffante,
pourrais-je mettre le doigt dessus. Mon
père, naturellement, voulait que je prenne sa
suite dans la Société. Je me souviens comme
si c'était hier d'avoir été convoqué dans son
bureau (car pour le voir entre huit heures
du matin et six heures du soir, il fallait

nécessairement se rendre dans son bureau).
Nous étions assis, juste tous les deux, sous un
ventilateur qui tournoyait lentement. Nous
n'avions pas été seuls ensemble depuis ce qui
semblait une décennie. Que signifiait cette
histoire de Chicago ? voulait-il savoir ; Yale
avait été assez bien pour lui.

Je me suis forcé à dire ce que je pensais
depuis longtemps : Mais je ne suis pas
comme toi.

Là-dessus il a posé les mains sur ses
cuisses et s'est penché en avant. Il avait
toujours représenté une sorte de fantôme
pour moi, mon père, un écho de l'explosion
sourde qu'était son père. C'était sans doute en
partie à cause de l'épaisse moustache qu'il
portait lui-même et qui dissimulait presque
toute la partie inférieure de son visage, et en
partie à cause du pince-nez derrière lequel
ses yeux luisaient. Bill, dit-il, doucement.
Crois-tu que je sois comme moi ?

Ce que je voulais dire, ai-je répondu,
c'est que je n'étais pas attiré par les
affaires de la famille. Ni doué du talent
de Grand-Père.

Il a repris une gorgée de whisky. Croqué un glaçon. Est-ce que j'avais parlé récemment avec Tante Agnès?

Grand-Père m'a raconté lui-même, ai-je dit, comment il avait créé tout cela. Tout ce qui nous entourait.

Puisque nous parlions d'homme à homme, a dit mon père (et sans doute puisque l'objet de notre conversation était mort depuis déjà cinq ans), pourquoi selon moi Grand-Père était-il tout le temps en proie à une telle rage? Parce qu'il savait qu'il n'avait pas réalisé son rêve. Il avait désiré, par-dessus tout, être un self-made-man, comme George Hearst ou William A. Clark: ne dépendant de personne, sondant la terre, élu par elle pour gouverner le monde. En vérité, la terre n'avait pas voulu de lui.

Mais alors, la Virginie occidentale, où il avait vécu sans rien?

Ton grand-père a perdu deux orteils à cause du gel, il a contracté une dysenterie chronique et était incapable de garder une mule en vie plus d'un mois, a dit mon père. C'est uniquement avec le capital de ta grand-mère (les Sweeney possédaient des brasseries à Belfast) qu'il a pu acheter la moitié de la vallée de Monongahela, et cet investissement représente l'échec de toute une vie et le trait d'union entre nos noms de famille. Il a vendu ses parts au cours de l'essor de 1890 et il est rentré à New York, tant bien que mal, avec une malle remplie de papier-monnaie, parce que là était son talent : non pas forer ou tailler, mais acheter, vendre, détenir. À chaque million supplémentaire il avait la confirmation qu'il n'était pas de la trempe des grands hommes.

Vois-tu, nous les Hamilton-Sweeney, nous ne sommes pas des découvreurs, a dit mon père ; nous sommes des investisseurs. Nous facilitons la grandeur des autres. Et voilà ce que signifie être un homme : apprendre à voir le monde non pas en se demandant ce qu'on veut être, mais ce qu'on est...

Mais il est tard, et je sens que je m'éloigne de ce que je voulais dire. C'est comme si, au cours des longues années écoulées depuis la dernière fois que j'ai pris ainsi la plume, les souvenirs avaient trop mûri à l'intérieur de moi. Ou comme si le temps passé était une illusion et qu'au lieu du bureau de Sutton Place dans lequel je suis assis en ce moment, entouré de cartons, j'étais revenu à mon premier bureau dans le Building Hamilton-Sweeney, sous l'abat-jour vert de la lampe de banquier une fois que tout le monde est parti. Il a toujours été plus facile pour moi de m'exprimer par écrit. Le danger est moindre, d'une certaine façon, pour le monde intérieur - ou le danger est plus lent.

William, ce que j'essaie de te montrer ici est que je comprends ta colère. Que j'imagine comme ma vie doit te sembler arbitraire. Tu me crois distant et dénué de passions, incapable de voir ce que je sacrifie, incapable de rêver à ce qui échappe à mon contrôle. Mais il faut me croire, moi qui ai commis les mêmes erreurs de jugement sur mon propre père et sur le père de mon père, tu ne connais pas tout de moi.

Dans un mois, Felicia Gould et moi allons nous marier. Je ne te demande pas de reconnaître ses nombreuses qualités, d'apprendre à l'aimer comme je l'ai fait

(Je dois dire pourtant que ce n'est pas de la même manière que j'ai aimé ta mère). Je ne te demande pas de désirer ce que je désire, je ne veux pas même laisser présager que tes ambitions, quelles qu'elles soient, se révéleront, comme les miennes, hors d'atteinte. Mais je te demande de me regarder tel que je suis avant de décider de répondre. De voir que si je décide de ne pas passer le reste de ma vie dans le deuil - si je ne suis pas aussi fort ou si scrupuleux que tu pourrais l'être en de telles circonstances - je le fais en toute conscience. Que ton père est un homme, mon fils, comme toi : telle est la chose impossible que je te demande d'imaginer.

Il est inutile pour moi de me relire pour percevoir la note d'apitoiement que tu auras sans doute détectée. En fait, je finirai probablement par jeter cette lettre au feu dès que je l'aurai terminée. Pour recommencer, dans une carte qui limitera mon désir d'épanchement, et te demander simplement, en quelques lignes brèves, de vouloir être mon témoin de mariage. Mais même les flammes, en avalant ces pages, en brûlant ce papier, en lui donnant la couleur de l'encre, n'effaceront pas le fait que je suis resté assis là, bien après minuit, à remuer ces choses que je pensais ne jamais te dire, dans l'espoir peut-être vain que tu les recevrais sans les voir à travers le prisme des arrière-pensées, des soupçons, des griefs qui, semble-t-il, constituent l'héritage qui se transmet par le sang, de père en fils, d'Hamilton-Sweeney en Hamilton-Sweeney.

Et donc, un dernier souvenir, si tu veux bien me l'accorder. C'est ce cri puissant que tu as poussé, William, quand je t'ai tenu pour la première fois. Tu avais peur, disait Kathryn ; je devais te serrer plus étroitement. Je l'ai regardée, épuisée, sur son lit d'hôpital, elle te regardait, et tu me regardais la regarder avec des yeux qui ne connaissaient rien encore, et pendant un moment, je peux jurer que nous nous sommes vus avec une lucidité que rien, ni le temps, ni le chagrin, ni la mort, ne peut altérer. Et d'une certaine manière, mon fils, je te serre toujours, tout aussi étroitement, contre moi.

Passionnément, malgré la distance,
Ton père

SCÈNES DE LA VIE PRIVÉE

(1961-1976)

On a voulu se payer la ville
mais la ville s'est sauvée
et maintenant Peter Minuit,
ça ne peut plus durer...

Lorenz Hart,
« Rendez-la aux Indiens »

Que Chicago, Philadelphie et Boston ne connaissent pas les
mêmes problèmes suggère qu'il y a ici une folie particulière...
Les Américains éprouvent peu d'amour, d'admiration, de res-
pect, de confiance et de loyauté pour cette ville.

Rowland Evans et Robert Novak,
Rapport interne

16

KEITH AVAIT TOUJOURS EU cette propension naturelle à considérer les grands moments de sa vie non pas comme des événements qu'il provoquait mais comme des choses qui survenaient, à la manière du temps qu'il fait. Et, convaincu de n'avoir aucune prise sur eux, il suivait le mouvement. Au collège, par exemple, quand son professeur d'éducation sportive lui avait placé un ballon de football américain dans la main, il avait tout de suite foncé. Quand il avait, grâce au football, obtenu une bourse pour l'université d'État, il l'avait intégrée. Quand, l'année de licence, son genou avait explosé, il était revenu assister aux matchs, le maillot sous son blazer, pour montrer à la jeune recrue de première année qui le remplaçait à l'arrière qu'il ne lui en voulait pas. C'est pourquoi Regan, dès le début, était apparue comme une nouveauté : quelque chose à quoi il n'avait pas naturellement droit, quelque chose qu'il s'était choisi lui-même, librement.

Il n'aurait, par essence, pas été capable de formuler les choses ainsi au printemps 1961. À ce moment-là, à Mansfield, ce qu'il ressentait dans la poitrine, c'était une excitation ambiguë quand, pour trouver le sommeil, il se masturbait en pensant à elle dans le dortoir de son association d'étudiantes à Poughkeepsie. Il n'avait jamais vu sa chambre – les prétendants devaient attendre dans le salon du vieux bâtiment victorien que les jeunes filles soient prêtes – mais il se représentait un lieu spartiate, sans personnalité, dont le seul luxe était un miroir pareil à celui qu'il avait toujours vu accroché dans le hall chez lui. Enfant, indifférent à sa beauté comme peuvent l'être les gens beaux, c'est à peine s'il le remarquait, mais pour une raison mystérieuse, c'est celui qui lui venait à l'esprit quand il imaginait Regan nue devant un miroir, le touchant presque de son corps tandis qu'elle y contemplait quelque chose qu'il ne pouvait pas voir encore.

Peut-être avait-elle passé un long moment debout ainsi le soir où elle devait le conduire à New York pour le présenter à sa famille. Quoi qu'il en soit, il était resté à l'attendre plus d'une demi-heure en bas, sur le canapé. Chaque fois qu'il disait quelque chose, l'étudiante qui était là venait se percher sur l'accoudoir, le entre guillemets chaperon se touchait inconsciemment les cheveux, le cou, le genou nu et pâle que sa jupe révélait et qu'elle feignait de ne pas remarquer. L'année précédente, Keith avait fait partie de l'association sportive, il aurait pu facilement obtenir son numéro de téléphone, mais il se découvrait de moins en moins intéressé par ce qui s'obtenait facilement.

Pour finir, Regan avait fait son entrée sur l'escalier central, vêtue d'un long cardigan bleu qui l'engloutissait presque tout entière. Ses cheveux roux, lâchés, cachaient les côtés de son visage. Quand l'étudiante lui dit qu'elle était superbe, elle parut tressaillir un peu, comme si telle n'avait pas été son intention. Et de fait, en l'invitant à venir avec elle à New York, n'avait-elle pas trahi une certaine anxiété ? Accéléré son débit, comme si elle voulait formuler sa question avant, le doute aidant, de se raviser ? Keith l'embrassa à pleine bouche devant le chaperon. « Oui, dit-il, tu es superbe. Comme toujours. » Puis il l'aida à enfiler son imperméable et ouvrit le parapluie au-dessus de sa tête avant de la suivre sur le gazon humide jusqu'à sa mignonne Karmann Ghia blanche.

La pluie tambourinait sur le capot en toile comme des doigts sur un bureau. Elle semblait réduire au silence non seulement Regan, au volant, mais aussi les autres voitures sur l'autoroute. Quelque part au nord du Bronx, il trouva la station AM qu'il aimait, avec la pop du samedi soir, les harmonies éthérées des Everly Brothers. La Ville aurait dû déjà barbouiller l'horizon d'un halo pourpre, mais au loin il faisait toujours sombre. La flamme courbe du cadran de la radio n'éclairait que le menton et le nez de Regan qui se mordillait la lèvre inférieure.

— Nerveuse ?

— Je ne voudrais pas jouer les rabat-joie, mais ça te va si je réfléchis un peu ?

Sa question lui parut lourde de sens, une de ces petites mises à l'épreuve de sa dévotion. Il baissa la musique.

— Je ne te ferai pas honte, Regan. C'est promis.

Elle lui toucha le bras dans le noir, il avait donc visé juste. Elle n'était pas d'ordinaire physiquement démonstrative; on pouvait même la trouver un peu farouche.

— Ce n'est pas toi qui m'inquiètes.

— Ils peuvent être odieux à ce point?

— Il n'y a pas que William, ou même Papa. Sa fiancée sera là, et donc aussi le Frère Démon, et je… je ne veux pas que tu te sentes pris en embuscade, c'est tout.

Étrange façon de parler de sa famille, songea-t-il, mais le mot « embuscade », en fin de compte, saisissait plutôt bien certains aspects de l'événement. La maison, d'abord: une véritable demeure en brique, indépendante, sur Sutton Place, en plein milieu de la partie est de Manhattan, à l'écart des gratte-ciel qui lui avaient semblé si imposants lors de passages précédents. Il la savait riche, c'était évident – elle portait le nom d'une société de holding dont le siège occupait l'une des plus hautes tours de New York –, mais il ne put s'empêcher d'écarquiller les yeux pendant qu'elle cherchait sa clé devant la porte latérale. Sans lui laisser le temps d'ouvrir, une femme austère en uniforme d'infirmière la tira vers l'intérieur. «Votre père est dans le petit salon. » Keith s'était toujours interrogé sur le sens de ce vocable, sur les gens qui pouvaient se permettre de réserver une pièce aux réunions intimes, et celui-ci rendait anémique le bouquet de fleurs qu'il tenait à la main et que la femme lui prit aussitôt: «Je vais les mettre dans l'eau», dit-elle, sur le même ton que si elle avait proposé de les jeter à la poubelle.

Dans la pièce tout en boiseries et lumières scintillantes où Regan le conduisit, un groupe de gens se tenaient déjà, alignés comme des statues. L'un d'entre eux était très grand. L'autre homme et la femme ne devaient guère dépasser un mètre soixante. Les fenêtres aux carreaux cerclés de plomb, les tapis d'Orient, le feu mourant dans la cheminée… ce fut tout ce qu'il eut le temps de remarquer avant que la femme franchisse la distance qui les séparait, les bras tendus en avant comme si, à son corps défendant, on la poussait par-derrière.

— Vous devez être Keith. Nous avons tant entendu parler de vous.

Les mains de Felicia Gould le cédèrent aussitôt à celles du petit homme aux cheveux gris, soigné, insipide, qu'elle présenta comme son frère, Amory. Le troisième homme, probablement le père de Regan, resté en retrait, semblait attendre la permission. Il avait commencé à demander à Keith s'il voulait boire quelque chose lorsque la fiancée l'interrompit.

— Patience, chéri, Lizaveta ne va pas tarder à venir avec les martinis. Regan, tu es superbe, dis-moi. As-tu maigri?

Regan hésitait toujours sur le seuil.

— Où est William ?

— Oooh, nous irons le chercher plus tard. Mais asseyez-vous, les enfants.

Felicia se jeta sur le bout d'un long canapé en tapotant un coussin à côté d'elle tandis que le père tisonnait le feu et que le petit homme regardait, silencieux et insondable. Heureusement, Keith était d'un naturel charmant – aidé par un de ces martinis bien tassés qu'il avait eu le temps de siffler et d'un autre aussitôt apparu dans sa main. Seulement, pour répondre aux questions de Felicia Gould (sur sa famille, le football et Hartford, tellement merveilleux au printemps, n'est-ce pas) il était obligé de se tourner vers le feu, ce qui l'empêchait de voir Regan, assise à sa droite. Il aurait pu jurer que Regan avait tout prévu, que cela faisait partie du jeu de cache-cache, comme le cardigan et les mèches qui lui voilaient le visage. De quoi avait-elle peur ? La belle-mère semblait parfaitement inoffensive. La future belle-mère plus exactement ; Bill et elle allaient se marier au moins de juin, expliqua-t-elle, remarquant qu'il remarquait sa bague.

Mais à ce moment-là, un garçon frêle aux cheveux noirs, en chemise et salopette de bûcheron, apparut sur le seuil.

— William.

Cette fois, c'était Regan qui traversait la pièce. Le garçon rougit quand elle l'embrassa. Et même si personne d'autre ne s'était levé, Keith se sentit tenu d'aller se présenter.

Regan avait beaucoup parlé de son frère, en général pour exprimer son inquiétude à l'égard de son côté mauvaise graine. Il n'avait que sept ans à la mort de leur mère, disait-elle, et il l'avait mal vécue (comme s'il existait une façon plus noble de vivre un accident de voiture mortel ; comme si, à onze ans, elle avait été l'incarnation de la maturité – ce qui semblait le cas, à son avis, en comparaison). L'an dernier, alors qu'elle passait un semestre en Italie, William s'était débrouillé pour se faire exclure de trois pensions successives, un record personnel. « Je ne sais pas ce qu'il va devenir si je ne rentre pas à New York après mon diplôme », avait-elle confié. Keith lui avait assuré que William s'en tirerait très bien. C'était, à ce jour, la seule fois où elle avait exprimé de la colère contre lui, et il eut l'impression qu'elle ne savait pas s'y prendre. La voix lui avait manqué, elle s'était étouffée en produisant le bruit d'une bille coincée dans le gosier. L'espace d'une seconde, il crut entrevoir que c'était peut-être là, tout au fond, qu'elle muselait ses sentiments à l'égard de sa mère. « Non, tu ne comprends pas. Mon frère est… sensible. C'est peut-être même un génie. »

Par principe, Keith jugeait les génies sensibles assommants. Mais en tant que personne, il ne put s'empêcher d'éprouver de l'affection pour le jeune garçon, à la fois parce que Keith aimait les gens en général et parce que William semblait se foutre royalement qu'il l'aime ou pas.

— Les Goules se tiennent bien ? demanda-t-il à Regan en prenant le shaker laissé par la domestique sur la desserte pour se servir un martini.

Après quoi le frère et la sœur se mirent à l'écart pour se parler à voix basse dans leur langage à eux. Keith commençait à cerner ce que Regan voulait dire par « sensible » : à l'approche de Felicia, William se hérissa, presque à la manière d'un félin.

— William, chéri, il ne faut pas faire attendre notre invité. Il doit être affamé, à voir tous ses muscles. Keith, si nous passions dans la salle à manger ?

— Qu'en dites-vous, Keith ? Si nous y passions ? dit le jeune homme.

Impossible de poser le doigt sur ce qui précisément constituait une moquerie, ni même sur qui en était l'objet. Mais Regan, comme raffermie par la présence de son frère, renchérit : « Oui, allons-y », et prit le bras de Keith.

La salle à manger, une pièce étroite et longue, était placée sous la garde des portraits à l'huile de deux hommes à rouflaquettes qui auraient pu être jumeaux. Des spécimens antérieurs de la lignée Hamilton-Sweeney, sans doute ; au-delà des accessoires datables – un casque colonial pour l'un, un pince-nez pour l'autre – ils présentaient le même crâne ovoïde et le même front bombé que le père de Regan. Lequel, justement, semblait avoir pris du poil de la bête, comme si la table devant lui, d'une longueur absurde, et la pénombre environnante lui offraient une certaine sécurité. Voilà qu'il s'adressait à Keith, en criant presque pour se faire entendre.

— Je vous demande pardon ?

— Je disais : comment vous êtes-vous rencontrés, vous et ma fille ?

À un furlong de distance, à l'autre bout de la table, William poussa un grognement. Keith hésita, mais ni Felicia ni le futur oncle par alliance, qui lui faisait face, ne semblaient avoir entendu, et il ne pouvait pas se tourner vers Regan sans paraître complice.

— Regan jouait dans cette pièce, avant Noël, *La Nuit des rois*, je suis sûr que vous l'avez vue.

On s'éclaircit la gorge, avec un bruit étrangement nasal. Peut-être secoua-t-on la tête.

— Vous êtes donc dans le théâtre ?

— Non, non, juste un amateur de théâtre. Je suis allé me présenter à elle à la fin.

Tout était vrai, Keith avait seulement omis le fait qu'une autre fille de Vassar l'avait traîné à la toute dernière représentation de la pièce et qu'il lui avait ensuite faussé compagnie lors de la soirée de clôture.

— Votre fille est une excellente comédienne.

La femme qui, tout à l'heure, lui avait pris ses fleurs déposait maintenant devant lui un bol de liquide couleur caramel. Il ne savait pas s'il était destiné à s'y rincer les doigts, ou quoi. Regan avait dû le deviner, car elle lui toucha la jambe sous la table. Une série de hochements de tête et de regards muets lui indiquèrent qu'il devait l'imiter. Il choisit la bonne cuillère parmi les trois proposées et but dans les formes le bouillon salé qu'il apprendrait plus tard à appeler *consommé**.

Suivirent une salade, puis un plat de poisson, et entre les questions provenant de la tête de table et la conversation enjouée que ne cessait d'entretenir la fiancée, on évita pratiquement tout silence gênant. Quand on servit la viande, Felicia lui expliqua sur le ton de la confidence que sa cuisinière était diplômée du Cordon Bleu et qu'elle la prêtait aux Hamilton-Sweeney. C'était un épisode du long processus préalable au déménagement de l'autre côté du parc, loin de cette maison et de ses fantômes. Elle se tourna vers le tableau accroché au-dessus de son futur époux, ou peut-être vers le vieux fusil de chasse à l'éléphant monté sur des crochets en cuivre sur le mur en dessous. Oui, c'étaient de très longues fiançailles, elle en convenait, mais ils ne voulaient pas déraciner le jeune William avant la fin du lycée. Là-bas, à l'autre extrémité de la table, l'objet de sa sollicitude semblait profondément malheureux. Il n'avait pas ouvert la bouche depuis une demi-heure.

Quant à l'autre frère, Amory Gould, il aurait pu aussi bien s'agir d'une poupée remplie de sciure, du moins jusqu'au moment où, le dessert terminé, les assiettes cédèrent la place au café. Il prit alors sa cuillère en argent et la dirigea vers la lumière d'un air sceptique. Le geste fut si étrange – et si ostensible – que même Felicia s'interrompit.

— Keith, dit-il lorsqu'il eut l'attention de toute la table.

La cuillère était restée en l'air ; il ne la quittait pas des yeux, comme s'il y cherchait après coup la présence de taches.

— Keith, n'est-ce pas ? Avez-vous jamais songé à la finance ?

Keith venait d'expliquer au père de Regan qu'il devait mettre les bouchées doubles sur le programme de sciences pour préparer la faculté de médecine. Oui, il aurait aimé aller à une université comme Yale, mais, honnêtement, il n'avait pas fait les efforts nécessaires avant sa blessure.

— La finance ?

— La banque, jeune homme. Les investissements. Les affaires de famille, pour ainsi dire.

La voix était douce, insinuante, comme surprise en train de se parler à elle-même. Involontairement, Keith se pencha pour entendre.

— Cultiver la confiance, voilà à quoi cela se résume. Moi, j'en ai peur, il me manque ce qu'on appelle le charisme pour être sur le devant de la scène. Je reste au second plan, je mets les gens en relation. Mais un jeune homme comme vous, au physique avenant, toujours souriant, je suis prêt à parier que vous seriez capable de vendre des monocycles à un paraplégique. C'est ainsi, naturellement, qu'on bâtit des fortunes. Pour faire une image. Aucun diplôme exigé, aucune formation particulière, juste de la réflexion et du bon sens.

La cuillère fut replacée sur la table.

— Notre monde prend de l'essor, Keith. Si vous êtes intéressé par une conversation sur la place qu'il pourrait vous réserver, je suis votre homme.

Un regard doux, bleu, imperturbable, se posa sur celui de Keith au-dessus de la table. À côté de lui, Regan gardait un profond silence, mais il ne la voyait pas ; c'était comme si elle avait été repoussée dans l'ombre par la pâleur glacée de ce visage et par la voix, si explicitement pragmatique.

Une chaise crissa alors sur le parquet.

— Puis-je m'excuser ? demanda William, déjà à demi levé.

Juste avant de quitter la pièce, il lança à Keith un regard signifiant, mais signifiant quoi ? Et, Keith l'aurait juré, il s'attarda ensuite une minute dans le couloir pour attendre sa réponse. Il s'éclaircit la gorge :

— C'est très généreux, monsieur Gould, mais je me suis déjà engagé sur une voie. Il me faut la suivre.

Il y eut un temps d'arrêt.

— Naturellement, dit Amory. Loin de moi l'idée de vous en détourner.

Plus tard, quand il eut échangé des poignées de main en promettant de revenir, Regan suivit Keith dehors. Il avait été prévu qu'elle passerait la nuit à Sutton Place tandis qu'il prendrait l'un des derniers trains pour le Connecticut, et il crut qu'elle était sortie pour lui dire au revoir.

— Il fallait que je m'en aille, dit-elle à sa grande surprise.

— Pourquoi ? J'ai été bien ?

— Oh, chéri.

Elle s'arrêta sur le trottoir mouillé, comme si la question l'avait interloquée. Il était debout dans le caniveau. La pluie avait cessé mais le courant haut de trois centimètres charriant les pétales blancs des arbres en fleurs, gorgés d'eau, se divisait autour de ses souliers.

— Tu as été formidable. Tu as été parfait.

Placés ainsi, ils avaient presque la même taille, et il avait envie de la prendre dans ses bras, de l'arrimer au sol pour qu'elle ne puisse disparaître avant qu'il ait pénétré jusqu'à son dernier mystère.

— Ton frère m'a apprécié ?

— Il va t'aimer, dès qu'il saura tout ce que tu es vraiment. Comme moi.

C'était la première fois qu'elle prononçait le mot « aimer » et, typiquement, dans un contexte qui ne laissait place à aucune réaction. Et puis : tout *quoi* ?

— Allons quelque part, dit-elle soudain. On ne m'attend plus au dortoir Chi Omega jusqu'à demain.

— Tu es sûre ?

Pour une fois, elle ne le repoussa pas. Il sentait la douceur de ses cuisses contre les siennes, sa bouche s'ouvrait à lui et il pressentait que, cette nuit au moins, elle le laisserait faire ce qu'il voudrait. Un signal confus, à l'arrière de son crâne, le prévenait déjà que ce n'était pas la façon adéquate, qu'elle lui offrait une sorte de récompense pour bonne conduite, mais une autre voix lui disait que des mois pourraient s'écouler avant qu'elle ne se retrouve dans les mêmes dispositions, et ils s'éloignèrent tout chancelants, se heurtant à la Karmann Ghia. Elle lui avait pris les mains pour les poser sur ses flancs et, mue par sa propre volonté, l'une d'entre elles remontait jusqu'à ces merveilleux petits seins, tièdes sous l'armure tendue du soutien-gorge, lorsqu'il se ravisa. Une rue à peine les séparait de chez elle.

— Attends un instant, dit-il. D'accord ?

Ils prirent une chambre dans un hôtel près de Grand Central, sous le nom de M. et Mme Z. Glass ; il lui faudrait se nourrir de thon en boîte jusqu'à la fin du mois, mais cela en valait la peine. Sans même allumer la lumière ni ouvrir le lit, ils firent l'amour debout, contre une baie vitrée à laquelle la pluie s'accrochait encore. C'était comme de se tenir au bord d'une immense excavation. Quand il ferma les yeux, elle lui parut loin, entourée de minuscules lumières flottantes, au milieu du vide d'où elle l'appelait, mais plus il s'y enfonçait plus le vide se creusait. Ce fut juste avant de jouir, de façon prodigieuse, troublante, qu'il comprit que ce n'était pas plus sa première fois que la sienne et qu'il n'était pas tout à fait parvenu à l'atteindre. Et aujourd'hui encore, dans son souvenir, pendant qu'il laissait venir la fraîcheur dans l'obscurité de son dortoir, Regan était un monde en soi, reconnaissante envers lui pour des raisons qui lui échappaient…

17

À L'INVERSE, SON FRÈRE WILLIAM, à dix-sept ans, n'était séparé du monde qui l'entourait que par la plus fine des membranes. En d'autres termes : un citadin-né, assurément. Il savait exactement à quel endroit du quai de métro se trouvait l'escalier menant sur l'autre quai. Il savait qu'il fallait éviter les rames vides – quelqu'un avait pissé, ou vomi, ou était mort dedans. Il savait comment feindre de ne pas connaître la célébrité qu'on vous présentait, et comment feindre de la croire quand la célébrité feignait de ne pas vous connaître. Depuis l'été dernier, il savait comment draguer des hommes adultes dans les toilettes publiques, et connaissait tous les coins du Parc où la brigade des mœurs ne s'aventurait jamais. Il était bien incapable de lancer un ballon en vrille, mais qu'on lui donne un manche à balai et une balle en caoutchouc et il la ferait atterrir dans le fleuve.

À intervalles réguliers, ces dernières années, on l'avait envoyé dans des trous somnolents comme Putney, dans le Vermont, Wallingford, dans le Connecticut, Andover et Exeter, dans le New Hampshire, lacs empoisonnés dans lesquels se déversaient les affluents riches et privilégiés de la nation. Les autres garçons aimaient se moquer de son accent. Pour ceux de Grosse Pointe et de Lake Forest, *Gothamite* n'était pas loin de *Juif*. Mais pas une fois il n'avait envié, ni cultivé comme sa sœur, leurs inflexions déracinées de la Côte Est. Il était convaincu que son lien avec Manhattan l'aiderait à tenir, telle une ancre plongée dans des eaux tumultueuses. Et il avait tenu, jusqu'à cet été – l'été où il avait enfin obtenu son diplôme de fin d'étude.

Mais à l'aube, la veille du mariage de son père, en juin, il sentit que la chaîne tirait et que le lien était sur le point de casser. Ou était-ce déjà le matin ? Sur Sutton Place, le ciel, derrière les barreaux sinueux des fenêtres de la cuisine, commençait à s'éclaircir, assez pour qu'apparaissent les entrelacs de roses aux lourdes fleurs, celles de sa mère. Elles semblaient hocher la tête vers lui, l'admonester ; elles savaient ce qu'elles auraient fait à sa place.

Il alla dans la salle à manger. Il dégagea de ses crochets en cuivre le fusil de chasse de son arrière-grand-père Hamilton. Il regarda dans la chambre ; la balle qu'il y avait trouvée quand il était petit y était toujours. Ses chaussettes étouffèrent le bruit de ses pas dans l'escalier.

Il avait peine à reconnaître, dans le couloir du premier étage, la scène où Regan et lui présentaient leurs spectacles. Son tapis avait déjà été installé dans le palais de Felicia, de l'autre côté du parc, ainsi que presque tous les meubles. Demain – ou, rature, aujourd'hui – les employés de la société de nettoyage viendraient préparer la maison pour ses nouveaux propriétaires. On n'avait rien touché en revanche dans les chambres d'amis prévues pour recevoir les parents masculins ou les associés qui s'étaient déplacés pour le mariage. Il les avait entendus rentrer du dîner de répétition vers minuit et revenir sur la scène qu'il avait provoquée, la honte qu'il avait fait subir à la famille. Il ignorait s'ils savaient qu'il était là, juste en dessous d'eux, cherchant une pauvre consolation dans la pinte de whisky irlandais volée plus tôt dans le bar de la salle de banquet. Quoi qu'il en soit, ils n'étaient pas descendus à la cuisine. Et le whisky produisait un effet bizarre ; au-delà d'un certain point, chaque lampée dissipait le brouillard de son esprit, jusqu'à ce que la maison entière apparaisse d'une clarté convulsive. La lucarne au bout du couloir, à l'étage. L'entrée verrouillée de ce qui avait été jadis la chambre de ses parents. Et à côté de ça, la chambre d'amis où un étudiant osseux vêtu de pièces de smoking orphelines ronflait, étalé par terre, ses poignets à revers déployés comme des fleurs. Était-ce le type qui avait fait ça ? Ça devait sûrement être lui. Ceux qui gisaient dans les lits, comateux, étaient trop vieux.

William resta dans le demi-jour pendant plusieurs minutes, le fusil à canon long hésitant au-dessus de l'oreille droite du type. Fais-le, mauviette. Presse la détente. Tu le ferais si tu étais un homme. Mais où était le petit ami de Regan, ou fiancé à présent, Keith, dont c'eût été le boulot à juste titre ? Parce que, pour finir, William dut se contenter de laisser le fusil par terre dans la chambre d'amis, dans l'espoir que ce connard bourré le trouve à son réveil et sache qu'il avait frôlé la mort. Ou peut-être achève le boulot lui-même.

En tremblant, William retourna sa chambre à la recherche de vêtements pour remplir un sac de sport. Il prit sa guitare, le livre de gravures de Michel-Ange rapporté par Regan après son semestre à l'étranger, son nécessaire de rasage de seconde main, et les clés posées sur sa table de nuit. Après un dernier trait de courage liquide, il franchit la porte et marcha vers la succession de voitures garées le long du trottoir. La sueur et ses vêtements de cérémonie formaient comme une épaisseur molle entre son dos et le siège de la Karmann Ghia de Regan. Derrière la vitre, la rosée faisait remonter les odeurs de la terre inerte : le terreau des bacs à arbres, l'asphalte légèrement salé, le parfum tenace de l'été – pelures de fruits en décomposition et marc de café *faisandé** – que dégageaient les ordures amoncelées au bord des trottoirs. Le panneau stop luisait au carrefour. S'il avait su exactement combien de temps s'écoulerait avant son retour dans ces rues, il aurait sans doute voulu dresser de toutes ces choses un catalogue plus précis, mais leur dire adieu eût été donner une réalité à ce qu'il avait enclenché et, s'il l'avait fait, il ne serait peut-être pas allé jusqu'au bout, alors il n'en fit rien.

Il ne s'était retrouvé derrière un volant qu'une seule fois depuis que Doonie lui avait appris à conduire, tout là-bas dans le Queens, à l'endroit où le métro s'arrêtait. Cela lui avait valu d'être viré de sa troisième école (ou était-ce la quatrième ?), mais le moteur se mit en marche au premier essai, ronronnant comme un animal quand il appuya sur l'accélérateur. Les feux de la 3ᵉ Avenue étant synchronisés, on pouvait, à quarante kilomètres à l'heure, remonter jusqu'à Harlem sans s'arrêter une seule fois. À cette heure-là, un dimanche, il n'y avait pratiquement pas de voitures en provenance des banlieues et, sans presque changer de voie, il ne tarda pas à filer plein nord.

L'angoisse le saisit de nouveau lorsqu'il s'arrêta pour prendre de l'essence près de New Haven et vit, par la petite lunette arrière, le sac de sport à demi ouvert, derrière, sur la banquette. Où, exactement, avait-il l'intention d'aller ? Dans le Vermont ? À Versailles ? À Valhalla ? Dans une cabine téléphonique bordant la route, il indiqua à une standardiste un nom surgi du fond de sa mémoire. L'État était étendu, répondit-elle ; elle ne pouvait chercher le nom sans connaître la ville. « Vous ne pouvez pas essayer ? dit-il. C'est une urgence. » Quelque chose dans sa voix – une fêlure douloureuse – avait dû la convaincre, car au bout d'une minute lui parvint l'accent familier aux inflexions continentales.

— William ? Comment aurais-je oublié ? Si tu es dans le coin, il faut que tu passes.

« Dans le coin », c'était une façon de parler ; il roula encore huit heures, en suivant les indications rigoureuses, avant de quitter une autoroute de montagne vallonnée et de s'enfoncer dans une forêt. Au bout d'une allée de plus d'un kilomètre et demi, sur un flanc de colline abrupt, se trouvait soit une grande cabane, soit une petite maison. Le bruit du moteur avait attiré Bruno Augenblick, l'ancien professeur de dessin de William, à la porte ; on le distinguait à peine dans l'ombre de la longue véranda et derrière le rideau grillagé.

— Laisse tes affaires, cria-t-il par-dessus le ralenti du moteur. Viens d'abord boire quelque chose.

Le citadin, toujours tremblant à l'intérieur, n'allait plus revoir la ville pendant une demi-décennie. Et à ce moment-là, il aurait vingt-deux ans.

William avait connu Herr Augenblick à l'époque où il fréquentait son avant-avant-dernière école, où la généreuse stratégie de la carotte et du bâton, avait-on alors estimé, devait bénéficier à un jeune homme doté de ses… prédispositions. Le vendredi après-midi, les garçons qui s'étaient bien comportés étaient conduits en autocar à cinquante kilomètres de là, à Boston où, durant quelques heures, ils pouvaient, à loisir, se promener dans Harvard Square et respirer l'air des lieux qu'ils intégreraient un jour, s'il plaisait à Dieu. Dans la nouvelle école, William ne s'était fait que deux amis, dépourvus des compétences nécessaires, et chèrement acquises de son côté, pour éviter les blâmes : il se retrouvait souvent seul à se promener dans le Square, tandis que ses camarades allaient au cinéma. Il aimait spécialement se glisser derrière les murs de l'université et se faire passer pour un étudiant. Il pouvait fumer sans se cacher. Il pouvait taxer un repas gratuit dans le réfectoire, tant qu'il veillait à se plonger dans un livre (et faute d'avoir emporté le sien, rien ne l'empêchait d'en chiper un à la bibliothèque). Un de ces vendredis, il aperçut un groupe d'étudiants aux Très Sérieuses Expressions, assis dans l'une des cours, occupés à reproduire dans leurs immenses carnets de croquis la statue en bronze de quelque austère et vieux puritain. L'envie le prit soudainement de voir jusqu'où pouvait aller son imposture. Un carnet de croquis coûtait cinquante cents à la papeterie du campus, et les crayons cinq cents. Il retrouva les étudiants là où il les avait quittés, regroupés sur le trottoir en brique devant la statue. Personne ne leva la tête quand il s'installa au milieu d'eux ou ne chercha à regarder son carnet quand il commença à dessiner. Il avait perdu la notion du temps lorsque quelqu'un claqua des mains. Au-dessus de lui se tenait un homme en seersucker, d'une quarantaine d'années, avec des yeux de hibou derrière ses lunettes à monture d'écaille, le crâne totalement rasé.

— Fin de la séance.

L'accent était allemand, ou suisse. Ses manches de chemise, boutonnées jusqu'au poignet malgré la chaleur de l'été indien.

— Veuillez laisser votre travail sur le banc. Je vous ferai part de mes remarques la semaine prochaine.

Les étudiants s'éloignèrent les uns après les autres, mais l'homme arrêta William.

— Et vous êtes… ?

— William Hamilton-Sweeney. Je viens d'arriver.

Comme il indiquait le carnet sous son bras, William le lui remit. Le visage impénétrable, il examina le dessin qui, commencé comme une caricature, s'achevait sur un mode semi-sérieux. Pour finir, de but en blanc, le professeur arracha la page, la réduisit en boule et la déposa dans la poubelle en treillis métallique à sa gauche.

— Recommencez.

Cet automne-là, William, qui se défendait de l'attendre avec impatience, devint l'étudiant le plus assidu du cours de dessin du vendredi après-midi. Le professeur ne lui accordait pas le moindre mot d'encouragement mais, la séance terminée, il s'attardait toujours un peu pour commenter son travail, et à la fin du dernier cours du semestre il entraîna William à l'écart. Il avait prévu une petite réunion ce samedi soir : « Une sorte de salon. Quelques étudiants plus avancés seront là, ainsi que des artistes du cru et des membres du corps enseignant. Vous pourriez en prendre de la graine. » Révéler qu'il ne pouvait pas s'y rendre reviendrait à avouer n'avoir jamais été qu'un transfuge du pensionnat et donc, cette nuit-là, il sortit en cachette et parcourut à pied les trois kilomètres qui le séparaient de l'arrêt d'autobus sur la Route 117.

La maison de Beacon Hill évoquait un musée, avec ses tableaux accrochés un peu partout sur les murs. Les plats étaient à tous égards aussi bons que ceux de Doonie. Herr Augenblick – Bruno à présent – menait grande vie, semblait-il, pour un professeur invité. William accepta un verre de champagne ou deux de trop et, mettant à profit ce qui lui restait de lucidité, se glissa dans diverses conversations. Il ne trouva rien à redire quand il entendit, en s'éloignant, que c'était *celui dont parlait Bruno, le Hamilton-Sweeney*; il était heureux de voir les autres invités – tous plus âgés, presque tous des hommes – suspendus à ses bons mots telles des roses trémières à leur fil. De temps à autre, il surprenait Bruno en train de l'observer de loin, mais le professeur ne s'approcha de lui qu'à la fin de la soirée, quand les hôtes remettaient leurs manteaux.

— Ces deux-là rentrent à pied à l'université. Vous pourriez avoir envie d'un peu de compagnie ?

— Non, merci, dit William, en feignant de chercher son vêtement dans le tas sur le lit. J'aime être seul.

— Et vous n'allez pas vous-même dans cette direction, n'est-ce pas ?

— Je vous demande pardon ?

Bruno fit un geste pour indiquer la cravate vert et jaune qui dépassait de la poche du blazer que William venait de repêcher.

— Les couleurs d'un lycée de la région, je crois bien.

— Vous le saviez depuis le début, n'est-ce pas?

— Ne faites pas l'étonné. Votre nom n'est jamais apparu sur ma liste d'étudiants.

— D'accord, mais pourquoi n'avez-vous rien dit?

— William, l'artiste combine un besoin féroce d'être compris et l'amour le plus farouche de la solitude. Que ses secrets soient évidents aux yeux des autres ne signifie pas qu'il soit prêt à s'en défaire.

Qu'est-ce que tout ça pouvait bien vouloir dire? se demanda William. Mais naturellement, il savait déjà. Il savait ce qu'était Bruno depuis le tout premier cours, quand le soleil avait lui sur le dôme rasé de sa tête, mais il n'avait pas compris que Bruno lui aussi l'avait percé à jour.

— À présent, ma mission de professeur invité touche à sa fin. Vous allez devoir décider par vous-même sur quel chemin vous engager.

— Et que devient tout ça?

— Ça? C'est à Bernard, dit-il en hochant la tête en direction du visage tout en fraîcheur du président du département d'histoire de l'art à l'autre bout de la pièce, et auprès duquel, maintenant qu'il y repensait, Bruno était resté toute la soirée. Je possède une maison dans le Vermont où j'habite entre deux affectations. C'est une campagne qui me rappelle mon enfance.

Et c'était sans doute vrai, William avait besoin d'être compris, car comment expliquer son désarroi à l'annonce que Bruno ne reviendrait pas au printemps? Mais cela se révéla secondaire. Ayant insisté pour regagner seul le lycée, il fut pris sur le fait en rentrant à l'aube – les oiseaux de banlieue du Massachusetts, par leurs cris, le trahirent auprès du directeur comme les pigeons louches et insomniaques de New York ne l'auraient jamais fait – et, s'agissant de sa troisième infraction, il fut exclu avant la fin du trimestre.

Assis à présent sur la véranda du chalet, en regardant transpirer son verre de whisky à l'eau et les moustiques tourniller au-dessus d'un pot d'encens, il ne savait plus du tout s'il avait pris la bonne décision. Bruno était différent du souvenir qu'il en avait gardé; plus corpulent, moins tranquillement über-humain. Ayant peut-être senti sa détresse, Bruno ne l'interrogea pas, sinon à propos de son smoking.

— Quoi, ça? (William avait oublié qu'il le portait.) Je n'avais plus rien à me mettre. Ma seule chemise propre. Où sont les autres? Où est Bernard?

— Bernard est à Boston.

LIVRE II

— Oh.

Les silhouettes des montagnes dessinaient des crêtes, comme sur le dos des dinosaures. À peine vingt-quatre heures auparavant, il se trouvait dans ce restaurant de Central Park entouré d'oligarques levant leurs flûtes de champagne. Il avait porté un toast à son père avec un verre plus étroit que celui qui tremblait maintenant dans sa main, et franchement il ne se rappelait plus ce qu'il avait dit pour provoquer un tel scandale.

— Tu peux rester le temps que tu voudras, William.

— Tu ne vas pas m'obliger à te raconter ce qui se passe?

— Je n'ai pas besoin de savoir « ce qui se passe ». Les invités vont et viennent tout l'été. Il y a trois chambres libres en ce moment. Choisis celle qui te plaît.

Mais William resta sur la véranda longtemps après que Bruno fut allé se coucher, et pas seulement pour éviter qu'il ne lui demande de venir avec lui. À cette heure, son père serait marié à Felicia Gould, et de cela, après des années d'accommodements et d'accommodements, il ne parvenait tout simplement pas à s'accommoder. Que Papa n'ait pas cru bon d'annuler le mariage à la dernière minute n'aurait pas dû le surprendre. Et si William III voulait être honnête, il cherchait plutôt une bonne excuse pour rompre avec William II, tout comme une fusée à propulsion liquide désire ardemment échapper à son propulseur solide. Mais ce qu'il n'avait pas prévu, c'était que Regan, la seule personne en dehors de leur mère et de Doonie en qui il avait jamais eu confiance, prendrait le parti de l'ennemi. Pour pouvoir survivre à cela, il fallait qu'il la brûle elle aussi. Et le sommeil maintenant lui était interdit. Le vent tournait. Les moustiques se contorsionnaient, comme happés par les flammes. La glace crépitait dans son verre de Drambuie.

Il avait cru que Bruno évoquait la ronde d'invités par égard pour lui mais elle était bien réelle. Dès le week-end suivant, elle commença par une voiture pleine d'hommes pâles venus de l'un des centres urbains – Boston ou Philadelphie, il n'avait pas écouté – dont les pneus écrasèrent le gravier. Ils sortirent en chapeaux de paille et lunettes de soleil, chemises à moitié déboutonnées, un verre déjà à la main. S'arrêtèrent, bras sur les portières ouvertes, les yeux fixés au-delà de la silhouette de Bruno qui les attendait sur la véranda, sur la vallée tendue en ce milieu d'après-midi d'un voile de moucherons et de chaleur. Aucun d'entre eux ne s'écria: *Eh bien, ça par exemple!* Ce n'était pas nécessaire.

Et chose bizarre: autrefois, William aurait fait le beau, joué à l'ingénu, mais c'est à peine s'il put se redresser sur son transat pour les saluer de la main. Et plus bizarre encore, personne ne parut choqué. Il pouvait parier que Bruno leur dirait quelques mots plus tard, en privé – *Laissez-lui un peu d'espace*, peut-être –, mais comment expliquer qu'à ce moment-là, à peine arrivés, ces hommes qui martelaient le sol dans l'ombre de la véranda l'avaient regardé avec l'expression bienveillante de gens qui sont déjà passés par là ? Personne, jamais, songea William, n'avait pu passer par *là*. Se retrouver ici, au milieu de toute cette abondance, incapable de penser à chez lui sans que sa tasse de café tremble sur sa soucoupe, au milieu de ces voitures immobiles dans l'allée et des longues fleurs sauvages qui commençaient à plonger au-delà de l'enceinte fraîche de la véranda, comme des images aperçues dans la fièvre. À un certain moment, il cessa de se balancer. Des cris lui parvinrent d'en haut, d'un bassin de nage, se répétant en écho sur les rochers et dans les ravins. À travers les pins noirs, il vit un éclair de chair, un invité grimpant sur la roche qui servait de plongeoir ; il y eut un battement entre sa disparition et l'éclaboussure qui suivit.

À la nuit tombée, lors du dîner pris en commun, William resta assis en silence, tâchant de son mieux de pas gâcher la bonne humeur générale. Autour de la table, dans la félicité produite par le vin et l'exercice physique, les autres visages arboraient des mines de prisonniers dont on aurait annulé les peines. D'ailleurs, c'eût été pur narcissisme d'imaginer que son désastre intérieur aurait le pouvoir de tout gâcher. Il n'était qu'un beau garçon, un sylphe, un fugueur, assurant le plaisir des yeux. Seul Bruno – le puissant, le patient, l'impénétrable Bruno – remarqua qu'il n'avait presque rien mangé. Et même cela, il le saisit fugitivement, sans rien dire.

William ne fut pas long à trouver de bonnes raisons pour manger sur la véranda. Il posait le plat de veau, de spätzle ou de spaghettis sur la petite table en rotin et ne se donnait pas la peine d'allumer la lampe. Les rires filtraient au travers de la porte moustiquaire. Autour d'eux et autour du bout rougeoyant de sa cigarette, les insectes grouillaient, mêlés aux odeurs de fumée et de sauce tomate tiédie, comme un pique-nique ranci. Il essaya d'imaginer l'obscurité de la véranda s'épanchant dans l'obscurité du dehors et lui-même à l'intérieur, animal battant les sous-bois. Il essaya d'imaginer Bruno, plus tard, sur le seuil, une fois toute la vaisselle lavée, cherchant Narcisse et ne trouvant que les ténèbres infinies. Même cela – cette vieille illusion qu'il existait encore dans ce monde quelqu'un pour le chercher et lui demander ce qui n'allait pas – ne lui procurait plus aucun plaisir.

Quand les invités retournaient à leur autre demi-vie, urbaine celle-là, William était en théorie plus libre, mais en réalité son malaise empirait. Il ne pouvait pas lire, ne pouvait pas dormir, ne pouvait pas accorder sa guitare.

Seules quelques activités, en équilibre exact entre la bêtise et la concentration, parvenaient encore à l'absorber et c'était avec elles qu'il devait constituer sa journée. Un match de baseball à la radio ; des mots croisés dans le journal ; un article de magazine sur Elizabeth Taylor ou Marilyn Monroe. Il confiait à Bruno des listes de revues quand celui-ci descendait en ville faire des achats que William proposait de payer (depuis qu'il était légalement adulte, il exerçait tout contrôle sur le capital laissé par sa mère – à quoi s'ajoutait l'argent de la vente dans les petites annonces locales de la Karmann Ghia de Regan). Bruno refusait toujours, d'une façon qui aurait dû être bienvenue mais qui avait des relents de condescendance. Il rentrait chargé de sacs pleins de nourriture mise à sa disposition, mais William n'éprouvait toujours pas le moindre appétit. La beauté du paysage était elle-même une abstraction, à l'image de la beauté d'un homme dans une publicité pour un parfum qu'on ne peut pas respirer. Entre elle et lui, le temps mort s'accumulait : tant de secondes, tant d'heures, tant d'années. Toutes ces tonnes de nourriture et ces millions de mètres cubes de liquide à évacuer avant de mourir, ce qu'il ferait peut-être ici même, dans le Royaume du Nord-Est, un jour presque pareil à celui-là, au bout de dix mille jours exactement pareils à celui-là.

Un soir, vers la mi-juillet, après avoir déchargé les courses de la voiture, Bruno prit place dans son propre rocking-chair. Il attendait d'autres invités pour le lendemain et William crut qu'il allait dire quelque chose à ce propos – crut, avec une sorte d'étrange frisson, que Bruno était enfin à bout de patience – mais Bruno dit seulement :

— Je t'ai apporté quelque chose.

Il hocha la tête en direction d'un sac en papier sur la table placée entre eux. À l'intérieur, il y avait un carnet de croquis. Bruno se balança en sirotant son cocktail, absorbé dans la vue des lointaines montagnes que William feignait de contempler.

— Bernard n'est pas encore venu, dit finalement William. Allons-nous le voir ?

— Bernard et moi avons bifurqué, chacun de notre côté.

Il l'avait deviné depuis longtemps, mais l'objectif était de blesser.

— D'où la générosité.

— Personne ne te retient, William. Tu es libre de partir quand tu veux.

— Tu cherches un remplaçant. Admets-le. Tu as envie de me baiser.

Les larmes dans sa voix le prirent au dépourvu, perles minuscules et brûlantes d'impuissance, mais c'était plus fort que lui : il ne *voulait* pas lâcher ce qui le tuait. Il ne *voulait* pas changer.

Bruno soupira.

— Comme toujours, William, tu as une vision du monde sui generis. (Il se leva pour retourner à l'intérieur.) Et non, je ne profiterais pas de toi, même si je n'avais personne d'autre avec qui jouer. Tu es un enfant.

Il voulut se lever, empêcher Bruno de partir. Il voulait sentir le contact de son solide poing teutonique contre sa pommette. Au lieu de quoi, quand eurent cessé les derniers bruits accompagnant le coucher de Bruno, il se glissa dans la salle de bains, tira la cordelette de la lampe et regarda dans la glace. Oui, il était un enfant, la peau grasse et pâle, maigre et ingrat, incapable d'inspirer de l'amour et sans amour. La mère qu'il portait en lui appartenait elle-même moins au souvenir qu'au rêve. Il ouvrit le robinet en un jet rugissant, extirpa l'antique rasoir de son étui et longtemps contempla l'image qu'il dessinait contre la peau nacrée à l'intérieur de son poignet. Mais une fois encore, la vie se révéla trop puissante pour William Hamilton-Sweeney. Que faire d'autre, sinon repasser la lame sur le cuir et attaquer l'affreuse moustache d'enfant récemment apparue sur sa lèvre supérieure?

Ce serait mentir de dire que, tout de suite après ça, le voile noir qui pesait sur William s'envola; les maladies n'opèrent pas ainsi. Mais il commença au moins à dormir plus souvent la nuit entière et à se raser chaque matin. L'après-midi, il descendait à pied jusqu'au lac sur des sentiers de feuilles décomposées, ou ce qui ressemblait à des sentiers, des empreintes humaines tracées au milieu des arbres dont il apprit tout seul les noms en les dessinant. Son carnet s'emplit lentement de pruches et de sorbiers, et des petits animaux qui pénétraient dans les clairières quand il s'asseyait, immobile, ou qu'il trouvait déjà là: écureuils, tortues étalées au soleil, ou même un daim. Il mangeait le sandwich qu'il avait emporté sans remarquer qu'il avait recouvré un goût, puis reprenait sa marche. Le torrent qui dégringolait du bassin de nage gazouillait non loin. Une immense roche émergeait de la vieille végétation ordonnée, d'où bondissait une cascade, et là, dans la lumière, sur la pierre décolorée au soleil, la rumeur de l'eau dans les oreilles et, dans le nez, l'ozone de la végétation à son pic, il se voyait accorder ce qu'il avait désiré dès les premiers jours après son arrivée: il n'était personne, il n'avait plus ni passé ni avenir, il n'existait plus au-delà du présent, présent, présent, de l'eau vive qui surgissait dans la clarté.

Et le soir, à la longue table, il commença à s'ouvrir un peu. En fait, les hommes riaient plus fort que dans le salon de Bruno à Boston, et la part de lui-même qui vivait pour ces rires semblait toujours en vie. Il y avait cependant une autre part, un artefact produit par sa récente maladie, comme si sa mélancolie avait, dans un univers adjacent, pris le contrôle de son existence.

Comme s'il était son propre fantôme, debout juste derrière lui, en train d'observer. Il observait que maintenant, par pure gratitude, il serait avec joie devenu le concubin de Bruno. Et il observait que, derrière le sourire indulgent, il y avait une part de Bruno qui, elle aussi, restait sur ses gardes, comme celui qui s'est brûlé un jour se protège du feu. Bruno veillait soigneusement désormais à ne jamais laisser ouverte, au sens propre comme au sens figuré, la porte de sa chambre. Parfois, tard dans la nuit, William entendait derrière elle un bruit qui fendait l'air, un grognement de plaisir ou de douleur.

Vers la mi-août, la chaleur pesait sur les montagnes comme une couverture humide. À New York, s'autorisait-il à songer sans trop d'amertume, les enveloppes de Yale devaient s'accumuler sur la table du courrier dans le penthouse du West Side où habitait maintenant son père : lettres concernant l'inscription aux cours, les vaccins, le service militaire, les draps extra-longs, des lettres portant ses quatre noms complets tapés à la machine, William Stuart Althorp Hamilton-Sweeney III. Il y vit d'abord un problème : comment entrer à l'automne dans cette machine à reproduire les privilèges de classe sans également retourner dans sa famille dont le bâtiment de biologie portait le nom. Et puis, comme un nœud magique, le problème trouva sa solution ; il n'irait pas, tout simplement. Et une fois sa décision prise, son avenir lui sembla assuré. Rendre tout possible : c'était l'une des formules qui enchantaient cette vallée.

Ici, par exemple, se tenait William, au-dessus du bassin de nage, sur un rocher gros comme une Volkswagen, ses pieds nus collés au granite irrégulier et tiède comme à un socle. En dessous évoluaient les corps d'ivoire, des corps d'hommes. Deux de ces corps, si raides, gauches, mal proportionnés sur les berges où leurs vêtements formaient de petits tas, devenaient des dieux une fois dans l'eau. Trouant la surface claire et ondulante, des membres surgissaient et replongeaient, là une cuisse, là un bras, là un cul blanc lunaire, quand le jeune garçon, le beau garçon, se retourna pour crier joyeusement :

— Qu'est-ce que tu attends, chochotte ?

Il regarda du côté de Bruno, assis avec ses manches longues et son chapeau à large bord, en train de lire le *Frankfurter Allgemeine Zeitung*, qui mettait une semaine à lui parvenir jusqu'ici par la poste. La nuit dernière, le calme revenu dans la maison, William s'était glissé dans le couloir et dans le lit de ce jeune homme qui le provoquait, et après lui avoir fait jurer la discrétion, ils avaient baisé comme des athlètes. Même quand il était allé avec des inconnus dans leurs voitures, ou dans les toilettes de Grand Central, William n'avait jamais laissé les choses aller au-delà de l'oral, du manuel, de l'intercrural, et il comprenait à présent pourquoi on appelait cette autre chose *consommation*. Il se demandait tout de même si Bruno avait entendu. Il se demandait s'il avait voulu que Bruno entende.

— Allez ! Saute !

William secoua l'ombre de sa trahison, se baissa pour ôter son pantalon de toile, et resta là, le vent sur la peau. Il était beau ici, protégé, admiré. Il n'y avait rien de malsain. Rien que des hommes heureux d'être ensemble, sans honte ni secret. Et c'était Bruno qui avait rendu possible cet Éden ; Bruno qui lisait, sans regarder ce corps fin, âgé maintenant de dix-huit ans qui, ayant pris deux petits pas d'élan, se roulait en boule et plongeait dans l'eau glacée.

Plus tard, il s'étendit sur le sable près de Bruno, sans plus trop savoir si son corps méritait la moindre attention.

— Tu devrais y aller.

— Ach.

Sans cette unique syllabe, on aurait pu croire Bruno assoupi derrière ses lunettes noires. Et bien sûr, Bruno ne nageait jamais. Sa peau était excessivement vulnérable au soleil, avait-il expliqué. Sa manche était remontée et, découvrant son bras, révélait un tatouage bleu, un numéro. William eut la certitude qu'il l'aurait caché, s'il l'avait su. Gêné, il ramassa son pantalon à l'endroit où il l'avait jeté.

— Je dis seulement que tu devrais en profiter puisque tu es là, dit-il en l'enfilant.

— William, je voudrais te parler de quelque chose.

— Ah oui ? Parler, quelle barbe.

— Tu as, je crois, passé un excellent été. Tu sembles en bonne santé. C'est ce pays magnifique qui rend cela possible. Mais que vas-tu faire à l'automne, quand je serai reparti pour New York ?

— Je ne savais pas que tu partais.

— On est presque au mois de septembre, William, chaque saison a une fin.

L'ordonnance du futur soudain s'agençait autrement, les couloirs menaient à des impasses. Était-ce son châtiment pour la nuit dernière ?

— Je peux rester ici. Garder ta maison.

— J'ai trouvé ton carnet dans le salon ce matin. J'ai pris la liberté de le feuilleter. Tu fais des progrès.

— C'est personnel, protesta William.

Mais Bruno parut ne pas entendre. Il y avait, dit-il, une université à cent cinquante kilomètres au sud, très connue chez les artistes. Certains professeurs de sa connaissance y enseignaient, des hommes et des femmes rencontrés lors de sessions dans d'autres établissements. Il pensait que William n'aurait aucun mal à s'y faire admettre.

— Ce serait pour toi une façon de rester dans ces montagnes, si c'est ce que tu veux.

William se tourna vers le bassin, les hommes, leurs jeux de loutres.

— Bruno, je ne comprends toujours pas. Pourquoi me rends-tu ces services?

Bruno remarqua alors la manche et il la déroula sur son bras. Impossible de savoir à quoi il faisait allusion, mais il dit très clairement :

— Crois-moi, ce n'est pas pour toi.

Que l'université, en effet, ait admis William dans un délai si court ne signifiait sans doute pas grand-chose, étant donné qu'elle ne refusait jamais personne. Il s'agissait d'une de ces institutions d'éducation nouvelle poussées à travers le pays dans le sillage de l'administration Eisenhower, tels des champignons après une bonne pluie. En termes concrets, cela voulait dire que William était libre de faire ce qu'il voulait, et cela lui convenait bien mieux que « la formation rigoureuse de la personnalité » dont il avait récemment bénéficié. Il choisit dessin, philosophie et philosophie du dessin; cinéma social-réaliste, latin, psychanalyse, écologie de l'esprit... Un cours lui permit de passer un semestre entier à peindre une unique nature morte; dans un autre, il s'assit par terre et colla ensemble des bouts de ruban magnétique. Sans parler des spectacles donnés sur le campus : un concerto pour radio à transistor, un autre de musique silencieuse. Ou des après-midi passés à se prélasser sous le grand chêne des marais de ce jardin d'Arcadie, à déconner avec ses nouveaux amis sur la Bhagavad-Gita. La plupart du temps, à un certain niveau, tout se résumait à des conneries, mais c'étaient des conneries pour lesquelles il se passionnait, et dans deux domaines – la musique et les arts visuels – la passion était assez forte pour dévorer le voile tendu entre les deux William, le véritable et le revenant.

La seconde année, il organisa des expositions dans la petite maison qu'il louait sur une colline en bordure de la ville – ce qu'on appellerait plus tard des « happenings ». William grattait sur sa guitare espagnole des mélodies qu'il enregistrait pour composer des morceaux répétitifs, tandis que des professeurs circulaient dans un brouillard de marijuana et de vin rouge en examinant les tableaux de ses amis. (Ceux de William n'étaient jamais accrochés aux murs : contrairement à la musique, c'étaient des objets, non pas des événements, et d'une certaine façon ils ne semblaient jamais *finis*. Comment savoir quand on avait fini quand on travaillait comme il s'y appliquait, en jetant des éclats de couleur sur une toile en grosses giclées sanglantes? Comment même savoir quand on s'était vidé de tous ses sentiments?)

Au cours de ses cinq années d'études, il aurait des histoires d'amour avec des professeurs et des étudiants, et même une fois, sans succès, avec une femme. Pourquoi pas? Les barrières de toutes sortes tombaient. En 1964, il avait ingéré du LSD en compagnie d'autres étudiants et, toute une nuit d'été, couché avec d'autres disposés en formation à la Busby Berkeley dans un verger de pêchers, il avait regardé les étoiles pulser comme des ventricules à l'intérieur d'un immense cœur bleu. «Whaou» avaient dit deux d'entre eux, à l'unisson, et tout le monde avait fini par embrasser tout le monde. Ce fut l'année où l'on conduisait défoncé sans jamais se crasher. Où on entrait dans des classes en pleine nuit pour couvrir les tableaux d'écriture automatique et en ressortir sans avoir allumé la lumière. Où on prenait du speed et accrochait des miroirs dans la forêt tout autour de l'université, et où on se peignait soi et les arbres de différentes couleurs.

La couleur, au sens large, demeurait un centre d'intérêt comme à l'époque où il regardait des reportages sur les sit-in d'Oklahoma City à la télévision, à Sutton Place, Doonie derrière lui sur le seuil. Il n'avait pas de télévision à présent – il était objecteur de conscience – mais il avait suivi à la radio la Campagne de Birmingham et la Marche sur Washington en regrettant qu'il n'y ait pas ici, dans le Vermont, des Noirs à qui prêter allégeance. Pour prouver sa bonne volonté, il organisa sur le campus une vente de gâteaux façon Alice B. Toklas et en reversa le produit au Comité de coordination non violent des étudiants – à titre d'acompte pour le jour où quelqu'un comme lui travaillerait réellement pour vivre, plutôt que de mener une existence rustique dans une école des beaux-arts, et où quelqu'un comme Doonie pourrait se retirer sur la Côte d'Azur plutôt qu'à Hollis, dans le Queens.

Pourtant certaines barrières demeuraient. Dans un moment de faiblesse induit par le champagne, il avait appelé chez Felicia le soir de Noël 1962, dans l'intention de demander pardon à Regan, avec un peu de retard, de lui avoir volé sa voiture. Au lieu de quoi il avait eu la Puante Lizaveta, la nouvelle *femme de chambre** de Felicia. «Qui est-ce? avait-elle répondu, pendant qu'il s'efforçait de calmer sa respiration. Il y a quelqu'un?» Et il y avait la barrière des montagnes, qui le protégeaient du tumulte des villes. L'assassinat à Dallas du président Kennedy lui avait paru une fiction, un reportage sur un lieu inventé. Après son diplôme, il se retira plus loin encore dans la campagne – et dans sa peinture. Son contact avec les événements d'actualité étant de plus en plus ténu, ce fut en allant à la poste retirer son courrier qu'il trouva avec quinze jours de décalage son «Ordre de se présenter au bureau militaire pour examen médical», couvert de tampons indiquant **FAIRE SUIVRE**.

Dieu sait comment le facteur l'avait retrouvé. Apparemment, il aurait dû se présenter au bureau du conseil de révision de son lieu de résidence deux semaines auparavant – et ce bureau était toujours, à en croire ce document, celui de Church Street, au sud de Manhattan. Il existait sûrement, pensa-t-il plus tard, un moyen simple de changer d'adresse et de s'épargner cinq cents kilomètres de trajet jusqu'à New York dans la camionnette antique qu'il conduisait à ce moment-là. Mais à la perspective soudaine de la revoir, la ville, sa ville, son cœur se démena comme un animal dans une cage trop étroite. Le lendemain matin, les toiles, la guitare et les cartons de livres d'art qu'il avait accumulés bloquant la vue du rétroviseur extérieur droit, il reprenait la route à travers les collines, en direction de la vallée de l'Hudson et, plus loin, de la vertigineuse terre natale.

Le sergent qui le reçut ne voulait pas croire à son histoire d'homosexualité.

— Mais oui, dit-il. Bien sûr. Comme tous les petits malins qui viennent ici.

— Non, je veux dire que je *pratique* l'homosexualité.

S'il avait jamais éprouvé la moindre honte, son exil de cinq ans l'avait réduite à néant. Et l'éventualité de mourir dans l'explosion d'une bombe ou au cours d'une fusillade avait pour effet de mobiliser les forces spirituelles. Au-delà des murs de verre, les pales ronronnaient, de longs rubans de papier tue-mouches se tortillaient comme des anguilles, fixés aux cages d'acier des ventilateurs. Il y avait des rangées de bureaux métalliques, des machines à écrire posées dessus, et dès qu'un rouleau libérait un formulaire, celui-ci se retrouvait glissé sous un presse-papiers pour l'empêcher de s'envoler. Le recruteur, un homme du Sud aux joues rondes, dont la nuque présentait encore une bande blanche à l'endroit où on lui avait rasé les cheveux, semblait modérément sensible à la chaleur, mais en dépit du tremblement des parois sous l'effet des coups assénés aux machines à écrire, pas le moindre zéphyr ne parvenait à l'endroit où William était assis, si près du bureau qu'il en était incommodé.

— Avec un nom de famille pareil, mon pote, il doit y avoir des moyens plus simples d'obtenir un sursis.

William commençait à devenir vraiment nerveux. Il était depuis longtemps convaincu que le Dieu aimant de sa mère était un personnage de dessin animé, et il n'avait jamais beaucoup cru au vieillard qui restait en arrière et se coupait les ongles pendant que l'or des Hamilton-Sweeney s'accumulait dans les chambres fortes, mais lors de crises de profonde angoisse, il ne s'interdisait pas d'imaginer un démiurge capricieux et pédant décidé à le punir pour ses péchés.

— Je fume aussi de l'herbe, si cela peut jouer en ma défaveur.

— Si nous tenons compte de ça, monsieur Hamilton-Sweeney, nous perdons la moitié de nos conscrits.

— Sergent, que dois-je faire pour prouver que je suis pédé?

Mais, justement, qu'était-il en train de faire? Il tendait le bras et touchait la main de l'homme.

— Si nécessaire, nous pouvons aller dans un endroit tranquille...

Le grondement des machines à écrire sembla retomber. Il ajouta, à voix plus basse:

— Je ne vous trouve pas personnellement attirant, comprenez bien, mais au nom de la science...

Une douleur vive retentit dans son oreille, à l'endroit où le sergent l'avait frappé.

— Il y a des règles ici, mon gars, dit-il au bout d'une minute.

— Celles-ci prévoient-elles les violences sur vos postulants?

— Essayez de faire un scandale et je vous fais envoyer en prison.

— Je ne pars pas sans mon papier, William eut-il la présence d'esprit de dire, plié en deux.

Le tampon s'abattit comme un sabot. *Inapte au service.* Le type ne lui accorda pas même un regard.

En sortant, il passa devant un autre officier militaire sans doute venu voir l'origine de ce raffut. William brandit son certificat, se frotta une dernière fois l'oreille et regagna la salle d'attente où des rangées de jeunes hommes négligés, en jean, assis ou debout, dégageaient la même impression de malaise. S'il s'attendait à des applaudissements, il fut déçu; ils le regardèrent comme s'il était une autruche échappée de l'usine d'abattage et que leur destin les condamnait à servir de repas. Aucune importance, il était libre. Il descendit l'escalier en courant, poussa les doubles portes et fit irruption dans la lumière patriale de midi.

On était en 1966 – l'année du Black Power, de Jerry's Kids et de « Eight Miles High ». Derrière le pavillon bleu de l'azur un homme errait non loin d'une capsule spatiale, rattaché à elle par un simple ombilic de caoutchouc. Pendant ce temps, en bas, la façade soignée du monde qu'il avait laissé derrière lui s'écroulait. Des nuages de marijuana se mêlaient aux odeurs du déjeuner; des tourbillons de graffitis s'épanouissaient sur les boîtes aux lettres et sur les corniches des bâtiments municipaux; près de l'endroit où William s'était garé, deux jeunes Blancs, un garçon et une fille, assis par terre sur un carton aplati, demandaient des pièces aux agents de change, comme si leur geste n'avait pas plus de sens moral que de demander l'heure. Et tout cela pour William semblait présager non pas le déclin mais le progrès – annoncer la venue d'une vie plus extatique et pénétrante. Car comment son propre père, l'incarnation même de l'ordre bourgeois, aurait-il pu apparaître dans les rues où à présent allait le fils ? Non, pensa William, en pêchant le peu de monnaie qu'il avait en poche pour la donner à la fille au visage de coyote : New York désormais appartenait au futur. Et cette fois, elle allait le protéger, il en était sûr. Jamais plus ils ne se laisseraient tomber.

18

L A REMISE DU PRIX NATIONAL DES MAGAZINES 1973 se tenait dans une salle de banquet crasseuse près de l'école de journalisme de Columbia – un quartier peu réputé pour son élégance. Cela dit, les journalistes non plus. Et donc, en scrutant la foule avant l'extinction des lumières, l'œil pouvait apercevoir une table non loin de la scène et un homme de grande taille qu'un rien d'aristocratique distinguait des autres. Ce n'étaient pas ses vêtements ; il portait son smoking de location comme il aurait porté une veste et un jean. Ce n'était pas non plus, exactement, ses manières (quelques miettes du dîner s'accrochaient encore à sa barbe). C'était plutôt une qualité intérieure, une qualité que son environnement ne parvenait pas à altérer. C'était le journaliste de magazine Richard Groskoph. Et quand les assiettes furent débarrassées et qu'on entendit crépiter la sono, il n'était même plus là. Il se trouvait déjà projeté cinq minutes dans le futur, où l'œuvre de sa vie venait d'être légitimée.

Il faisait éternellement partie des nominés, certes, dans la catégorie « Meilleur reportage », mais cette année, enfin, il était finaliste. L'article en question traitait de l'abandon du programme Apollo. Mais (comme c'était souvent le cas avec les papiers de Richard) il s'était métastasé et transformé en quelque chose d'autre. Il lui avait coûté la meilleure part de deux années d'enquêtes et d'écriture, et lorsqu'il regarda autour de lui ses collègues assis aux tables voisines, la crème des barbouilleurs de New York, il sut qu'il avait perdu. Il était assez proche du podium pour apercevoir les pellicules sur les revers noirs du maître de cérémonie. Pour imaginer le type, un Jerry Lewis de seconde zone, répéter ses blagues dans une cuisine à Rego Park, en caleçon et chaussettes à jarretières, pendant que sa femme repassait son pantalon. Les gosses se bagarraient par terre dans la pièce à côté et la bouilloire poussait un sifflement strident et trop de choses se passaient pour qu'on remarque le piteux état de la veste, et soudain les collègues de Richard autour de la table applaudissaient. Avait-il gagné ? Avait-il vraiment gagné ?

Non. Un chef de service de l'*Atlantic Monthly* se frayait un chemin pour aller recevoir le trophée – plus lentement que nécessaire, remuant le couteau dans la plaie. Eh bien, le prix était dénué de sens de toute façon, se redit Richard. Pourtant, il y avait certaines choses dénuées de sens que vous auriez aimé vivre de l'intérieur, par exemple la caresse des flashes sur la peau au moment où vous brandissiez la petite statuette de cuivre.

Elle portait même un nom, apprit-il plus tard ; « Ellie », en hommage aux Emmys, plus prestigieux. Le responsable des vérifications au magazine se joignait parfois, le mercredi soir, au cercle des joueurs de poker que réunissait Richard, et il avait dû dire quelque chose aux autres, parce que cette semaine-là ils commencèrent sans attendre que Richard ait ôté son manteau.

— Ne fais pas cette tête, dit Benny Blum, qui travaillait à City Hall. Ellie vient à qui sait l'attendre.

— Il pense peut-être que tenir un Ellie vaut mieux que…, dit quelqu'un.

— N'importe comment, le prix ne va pas à celui qui a écrit l'article, mais au rédacteur en chef, dit le vérificateur.

— C'est vrai, Rick ? Avec Ellie, tu ne peux pas perdre ce qui ne te revient pas ?

— Hé, ne l'appelle pas Rick, s'immisça une autre voix.

C'était la voix de baryton de banlieue contre laquelle Richard s'était armé : le « Dr » Zig Zigler.

Zig et lui avaient été des amis intimes quand ils faisaient leurs débuts dans les bureaux du *World-Telegram,* où le plus gros de la tablée s'était rencontré. Comme beaucoup d'ivrognes, Zig était très spirituel, jusqu'au moment où il cessait de l'être. Seul Richard connaissait les détails de sa chute. Il n'avait pas démissionné pour dénoncer « le bobard du journalisme objectif », ainsi qu'il se plaisait à l'affirmer : Zig avait été viré pour avoir fabriqué des articles de toutes pièces ; un mélange de ce secret et d'une bagarre ultérieure au cours de laquelle il avait cassé le nez de Richard avait creusé le fossé qui les séparait. Zigler était réapparu après une longue période d'abstinence, moins extravagant et plus caustique. Depuis peu, il connaissait un certain succès avec une émission de radio matinale. Les jours de semaine, il prenait les appels de plus d'une douzaine d'auditeurs fidèles et présentait une revue de

presse du matin, prétexte à des lamentations sans fin sur l'état de la municipalité. Mais il enviait Richard. Et voilà qu'au moment où tous les regards se
tournaient vers lui, il asséna le coup de grâce :

— Un peu de respect, s'il vous plaît. Vous parlez à Richard Groskoph,
Finaliste du Prix National des Magazines.

De façon improbable, l'appellation fit mouche. À toi de donner, Richard
Groskoph, Finaliste du Prix National des Magazines. Richard Groskoph,
Finaliste du Prix National des Magazines relance... suit... se couche. Richard
fit de son mieux pour sourire et hocher la tête, comme pour dire oui, c'est ça,
amusez-vous. Seul Larry Pulaski semblait remarquer que quelque chose n'allait pas. À l'époque où Richard l'avait recruté dans son cercle, une quinzaine
d'années auparavant, les journalistes traitaient le petit flic presque comme
une mascotte. Mais il n'avait pas tardé à devenir inspecteur et ses manières
douces et raffinées de franciscain, l'aura de martyre que lui conférait la polio
dissimulaient un don féroce pour détecter les tells.

— Ça va ? demanda-t-il à la fin de la nuit, comme ils mettaient leur manteau pour rentrer, délesté (Richard) et plus riche (Pulaski) de vingt dollars.

— Comme un charme.

Richard refusa la proposition de Pulaski de le déposer. Il préférait marcher,
même pour aller jusqu'au bar le plus proche.

De toute façon, il ne travaillait pas pour la gloire, n'est-ce pas ? Quand à
vingt-trois ans, tout juste rentré de Corée, on l'avait collé à la réécriture des
articles, il n'y avait ni Ellies, ni école de journalisme, ni rien de tel qu'un
papier de douze mille mots. Quelqu'un se faisait porter pâle, quelqu'un
d'autre vous fourrait un stylo dans la main et vous indiquait l'adresse
d'un bâtiment en feu avec la mission de ne pas revenir sans le témoignage
du capitaine des pompiers, mon petit, et c'était parti : vous étiez journaliste.
Enfin, ajoutez à ça un débit constant d'essences spiritueuses. En ce moment
même, à sept heures du matin, dans ce bar de nuit près de Penn Station, les
journalistes étaient voûtés au-dessus de leurs verres tels des moines d'un
ordre inférieur. On les reconnaissait au volume sonore de leur conversation ;
ils devenaient à moitié sourds après une nuit passée dans la cacophonie des
téléphones, des linotypes et des coups de gueule des sous-sous-chefs de
service. Là résidait en partie la dignité de la fonction, la longue souffrance,
l'orgueil merdeux.

Et en vérité, c'était cette promesse d'une identité collective qui avait attiré
Richard vers ce métier, car la qualité qui le distinguait des autres n'était en
rien une qualité, mais une absence de qualité. Il savait depuis la puberté

qu'il souffrait de ce qu'un psy appellerait «une mauvaise image de soi». (À moins, naturellement, que sa certitude de n'avoir pas de soi constituât un soi en soi.) À l'école, les autres paraissaient toujours posséder une carte intérieure leur indiquant où ils allaient, qui ils devenaient, leur procurant une stabilité suffisante pour subir toutes les métamorphoses, mais Richard, premier garçon de treize ans au monde à mesurer un mètre quatre-vingt-douze, avait l'impression qu'on l'avait lâché dans la nature sans même une tablette de chewing-gum. Ou bien qu'il existait en plusieurs exemplaires : toute une multitude, bonne et mauvaise. Le matin au réveil, il ne savait jamais quel Richard il allait être. Et plutôt que de s'adoucir avec le temps, cet état de dissonance devint plus intolérable. Le soir de la remise des diplômes, il encastra la voiture de son père dans un arbre, à moitié délibérément. Il fut décidé à la lumière plus claire du matin que l'armée lui conviendrait peut-être mieux et la même semaine son père le conduisait au volant d'une voiture neuve au bureau de recrutement.

On pensait – Richard compris – que la discipline militaire le ferait entrer dans un moule défini, mais en réalité son vide intérieur ne voulait entrer dans aucun moule. Avec sa coupe en brosse et son uniforme mal ajusté il n'était clairement ni un GI ni quoi que ce soit d'autre. Envoyé loin du pays, il consacra tout son temps libre à lire, ou penché au-dessus de son pick-up portatif à écouter les disques qu'un cousin lui envoyait d'Amérique. Les autres gars avaient tendance à voir là une forme d'arrogance, mais tout ce que faisait Richard, en réalité, avec son Lester Young et ses livres de poche, c'était chercher, maladroitement, une autre issue. Un soir, en regagnant sa chambrée après une corvée de cuisine, il remarqua un groupe de correspondants étrangers réunis à un bout de la tente qui servait de mess, en train de jouer aux cartes sous une lumière grouillant d'insectes. «Putain!» lança l'un d'entre eux, en souriant. Richard les avait déjà vus, bien sûr, mais il ne les avait jamais réellement *vus*, leur côté brouillon et chaotique, le labeur palpable (il était en train de lire tout Faulkner à cette époque). Et, brusquement, l'idée lui était venue, *Voilà* une armée dont je pourrais faire partie.

C'était le genre de saut intuitif utile à un journaliste. Ainsi que, en fin de compte, une absence de personnalité solide. Dès son retour, le Village devint son premier secteur, et quand il n'y avait rien à se mettre sous la dent – pas de grève sur les docks, pas de meurtres, pas de cambriolages à propos desquels harceler Larry Pulaski – il passait les heures dans les clubs de jazz, s'imprégnant entre deux sets du jargon des musiciens venus de Harlem. Il entendait sa voix dénuée d'accent se mettre au diapason de leur argot quand il s'asseyait parmi eux et les sollicitait. Leurs histoires deviendraient les premiers épisodes de la chronique qu'il commença à signer dans les pages locales. Notes de Partout, l'avait-il baptisée, avec cette glorification de soi dévalorisante qui définissait l'humour de la chronique. « Partout », dans ce cas précis, signifiait les cinq arrondissements. Il dressa le portrait de sujets présentés dans les parades de monstres à Coney Island ; d'un violoncelliste qui jouait sur un quai de la ligne Long Island City ; d'une femme de Mount Morris Park qui nourrissait à la fois les pigeons et les clochards. C'étaient des nouvelles uniquement dans le sens où elles étaient imprimées dans le journal, mais New York n'aimait rien tant que lire des histoires qui parlaient d'elle. Durant quelques mois, au début des années 60, le titre de la chronique, en lettres cursives hautes de trente centimètres, comme un nom sur une boîte de pâtisseries, orna les côtés des camionnettes du journal, *Maintenant « Notes de Partout », le mardi et le vendredi.* Ç'aurait dû être un triomphe : si lui-même l'ignorait, tout le monde savait qui était Richard. Mais il en voulait plus.

Peu avant, cette année-là, Truman Capote avait fait paraître son « roman-vérité ». Richard avait eu vent de son talent, naturellement, quand le *New Yorker* l'avait d'abord publié en feuilleton à cent mille mots – tolérance accordée une seule fois auparavant, lors du bombardement d'Hiroshima, et à cinq cents le mot, de quoi régaler le Tout-New York pendant près d'un an (peut-être moins si on était Capote). À présent, derrière la vitrine de la librairie du coin, des pyramides et des tours de *De sang-froid* le narguaient, encadrant une photo, présentée à la manière d'une carte postale, de l'auteur alangui sur un divan de couleur sombre. Elle était obsolète : la dernière fois que Richard avait vu Capote lors d'une soirée, il était plus vieux et plus enrobé, bien que toujours aussi vaniteux et étrangement malicieux. Il ne put s'empêcher de s'arrêter pour la regarder, de si près que son propre visage se superposa à celui de Capote sur le verre poli. Finalement, après s'être assuré que personne de sa connaissance ne se trouvait dans les parages, il entra et acheta le foutu bouquin. Il était dix heures du matin. Il en termina la lecture à dix heures du soir. Et, il eut peine à l'admettre, il *était* génial. Truman était hanté par ses propres démons – quiconque avait vidé un verre avec lui pouvait en témoigner – mais personne n'aurait osé nier qu'il avait réussi un coup de maître : se dissoudre aussi totalement dans la vie des autres. Pour l'éternité, en se regardant dans la glace, il continuerait à voir l'auteur de *De sang-froid.* Et donc, lorsque le rédacteur en chef d'un magazine sur papier glacé lui proposa une collaboration en lui offrant un nombre de mots plus élevé, des délais plus longs, des sujets plus variés, Richard se jeta dessus comme sur une bouée de sauvetage.

Les journalistes, dans leurs mêlées égalitaires, critiquaient le nombrilisme du « Nouveau Journalisme ». (Q : « Comment appelez-vous quelqu'un qui n'est ni collaborateur ni rédacteur?» R : «Collaborateur de rédaction!») Mais à présent, salarié d'un magazine, Richard avait le loisir de déconstruire une phrase pour la reconstruire à nouveau – *Vendredi soir le West Side rassemble... Nous sommes vendredi soir, et le West Side se rassemble* – sans être dérangé par les hurlements dans la salle de rédaction. Ce qu'il désirait par-dessus tout, c'était cartographier le réseau pour lequel une colonne de trente centimètres n'offrait jamais assez de place. Famille, travail, amours, église, municipalité, histoire, événements fortuits... Il voulait suivre l'âme dans tous ses faits et gestes et démontrer qu'il n'existait pas de point fixe où une personne finissait et où une autre commençait. Il voulait que ses articles soient, non pas infinis exactement, mais assez vastes pour suggérer l'infini.

Parmi les univers qu'il explora tandis que les années 60 cédaient la place aux années 70 : la ligue de baseball professionnelle réservée aux Noirs, le folk rock, le télévangélisme, la stand-up comedy, les courses de stock-car. Ces dernières, de façon indirecte, l'avaient mené à cette remise des prix. Il s'attardait à une soirée clôturant la compétition à Daytona, en Floride, quand un mécanicien l'avait invité à se joindre à un feu de joie à l'aube sur la plage. Quelques hippies s'étaient rassemblés pour observer le lancement d'Apollo 15. Chose vraiment étrange, ils étaient complètement abstinents. En discutant un peu, il découvrit l'existence d'une sorte de secte dédiée à l'eschatologie des fusées. Le lancer représentait leur sacrement. Ils croyaient, lui disaient-ils avec une franchise désarmante, que la terre allait bientôt connaître un déluge de mille ans («L'ère du Verseau, mec... tu saisis?») et qu'alors les fusées les sauveraient en les emportant dans l'espace. Il comprit aussitôt qu'il tenait un sujet.

Pour son enquête, il devint l'un des leurs. Se laissa pousser les cheveux, se laissa pousser la barbe, se mit à la colle avec une ravissante hôtesse de l'air de vingt-quatre ans qui portait autour du cou, attaché à une lanière de cuir, ce qu'elle affirmait être un morceau de roche lunaire. En dehors de ça, elle était merveilleuse : elle savait s'exprimer, elle était passionnée, elle était cultivée quoique de façon saugrenue, et plus tard il se dit souvent qu'il aurait dû rester avec elle. Quelle importance si elle croyait que la vie sur terre touchait à sa fin? Qui pouvait affirmer le contraire? Le 7 décembre 1972 (il ne lui avoua pas que ce serait la dernière nuit avant son départ) il se retrouva sur la même plage. Entouré de ce qu'il considérait maintenant comme sa famille, des accidentés de l'acide, des dompteurs de crocodiles, des fous de Jésus, il regarda la dernière des fusées Saturn V s'élever comme une immense chandelle romaine. Et il eut réellement le sentiment que *quelque chose* touchait à sa fin – propulsé derrière cette fusée pour ne plus jamais redescendre. Tous le sentaient, là, sur la plage. Coucher cela sur le papier, se dit-il soudain, était ce à quoi il s'évertuait depuis près d'une décennie.

Du moins, c'est ce qu'il expliqua à l'éditeur chez Lippincott qui le contacta après la remise des prix. Le contrat signé avec le magazine contenait une clause l'autorisant à reproduire ses articles sous forme de recueil, et depuis *De sang-froid* il oscillait entre la conviction que ses écrits ne méritaient même pas d'être lus aux toilettes et le rêve qu'ils soient publiés dans un livre relié.

— Je le vois pas mal, dit l'éditeur. Le coup de « la mort du rêve américain », Hunter a fait ça très bien. Mais à lire le manuscrit, je pense que ce qu'il nous faut, c'est un truc en plus, une clef de voûte, quelque chose en mesure de condenser le grand thème et d'établir une connexion avec lui.

Il avait raison. Les modifications que Richard avait pressenties dans le *zeitgeist* demeuraient séduisantes mais floues. Quelque chose en rapport avec la perte, quelque chose en rapport avec l'innocence, quelque chose en rapport avec le désir, et l'Amérique, l'individu et le tout… C'était une demi-métaphore, un sens en quête d'un support.

— Vous pourriez aussi le vendre au magazine, naturellement, dit l'éditeur. Vous vous faites payer deux fois, et vous bénéficiez de la promotion. Vous croyez pouvoir réussir ça?

Il savait que c'était une mauvaise idée d'accepter une avance avant qu'un livre soit terminé – et si sa défaite face à l'*Atlantic Monthly* n'avait pas ressuscité sa faim d'être quelqu'un, il aurait peut-être eu la force de résister. Mais il tenait enfin quelque chose à même de le hisser au firmament habité par Talese, Mailer, Sheehy… et bien sûr, Capote. Il serait Richard Groskoph, l'auteur de *La Solitude du prodige sans lendemain*, ou le titre qu'ils décideraient de lui donner.

— J'en suis sûr, répondit-il à l'éditeur, et deux semaines plus tard, il recevait un chèque.

L'argent était maudit, n'est-ce pas évident? Il s'assit à sa table à huit heures et demie le lendemain matin et découvrit qu'il n'avait aucune idée de ce qu'il pourrait écrire. Il tenta de dresser l'inventaire du contenu de son bureau. C'était une activité qui l'aidait, parfois, comme si la liste des objets pouvait indiquer une voie à suivre:

```
a)  une bouteille thermos décorée d'un motif écossais;
b)  un masque d'Halloween, jamais porté;
c)  une vieille photo d'un rémouleur du Lower East Side;
```

d) une étoile de mer desséchée;

e) un exemplaire de poche du Webster's New Collegiate Dictionary;

f) un chapeau Fedora;

g) un morceau de roche perforée, attaché à une chaîne;

h) des pochettes de disques: Live at the Apollo, Forever Changes;

i) une machine à écrire Underwood;

j) une radio de police à piles;

k) assortiments de factures non ouvertes et de papier format A4;

l) verre à long drink avec pelures d'orange, taillures de crayon, vieille brosse à dents;

m) un tas de New York Times, environ vingt-deux centimètres;

n) un tas de New York Post, environ 35 centimètres;

o) une fusée à eau, non lancée;

p) une ampoule de 40 watts ayant perdu son filament;

q) Les Préfaces de Henry James;

r) un tas de New York Daily News, environ 30 centimètres.

Mais vers dix heures il était parvenu au bout de son inventaire. Sois patient, se dit-il. Quelque chose va venir. Lors d'une vente aux enchères de la police, quelques années auparavant, il avait fait l'acquisition d'un jukebox Wurlitzer saisi dans un club appartenant à la mafia. Un chapeau de roue, rempli de pièces de vingt-cinq cents et de jetons, était posé dessus, et il passa les heures suivantes assis, la tête en arrière, à écouter ses 45 tours en essayant de ne pas penser au mot « bloqué ».

Richard s'était toujours, rituellement, offert pour récompense d'une bonne matinée de travail un ou deux verres au déjeuner, mais cet été-là il lui devint difficile de voir le marc du café au fond de sa tasse avant de s'emparer de la bouteille. À trois heures – un autre rituel – il s'autorisait à aller acheter les journaux, mais à présent, juste pour fuir le silence de sa machine à écrire et du téléphone, il sortait plutôt dès midi, et marchait jusqu'à des kiosques de plus en plus éloignés. Ce jeudi après-midi, Union Square était rabelaisien : les gens étaient défoncés en plein jour. Sur un banc, à l'ombre d'un arbre, un garçon aux cheveux longs et une fille plate, ou l'inverse, introduisaient leur langue dans la bouche l'un de l'autre, les yeux fermés, comme endormis.

Plus loin, un étudiant armé d'un mégaphone exigeait la justice pour le Cambodge. Soudain, ils étaient partout où se posait son regard, ces jeunes qui ne croyaient plus au progrès. Et pourquoi y auraient-ils cru ? Le Progrès, c'était le Watergate et la Destruction Mutuelle Assurée. Le Progrès se contentait de regarder quand des hectares de jungle et de huttes en paille disparaissaient sous un tapis de flammes. Le Progrès avait violé les villageoises de My Lai et tué les bébés à coups de baïonnettes. Mais comment appréhender tout ça ? Comment faire le tour de cette folie résiduelle, quand la carte du monde Rand McNally, si méthodique, qui vous servait de guide s'était enroulée au plafond ?

À une autre époque, il aurait cherché une consolation dans la musique – et en effet, il caressait vaguement l'idée de découvrir un groupe dont l'histoire illustrerait parfaitement le changement d'époque – mais désormais la musique aussi le trahissait. Des petits clubs de jazz et de folk où il avait épuisé ses vingt ans et ses trente ans, et du sous-sol des églises et des salles communautaires provenaient des sons nouveaux qui, au lieu d'harmoniser ce qui était discordant, créaient plus de discorde. Un après-midi, il errait dans ces rues parallèles dont il avait autrefois si bien peint la faune, quand il entendit une sorte de bruit blanc provenant de Broadway. Dans l'îlot central, une femme vêtue d'un manteau hors saison était affalée sur un banc à côté d'un chariot de supermarché renflé de tous côtés par ses possessions. Une radio posée dessus semblait fonctionner toute seule et malgré lui il s'arrêta pour écouter. Tissée dans les accords de guitare électrique et les roulements de batterie, il y avait une Farfisa, comme l'orgue à vapeur du stade de ligue mineure dans l'Oklahoma de son enfance. Puis une voix, peut-être à l'accent anglais, se mit à aboyer des mots qu'il ne parvenait pas à distinguer. Le trottoir céda sous les pieds de Richard comme, en l'absence de gravité, la surface de la Lune.

Il pensa au coup de téléphone qu'il avait reçu le matin même. Au lieu d'une de ses innombrables sources (*Là, j'ai une histoire pour toi*), c'était l'hôtesse de l'air avec laquelle il s'était maqué, qui appelait de Floride. Elle était enceinte de huit mois, dit-elle. Elle n'attendait rien de lui, surtout après la façon dont il l'avait laissée tomber, mais puisqu'il était désormais trop tard pour changer d'avis, elle estimait de son devoir de l'informer qu'elle gardait le bébé. Richard regarda au loin les voitures roulant au pas sur la West Side Highway et le soleil reflété sur l'Hudson. Pour quiconque serait passé là à ce moment précis, il n'aurait pas eu l'air plus sain d'esprit que la folle de l'îlot central qui attendait le Jugement dernier. Et si, au même moment, le grand Dieu Jéhovah, aussi grand que le building Pan Am, était descendu poser son char sur l'avenue, quel jugement aurait-il prononcé pour Richard Groskoph ? Lâche. Raté. Ivrogne. S'il continuait comme ça, il finirait hospitalisé à Bellevue avant la fin de l'été.

Rentré chez lui, il appela son agence de voyage. Il jeta dans un sac-poubelle toute la nourriture contenue dans son réfrigérateur et en lava l'intérieur à l'eau citronnée – ce qui ne lui était pas arrivé depuis qu'il avait pris l'appartement. Il débrancha le jukebox. Il déposa ses plantes vertes sur le trottoir pour en faire profiter ses voisins, et vida la salle de bains de tout ce qui avait atteint sa date de péremption. Il mit dans sa valise ce qui lui paraissait approprié, il s'assit devant la fenêtre pour regarder le ciel se teinter de rose et se servit un verre ou trois de bourbon, en mémoire du bon vieux temps. Le lendemain matin, tout ça défilait déjà sous les ailes argentées d'un avion qui prenait son essor à Idlewild, ou JFK comme on l'appelait maintenant, ces milliers d'hectares de terre ravagée, ces autoroutes, ces centrales électriques, ces tours d'immeubles, et ces individus minuscules engagés dans une course folle à laquelle il avait échappé de justesse. Représentez-vous un insecte fouissant la terre pour échapper à la lumière. Ou représentez-vous un Ulysse s'ingéniant à détourner le cours du destin. Représentez-vous le pouce et l'index séparés de quelques millimètres.

19

PETIT GARÇON, il adorait passer le doigt sur le dos des albums, sur le carton épais des pochettes. Ce qu'il adorait aussi, c'était que leurs couleurs bigarrées (crème, orange, bleu) ne révélaient presque rien de la musique à l'intérieur. Son père prenait une galette noire sans particularité, la posait sur le tapis en caoutchouc de la plaque rotative, et elle produisait une musique d'orgue, de violons ou Gene Krupa tapant sur sa batterie comme sur des casseroles. Ensuite, Papa retournait s'enfoncer dans son fauteuil inclinable et ouvrait son journal comme s'il n'avait pas remarqué Charlie en train de jouer par terre à l'autre bout de la pièce. Mais parfois, le coin du journal s'abaissait et apparaissait derrière lui un quart du visage que Charlie adorait regarder, mince, doux, rasé de près, et il devinait à l'unique œil visible grossi par les lunettes de presbyte que son père souriait. Timidement Charlie souriait à son tour et feignait de diriger un orchestre avec une bûchette de son jeu de construction Lincoln Logs.

À cet âge-là, on le trouvait souvent par terre dans la pièce occupée par ses parents. C'était comme si la maison se divisait en deux royaumes : l'un commençant à hauteur des genoux, l'autre où régnait Charlie. Sous la table de la cuisine, les bords de la nappe en retombant formaient une canopée tropicale. Les pieds en bois étaient des troncs épais. Des petits soldats découpés à l'emporte-pièce, dotés de crêtes métalliques à l'endroit où la machine les avait détaillés, grimpaient sur ces troncs pour effectuer des missions de reconnaissance un vendredi soir en hiver. La radio sur le plan de travail n'aurait pas dû être allumée – Charlie savait cela parce que dès que son grand-père venait en visite, il n'y avait pas de musique du vendredi au coucher du soleil jusqu'au samedi au coucher du soleil. À présent, cependant, elle passait un morceau de big band d'avant sa naissance, un air lent, nostalgique, chatoyant, autour duquel s'élevait et plongeait une clarinette comme un oiseau prisonnier dans la pièce. Quand il s'approcha de la limite de la forêt vierge, la buée formait un demi-rideau gris au bas de la fenêtre de la cuisine. Sa mère, penchée au-dessus de l'évier, ne le voyait pas. Son collant formait un petit pli près de la cheville où on pouvait voir que sa couleur différait de celle de la peau. Les assiettes produisaient leur musique propre sous ses mains, de doux entrechocs pareils aux bruits que Charlie entendait quand, retenant, sa respiration, il devenait un sous-marin dans la baignoire. Papa éloignait Maman de la vaisselle et, en chaloupant, l'attirait au milieu. Leurs pieds, elle en chaussons, lui dans ses chaussures de travail, trouvaient un rythme et Charlie, alors, achevait de disparaître. Cela répondait à un besoin profond et suave qu'il avait de se fondre en eux – à l'impression d'avoir lui aussi des contours vagues –, lié peut-être à une autre musique, bien au-delà de l'oubli placentaire oblitérant les visages qui avaient bercé jusqu'au sommeil le nouveau-né Charlie au Foyer des mères célibataires de l'East End.

Bien sûr, Charlie ne pouvait pas rester éternellement dans une telle proximité avec son père et sa mère. À six ans, il commença à se rendre à l'école élémentaire Charles Lindbergh, une boîte en brique rouge. Les autres garçons se moquaient parfois de lui, le juif aux cheveux roux, mais le don qu'il avait d'occuper une place marginale lui fut utile là aussi. Et puis, l'effectif de l'école provenait d'une communauté plus large et plus qu'à moitié ethnique : Slaves, Italiens, et même quelques Grecs. Les hommes étaient ouvriers ou occupaient le bas de l'échelle de leur profession ; les femmes travaillaient à mi-temps ou restaient chez elles. Ils possédaient une voiture par famille, de fabrication américaine, buvaient modérément voire pas du tout, et employaient leurs week-ends à tondre la pelouse, à mener des activités dans des sous-sols ou à regarder des compétitions de golf l'après-midi, lumières éteintes dans le salon, prétendument pour réduire les reflets sur l'écran, mais en réalité pour qu'on ne les voie pas s'assoupir. Ils étaient les sujets moyens de la classe moyenne. Et c'est pourquoi ils avaient quitté les quartiers en décrépitude – non pour la liberté de faire ce qu'ils voulaient derrière des portes fermées (même s'il y avait un peu de ça aussi) mais pour se perdre dans la masse immense de l'Amérique. La normalité était le produit industriel principal de Long Island. Avec le temps, ses caractéristiques avaient pénétré dans le crâne de Charlie. Tant que vous aviez les cheveux longs, mais pas trop longs, que vous aviez un col large, mais pas trop large, que vous portiez un pantalon ni trop cher ni trop bon marché, que vous regardiez les huit heures par semaine requises d'émissions de grande écoute, que vous suiviez les aventures de Captain America et d'Iron Man, et que votre panier-repas ne contenait rien de trop bizarre, tout allait à peu près bien.

À cette époque-là, le meilleur ami de Charlie, Mickey Sullivan, était roux lui aussi. En théorie, cela aurait dû créer une certaine distance entre eux ; un poil de carotte par classe était nécessaire pour établir un équilibre, mais deux d'un coup c'était un de trop. Mickey cependant était grand pour son âge, il avait deux frères plus âgés et il frappait fort, les autres garçons toléraient donc leur amitié. Et comme Ramona Weisbarger avait pris les difficultés de Charlie à s'imposer pour de la solitude, elle lui donnait toujours la permission d'aller à vélo chez Mickey après l'école.

Mickey possédait une collection de 45 tours achetés avec son argent et avec l'argent du lait des autres, il avait toujours les trois ou quatre derniers qu'il faisait admirer à Charlie à l'école. Chez lui, il avait un tourne-disque portable Fancy Trax avec enceinte intégrée, et ils pouvaient tuer les heures en dansant bizarrement devant la glace ou en jouant de la guitare sur une raquette de tennis. (Quoi, ils fabriquaient l'argent peut-être ? Voilà ce qu'avait répondu sa mère quand il avait demandé s'il pouvait lui aussi avoir un tourne-disque Fancy Trax.) Sur les morceaux rapides, Mickey voulait toujours jouer les solos, reléguant Charlie à la guitare rythmique. Sur les morceaux lents, ils se tenaient dos à dos, les bras repliés autour de leur torse, et faisaient des bruits de mouah mouah comme s'ils flirtaient jusqu'au moment où, n'en pouvant plus, ils éclataient de rire. Et donc les gros tubes des Dave Clark Five, des Herman's Hermits, de Tommy James and the Shondells faisaient également partie des chansons que Charlie associerait à son enfance à Long Island. Arrivé en première, il les empilait sur un tourne-disque automatique logé dans son armoire, et les passait sans arrêt.

Quelque part là-dedans, il y avait également les répétitions d'un chantre dont les psalmodies traversaient le plafond taché de nicotine de la *SALLE DE RÉUNION B*, au sous-sol d'une synagogue de Flower Hill, où les mêmes quinze gamins se retrouvaient de gré ou de force chaque dimanche pour les cours d'hébreu. Le rabbin Lindner fumait, il avait toujours une cigarette allumée à la main et une autre qui se consumait dans un cendrier posé en équilibre sur le porte-craie du tableau derrière lui. La cendre sur cette cigarette devenait de la taille d'une gomme. D'un crayon de golf. Charlie attendait le moment mythique où, ayant atteint le filtre, elle engendrerait le fantôme d'une cigarette entière, mais tout comme ce moment où la balançoire devait exécuter une révolution autour de la barre, il ne se produisait jamais. Le rabbin Lindner décidait invariablement de compléter son monologue par une ligne pêchée dans les Écritures, ce qui, après tout, était son rôle de rabbin, et ses doigts en cherchant à saisir la craie sur le porte-craie, ou le grattement de la craie sur l'ardoise, faisaient tomber le cendrier et se disperser cette cendre magnifique. Charlie, à cause de son asthme, regardait depuis le pôle éloigné du cercle de chaises pliantes, près d'une fenêtre qu'il entrouvrait même en hiver. À cette distance, les phrases en anglais n'étaient pas plus intelligibles que celles en hébreu qu'il avait oublié de réviser. Il aurait aussi bien pu se laisser guider par les taches brunes au-dessus de sa tête.

Les dernières minutes de chaque cours étaient consacrées à divers scénarios possibles où la loyauté luttait contre l'honnêteté, ou l'honnêteté contre la sagesse, ou la sagesse contre le courage, et le rabbin cherchait à faire dire à Charlie et à ses pairs, qui avaient peine à ne pas se curer le nez, ce qu'un juif était censé faire.

— Supposez que vous fouilliez dans le bureau de votre père, pouvait-il commencer.

— Je n'ai pas le droit d'y aller, lâchait Sheldon Goldbarth.

Charlie savait de source sûre que la mère de Sheldon Goldbarth l'autorisait à boire du café le matin, mais le rabbin Lindner avait l'habitude de ces débordements.

— Eh bien, tu as déjà enfreint un commandement, bien vu, Sheldon. Mais pendant que vous fouillez, disons que vous découvrez que votre père aussi a enfreint un commandement. Il a...

— Convoité la femme de son voisin ! dit Sheldon Goldbarth.

— Convoité le cul de sa voisine ! marmonna le grand Paul Stein, en pouffant de rire.

L'autorité n'était pas le point fort de Lindner, non plus que le judaïsme réformé en général.

— Votre père a... volé quelque chose à son travail. Qu'allez-vous faire ?

Ce qu'il laissait entendre, selon Charlie, c'était que les juifs se voyaient imposer des règles extraordinaires : courage *et* sagesse *et* honnêteté *et* loyauté, le tout ensemble. C'était ce postulat hors du commun, qui, paradoxalement, autorisait Shel et Paul à faire les clowns en classe. En fin de compte, la lignée exigeait d'eux les exploits plus illustres. C'était comme l'histoire de l'origine dans un album de superhéros – une matière radioactive est lâchée, la lueur légèrement dorée passe à travers la mère. Il n'y avait qu'un problème : à ce compte-là, Charlie ne possédait aucun superpouvoir. Certes, il avait vu dans

213

le train des hassidim aux cheveux blond vénitien avec leurs papillottes et leur barbe clairsemée, et le rabbin Lindner avait raconté des histoires d'adoption dans la Torah ; Moïse, dit-il, était adopté. Oui, pensa Charlie, mais par des Gentils. Et tous les actes héroïques véritablement grands avaient été accomplis par des Hébreux dont, biologiquement, Charlie ne pouvait se réclamer, héros chaussés de sandales et rois guerriers. Il était dit qu'en cas d'urgence il fallait demander l'aide d'un juif étranger avant celle de votre meilleur ami Gentil. Et qui pouvait affirmer que les vrais parents de Charlie, quels qu'ils soient, étaient le genre de goys secourables ? Qui pouvait affirmer que son *vrai* grand-père, comme la sorcière dans *Hansel et Gretel*, ne s'était pas activé devant un four allemand ?

Un dimanche, en rentrant de la synagogue à bicyclette, il était alors au collège, Charlie passa devant l'église située au pied de la colline où se trouvait sa maison. La cloche venait de sonner, envoyant voguer de petits bateaux sonores de par le monde, les familles se déversaient sur la pelouse et il y avait deux rangs quasi militaires de gamins de son âge, les garçons en pantalon à droite, les filles en jupe au genou à gauche. Ce fut peut-être leur calme qui attira son regard, car quand Charlie avait-il jamais vu un groupe mixte se tenir tranquille ? Une personne en robe de pingouin s'accroupit devant eux. À son signal, ils firent demi-tour et reprirent la direction de l'église à présent vide. La tête rousse de Mickey Sullivan, plus haute que les autres, tourna juste devant l'endroit où Charlie se tenait, le pied sur une pédale, mais s'il le vit, il n'en laissa rien paraître.

Charlie hésita à l'interroger le lendemain – redoutant que Mickey ne lui fasse une brûlure indienne ou lui torde les mamelons, comme il agissait parfois quand un malaise surgissait entre eux. À sa grande surprise, la question sembla vieillir Mickey de cinq ans. Le rendre sophistiqué. Blasé. En regardant derrière Charlie les tables qui se remplissaient déjà pour le déjeuner, il mit la main dans sa poche. À l'intérieur de son poing nichait une chaîne en or. Une petite croix chevauchait dans sa paume la ligne d'amour ou de santé. Charlie tendit la main, mais la paume se referma d'un coup sec.

— Je n'ai pas le droit de la porter avant d'avoir fait ma première communion.

— C'est quoi, une communion ?

— C'est ce que tu as vu, idiot. On s'entraînait. Tu t'agenouilles sur un genre de petit coussin et on te donne cette hostie qui est le corps de Jésus et ensuite tu bois son sang.

— Vous buvez du sang ?

Grand-Père l'avait prévenu de ce genre de choses, mais Grand-Père, aussi, était bourré de superstitions bizarres.

— Pas du vrai sang, pédé.

— Oh, fit Charlie, feignant d'avoir compris.

— Et il y a une fête, et tu reçois des cadeaux (les goys recevaient des cadeaux à toutes les occasions) et ensuite, en gros, tu es adulte.

— Comme une bar-mitzvah, quoi.

— Oui.

Mickey montra à Charlie comment placer une main sur l'autre en attendant l'hostie, mais lui donna un coup de poing dans l'épaule quand il le fit avec la dame de service en demandant de la purée de maïs. C'était un sacrilège, dit-il. On aurait dit que Mickey avait perdu tout sens de l'humour – comme s'il était déjà devenu adulte.

Sachant ce que dirait sa mère, Charlie prépara toute une liste de raisons pour lesquelles il devait être autorisé à aller à la première communion de Mickey. L'église se trouvait au bout de la rue, et comment espérer que les gens viennent à sa bar-mitzvah, l'année prochaine, s'il n'allait pas à leurs cérémonies ? *Hors de question*, dit-elle. Mais il y alla quand même ; ce serait facile de raconter que le rabbin Lindner les avait retenus au Talmud Torah. C'était comme une de ses petites antinomies morales. Honore ton père et ta mère, disait le commandement, mais franchement, était-il possible de déshonorer une simple extension de soi-même ? Ses parents n'étaient-ils pas encore des facettes de cette unité qu'il avait ressentie sous la table de la cuisine ? Certes, l'agitation du quotidien pouvait rendre tout cela plus ou moins distinct, comme un lac qu'on aperçoit à travers les arbres en roulant en voiture, mais le lac demeurait là, n'est-ce pas ? L'orchestre de Benny Goodman jouait toujours quelque part.

Mais s'il réfléchissait bien – s'il cessait de pédaler une minute – il remarquerait à quel point les cours grandes comme des mouchoirs de poche, les poteaux téléphoniques et les autres points d'ancrage de son enfance disparaissaient dans un brouillard où tout se perdait. Ses parents étaient plus distraits que d'habitude, plus excitables, plus anxieux. Sa mère ne veillait plus avec la même attention à ce qu'il ne porte pas la même chemise ou n'emporte pas le même déjeuner deux jours de suite. Et Grand-Père allait arriver de Montréal ce matin pour une visite décidée à la dernière minute et de longueur indéterminée. Mais Charlie était encore un enfant alors. Il voyait ce qu'il avait envie de voir.

Les nouveaux communiants étaient assis sur un banc au premier rang. Même de loin derrière, il voyait la grosse tête rousse de Mickey. On n'était

pas censé applaudir ni rien. La musique d'orgue était plus frêle et plus arti-
ficielle que dans son imagination. Elle évoquait la musique d'orgue d'un
match de hockey avec les Islanders. Le plus bizarre, pourtant, c'était la façon
dont les gens devant lui parlaient tout le temps à Jésus, comme s'il n'était
pas mort, mais flottait au-dessus de leurs têtes. Ce qu'il faisait, d'ailleurs, silhouette en plâtre, à peu près grandeur nature, luisante comme une pomme
cirée, fixée au mur bleu layette. *Entends nos voix, Seigneur Jésus.* Comme
si l'église était un lieu hanté par Jésus. Il essaya de se représenter Moïse ou
Abraham en train de hanter le temple, mais il n'y parvint pas. Les patriarches
qui hantaient les juifs étaient ceux qui, comme Grand-Père, vivaient encore.

Ensuite, chez les Sullivan, il y eut un gros gâteau blanc acheté chez le
pâtissier, orné d'une croix. Il se demanda si cela aussi symbolisait quelque
chose – s'il devait piquer sa fourchette dans le cerveau spongieux du Christ
et, si oui, s'il devait le manger, ou si le Dieu juif ou chrétien allait vouer
Charlie Weisbarger, qui à cet instant précis n'était fidèle à aucun d'eux, aux
flammes de l'enfer. Mais il ne put résister. Le gâteau était plus sec qu'il n'en
avait l'air, mais les fleurs en sucre durcies lui donnaient un agréable sentiment de migraine.

— Alors, demanda Grand-Père à son retour, qu'as-tu appris aujourd'hui ?

C'était un homme de grande taille, au torse large, avec une tête aussi
grosse que celle d'un Indien de bureau de tabac et des poils au nez extraor-
dinairement luxuriants. Deux plis marqués encadraient son menton, qui
semblait articulé sur des charnières. Sa valise était posée à côté de lui sur le
canapé du salon. Papa, comme pour faire de la place à son père, s'était perché devant l'âtre de la petite cheminée décorative. Maman était étendue sur
le fauteuil inclinable que Papa aurait dû occuper. De toute évidence, Charlie
avait interrompu quelque chose.

— Nous en sommes, euh, au Deutéronome.

— Il ne parle pas du rabbin Lindner, Charlie. Maimie Sullivan a appelé
pour dire que tu avais oublié ton pull chez Mickey et tu as du sucre autour
de la bouche.

— Maman, je suis désolé, mais je ne voulais pas que Mickey pense que je
ne voulais pas aller à sa fête.

— Inutile de te justifier, dit Papa. Ton grand-père voudrait juste savoir si tu
as appris quelque chose.

Grand-Père serrait les mâchoires, offrant plus que jamais une face de bois.
Charlie fit de son mieux pour ne pas regarder.

— Eh bien, ils sont un peu bizarres avec leur Messie.

Ils se taisaient, il poursuivit donc.

— C'est à n'y rien comprendre. S'il était vraiment le Messie, pourquoi Hashem l'a-t-il laissé mourir ? D'un autre côté, si on attend le Messie éternellement, ne risque-t-on pas de rater sa venue ?

— C'est bien de quoi je parle, dit mystérieusement Grand-Père.

Mais encore une fois, tout ce qu'il disait paraissait mystérieux.

— C'est à une fête que tu as appris tout ça ? dit Papa.

— Eh bien, pas exactement.

Il aurait pu mentir de nouveau, mais il n'aimait pas la façon dont les secrets créaient de la distance entre eux.

— Je suis allé à la cérémonie aussi.

— Charles Nathaniel Weisbarger.

— Quoi ? Je ne vois pas où est le problème, si je peux aller à la fête.

— C'est le mensonge, fiston.

Il ne pouvait s'empêcher de penser qu'il en rajoutait un peu à cause de Grand-Père. Mais, à sa grande surprise, le vieil homme prit son parti.

— Pourquoi le petit ne serait-il pas un peu perdu ? Vous voulez qu'il soit franc, et pendant ce temps vous lui cachez ça.

— On me cache quoi ?

— Papa…, dit Papa.

— Fiston, tu vas être frère.

— Quoi ?

— David…

— Papa, tu vas devoir y aller à présent. Fais une petite sieste. C'est notre affaire.

C'était la première fois que Charlie voyait le doux David Weisbarger tenir tête à Grand-Père et le vieil homme le prit mieux qu'il ne l'aurait imaginé, sauf qu'arrivé sur le seuil de la pièce il se retourna et regarda Charlie droit dans les yeux.

— Rappelle-toi, il y a deux façons de retirer un sparadrap.

— En quoi est-ce un pansement ? (Il se tourna vers sa mère.) Non, j'ai *envie* d'avoir un frère. Un frère, c'est génial. Une sœur, c'est bien aussi, si c'est ce que vous choisissez. Mais je ne comprends pas pourquoi vous ne me le dites pas. C'est quelque chose que vous venez de décider ?

Quand ils entendirent la porte se fermer là-haut – Grand-Père dormait toujours dans la chambre de Charlie quand il venait en visite, rétrogradant son petit-fils à un matelas gonflable en bas – Papa dit :

— Ce que ton grand-père essaie de te dire, Charlie, c'est qu'il ne s'agit pas d'une nouvelle adoption. Ta mère est enceinte. Nous voulions te le dire, mais rien n'est jamais sûr aussi tôt, surtout à son âge et avec notre histoire, et nous ne voulions pas t'inquiéter. Les choses sont un peu difficiles ; c'est pourquoi ton grand-père va rester ici jusqu'à la naissance des bébés. Maman doit garder le lit...

— Mais tout indique que tu vas avoir des frères, chéri. Deux. Des jumeaux.

Pendant une minute, Charlie hésita. Des jumeaux. Il avait l'impression d'être l'aiguille dans « Le Juste Prix », quand la grosse roue tourne et tourne, que différentes possibilités passent, la possibilité de gagner gros, de ne rien gagner, quelque chose entre les deux.

— Tu sais, cela ne veut pas dire qu'on t'aimera moins, dit Maman.

Charlie posa la main sur son épaule. Il se sentait soudain très calme. La grande roue s'arrêta. Il lui suffisait d'ouvrir les yeux pour voir ce que l'aiguille indiquait.

— Maman ?

— Oui, chéri ?

— Qu'est-ce que je dois ressentir, d'après toi ?

Elle mit un moment à répondre, devait-il en tirer une conclusion ?

— Tu dois ressentir ce que tu ressens. Mais ce que j'espère, c'est que tu sais que cela ne change rien. Nous t'avons adopté, cela te prouve *à quel point* nous t'avons désiré.

— Très bien, alors, c'est ce que je ressens.

Il le vérifia ; cela lui parut assez solide pour s'y tenir pour l'instant et, de toute façon, il détestait la voir pleurer.

Mais cette nuit-là, sur le matelas gonflable, il ne parvint pas à trouver une position confortable. Dès qu'il enfonçait une bosse, une autre surgissait. Il finit bras et jambes écartés, la couverture enroulée autour de ses cuisses tel un anaconda, dans un éclairage qui lui rappelait des films où on tournait de jour en utilisant un filtre pour imiter la nuit. Une forme dentée se changea en accessoires de cheminée. Il devinait le tisonnier et la brosse, et en regardant bien, il parvenait ou croyait parvenir à lire le mot *Harmony* sur le panneau frontal du piano droit. Les maisons la nuit émettaient des crépitements, comme les moteurs quand ils refroidissent ; il se demandait quelle en était l'explication physique. De l'air qui s'échappait du bois ? La dérive des continents ? Il s'efforçait surtout de piger quelque chose à ce qui se présentait. En surface, tout était pareil, Maman, Papa et Grand-Père dormaient là-haut. D'un autre côté, il y avait tout ce sérieux entourant la nouvelle, comme s'il était censé penser que cela changeait tout. Il se demanda ce qu'aurait ressenti le Messie goy à l'annonce qu'il allait avoir un frère. Lui aussi, en un sens, avait été adopté. Bien sûr, étant un être parfait, il se serait comporté à la perfection. À un moment, il entendit un craquement dans l'escalier. Son père, il en était à peu près sûr, descendait le voir. Il fit semblant de dormir. Et puis il s'endormit pour de bon, et un Jésus hippie, coiffé d'un chapeau en papier, souriait au-dessus du comptoir d'un stand de hamburgers, et demandait à Charlie s'il pouvait prendre sa commande.

Que Maman ait trente-neuf ans devait sûrement avoir son importance, car personne – ni Papa, ni les médecins, ni Mme Sullivan – n'évoquait sa grossesse sans mentionner son âge. *Une bénédiction*, voilà ce qu'ils disaient d'autre. À la synagogue, les gens commençaient à parler des jeux Olympiques d'été ou du nouveau presse-fruits électrique qu'on vantait à la télévision, et tout de suite la conversation passait à : «Vous savez, elle a trente-neuf ans... c'est une bénédiction.» Une double bénédiction, pensait Charlie, avec deux battements de cœur. Mais il sentait que le monde se réorganisait, l'équateur se situant quelque part autour de sa taille qui s'épaississait, sur le canapé où elle passa la majeure partie des mois sept et huit en position couchée, et Charlie loin, loin, au pôle Nord.

Son terrain de vie connaissait aussi des changements, il le constatait à des détails mineurs. La poussière s'accumulait sur des surfaces où elle ne l'aurait jamais tolérée – le dessus des barres de torchons et de la bouilloire, les boutons blancs de la radio sur le plan de travail de la cuisine. Papa ne l'allumait plus, d'ailleurs, même quand il préparait l'une de ses spécialités (ragoût de thon, saucisses aux haricots, poisson pané) ou les pierogi tout prêts que Grand-Père avait achetés, en ville, dans un marché polonais. Pour finir, Charlie demanda s'il pouvait monter la radio dans sa chambre. Son père, soudain visiblement épuisé, ne leva pas les yeux du plat qu'il remuait et répondit que oui, bien sûr, en conséquence de quoi Charlie s'interrogea sur ce qu'il pourrait obtenir d'autre. *Je peux avoir les clés de la voiture? On peut avoir un chien?* Le lendemain, on était censé venir à l'école avec son père pour parler de son travail, mais M. Weisbarger ne pouvait pas y aller. «Ma mère accouche dans un mois, expliqua Charlie à son professeur en empruntant l'expression à son père. Elle a trente-neuf ans. C'est une bénédiction.» Grand-Père vint donc à sa place, il expliqua comment on fabriquait les chaussures, et tout le monde périt d'ennui.

Plus tard, il se souviendrait que Grand-Père, dans la salle d'attente de l'hôpital, l'avait soulevé d'une chaise en plastique dans laquelle il s'était roulé comme une boule de sorbet ; il se souviendrait des lumières de l'autoroute courant sur la portière de la voiture contre laquelle il s'était avachi ; il se souviendrait de s'être réveillé dans la couchette supérieure du lit superposé de Mickey Sullivan. Ses liens avec Mickey se relâchaient déjà et les manœuvres des adultes donnaient un goût étrange à ce qu'il en restait. Le lendemain matin, ils firent des paniers dans l'allée (du moins Charlie s'efforça de ne pas rater le panneau), mais sans parler beaucoup, ou bien quand ils se parlaient Mickey ressemblait à un otage lisant à la télévision le texte qu'on lui a soumis.

— Ma mère dit que c'est parfois plus long quand elles sont plus âgées.

— Je sais, dit Charlie.

— Ça doit être une histoire de vagin.

— Ça va, Mickey, j'ai compris.

— Mes sœurs avaient des écailles à la naissance. Elles pelaient de partout. Et un nombril noir, énorme, dégueulasse.

Cette façon qu'ils avaient tous de répéter que tout était normal lui donnait une terrible prémonition du contraire, mais le deuxième jour, Papa et Grand-Père vinrent le chercher et, au bout de quatre jours, Maman rentrait à la maison avec deux petites créatures ridées aux cheveux noirs dépassant des plis de leur couverture bleue. Des garçons, visiblement. Des Martiens. En retenant sa respiration, il posa un baiser sur leurs têtes, qui étaient chaudes, minuscules et légèrement moites, comme des narines retournées. Il voulait faire plaisir à sa mère, mais il n'avait aucune envie d'inhaler des écailles de bébé ou de la poussière de l'espace. Maman s'inquiétait plutôt du contraire.

— Il faut être très doux. Je sais que tu sauras bien les protéger.

Puis le moment revint pour eux de dormir. Eux signifiant tout le monde sauf Charlie.

Son invisibilité, désormais, rappelait qu'il fallait toujours se méfier quand on faisait un vœu ; elle l'accompagna partout et au lieu de les placer, lui et ses parents, à l'intérieur d'une capsule, elle l'en chassait. Quand Papa et Maman se parlaient ou s'adressaient à lui, c'était au sujet des bébés ou à travers les bébés. Le moindre semblant de sourire, la moindre pression de leurs doigts minuscules prenait un sens particulier.

— Regarde, Charlie, comme il t'aime.

Et même quand Maman put s'asseoir à table, elle ne cessait de remonter pour surveiller le berceau où on pouvait compter sur Abe et Izzy pour faire des simagrées.

Un jour, son père le conduisit au magasin d'électronique et l'emmena au rayon rutilant des équipements stéréo. Ils n'avaient pas oublié ! Il courut pratiquement jusqu'aux tourne-disques Fancy Trax.

— Tu es sûr que c'est celui-là, Charlie ? Je suis prêt à t'acheter celui que tu veux. En dessous de mettons soixante dollars.

Sur des étagères tapissées de moquette se succédaient des rangées de lecteurs de cassettes huit pistes, des phonographes intégrés à façade en bois, des
tuners Fisher avec leurs fréquences gravées et luisantes, toute cette bande pas-
sante lumineuse. On entendait au moins quatre stations de radio. Les voitures
dehors répandaient des fragments de lumière qui l'entouraient. Mais quelque
chose le retenait : l'impression que, peut être, on voulait l'acheter. Chez lui,
désormais, il serait un simple spectateur et la stéréo sa seule consolation.

D'un autre côté, il n'avait pas perdu tout repère économique et il voyait
parfaitement que c'étaient là les meilleurs termes qu'il obtiendrait jamais.

À la maison, on avait transformé sa chambre en nursery et on l'avait expédié
au sous-sol – il avait déroulé sur le ciment un épais tapis jaune paille. *Tout un
niveau rien que pour toi*, c'est ainsi qu'on lui avait présenté les choses. Papa
venait d'installer la nouvelle chaîne stéréo – un ampli-tuner Scott 330R à cinq
fiches avec une prise pour casque et des boutons marqués FILTER, MODE,
TAPE et LOUD – près de son lit, comme il l'avait demandé, et il était remonté
retrouver les autres fils qui lui occupaient visiblement l'esprit. Il verrait Charlie
au dîner, dit-il, et Charlie savait que ce serait de nouveau un plat cuisiné
Stouffer's au poulet, ou encore un deuxième petit déjeuner en guise de dîner.

Dès qu'il fut parti, Charlie se coucha sur le ventre, les bras étendus comme
ceux du sauveur en qui il n'était pas censé croire. La couverture synthé-
tique était décorée d'étoiles et de planètes de différentes tailles. Elle sentait
encore le plastique dans lequel on l'avait enveloppée. Au-dessus du plafond,
l'un des jumeaux se mit à pleurer, ce qui entraîna l'autre. Il tendit la main
et, ayant laissé chauffer le tuner comme l'avait recommandé le vendeur, il
alluma les enceintes. Il y eut un bruit de tonnerre – le volume avait dû se
dérégler au cours du transport – il le baissa, mais le bouton de fréquence était
toujours réglé sur la même station que dans le magasin. Sur une figure de
piano majestueuse, la voix chantait que Mars n'était pas le genre d'endroit
où élever un enfant. « En fait, il y fait froid comme en enfer[1]. » La phrase
libéra quelque chose à l'intérieur de Charlie. Le nez enfoui dans la couverture spatiale et les mains à présent glissées sous lui telles des ailes, il se mit
à pleurer, mais pas avec un abandon en mesure de couvrir la musique. De
cette façon, il pouvait se dire que si personne n'était venu le consoler, c'était
parce que personne n'avait entendu.

Elton John engendra Queen et Queen engendra Frampton. Charlie aurait
envie de rentrer sous terre, des années plus tard, en se rappelant le concert de

---

1. Elton John, « Rocket Man », 1972.

Frampton au Long Island Arena auquel il avait traîné son père – le souvenir de Papa feignant de ne pas sentir la marijuana dont les effluves remontaient jusqu'en haut de ces gradins terrifiants. De vouloir presque désespérément forcer Papa à voir la magie de ce qui se passait quand Charlie était seul : le petit Anglais, là-bas sur la scène *faisant littéralement parler sa guitare*. Et Frampton engendra Kiss (le chanteur avait grandi sur Northern Boulevard !) qui engendra Alice Cooper qui engendra Bowie... qui pendant longtemps n'engendra que Bowie.

À cette époque, la tempête de la puberté faisait rage, transformant son sous-sol en une espèce de tanière poisseuse, saccageant un corps d'où surgissaient boutons, poils et toutes sortes de protubérances, lui remplissant la cage thoracique de sentiments aux formes étranges et trop grands pour loger à l'intérieur. Abe et Izzy pouvaient rester quelques minutes sans être pris dans les bras, ce qui rendait un peu d'autonomie à sa mère, mais ni elle ni Papa ne descendaient beaucoup, peut-être à cause de l'odeur. Quelle importance, à l'échelle cosmique ? La planète était moribonde, répétait l'androgyne effrayant, gentil et laid qui regardait Charlie sur la pochette de *Ziggy Stardust*. *Cinq ans, c'est tout ce qu'il nous reste*. Et l'album était sorti depuis un bout de temps. Selon les calculs de Charlie, 1977 était l'année où *tous les maigres-gros et tous les rien-du-tout* cesseraient d'exister.

Ce qui ne voulait pas dire que cette période Ziggy Stardust fut tout entière plongée dans des ténèbres apocalyptiques. Quand ils ne pleuraient pas ou ne monopolisaient pas ses parents, il aimait avoir des frères. Il adora les regarder baver sur différents membres de la famille lors de sa bar-mitzvah en juin (et adora la possibilité de mettre Mickey dans le même embarras que celui dans lequel Mickey l'avait mis lors de sa première communion). Et mis à part la crainte que lui inspirait Grand-Père, il adorait depuis toujours Montréal où on parlait français, où les Weisbarger se rendirent de nouveau au mois d'août suivant, tous les cinq serrés dans le break. Ce fut aussi l'année où Grand-Père se mit à lui témoigner une étrange et particulière sollicitude – l'hiver où ils étaient allés en secret à Radio City.

Ce serait sur ses heures d'enfermement solitaire et vicié qu'il reviendrait plus tard, cependant. Il mettait la musique à fond, il se déshabillait entièrement et se regardait nu dans la glace accrochée à son mur au milieu des posters et des pochettes d'albums qu'il avait punaisés dans le placage en bois fin comme du papier à cigarette. Mickey avait beau déclarer qu'il ne le faisait jamais, que chaque infraction entraînait sept ans de purgatoire, Charlie ne pouvait s'empêcher de se toucher. Il enfonçait son entrejambe dans le matelas et voyait de gros et merveilleux nichons pareils à des cloches à crème glacée. Il essayait de jouir sans se toucher, avec l'idée que la punition serait plus légère, mais à la dernière minute, il perdait toute volonté. Chaque fois, il sentait grandir son excitation et ensuite, soudain, sa honte. Ce qui aurait dû lui prouver que Mickey avait raison. Et la semaine après la première des deux crises cardiaques de David Weisbarger, Charlie comprendrait qu'il n'avait pas attiré le châtiment sur lui-même, mais sur son père. C'était comme si chaque petite quantité de gelée nacrée expulsée de son corps avait coûté sept ans de la vie de son père. Ou – soyons honnêtes – sept semaines.

De nouveau, Grand-Père était venu habiter chez eux, même si cette fois c'était Papa au lieu de Maman qui se trouvait à l'hôpital, et Charlie resta à la maison. Il préférait le silence de Grand-Père plutôt que d'aller chez les Sullivan où Mickey passait désormais le plus clair de son temps à soulever de la fonte dans le garage. Et il le préférait aussi à l'hôpital et à son odeur de cantine, haricots verts et eau de Javel, où il reconnaissait maintenant l'odeur de la mort. Avec son tuyau en plastique dans le nez, comme celui de la pipe à eau que fumait le frère aîné de Mickey, Papa semblait éteint, les machines ayant aspiré tout son éclat. Et la nuit, à travers le plafond du sous-sol, il entendait des pleurs qui n'étaient pas ceux des jumeaux.

Le mois après les obsèques, Charlie eut l'impression qu'une chose immense et mécanique pesait sur lui – comme si le ciel lui-même n'était que la plaque d'un étau si vaste qu'il n'avait pu le remarquer avant. Comme si toute musique avait déserté l'univers. C'était dur de sortir du lit le matin et dur de ne pas poser la tête sur la table en deuxième heure de chimie. Shel Goldbarth et le grand Paul Stein savaient que son père était mort, naturellement, et ne le brusquaient pas, comme tous ceux dont les parents lisaient le journal. Mais pour les anonymes, athlètes ou intellos, il était toujours le même taré. *Pardon*, répétaient-ils. *Pardon, Vide-ordures.* Il n'allait sûrement pas leur dire qu'il méritait mieux ; il s'en fichait en réalité. Ce qui faisait mal, c'était de voir Mickey Sullivan ne pas broncher quand ils l'appelaient comme ça devant lui. De voir que Mickey lui avait retiré sa protection.

Un soir, il alla dans la cuisine et composa le numéro si familier des Sullivan. Bien sûr, les chances de tomber sur Mickey dans sa vaste maison restée immuable étaient à sept contre un. La mère de Mickey décrocha. L'espace d'une seconde Charlie demeura paralysé. « Allô ? » fit la femme qui coupait la croûte de ses sandwichs et ôtait les carrés jaunes de fromage de supermarché qu'il n'avait pas le droit de manger avec ses spaghettis bolognaise. « Allô ? » Il n'avait pas prévu la suite. Il y avait ces vieilles blagues, celle de l'éléphant dans le réfrigérateur, celle de la lady et de la bouteille de ketchup, mais dans ce crépitement intracrânial intime, elles semblaient moins hilarantes qu'à table. D'autant que Grand-Père regardait la télévision dans la pièce d'à côté. Quel était le terme technique? *Respiration haletante.* Il exhala dans l'émetteur, laissant sur le plastique un fin brouillard de condensation.

— Allô? Qui est à l'appareil?

Il raccrocha.

Le lendemain soir, il eut M. Sullivan, qui dit que ce n'était *absolument pas drôle*, que quel qu'il soit, il finirait *par le retrouver et quand...*

Sauf que c'était drôle, en fait, la façon dont la pulsion la plus hasardeuse devient un but dans la vie. Les dernières heures de cours commencèrent à être interminables, comme un téléscope tourné dans le mauvais sens. La journée tout entière se résumait à un entonnoir toujours plus étroit qui ne s'achevait que par ce moment, juste avant qu'il raccroche, quand le Sullivan à l'autre bout du fil savait que c'était l'Appelant Anonyme et savait que l'Appelant Anonyme savait qu'ils savaient.

Et puis un soir, on frappa à la porte. Peut-être Charlie fut-il alerté par le choix du moment, car personne ne sonnait plus chez les Weisbarger, excepté les missionnaires mormons ou des femmes de la Congrégation Beth Shalom qui apportaient des ragoûts – la maison était trop triste pour recevoir des visites – et ils ne seraient pas venus le soir, comme ça, sous la pluie. Non, c'était bien l'autre botte venue l'écraser et le tuer comme une vermine. Il courut là-haut dans son ancienne chambre, maintenant envahie par les berceaux, les parcs, et les étagères de jouets d'où des animaux en peluche exprimaient leur réprobation. Il n'osa pas allumer la lumière: ils la verraient depuis le trottoir, en bas, et il ne voulait pas réveiller les jumeaux. Sur la pointe des pieds, il parvint jusqu'à la fenêtre, souleva le store. Il arriva trop tard pour voir qui se tenait sur le perron; il ne distingua qu'un arc de cercle en nylon noir, coupé du reste de son parapluie par la bordure du toit. Il accompagnait, en tressautant, les mots que Charlie ne parvenait pas à entendre. Il percevait leur mélodie, montant vers la fureur. Une voix d'homme, interrompue par celle d'un autre homme – son grand-père:

— Vous ne pouvez pas le laisser tranquille, ce pauvre petit?

Grand-Père ne parla jamais à Charlie de cette visite; ni, bien sûr, à sa mère. Mais le lendemain, à l'école, Mickey, tout récemment colossal, le trouva près du quai de déchargement derrière la cafétéria et, silencieusement, méthodiquement – d'un air presque désolé –, le roua de coups. Ce fut la fin officielle de leur amitié.

Mais était-ce la fin de l'Appelant Anonyme? Au bon vieux temps, Charlie avait cette intuition que la chronologie était une fiction. Que les gens se représentaient le temps sous la forme d'une flèche seulement parce qu'ils avaient le cerveau trop débile pour le concevoir dans sa totalité. Il avait un jour tenté de l'expliquer à Mickey, alors qu'ils déconnaient en cherchant des idées pour un album de bande dessinée – des univers parallèles et ainsi de suite, mais aussi la manière de faire s'ajuster la simultanéité des choses à l'intérieur de cadres infatigablement mouvants. Sa théorie devenait assez vite grotesque, mais il en tirait un certain réconfort. Maintenant, il voyait pourquoi Mickey rejetait tout ça. Car si chaque moment de la vie était présent dans un autre, c'était nécessairement vrai de chaque moi ancien auquel vous vous étiez efforcé d'échapper. Et comment savoir, dans ce cas – votre moi présent vous ayant toujours paru inconsistant comparé à celui qui vivait si intensément sous la table de la cuisine – quel moi, en particulier, était le vrai ?

À moins de prendre le car de ramassage – il parcourait le même trajet que Mickey –, Charlie était obligé de marcher près d'un kilomètre pour rentrer chez lui. Au mois de mars, à Long Island, le sol était encore trop dur pour s'occuper du jardin, c'est pourquoi les gens, une fois rentrés, restaient chez eux. Pas assez vêtu, parce que dans le brouillard du réveil il avait pris la lumière à l'extérieur du sous-sol pour de la chaleur, laquelle n'aurait de toute façon guère survécu au retour des nuages dans l'après-midi, il enfonça les poings dans les poches de son blouson et fit de son mieux pour se perdre dans les rues transversales désertes. Impossible, évidemment ; elles dessinaient un quadrillage parfait. Il passa devant le stade où il avait joué en catégorie poussins, financé par les Jaycees, les Kiwanis, ou quelque chose dans ce goût-là. Quand le vent prit de la vitesse, la corde lâche fit du raffut contre le mât en métal où ne flottait aucun drapeau, éveillant une inquiétude qui lui gonfla le cœur comme s'il pressentait quelque chose. C'était ridicule, car qu'arrivait-il à Long Island hormis des naissances et des morts ? Il décida pourtant d'être un mensch, une fois dans sa vie. Il sauta par-dessus la clôture, se dirigea au pas de gymnastique vers la droite du terrain en soufflant dans ses mains pour les réchauffer et tendit la corde sur le taquet au pied du mât. En revenant sur l'herbe morte, il se figea. Quelqu'un le regardait dans les gradins.

Parvenu assez près pour pénétrer l'obscurité sous le toit en métal, il vit que c'était une fille. Grande et mince, les cheveux longs jusqu'aux épaules. Elle avait une grosse paire d'écouteurs, munie d'une antenne. Veste militaire, canette de bière posée à côté d'elle sur le banc, elle aurait pu être une de ces filles paumées, mais sa posture était celle d'une pure Amazone. Et la voix – la voix, cassée par la fumée – le foudroya.

— Le Bon Samaritain, c'est ça ?

Elle n'avait même pas enlevé ses écouteurs.

— Je me disais juste que ce bruit devait rendre fous les voisins. Enfin, moi, il me rendait fou. Hé, tu peux écouter de la musique là-dedans ?

— Non, je les mets juste pour que les pauvres mecs que je connais pas viennent pas m'embêter.

Elle l'examina à travers les croisillons de la barrière.

— Tu veux une bière ?

Il en avait envie, ne fût-ce que parce que la proposition venait d'elle, mais il lui dit que, non, il ne pouvait pas. Sa mère, question flair, était infaillible.

— T'es sûr ? On dirait que t'en as bien besoin.

Il avait complètement oublié son visage tuméfié.

— Je suis tombé. Je m'appelle Charlie.

Il pouvait maintenant voir très distinctement un sourire de chat du Cheshire s'étirer dans l'ombre derrière la barrière.

— Bon, je ne te retiens pas, Charlie. Je risque de t'attirer des ennuis.

— D'accord, dit-il. D'accord.

Et il força ses pieds à courir sur l'herbe drue en direction de la clôture qu'il allait devoir maintenant, il s'en rendait compte, franchir sous ses yeux. Elle trembla sous son poids ; son blouson s'accrocha une seconde au tortillon de métal qui dépassait, mais, miracle, il ne tomba pas.

À son retour, Grand-Père regardait la télévision sans le son. Il ne dit rien sur le retard de Charlie et Maman, semblait-il, dormait, comme souvent ces derniers temps. Toujours étourdi, Charlie s'assit dans le salon, en tournant son œil fermé de façon que le vieil homme ne le voie pas. Sur l'écran, une caméra titubante balaya des gradins remplis d'une foule en liesse, zooma sur une grosse femme qui sautait de joie. Dans le même temps qu'elle faisait avancer le scénario – la femme serait la prochaine concurrente du jeu –, la séquence transmettait une série de messages stupides ayant trait à la chance, au destin, à la prospérité, à la communauté. Dans son ancienne vie, Charlie ne les aurait pas vus. Là, ils lui paraissaient encombrants, artificiels, comme les soubresauts des cheveux de la femme, l'orange criard de son maillot universitaire. Peut-être parce qu'il était canadien, Grand-Père, dans son fauteuil, ne changea pas d'expression. Mais quand l'émission céda la place aux publicités, il se mit debout en grognant et se traîna jusqu'à la cuisine. De retour, il plaça un sac de petits pois congelés dans les mains de Charlie. Sur l'emballage, luisait un tas de petits pois écossés Eagle Eye, plus séduisants que n'importe quel petit pois de la vie réelle. Était-il arrivé quelque chose au cerveau de Grand-Père ?

— Pour ton œil, dit-il. Ça va le faire dégonfler.

Comme Charlie plaquait le sachet sur son œil douloureux, Grand-Père éteignit la télévision. Dans la pièce voisine, le réfrigérateur ronronna pour remplacer l'air froid qu'il avait laissé échapper.

— Un garçon t'a fait ça à l'école, hein ?

— Je n'ai pas envie d'en parler.

— Tu l'as mérité ?

— Grand-Père, je n'ai pas…

Quelque chose dans l'expression du vieil homme l'arrêta. C'était comme s'il lisait au fond de Charlie, et depuis longtemps.

— Ouais, je l'ai plutôt mérité.

— Et personne ne t'a défendu ?

Charlie secoua la tête.

— Alors tu as appris une leçon, n'est-ce pas ? Maintenant, la prochaine fois que quelqu'un te demande ce qui est arrivé, la bonne attitude c'est de répondre : « T'as qu'à voir l'autre mec. »

— T'as qu'à voir l'autre mec.

— Mais avec assurance. Avec le sourire. Comme si ton visage allait éclater.

— T'as qu'à voir l'autre mec.

20

À SON ARRIVÉE À LA GARE ROUTIÈRE DE PORT AUTHORITY en juillet 1975, sa valise en carton dans une main et la lettre de l'école de filles Wenceslas-Mockingbird dans l'autre, Mercer ne savait pas trop combien de temps il resterait à New York. Avant même d'avoir reçu la lettre, il était partagé : une part de lui se pavanait en compagnie de Jay Gatsby dans une Gotham City chimérique ; l'autre part, sage et terre à terre, était toujours collée devant la friteuse, dans le Sud bouillant, brûlant. Il s'était dit – la nuit dans sa chambre d'enfant, avec son lit trop petit et son tas de livres de bibliothèque en retard sur la table de nuit – que la tension entre les deux était insupportable, qu'il devait fuir s'il ne voulait pas, comme les plus purs produits de l'Amérique, devenir fou. Combien de fois s'était-il imaginé fermant d'un coup sec l'étui de sa machine à écrire, réunissant ses quelques pages de manuscrit, allant se poster près de l'autoroute le pouce tourné vers le nord. Il était tout aussi plausible, cependant, que ces contradictions l'aient gardé sain d'esprit – sa vie éveillée justifiant l'impossibilité de sa vie rêvée, et vice versa. Si son ancien professeur de Shakespeare ne l'avait pas invité à se présenter à un entretien, il serait peut-être encore là-bas, dans la chambre pour laquelle il était trop vieux, son chapeau en papier dans les mains, le cuisinier le plus éduqué du nord-est de la Géorgie.

Il avait d'abord montré la lettre à sa mère, à titre de galop d'essai, et il l'avait vue faire la moue comme s'il lui avait servi une tranche de gâteau qu'elle savait empoisonné.

— Tu ne connais personne à New York, avait-elle dit pour finir, mais il avait une longueur d'avance.

Il connaissait le professeur Runcible, pour commencer, et C.L. avait un copain de régiment qui disposait d'une chambre d'amis dans son appartement au loyer contrôlé. Et n'avait-elle pas rêvé d'enseigner elle aussi, avant de rencontrer P'pa?

— J'ai vingt-trois ans, Mama. Je ne garantis pas qu'on me donnera un poste, mais je dois au moins y aller et parler au bonhomme.

Dans Shakespeare, la tragédie était la flamme qui surgissait quand les principes moraux se heurtaient; ici, le désir maternel qu'il ait un travail sérieux luttait contre la méfiance biblique que lui inspiraient les villes. Elle pinça les lèvres encore plus.

— Il faudra quand même que tu demandes à ton père, au moins par politesse.

Ce qui se révéla, comme il le craignait, une autre tragédie en soi.

Ensuite, dans la chaleur et l'odeur de naphtaline de sa chambre sous les combles, il s'efforça de se convaincre qu'il fuyait P'pa, ou C.L., ou le désert culturel de la petite ville dont il pouvait voir, par la fenêtre, le château d'eau au loin. Ou qu'il rêvait de New York parce que c'était là qu'avaient habité les sauveurs de sa jeunesse. Melville et James Baldwin, et surtout Walt Whitman. Mais de toute évidence, P'pa le soupçonnait de cacher d'autres motivations, ce que Mercer ne put ni effacer de son esprit ni comprendre.

Le lendemain matin, il montait à bord d'un Greyhound muni d'un See America Pass à trente dollars. Tout le jour et jusqu'au soir, il voyagea assis près de la fenêtre, les jambes repliées dans l'espace étroit, *Le Temps de l'innocence*, une édition de poche au dos cassé, sur les genoux et son costume marron soigneusement plié sur le porte-bagages au-dessus. Jusqu'ici, manifestement, sa principale faiblesse en tant que romancier s'expliquait par son incapacité à se confronter à la complexité de la vie réelle. À imaginer, par exemple, que la joie triomphale ressentie par son héros fugitif à voir défiler les forêts de pins et briller comme des joyaux les feux arrière de ses compatriotes, pouvait être modérée par un sentiment de culpabilité tout aussi exquis. Ou, au niveau purement physique, par l'inconfort. Tant que le soleil brilla, il fit trop chaud, mais dès la nuit tombée, Mercer eut froid. Il avait beau ouvrir la fenêtre, l'autocar sentait la moquette pourrie des chambres de motel réservées aux Noirs de son enfance lointaine. Il lut et dormit, mais regarda surtout à travers la vitre en s'efforçant de ne pas établir de contact visuel avec les passagers qui se succédaient sur le siège à côté de lui: un vieux fermier poids coq avec son coussin pour les hémorroïdes, un ancien taulard ramassé aux portes d'une prison, une Témoin de Jéhovah en bas de contention qui, de minuit à deux heures du matin, lut de façon audible une bible annotée. S'il l'entendait, ce n'était pas un hasard, il en était sûr; elle voulait son âme immortelle. Mais elle débarqua à Washington D.C. et le siège, Dieu merci, resta inoccupé jusqu'au moment où l'autocar s'arrêta dans la zone de parking dévastée d'un petit centre commercial quelque part dans le New Jersey.

L'aube teintait maintenant le ciel de rose. La seule boutique en activité lui parut être un Orange Julius. Ayant jusque-là bien géré son argent, Mercer s'offrit pour récompense une de ces boissons éponymes. À son retour, il trouva la soute de l'autocar ouverte et un GI en civil en train de faire des pompes à côté. Deux femmes trop âgées pour les ours en peluche jouaient avec des ours en peluche. Le chauffeur, un petit Pakistanais ratatiné comme un raisin sec dont la dépendance à la nicotine les avait obligés à s'arrêter toutes les quarante minutes, contemplait l'asphalte. Dans le parking désert, les lampadaires en métal brossé, dressés tels des cobras, semblaient inutiles et leur succession régulière donnait la chair de poule comme s'ils avaient été déposés là par un OVNI. Un adolescent blanc brûlé par le soleil, coiffé d'une casquette de baseball et un étui de raquettes à la main, dansait d'une tennis sur l'autre, en attendant de monter. Il avait le menton fort, des joues lisses, et de délicats triangles de duvet débordaient de la casquette dans sa nuque. Mercer sut aussitôt qu'il serait son voisin.

En roulant vers la côte ils n'échangèrent pas un mot. Ils franchirent la crête de Weehawken et New York apparut, jaillissant de l'immense étendue d'eau grise tel un bouquet de lis en acier. Et tandis qu'ils dévalaient la route semée de panneaux publicitaires en direction du grand mélangeoir à l'entrée du tunnel, le bras de son voisin retomba mollement contre le sien sur l'accoudoir; ils se touchaient à peine, juste à peine, le marron et le beige, une surface de contact large d'un atome, mais les sentiments immenses et contradictoires que Mercer gardait enfouis se mirent à gonfler jusqu'au moment où il crut qu'il allait exploser, ici même, feu d'artifice sur les hauteurs du New Jersey, et ne jamais parvenir à destination. Mais un quart d'heure plus tard, en regardant le chauffeur décharger sa machine à écrire dans les ombres poisseuses au deuxième sous-sol de la gare routière, Mercer aurait remisé ce moment dans quelque oubliette intérieure. L'adolescent avait disparu avec ses raquettes pour ne plus revenir, mais chez Mercer les gratte-ciel de New York resteraient toujours associés au parfum de l'eau de Cologne English Leather.

Il remonta en traversant des atriums brutalistes et des escaliers byzantins, l'impression d'avoir les bras déboîtés, les yeux secs comme ils le sont toujours après un trajet en autocar. Mais New York, avant tout, ce fut la foule. Jamais, comme ce matin, il n'avait été confronté à une telle quantité de gens. Devant lui sur le trottoir, à hauteur de tête, tant d'autres têtes innombrables montaient et descendaient attachées à leurs corps tels des fruits mûrs flottant dans un tonneau. Des visages gras, des visages maigres, des visages roses, des visages marron, barbus et glabres, chapeautés et nus, mâles et femelles, et toutes leurs combinaisons possibles. Étourdi, figé sur place, le cœur agité de pulsations rythmiques, il constituait une obstruction, une abstraction ; les masses auraient pu l'écraser si elles l'avaient voulu. Au lieu de quoi elles le contournaient à la toute dernière seconde, le bousculaient peut-être, mais abandonnaient derrière elles, intacte, l'essence de Mercer Goodman. Mais bordel, sans vouloir trop s'appesantir, qui dans cette ville trépidante s'intéressait même à l'essence de Mercer Goodman ? Ce fut cette découverte, autant que tout le reste, qui lui donna l'impression d'être entré dans un rêve.

Carlos, le copain de régiment de C.L., habitait au-dessus d'une salle de cinéma porno sur l'Avenue B. La chambre d'amis qu'il avait à offrir consistait plutôt en un placard, l'intimité en moins. Dans l'embrasure de la porte le bois était déchiqueté à l'emplacement des charnières et un drap décoloré le séparait de la cuisine. Mercer marchanda un peu et Carlos accepta d'y dormir lui-même. Pour le privilège d'occuper la grande chambre, avec sa porte qui fermait à clé, son ventilateur et un matelas dont il préféra ne rien dire, Mercer cracha deux cent vingt dollars pour le mois, soit soixante-dix dollars de plus que ce que Carlos payait pour l'appartement entier. Cet arrangement convenait très bien à Carlos qui avait du mal à garder un travail depuis sa démobilisation ; les indemnités de chômage et la part qu'il exigeait de ses colocataires constituaient ses seules ressources apparentes. Mais c'était un coup dur et imprévu pour le budget de Mercer. Dès qu'il fut installé, dans la mesure où il put s'installer, il appela Wenceslas-Mockingbird pour demander un rendez-vous.

Le Dr Leon Runcible, récemment nommé directeur, était une figure légendaire du campus de l'université de Géorgie à l'époque où Mercer y faisait ses études. Il jouissait de tout le prestige possible d'un professeur non titulaire. Chef de classe à Groton, choisi par W. H. Auden quand il avait vingt ans pour la série des Jeunes Poètes de Yale, auteur par la suite d'un ouvrage très estimé sur les poètes métaphysiques... Il avait gardé les manières de Groton – la voix tout particulièrement, scandant des iambes – mais quand son cours sur Shakespeare en arriva à Lear sur la lande, il avait levé les mains vers le ciel et les avait refermées avec une telle intensité que ses veines s'en étaient trouvées toutes gonflées. Et puis, presque aussitôt, il avait repris son élégance patricienne, et jeté une allusion à Whitman que Mercer plus tard reprendrait dans un essai grâce auquel il remporta le prix d'anglais de première année (faisant de lui le premier étudiant noir ainsi honoré). Durant plus d'un semestre, Mercer avait laissé sa mère croire qu'il préparait un diplôme de comptabilité. En fait, le matin, il était le plus souvent au premier rang du grand amphithéâtre d'anglais moderne, écoutant le jeune professeur produire phrase après phrase d'exégèse, tels des pains sortis d'un panier sans fond.

Ce jour-là, son bureau massif de directeur ne diminuait en rien la majesté de Runcible, mais Mercer sentit ses lauriers de premier cycle former sur son front une couronne fanée. Pendant qu'une secrétaire apportait le thé et les biscuits, il s'entendit risquer une lecture freudienne de la comtesse Olenska, l'héroïne du livre que Runcible avait envoyé avec la lettre. Il commençait à peine à manifester une réelle perspicacité quand Runcible soupira.

— Quand je vous entends parler, Mercer, je me demande pourquoi j'ai quitté la classe pour toutes ces ingrates tâches administratives.

Il fit un geste de la main comme pour montrer la futilité des livres reliés en cuir, de la cheminée en pierre, de l'immense fenêtre donnant sur la 4e Avenue.

— Mais ma défunte mère était une ancienne élève doublée d'une donatrice et sans doute, en un sens, ai-je espéré faire honneur à son *alma mater*. Venons-en à ce poste. Le conseil d'administration, l'ancienne administration, peut se montrer assez rétrograde dans certains cas. Ils n'entendent pas toujours les mêmes airs que moi. Les airs que précisément le conseil municipal, dont nous dépendons pour certaines exemptions de carte scolaire, entend de plus en plus.

Une minute ; c'était bien l'*esprit* de Mercer qui les intéressait, non ? Runcible poursuivit.

— Comme je suis nouveau venu dans cet établissement, il me paraît légitime de vouloir y installer des représentants de mon point de vue. Par exemple, je vous regarde, Mercer, et je vois un jeune universitaire érudit que n'importe quel programme de deuxième cycle à travers le pays pourrait s'enorgueillir d'avoir. Mais les circonstances veulent que vous soyez ici, disponible, et qu'un poste d'anglais en quatrième se libère – c'est un anglicisme pour la seconde. En vérité, je n'ai qu'une crainte.

— Pas de problème. J'ai l'habitude d'être le seul Noir dans la classe.

Runcible eut une quinte de toux, comme si une miette de biscuit avait fait fausse route. Elle dura assez longtemps pour susciter l'inquiétude, dix ou quinze secondes, et quand elle cessa, le visage derrière la main demeura très rouge.

— Oh, non, Mercer. Pour moi, la question n'est pas... C'est plutôt... Puis-je vous parler en toute confiance ? Que vous êtes un homme.

Le mot retomba avec une étrange résonnance.

— Les adolescentes peuvent ressembler à des femmes, mais elles continuent à voir dans les professeurs des figures très puissantes. Je parle avec expérience. Le type qui serait votre prédécesseur est parti accompagné de certaines rumeurs. Une ligne a été franchie, si vous me suivez. J'ai besoin d'être sûr que vous me suivez.

Mercer promit au Dr Runcible qu'il n'avait aucun souci à se faire. Si on lui donnait sa chance ici, il ne ferait rien qui pût rejaillir de façon négative sur son directeur, sur l'école, ou sur la mémoire de Wenceslas et de Mockingbird (quels qu'ils soient).

— Là-dessus, vous avez ma parole.

Il ne commencerait pas officiellement à travailler – il n'était pas tenu de présenter un programme et de préparer des cours – avant la semaine précédant le week-end de la fête du Travail. Et donc, il disposait de tout l'été pour avancer sérieusement sur son premier opus. Il y avait cependant deux problèmes. D'abord, il avait à peine de quoi s'acheter à manger. Ensuite, il y avait l'appartement. Toute la journée, des flots de gémissements et de chaleur provenant du cinéma en dessous traversaient le plancher. Et Carlos ne sortait apparemment jamais, pas même pour laver son linge. Son habitude de rester assis dans le salon à examiner son reflet dans l'écran grisâtre de la télévision éteinte était lancinante, tout comme sa cigarette perpétuellement en train de se consumer entre ses doigts boudinés. Un jour que Mercer, après être allé prendre un café, n'avait pas retrouvé son stylo Waterman – c'était un cadeau de fin d'étude offert par sa mère – sa difficulté à se concentrer se teinta de paranoïa. Et lorsqu'il rassembla assez de courage pour demander à Carlos de ne pas toucher à ses affaires, celui-ci se contenta de hausser les épaules et d'annoncer que le loyer augmenterait en septembre.

Mercer décida de fermer sa porte à clé le matin et de se rendre à la grande bibliothèque de la 42e Rue, où vous pouviez emprunter n'importe lequel des trois millions de volumes conservés au sous-sol. Il s'asseyait le dos tourné à l'horloge, sous une bouche de ventilation qui soufflait des rafales fraîches comme une plaque de marbre. Une femme négligée en mitaines s'installait non loin, et remplissait des rames de papier de mots, cinq ou six par page, en lettres gigantesques, si grosses que Mercer parvenait difficilement à les lire. S'il parvenait au moins à remplir une page de mots, les siens, en lettres de taille normale, la journée était réussie. Après tout, Flaubert avait besoin d'une semaine pour obtenir le même résultat. À l'en croire, bien entendu. L'après-midi, il prenait des notes pour le travail du lendemain et, au nom de la recherche, se plongeait dans *Le Rouge et le Noir, L'Éducation sentimentale*, et grignotait les côtés de Combray.

Ensuite, pour économiser le prix du métro (et reculer le moment de retrouver Carlos et la chaleur humide de l'Avenue B), il marchait. Manhattan se révélait bâtie sur une série de collines à peine perceptibles. Tous les sept cents mètres environ, on s'élevait un peu et elle offrait alors une perspective d'intersections, une mer couleur chair. Les croisements les plus encombrés – 7e Avenue et 14e Rue, 6e Avenue et 8e – devenaient des zones de chalandise pour les mendiants, les vendeurs de rue, et les femmes caribéennes comme celle qui, dans l'autobus, tendait de petits tracts, aux faux airs de menus, dans lesquels Mercer apprenait que la fin était proche, que seul le criss le sauverait. À mesure qu'il descendait vers le sud, l'impiété gagnait la ville. Il lui arrivait même de voir des hommes se tenir la main, comme s'ils mettaient quiconque au défi de dire quelque chose. C'était fascinant – d'un point de vue anthropologique – de les voir cohabiter avec les flics qui réglaient la circulation et les prêcheurs de rue, dans des mondes qui se chevauchaient en réussissant à ne jamais se toucher. Et de temps à autre, quelqu'un devait se demander à quel monde Mercer appartenait car il se sentait lui aussi devenir un objet de curiosité. Il s'était retourné et avait vu un Latino en jean blanc l'admirer sans détour depuis le trottoir d'en face, ou un homme plus âgé vêtu de tweed l'observer depuis une terrasse de café, sa cigarette flottant comme un sémaphore paresseux. C'était Mercer qui baissait les yeux. Mais ce geste semblait revêtir également un autre sens : une fois ou deux il sentit qu'on le suivait, sans savoir s'il avait donné un signe d'encouragement, fût-ce par accident.

Un soir menaçant, au mois d'août, sous les premiers nuages électriques depuis des semaines, il traînait dans le labyrinthe où la 4e Rue Ouest traversait la 11e Rue Ouest, absorbé par la pensée de ne pas se laisser absorber par tout ça, quand il sentit une main sur son épaule. En se retournant, il vit un type blanc ébouriffé qui lui souriait. « Hé, vous avez fait tomber quelque chose. » Avec ses cheveux noirs et ses traits de lynx, la clavicule blanche visible entre les revers de son blouson de cuir, il était… on ne dirait pas d'une beauté classique, mais saisissante. D'une main il tenait un étui à guitare ; de l'autre, un crayon jaune dont il dirigeait la gomme vers lui. Il fallut une minute à Mercer pour recadrer la situation. « Oh, dit-il en prenant le crayon.

Merci. » Et il jeta un autre regard aux yeux couleur d'orage avant de tourner les talons.

Il se demandait à présent s'il n'avait pas été injuste avec Carlos ; s'il n'avait pas simplement perdu son Waterman quelque part. Plus intimement, il se demandait si, à l'instar des protagonistes incomplets de ses lectures, les Lucien, les Julien et les Marcel, il ne s'était pas trompé sur lui-même. Et puis il se demandait s'il n'avait pas en fin de compte parfaitement compris la situation, car là-bas, à un pâté de maisons, il y avait ce petit jeune homme, qui le suivait.

Mercer se réfugia à l'intérieur d'un magasin, le souffle court. Il découvrit, à sa grande honte, que celui-ci ne vendait que des sex toys. Sur une étagère de livres il saisit un titre littérairement plausible – *Pour qui saille le gland* – et attendit près de la vitrine que passe son poursuivant. À présent l'homme semblait pressé, son étui à guitare à la traîne derrière lui. Curieuse déception, il ne jeta pas même un regard vers la boutique. Sans réfléchir à ce qu'il faisait, Mercer reposa la littérature érotique et ressortit aussitôt pour suivre l'homme en direction de l'est et des rues désignées par une lettre comme s'il courait après quelque chose qu'il était impatient de découvrir.

À l'entrée de Tompkins Square Park, cependant, sa proie se volatilisa. Les sentiers sous les arbres étaient encombrés de jeunes, filles et garçons blancs en tee-shirt douteux et coiffures hirsutes. Il se frayait un chemin (*Pardon, Excusez-moi*) quand un hurlement métallique l'assourdit. De toutes parts, des bras s'élevèrent dans l'air verdâtre, comme pour faire venir l'orage. Et ce fut la déflagration.

Dans une trouée au pied d'un réverbère, un garçon défonçait sa batterie, minuscule à côté des enceintes. Un Latino à forte carrure, dans un uniforme d'infirmière sexy, était penché au-dessus d'un petit orgue électrique. Un chanteur torse nu – un crieur, plutôt – touchait à peine la guitare pendue à son cou. Ses tatouages gonflaient et tressautaient tandis qu'il hurlait dans un mégaphone son étrange manifeste. *Connecticut*, semblait-il dire. *Connecticut. Connecticut.* Les nappes de sons, qui le noyaient presque, venaient cependant de l'autre guitariste, le poursuivant de Mercer, qui tendait le cou vers le bouillonnement de nuages, exposant les tendons d'une gorge blanche étonnée, crayeuse. Tandis qu'il agitait sa guitare en tous sens, les jeunes autour de Mercer se bousculaient, faisaient des bonds sur place.

— Qu'est-ce que c'est ? demanda-t-il à un type aux cheveux verts en plein pogo à côté de lui.

Mais si réponse il y eut, elle resta inaudible.

Il y aurait cinq autres chansons ce jour-là (les cinq dernières, en fait, que jouerait Ex Post Facto en tant que tel). Puis le ciel se couvrit de zébrures blanches, il se déchira et la pluie commença, une véritable apocalypse de cinq heures du soir, et quand la guitare cessa de jouer, la cohésion ou la pression qui maintenait le groupe se dissipa. Les jeunes coururent s'abriter sous les arbres. Mercer s'y réfugia avec eux, en s'efforçant de voir à travers les vapeurs qui montaient du trottoir ce qui se passait dans la clairière. Le drag-queen dépenaillé avait déjà commencé à replier son orgue, à enrouler les câbles orange. Le chanteur continuait à hurler dans son mégaphone, mais on l'entendait à peine au-dessus du fracas de l'averse. Arrivèrent alors les gyrophares de la police. Mercer regarda le chanteur se plaquer jusque sous le nez d'un policier, comme un entraîneur de baseball poitrine contre poitrine avec l'arbitre. Il vit l'autre guitariste appuyé à un arbre, l'étui à la main. Les jeunes tout près de lui étaient trop intimidés pour l'approcher, même s'ils en avaient clairement envie. Quel effet cela ferait-il, se demanda Mercer, d'exercer ce genre de pouvoir ? Encore que, si ce don vous était accordé, vous n'en sauriez peut-être rien. Il avança un peu.

— Je voulais vous dire que c'était… C'était vraiment quelque chose.

— Hé, l'Homme au Crayon ! Je savais pas que t'étais un fan.

Un hochement de tête, cela comptait-il pour un mensonge ?

— Comment tu l'aurais su ?

— Bon, j'espère que tu as eu ton compte, car c'est fini pour vous autres, plus de Billy Three-Sticks. Je suis juste sorti de ma retraite à cause de Nastanovich.

Nastanovich, apparemment, avait été leur bassiste, du moins jusqu'à son overdose. Ce concert d'adieu avait servi à réunir l'argent pour payer les pompes funèbres.

— Je suis désolé.

Le type regarda ailleurs.

— Qu'est-ce qu'on peut y faire ?

— Mais Billy Three-Sticks… c'est toi ?

— C'est mon identité secrète. Un *nom de plume**.

— *De guerre**, tu veux dire. *De plume**, c'est pour les écrivains.

Le front du guitariste se plissa. Puis il posa son étui à guitare et, de quelque repli dans son blouson, il extirpa une flasque.

— En fait, je m'appelle William. T'as soif ?

Au risque de paraître prude, Mercer répondit qu'il ne buvait pas. Ou, en y repensant, la pruderie pouvait peut-être servir à donner un coup de frein à ce qui se profilait. Mais William dit simplement :

— Et tu ne manges pas non plus ? Parce que pour la meilleure pizza de la ville, c'est juste au coin de la rue.

Dans son autre vie, William était un artiste, un peintre, et quand il apprit que Mercer était nouveau venu dans la ville, il lui proposa de l'emmener faire un tour du Metropolitan Museum dès ce week-end – si Mercer était libre, bien entendu.

— Quand j'étais au lycée, j'y passais pratiquement tous mes étés, lui expliqua-t-il en le précédant vers le guichet.

Les deux dollars de donation que suggérait la pancarte laisseraient Mercer sans le sou pour la journée, mais William se contenta de tendre une pièce de dix cents et du regard incita Mercer à l'imiter ; il obéit, un peu coupable.

— Tu as grandi à New York ?

— Plus ou moins, dit William, jusqu'à ce qu'on m'envoie en pension.

— Je commence à enseigner à l'école de filles Wenceslas-Mockingbird, dans deux semaines. Mon premier vrai travail, à moins de compter mon job de cuisinier.

Mais tandis qu'ils se promenaient de salles en salles, les rôles s'inversèrent, William endossant celui du professeur, improvisant sur les tableaux accrochés aux murs et le contexte qui, selon lui, les avait engendrés. Si Mercer s'était laissé bercer d'illusions, il aurait cru que *William* cherchait à l'impressionner, *lui*.

— Regarde, dit-il en s'arrêtant devant un tableau de la Renaissance.

— Oui, Jacob et l'ange. À l'église où allait ma mère, il occupait tout un vitrail.

— Mais ça.

William pointait le doigt sur un détail incongru. La jambe musclée de l'ange était peinte de façon réaliste, subtilement tridimensionnelle, alors que la tunique dans laquelle elle disparaissait était grossièrement géométrique, davantage l'image du vêtement que la chose elle-même.

— Toute l'histoire de la peinture occidentale est résumée là. L'effort déployé pour obtenir une représentation exacte. Seulement, quand on développe un langage afin de rendre de manière rigoureuse des formes à trois dimensions dans un espace en deux dimensions, que se passe-t-il ? On s'éloigne plus que jamais de la vérité. La tunique peut sembler moins réaliste que la main, mais au moins elle avoue franchement son statut de représentation. Et naturellement, les deux choses sont au service d'un conte de fées. La vieille théorie de Nicolas de Cues.

Quelque chose frémit au fond de Mercer.

— Rappelle-moi…

— Nicolas, c'est ce moine qui a montré que, si on augmente le nombre de côtés dans un polygone régulier inscrit dans un cercle, il finit par ressembler à un cercle. Mais par définition, il devient de moins en moins un cercle, car le cercle n'a qu'un seul côté.

William sortit un bonbon de son papier et le mit dans sa bouche.

— Ou peut-être aucun côté, je ne me souviens plus.

— C'est une sorte de paradoxe ?

— Tout dépend si tu souscris à la solution de Nicolas.

— Qui est ?

William se tenait tout près de lui maintenant, tous les deux continuaient pourtant à regarder le tableau, et Mercer sentait l'odeur de sueur, de cuir, et de ce qui était soit du caramel soit du rhum.

— Nicolas dit qu'il n'est possible de combler la distance entre les deux que par la croyance. Un acte de foi.

Il posa un doigt sur le tableau.

— Hé, j'ai touché un chef-d'œuvre !

Ce serait toujours là où William excellerait, l'examen des idées, des mouvements et des choses, cette matrice dans laquelle le très abstrait et le très concret composaient la culture. Chez Mercer, la culture, formée d'abord dans la Bibliothèque Publique d'Ogeechee et ensuite auprès du Dr Runcible, était essentiellement nostalgique : la grandeur avait cessé de se manifester dans les arts à peu près à l'époque où son père était parti lutter à mains nues contre Hitler. William lui ferait connaître Schoenberg et La Monte Young, le situationnisme, l'art tribal de l'Afrique occidentale et Fluxus. Pour le moment, tandis qu'ils mangeaient des hot-dogs sur un banc derrière le musée, il brodait sur « Notes sur le "Camp" » de Susan Sontag et sur les mérites artistiques des graffitis qui semblaient vouloir engloutir les réverbères et les poubelles de New York. Sur le grand tapis vert de Central Park, des cercles bruns commençaient à s'étendre telles des brûlures de cigarettes. Les immeubles d'en face disparaissaient dans la brume d'août. Quelque part, une trompette jouait un air de Harold Arlen – et non de Hoagy Carmichael, comme le disait William, mais Mercer ne le corrigea pas. Il était si facile de rester sur le siège passager, de se laisser conduire là où William voulait aller. De lâcher prise, pour ainsi dire, tandis qu'il analysait les idées qui avaient animé son groupe, bien avant que ça devienne l'enfer. Plus récemment (toutes choses étant de valeur égale, selon Sontag) les goûts de William, expliquait-il, le portaient vers le disco et le reggae. Le punk rock était franchement trop blanc. Ces termes génériques ne signifiaient rien pour Mercer, mais il savait que cette dernière remarque lui était destinée. Il regarda William émietter son petit pain pour nourrir un pigeon. Il regarda un jeune étudiant, vingt et un, vingt-deux ans, draguer une femme plus âgée. Il regarda le soleil sortir d'un nuage, les branches des ormes levées comme des bras de danseurs, et les étoffes vertes qu'elles présentaient au vent. Visions fortuites que tout ça, bien sûr, mais c'était là ce que cette ville, à la différence des romans, dispensait : non pas ce dont on avait besoin pour vivre, mais ce qui avant tout donnait une valeur à la vie.

Vint l'automne, qui chassa la puanteur des trottoirs. Le crissement des sycomores à l'agonie diminuait les bruits de la circulation. Vers la fin du mois de septembre, des guirlandes précoces émaillaient le sol, si bien qu'en plissant les yeux on pouvait presque voir à la place des trottoirs des étendues d'herbe roussie et s'imaginer en barde errant. Ou peut-être était-ce Walt Whitman qui répandait sa sève au-delà des limites étroites d'une journée d'école ; Mercer guidait ses élèves à travers « Chant de la grand-route ». Il se surprit à aimer son travail – à aimer ces filles dotées de prénoms qui auraient pu être des noms, leurs appareils dentaires et leurs genoux osseux, le chewing-gum qui ne masquait pas tout à fait l'odeur du tabac interdit. Il ne s'offusquait pas quand elles rougissaient lorsqu'il les invitait à s'exprimer ; ce n'était pas parce qu'il était un homme, ou noir, se disait-il, mais parce qu'il isolait l'une d'entre elles du troupeau. Il s'efforçait de le faire avec douceur, et équitablement, d'user du pouvoir contre lequel le Dr Runcible l'avait mis en garde, dans l'intérêt du bien plutôt que du mal. Il aimait leur façon de chercher à cacher sous des airs de sophistication l'angoisse que celui-ci malgré tout suscitait. Et il aimait leur façon de déborder, à l'intérieur de la sécurité qu'offrait le groupe, en lui posant des questions délicates avec des accents maternels. Est-ce qu'il était bien installé ? Est-ce qu'il se faisait la cuisine ? Il se reconnaissait dans leur respect des convenances. Et surtout, il aimait la chance qu'il pouvait offrir à chacune de « ses filles » (comme il les considérait) de développer un moi plus large, plus libre – un moi qui lisait Cervantès et Aphra Behn, qui pouvait réciter par cœur les sonnets de John Donne. Il était comme un chef offrant des plats nouveaux et fabuleux, des homards d'intelligence, des figues de sensibilité, tous ces goûts qui l'avaient libéré d'Altana.

Quand la cloche de quinze heures avait sonné et que sa dernière retardataire était partie un peu à contrecœur pour son entraînement de hockey, il refermait le cartable en cuir italien qu'il s'était offert en piochant dans son premier salaire – une folie – et il se dirigeait vers les rues bordées d'immeubles en grès brun au nord de Washington Square. C'était une autre de ses prédilections : la proximité du frisson que provoquait l'accomplissement. Les jours s'achevaient plus tôt et dans la lumière atténuée, à travers les rideaux d'arbres, il apercevait des intérieurs comme il n'en avait jamais vu. Chante, Muse, les plafonds moulés et les bibliothèques pleines à craquer de volumes reliés ! Chante les fauteuils tapissés de rouge, les commodes laquées comme des miroirs et les ombres élégantes des palmiers en pots ! Chante le lustre tout en bois de cerfs ! Ce qui ressemble bien à un authentique Matisse, au mur au-dessus de la cheminée !

Bien sûr il n'avait pas divulgué encore à William son intention de devenir un grand écrivain. À quoi bon ? Ils étaient, après tout, de simples amis qui, selon le modèle cosmopolite, ne se devaient ni explication ni justification. Après une soirée au restaurant chinois et quelques verres, une fête dans un loft et quelques verres, ou rien que des verres (ceux de Mercer toujours vierges), ils se retrouvaient en haut d'une volée d'escalier de métro et Mercer évoquait la pile de copies qui l'attendait à Alphabet City, après quoi il tendait une main amicale en s'efforçant de ne pas imaginer où William qui n'avait pas toutes ces copies (Mercer non plus la moitié du temps) allait passer le reste de la nuit.

Même s'il avait vraiment des copies à corriger, Mercer les oubliait souvent et rêvait jusque tard dans la nuit. Car les rêves étaient inoffensifs, comme les identités secrètes, les domaines bien circonscrits et les compartiments étanches étaient inoffensifs. Il limitait son amitié avec William à l'ouest de Broadway et au sud de Houston Street, sûr qu'aucun collègue ne l'y surprendrait. Il ignorait exactement pourquoi, mais pendant trois mois somptueux – un automne qui mûrissait et rougissait comme une pomme de concours agricole – il eut une vie plus ou moins facile. Le week-end, quand sa mère appelait, il devait se forcer pour ne pas faire étalage de sa bonne fortune.

Et puis un soir, à la fin du semestre, juste avant de rentrer pour les vacances de Noël, il se retrouva à la sortie du cinéma après un film sous-titré dans un quartier qu'il connaissait à peine. Ou une *projection*, pour emprunter le mot de William qui se balançait sur ses pieds au rythme d'un métronome intérieur, et souriait en direction d'une lune ovoïde.

— La vache ! T'as pas l'impression qu'on vient enfin de t'apprendre à *voir* ? Quand elle lance le pot de fraises contre la porte... J'ai l'impression d'être obligé de tenir ma tête bien droite pour que rien de ce que j'ai vu ne déborde.

En disant cela, il cherchait à deviner la réaction de Mercer. Ils se connaissaient depuis seulement quinze semaines et demie, mais déjà Mercer avait endossé le rôle de l'hétéro. Il soupçonnait que William s'amusait de sa timidité, de sa corruptibilité potentielle, de son malaise face à ses propres instincts. Au milieu de la séance, sa main s'était posée une minute entière sur le pantalon en velours de Mercer, à quelques centimètres de son entre-jambe, et Mercer se sentait maintenant excité, étourdi et un peu dangereux lui-même.

— Je l'aurais écrit autrement, dit-il. Où est l'intrigue ? Je crois avoir piqué du nez une fois ou deux.

— L'intrigue est secondaire. Ces fraises !

— Ouais. Je devais être en train de dormir.

— Espèce de philistin ! fit William en lui donnant un violent coup de poing dans le bras. Je suis horrifié.

— Justement, le cinéma propose-t-il de rembourser ? Je vais peut-être aller leur demander.

Mais William le rattrapa au moment où il faisait mine de rebrousser che-min et l'entraîna dans une porte cochère, une main sur chaque bras. Il y avait de l'alcool dans sa bouche – provenant sans doute de son soda – et Mercer le sentit passer dans la sienne. Combien de fois, des années plus tard, retrouverait-il ce goût, la chaleur des mains de William, le frottement de leurs poils dans le noir ! C'était pour cette raison-là, bien sûr, que la ville l'avait appelé. Ou William. Et déjà, dès le mois de décembre 1975, il avait cessé de vouloir distinguer l'une de l'autre.

21

L E CONCEPT, À L'ORIGINE, était une formation de quatre musiciens. Venus à l'orgue et aux costumes; Big Mike à la batterie; Billy Three-Sticks à la guitare, au chant, à la direction artistique et à la presque totalité de l'écriture; et Nastanovich, qui n'avait jamais touché une basse avant 1973, fournissait le loft pour les répétitions. Mais quand Nastanovich perdit son travail et dut retourner habiter chez sa mère dans le Queens, ils ne disposèrent plus de lieu où jouer. Pour William, pas question d'inviter ces mecs à Hell's Kitchen pour qu'ils se moquent de ses peintures invendues et créent des embrouilles avec les Angels du sixième étage. Et puis, cet été-là, lors de la soirée de lancement de l'album, un jeune vint se présenter comme un fan. Il avait entendu dire qu'ils cherchaient un espace où répéter. Eh bien, la maison où il habitait disposait d'une cabane à outils qui ne servait à personne. C'était juste à côté de la station 2ᵉ Avenue de la ligne F. Est-ce que cela les intéressait?

La solution paraissait toute trouvée et le môme avait commencé par se montrer plein de sollicitude (encore que son pseudo – Nicky Chaos – eût dû leur mettre la puce à l'oreille). Il avait emprunté une sono pour brancher leurs instruments, et même un quatre-pistes, pour le cas où ils auraient eu envie d'enregistrer quelque chose, et il avait amené un de ses amis, un nommé Solomon, un laveur de vitres ayant passé quelques années dans un lycée professionnel, pour s'occuper du son. Nicky observa chaque session, sans ciller, perché telle une gargouille sur un ampli. Au bout d'environ un mois, il commença à proposer des critiques constructives, puis de simples critiques. La voix chantée de William, dit-il, était trop anglophile pour être réellement révolutionnaire. Trop Mockney. Voilà comment il s'y prendrait. Il descendit de son ampli pour s'emparer du micro et, si les cris produits alors évoquaient un porc qu'on saignait, force était de constater que le mec connaissait toutes les paroles par cœur.

Il n'avait pas tardé à s'insinuer dans le groupe en tant que second guitariste. Mais voilà, il y avait un problème quand on montait une formation sur un modèle non hiérarchique : même si ses membres avaient été en position de dire non à Nicky Chaos, ce qui n'était pas le cas, qui pouvait parler au nom du groupe ?

Maintenant, quand Nicky devenait trop autoritaire ou caractériel, ou quand William en avait juste marre d'entendre sa voix, il allait chez le disquaire de Bleecker pour se rappeler pourquoi, au juste, Venus et lui avaient commencé à jouer ensemble.

Les vendeurs étaient toujours heureux de le voir. Ce n'était peut-être pas étranger à une activité parallèle que William exerçait à cette époque, 1973, 1974, à savoir revendre de petites quantités de cocaïne à divers amis et connaissances, sans exclure les employés du magasin. *Passe-temps* convenait sans doute mieux qu'*activité parallèle*. Il ne le faisait pas pour l'argent – sa rente lui suffisait encore largement pour vivre à ce moment-là – mais dans une sorte de perspective philanthropique, sa petite contribution à la lutte contre les obstacles qui empêchaient toujours de trouver de la bonne drogue, parce que, selon lui, on récoltait ce qu'on semait. Et de toute façon, il était en position de le faire. Une de ses conquêtes du nord de la ville était devenue dealer et, même quand ils avaient cessé de baiser, accordait à William un rabais qui lui permettait d'acheter des doses de taille familiale qu'il pouvait ensuite distribuer comme le Père Noël aux Enfants Sages. Il aimait la manière dont les portes s'ouvraient pour lui, dont les gens semblaient heureux de le voir, non parce qu'il était William Hamilton-Sweeney III, l'héritier prodigue, ou Billy Three-Sticks, vedette du groupe légendaire Ex Post Facto, mais, croyait-il, parce qu'il était lui-même.

Quant à la coke *elle*-même, elle le rendait drôle et beau, mais il possédait déjà ces qualités, il pouvait donc prendre et laisser. Il s'abstenait généralement du dimanche au mercredi, et ne se défonçait jamais avant de peindre. Il lui arrivait d'arrêter tôt à l'approche du week-end pour se faire une ligne avant l'heure de l'apéritif, d'entamer sa provision lors d'un rendez-vous qui commençait à tirer en longueur, ou avant une tournée dans les bars du Village, ou à Grand Central pour draguer dans les toilettes pour hommes, en souvenir du bon vieux temps, mais ça s'arrêtait à peu près là. La coke, c'était comme le parti démocrate : il y adhérait pour le principe, mais ça ne lui parlait pas plus que ça.

Mais, après son premier fix d'héroïne, dans le bureau mansardé du directeur de ce magasin de disques, il avait passé le reste de la semaine à calculer comment s'éclipser au plus tôt pour se noyer en lui-même, dans la blancheur exquise de cette toile, de nouveau.

C'était à l'automne 1974, un jour torride de septembre. Il avait des 45 tours avec lui, qu'il voulait laisser en dépôt au magasin. « Kunneqtiqut » et, en face B, « City on Fire ! ». Ils les avaient enregistrés pour préparer le deuxième album, quand le territoire de Nicky se limitait encore à son perchoir sur l'amplificateur. Il semblait à présent que le disque s'engageait dans une direction différente, ou du moins qu'il faudrait un certain temps avant que William puisse reprendre le gouvernail, il avait donc payé pour presser les morceaux sur dix-huit centimètres. Avant de les donner au vendeur, il posa un sachet de coke dans le trou au milieu de la pile. Le type attendit que le petit sachet thermocollé soit dans sa poche pour dire à William qu'il n'avait pas l'argent.

Pas de problème, dit William. Considère ça comme une gratification.

— Je veux dire, je sais, le tiroir est plein de liquide, mais je ne peux pas y toucher, mec. J'ai déjà été viré cinq fois. Mais si tu peux monter une seconde, on peut trouver un arrangement ?

Le ventilateur tournait hypnotiquement au plafond et la porte sur la rue était ouverte, cadre de lumière verte et circulation en bruit de fond.

— Tu surveilles la caisse, mon chou ? dit le vendeur.

La seule autre personne ici était la fille potelée en salopette et bain de soleil qui examinait les étagères de fanzines près de la porte. William l'avait-il déjà vue quelque part ? Mais son ami l'entraînait déjà là-haut, dans un bureau minuscule au plafond en pente d'un côté, sous une autre volée d'escalier. De vieilles affiches de concert se décollaient du mur, un coffre-fort était posé sur une stéréo, il y avait un canapé pour deux et de grosses enceintes sans façade. On entendait courir les gosses des voisins du dessus, comme des chaussures brimbalant dans un sèche-linge. L'ami remplaça le disque de reggae sur la platine (« Je déteste cette merde. C'est la merde du proprio ») par un disque pirate à étiquette blanche. Il sortit ensuite d'un tiroir un minuscule paquet de ce qui ressemblait à du sable.

— Brown sugar, mon pote. Une petite faveur en retour.

Arrivé là, William suait à grosses gouttes. Il n'y avait pas de ventilateur là-haut, et l'unique fenêtre, découpée dans un puits d'aération, jaunie par la fumée, formait un écran opaque. Il avait observé les junkies sous les voies du métro aérien sur la 125e, défoncés sur le perron devant son immeuble, et à ce moment-là, il n'y avait chez lui aucun goût pour l'autodestruction. Il aurait dû dire : *Non merci*, et tourner les talons. Rentrer à Hell's Kitchen et travailler encore deux heures sur sa toile. D'un autre côté, n'était-ce pas la vie, aussi, qui cherchait à lui dire quelque chose ? Et son travail, en tant qu'artiste, était-il de rester sourd au message ? Il fit : D'accord, génial, et l'ami – ou était-ce une connaissance, plutôt ? – l'arrêta :

— Hé ! Attends attends attends attends attends. Tu veux pas essayer tout de suite ?

William sortit sa lame et chercha une surface sur laquelle découper quelques lignes, mais le type encore une fois – William commençait maintenant à se demander si même il lui *plaisait* – l'arrêta.

— Non non non non, mec, dit-il comme si William était un enfant qui jouait avec une bombe d'insecticide. Ça c'est du caviar. Faut te l'injecter.

Tandis que le type lui faisait un garrot, William détourna la tête. Sa peur des piqûres, étant petit, était légendaire. Chaque fois que Regan racontait l'épisode de son vaccin antitétanique, le nombre d'infirmières réunies pour aider Maman à le maintenir augmentait. Il semblait pourtant que la peur n'était que le masque présenté par la fascination afin de se dissimuler à elle-même. Du moins était-il maintenant fasciné, un peu excité sexuellement, comme s'il découvrait là ce qu'il cherchait ces derniers mois, à mesure que les perspectives du groupe s'obscurcissaient. *La chose distinguée.* D'où lui était venue cette phrase ? La drogue en train de cuire dégageait une odeur pareille à celle des cheveux ou du maïs brûlé, ou à la roulette du dentiste, âcre et douce à la fois. Il sentit la main sur son bras et un petit pincement accusateur.

— Du calme, frère. Tu t'agites.

— Je ne sens rien, dit-il.

Et il plongea alors, bras en avant, dans un bain à température du corps, en se demandant dans l'indifférence, quand il y fut jusqu'à la taille, s'il allait jouir dans son pantalon. En travelling arrière, son visage s'éloignait de quoi, son âme, qui s'enfonçait dans la chaleur, qui était le séjour de Dieu. Et cela n'avait commencé que depuis dix secondes. Il sentit sa mâchoire tomber sur sa poitrine, là où elle était clairement censée être.

Excellent. C'est pas excellent ? La voix lui parvenait de loin, de très loin.

Il entendit une autre voix, plus basse que la sienne d'une octave, une belle voix riche, ronronner « Excellent ». Il n'eut qu'une perception vague de la première voix, porteuse d'aucun ronronnement, d'aucune mâchoire, défaisant son garrot et disant à William qu'il pouvait rester le temps qu'il voulait, alors que ce qu'il voulait vraiment c'était savoir si on pouvait se défoncer davantage.

Le son des haut-parleurs grimpait, grimpait. Le disque lui parlait de Cortés le conquistador, le tueur, et c'était angélique, de gros nuages de guitare cuivrés voguant tels des galions vers les hauteurs d'où William, nu comme un ver, caressé par une douce brise virginale, contemplait les trottoirs et les poubelles dehors. Il y avait quelque chose d'infiniment triste, et donc d'infiniment beau, dans ces vaisseaux, dans cette mer verte, dans ce coucher de soleil tropical et ces petites particules de cendre accrochées aux poils du tapis. Il avait envie de peindre la poussière grise, le vert distingué. Cette *chose distinguée*, bien sûr, c'était la mort, la Mort quittait déjà le rivage où elle avait emporté sa mère, mais si ça ressemblait à ça, alors comme disait Nicky: *Qu'est-ce qu'on en a à foutre?* Les vaisseaux étaient trop éloignés désormais pour lui faire du mal et il vit encore, nu sous son masque de squelette, quelqu'un venir puis s'en aller et les canons scintillants sur les collines comme des perles de salive sur un accoudoir. C'est à peine s'il parvint à replacer l'aiguille au début de la plage et puis, au bout d'un moment, ce fut inutile. La musique était à l'intérieur. Il s'était insinué dans le haut-parleur.

22

AU COURS DE CES PREMIÈRES SEMAINES DE PSYCHOTHÉRAPIE, Charlie avait pris le LIRR. Mais il était toujours en retard ; invariablement, son train se trouvait bloqué dans le tunnel de l'East River. Il ne savait jamais combien de temps, à moins d'interroger les autres passagers – la montre de son père était toujours enfermée dans un boîtier en forme de cercueil dans son tiroir de sous-vêtements – et ils commençaient déjà à le regarder bizarrement parce qu'ils entendaient son fredonnement nerveux. Les regards accentuaient sa nervosité, et le faisaient fredonner derechef ; en sortant du métro, il remontait au pas de course les cinq pâtés de maisons et arrivait chez le docteur en sueur, hors d'haleine et suçant son inhalateur. Le Dr Altschul avait dû en parler à sa mère, car dès qu'il avait obtenu son permis de conduire, en mai, elle avait insisté pour qu'il prenne le break, comme elle avait insisté, déjà, pour qu'il aille voir un psychologue.

Le cabinet se situait sur Charles Street, dans le demi-sous-sol d'un immeuble de grès brun dont on n'aurait jamais deviné qu'il n'était pas seulement résidentiel. Même la plaque discrète sous la sonnette – *Tout rendez-vous, veuillez sonner* – ne mentionnait aucune spécialité. Sans doute pour rassurer les clients (les patients ?) pour que personne dans la salle d'attente ne sache qui vous veniez voir, qui avait besoin d'un psychologue certifié en travail de deuil ou encore des compétences de la femme du Dr Altschul (également appelée Dr Altschul, ce qui prêtait à confusion). Franchement, que ce Dr Altschul soit marié avait de quoi sidérer. C'était le genre d'homme en surpoids et affublé de seins, capable d'ôter tout caractère sexuel à une barbe. Charlie s'efforçait de mémoriser le cardigan à fermeture Éclair du jour pour voir s'il porterait le même lors de la prochaine séance. Mais dès qu'il s'asseyait, le Dr Altschul se renversait dans son grand fauteuil en cuir et posait gaiement ses mains sur sa panse avant de demander : «Alors, comment allons-nous cette semaine?» Charlie gardait toujours les siennes glissées sous ses cuisses. *Nous* allons *bien.*

Ce qui, bien sûr, ne signifiait qu'une chose : Charlie restait *dans le déni.* Depuis déjà huit ou dix semaines, il résistait à la pression des questions du Dr Altschul, à l'invitation de ces doigts de Bouddha posés à plat, jamais croisés. Il s'intéressait plutôt aux reliques sur le bureau ou les murs du psychothérapeute – diplômes, petites statuettes en bois, motifs enchevêtrés tissés dans le tapis à pompons. Il soupçonnait depuis le début que le Dr Altschul (il insistait pour que Charlie l'appelle *Bruce*) cherchait à nettoyer son crâne par le vide et d'en remplacer le contenu par autre chose. Il le devinait à sa façon d'éviter soigneusement le mot «père» et ses équivalents, ce qui bien entendu, dans l'esprit de Charlie, n'avait de cesse de ramener la personne en question au premier plan. Mais à supposer qu'ils aient raison : le conseiller scolaire, sa mère. À supposer que le père mort logé dans son crâne le rendît malade, et à supposer que le Dr Altschul parvienne à lui arracher Papa, comme une dent gâtée. Que resterait-il de Charlie dans ce cas ? Il parlait donc plutôt de l'école, de la ligue des poussins, des Sullivan et de Ziggy Stardust. Quand il se voyait proposer un «devoir» – penser à une situation où il avait peur – il racontait que sa mère l'emmenait voir un dentiste terrifiant, au trente-huitième étage du Building Hamilton-Sweeney; que le vieux Dr DeMoto lui avait un jour gratté son tartre, l'avait étalé sur un cracker et l'avait obligé à le manger; et que la fenêtre, à quelques centimètres du fauteuil, donnait sur un à-pic de deux cents mètres. Maman croyait qu'il fallait aller à Manhattan pour mieux se faire soigner. En fait, payer un psy huppé était peut-être un acte de contrition à l'égard de Papa; peut-être pensait-elle que si on avait couru à l'hôpital, en ville, après sa deuxième crise cardiaque, il serait encore en vie. «L'altitude, voilà ce qui me fait peur, avait dit Charlie. Et le feu. Et les serpents.» L'une des réponses n'était même pas vraie. Il l'avait donnée pour mettre à l'épreuve le Dr Altschul, ou pour l'égarer.

Et puis, un vendredi, un mois avant la fin de l'école, il se surprit à s'étendre avec une véhémence inattendue sur le rabbin Lindner. Encore un de ses «devoirs», «retrouver» ses sentiments quant à l'adoption.

— Étudier la Torah ira très bien pour Abe et Izz, ils ont ça dans le sang, mais franchement, j'ai parfois pitié d'eux. Ils ne savent pas ce qui les attend.

Il y eut une contraction puis un relâchement des doigts sur le cardigan, comme ceux d'un violoncelliste sur son instrument, un mouvement au coin des lèvres thérapeutiques trop rapide pour disparaître dans sa barbe.

— Selon toi, Charlie, qu'est-ce qui les attend?

— Tous ces trucs sur celui qui est votre berger, qui vous regarde... Vous et moi savons très bien que c'est des conneries, Doc. Si j'étais un bon frère, je les prendrais à part et je leur dirais.

— Tu leur dirais quoi? Si on jouait un jeu de rôles?

Charlie posa les yeux sur les bibelots panthéistes du Dr Altschul.

— Vous savez bien. On est seul. On était seul. On sera seul.

— C'est une vision du monde, que tu as là.

— Je ne dis ça que depuis, peut-être, deux mois. Ce que je ressens, c'est qu'au fond on est des extraterrestres lâchés sur une planète hostile, dont les habitants ne cessent de vouloir vous rendre dépendants d'eux. Avez-vous vu *L'homme qui venait d'ailleurs*? (Charlie avait le visage brûlant, l'asthme lui serrait la gorge.) Je vois bien que ça peut être une métaphore, mais si vous écoutez David Bowie, il pense à ce qui attend les gens dans le futur. J'essaie, moi aussi, sans doute. Parce qu'il y a deux manières d'ôter un sparadrap.

Était-ce le cardigan qui le rendait allergique? Ses motifs criards en zigzag semblaient se répandre dans toute la pièce. Et c'est alors que, profitant de ce moment de faiblesse, le docteur bondit sur lui.

— Charlie, quels souvenirs as-tu de ton père?

Tout son talent pour l'esquive l'avait abandonné.

— On dirait qu'il est mort il y a trente ans.

— C'est ce qu'on appelle une dérobade, Charlie.

— Et si je vous disais que je vous emmerde? Ça serait une dérobade?

— Ça te met en colère quand je te parle de ton père?

— Nos cinquante minutes sont-elles terminées?

— Il nous reste une demi-heure.

Charlie décida d'attendre assis, les bras croisés, la fin de la séance, mais au bout de deux minutes, le Dr Altschul proposa de la raccourcir. Il semblait éprouver un léger malaise, mais peut-être était-ce une ruse, là aussi. Ils apprenaient, bien sûr, à ne pas exprimer d'émotion. Comme Charlie se levait pour ouvrir la porte, le docteur lui dit que, cette semaine, son «devoir» serait d'*y réfléchir*. Une femme rousse dans la salle d'attente leva la tête, curieuse; *Réfléchir à quoi?* Il eut une furieuse envie de lui arracher son magazine et de le déchirer en deux. Au lieu de quoi, il répéta quelque chose qu'une fille lui avait dit à l'école: «Vous voulez ma photo?» Et il se précipita vers la porte étroite du sous-sol, en se cognant la tête à la traverse.

249

Il était midi, l'air plus chaud et plus immobile qu'à son arrivée. La pellicule de pollen vert sur les voitures entre lesquelles il avait garé le break de sa mère laissait deviner qu'elles n'avaient pas bougé depuis un certain temps. Les rues non plus n'avaient pas été balayées; des baies de mûrier pourries tombées des arbres salissaient l'asphalte comme du caca de chien. Charlie continua à marcher. À mesure que les pâtés de maisons se succédaient derrière lui et l'éloignaient du cabinet du psychologue, son indignation se mua en quelque chose de proche du plaisir. La saleté, la mort, la juste colère : tel était le monde de Charlie. Ça lui *plaisait*, les mûres qui se putréfiaient, les immeubles qui tombaient en ruine et la vitre en plastique d'une décapotable éventrée dont le tableau de bord répandait ses entrailles à l'emplacement de la radio. C'était le Dr Altschul, le dingue, tapi dans sa petite cave anale, décidé à vendre à Charlie un monde intelligible. C'était le Dr Altschul qui était dans le déni.

Sur Bleecker Street, un haut-parleur placé à la devanture d'un disquaire crachait de la musique jamaïcaine à plein volume. Il vit deux garçons en blouson de cuir, un Noir, un Blanc, qui traînaient entre des caisses d'albums. La première réaction de Charlie aurait été de passer son chemin au plus vite, mais la petite flamme de défi brûlait encore; malheur à quiconque chercherait à le faire chier. Cela dit, aucun des garçons ne le vit entrer. Ils ne traînaient pas, en fait, ils faisaient semblant de traîner, tandis que quelqu'un dont il n'avait pas remarqué la présence prenait des photos à l'autre bout du magasin.

— Bon, dit-elle. Génial. Mais vous pourriez pas éviter de regarder l'appareil, abrutis ?

La voix, il n'en fallut pas plus. C'était *elle* : la fille du stade. La coiffure avait changé, ou peut-être était-ce l'absence des écouteurs, mais ses traits étaient toujours plus grands que nature : le nez percé, la grande bouche expressive. Il parcourut quelques disques à côté. Lança quelques regards aux garçons dans la boutique. Des hommes, probablement, revêtus d'une sorte d'uniforme. Des slogans de couleurs variées couvraient leurs blousons noirs, dominés par un logo fraîchement peint au dos de chacun. Les cheveux du Blanc, coupés court, partaient dans tous les sens, comme après le passage d'une tondeuse à gazon. Le Noir portait un bonnet de laine. L'appareil les prenait occupés à contempler les collections de disques; clic, clic, un bruit de dévoration, tout du moins c'était ainsi que Charlie l'imaginait. En réalité, il était impossible de l'entendre au-dessus des basses puissantes qui résonnaient sur toutes les surfaces disponibles. Et puis le Blanc, le géant, déclara qu'il en avait assez.

— T'as fini ?

— Tu rigoles ? Tu fais ça tous les jours, Sol.

— Oui, mais pas devant un appareil photo. Tu ne nous as pas dit que ça serait aussi chiant. Et Nicky, il me tue s'il apprend ça. Plus de photos, il dit…

— Nicky, Nicky, Nicky. Pourquoi je devrais écouter quelqu'un qui refuse même de rencontrer…

— Parce que tu le poses jamais, ton putain d'appareil. De toute façon, faut que j'aille travailler.

— Bon, d'accord, dit la fille. J'ai plus de pellicule. Va te faire foutre.

Mais une fois les garçons sortis, elle dirigea son objectif sur le fatras inhérent à tout magasin de disques, les affiches sur les murs, les bâtons d'encens, le furet en cage, et cetera, et cetera. Il finit par se poser sur Charlie. L'œil que ne dissimulait pas le boîtier s'ouvrit puis se plissa, comme pour faire le point sur un souvenir.

— Hé, une minute. Je te connais. Où est-ce que je t'ai déjà vu ?

Quand il voulut parler, l'odeur lourde du patchouli devint un grattement au fond de sa gorge, enchaîna sur une quinte de toux, une respiration sifflante, et se termina enfin par l'inhalateur.

— Le stade des Vétérans, réussit-il à articuler, de petites larmes perlant aux coins de ses yeux. T'avais des écouteurs.

Et il fit le geste universel désignant les écouteurs.

— Oh, merde, c'est ça ! Et qu'est-ce que tu fais là ?

Il regarda en direction de l'endroit où avaient disparu les blousons jumeaux.

— Qu'est-ce qu'on peut bien faire ici ? Foutre le camp de Long Island !

Là-bas, sur les gradins, la fille était une lycéenne, comme Charlie ; ici, elle devenait l'émissaire d'un monde plus adulte.

— Écoute, je suis debout depuis hier matin, et j'ai besoin de caféine. Tu veux venir ?

Il se demanda si elle ne cherchait pas à l'attirer hors du magasin pour s'épargner la honte d'être vue avec lui au cas où ses amis reviendraient, mais une fois dehors elle tendit la main.

— À propos, je m'appelle Sam. C'était pas un interrogatoire de police.

— Non, je sais. C'est juste bizarre de retomber sur toi comme ça. Tu devrais pas être en cours ?

— Et toi ?

— J'avais un rendez-vous médical. Sinon, ma mère ne me laisse pas la voiture pour aller en ville.

— Ah oui, elle ne te lâche pas. Je me souviens.

Elle alluma une cigarette. Il se força à ne pas tousser.

— Mon père n'est pas mal non plus; il croit que j'avais un tournoi de volley hier soir. Il lui suffirait de décrocher le téléphone pour savoir que je n'ai jamais touché un ballon de volley de ma vie, mais ensuite il m'aurait dans les jambes et il faudrait qu'il me parle au lieu de se cacher dans son atelier. Et qui voudrait rater tout ça?

Elle disait vrai. Greenwich Village un vendredi était l'opposé de tout ce que Charlie détestait dans la banlieue. Des gens partout, des musiciens de rue, des odeurs de quinze cuisines différentes s'échappant des portes maintenues ouvertes. Dans une cafétéria enfumée, elle l'entraîna dans un box isolé près de la fenêtre et commanda deux cafés. La serveuse la regarda fixement jusqu'au moment où Sam dit:

— Quoi?

— Tu ne pourrais pas commander une salade ou quelque chose? Ça devient une habitude, Sam.

— Tu ne le regretteras pas… c'est promis.

Le café arriva dans des gobelets en carton, comme pour les inviter à dégager, mais elle prit le sien, elle souffla dessus et en but une gorgée, noir.

— Alors, quel est ton problème?

— Hein?

— Ton rendez-vous médical.

— C'est, euh… pas ce genre de médecin.

— C'est clair, si tu viens dans ce coin, et si tu conduis toi-même. C'est un psy, non? Je veux dire, tes parents divorcent, c'est quoi l'histoire?

— Mon père…

Charlie recommença à tousser. Quand il eut fini, il parla d'une voix plus calme qu'il n'aurait voulu.

— Mon père est mort en février. Juste avant notre rencontre, tu vois.

— Merde! T'aurais dû dire quelque chose. Ça va? dit-elle en posant une main sur la sienne.

Son cœur faillit cesser de battre.

— Je n'ai pas envie d'en parler.

— Ça mérite le respect. Les mecs, la plupart du temps, ils en profitent pour essayer de coucher avec toi.

Dehors, sur le trottoir, les pigeons se disputaient des miettes. Il fit semblant d'aimer le café, et au bout d'un moment le café lui plut vraiment.

— Tu dois venir souvent, tu connais les serveuses.

— Quand ma mère s'est barrée, mon père a décidé de me payer une école de riches.

Il admira sa façon de le remercier de sa confiance en lui confiant aussi quelque chose.

— Elle se trouve juste au coin. Et je commence à NYU à l'automne. Je devrais être en terminale, mais j'ai sauté une classe.

— Et tes amis, les types du magasin de disques…?

— Sol, le grand échalas, je le connais par sa petite amie, que je connais par les concerts. Je bricole un genre de petit magazine, j'essaie de décrire la scène. Mais j'ai attendu trois mois avant que ses amis me laissent les prendre en photo. L'un d'entre eux ne veut toujours pas. Ils ne sont pas faciles à approcher.

— Je voulais dire, est-ce qu'ils sont dans la même école que toi?

— L'école, c'est pas punk.

— Punk?

— Je vois, il va me falloir faire ton éducation.

Avec une cuillère, il remonta du fond de son gobelet les cristaux de sucre colorés de café pour les lécher, comme une abeille récoltant le nectar.

— Je suis très facile à éduquer.

Pour une raison ou une autre, il la fit rire:

— On t'a déjà dit que tu étais un charmeur, Charlie?

Il haussa les épaules; jamais.

— Sérieusement, Sol et ces autres types, les Post-Humanistes, leur seule idée pour changer le monde c'est de dire « non » à tout. Je ne crois pas qu'on puisse rien changer à moins d'être prêt à dire oui. Non, c'est décidé. Nous, les jeunes de Flower Hill, il faut qu'on se tienne les coudes. Je vais m'occuper de toi.

Charlie eut le sentiment qu'il y avait là quelque chose qui clochait, impliquant qu'il avait des progrès à faire. D'un autre côté, le soleil brillait, il n'était plus dans le cabinet du psy et il avait l'attention d'une jolie fille. Une fois dans la rue, ils jetèrent leurs gobelets vides dans une poubelle débordante. Charlie, qui n'avait pas l'entraînement nécessaire, ne put s'épargner la honte de provoquer la chute d'une montagne de bouteilles de soda, de journaux et de boîtes en polystyrène autour de ses chaussures Hush Puppies, mais Sam se contenta de rire, pas de cette façon hilare qui rabaisse; c'était une brise tiède qui le portait.

Sam, plantant ses doigts sur ses épaules, propulsa Charlie à l'intérieur du magasin. La caisse était placée sur une estrade près du fond. Le vendeur ressemblait à un ours et paraissait connaître Sam lui aussi. Charlie s'éloigna vers les *B* et se mit à passer en revue *Ba, Be, Bi, Bo*. La sélection Bowie était impressionnante, du moins comparée à la petite vitrine du centre commercial où il allait d'habitude. Il y avait un single de « Suffragette City » sur une galette colorée et un enregistrement live hors de prix, avec un auto-collant marqué *Import*. Il avait envie de l'examiner de plus près, mais dès qu'il vit Sam approcher, il remit le disque à sa place et en prit un autre, au hasard.

— George Benson ? Beurk !

— Quoi ? Non. C'était pour déconner.

— Bon, voilà ta première mission, si tu l'acceptes.

Elle lui donna un 45 tours.

Il y avait une platine près de la caisse où on pouvait écouter les disques avant de les acheter. Sam glissa les écouteurs sur la tête de Charlie – un geste étrangement intime –, posa la face B et l'observa tandis qu'il écoutait. Il crut d'abord que quelque chose clochait avec les écouteurs ; la musique s'élevait comme une lointaine tempête de batterie et de guitares emballées. Mais il ne tarda pas à comprendre, dans le spasme des instruments qui faisait place au chant, que c'était un style : amateur, bruyant, agressif. C'était de la colère en surchauffe au point de se métamorphoser en joie – le sentiment exact que Charlie avait éprouvé le matin en claquant la porte du docteur. Quand il leva les yeux, il vit bouger les lèvres de Sam. Il ôta les écouteurs.

— Quoi ?

— Extraordinaire, hein ?

— C'est extraordinaire. Mais je n'ai pas d'argent.

— Je te l'achète.

— Je ne peux pas te laisser faire ça.

— Bien sûr que si. Et puis, j'ai une dette envers toi.

— Pourquoi ?

— Tu as une voiture, n'est-ce pas ? Tu me ramènes chez moi.

C'est ce qu'il fit, en s'efforçant du mieux qu'il put d'enfoncer ses cassettes sous les sièges pour qu'elle ne puisse pas lire les étiquettes. Elle habitait de l'autre côté de Flower Hill, où les lotissements s'arrêtaient, dans une maison aux murs blancs derrière laquelle descendait une colline. Quand ils s'arrê-tèrent le long du trottoir, elle ne fit pas mine de sortir. De derrière leur parvint comme un vrombissement d'avion.

— Qu'est-ce que c'est ?

— Rien. C'est juste mon père. Quand il ne dort pas, il travaille.

Il sentait qu'il devait dire quelque chose, marquer la solennité du moment. Rien de romantique là-dedans, mais à bien réfléchir il n'avait pas été aussi heureux depuis avant les jumeaux.

— Bon, merci pour l'éducation.

— Oh, pas de problème.

— On pourrait peut-être se revoir ?

— Tu pourrais avoir la voiture ? On arriverait en ville comme des princes.

— Bien sûr. Ma mère ne va pratiquement nulle part ces derniers temps. Elle révise son diplôme d'agent immobilier. Et elle doit s'occuper de mes frères.

— Tu n'as pas dit que tu avais des frères.

— Des jumeaux, ouais. Des bébés.

— Tu es vraiment quelqu'un de mystérieux, Charlie. Je ne savais pas qu'il en restait dans nos banlieues.

À l'aide de son doigt, elle écrivit son numéro de téléphone dans la poussière du tableau de bord.

— Appelle-moi cette semaine, on arrangera quelque chose. Et n'oublie pas d'écouter la face A. Tu seras interrogé.

Tandis qu'elle s'éloignait sur la pelouse vers sa porte, il s'efforça de retenir les contours de son jean et la nuance exacte de ses cheveux. Brun était trop… prosaïque, d'une certaine façon. Plutôt un Life Savers caramel-rhum. Alors – il devenait débile, ou quoi ? – il fouilla sous le siège, trouva un stylo et recopia son numéro de téléphone sur le sac au papier froissé du magasin de disques. Ce soir-là, en apprivoisant les rythmes de « City on Fire ! » par Ex Post Facto, il toucherait les chiffres tracés à l'encre à peu près toutes les cinq minutes, comme pour s'assurer que le vent ne les avait pas emportés.

Pour le prophète Charlie Weisbarger, cette année-là serait celle du début du punk : 1976. Plus tard, en élargissant ses connaissances, il constaterait que d'autres années revendiquaient ce titre, 1974, 1975, les Stooges de la fin, les Ramones du début, mais au cours de ce printemps-été cette culture se manifesta à lui pour la première fois. Le vendredi et le samedi, parfois le dimanche, il allait chercher Sam chez elle ou, si elle avait passé la nuit dehors, il la retrouvait au Village. Ils glandaient, chapardaient dans les drug-stores, écrivaient au marqueur des paroles de chansons sur les planches des palissades autour des zones de démolition et discrètement prenaient des photos des jeunes en guenilles toujours plus nombreux dans les rues de Manhattan, là où le quadrillage des rues se perdait en méandres, les loqueteux et les fils de pute de déshérités. Souvent, dans son sac, elle emportait une bouteille d'alcool prise dans le placard de chez elle – c'étaient les bouteilles de sa mère ; son père préférait boire de la bière – et quand elle vit que l'asthme interdisait à Charlie de fumer de l'herbe, elle se révéla habile à lui fournir de la colle industrielle, des Quaaludes et des tranquillisants, les verts et les bleus. Ces derniers rendaient le temps élastique ; il avait le souvenir des spectacles qui s'offraient à eux sur les marches où ils se laissaient tomber, souriant à tous les freaks qui passaient par là. La Ville le réconfortait là où son Île échouait à le faire pour la simple raison qu'il lui était impossible, statistiquement, d'être plus freak que les autres. Une fois, assis par terre avec elle à l'entrée d'un glacier Carvel, il avait assisté à la parade des chapeaux bizarres, des pantalons déchirés, des bottes cosmiques, tandis que la glace au chocolat coulait sur ses doigts comme de la boue. (Sa main gauche lui avait semblé appartenir à quelqu'un d'autre – bien utile en privé, maladroite le reste du temps.) Un homosexuel vêtu d'un minishort fit entendre des claquements de langue et secoua la tête en passant devant eux, pauvres enfants perdus, et Charlie ne put s'empêcher de lancer une vanne, comme si Mickey Sullivan était encore avec lui. Mais il rétropédala lorsque Sam lui rappela le principe de solidarité des freaks.

— C'était pour moi un hommage, dit-il. De la façon dont certains blasphèmes renvoient à Dieu.

— Tu n'es pas aussi idiot que tu en as l'air, hein ? le taquina-t-elle.

Il sentit alors une bulle d'alcool tiède grandir et lui monter à la tête.

— C'est toi, l'Étudiante, qui as sauté une classe.

— Non, je suis beaucoup de choses, mais je ne suis pas aussi intelligente que toi, Charlie. Tu dois être le débile le plus intelligent que je connaisse.

Puis venaient les longues heures dans sa cafétéria, où ils essayaient de dessoûler au café avant la route du retour. Elle lui raconta que sa mère était partie avec un professeur de yoga, et il parla un peu de son adoption, et de son père.

Mais la plupart du temps, ils parlaient surtout de musique. Le punk était un dieu jaloux, qui ne tolérait pas l'existence d'autres musiques ; Charlie n'osait donc pas confier à Sam la longue affection qu'il éprouvait pour *Honky Château*, mais s'étant plongé dans les fanzines photocopiés, il était désormais en mesure de parler en connaisseur de Radio Birdman et de Teenage Jesus et des Hunger Artists, et de débattre des mérites relatifs d'Ex Post Facto et de Patti Smith. En privé, il estimait que *Horses* était sans doute le meilleur album au monde ; cette chanson, « Birdland », il avait dû l'écouter un millier de fois. Mais tout haut, il lui accordait que la mort du bassiste, et donc du groupe, donnait à *Brass Tactics* des Ex Post Facto valeur de document. Elle l'avait enregistré pour lui sur cassette et ils restaient dans la voiture près de la West Side Highway, en pleine descente de colle, baignant dans la splendeur de la musique. Il montait le volume au maximum, car il ne pouvait pas, dans sa chambre, lui donner la puissance que le morceau méritait ; sa mère était un maître dans l'art d'aller à l'encontre du but recherché. Tout le temps qu'il passait avec Sam, elle le croyait chez le psy, à la plage avec Shel Goldbarth ou en train de regarder *Les Dents de la mer* trois séances d'affilée au Hempstead Triplex. De ce fait, il ne pouvait pas s'attarder au-delà de sa permission de dix heures. Quand Sam s'apprêtait à aller au Sea of Clouds ou au CBGB, il lui fallait regagner son exil de Long Island. Il s'arrêtait à une station-service pour passer du savon sur son tee-shirt afin de couvrir l'odeur des cigarettes de Sam, pour effacer l'arrière-goût pâteux des comprimés en se gargarisant avec le bain de bouche format voyage qu'il emportait toujours avec lui. Maman ne faisait jamais de remarque sur son odeur de propreté ; elle était généralement couchée quand il rentrait. Il la soupçonnait d'éprouver un certain soulagement de le savoir aussi longtemps avec les *amis* qu'il s'était enfin trouvés, sur « ordonnance » du Dr Altschul.

Dans tout ça, cependant, une chose le préoccupait : quel bénéfice Sam en tirait-elle ? Elle avait toute cette vie nocturne à laquelle Charlie ne pouvait participer, autrement qu'en lui soutirant, au téléphone, le lendemain, tous les détails mystiques du concert auquel elle avait assisté. Elle aurait pu également traîner avec ses amis plus cool, Sol Grungy et les autres. Et pourtant, quand Charlie était là, au cours de ces longs après-midi, il n'y avait qu'elle et lui. Il n'était pas complètement con ; il savait qu'elle aimait disposer du break de la famille Weisbarger. Mais était-ce la vraie raison pour laquelle elle passait tout ce temps avec lui ? Ou bien est-ce qu'elle... *l'aimait bien*, entre autres ?

— Charlie, ce n'est pas à cause de notre dernière séance, n'est-ce pas ? Il nous faudra bien parler de ça tôt ou tard. Je suis psychothérapeute, ne l'oublie pas.

— Ça n'a aucun rapport, Bruce. C'est une décision que j'ai prise tout seul.

— Et qu'en pense ta mère ?

— Ce n'est pas elle qui vient s'asseoir ici. J'ai l'âge de penser par moi-même.

— Le but de la thérapie n'est pas réellement de te... comment disais-tu ?

— Guérir.

— Guérir. Et puis nous n'avons jamais abordé le sujet de ton deuil.

— Mais si je ne peux pas guérir, à quoi bon faire tout ça ? Ou bien vous est-il impossible d'imaginer qu'une personne puisse grandir ou changer sans l'aide d'un psy ?

Sam et lui avaient répété la scène.

— Et pourquoi la thérapie ne parvient-elle pas à rendre les gens plus heureux ? On dirait une sorte de machine perpétuelle.

— Je perçois de l'hostilité dans ta voix, Charlie, ce qui me fait penser qu'il y a là quelque chose de personnel. Si c'est le cas, tu dois savoir qu'il existe de nombreux autres psychothérapeutes avec des approches différentes. Je serais heureux de t'adresser à ma femme, en face, par exemple, ou même à un autre cabinet.

— Non, Doc. Je vous le répète. Guéri.

Le psychologue le regarda longuement. Les extrémités de ses doigts formaient une petite chaîne de montagne sur son cardigan côtelé. Charlie n'avait jamais remarqué qu'ils étaient doublement articulés.

— Eh bien, dans ce cas, je pense que nous en avons terminé. Il va me falloir cependant te compter l'heure entière.

— Envoyez la facture à ma mère.

Il quitta le cabinet et marcha vers le carrefour où Sam l'attendait, en sifflant les premières mesures de « Gloria ». La version de Patti.

23

DIFFICILE À EXPLIQUER LÀ-HAUT, dans le Nord, mais les hivers, dans le Sud, sont âpres à leur manière. À cause du climat plus doux, personne ne sait comment isoler une maison et, tandis que les jours refroidissent, la lumière baisse dans les champs ameublis et tombe derrière les pins. Entre les deux espaces, il y a comme un vide immense ; vous pourriez hurler, même les animaux ne vous entendraient pas. Et toute l'angoisse que Mercer avait connue dans son enfance revint, exacerbée, tout au long des vacances de Noël 1975. Bien que son père ne lui ait pas dit un seul mot depuis son départ pour New York, sa mère imaginait maintes excuses pour les réunir autour du fauteuil où il se confinait désormais et continuait d'agir comme si tout était normal. *Normal*, dans le cas présent, signifiait que Mama débitait ses monologues sur celle de ses amies de la paroisse qui était souffrante et sur les bienfaits que C. L. tirait de sa cure à Augusta, pendant que Mercer s'agitait sur le canapé. Il se sentait vraiment con avec sa nouvelle moustache bien taillée, ses vêtements de grand magasin. Mama ne semblait pas remarquer que son accent du Sud s'était atténué, mais P'pa, dont les yeux ne quittaient jamais l'objet qui les réunissait (repas, sapin de Noël, télévision), grimaçait osten-siblement dès que son fils prenait la parole. Quand Mercer estimait que la coupe était pleine – qu'il allait cette fois littéralement exploser en laissant des bouts de cervelle collés au papier peint –, il proposait de sortir Sally et suivait le collie arthritique dans l'herbe roussie que la lumière du porche n'éclairait pas. Chaque fois, il s'émerveillait de toutes les étoiles qu'on pouvait observer dehors, les mêmes que celles qui apparaissaient aux Grecs et aux Troyens, rappelant ainsi que vous étiez un naufragé dans une immensité absurde où personne ne connaissait votre nom.

De retour à New York, et seulement alors, il finit par respirer de nouveau. Dans l'appartement, il trouva toutes les lumières éteintes, mais il avait appris à ne pas s'en étonner. Il ne pensait pas que Carlos fût allé quelque part pendant les fêtes – il doutait même qu'il eût de la famille. En chassant la fumée devant la porte, il lança un salut. Mais le peu de sympathie qu'il éprouvait à l'égard de Carlos s'évanouit quand il rentra dans sa chambre. Un courant d'air soulevait les couvertures bleues des cahiers d'examen empilés à la tête de son matelas. Non, pas un courant d'air – les pales du ventilateur fixé au plafond. Il passa en revue ses papiers et ses vêtements en essayant de se rappeler leur disposition avant son départ. Il ressortit dans le salon, cherchant les yeux de Carlos à la lumière du dehors.

— Hé, le ventilateur est allumé dans ma chambre.

Pour toute réponse, lui parvint un bruit de succion, comme un baiser sec. Un visage apparut fugitivement, orange dans l'obscurité.

— Carlos, tu es allé dans ma chambre ?

— C'est un peu enfumé ici, parfois.

— Tu es allé dans ma chambre, Carlos ?

Mercer crut voir une lueur, un haussement d'épaules.

— Tu es bien comme ton frère, tu sais ça ?

Il tremblait presque à présent.

— Carlos, je te paie. C'est ma chambre. Tu ne peux pas aller dans ma chambre.

— Tu aurais dû voir ce vieux C. L. dans la jungle, mon pote. Sacrément nerveux.

La décision de Carlos de ne pas quitter son fauteuil révélait son intelligence tactique. Si Mercer allait lui administrer ce qu'il méritait, il finirait presque à coup sûr par se faire démolir à coups de pieds. Mais Carlos étant assis, c'est Mercer qui apparaîtrait comme l'agresseur. Il voyait les sirènes et les lumières clignotantes contre la façade de l'immeuble, il se voyait, menotté, emmené en fauteuil roulant jusqu'à une civière et placé en détention provisoire à Altana. Pour finir, il battit en retraite dans sa chambre. Il éteignit le ventilateur, tourna le dispositif sur la poignée qui permettrait de verrouiller la porte derrière lui. Demain, il trouverait le moyen de l'ouvrir ; pour l'instant, ses affaires seraient en sécurité, dans l'hypothèse où Carlos n'aurait pas l'énergie d'enfoncer la porte. Par sécurité, il glissa les quarante pages de manuscrit, inchangé depuis l'été dernier, dans son cartable en cuir italien.

— Mercer ?

Dans le rai de lumière entre le montant et la porte de son loft, William affichait un air perplexe – pas mécontent de le voir, mais pris au dépourvu. Il y avait une erreur ?

— J'ai eu une embrouille avec mon colocataire, fut la réponse contrainte de Mercer. Je me demandais si je pouvais dormir cette nuit sur ton canapé, en attendant que ça retombe.

William jeta un coup d'œil derrière lui avant d'ôter la chaîne.

— C'est un futon, et pas extraordinaire, j'en ai peur. Mais tu es le bienvenu. Comment ça s'est passé, dans le Sud ?

— Très mal.

Mais sa bouche, comme mue par une volonté propre, souriait déjà et s'approchait de celle de William. C'était comme si ce canapé, en Géorgie, avait été installé sur la trappe, soigneusement fermée, d'une cave dont l'intérieur abritait ce rêve obsédant.

— Tu m'as manqué.

— Attends d'abord d'avoir vu l'appartement.

La seule fois où Mercer était monté, le loft lui avait semblé raisonnablement propre et bien rangé (certes, William l'avait emmené dîner dehors au bout d'une minute). Là, on aurait dit qu'une tornade l'avait dévasté. Des vêtements couvraient toutes les surfaces, s'y ajoutaient des canettes de soda, des portions de riz à emporter desséchées dans des cartons, des pots laiteux où trempaient des pinceaux, des papiers de bonbons, un chariot de supermarché rempli de livres d'art, des toiles posées contre les murs. De la gueule d'un tourbillon de slips, la chatte Eartha K. observait les choses avec sérénité. Mercer fut incapable de ne pas rire.

— Dieu du ciel ! Tu es un souillon masqué.

— Quand je me mets sérieusement à peindre, je deviens un peu…

— Tu te rends compte, c'est tellement touchant que tu aies voulu me cacher ça ?

William affichait une expression penaude.

— Laisse-moi au moins m'occuper du plan de travail, William. À titre de reconnaissance.

Il s'attaquait déjà à la vaisselle quand William ouvrit une bière sortie du réfrigérateur et se laissa tomber sur le futon derrière lui, effaçant peu à peu le cauchemar de Noël. Les fêtes, pour lui, étaient passées inaperçues, expliquat-il. Ex Post Facto jouait d'habitude un concert de Nouvel An ; privé des répétitions avec le groupe, il n'avait rien fait d'autre que travailler travailler travailler.

La chaleur de l'eau sur les mains de Mercer et celle du regard dans son dos ne faisaient qu'une.

— Travailler travailler travailler, répéta-t-il. Pauvre William.

Celui-ci se leva, l'entoura de ses bras et lui prit le torchon.

— Tu es mignon, tu sais. Mais tu en as assez fait.

— Tu crois ?

Et ils se retrouvèrent aux prises sur les lattes mentholées. Plus de ceintures, plus de chemises. Les lumières s'éteignirent. Les mains palpaient la peau. Tout ce qui pouvait arriver arriva, jusqu'à l'irrévocable, mais au moment où la peur le fit reculer, Mercer était encore, techniquement, vierge.

— Tu sais ce que je préfère, demanda-t-il, pantelant (comme s'il pouvait savoir).

— Mmm.

— Juste dormir avec quelqu'un. Juste être à côté de quelqu'un quand je dors.

William sembla, sinon enchanté, du moins prêt à lui faire plaisir. Mercer, alors, se sentit plus libre de changer d'avis, et ils se retrouvèrent aux prises pour de bon, deux corps douloureusement en fusion.

Après, laissant les lumières allumées, ils s'éloignèrent en sueur vers le coin chambre. William repoussa quelques cartons du lit. Il se tourna vers le mur – ne te vexe pas, dit-il, mais pour pouvoir dormir, il devait être face à un mur. Mercer, pour sa part, resta éveillé, l'oreille tendue vers les autocars qui rétrogradaient dans la rue en dessous et les appels des putes qui travaillaient dans la bouche du Lincoln Tunnel. Il se sentit secoué, vaguement, mais il y avait aussi cette impression d'être en suspens, de n'avoir pas encore réintégré la taille, la forme et la couleur de son propre corps. De pénétrer des profondeurs dont il avait oublié la nature et qui devenaient transparentes, comme s'il pouvait atteindre leurs soubassements à la nage et toucher le substrat de sa vie. Il essaya de se retenir aux détails qui l'environnaient. Il devait y avoir une fissure dans la fenêtre au pied du lit car il s'était formé de la glace dans les coins entre les deux carreaux. À l'extérieur, les doigts dénudés d'un arbre solitaire jouaient contre le ciel pourpre. Combien de mots l'ancien Mercer aurait-il jetés à cet arbre, aux os de cet arbre, aux os noirs et mouchetés de cet arbre fouetté par le vent, et à ce ciel ? Et jusqu'où l'auraient-ils éloigné de ce qu'il ressentait encore à l'intérieur ? Voici qu'il était là, six mois après le début de sa nouvelle vie, et déjà cette créature près de lui, blanche dans la lumière du réverbère, visitée peut-être par de folles chimères, lui appartenait.

LIVRE II

Bien sûr, l'histoire insistait à sa façon, comme elle le faisait à présent en la personne de Carlos. La solution de Mercer consistait à éviter carrément Alphabet City. Il lui arrivait de passer à cinq heures du matin pour se changer avant d'aller travailler, ou parfois pas du tout. Il avait chez William un fer à repasser de voyage qui lui permettait d'éliminer les plis de ses vêtements de la veille. Il les aspergeait de quelques gouttes d'après-rasage et, traversant la ville, il allait directement enseigner. Son éducation nocturne à Hell's Kitchen se prolongeait parfois très tard, mais selon lui, d'un point de vue strictement pédagogique, les bénéfices pour sa santé mentale compensaient largement les effets de l'épuisement.

Sexuellement, William était un adepte du naturel, et préférait faire l'amour à la maison, à poil, sans accessoires, sur la surface dure du parquet du salon ou derrière la séparation du petit coin chambre. Sa seule bizarrerie, c'est qu'il voulait parfois être giflé. Enfin, ça et le miroir qu'il avait accroché de son côté du lit. Mais Mercer ne voulait pas laisser deviner que, par manque d'expérience, il ne savait pas s'il devait en retirer un certain malaise. Après, en laissant retomber la vapeur, soupirant, à vif, il examinait le reflet de son amant endormi et le comparait à l'autoportrait inachevé punaisé au mur. Dans le dessin, les cheveux étaient plus courts qu'à présent sur la tête qu'il aimait, mais les sourcils avaient la bonne épaisseur, charbon pour charbon. À tout ce que disait William, ils ajoutaient de l'intensité. Le nez : recourbé, cassé naguère, lui avait dit William, avec cette imprécision qui empêchait toujours Mercer de l'interroger. Mais là s'arrêtait le dessin. En dessous, il n'y avait qu'un espace blanc.

Une nuit au milieu du mois de février, ou plutôt à l'aube, Mercer se retrouva dans une cabine téléphonique devant une discothèque de la 3e Avenue. Il venait de glisser sa clé dans la boîte aux lettres de Carlos après avoir porté ses dernières affaires dans l'appartement de William et ils étaient sortis tard pour fêter ça. Il lui fallait maintenant expliquer à sa mère son changement d'adresse. Il comptait sur l'heure indue et sur les pulsations artérielles que la musique provoquait encore en lui pour le pousser à dire ce qu'il voulait dire. Mais le courage lui manqua dès qu'il entendit la voix de Mama, engourdie par le sommeil, comme si elle parlait à travers un bout du tissu râpeux de sa chemise de nuit.

— Non, tu ne me réveilles pas, chéri. Je m'apprêtais à préparer les petits pains.

— Quelle heure est-il là-bas ?

— La même que chez toi, Mercer, tu sais bien. Il y a un problème ?

Aucun problème, pensa-t-il. *J'ai rencontré quelqu'un. Dis-le.* Le support de l'annuaire pendait, vide, comme une main cassée. Derrière le verre nappé de lumière, les traces de doigts boutonnantes, un homme à l'allure de charognard fouillait dans un tas d'ordures.

— Mon fils ?

— C'est rien, dit-il. Pas de problème. C'est juste que je suis levé et je pensais à vous.

Au cours du silence qui suivit il se demanda ce qu'elle avait déjà deviné.

— Tu n'as pas bu d'alcool, au moins ?

Il ferma les yeux.

— Mama, tu sais bien que je ne bois pas.

— Bien, c'est gentil de penser à nous, chéri, mais est-ce que je peux te rappeler ce week-end ? Je ne voudrais pas te coûter cher…

Il avait appelé en PCV, mais la question n'était pas là. Moins d'une minute plus tard, ils se disaient adieu et raccrochaient.

Suite à quoi lui apparut une autre des qualités de William : il connaissait les limites de la parole. Comme Mercer ne sortait pas du lit le lendemain matin, il ne chercha pas à savoir pourquoi, et se contenta de poser la main entre ses omoplates.

De fait, dans leurs arrangements domestiques, ils avaient arrêté tous les choix importants sans s'abaisser à en parler. Il avait été décidé, par exemple, que William installerait son atelier dans un espace qu'il pouvait louer pour presque rien là-haut dans le Bronx. Il avait été décidé, aussi, qu'ils ne parleraient pas de la famille de William. Il n'y avait aucune photo nulle part, ni aucun signe d'une existence antérieure à ce loft et il paraissait naturel, presque, que William n'ait pas de passé. N'avait-il pas représenté pour Mercer une sorte de divinité mythologique, née tout armée d'un feu, d'un lac ou d'un front quelque part ? Et pourtant, en proportion presque exacte de ses réticences à évoquer ses propres origines, William adorait entendre parler de celles de Mercer. Après le dîner, quand il se servait quelques verres de trop de cette bouteille géante de chianti qu'il gardait à portée de main, il demandait à Mercer de laver une fois de plus le linge familial des Goodman. Il adorait tout particulièrement entendre parler des ambitions utopistes que P'pa avait rapportées de la guerre – son côté kibboutznik, comme William disait – et des luttes quasi bibliques entre P'pa et C. L.

— Tu sais, je ne m'en suis pas aperçu sur le moment, mais moi aussi j'avais mon petit caractère, confia Mercer un soir, en lavant la vaisselle.

Enfin, pas si petit.

Et il raconta à William comment il avait frappé son père infirme la veille de son départ pour New York. À cette époque, il croyait encore que la vie se déroulait selon la pyramide de Freytag, il avait pensé que cela pourrait constituer un premier tournant dans son roman.

— Et c'est pour ça qu'il ne veut plus te parler?

William avait adopté son habituelle posture postprandiale: étendu sur le futon, les mains sur sa boucle de ceinture, et la tête sur un coussin, il regardait Mercer nettoyer la kitchenette.

— Eh bien, j'imagine qu'il faut ou tout évacuer ou tout garder en soi.

Mercer se retourna, intrigué, et c'était comme si un masque avait glissé. William pensait à voix haute, il se rappelait quelque chose et, pendant quelques secondes, son visage ne sut quoi faire de sa nudité. Mercer mesura brusquement son handicap en termes d'âge, d'aisance financière, de couleur de peau et d'expérience sexuelle – ou combien il l'adorait, le désirait, avait besoin de lui. Il savait que William, pour qui avoir besoin de l'autre ne signifiait rien, aurait souhaité qu'il se sente rien de moins que son égal, mais le pouvoir existait bel et bien, il n'était pas réparti équitablement et il fallait composer avec lui. Et donc, plutôt que de demander: «Qu'est-ce que tu gardes en toi, chéri?», il s'était mordu la langue, comme un bon garçon. Et comment appeler cela, sinon de la confiance?

Il fallut attendre cet été-là, et les célébrations du bicentenaire, pour que Mercer commence à subodorer que leur compromis n'irait pas de soi. Après avoir observé les grands vaisseaux du haut du toit, ils étaient redescendus dans l'une de ces boîtes en sous-sol qui commençaient à s'ouvrir au sud d'Houston Street. La flotte était en ville, les trains remplis de marins. Mercer trouva bizarre d'aller dîner au lieu de regarder les feux d'artifice, mais l'ami qui avait choisi le restaurant avait toutes sortes de raisons de se méfier du nationalisme, expliqua William. Et qui ne s'en serait pas méfié? «Arrête un peu de vouloir être tellement *au fait**.» Il semblait sous tension, vêtu de sa veste de smoking blanche et d'un jean déchiré. Mais peut-être était-ce seulement qu'il avait déjà pas mal bu; Bullet, le Hells Angel qui vivait au-dessus d'eux, avait invité sa bande à la fête et n'avait cessé de passer des bouteilles de pur malt sur le toit.

Il était neuf heures quand ils arrivèrent au restaurant. À la porte, attendait un homme plus âgé au crâne rasé, costume en seersucker et lunettes en écaille, en compagnie d'une Asiatique, beaucoup plus jeune, qui semblait comme Mercer ne pas bien savoir ce qu'elle faisait là. Tandis que les feux d'artifice invisibles détonnaient vers l'ouest, les présentations furent semi-audibles: Bruno, Mercer; Mercer, Bruno; William... Jenny? Jenny. La femme dansait d'un pied sur l'autre sur ses talons, rêvant sans doute de ses tennis. Elle dit quelque chose à propos de la cuisine qui fermait tôt à cause des célébrations, mais Bruno connaissait le *maître d'hôtel** – mot qu'il prononça parfaitement, même en parlant fort.

C'était donc un restaurant européen, du moins l'image qu'en aurait quelqu'un qui n'a jamais voyagé en Europe : free jazz sur la stéréo, table branlante couverte de papier d'emballage, délicates petites croquettes de joues d'agneau, salle sans autre éclairage que des bougies qui réchauffaient l'air non climatisé à un degré déconcertant et faisaient rougeoyer le vin dans les verres. Comme l'établissement n'avait pas de licence pour vendre de l'alcool, William et Bruno avaient apporté chacun plusieurs bouteilles et, arrivés au plat principal, ils en étaient à la troisième. Mercer, pour ne pas passer pour un plouc, s'était autorisé un tout petit verre, et il se sentait déjà voguer sur une mer tiède, le visage tout luisant. Des rires résonnaient quelque part dans l'obscurité et il riait à son tour, sans se soucier du gag. Il avait l'impression que des scènes semblables se jouaient ailleurs dans la ville, dans d'autres petits cénacles d'expatriés réunis autour de bons plats et de bonnes bouteilles tandis que les cendres pleuvaient sur l'Hudson, que les Soviétiques agitaient leurs sabres et que, sur l'horloge de la fin du monde, des savants du Middle West faisaient avancer les aiguilles d'un cran plus près de minuit. Il suffisait que quelqu'un allonge la monnaie.

Dans leur cas, il s'agissait certainement de Bruno Augenblick. Mercer crut comprendre que Bruno était une sorte de marchand d'art, ce qui pouvait expliquer la nervosité de William, et le motif du dîner, mais entre eux la vibration n'était pas commerciale. Quoi qu'il en soit, il n'était très clairement pas hétérosexuel ; la présence de la petite jeune femme peut-être japonaise qui travaillait dans sa galerie et dont Mercer avait déjà oublié le nom semblait surtout prouver à William que Bruno, à sa manière, avait une protégée. Comme celui-ci monopolisait William, Mercer et elle se parlaient en diagonale au-dessus de la table. Il en était à sa deuxième année d'enseignement, dit-il, prudent, quand elle lui demanda ce qui l'avait amené dans notre bonne ville. Il songeait à remanier son programme à la rentrée. En tant qu'ancienne lycéenne, elle pouvait peut-être l'aider. Avait-elle lu *Les Illusions perdues* de Balzac ?

Elle avait lu des choses *dessus* à Berkeley, dit-elle en donnant toujours l'impression d'avoir envie d'être ailleurs. Balzac était-il cet écrivain que Marx admirait tant, ou était-ce l'autre ?

Mercer ne savait pas, mais *Les Illusions perdues* était un de ses livres préférés. En gros, un jeune poète provincial monte à Paris pour faire fortune et, au fil du temps, découvre qu'il s'est trompé sur toute la ligne. Tous ceux qu'il considère comme des génies sont des idiots et vice versa.

— C'est un genre éminemment français. Je travaille à le réactualiser, s'entendit-il confier. Dans l'original, le cadre historique est le second Empire, dans le mien, c'est le Vietnam.

De l'autre côté de la table, le sourire se crispa. Parce que Jenny *Nguyen* était vietnamienne, pas japonaise ! Oh, maudit, maudit soit le vin !

— Enfin, c'est encore trop tôt. Beaucoup de choses peuvent changer.

— Autobiographique ? demanda Jenny.

Il sentait le sang lui monter à la tête. Il n'avait pas eu l'intention de laisser échapper cette histoire de roman devant William.

— Oh, pas du tout, dit-il.

— C'est juste que, cette école qui consiste à dire « écrivez ce que vous connaissez »…

— Non, je tâtonne encore. Oubliez ça.

— Ça me semble pas mal, pourtant. Vous savez, je suis sûre que Bruno connaît des gens dans l'édition. Dieu sait qu'il connaît des gens partout.

— Oh, non, je ne voulais pas suggérer…

Il regarda son amant, avec gêne, mais William était toujours en pleine discussion avec Bruno. Et s'était procuré une cigarette. Mercer ne le savait pas fumeur, mais il fallait admettre qu'il avait l'air princier : il soufflait la fumée par les narines et – juste quand la longueur de la cendre devenait dangereuse – il se penchait en avant pour la faire tomber dans le goulot d'une bouteille vide. La cendre s'enfonçait dans l'opacité verte et touchait le fond comme un cheval qui plonge pour un numéro de cirque.

— Pour ma part, je nourris de grands espoirs, expliquait William (à propos de… à propos de quoi, exactement ?). L'échec est tellement plus intéressant. Tout porte à croire que Dieu considère l'humanité comme un échec. Les choses deviennent intéressantes juste au moment où elles s'effondrent.

Bruno sourit, comme s'il s'efforçait d'expliquer la morale à un petit enfant buté.

— Toi et moi sommes les seuls à pouvoir nous offrir le luxe de penser ainsi, William, parce que nos existences sont entretenues par le capital. Nous sommes comme les petits champignons sur la bûche.

Ah, oui. La crise fiscale. *FORD À LA VILLE : CRÈVE !*

— C'est exactement ce que je dis, fit William. Croître sur la pourriture.

— Métaphore grossière, d'accord. Mais soyons factuels. Prenons ton ami, celui qui a usurpé ton projet musical.

— Nicky Chaos n'a jamais été mon ami. C'était juste un mec qui traînait dans les concerts et qui, monsieur Gros Bonnet de Galeriste, nous a proposé un lieu pour répéter quand nous en avons eu besoin. Je ne savais pas qu'il allait prendre le contrôle de ce foutu groupe.

— Tu aurais dû voir venir l'insurrection. C'est le genre de bonhomme qui a toujours Nietzsche dans la poche avec un marque-page au milieu. Il t'a dit qu'il était venu me proposer de le prendre comme client ?

— Tu parles de Captain Chaos ? demanda Jenny Nguyen. Le nihiliste à qui tu ne peux pas dire non ? Je déteste avoir affaire à ce type. L'automne dernier, il a appelé tous les jours. Il m'avait l'air prêt à tout, franchement.

— Peut-être parce que le groupe s'est séparé, répondit William.

Bruno reprit :

— Il se voit comme un grand peintre qui fait aussi de la musique ; en réalité c'est un mauvais musicien qui essaie aussi de faire de la peinture. Et quel genre de peinture ? À la bombe. Pour lui, la *kulturkritik* consiste à dessiner des moustaches sur les dames du catalogue Sears. Il croit qu'une épingle à nourrice est un bijou. Il confond brutalité et beauté. C'est très américain.

— Je pense parfois qu'il essaie de devenir une version de moi, dit William.

— Une version de toi qui vaudrait de l'or.

— Ne me dis pas que tu as accepté de le représenter ! Bon Dieu, Bruno, tu me déçois.

— Comme tu t'en es rendu compte toi-même, Nicky Chaos pousse l'insistance jusqu'à l'obsession. En un sens, il est en lui-même une œuvre d'art. Ce dont il n'est certainement pas conscient, sinon il la détruirait. Non, plus précisément : un jour, je réussis à vendre la seule toile qu'il m'a montrée à une relation, un banquier. « Un investissement », je lui dis. Pour lui, ça ne fait aucune différence, mille dollars c'est une erreur d'arrondi. Mais pour Nicholas ? Il a de quoi manger pendant un an. Crois-tu que ce soit possible sans l'aide de la bourgeoisie, de tous ces enfants désemparés qui louent des maisons de grès brun et mangent de l'osso-buco ?

— Cet endroit sur la 3e Est, c'est un squat. Je suis sûr qu'il n'a jamais payé de loyer.

— Nous sommes restés des nourrissons, William. Moi aussi, naturellement. Papa et Maman n'existent peut-être pas quand nous ne les voyons plus, mais nous dépendons toujours d'eux.

— Est-ce vraiment là ta définition de ce qui est « intéressant » ?

William tenait une autre cigarette allumée. Pendant un instant, Mercer crut qu'il n'avait pas éteint la première.

— Parce que si c'est le cas, regarde comment la libre entreprise que tu chéris tant a déformé le monde. Je parle sérieusement. Quand on en arrive à remplacer nos rêves par les siens, c'est aussi efficace que n'importe quel Comité Central.

— Mais pourquoi faudrait-il choisir entre l'entreprise et le goulag ? dit Jenny, exaspérée.

Elle aurait pu mettre fin au débat en trois secondes, si les hommes s'étaient donné la peine de l'inviter à y participer. Raison pour laquelle sans doute ils ne le faisaient pas.

— Sauf que là il s'agit de rêves érotiques plutôt que de cauchemars. L'Amérique n'est pas loin du totalitarisme, Bruno. Simplement, tu aimes le parfum dont elle se drape.

— Seul un Américain peut dire une chose pareille.

— Regarde autour de toi. C'est le week-end. Comment exprimons-nous notre mécontentement à l'égard du système ? Nous allons au restaurant et râlons contre les bouchons à vis sur les bouteilles de vin. Nous sommes nous-mêmes du côté de la bourgeoisie en puissance, au cas où il arriverait quelque chose à la vraie de vraie. Ça me dégoûte de dire ça, mais là, je suis du côté de Nicky Chaos. Avoir le choix ne signifie pas la même chose qu'être libre… surtout quand on élabore les choix à votre place.

Mercer avait l'impression désagréable d'être un bon exemple. La serviette sur ses genoux était tachée comme une blouse de chirurgien. Qu'auraient pensé de tout ça les parents de ses élèves ?

— Et, William, tu préfères au bien-être général… une idée platonicienne de la liberté.

— Comment l'anarchie pourrait-elle être pire pour l'intérêt général ? Je dis : que la ville fasse banqueroute, que les immeubles s'écroulent, que l'herbe envahisse la 5ᵉ Avenue. Que les oiseaux nichent dans les vitrines, que les baleines remontent l'Hudson. Nous passerons nos matinées à chasser et nos après-midi à forniquer, la nuit nous danserons sur les toits en psalmodiant shanti shanti à la face du ciel.

— Pourquoi avoir quitté le groupe, si politiquement tu es aussi *de acuerdo* avec Nicholas ?

— Je peux le suivre sur certains points et le considérer fondamentalement comme un sociopathe.

— Dans un monde sans loi, c'est le sociopathe qui gouverne. Les Staline, Mao, tu sais bien, William.

— Et vous, Mercer, qu'en pensez-vous ? demanda alors Jenny.

Il ne savait pas si elle lui lançait une planche de salut en l'incluant dans la conversation ou si elle lui reprochait de ne pas lui faire cette politesse. Les grognements du jazz en provenance de la cuisine avaient cessé brusquement. Trois paires d'yeux se posèrent sur lui.

— Je crois que c'est sans doute vrai, répondit-il avec prudence, ce que dit Bruno, dans la mesure où j'ai bien compris. Mais ça n'en est pas moins déprimant. La raison pour laquelle en Amérique n'importe qui peut dire n'importe quoi, c'est que ça ne change rien.

Le peu de fierté que Mercer avait retiré de ce petit *aperçu** se dissipa quand il vit William et Bruno lever leurs verres et boire ; en fin de compte, il s'était trompé sur leur degré de sérieux. C'est alors que William demanda au serveur où se trouvait le *petit coin*. Le serveur présenta ses excuses ; il était en panne, on attendait le plombier.

— Eh bien, je vais devoir le faire à l'ancienne. Je vous laisse bavarder tous les trois.

Sans cesser de sourire, William gravit les marches, remontant dans un quartier de la ville que les gens désignaient comme le Far West. Abandonné, Mercer étala sa serviette. Il sentit le regard de hibou se poser sur lui.

— Alors, dit Bruno, quelle impression cela vous fait-il ?

— Tu vas être pénible comme ça toute la soirée, Bruno ? demanda Jenny. Parce que dans ce cas je préfère prendre congé.

Une autre planche de salut, comprit Mercer ; pour des motifs qu'il ne devinait pas, Jenny Nguyen lui avait tendu la perche toute la soirée.

— Tu as raison, ma chère, comme toujours. Je retire ma question.

Mercer avait pourtant envie de savoir :

— Attendez. De quoi parlez-vous ?

— Cela fait quoi d'être la dernière pièce en date dans la collection de William ?

Il regarda autour de lui, mais pour seul secours, il ne trouva que son propre visage stupéfait dont le mur couvert de miroirs lui renvoyait le reflet. Voilà pourquoi les gens fumaient des cigarettes, comprit-il à ce moment-là, ou choisissaient des lunettes ridicules. Sans accessoires, vous étiez nu.

— Tu vois ? Il n'en savait rien, dit Bruno, sans se tourner vers sa compagne, qui à ce moment précis s'intéressait ostensiblement au contenu de son sac, cherchant peut-être de quoi payer un taxi. Dois-je vous éclairer ?

Il croisa les bras. Une cigarette se consumait entre deux doigts. (Étonnant tout ce que peut révéler d'un homme sa façon de tenir une cigarette, pensa fugitivement Mercer. Bruno, comme Carlos, avait un seuil élevé de résistance à la douleur.)

— Pour autant que je sache, monsieur Goodman, vous êtes un gentleman. Mais vous devriez savoir que notre convive a pour habitude de disparaître au premier signe de complication émotionnelle. Je ne voudrais pas que vous soyez pris au dépourvu.

— Vous pensez très bien connaître William, il me semble.

— Il adore jouer à ces jeux pariant sur l'arrivée de la révolution, mais il garde en lui cette personnalité habituée à ce qu'on réponde à tous ses caprices, à ce qu'on lisse toutes les aspérités. C'est probablement d'avoir été élevé comme un prince.

— Un prince de quoi ?

— Un prince de New York, bien sûr. (Il plissa les yeux.) Vous devez savoir que notre William est ou était l'héritier de l'une des plus grosses fortunes de la ville.

C'était, se dirait Mercer plus tard, comme s'il avait découvert l'existence d'une tache de naissance que William lui aurait cachée – une tache énorme, en plein milieu du torse. Pourquoi la lui avait-on dissimulée ? (Et qui la lui avait dissimulée, en réalité ? Mercer ne pouvait prétendre n'avoir pas constaté l'élasticité des finances dont disposait son amant, des fonds surgis d'aussi loin que des sources souterraines, et peut-être aussi inépuisables, ni n'avoir pas clairement deviné que William s'était installé dans cet immeuble industriel délabré des 40ᵉ Rues Ouest, non parce qu'il était pauvre, mais par provocation.) Mais pourquoi Bruno le lui disait-il maintenant ? Il s'apprêtait à mentir et à lui répondre qu'il ne le croyait pas, quand William réapparut, en se frottant le nez à l'aide de son carré de poche.

— J'ai raté quelque chose ?

Il vit Bruno lever les doigts devant lui. *Tu es un adulte*, se rappela Mercer. Mais pourquoi l'âge adulte, cette période de la vie où vous étiez théorique-ment le plus libre de poursuivre vos désirs, semblait-il toujours exiger de vous ce genre de compromis ?

— Rien, dit-il. Tu n'as rien raté.

— Qui a encore de la place pour le dessert ? Personne ?

Bruno eut beau faire mine de la lui disputer, William finit par s'emparer de l'addition, sortant un rouleau de billets de vingt de sa poche de poitrine.

— Non, c'est pour moi.

Mercer feignit de ne pas voir le regard complice de Bruno.

Dehors, le quatuor s'étant séparé, William déclara qu'il voulait rentrer en taxi.

— C'est trop cher, lui dit Mercer. Ça ne me dérange pas de prendre le métro. Ou même de marcher, la nuit est agréable.

Ce n'était pas vrai, la chaleur était étouffante, tropicale, accablante, elle empestait la poudre des feux d'artifice à peine terminés et déjà, dans le désert humide des rues où régnait une atmosphère de fin de fête, un taxi avait surgi, grande réponse jaune à une question que Mercer ne savait comment formuler. Il posa son front brûlant contre la vitre et regarda défiler les rues vides, feux de Bengale, petits drapeaux foulés aux pieds, stores métalliques des quais de chargement couverts de graffitis inventoriant les cent noms secrets de Dieu.

— Comment ça s'est passé? demanda William.

— On aurait dit une audition. Mais je crois que ma qualité de Noir ou je ne sais quoi a dû répondre d'avance aux questions que pouvait se poser Bruno.

— Certes, le sens de la fraternité interraciale n'est pas le fort des Autrichiens.

— Tu peux plaisanter, mais je n'aime pas que tu m'exhibes comme ça.

Le Papaya King de la 6e Avenue était encore ouvert. Devant, une silhouette recroquevillée semblait vomir dans le caniveau, mais quand Mercer cligna des yeux, il distingua plutôt une boîte aux lettres.

— Il a essayé de me mettre en garde contre toi, tu sais.

— Quoi, il t'a dit que j'ai voulu coucher avec lui?

— Tu as voulu coucher avec Bruno?

— J'étais adolescent, Mercer, c'étaient les années 60. Mais si je me souviens bien, il n'était guère partant.

— Non, il a essayé de me dire qui tu étais. D'où tu venais.

— Ah.

Sur le dossier de la banquette, la main de William caressa prudemment l'épaule de Mercer.

— Mais j'avais l'impression que tu le savais déjà.

— Eh bien, non. Je m'efforce de respecter ta vie privée.

— Tu ne vois donc pas, Mercer, que c'est quelque chose que j'aime chez toi?

Il avait parlé trop fort; le regard du chauffeur dévia vers le rétroviseur, mais William lui renvoya une expression agressive, et le type augmenta le son de la radio et continua à rouler.

— Tu es la première personne que je rencontre qui, si je laissais traîner mon journal ouvert, le fermerait sans y jeter un coup d'œil.

— C'est parce que je me sentirais coupable. Ça ne veut pas dire que je tiens aux secrets, William.

— Pourquoi ne m'as-tu pas dit que tu écrivais un roman?

— Tu n'étais pas censé le savoir. Ça me gêne, voilà pourquoi.

Comme William lui effleurait la joue, Mercer se laissa aller malgré lui contre la paume douce et blanche.

— Accordons-nous de l'espace, du mystère. Construisons notre propre utopie. Bruno peut bien être jaloux; il n'a pas ce que nous possédons.

Les yeux du chauffeur se posèrent de nouveau sur le rétroviseur et William laissa retomber sa main. Mais quand ils traversèrent une zone obscure, une rue transversale où toutes les lampes étaient cassées, leurs doigts se réunirent sur la banquette.

Si seulement Mercer avait pu en rester là. Mais le lendemain, tandis que son amant éliminait en dormant ce qu'il n'identifiait pas encore comme étant de la cocaïne, il prit la direction de la bibliothèque. Il grimpa les marches de marbre entre Patience et Courage, ses deux amis léonins qu'il n'avait pas revus depuis cette époque sans complication où il n'était qu'un de ces arrivistes de salle de lecture.

Au rez-de-chaussée, une grotte abritait la section des périodiques où flottait une odeur de café brûlé et de vieux papiers. Cet après-midi-là, et au cours de ceux qui suivirent, il se posta devant une de ces machines macrocéphales, où défilaient page après page de microfilms, trop rapidement pour qu'il pût les lire. Cela ressemblait à sa vie, en quelque sorte – on la regardait passer bien trop vite, et la seule véritable décision permise consistait à tout arrêter ou à continuer. Il ne savait pas trop jusqu'à quand remonter – 1969? 1965? Pour finir, dans un journal de 1961, il trouva un article annonçant le mariage prochain de Felicia Marie Gould, de Buffalo, New York, avec William Stuart Alsthorp Hamilton-Sweeney II, président-directeur général de la société Hamilton-Sweeney. Une photographie montrait le couple côte à côte, entouré de la famille. Le fiancé était imposant, la future mariée resplendissante. Quand Mercer voulut faire le point, la machine gémit nerveusement. Absent de la photo: le frère de la future mariée. Sur un côté, cependant, apparaissait une femme identifiée comme la fille du fiancé, flanquée de son propre fiancé… et le fils, William à la fin de son adolescence. Mercer n'avait jamais vu de photo de lui à cette époque et il sentit une tendresse ou une indulgence immenses le submerger. William était plus maigre encore qu'aujourd'hui, il avait ce corps pesant comme un point d'interrogation dans son costume trop large. Et quelque chose n'allait pas: il donnait l'impression que tout ça le consumait, entièrement, de l'intérieur. Pas étonnant qu'il ne veuille pas en parler.

Dehors, les grands platanes vénérables tanguaient dans la lumière ambrée, comme pour faire signe aux autobus pris dans les embouteillages de l'avenue. Une porte pivota derrière lui – c'était l'heure de la fermeture, les cris des gardiens résonnaient sous les plafonds voûtés, annonçant aux étudiants assidus qu'il était l'heure de partir, mais on eût dit que l'air les dispersait à son contact, ou qu'ils se diluaient dans les vastes espaces de l'esplanade, car il ne restait plus, semblait-il, que les mendiants et les malades mentaux. Une femme en mitaines approcha et Mercer lui avait déjà refilé une poignée de pièces avant de la reconnaître, sa collègue d'autrefois, celle à l'écriture géante. En la regardant s'éloigner, il se sentit coupable de ne pas l'avoir laissée finir sa question ; était-il si pressé ? Était-ce simplement l'effet de la distraction ou quelque chose de plus grave ? Il se le demanderait encore une semaine plus tard, quand, descendant Madison et tournant la tête, il verrait l'inscription sculptée comme une mauvaise blague dans le socle en pierre du bâtiment le plus haut de l'avenue, celle avec le fleuron doré. *Building Hamilton-Sweeney.*

24

En 1974, en quittant les États-Unis – ses guerres sales, ses émeutes raciales, la culture de la drogue, le Watergate –, Groskoph avait l'impression que le pays tout entier était la proie des flammes. Ce qu'il recherchait, c'était un lieu sans actualités, et sur une petite île au nord de l'Écosse, il l'avait plus ou moins trouvé. Pourquoi l'Écosse? Pour commencer, c'était le pays de ses grands-parents maternels. Ensuite, il serait dispensé d'apprendre une autre langue. Certains gratte-ciel de Park Avenue abritaient plus de résidents que le village où il avait loué une ferme. Il lui faudrait un jour rembourser l'argent – il avait abandonné son livre hypothétique, cette quête d'une histoire ultime – mais l'horizon de ce jour était si lointain, et entre-temps, son avance demeurait étonnamment fongible. Pour lui tenir compagnie, il avait acheté un terrier à un voisin. Il l'avait baptisé Claggart, ayant toujours considéré que Melville avait trop durement traité Claggart dans *Billy Budd,* et parce que ce nom semblait convenir à ce corps trapu à longs poils exigeant, à coups de museau autoritaire dans la jambe, de manger ou de sortir.

Le jour, Richard jardinait, lisait ou travaillait le bois au son d'une mauvaise station de musique pop. Le soir, il descendait la route sans accotement pour se rendre au village boire le seul verre qu'il s'autorisait. Et s'il n'y avait pas eu la télévision, les choses auraient probablement continué ainsi. Il n'avait pas la télévision dans son ermitage, pour une question de principe – autant scier un trou dans le plafond, ou dans le plafond de son crâne pour laisser entrer les démons –, mais sur une étagère en hauteur, dans le pub, trônait un petit modèle en couleurs, dépassé depuis des années, qui servait surtout pour les matchs de football. Un soir, en entrant, il le trouva allumé. Depuis son tabouret près de la porte, la veuve Nan McKiernan leva son verre de sherry, pour célébrer il ne savait quoi. Il suivit son regard vers la télévision. Indiscutablement, le ciel rose et brumeux qui apparaissait à l'écran n'était pas un ciel écossais. Le bronze vert-de-gris de la statue de la Liberté défilait à présent lentement derrière la vitre de l'hélicoptère, de grands troupeaux de bateaux blancs et les tours aériennes de Manhattan surgissaient derrière elle. Comment avait-il pu oublier? On était le 4 juillet, et on fêtait le bicentenaire de l'Amérique. En d'autres termes, cela faisait deux bonnes années qu'il avait largué les amarres.

Comme il s'autorisait un deuxième, puis un troisième verre – il appelait ça du *scotch*, comme les touristes – le ciel sur l'écran prit la couleur du ciel dehors. Des étincelles jaillirent en tous sens, poignées de pierres rouge, bleu et or, comme les souvenirs de ses premiers étés à Manhattan. Mais pas tout à fait, disait la BBC : à cause de la crise fiscale, la Ville avait changé de fournisseurs et, pour la toute première fois, ces feux d'artifice étaient mis en scène par un ordinateur. Quelle différence, se demanda Richard, s'il y avait des robots plutôt que des hommes dans les bateaux, et si c'étaient eux qui allumaient les mèches? Mais alors, ne perdait-on pas une certaine nuance, une certaine touche humaine? Et l'ordinateur veillerait-il à faire parvenir aux radios un programme musical accordé aux détonations? Nul doute que c'était encore le cas. Nul doute que «Rhapsody in Blue» résonnait en ce moment dans toutes les voitures sur cette autre île dont il avait été l'habitant. Et soudain, son instinct de journaliste se réveilla, frémissant, car il vit là le véhicule qu'il attendait, l'histoire manquante. L'Histoire, le théâtre, le destin, l'impermanence, le désastre, la politique, la ville, le tout bien tassé dans une unique fusée promise à l'embrasement. De la musique pour les yeux : un feu d'artifice.

Le spectacle semblait de pas devoir se terminer. À force de répéter le million de façons de le raconter, Richard remarquait à peine le gémissement plaintif du chien à ses pieds, le tintement de la caisse quand elle expulsait son tiroir, ou les chaises qu'on retournait sur les tables. Il ne voulait pas même cligner des yeux. Et puis, au début du grand final, la lumière sur l'écran se réduisit à un point et mourut. Le barman avait débranché la prise. Près de la fenêtre, la veuve Nan McKiernan s'était volatilisée comme une apparition, ne laissant qu'un verre vide. Richard, jetant trop de billets sur le bar, se prépara à en faire autant. Claggart hésitait, l'air inquiet.

— Quoi?

Mais Claggart, avant même Richard, avait dû le deviner : une semaine plus tard, il serait de retour à New York et, le chien sous le bras, il ouvrirait la porte de l'appartement en se préparant à affronter la poussière et les déjections de souris qui, il le savait, s'étaient accumulées en son absence, ainsi que toutes les imperfections dont la mémoire ne s'embarrassait jamais.

L'adresse à Long Island qu'une de ses sources lui communiqua ne ressemblait en rien à la troisième entreprise pyrotechnique en importance de la Côte Est, ni en réalité à quoi que ce soit d'importance. Elle se résumait à une allée de gravier au fond d'un cul-de-sac, qui passait devant un modeste pavillon de plain-pied. Mon Dieu, ces maisons! Il fourra un billet de vingt dans la main de son chauffeur de taxi en lui demandant de laisser tourner le compteur. Des rideaux en batik donnaient aux fenêtres un air fermé, impassible. Richard appuya sur le bouton de l'entrée, approcha son oreille du verre de la contre-porte. Rien. Ou pas rien; il entendait un autre bruit, plus profond – une sorte de tonnerre sourd qui grondait non pas à l'intérieur, mais derrière la maison. Espérant ne pas passer pour un intrus avec son vieux Fedora et sa cravate, il fit le tour jusqu'au jardin laissé à l'abandon. Dans un arbre, près de la cour, une cabane s'effondrait. Et puis, au milieu d'un bosquet, au pied d'une pente, il aperçut un hangar en tôle ondulée de la taille d'une maisonnette. Ses murs vrombissaient. Une camionnette était garée devant: *Cicciaro & Fils At rac ions.* Sur une largeur de trois ou quatre mètres, de tous côtés, l'herbe était haute, d'un vert immodéré produit par un trop-plein de fertilisant.

Ses coups frappés à la porte du hangar ne reçurent aucune réponse, mais une odeur de soufre semblait s'échapper de l'intérieur. Il frappa de nouveau, plus fort cette fois, et le grondement s'amplifia, comme démultiplié. Une voix cria quelque chose qu'il ne comprit pas. Il cria à son tour:

— Bonjour?

Un homme en chemise de flanelle, costaud, apparut sur le seuil devant lui et baissa ses protège-oreilles. Il avait des cheveux couleur d'acier. Un visage franc de travailleur, comme celui d'un laboureur d'Orkney, mais plus foncé, ombré par une repousse de barbe et la joue marquée d'une traînée de graisse.

— Carmine Cicciaro?

L'homme ne répondit pas.

Richard se présenta, montra la carte du magazine qui n'avait pas publié un seul article de lui depuis près de quatre ans.

— Je ne lis pas les magazines, répondit l'homme.

Il avait à la main gauche, remarqua Richard, un morceau d'annulaire en moins. Derrière lui, il apercevait les sources des vibrations: d'énormes ventilateurs industriels reliés à des buses d'aération. Et là-bas, bien en évidence sur une table, était-ce un fusil de calibre douze?

Richard expliqua qu'il souhaitait simplement recueillir un ou deux commentaires au sujet des feux d'artifice du bicentenaire. (Une vieille ruse – leur donner une occasion de remettre les pendules à l'heure.)

— Un ami, au bureau du maire, m'a dit que la Ville avait décidé cette année de travailler avec un autre entrepreneur, et je voulais être sûr de comprendre ce raisonnement.

Ça faisait du bien de se retrouver sur une enquête, de sentir l'œil, la bouche et la mémoire en phase, comme les rouages d'une machine. Mais Carmine Cicciaro avait déjà replacé ses protège-oreilles.

— Vous avez quinze secondes pour déguerpir.

Richard avait-il perdu la grâce?

— Monsieur Cicciaro, Benny Blum m'a parlé de vous personnellement, en disant que vous étiez l'homme qu'il fallait voir si on voulait savoir tout ce qu'on pouvait savoir sur les feux d'artifice. Pour ce que ça vaut, il a également dit qu'à son avis la ville avait commis une erreur en offrant le contrat à un grand groupe. « Une injustice », c'est le mot qu'il a employé.

Cicciaro le regarda comme si, durant tout son discours, il avait eu un bout d'épinard entre ses dents.

— Comment connaissez-vous Benny Blum?

— Nous étions en Corée ensemble, répondit Richard.

Ce qui était vrai, techniquement, même s'ils ne s'étaient rencontrés que des années plus tard, autour d'une table de poker.

— Vous avez vraiment fait tout ce chemin jusqu'ici? (Cicciaro soupira.) Donnez-moi une minute.

Il disparut dans le hangar, où le vrombissement des ventilateurs expira. Quand il ressortit, il plaça un verrou sur la porte.

— On n'est jamais trop prudent ces jours-ci. De toute façon, j'ai besoin d'une bière.

Ils finirent par s'installer dans des transats poussiéreux en buvant des Schlitz tièdes provenant d'une glacière dont la glace avait fondu depuis longtemps.

— Je les garde ici, pour que ma fille ne soit pas tentée, dit Cicciaro. Vous avez des enfants?

Richard secoua la tête, non, parce que le mot « enfants » évoquait pour lui des présences, des personnes. Bien que là, sa progéniture conçue avec l'hôtesse de l'air, garçon ou fille, aurait quoi? Presque trois ans.

— Je ne peux pas dire ça.

— Ah, la nuit, ça vous empêche de dormir.

— C'est ce qu'on dit.

— Je dirais que c'est comme une gueule de bois, petite mais constante. Heureusement, je suis bien entraîné. Je plaisante. (Cicciaro regarda en direction du hangar.) Sammy a plutôt la tête sur les épaules, avec un côté casse-cou qui ne vient pas de moi. Dans le temps, elle montait sur mes genoux et elle me parlait. Mais à treize ans, ce sont des femmes, et tout ce qui s'ensuit. À peine là, ces derniers temps. Et quand elle est là, je ne peux même pas vous dire le bruit que fait la stéréo. Il me faut supporter les buses d'aération, mais je suis payé pour ça, vous voyez? Enfin, je l'étais. Elle va entrer à l'université à l'automne.

Il prit une longue gorgée de bière. À cette température, songea Richard, on sentait vraiment le goût de l'aluminium.

— Vous et moi, hasarda-t-il, nous sommes d'une autre génération.

— Vous pouvez le dire. Je me souviens encore du temps où il y avait du crottin de cheval sur Mulberry Street. Mais c'est pas là-dessus que vous êtes venu m'interroger.

— Attendez, vous avez grandi sur Mulberry Street? J'habitais sur Mott quand je suis arrivé ici.

— On était au 270 Mott, chez mon grand-père. Dans l'appartement au-dessus.

— Juste en face de l'église, la vieille Saint-Patrick, dit Richard.

Tout ça était préparé d'avance.

— Exactement.

À un moment donné, en buvant cette bière ou la suivante, Cicciaro lui expliqua que son grand-père avait débarqué à Ellis Island en 1907 ou 1908.

— Selon la légende familiale, Grand-Père a été chassé de Sicile parce que certains villageois croyaient qu'il avait signé un pacte avec le diable. Il avait les feux d'artifice dans le sang, vous savez? Il obtenait ce qu'il voulait de la poudre. C'est de la magie ancienne, ça remonte à Marco Polo. Il a mis au point la formule dont on se sert encore aujourd'hui, six ou sept fois plus puissante qu'une grenade moyenne. Ils l'auraient sans doute laissé tranquille s'il avait cessé de jouer avec, mais ce qu'il y a avec ce travail, c'est que vous ne le choisissez pas, c'est lui qui vous choisit.

Derrière son apparence détachée, il était visiblement aussi avide que n'importe qui au monde de raconter son histoire, mais Richard ne voulait pas l'effrayer en sortant trop tôt les feuillets A4 pliés qu'il gardait dans sa poche pour prendre des notes. En Amérique, continua Cicciaro, le grand-père lançait déjà des fusées avant même d'avoir trouvé un endroit où passer la nuit.

Pendant des années, les jours de fête, les voisins dans le Lower East Side se rassemblaient sur les perrons ou aux fenêtres tandis qu'il roulait ses manches de chemise et faisait danser le feu.

— Et puis un jour, ce type, un de ces mouchards de Tammany, voit mon grand-père et il croit qu'il est en train de poser des bombes dans la rue. On se méfiait des Italiens à cette époque. Sacco et Vanzetti, tout ça, sans parler de la Main noire qui rançonnait tout le monde. Il le fait donc comparaître devant le patron, et mon grand-père, là – c'est comme ça qu'on me l'a raconté – il sent que tout s'effondre, parce que pour les anciens, il y avait toujours la menace d'être renvoyés à Palerme, où les gens lisaient encore l'heure au cadran solaire. Mais de l'extérieur, il est de marbre, un autre trait sicilien. L'autorité ? *Vaffancul'*. De toute façon, ils n'avaient pas l'intention de l'expulser des États-Unis. Non, ce qu'ils voulaient, en fait, c'était qu'il lance des fusées pour la fête de l'Indépendance, aux frais de la machine démocrate. Comme je vous l'ai dit, le métier vous choisit.

Richard entrevit l'ouverture.

— Vous savez, Benny m'en avait un peu parlé, mais en vous écoutant maintenant, je me dis que l'histoire de votre grand-père et celle de votre famille pourraient prendre beaucoup plus de place que je ne pensais dans mon article. C'est une histoire formidable, elle pourrait aider City Hall à comprendre ce qu'ils perdent à laisser faire ces ordinateurs.

— Dans cinq ans, tout le monde utilisera des ordinateurs. Mais je crois que ce serait bien si vous pouviez parler un peu de mon grand-père.

Vint alors ce moment toujours si délicat :

— Il nous faudrait y consacrer une séance ou deux, à votre convenance. Je prendrais des notes. Ce serait plus officiel.

— Oh.

Il marqua un temps d'arrêt. La tapette à mouche s'abattit sur une mouche.

— Je ne sais pas, monsieur Groskoph. Il va falloir que j'y réfléchisse.

C'est sa fille, dira plus tard Carmine, qui l'avait convaincu d'accepter la proposition de Richard. Il ne révéla jamais qu'il se prêtait à ces entretiens autrement que par mansuétude ; il passait les dix premières minutes après l'arrivée de Richard à fouiller dans les placards de la cuisine pour confectionner deux sandwichs au pain de mie sans croûte fourrés à la mortadelle, accompagnés de cornichons à l'aneth et d'une canette de Schlitz, dans le but inavoué de préserver son orgueil en présentant ce moment comme l'heure du déjeuner, celui où il avait de toute façon prévu de faire une pause. Mais quand il cessait de parler, il était tard, les sandwichs un lointain souvenir. Et même alors, une fois retombé le souffle de l'évocation, ils restaient assis dans les transats en plastique distendus, buvant des bières sorties de la glacière tachetée d'humidité, ou du soda quand Richard se sentait vertueux.

Ensuite, il naviguait sur son vieux Schwinn à travers les conurbations du comté de Nassau et du Queens jusqu'à Flushing d'où partait la ligne 7 du métro. Venir à vélo nécessitait une heure de plus dans chaque sens, mais économisait le prix du taxi, alors de quoi pouvait-il se plaindre? Il empruntait un trajet bucolique presque d'un bout à l'autre, traversait des quartiers de maisons mitoyennes et de pavillons de style Tudor, de petits parcs plantés d'arbres épais qui auraient pu dater des Hollandais. Le soleil chatoyait dans les ormes et les peupliers qui répandaient leurs feuilles, l'air pétillait comme du cidre, la chaîne bourdonnait, la roue arrière cliquetait. Il avait alors le sentiment, comme tout le long de cet automne avant les coups de feu, d'avoir réussi à transporter de ce côté de l'Atlantique l'équilibre qu'il avait si durement gagné sur l'autre rive. Et, avec son mètre quatre-vingt-dix et ses quarante-six ans, il lui arrivait parfois de se mettre debout sur les pédales, et de décrire une longue courbe en direction d'un groupe d'oiseaux grattant le sol au bord de la route, rien que pour les voir détoner en vol, pour figer un battement d'ailes avec son appareil photo mental. Car il avait enfin accepté, croyait-il, d'être ce qu'était Richard Groskoph: un appareil photo attaché à un magnétophone. Quelqu'un qui se résorbait dans tout ce qui n'était pas lui. Un récepteur, un connecteur, une machine conçue exactement pour ça.

25

À LA RÉFLEXION, peut-être Keith avait-il compris Regan bien mieux qu'il ne se l'était avoué en 1961, leur dernier semestre avant l'âge adulte. Tout du moins, il s'était bien gardé de lui parler de sa deuxième rencontre avec le Frère Démon. Celle-ci avait eu lieu tout de suite après son dernier examen de chimie organique, qui avait révélé, de façon indiscutable et quelque peu solennelle, sa profonde inaptitude pour la médecine. L'après-midi où les notes avaient été affichées, il s'était retrouvé dans une cabine téléphonique derrière la taverne du campus. Était-il ivre, alors qu'il ne faisait pas encore nuit dehors ? Peut-être bien, mais il ne se sentit responsable ni de l'une ni de l'autre situation. Les choses arrivaient, s'imaginait-il expliquer à Regan. Et à présent voici ce qui arrivait : sa main décrochait le récepteur. Sa bouche demandait à parler à Amory Gould.

Son agenda gardait la trace d'un rendez-vous la semaine suivante dans un café de la 79e Rue, près de Madison. À cette époque, Keith ne comprenait pas pourquoi ils ne pouvaient pas simplement se rencontrer dans le Building Hamilton-Sweeney, mais peut-être était-ce la façon de procéder dans la haute finance. Plus on montait en altitude, moins on passait de temps derrière un bureau. En outre, se posaient les questions d'étiquette – et tout ce qui allait avec. Dans son bureau, Amory n'aurait disposé pour le subjuguer que des lignes de téléphone privées dont avait parlé Regan, peut-être d'un stylo et de quelques trombones, mais ici il y avait les tasses à café, les morceaux de sucre, les ronds de serviette, les couteaux à steak, les longues cuillères destinées à atteindre le fond des verres à milk-shake… et il s'en servit à loisir tout en entraînant Keith dans une demi-heure de papotages consacrés à lui présenter la Famille. À croire qu'Amory avait demandé lui-même ce rendez-vous, dans le but de combler, à l'aide de ces instruments ésotériques, le fossé entre lui et Regan. Quand il glissa le menu plastifié sur la table en encourageant Keith à commander tout ce qui lui plairait, ils n'avaient pas un tant soit peu abordé la question de son avenir.

Pourtant, pendant que Keith mangeait, Amory adopta des gestes quantitatifs, ceux d'un homme qui veut acheter un tissu dans une langue qu'il ne connaît pas. Le geste *Quanto costa*, le *Non, ça ne me paraît pas possible*, le geste de Lachésis mesurant ce qu'il faut couper. Et quand la pochette en similicuir renfermant l'addition fut rendue au serveur, il posa les mains sur ses genoux.

— Bien. Maintenant, parlons affaires.

Le résultat de l'arrêt brutal de tout mouvement fut que sa tête prit brusquement toute la place, comme dans un effet de zoom. Auparavant, semblait-il à Keith, il avait deviné l'homme à travers un brouillard d'ignorance. À présent, il voyait les minuscules imperfections à la pointe du nez, les moindres capillaires dans le blanc des yeux bleu pâle.

— Vous êtes venu me voir, je crois, à la suite de quelque revers dans vos études. Et parce que vous désirez créer des bases solides avant de vous engager avec ma future nièce. Vous voulez toutes les garanties de pouvoir lui offrir le niveau de vie auquel elle est habituée. Vous songez, en résumé, à changer d'orientation.

Keith hocha la tête, comme un oiseau devant une pluie de graines.

— Comme je l'ai dit, pour les Hamilton-Sweeney, c'est une époque excitante, une époque d'expansion. Je n'aimerais rien tant que vous faire une place dans la société.

— Y a-t-il une raison pour que ce ne soit pas possible ?

— Réfléchissez, Keith. (Il chuchotait presque.) Vous voulez que Regan vous voie voler de vos propres ailes. Elle a horreur, comme vous le savez bien sûr, de devoir quelque chose à quelqu'un. Ce que j'ai pris la liberté de faire, c'est plutôt d'organiser une rencontre avec mon vieil ami Jules Renard de la société Renard Frères. Je n'ai eu qu'à lui parler de vous, il est impatient de vous voir. Si tout se passe bien, vous économisez un ou deux ans…

Keith avait utilisé les mêmes arguments avec Regan à la fin de l'année universitaire, quand les Renard lui avaient proposé de lui confier à l'automne un poste au département des obligations. Il avait même adopté certains éléments de l'approche détournée d'Amory, en l'invitant d'abord dans le meilleur restaurant français de Poughkeepsie. Mais après lui avoir annoncé la nouvelle, il vit qu'il avait heurté chez elle un point douloureux.

— Je croyais que tu serais heureuse. Je ne suis pas assez intelligent pour devenir médecin, nous le savons toi et moi, et de cette façon nous pourrons vraiment voler de nos propres ailes. Si c'est bien cela que nous voulons, bien sûr.

— Keith, pourquoi essaies-tu de faire en sorte que ce soit ma décision ?

Mais il s'était lancé, comme il l'avait fait si souvent depuis cette nuit à l'hôtel, leur avenir niché au creux de son bras comme un ballon de football.

— À l'automne, nous pourrons louer un appartement où tu voudras et, dans quelques années, j'aurai économisé de quoi acheter. Tu pourras continuer à faire du théâtre. Et tu serais près de ton frère, c'est important pour toi, je le sais. Tu pleures ? Pourquoi est-ce que tu pleures ?

Et pourquoi, dans ce foutu restaurant de luxe, la table était-elle aussi grande ? Il dut finalement déplacer sa chaise pour lui prendre la main, ce qui aux yeux des autres dîneurs parut sûrement un geste impulsif ; le désarroi de Regan était de nouveau pratiquement indétectable, en dehors de ce petit caillou, ou de cette pastille coincée dans sa gorge.

— Je t'aime, dit-elle.

— Je t'aime aussi.

— Et j'ai confiance en toi, chéri.

— On dirait un avertissement.

— Non, mais…

— Alors fais-*nous* confiance, dit-il en lui passant doucement le pouce sur l'annulaire.

Le jour du mariage de son père, autant dire le jour de la disparition de son frère, il y aurait glissé un diamant, acheté à crédit et qu'il estimait, avec un salaire de courtier en obligations, réussir à rembourser vers la fin de l'année.

Plutôt que soumettre les nouvelles recrues à une formation en bonne et due forme, les frères Renard les jetaient dans l'arène avec les vétérans et c'était à qui aurait la volonté de survivre. Keith, pour sa part, se voyait faire partie de ce groupe. Il avait une femme, après tout, qui avait cru épouser un médecin et à qui il se sentait devoir un succès raisonnablement rapide, raisonnablement fructueux. Mais l'influence du Frère Démon avait ses limites. La première semaine après avoir réussi son examen de licence, Keith passa huit heures par jour dans l'intimité toute relative de son box, à regarder le cuir noir oblong de son portefeuille de négociation se solidifier sur son bureau comme une lave froide. Derrière les séparations en verre bosselé, la sonnerie des téléphones formait un chœur angélique, éclatant et ininterrompu, mais son propre téléphone restait muet sur son support. Le vendredi matin, la tête du type dans le box voisin se leva telle une demi-lune chauve au-dessus du verre. Il s'appelait Tadelis. Ici, tous les noms étaient des noms de famille, ou se terminaient par une voyelle – Mikey, Matty, Bobby – ou les deux.

— Réveille-toi, Lamplighter. On a tous l'air de génies à côté de toi.

— J'ai l'impression de n'arriver à rien.

Le bruit qu'émit Tadelis n'évoquait pas ce qu'on considère généralement comme un rire ; c'était plutôt une sorte de spasme produit par le frottement de deux plaques tectoniques d'angoisse.

— Quoi, tu crois qu'il suffit d'attendre que le téléphone sonne et de répondre pour que l'argent tombe ? Regarde autour de toi. C'est ce que tu vois ? Non, sérieusement, lève-toi et regarde.

Renard Frères avait opté pour des postes de travail modulaires, où les courtiers juniors n'étaient séparés que par des murs bas. L'objectif consistait à permettre l'échange des idées – une sorte de compromis joyeux entre l'homme au service de l'organisation et le socialisme libertaire. Il n'empêche que, partout à l'intérieur de ces prismes creux, il y avait des gars comme Tadelis, en chemise, qui se recroquevillaient au-dessus des téléphones, imitant une posture de défécation. Les mains jonglaient avec des stylos. Labouraient des cheveux clairsemés noirs de sueur.

— Non, ce que tu vois, c'est un tas de mecs à qui personne n'a jamais rien donné. Tu vois Jimmy O, là-bas ? L'année dernière, il a rapporté un million de dollars à la boîte. Et je ne suis même pas sûr qu'il soit allé au lycée.

Dans la voix de Tadelis perçaient à la fois de l'arrogance et de la complicité, et sa bouche dessinait un nuage rose derrière la vitre.

— Toi, tu viens faire le mariole comme un poids mort, et ce qu'on essaie tous de comprendre, c'est la valeur d'un tel actif ?

— Népotisme pur et simple, confessa Keith. Un service rendu à un ami.

— Foutaises. Pour ces couillus de Renard, les services ça n'existe pas. (Il plissa les yeux.) Non, je comprends maintenant. Ce n'est peut-être pas encore rentré dans ta jolie petite tête, Lamplighter, mais les gens ont envie de t'aider. Regarde-moi, je m'accroche difficilement aux premiers échelons, je devrais te démolir et je te tends la main. Tu es un vendeur. Tu peux vendre.

— Pas si personne n'appelle, non.

Ce rire, de nouveau.

— Tu crois que ce que tu entends sont des appels entrants ? Ce sont des *rappels*, mon ami. Voilà comment on procède en général, tu passes en revue ce carnet que tu as là, celui du vieux Jimmy Schnurbart, le Gros Jimmy on l'appelait, que Dieu garde son gros cul, et toutes les entités que tu vois à l'autre bout d'une transaction, tu les appelles.

Assez clair, pensa Keith, mais Tadelis n'avait pas terminé.

— Sauf que franchement, c'est du bois mort, là.

— Pardon ?

— Jimmy O et moi avons déjà raflé pour nous tout ce qui avait de la valeur. Prends ça comme un petit coup de pouce. Un type de ton genre devrait travailler là-haut comme courtier en Bourse, pour des vieux WASP richissimes qui attendent que tu les appelles pour leur dire : Je vais vous faire gagner cent mille.

— Et comment est-ce que je leur fais gagner cent mille ?

— Nom de Dieu, Lamplighter, tu touches un pourcentage à l'achat et à la vente. Rien à foutre s'ils gagnent cent mille ou pas !

Keith ne savait pas trop jusqu'à quel point il devait suivre l'analyse de Tadelis, mais la mettre en œuvre ne pouvait pas se révéler moins productif que de rester là à ne rien branler de la journée, ce qu'il avait fait jusqu'à présent, ainsi que tout le monde avait pu le voir, il s'en rendait compte maintenant. Il ouvrit le carnet. Il téléphona. Et téléphona. Or, ce qu'il découvrit tout au long du mois suivant, c'est qu'il s'intéressait non pas aux entités mais aux personnes. Le dernier appel qu'il passa depuis ce poste fut pour Jules Renard, pour lui demander d'être transféré aux fonds propres.

Tadelis se trompait souvent, mais cette fois il avait vu juste : Keith était capable de vendre à peu près n'importe quoi à peu près à n'importe qui. Le secret… Eh bien, il y en avait deux. Le premier provenait de son éducation catholique, de son penchant à la compassion. À un certain moment, avant toute transaction, quand vous aviez placé votre client sur le fil du rasoir entre le oui et le non, le moindre souffle pouvait le faire basculer d'un côté ou de l'autre. À ce stade, Keith fermait les yeux et propulsait son esprit hors de lui, comme dans une prière, jusqu'à se retrouver assis à côté de son client à l'autre bout de la ligne, déterminé à ce que le marché joue en sa faveur.

L'autre secret, c'est que Keith n'avait aucun mal à croire en ce qu'il vendait. Non pas qu'il le comprît ; en fait il continuait à trouver les tenants et les aboutissants mathématiques des rendements obligataires et des écarts de liquidités difficiles à appréhender, comme des poissons fuyants dans un panier. Mais sur ce plateau ponctué de box, ce milieu darwinien où régnaient la loi du plus fort et les métaphores génitales, la théorie était généralement un objet de mépris. On y disait que chacune des grandes conceptions de l'humanité – la roue, *Hamlet*, la gravitation de Newton – pouvait tenir au dos d'une serviette de cocktail et Keith était un genre de mec très serviette à cocktail. Il prenait trois ou quatre longueurs d'avance sur une analyse coût-bénéfice, un seul choix se divisant en huit, ou seize, et puis, à mi-chemin, il levait les bras en l'air et y allait à l'instinct. « Je crois que vous allez vraiment aimer ça autant que moi », disait-il par exemple, en croisant les doigts. Pour devancer le marché, il suffisait d'avoir raison cinquante et une fois sur cent, et ces années-là, Kennedy, Johnson, il était difficile de perdre de l'argent. La même énergie libidinale qui circulait à la télévision et dans les rues dehors avait pour effet de démultiplier l'argent.

Il mit en œuvre ces deux secrets pour influer aussi sur sa vie familiale. Numéro un, aimer les autres. La première fois qu'il enregistra un ordre de dix mille dollars, il fit irruption chez lui dans le brouillard des bières dont il avait régalé ses collègues, souleva Regan du sol et l'embrassa jusqu'à ce que ses cuisses s'écartent pour accueillir les siennes. « Doucement, dit-elle. Le bébé. » Probablement pour lui faire comprendre qu'elle serait mieux sur le dos – le médecin leur avait assuré, par périphrases, qu'ils pouvaient continuer à goûter les fruits du mariage. Il y avait néanmoins des façons plus délicates d'y parvenir. Quand il l'eut posée sur le lit, il remonta sa chemise de nuit, enfouit sa bouche entre ses jambes et y lécha le cuivre épicé jusqu'au moment où il vit, au-dessus du renflement frémissant de son ventre et de ses seins, la rougeur monter à son cou, les mains tordant les draps autour de sa tête.

Il était fou d'elle en ce temps-là, dans leur appartement de jeunes mariés, un deux pièces dans le Village, dans les taxis, les théâtres de Broadway et le petit chalet sur le lac Winnipesaukee où, mariés depuis trois ans, ils avaient conçu l'enfant. Keith croyait pouvoir combler, avec son corps, son argent et son âme, les vides solitaires laissés par la mère de Regan, son frère et les autres. Et c'est ce qu'elle lui avait laissé croire, il le verrait un jour (comme s'il avait été dit qu'il cesserait de l'aimer dès l'instant où il comprendrait que ce qui avait été perdu n'était pas remplaçable).

À sa naissance, ils baptisèrent l'enfant William. Keith avait toujours aimé ce prénom et, s'il avait bien compris, William III ne risquait pas d'engendrer un héritier à même de le perpétuer… même à supposer qu'il revienne un jour des confins sauvages où il avait disparu la veille du mariage du Vieux Bill. Une fois en possession de son numéro de sécurité sociale, ils allèrent à la banque et Regan transféra au nom du garçon tous ses fonds en fiducie amputés de l'héritage provenant de sa mère. Pour son avenir, dit-elle. Pour ses études. Keith, qui devenait le fiduciaire de ce nouveau compte, lui demanda si elle était certaine de vouloir le faire. Mais elle était douée d'une grande détermination. Et dès qu'elle eut signé les documents, Regan fut libérée des Hamilton-Sweeney.

Ou autant qu'on pouvait l'être, quand on vivait dans la même ville, qu'on siégeait à leur conseil d'administration, qu'on les voyait pendant les fêtes. Noël chez les Spock, prit l'habitude de dire Keith après l'arrivée de *Star Trek*, le Vieux Bill demeurant dans son nuage galactique et Felicia se révélant bien plus froide qu'elle ne l'avait laissé paraître initialement. (Les affaires d'Amory, au grand soulagement de Keith, l'appelaient toujours dans quelque pays étranger, et de ce fait on prononçait rarement son nom.)

En dehors de ces visites familiales et leur gaieté forcée, Regan avait abandonné le théâtre. Il était clair, depuis la naissance de Will, qu'elle n'avait plus envie de continuer, qu'elle exprimerait ses talents dans la maternité. Mais Keith l'encouragea à ne pas renoncer à son club de lecture. En fait il l'avait confortée dans toutes ses activités à Greenwich Village : méditation, club de lecture, alimentation naturelle, protection du quartier. Quand elle dut aller témoigner lors d'une audience à propos d'un de ces incessants projets de redéveloppement concoctés par City Hall, il prit un congé pour s'occuper de Will. Il n'oublierait jamais, pensait-il, ce jour où agrippé à la selle du vélo neuf de son fils, il avait couru autour du parc qui, aux dires des gens bien renseignés, serait bientôt rasé pour céder la place à une autoroute et où, au bout du énième tour, Regan, la plus jeune et la plus jolie de toutes, était arrivée au milieu d'un groupe de femmes en jupes. En rougissant, elle avait levé les poings en signe de victoire. Il eut alors l'impression que son âme gonflait et le remplissait tout entier – comme après les mêlées au lycée, quand il rentrait chez lui en se jetant la balle dans le soir qui descendait vite, et rejouait des touchdowns de soixante mètres.

Ce fut sans doute, à la réflexion, le moment où sa vie atteignit son apogée, car le Deuxième Commandement du vendeur (encore) disait Crois En Ce Que Tu Vends, et il se révéla un peu plus compliqué que le Premier, quand ce que tu vendais c'était toi-même. En 1970, par exemple, alors que Regan était de nouveau enceinte et que Will approchait l'âge d'entrer à l'école, Keith commença à sentir qu'il ne gagnait pas assez d'argent. Chaque nouvelle tranche d'impôt constituait une sorte de palier depuis lequel vous pouviez contempler tout ce que vous ne possédiez pas encore. Si Regan aimait le club de lecture qui se réunissait dans la maison de son amie Ruth, n'aurait-elle pas aimé davantage un appartement à elle, dans lequel recevoir ? Si elle aimait le jardin collectif qu'avec les autres mères elle avait créé dans le terrain vague au bout de la rue, n'aurait-elle pas aimé davantage posséder son propre jardin ? Ou au moins un balcon où cultiver ses plantes ?

Le jour où il avoua à Regan être allé voir un agent immobilier, il avait déjà pris sa décision. Uptown, dans un six pièces, Will et le bébé auraient chacun leur chambre, et n'auraient pas à supporter les drogués et les cinglés toujours plus nombreux dans le Village. Cela voulait dire travailler plus dur, bien sûr, pour rapporter plus d'argent, ils le savaient tous les deux, mais en vérité Keith s'ennuyait chez Renard à l'échelon intermédiaire qu'il occupait. Il possédait une liste fournie de clients ; et si une autre société le laissait créer en son sein une activité de conseil à son nom ? Il croyait sincèrement, en lui détaillant tous ses projets, que c'était ce qu'il désirait. Les dîners de bienfaisance, les croisières portuaires, les pique-niques d'affaires où on cueillait de nouveaux clients… tout ça lui plaisait, n'est-ce pas ? Il aimait user de son charme, avoir un petit verre dans le nez. Et il serait quelqu'un à présent, le dirigeant de son propre groupe – Lamplighter Capital Associates. Avec ses chemises de chez Brooks Brothers, sa belle montre suisse et le chauffeur qui l'attendait en bas, il aurait enfin le sentiment de la mériter.

Après quoi, Keith ne fut pas long à explorer les merveilles des effets de levier. La version serviette de cocktail ressemblait à ça : s'il additionnait deux dollars empruntés à taux faible à la banque et un dollar du compte d'un client, chaque dollar dégagé grâce à l'investissement de trois dollars multipliait plus ou moins par deux l'argent de son client. Il avait choisi pour s'exercer le terrain militaire. En privé, Keith était une colombe et avait donné de gros chèques à Hubert Humphrey lors des élections en 1968. Il avait néanmoins prévu la baisse consécutive du marché en prenant de grosses positions chez Dow Chemical, Raytheon, Honeywell, pour ses clients et pour lui-même. Et s'il s'exposait à des risques en les conservant – la guerre ne durerait pas éternellement, n'est-ce pas ? –, l'expansion de Nixon au Cambodge et au Laos semblait créer la demande de toutes sortes de produits nouveaux. Si Keith ne se trompait pas, il se serait octroyé une jolie maison moderne à New Canaan avant la prochaine correction financière. En même temps, au nom de la diversification, Keith avait investi dans la Ville elle-même. En d'autres termes, il avait commencé à acheter pour ses clients des obligations à long terme de la ville de New York.

Celles-ci l'avaient d'abord attiré vers la fin de l'année 1972, certain alors qu'elles étaient sous-évaluées. De fait, les dernières années de la guerre avaient été catastrophiques pour l'économie locale. Au début des années 60, le matin, le Lower East Side était encore noyé sous les palettes d'expédition au point qu'on pouvait à peine marcher ; désormais, les quais de chargement avaient baissé leurs stores, couverts de grafittis. On entendait les pigeons roucouler derrière la tôle ondulée. Les rentrées fiscales en pâtissaient et dans l'émission de Dick Cavett ou celle du « Dr » Zig, on évoquait un glissement permanent vers une économie symbolique, ou une économie de services – une économie fondée sur tout autre chose qu'une production humaine quantitativement mesurable – qui, aux yeux de Keith, représentaient ce que les têtes d'œuf pouvaient concevoir de plus ridicule. Et l'immobilier ? À une certaine époque, de huit heures à huit heures, la ville entière était une symphonie de musique concrète : foreuses marteaux-piqueurs ponceuses scies électriques et le pizzicato clair des marteaux sur les clous. Il se rappelait les échafaudages masquant la façade décrépite d'un immeuble sur deux dans Midtown, les lentes volées des boulets de démolition contre les immeubles insalubres. À deux ou trois ans, Will adorait regarder les grues et, au-dessus de la cabine du grutier ou au sommet du chantier, flotter l'immense drapeau américain aux couleurs vives. À présent, les chiffres des téléscripteurs déclaraient que l'immobilier déclinait. Keith avait envie de monter avec le téléscripteur tout en haut du Building Hamilton-Sweeney et de lui montrer le territoire limité de Manhattan. Qu'arrivera-t-il quand les deux pour cent de mâles américains âgés de dix-huit à trente-quatre ans qui pataugeaient encore dans les rizières de l'Asie du Sud-Est seront revenus et qu'ils voudront des appartements à louer, du travail, des biens durables à consommer ? L'assiette fiscale remonte en flèche. On n'est pas en Russie soviétique. C'est de l'Amérique qu'on parle. Pour l'amour du Ciel, on est à New York.

Quelques mois plus tard, avec le choc pétrolier, il se sentit visionnaire. Le Dow Jones buvait le bouillon, mais toutes les agences de notation avaient rendu à la dette de la ville sa cote AAA, et Keith avait déjà pris 4 millions de dollars d'obligations à trente ans et même 100 000 pour son propre compte. En 1974, quand ces obligations avaient plongé de 20 pour cent sous leur valeur nominale, il était retourné à la source et en avait pris 4 millions supplémentaires. Cette fois, il acheta les obligations sur marge, un dollar de fonds propres assorti à un dollar emprunté. Sans demander explicitement l'accord de ses clients, pour la simple raison que l'effet de levier était clairement ce qu'ils auraient souhaité. Ses actifs personnels étaient moins liquides encore, mais il réussit à réunir assez d'argent pour acheter sur marge cinq autres obligations en son nom propre.

À l'automne, il avait placé 6 millions de dollars appartenant à ses clients, 300 000 dollars de fonds propres et 2,2 millions d'emprunts bancaires dans un instrument financier libre de taxes et virtuellement sans risque. Cependant, il se passait une chose étrange. Non seulement le marché mondial continuait à chuter, mais à New York rien ne semblait produire de résultats : ni l'habitat privé, ni l'habitat public, ni le renouvellement urbain, ni les bureaux. Les taux d'occupation du tout nouveau Trade Center tournaient autour de 30 pour cent. Même le Radio City Music Hall était à vendre aux enchères. Comment s'en étonner? La dernière fois que Keith y était allé, la salle aux cinq mille fauteuils était tellement vide qu'on n'entendait pas seulement un grattement de gorge, mais le froissement du papier qui enveloppait la pastille. C'était une représentation en matinée de *Herbie Rides Again*, mais il avait besoin d'échapper à la réalité pendant quelques heures. Car, si le gouvernement fédéral parlait de la nécessité d'assurer un filet de sécurité au budget municipal, ses 8,5 millions ne valaient pas les 10 millions prévus, mais 6,4 millions. Un appel de marge de la banque l'obligerait à réaliser des pertes à hauteur de près de 50 pour cent ; ici, dans le monde des affaires, l'effet de levier, c'était triste à dire, se révélait un simple synonyme d'amplification. Et de toute façon, si ses clients ouvraient les yeux sur ce qu'il faisait à leur insu – en leur nom ! – il perdait tout.

Dieu merci, ses spéculations militaro-industrielles continuaient à prospérer et à générer leurs dividendes soporifiques. Lors du gala du Nouvel An 1974-1975 chez les Hamilton-Sweeney, des hommes en smoking, aux visages presque inconnus, faisaient la queue sur trois ou quatre rangs pour lui serrer la main. Ils n'avaient pas la moindre idée de ce vaste gouffre financier.

Regan non plus.

— Tu es une star, on dirait, fit-elle au retour, perchée au bord du lit et penchée pour retirer son collant.

Elle s'était toujours rendue à ces soirées à reculons ; il avait le sentiment qu'elle aurait préféré rester à la maison à regarder *The Brady Bunch* avec les enfants, mais il y avait une inflexion nouvelle dans sa voix quand elle se rassit et le regarda aux prises avec son nœud papillon.

— Je suis fière de toi, tu sais.

Ils avaient bu de nombreuses coupes de champagne, mais il voulait croire que s'ils faisaient l'amour ce soir, pour la première fois depuis... cela faisait vraiment un mois? – ce ne serait pas seulement l'effet de l'alcool. Ils s'allongèrent sur le côté, lumières éteintes, remuant à peine pour ne pas réveiller les enfants, et tandis qu'une part de lui glissait à l'intérieur de Regan, toujours plus près de la liberté, l'autre pensait : C'est donc cela être un homme. Non pas le *fullback* ramenant la coupe d'or, mais un être déprimé, confus et pas tout à fait sincère qui laisse croire à sa femme qu'il est tout entier dans l'instant, comme elle.

Ou comme elle feint de l'être. Car Regan, semblait-il, était aux prises avec ses propres démons. Avec Cate, la grossesse s'était révélée difficile, l'obligeant à garder la chambre pendant de longues périodes. Cela dit, Regan ne se serait pas mieux acclimatée dans les 60ᵉ Rues Est ; elle avait été plus heureuse dans les terres rocailleuses Downtown. Depuis que sur le plan personnel, ses différentes quêtes – et plus largement la quête de la juste quête – avaient perdu leur sens, elle prodiguait à un enfant ou à l'autre le temps qu'elle ne consacrait pas aux réunions du conseil d'administration. Non que Keith fût jaloux, pas exactement, mais la façon dont toutes leurs conversations se résumaient aux enfants l'inquiétait. Et bien sûr, il ne pouvait pas lui en parler, parce que c'était probablement autant sa faute. Il avait depuis longtemps cessé de se demander qui avait, le premier, commencé à se dérober.

Il se mit à retarder le moment de rentrer ; il restait au bureau longtemps après le départ des autres, il allait au YMCA enchaîner les longueurs jusqu'à ce que le chlore lui brûle les yeux, ou courir le long de la FDR tandis que les ombres s'allongeaient sur la ville, engloutissaient les pneus crevés, les sacs d'ordures et les croûtes de guano bordant le sentier pédestre jusqu'à ce que tout se résume aux gaz d'échappement que ses poumons inspiraient et expiraient, aux klaxons irréels et aux feux arrière désincarnés s'éloignant sur la route à l'allure d'un jogger lymphatique.

Quand il regagnait enfin le grand appartement neuf, il trouvait son dîner sur la table enveloppé dans une feuille d'aluminium. Will était peut-être encore couché sur le ventre, dans sa position adorable d'abandon, ses devoirs éparpillés autour de lui. Mais Cate serait dans sa chambre, endormie ou en train de jouer avec le hamster que Regan lui avait acheté. Et Regan pelotonnée dans leur chambre pour lire des pièces, vêtue de ce qu'il considérait désormais comme son survêtement de chasteté – un pantalon de coton informe. Celui-ci ne parvenait même pas à dissimuler qu'elle avait maigri au-delà du raisonnable. Confusément, parfois, son intuition le pressait d'en parler avec elle, mais si elle lui répondait que ce n'était rien et le laissait seul au bord du gouffre ? Ou au contraire, si elle lui disait quelque chose qu'il ne voulait pas entendre ? Et lui demandait, en retour, pourquoi il rentrait si tard ? Comment lui faire comprendre que ce n'était pas qu'il n'aimait pas cette vie ; que c'était au contraire parce qu'il l'aimait trop pour la contaminer avec la maladie qui l'infectait, lui ? Alors, il se servait un verre, il mettait son album d'airs de cornemuse et, debout à la fenêtre, il s'absorbait dans la contemplation de la ville. Lui-même, se disait-il, tournait en rond dans sa roue de hamster transparente, incapable d'établir un contact.

Le jour où le mot « défaut » commença à filtrer dans les journaux – le jour où les gens commencèrent à se demander si l'on pouvait même plonger encore plus bas –, il prit le parti de ne pas se présenter au travail. Il emmena Will au parc à la sortie de l'école pour l'entraîner à la crosse. Pour Keith, enfant, le « sport » désignait le football américain, le baseball et le basket-ball, mais s'ils payaient des frais de scolarité n'était-ce pas justement pour que le gosse ait le choix ? Enfin, pour cela et parce que les écoles publiques effrayaient même Keith. Et puis, il voulait bien l'avouer, il aimait la chaleur résineuse du bois entre ses mains, le chuintement ultrarapide de l'air dans la poche quand il envoyait la petite balle voler au-dessus de Great Lawn – son vieil ami le levier, une fois encore. Will, pour sa part, en ce qui concernait la coordination œil-main, était un Hamilton-Sweeney de bout en bout. Quand il remonta la pelouse empêtré dans ses protège-tibias trop grands, sa chemise gonflée comme une voile, il ressembla fugitivement à ce garçon éponyme, le frère disparu de Regan, qui, Keith s'en souvenait vaguement, avait aussi joué à la crosse un semestre ou deux. C'était tellement frappant qu'il faillit ne pas remarquer l'expression à la fois sombre et vide de Will à son retour.

Il se plaça derrière le garçon, ajusta sa prise sur la crosse, s'efforça d'analyser les moyens techniques qu'il avait lui-même maîtrisés. (Pourquoi ne s'était-il pas limité à ce qu'il savait faire ?)

— Non, comme ça.

La position relative de leurs corps lui rappela un autre jour, des années auparavant, où il avait appris à Will à manier un cerf-volant, lancer un Frisbee ou autre chose, il ne savait plus, il avait une conscience trop aiguë de son fils actuel, âgé de dix ans, dont les cheveux lui arrivaient au torse. Quand avaient-ils cessé d'être blonds, presque blancs ? Et depuis quand son corps souple, qui aurait tout donné pour se coller à son père, était-il devenu si raide, comme si réunir leurs mains autour d'une crosse avait quelque chose de pas très masculin ?

— D'accord, d'accord, j'ai compris, dit Will avant de se raviser.

D'autres adultes et d'autres adolescents flottaient derrière lui, petits moucherons colorés sur fond d'herbe verte.

— Vise dans le tas, Papa. Pas de quartier.

Keith, qui pour une raison mystérieuse devait toujours relever les défis qu'on lui lançait, envoya la balle de toutes ses forces. Elle vola derrière Will et très loin dans le champ, Will se retourna en jurant pour courir après, comme si son père, qui ne l'avait jamais entendu prononcer le mot de cinq lettres, n'était pas là. Keith pensa de nouveau aux rumeurs qui avaient circulé dans Wall Street toute la matinée. L'une d'entre elles affirmait que les obligations s'échangeaient à moitié prix. Une autre, qu'il craignait de vérifier, que *personne ne rachetait ces fonds pourris*. Mais plus tard Keith comprendrait que c'était à ce moment précis qu'il avait réellement jeté l'éponge – ce moment où il était devenu invisible même pour son propre fils.

Il avait vraiment eu l'intention de parler à Regan de ses erreurs – pour couvrir les dépenses familiales, il avait déjà commencé à piocher dans le capital de Will – mais le soir où enfin seuls, les enfants étant couchés, ils mangeaient des nouilles chinoises, ils parlèrent surtout de son besoin de changement à elle. Elle se demandait maintenant si son frère n'avait pas eu raison de quitter New York, si longtemps auparavant. Elle avait cru à la promesse des années 60, après tout, même en n'y participant que de loin. Ne s'étaient-ils pas juré de ne jamais ressembler à leurs parents, prisonniers de choix décidés à vingt ans?

Il y avait donc encore à l'intérieur de Regan des mondes qui ne se limitaient ni au mariage ni à la maternité. Cette découverte l'enchantait, et elle l'attristait aussi, en lui rappelant tout ce qu'il avait oublié... au bénéfice de quoi? Il pouvait à peine se le rappeler. À son doigt, il portait cette bague depuis quatorze ans déjà, un anneau en or blanc griffé, rayé, ravissant, mais quand l'avait-il remarqué pour la dernière fois? C'était, se dit Keith, comme s'il avait acquis son propre Frère Démon: la dépression, les idées noires, le cafard qui vous suivait partout. Comme si chaque Américain avait désormais son jumeau ténébreux, la possibilité d'une vie vécue autrement, qui lui renvoyait son regard dans les vitrines et les armoires à pharmacie. Ses parents avaient-ils connu cela? Et ses grands-parents? Il se rendit compte que c'était Regan qui l'observait.

— Quoi?

— Si tu veux me dire quelque chose, chéri, tu peux.

Mais comment aurait-il pu lui parler? Comment repassait-on du bon côté du miroir et dans la vie réelle si loin derrière?

Deus ex machina, voilà comment. Il s'était inscrit à un séminaire financier de trois jours sur l'Avenir de la Ville, espérant trouver un moyen de se sortir du désastre dans lequel il s'était fourré. C'était de la publicité mensongère; à la place d'«Avenir» ils auraient dû employer le mot «Crise», car il était dans toutes les bouches. Crises du pétrole et crises de la demande, crises de confiance. Certains croyaient qu'à l'âge des devises flottantes, seule la confiance empêchait l'effondrement du système. Et c'étaient les optimistes! Ceux qui, à l'image de Keith, s'accrochaient aux idées désuètes de valeur comme objet empiriquement vérifiable – ceux-là inclinaient à penser que tout était *vraiment* foutu !

Le vendredi matin, n'ayant presque rien appris, Keith sortit respirer un peu d'air. Le hall était désert et le bruit de ses souliers sur le marbre poli lui parut lugubre, ou bien était-ce la morosité accumulée au cours de ces présentations. *La ville américaine est à l'agonie*, avait exposé un orateur, tandis que derrière lui, sur un écran, défilaient des diapositives montrant Detroit ou Pittsburg après les émeutes. *Le développement de New York ne connaîtra plus de renouveau important avant vingt ans.* Cette ville dans laquelle Keith avait investi… ne pouvait pas sombrer, cela lui paraissait toujours inconcevable. À propos de chose inconcevable : qui donc était assis là, sur une borne de protection, en costume sur mesure, sinon Amory Gould ?

Ne voulant pas paraître grossier, Keith s'approcha pour le saluer. Pour toute réponse, Amory lui tendit un paquet de cigarettes. Il avait de quoi se payer des Dunhill ou des Nat Sherman, se dit Keith, mais celles qu'il offrait paraissaient bas de gamme, avec un nom espagnol : Exigente. Par politesse, il en prit une. La première bouffée lui donna le tournis ; il n'avait pas touché au tabac depuis la semaine ou deux de déprime qui avait suivi sa blessure au football, à l'université.

— Merci. Je ne m'attendais pas à vous voir ici, avec tous ces Cassandres.

— Oh, je ne rate jamais une occasion de voir des gens piégés dans une erreur catégorielle.

Keith leva les yeux. Avec ses cheveux blancs, Amory semblait autrefois tellement plus vieux que lui, né dans un autre siècle, mais à présent ils avaient vraiment l'air du même âge. Et des deux, Amory possédait probablement la plus grande vitalité.

— Vous croyez qu'ils se trompent, là-dedans ?

— Ce que je crois, mon garçon, c'est que liquidités et vision peuvent encore accomplir de grandes choses. Tout le reste se résume à un écran de fumée et à des miroirs.

— Vous devez savoir des choses que j'ignore.

— Supposons. Serait-ce à mon avantage si je le partageais ? N'auriez-vous pas plutôt intérêt à penser que j'occulte quelque chose ?

Amory plissa les yeux pour les protéger des volutes de sa cigarette. Keith ne le savait pas fumeur ; il s'y prenait comme un homme pressé, ou qui aurait grandi dans un climat excessivement froid. Ce qui était le cas, Keith s'en souvenait maintenant.

— Vous savez, Keith, je vous aime bien.

— Oui, sans doute. Sans vous je ne serais pas où j'en suis.

— Oh, ce n'est pas ce que je voulais dire. Non, ce que vous avez, vous l'avez gagné vous-même, et pour cela je vous tire mon chapeau. Mais il n'en reste pas moins que vous et moi pourrions réaliser de grandes choses ensemble, à condition d'avoir la liberté et le temps nécessaires.

Un peu déconcerté, Keith suggéra qu'Amory semblait se débrouiller fort bien sans lui. Les nouveaux marchés ne s'ouvraient-ils pas dans le monde entier pour les Hamilton-Sweeney ? Leurs bénéfices d'une année à l'autre, n'avaient-ils pas miraculeusement doublé ?

— Vous ne m'avez pas bien compris. Je veux dire que j'ai de l'affection pour vous, Keith, vous êtes pratiquement mon neveu. Et quand j'aime les gens, je m'intéresse à eux. Je veille à ma façon sur ceux auxquels je m'intéresse. Aujourd'hui, une fois de plus, vous avez besoin que quelqu'un veille sur vous, n'est-ce pas ? Oui, vous avez besoin de l'aide de votre Oncle Amory.

Keith percevait dans sa voix une nuance de fausseté, mais il n'était plus en mesure de le montrer. À cet instant, il crut comprendre pourquoi Regan n'aimait pas Amory.

— Comment sauriez-vous pareille chose ?

— Vous pensez qu'il me faudrait fouiller un peu. Mais votre visage a toujours été comme un livre ouvert.

Des cohortes de pigeons, brassant l'air, plongèrent vers un immeuble sur le trottoir en face. Au moment où ils semblaient vouloir se poser, ils remontèrent se percher sur les hautes fenêtres. Ils répétèrent leur petit jeu, plusieurs fois de suite, sans suivre la moindre logique. Pourquoi ces fenêtres ? Pourquoi les quitter ? À croire que les oiseaux étaient pris dans la répétition d'un traumatisme primitif, coincés entre ce qu'ils devaient faire et ce qu'ils désiraient. À quoi bon tenter de cacher les choses à Amory ? Keith se retrouva en train de lui parler des obligations qu'il détenait, maintenant plus que pourries, de ses pertes touchant à l'insolvabilité. La nicotine avait dû lui monter à la tête. C'était pourtant un soulagement de le dire à quelqu'un. Fût-il ce quelqu'un-là.

— Je vous ai bien déçu, en fin de compte.

— Pas du tout.

Amory alluma une autre cigarette. Réfléchit.

— Je vais vous dire quelque chose, Keith. Quand j'étais jeune homme, les gens s'habillaient pour prendre l'avion. Les sièges du métro étaient en osier et un gentleman cédait toujours le sien à une dame. Les choses avaient une place et une dimension, et un homme tel que vous… eh bien, réussissait tout. Maintenant, c'est différent, bien sûr. Il est plus difficile de trouver des personnes de confiance. Mais ce qui était vrai l'est toujours. L'argent se ramasse encore dans les rues.

Sa voix semblait provenir de beaucoup plus loin qu'en réalité, de toundras et d'océans lointains plutôt que du coin de trottoir sur lequel Keith, en baissant les yeux, s'attendait à demi à voir les dollars proverbiaux.

— Tout le monde n'est pas assez audacieux pour se baisser. Les gens attendent qu'il leur tombe du ciel, vous me suivez ? Je vous ai observé de loin toutes ces années, vous avez réussi, vous avez du talent, vous avez récolté gros. Il y a un mot vulgaire pour dire ça, je me souviens. Vous vous êtes montré capable, Keith. Mais, c'est un fait, ici-bas quelqu'un qui récolte gros peut subir des coups du sort. Dans ce cas qui va nourrir la tribu ? Qu'advient-il d'elle ? On ne peut pas permettre ça... pas pour votre bien, mais pour son bien à *elle*. (Il marqua un temps d'arrêt. Se pencha en avant.) Quatre-vingt-neuf cents pour un dollar. Ce serait assez ? Parce que c'est la somme que votre beau-père serait prêt à offrir.

Stupéfait, Keith eut du mal – ou plus de mal – à calculer. Avec cet argent, il pourrait rembourser la banque et remettre les comptes de ses clients à zéro, en restant lui-même plus ou moins dans le rouge après avoir comblé les trous creusés dans le capital des enfants.

— Bien sûr, vous prenez une commission, reprit Amory. Disons trente-cinq.

— Trente-cinq mille ?

— En toute transparence. Ce qui ne nous empêche pas de le garder pour nous.

— Je ne sais pas quoi dire.

— Ne dites rien. Allez et ne péchez plus.

— Nom de Dieu. Merci. Vous ne savez pas quel service vous me rendez.

Il serra la main d'Amory avant que celui-ci ne revienne sur des termes aussi généreux.

— Nous ne sommes plus dans le monde des services rendus, Keith. Considérez cela comme un échange.

— Et qu'est-ce que je vous dois ?

Amory écrasa tranquillement sa cigarette sur sa semelle avant d'afficher un sourire placide.

— Oh, je ne manquerai pas de vous le faire savoir, le moment venu.

Le trou comblé, son bilan de nouveau à l'équilibre et l'été déployé devant lui comme un rivage, Keith aurait dû se sentir un homme nouveau. Il voulait rentrer à la maison à l'heure, un peu plus tôt même, et les emmener tous manger des pizzas pour fêter ça. Mais quand il rentra à la maison, il trouva un mot disant qu'ils étaient déjà partis à la pizzéria. Et même si cela n'avait pas été le cas, qui sait s'ils ne se seraient pas demandé : *Pourquoi cette largesse, tout à coup ?* C'est alors que Keith comprit qu'il n'échapperait pas aussi facilement à son erreur – qu'il vivait dans le monde d'après l'erreur. Le parasite avait peut-être été vaincu, mais il l'avait laissé avec un vide béant, séparé des autres.

Cela pouvait aussi provenir du fait que le Frère Démon n'en avait, bien sûr, pas terminé avec lui. Car longtemps après que la transaction eut été exécutée, que les obligations qu'il détenait sur ses comptes eurent été transférées sur ceux du père de Regan – après que Felix Rohatyn fut intervenu pour sauver le budget de la ville, assurant à la société Hamilton-Sweeney un bénéfice net de neuf cent mille dollars sur une stratégie conçue par Keith ; après que Regan eut pris un travail (quoique dans la société familiale) – Amory lui téléphona à son bureau. Sa voix, d'ordinaire si distante, semblait venir de plus loin encore, comme si la connexion était défaillante. Il s'agissait, dit-il, d'une course que peut-être Keith accepterait de faire pour lui.

En général, les choses se passaient ainsi : le jeudi ou le vendredi, en fin de journée, mais avant l'heure de la fermeture, Keith prenait sa mallette. Celle-ci contenait une enveloppe en papier kraft à l'intérieur d'une enveloppe plus grande déposée par coursier le matin. Inventant une excuse pour partir tôt, il passait devant Veronica et le pool des secrétaires, et appelait l'ascenseur. Sa destination était une maison à l'abandon dans l'est de Bowery, le genre d'endroit qui vous laissait toujours un souvenir quand vous repartiez, de la poussière sur vos souliers ou sur vos manches, un film gris imperceptible sur la pointe des doigts qui avaient poussé la sonnette. Mais Keith ne sonnait jamais ; Amory ne parlait pas de livraison en mains propres. Plus facile de jeter l'enveloppe dans la fente.

Que contenaient ces enveloppes ? Des citations à comparaître ? Des versements à une maîtresse secrète ? À un enfant illégitime ? Il se gardait bien de poser la question. Amory entretenait un réseau de contacts, non seulement dans les services secrets où il avait travaillé jeune homme, mais aussi dans les énormes machines de traitement des données qui étendaient leur emprise sur la finance ; l'information était le cœur de son business. Pas Keith Lamplighter. Il se contentait de se baisser et d'introduire l'enveloppe. Certes, c'était une mission un peu désagréable. Les notables de New York avaient autrefois vécu ici, mais la classe sociale à laquelle il appartenait s'y trouvait maintenant en terrain hostile. Et si quelqu'un de sa connaissance le surprenait là ? Mais naturellement, même les gens d'ici ne le voyaient pas. Ils étaient trop occupés à se défoncer, ou trop effrayés pour sortir dans la rue. Ses seuls contacts humains se résumaient à l'aboiement d'un chien ou au son étouffé d'une stéréo.

Et puis, après le quatrième ou le cinquième voyage, il était en train de rebrousser chemin vers les rues plus sûres pour trouver un taxi quand il fut pris de nausée. Il plaça sa mallette sur le haut arrondi d'une boîte aux lettres, actionna le fermoir, et vit l'enveloppe, le long rectangle anonyme qu'il était censé avoir déposé. Il ne s'en serait pas inquiété outre mesure, sauf que sa sœur jumelle, contenant un bon de souscription en attente de la signature d'un gros client, n'était plus là. Il s'efforça de se rappeler le moment où il avait glissé l'enveloppe dans la fente, sans succès. Son esprit avait déjà mis le cap au nord, il était déjà rentré à la maison. Il revint sur ses pas. Le bruit qui filtrait des murs du sous-sol et de la porte en fer couverte de hiéroglyphes géants avait la densité profonde, amphibie, de la musique live, mais on ne pouvait pas vraiment appeler cela de la musique. C'était plutôt comme une attaque à l'arme à feu contre un magasin de musique. Il frappa à en avoir mal aux mains et attendit une accalmie qui ne vint pas. Août 1976, l'air suffocant, le martèlement du soleil.

À un certain moment, depuis la dernière fois qu'il l'avait remarquée, la sonnette avait été arrachée comme un œil de son orbite ; un ganglion de fils tordus pendait à même le cadre de la porte. Il s'accroupit et souleva le rabat de la fente pour tenter d'apercevoir son enveloppe par terre, derrière la porte. La sueur perlait dans ses cheveux et coulait dans ses yeux. Il sentait des regards le surveiller à travers les rideaux tirés de l'autre côté de la rue. Est-ce que les gens appelaient les flics par ici ? Et si on les appelait, les flics osaient-ils venir ? Peut-être en improvisant un crochet à l'aide des fils électriques… Il était sur le point de crier dans la fente lorsqu'une ombre s'étendit sur lui. Il leva la tête. Là, dessinées contre le ciel moite, il y avait deux très longues jambes gainées de jean. La jeune femme à qui elles appartenaient serrait une pile de disques contre sa hanche. Son tee-shirt noir, raccourci, révélait un éclat de ventre pâle. Ses cheveux bruns se pailletaient d'or aux endroits où le soleil les balayait. Les yeux plissés, elle le regarda d'un air farouche, mais le son de sa voix, quand il lui parvint, eut une inflexion intriguée, riche, rauque – presque amusée, aurait-il pu dire, longtemps après avoir oublié ses mots exacts.

Qui étaient, pour mémoire : « Hé ! Vous cherchez quelque chose ? »

INTERLUDE

LES ARTIFICIERS, PARTIE 1

Fugueuse
Dans la demeure de mon père, il y a beaucoup
de maisons
Quel royaume c'était
Les singes envahissent le palais céleste et
chassent le dragon
Année du serpent
Plus personne n'y va
Les Artificiers

La maison, blanche, de plain-pied, avec des flancs
en aluminium, se trouvait dans un cul-de-sac au
milieu du réseau suburbain du comté de Nassau,
Long Island. Seul son isolement la distinguait des
milliers d'autres. La plomberie était capricieuse.
Les murs laissaient transpirer les bruits. Mais
au printemps 1963, quand Carmine Cicciaro Jr
conduisit sa jeune épouse du Queens pour la lui
montrer, il vit tout de suite qu'il en ferait bon
usage : à l'arrière, il y avait un terrain plat
assez vaste pour un jardin, un bâtiment de la taille
d'une maison et un rideau de pins et d'ormes pour
faire écran à la circulation de la Long Island
Expressway en direction de laquelle le reste du
terrain descendait brusquement. À l'époque je
vivais à Manhattan, et au cours des années suivant
l'installation des Cicciaro à Flower Hill, quand
je me lançais l'été dans des randonnées jusqu'à
Montauk, j'ai dû passer devant une dizaine de fois
sans la remarquer. Naturellement, je ne pouvais pas
imaginer que vivait là l'un des plus grands artistes

nés sur le sol américain. Et naturellement, jusqu'à
l'été du bicentenaire de 1976 et aux événements qui
en ont découlé, je n'aurais sans doute pas pensé à
qualifier d'«art» le travail de Cicciaro.

Le travail de Cicciaro consiste -- ou consistait
encore récemment -- à lancer des feux d'artifice.
Pour ceux qui pratiquent la même activité, le
spectacle qu'il a donné dans le port de New
York le 4 juillet 1971 demeure la plus belle
réalisation dans son domaine depuis une génération.
Et cependant, c'est un domaine si peu exploré
que nul ne parvient même à tomber d'accord sur
un nom. Les textes fondateurs sont tous vieux de
plusieurs siècles. En 1650, dans Le Grand Art
de l'artillerie, Casimir Simienowicz emploie un
vocable latin signifiant «maître de feu», tandis
que d'autres ouvrages d'histoire font référence, de
façon énigmatique, à des «Hommes sauvages» ou à des
«Hommes verts». Des sources plus récentes parlent
de «pyrotechniciens», mais j'ai découvert que les
hommes de métier (ce sont tous des hommes) préfèrent
«artificiers».

Ils sont très largement d'origine italienne -- les
Rozzi de Cleveland, les Zambelli de Pennsylvanie,
les Ruggieri de France --, ils gardent une mentalité
de clan, ils sont repliés, taiseux, et bourrus. De
fait, la première fois que je suis parvenu jusqu'à
sa maison sur la colline, Carmine Cicciaro Jr
rechignait à parler de lui. À mes questions sur
son métier, il répondait par des platitudes. «Vous
ne le choisissez pas, c'est lui qui vous choisit»,
a-t-il répété au moins trois fois en autant de
minutes, debout sur le seuil de son atelier. Quand
je lui ai demandé d'aller plus loin, il a seulement
dit que les feux d'artifice on les avait dans le
sang. Petit, il avait observé ses grands frères,

Frankie et Julius, charger les fusées dans la barge
familiale. Il avait regardé son père la piloter
dans le port de New York. Plus tard, sur le pont,
il avait vu le ciel s'embraser et, sur les quais,
des milliers de têtes se renverser, bouches bées. Je
lui avouai à quel point cette jeunesse me paraissait
extraordinaire, mais ma remarque n'entraîna qu'un
haussement d'épaules et un autre truisme: «Personne
ne fait ce boulot pour la gloire.»

Comme pour insister sur ce point, Cicciaro se
comportait non pas comme un maître américain, mais
plutôt comme un pirate exilé sur la terre ferme.
Il avait les joues bleues, une panse de catcheur
et une chemise à carreaux beaucoup trop grande pour
lui, comme pour y noyer son immense carrure. À sa
main gauche, il manquait la moitié de l'annulaire
(à la plupart des artificiers, il manque un doigt ou
un autre), mais il n'y fit jamais allusion, pas plus
qu'à l'anneau qu'il portait à la phalange intacte,
sinon en le tournant sans discontinuer pendant que
j'insistais pour qu'il accepte une interview. Sur
la table, dans l'atelier, j'avais aperçu un fusil.
Il aurait pu me chasser, mais comme j'évoquais mon
service militaire en Corée, il m'a regardé d'un
autre œil. Peu après, nous nous sommes retrouvés
assis derrière la maison, à boire des canettes de
Schlitz sorties d'une glacière.

La bière, apparemment, le détendait. Du moment
qu'il ne s'agissait pas de lui, il pouvait se
montrer très disert. Quand je lui confiai que
ma recherche sur les feux d'artifice ne m'avait
guère entraîné au-delà d'un certain Siennois du
XVIᵉ siècle, nommé Vannoccio Biringuccio, il me
dit:«Il faut juste savoir où chercher.» Adolescent,
il avait dû passer des centaines d'heures à la
bibliothèque. «L'histoire de la Chine, les manuels

techniques de chimie et de métallurgie, l'histoire
militaire au temps de la guerre de Cent Ans…
François de Malthus, ça vous dit quelque chose?
À cette époque-là, le gars qui lançait vos feux
d'artifice en temps de paix était le même qui
préparait la poudre en temps de guerre. Je pourrais
peut-être vous indiquer des ouvrages, mais ma
mémoire n'est plus ce qu'elle était. »

C'était une de ses feintes, pensai-je. Cicciaro
âgé d'à peine 48 ans, possédait manifestement une
excellente mémoire. Mais surtout, il avait envie
de parler. Cet été et cet automne-là, nous avons
passé des heures dans son jardin où je lui faisais
raconter son métier, une histoire de grandeur et
de décadence à la Spengler. Nous étions maintenant
assez à l'aise ensemble pour qu'il ne voie pas d'un
mauvais œil que j'aille à l'intérieur reprendre une
bouteille de soda plutôt que d'essayer de boire
comme lui Schlitz sur Schlitz. Mais quand je lui
avouai que je n'avais pas pensé être autorisé à
revenir après cette première visite, il m'expliqua
que j'avais eu de la chance. Sa fille pouvait le
convaincre de faire n'importe quoi.

Elle s'appelait Samantha, elle avait 17 ans, et
c'était le premier sujet personnel qu'il acceptait
d'aborder. On était en août. Dans un mois, dès
l'ouverture de la résidence universitaire, elle
entrerait à l'école des beaux-arts de NYU. Cicciaro,
semblait-il n'associait pas le mot «art» et
son propre travail. «La musique, le cinéma, la
poésie… elle est dingue de tout ça», dit-il, mais
il espérait, vu la somme qu'il payait, que ses
études la conduiraient vers quelque chose de «plus
concret». Il prit la canette posée sur son genou et
la pointa vers moi. «Peut-être même du journalisme.
Elle fait ce magazine toute seule, en entier,

illustrations et tout. Mais je n'ai pas le droit de
le lire. »

Plus tard, il aurait des raisons de parler de
Samantha et de ses secrets avec colère et tristesse.
Mais ce jour-là sa bouche se plissa comme s'il
suçait une pastille au citron. À ce moment-là,
installés dans une ignorance bienheureuse, nous
avons poursuivi notre conversation en regardant en
bordure du jardin le vent fouetter les arbres dont
les feuilles commençaient à roussir. Trois heures,
puis trois heures et demie, la circulation devenait
plus dense sur l'autoroute et le jour déclinait.

Quand on parle de feux d'artifice, on parle en
fait de trois choses différentes. Une grosse moitié
des 653 membres de l'Association américaine de
pyrotechnie s'intéresse à l'artillerie militaire
et ne ferait pas la différence entre une chandelle
romaine et un trou dans la terre. Les autres
s'intéressent aux «divertissements», lesquels se
divisent en «effets terrestres» et en «effets
aériens». Tout artificier qui se respecte sait
installer un dispositif terrestre. Les spectacles
commémoratifs auxquels j'assistais dans mon enfance,
à Tulsa, s'achevaient comme partout ailleurs sur
un tableau de feu avec les mots «Dieu Bénisse
l'Amérique». À peine quelques dizaines d'années
auparavant, l'apothéose était un palais grandeur
nature ou un soleil crachant des étincelles sur
l'eau ou sur la terre. Les progrès techniques ont
cependant profité à la branche aérienne. Aujourd'hui,
la fusée, tirée à partir d'un mortier, que dans le
métier vous entendrez toujours désigner par le mot
bombe, est la base d'un spectacle professionnel.

La science à l'origine des effets terrestres
et des bombes, Cicciaro la faisait remonter aux

villages chinois sans nom où, 2 000 ans auparavant,
la poudre était apparue pour la première fois.
«Naturellement, à l'époque, il ne s'agissait pas
de poudre destinée aux armes à feu, puisque les
armes à feu n'existaient pas. » Mais, à en juger par
leurs efforts pour s'en assurer le monopole, les
empereurs de la dynastie Tang avaient dû deviner à
quelles fins militaires ils pouvaient l'utiliser. À
partir du VIIe siècle, les feux d'artifice servaient
aux événements de Cour, et l'artificier exerçait un
métier officiel, comme le magicien ou l'Exécuteur
de Haute Justice. Et puis, vers 1300, Marco Polo
introduisit secrètement à Venise quelques cartouches
intactes. «Du moins, c'est ce qu'on raconte. » Mais
les alchimistes au service des doges ne réussirent
pas mieux que les Tang à se réserver la poudre; au
fil des siècles, les feux d'artifice se répandirent
dans le sud de l'Italie.

Vers 1850, ils parvinrent à Pozzallo en Sicile,
le berceau des Cicciaro, mais les Italiens avaient
déjà effectué quelques modifications. L'une d'entre
elles consistait à remplacer les sphères en
vigueur chez les Chinois par des cylindres ouverts
qui faisaient une pirouette en l'air et jetaient
des étincelles avant même d'exploser. Une autre
était la «polverone», une poudre noire mélangée
à divers agents refroidissants qui ralentissaient
la combustion. Et au début du XIXe siècle, les
artificiers découvrirent des dizaines d'autres
alliages permettant d'élargir leur palette au-delà
du blanc cassé traditionnel. Il y avait le strontium
pour le rouge, le sodium pour le jaune, le baryum
pour le vert. En règle générale, expliqua Cicciaro,
les couleurs deviennent de moins en moins stables
à mesure qu'on remonte dans le spectre visible. Le
bleu est considéré comme le plus volatil, et le plus

difficile à produire, mais à Pozzallo la légende veut
que le grand-père de Cicciaro, alors en culottes
courtes, ait découvert la formule permettant d'aller
au-delà jusqu'à une couleur pourpre proche de
l'ultraviolet.

Vrai ou faux, Gian' Battista Cicciaro débarqua
dans le Nouveau Monde au tournant du siècle, quand
les feux d'artifice devinrent l'un des premiers
divertissements de masse. À cette époque-là, la
ville américaine constituait avant tout une unité,
non pas culturelle, mais économique, et les factions
ethniques et sociales menaçaient de la faire voler
en éclats. Mais les feux préparés au pied levé
par Gian' Battista les jours de fête offraient
aux indociles Italiens, Irlandais, Allemands et
Juifs quelque chose de commun à partager -- fût-ce
de façon éphémère. Tammany Hall ne s'y trompa
pas. La société Cicciaro & Fils Attractions
reçut aussitôt un agréement et des contrats de
dix ans renouvelables pour les célébrations de
l'Indépendance, du jour de l'an et de San Gennaro.
En 1934, à cause d'une guerre de gangs qui déchirait
les Tongs chinoises, le fils de Gian' Battista et son
successeur, Carmine Sr, ajouta le nouvel an chinois
à sa liste, assurant ainsi à la famille le contrôle
sur ce que les artificiers appelaient les «Quatre
Grands».

Carmine Jr, qui à ce moment avait déjà assisté
à des dizaines de spectacles, prétend n'en avoir
gardé aucun souvenir. Mais ce dont il se souvient,
c'est qu'il restait éveillé dans l'appartement
familial de Mott Street en attendant le moment
où l'escalier craquait sous les pas de son père.
Celui-ci répandait une odeur âcre, vaguement
démoniaque. «C'était presque comme une lumière
jaune ou rouge dans le noir. Et le lendemain, ma

mère devait nettoyer un cercle de poudre noire dans
la baignoire. On pouvait y tracer son nom avec le
doigt. » C'est en recueillant ces résidus dans une
boîte de bonbons à la menthe Knickerbocker, en les
faisant sécher sur le toit, en y mélangeant des
composés interdits et en y insérant une allumette
que Carmine Cicciaro, âgé de 7 ans, fabriqua sa
première bombe.

Mes visites duraient déjà depuis deux mois quand
Cicciaro proposa de «me montrer la boutique». Je
crus d'abord qu'il s'agissait du bâtiment extérieur,
son atelier personnel, avec ses buses d'aération si
bruyantes qu'il n'y avait (je supposais) aucun bâti
à proximité. Au lieu de quoi il me conduisit dans
l'enceinte érigée par son père à Willets Point, dans
le Queens, vers la fin de la Grande Dépression.
Aujourd'hui, Willets Point est une zone de
barbelés, peuplée de chiens, traversée de fossés
à ciel ouvert remplis d'eaux usées et adossée
au dépôt des trains de l'IRT. En attendant la
construction d'un réseau d'égouts moderne, aucun
bâtiment résidentiel n'est autorisé, la zone est
donc principalement occupée par des ateliers
de métallurgie, de ferraille et des entrepôts
banalisés vers lesquels convergent tankers et semi-
remorques. On imagine difficilement qu'on est à New
York, jusqu'au moment où, derrière les tétons de
la station d'épuration, on aperçoit les tours de
Midtown. Juste à côté se trouvent les bâtiments
de la société Cicciaro & Fils, 17 hangars au toit
en tôle arrondi disposés sur environ un demi-
hectare de terre nue. À côté de chaque porte on
avait enfoncé un poteau muni d'une plaque de
cuivre; avant d'entrer, vous touchez la plaque afin

d'éliminer toute l'électricité statique que vous avez accumulée. (Observez bien un artificier, et vous verrez qu'il conserve cette habitude : à la porte d'une cuisine, d'une salle de bains ou d'une station-service, il pose inconsciemment la main sur le chambranle.) Quand quelqu'un allume la lumière à l'intérieur d'un hangar, une ampoule rouge, à l'extérieur, signale sa présence. Et derrière la dernière rangée de hangars, s'étend « Le Labo », un terrain vague et stérile, entouré de tous côtés de dunes artificielles, aux pentes intérieures marquées de brûlures noires, et couvertes à toute heure de dizaines, voire de centaines de mouettes. C'est l'accumulation de nitrate dans la terre qui les attire, m'expliqua Carmine. « Comme quand on a besoin de fer et qu'on mange un steak. Un déséquilibre minéral dans le sang. »

Il avait commencé à travailler ici après l'école, au début des années 40, quand ses deux frères étaient partis pour la guerre. Ses tâches principales consistaient à nettoyer et fermer les locaux quand les techniciens rentraient chez eux. Cependant, seul au milieu des combustibles, Cicciaro se mit à bricoler. Très vite, il devint évident qu'il avait hérité du don de son grand-père pour la couleur. Il était capable de distinguer des nuances qui échappaient aux autres ; de sentir, grâce à une forme légère de synesthésie, les teintes précises qu'on obtiendrait de diverses associations chimiques, et de savoir jusqu'où il pouvait les développer sans y perdre la vie. L'une de ses premières réussites fut ce que l'écrivain et passionné de feux d'artifice George Plimpton décrivit comme « un bleu le plus rare et le plus magnifique », doté d'une luminescence à la fois profonde et claire. Mais la formule secrète de Cicciaro était

d'une telle puissance que les fusées ne devaient
pas être préparées plus d'un jour ou deux avant leur
lancement.

Et puis, en novembre 1944, un bombardier à bord
duquel se trouvait l'un des frères de Cicciaro,
Frankie, s'écrasa dans le Pacifique. Julius Cicciaro
fut tué en Belgique peu après. Ils furent décorés
à titre posthume. Leur mère devint une de ces
femmes catholiques toujours enveloppées de noir
qui ne sortaient de chez elles que pour la messe
quotidienne. Le père, lui, se contenta de travailler
plus dur, ainsi que le fils survivant. L'hiver, pour
les artificiers, était depuis longtemps la saison la
plus chargée, celle où on fabriquait les bombes en
prévision des spectacles estivaux, et l'atelier de
Willets Point restait ouvert du lundi au samedi.
Quand il quitta officiellement l'école à 16 ans,
Carmine Cicciaro Jr abattait de dix à douze heures
de travail par jour dans les hangars. Et puis, le
dimanche après la messe il se rendait dans la grande
bibliothèque publique de la 42e Rue et se plongeait
dans la lecture d'ouvrages au papier friable.

Même immergé dans l'histoire, Cicciaro gardait un
œil tourné vers l'avenir. Tout autour de lui, le
monde devenait standardisé. Les gens n'étaient plus
obligés d'aller à l'Opéra; ils pouvaient acheter un
disque et écouter autant de fois qu'ils voulaient,
l'œuvre toujours identique. Mais les feux d'artifice
résistaient à toute forme d'orchestration. En
l'absence de ses fils défunts, avec lesquels il avait
établi une sorte de télépathie, Carmine Sr devait se
fier à des techniciens, aveuglés par les éclairs, qui
couraient allumer les fusées à la main en essayant
d'interpréter les signes qu'il envoyait dans le noir
en agitant les bras.

Un jour, en arrivant à Willets point, Carmine Jr
trouva ces techniciens réunis autour de la radio
dans le bureau de son père, dans le hangar 8.
L'émission annonçait l'explosion de Fat Man au-
dessus de Nagasaki. Il s'agissait de l'explosion
d'origine humaine la plus puissante jamais conçue,
elle mettrait fin à la guerre et constituerait
une ample rétribution pour la mort de ses frères.
Les hommes semblaient surtout intéressés par la
fabrication de la bombe. L'un expliqua que le
problème électrique majeur avait été d'obtenir que
l'allumage de la matière explosive se déroule de
façon uniforme autour du cœur… Il s'interrompit
en voyant le garçon endeuillé. Mais Cicciaro était
déjà en train de reconstituer le puzzle. La bombe A
était presque l'opposé d'un projectile aérien: la
transformation d'une stabilité en chaleur, alors
que les feux d'artifice changeaient la chaleur en
stabilité. Mais la nécessité de contrôler l'allumage
était quasiment la même.

Moins d'un mois plus tard, Cicciaro alla dans les
dunes en emportant un mortier de facture grossière
qu'il avait conçu de façon à pouvoir organiser en
séquences et mettre à feu des fusées multiples.
Ce dispositif, qu'on appela plus tard «mortier
Cicciaro», permettra la synchronisation élaborée
que nous associons aujourd'hui aux spectacles
de feux d'artifice. Il a joué un rôle important
dans la préparation de spectacles retransmis à la
télévision. Quant à en déposer le brevet, Cicciaro
me dit que ça ne lui était jamais venu à l'esprit,
pas plus qu'à l'esprit de l'artificier qui avait
découvert le rose vif produit par le perchlorate de
magnésium. En d'autres termes, et ce ne serait pas
la dernière fois, Carmine Cicciaro Jr avait fait un

pas de plus vers l'obsolescence -- vers le moment où il serait consumé par le feu qu'il créait.

Une bombe est essentiellement constituée d'une enveloppe, d'une amorce, et de deux charges. L'enveloppe est un tube de plusieurs couches de papier kraft dont le diamètre peut aller jusqu'à 30 centimètres. Quand il a retiré l'enveloppe de sa forme en bois, l'artificier fixe à l'intérieur une longue mèche, ou passafuoco. Celle-ci allumera la charge entraînant la propulsion tandis que le feu progresse plus lentement à travers la polverone et l'amorce proprement dite. Au centre de la bombe, un tube de métal plus petit appelé cannula contient la poudre la plus puissante: la charge explosive.

Le dimanche de ma visite à Willets Point, les ateliers étaient déserts, mais à l'intérieur du hangar 15, un technicien du nom de Len Rizzo, fraîchement divorcé (un autre risque du métier), se servait de boîtes de tomates San Marzano vides pour préparer des fusées destinées à célébrer une «Première Nuit de l'Année» sur la côte du New Jersey. Je le regardai remplir l'espace entre la paroi extérieure de la boîte et l'enveloppe en papier de pétards longs comme le doigt, et de masses de composés chimiques de la taille de cubes de bouillon, appelés «étoiles». Ces dernières étaient les couleurs de la bombe, d'une volatilité telle qu'on les introduisait avant les charges, me dit Carmine -- «Toujours construire de l'extérieur vers l'intérieur» --, mais je ne dirai pas que cette précaution diminua un tant soit peu ma tension quand il m'invita à essayer moi-même.

La couleur et le son étant prêts, l'enveloppe fut transférée dans un autre hangar où la cannula reçut sa charge explosive. Celle-ci était divisée afin d'obtenir plusieurs «ruptures» dans l'air, à

la manière d'une fusée à plusieurs étages. Dans le
fond, et à l'intérieur d'un autre hangar, Cicciaro
inséra la charge de propulsion et une série de
mèches de mise à feu, terminant en ligaturant
les extrémités. La dernière étape fut de ligoter
l'enveloppe sur le modèle d'un jeu de ficelle, à
l'aide d'une cordelette de jute. Pour assurer,
me dit-on, son intégrité, mais je me demande
aujourd'hui si ce n'était pas pour la beauté du
geste, comme un décorateur de théâtre qui remplit
un tiroir dont les spectateurs ne verront jamais
le contenu. En tirant sur la ficelle de cuisine
accrochée au plafond dans le hangar 7, les mains
de Carmine, mutilées et marquées de cicatrices,
devenaient presque délicates et, si je n'ai jamais
saisi moi-même la technique du ficelage, j'aurais pu
passer la journée à le regarder faire.

Les enveloppes prêtes furent déposées dans les
hangars 1 à 3, séparés des autres par un fossé de
drainage rempli d'eau stagnante. Je fis observer à
Cicciaro que, dans leur distribution, les hangars
représentaient une bombe de très grand format:
chaque élément dans son compartiment. «Les mettre
en présence trop tôt, c'est ce qui tue», dit-il.
Quand une famille d'artificiers d'Omaha avait vu son
atelier exploser au printemps 1973, les commerçants
à quinze kilomètres à la ronde parlèrent de fenêtres
soufflées. «Le fils qui est mort était un type
prudent. Mais on ne sait jamais. Enfin, les chiens
savaient. Des voisins ont dit qu'ils aboyaient une
demi-heure avant l'explosion.»

Dehors, la nuit tombait et je demandai si nous
pouvions effectuer un tir. Pas ici, répondit-il. «La
Ville n'autorise les tirs que du jeudi au samedi.
Mais je connais un endroit où nous pourrions aller.
Vous avez quelque chose de spécifique en tête?»

Je répondis que j'aimerais me servir de l'une
des bombes que nous venions de fabriquer. Malgré
toutes ses mises en garde, il sortit du hangar 3 en
tenant une fusée à mains nues et me la lança comme
un ballon de football. «Surtout ne la laissez pas
tomber», dit-il, et je la posai sur mes genoux en
m'installant dans le pick-up, sursautant au moindre
bruit tandis que le véhicule, secoué de cahots,
passait devant les dobermans et sur les nids-de-
poule pour rejoindre l'autoroute.

Nous nous arrêtâmes dans un parc naturel isolé
à une demi-heure à l'intérieur de Long Island.
Cicciaro avait des tubes de mortier à l'arrière
de son pick-up -- c'est ce que j'avais entendu
bringuebaler derrière --, il en enfonça un
directement dans le gravier du parking, dirigé
vers une prairie adjacente. Il y introduisit la
bombe. Il entoura l'orifice du mortier de l'amorce
principale et l'alluma avec la même nonchalance que
pour allumer une cigarette. Il parcourut les trois
mètres environ qui le séparaient de l'endroit où je
me trouvais. La lenteur de cette mèche était presque
douloureuse. Puis la flamme atteignit l'orifice et
disparut à l'intérieur.

Au début, il ne se passa rien, et je dus vouloir
bouger pour aller voir les choses de près, car
il me retint par le bras. Et bien sûr, il y eut
une explosion sourde que je sentis jusque dans le
sable, un cri déchira l'air et la lumière jaillit
dans la nuit maussade. Il avait préparé une bombe
à couleurs multiples, une pour chacune des sept
ruptures. D'abord un éclat bleu de haute altitude,
suivi d'un orange prudent, un peu en dessous. Le
vert les éclipsa avec, à l'intérieur, un vert plus
riche -- comme une cartouche à l'intérieur d'une
cartouche. Puis ambre, doré, et enfin un rouge

incarnat profond quand la bombe retomba vers la
terre. Son éclat fut assez vif pour dessiner le
visage de Cicciaro: bouche bée, il m'apparut tel un
enfant dévoré par une obsession. Il avait sans doute
été ainsi, l'année de la mort de ses frères, isolé
dans le langage en apparence occulte de son travail.

Quand j'arrivais, Cicciaro se trouvait
généralement dans son atelier, mais à mon retour
dans le comté de Nassau le vendredi après
Thanksgiving, la porte était condamnée par trois
verrous et le pick-up avait disparu. Comptant sur
lui pour me reconduire à la gare, j'avais déjà
renvoyé mon taxi. À pied, il me faudrait une heure,
sous la pluie. C'est surtout cela qui me poussa,
parvenu devant l'entrée de la maison, à sonner à
la porte. Pendant un moment, aucune réponse. Mais
comme je m'apprêtais à partir, le battant intérieur
recula et je vis Samantha, la fille, qui me regardait
derrière la contre-porte vitrée. Dans les photos
d'elle petite fille collées au réfrigérateur, elle
était encore grassouillette, mais en vrai, on voyait
d'abord combien elle était longiligne. Et ensuite
qu'elle ne savait pas quoi faire de cela. Elle
avait cet air un peu perdu et effarouché qu'on voit
parfois chez les échassiers à la seconde où ils
s'envolent. Ses cheveux, coupés au carré et noir de
jais, donnaient à son visage une expression sévère,
mais sa bouche se décrispa et tout ce qu'il y avait
autour s'adoucit. Je me demandai si elle n'attendait
pas quelqu'un d'autre.
– Vous êtes le type du magazine? Papa n'est pas
là.
Je lui adressai mon sourire le plus engageant et
dis que nous avions dû emmêler nos pinceaux.

– Me permettez-vous de me servir de votre
téléphone pour appeler un autre taxi. Et peut-être
papoter un peu avec vous, puisque vous êtes là.

Ses yeux se plissèrent. Puis ils devinrent
immenses, noirs et de nouveau pensifs, et la porte
s'ouvrit. Elle ne me regarda pas chercher un numéro
dans la cuisine, elle ne resta même pas dans la
pièce. J'aurais dû, après avoir raccroché, aller
attendre sur le trottoir, mais je suivis l'unique
couloir jusqu'aux chambres. Je la trouvai assise
sur un vieux lit à baldaquin, regardant ses doigts
sur les frettes d'une guitare électrique verte.
Il y avait un disque sur la stéréo; elle essayait
d'apprendre à jouer toute seule et je l'interrompis
en frappant un coup sur le chambranle.

– Je n'ai pas eu l'occasion de vous remercier.

– De quoi?

Sur le mur derrière le lit il y avait des dizaines
de photos de musiciens de rock.

– D'avoir persuadé Carmine de me parler,
répondis-je.

Elle haussa les épaules, comme son père.

– Il me semble qu'on ne refuse pas une chance de
devenir célèbre.

– La célébrité, voilà un mot un peu fort pour
désigner ce que j'ai à offrir.

– Pas quand on fait son métier.

Elle gratta un accord paresseux. Elle n'avait donc
pas envie de travailler avec lui? demandai-je.

– C'est cela dont vous vouliez me rebattre les
oreilles? Parce que si c'est ça, c'est déjà bien
parti.

– C'est ce que font les pères. Ils s'inquiètent.

– Le fait qu'il vous parle ne m'oblige pas à vous
raconter ma vie.

De nouveau son pouce fit surgir un accord, le
mauvais et avec un bon temps de retard.

– De toute façon, j'espère que vous ne prenez pas
tout pour argent comptant, parce qu'il n'est pas
toujours fiable en ce moment.

C'était une vieille chanson de Van Morrison.
Quand elle se pencha pour la jouer, je remarquai un
pansement d'enfant sur son cou, un motif d'animaux
blancs couvrant ce qui était sûrement une blessure.
Les cordes rendirent un son mort, indifférent. Je
crus deviner que quelque chose la rendait triste.

– Il est même un peu paranoïaque. Il croit qu'on
cherche à le faire plier bagage.

– Vous parlez des gens de son ancien quartier? La
mafia?

– Je vous en prie. Les concurrents. Nous avons eu
les contrats de la municipalité pendant cinquante
ans, et maintenant ces connards, ou les sociétés qui
les emploient, viennent nous les voler.

J'avais entendu parler de ces contrats perdus
avant même d'avoir rencontré Cicciaro; jusque-là
il les avait à peine évoqués, comme l'échec de son
mariage, et mieux valait ne pas trop insister sur
des sujets touchant à sa fierté. Mais là c'étaient
les affaires, rien de personnel.

– Je l'avoue, je suis curieux de savoir pourquoi il
a un fusil, là-bas.

– C'est son côté sicilien. Comme si on vivait dans
un village médiéval où il faut défendre ses biens
par le glaive. Mais je crois que, si on venait
l'embêter, il saurait s'en servir. C'est un dur à
cuire, mon père.

– C'est de famille, hein?

Ce qui était censé être un compliment résonna
comme trop obséquieux. Et on entendit un klaxon
dehors.

– Voilà votre taxi.

– Mi Ré La, dis-je. (Je revois encore son air
étonné.) Les accords. Mi-mi-mi-Ré-La. Glo-o-o-ri-a.
Et là, l'espace d'une seconde, elle eut ce
sourire.

Je ne repensai à ces contrats que plusieurs
semaines plus tard quand, désireux de se racheter
après m'avoir fait faux bond, Cicciaro me fit la
proposition que j'attendais: il voulait savoir si
j'accepterais de l'aider lors d'un spectacle. «Ne
vous attendez à rien d'extraordinaire», m'annonça-
t-il. Il s'agissait seulement de cette ringardise
de Première Nuit de l'Année, un contrat pour un
feu d'artifice sur la côte du New Jersey. «Quinze
minutes, deux cents projectiles, Bonne et Heureuse
Année, ça s'arrête là.» Cependant ça m'avait tout
l'air de l'avenir de l'artificier indépendant, et si
je voulais le voir, je devais y aller.

Le feu devait être tiré sur une barge à ordures
flottant sur un bras de mer saumâtre dans la partie
de l'île qui faisait face à la ville. Ni Cicciaro,
ni les autres techniciens qui étaient venus nous
retrouver ne semblaient gênés par les odeurs aigres
de poubelles, ou par la neige qui avait commencé
à tomber, oblique, dans la lumière de l'unique
réverbère du parking. Avec un vocabulaire limité
à des grognements et des hochements de tête, nous
chargeâmes la barge. Des gosses en parkas nous
regardaient à distance, prêts à s'éparpiller dans
le noir. Pour ce qu'ils en savaient, en dépit de
ma cravate et de mon Fedora, j'étais moi aussi un
artificier.

Vers onze heures, nous embarquâmes, Cicciaro
lui-même à la barre. Nous jetâmes l'ancre en vue
de la lumière du parking et des roseaux noirs

sur la rive, mais assez loin, remarquai-je, pour
qu'en cas de problème les victimes ne comptent que
parmi les présents à bord. Il n'y eut plus qu'à
attendre. Les techniciens restaient de l'autre
côté de l'embarcation, loin des mortiers, mais la
distance qui les séparait de leur patron paraissait
plus spirituelle que spatiale. Il m'avait avoué
récemment qu'il avait dû au printemps prendre des
mesures de réduction des coûts. La technologie avait
rendu plus difficile pour une entreprise non affiliée
de rester compétitive. Les gros groupes pouvaient
faire fabriquer les projectiles à Taïwan pour
quelques pennies par jour, et payer un consultant
pour programmer leurs mortiers Cicciaro. Et en
effet, comme New York sortait de la crise fiscale qui
l'avait plongée dans la faillite, on demandait à
Cicciaro de diviser ses devis par deux s'il voulait
récupérer les contrats municipaux. Un jour, il
avait réuni ses hommes à la fabrique, la plupart
chargés de famille ou avec des pensions alimentaires
à payer, et avait annoncé que, pour la première
fois de toute son histoire, l'entreprise allait
être obligée de licencier. Et puis, une fois ces
emplois détruits, on lui opposa que son entreprise
était trop petite pour être concurrentielle sur le
bicentenaire.

Je ne lui avais pas parlé du nouvel an, mais comme
s'il m'entendait penser, il me dit, depuis la cabine
du pilote:

— Vous savez, il y a un spectacle plus beau à
New York, ce soir. La même entreprise qui a eu le
4 Juillet. Je ne comprends toujours pas pourquoi
vous n'allez pas leur parler.

Je lui répondis que je préférais être ici, avec
un homme qui connaissait les traditions, qu'avec

un pauvre type qui glissait des cartes dans un
ordinateur.

– Je ne voudrais pas refroidir votre enthousiasme,
mais dans peu de temps vous ne verrez aucune
différence.

La première fusée s'éleva et rougit les nuages.
Même pour ce travail minable, il avait préparé
quelque chose de spécial: un projectile qui fit
jaillir dans le ciel de neige une dizaine d'orbes
pétillants et dorés. Ils flottèrent, comme attachés
par des fils.

– J'en doute fort, Carmine, dis-je. Vous vous
démenez pour faire un travail qui a de la valeur,
et l'argent vient s'insinuer là-dedans.

Il semblait soupeser quelque chose.

– Je n'avais pas l'intention de vous le dire, mais
le jour où nous nous sommes ratés, à Thanksgiving,
mon petit atelier derrière avait été forcé. Il
manquait trois grammes de ma polverone. Alors
pourquoi se donner tout ce mal? Je ne peux rien
prouver, mais je crois qu'on a voulu me dire qu'on
savait où me trouver.

Trois grammes, ce n'était rien, je le savais
maintenant. Une erreur d'arrondi, ou au pire une
farce dont les auteurs pourraient être des gosses
comme ceux que j'avais vus sur le rivage.

– J'ai des amis flics, commençai-je.

– Là d'où je viens, on ne va pas chez les flics.
Et ce n'est pas…

Mais Len Rizzo, le technicien, avait dû perdre
patience à l'avant, ou pousser sur le mauvais bouton,
car une douzaine de lumières s'élevèrent de la barge,
une immense salve de détonations. C'étaient pour
la plupart des projectiles récemment fabriqués par
Carmine et, aussi incroyable que cela puisse paraître,
les deux événements suivants auraient pour effet de

refouler l'histoire du vol dans un coin de mon
esprit durant plusieurs mois. Le premier, plus lent
à se manifester, commença avec un son de cloche sur
le rivage. Il était minuit, le nouvel an 1977. Cela
signifiait que déjà, à moins de 150 kilomètres, la
fille de Carmine gisait dans Central Park, un ou des
agresseurs inconnus lui ayant logé deux balles dans
la tête, et que son sang colorait la neige en rose.
Mais nous étions encore très loin de le savoir et la
chose soudaine, la chose qui, sur le moment, me laissa
abasourdi, c'est qu'au lieu de simplement flotter avant
de lentement redescendre vers la terre, comme une vie
entière soumise à la gravitation m'y avait habitué,
les orbes dorés commencèrent à s'élever.

LIBERTY HEIGHTS

(JANVIER-JUILLET 1977)

Marcus Garvey was inside of Spanish Town District Prison,
and when they were about to take him out,
he prophesied and said:
« As I have passed through this gate,
no other prisoner shall enter and get through »,
and so it is until now;
the gate has been locked – so what?
Wat a liiv an bambaie
when the Two Sevens clash.

Culture,
« Two Sevens Clash »

26

PRÈS D'UNE DÉCENNIE S'ÉTAIT ÉCOULÉE depuis le dernier voyage de Richard Groskoph dans le Bronx – à la fin des années 60, alors qu'il terminait un papier sur les rois du klezmer du Grand Concourse – et maintenant, comme le train 4 émergeait en plein air sur l'autre rive et que les lumières s'éteignaient, il se vit comme un astronaute projeté vers quelque planète inhospitalière, en réalité la version future de celle qu'il habitait. Monolithes de brique nue, bleus sous la lumière de la lune, jaillissant d'un paysage presque stérile. Des grues se dressaient çà et là, fossiles aux têtes de boulet de démolition. Au-dessus, s'élevaient des colonnes de fumée trop épaisses pour les attribuer aux incinérateurs. Et puis les lumières se rallumèrent et aucun de ses compagnons de voyage ne sembla avoir remarqué qu'elles s'étaient éteintes, ou que quelque chose brûlait, là-bas. Ils étaient davantage absorbés dans la lecture du journal ou dans la contemplation des lettres et des chiffres gravés sur les vitres. *Stash, Taki 8, Moonman 157*, incantations destinées à maintenir à distance le monde qui défilait. Guère différentes, à bien y réfléchir, de ces publicités affichées au-dessus, pour la podologie, la chirurgie plastique, l'orthodontie. Les médecins étaient tous blancs, les patients basanés. Richard était le seul gringo dans cette rame. Et personne d'autre ne se levait pour descendre au prochain arrêt.

En dessous, il y avait une rue où gobelets en papier et objets en plastique s'amoncelaient au pied des poutres, leurs couleurs effacées par l'hiver. Il y avait des prospectus proposant des locations-ventes. Il y avait des seringues.

Des graffitis suppuraient sur les rideaux métalliques. Quand il s'arrêta pour regarder à travers une grille, il distingua des pieds de chaises renversées. Mott Haven avait autrefois tenu lieu de terre promise pour les travailleurs fatigués de vivre dans des taudis. À présent, les seuls signes de vie étaient un feu de poubelle dans un terrain vague au bout d'un pâté de maisons, et le fantôme d'un serveur derrière son comptoir de plats à emporter, protégé par une vitre pare-balles. Naturellement, une ville pouvait se définir comme *un lieu de concentration des mutations*, et ces changements étaient déjà à l'œuvre longtemps avant que Richard s'en aille. Mais il s'était imaginé que son départ affecterait le taux de décroissance. N'était-ce pas la thèse de Heisenberg? Non, apparemment pas. Et ça n'aidait en rien non plus – il repensait à Samantha Cicciaro sur son lit d'hôpital – de tourner le dos à ces rues. Il remonta le col de son manteau, enfonça les mains dans ses poches et pénétra dans le ghetto.

Sur une dalle de béton, entre deux tours, des véhicules de secours tournaient au ralenti, sirènes éteintes. Des pompiers, leurs petites têtes nues, fumaient assis sur des pare-chocs. Des lumières rouges balayaient la foule rassemblée derrière des cordons de police. Richard se sentit de nouveau extrêmement caucasien, mais nul ne semblait lui prêter attention. Pendant près de dix minutes, tous regardèrent les allées et venues des flics dans le bâtiment voisin. Et puis, à travers les vitres sales du hall d'entrée, Richard vit un homme en civil venir dans sa direction en titubant sur ses béquilles. Il l'aurait reconnu n'importe où, même avec sa chevelure maintenant presque toute blanche. Le Petit Polack. Larry Pulaski.

À l'époque où ils s'étaient connus, il n'y avait pas de béquilles. Richard, vingt-deux ou vingt-trois ans, traquait l'information. Une de ses stratégies consistait à traîner autour d'une certaine taverne de Jane Street. À condition de tolérer les pommes de terre au goût de papier mâché et, de temps à autre, un éclat d'os dans votre ragoût, elle offrait l'avantage de se trouver à proximité du Commissariat Six. À leurs heures perdues, les flics grouillaient autour du bar. Une tournée pouvait atténuer leur antipathie naturelle jusqu'à leur faire cracher quelque chose d'intéressant, un nom, un numéro à appeler. C'étaient, pour la plupart, des hommes au physique imposant. Pulaski se distinguait par sa petite taille et parce qu'il s'asseyait toujours pour boire. Il y avait cette bosse que seul Richard semblait remarquer; quand il se levait, ses omoplates formaient comme un toit en pente sous son uniforme bleu amidonné. Plus tard, ayant découvert leur passion mutuelle pour Patsy Cline, Richard était allé lui demander s'il jouait aux cartes.

Maintenant, il regardait Pulaski, vêtu de son pardessus en laine taille enfant, aller au-devant d'une ambulance, dont le moteur diesel vrombissait au ralenti. La foule s'écarta pour la laisser passer, alors même que ses lumières ne clignotaient plus ; il n'y avait pas d'urgence. Une femme commença à marmonner. Des garçons en bonnets et blousons de ski – il n'aurait pas dû penser *garçons*, mais c'était pourtant ce qu'ils étaient, des jeunes hommes au visage à peine velouté d'un fin duvet – se lançaient dans des harangues hostiles. Depuis quand Richard n'avait-il pas couvert une scène de crime ? Il aurait préféré prendre ses jambes à son cou, rentrer à Chelsea, à une douzaine de stations d'ici, et une fois encore ne plus penser à l'intimité que les gens entretiennent avec la mort. Mais si Carmine ne pouvait pas se le permettre, alors lui non plus. Lorsque le grondement du dernier camion de pompiers se fut éloigné, il se glissa sous le cordon. *Moi j'voudrais passer... casserais la tête*, marmonna la femme qui marmonnait. Pulaski, appuyé sur un véhicule banalisé pour ôter ses gants en latex, leva les yeux. Ce n'était peut-être pas le moment de tendre la main, mais Pulaski se redressa pour la prendre. Il afficha une expression bienveillante. Presque un visage de grand-père.

— Dieu du ciel, Richard Groskoph. Tu as disparu toute une vie !

— Ça fait un bail, lui accorda Richard.

Avec le temps, la maladie de Pulaski s'était aggravée, son torse tassé en virgule. Ses jambes se touchaient jusqu'aux genoux, puis s'écartaient comme des trépieds pour maintenir en équilibre le poids désaxé du corps posé dessus. De toute évidence Richard, qui lui aussi avait vieilli, n'était pas censé y faire allusion. Il hocha la tête en direction de la tour :

— Tu m'expliques ?

— Pour mes gars, ça s'appelle Exercice d'évacuation des HLM, dit Pulaski. Bloquer l'ascenseur, déclencher l'alarme à un étage élevé, prendre position armé d'un revolver dans la cage d'escalier près du hall et attaquer tous ceux qui descendent. Sauf que parfois le revolver peut tirer. Là, on a deux cadavres.

— Horrible.

— Mais je m'étonne de voir un journaliste aussi loin Uptown. On peut lâcher des bombes incendiaires sur tout un quartier, aujourd'hui, sans que ça attire le moindre micro.

Il avait ce regard de tailleur, capable d'estimer les mesures à vue d'œil.

— Pour être honnête, Larry, je ne suis pas là pour des raisons professionnelles. Tu as une minute ?

Pulaski se tourna vers le hall du bâtiment, où ses subordonnés faisaient de leur mieux pour paraître occupés.

— Je crois qu'on n'arrêtera personne ce soir. Laisse-moi dire un mot au médecin, et ensuite on ira dans un endroit plus calme.

Avec ses béquilles, il se déplaçait à une vitesse étonnante; un peu comme une chauve-souris, il glissait dans les ombres striées de ce qui restait de lumière au-dessus des rails du métro aérien. Dans la gargote qui servait des plats cuisinés, le comptoir en Formica orange offrait juste assez d'espace pour manger debout. Brusquement affamé, Richard commanda un sandwich au steak et fromage fondu. Pulaski se contenta d'un café. Le comptoir lui arrivait au milieu de la poitrine, mais il ne se plaignit pas de cet inconfort, et Richard s'efforça de ne pas dissimuler sa propre taille ou éprouver un malaise à la place de Pulaski. Il aurait été facile de se limiter à quelques propos inoffensifs. Personne n'avait *demandé* à Richard de venir jusqu'ici; de faire de la fille à l'agonie un cas personnel. Mais avait-il un autre moyen de réduire la distance entre ce corps relié à un tube respiratoire et celui qui, deux mois auparavant, jouait sur une guitare vert pomme?

— En vérité, dit-il en jetant sa serviette froissée dans le carton où gisait son sandwich au steak et au fromage mis en pièces, je voulais te parler d'une de tes enquêtes. Cicciaro, c'est le nom de la victime.

Pulaski jeta un coup d'œil derrière lui comme s'il craignait la présence d'une oreille indiscrète, mais en dehors du serveur il n'y avait que la vieille Chinoise enchaînée à son gril.

— Rappelle-moi…?

— Le soir du Nouvel An. Central Park. Une fille, blanche, dix-sept ans. Dans le coma. C'était dans les journaux.

— Je veux bien te croire, avec ce genre de code postal. Mais comment as-tu eu son nom? Nous ne l'avons pas divulgué.

— Il se trouve que je suis ce qu'on peut appeler un ami de la famille.

— Qui? Le père? C'est un ami à toi?

— Associé, disons. Un sujet. Je prépare un papier sur lui.

— Tu rigoles.

— Les feux d'artifice, tout ça. Cela fait cinq mois, on finit par connaître les gens.

— Bizarre, tout de même, c'est la première fois que j'en entends parler. Je m'en souviendrais s'il m'avait parlé de toi.

— Sur le moment, ça ne lui a peut-être pas paru important.

Cette approche évoquait à Richard la danse nuptiale des crabes: l'un s'efforçant d'attraper l'autre sans se faire attraper.

— Et au cours de ces cinq mois, tu n'aurais rien appris d'intéressant pour moi ?

— Comme quoi ?

Un sourcil se souleva de façon presque imperceptible.

— Des amis à moi, des amis à toi, des types qui connaissent d'autres types...

Richard se sentait aussi désorienté qu'au Nouvel An quand il avait répondu au téléphone. *Quel hôpital ? Vous êtes là-bas ?* La voix de Carmine avait eu cette inflexion plate et dure d'un enfant qui se force à faire quelque chose. Pendant trois minutes, sur la table d'opération, avait-il expliqué, le cœur de Samantha avait cessé de battre. Richard crut alors comprendre.

— Quoi, c'est parce qu'ils sont italiens ? Ce type est tout sauf un mafioso, Larry. Il irait vivre sur Mars, s'il pouvait.

— Je dois te poser la question, tu le sais. Tout ça reste entre nous, naturellement.

— C'est précisément ça, la question. Je suis venu te demander s'il y avait moyen de veiller à ce que lui et sa fille restent en dehors de l'actualité. J'ai compté onze articles la semaine après le Nouvel An, sans rien d'autre que ce vous aviez laissé filtrer. Je détesterais voir une horde de journalistes fondre sur le jardin de Cicciaro. Ou quel que soit le mot qui les désigne collective-ment, une meute, un escadron.

— C'est pour eux que tu détesterais ça ?

Et puis, comme Richard refusait de mordre à l'hameçon :

— Fais-moi confiance, dans cette affaire, j'ai autant besoin de la presse que d'un trou dans la tête. Pardonne-moi l'expression. Mais que raconter d'autre ? C'est la victime anonyme d'un tireur fou. Nous n'avons aucune piste, rien, et à l'heure actuelle, tu es le seul à connaître son identité. Même ceux à qui j'ai parlé à la fac pensaient qu'elle avait laissé tomber les cours. Encore une semaine, et tout le monde sera passé à autre chose.

— Tu as lu le dossier, Larry ? Elle aura dix-huit ans demain. Dans... (il consulta l'horloge accrochée au mur derrière le verre épais de trois centi-mètres) dans deux heures, Samantha Cicciaro cesse d'être mineure. Tout ce qui la concerne peut être rendu public. En commençant par son nom.

Pulaski resta immobile une minute entière. Son reflet dans la vitre dessinait une ombre.

— Sa date de naissance. Mince ! Quelqu'un aurait dû y penser.

— Moi, j'y ai pensé. Et je te le dis. Veux-tu vraiment que toute son histoire passe au journal de dix-huit heures, et qu'on en parle encore pendant un mois ?

Pulaski but une gorgée de café, essuya les gouttes restées accrochées à sa moustache.

— Mais quel est ton intérêt? Garder le scoop pour toi?

— J'essaie seulement de finir mon papier. Qui ne sera probablement pas publié, avec ce qui est arrivé.

Il n'avait pas réfléchi plus loin, du moins voulait-il le croire. Mais avait-il surpris une lueur sceptique dans le regard de son vieil ami?

— Très bien, Richard. Je vais voir ce que je peux faire. Pendant ce temps, pas un mot. Et plus de visites inopinées.

Pulaski posa sa tasse, un son creux, et lui tendit une carte indiquant son nouveau titre, Commissaire Adjoint.

— Si quelque chose te revient, voilà ma ligne directe.

En glissant les avant-bras dans les béquilles, il sembla soudain vulnérable, tel un mollusque retournant dans sa coquille.

— Tu sais, pendant une minute, tout à l'heure, j'ai cru que tu nous quittais pour de bon.

— Que puis-je dire? À l'évidence, je ne sais pas ce qui est bon pour moi.

— Eh bien, égoïstement, je suis content. Les mercredis soir ne sont plus ce qu'ils étaient sans toi et «Dr» Zig. Ça me manque d'avoir des partenaires faciles à battre.

— Attends… qu'est-il arrivé à Zig?

— Allume la radio un jour, tu verras. On se croirait revenu en 1962. C'est l'année où vous vous êtes brouillés, tous les deux, non?

Bizarre: Richard avait toujours cru que sa rupture avec Zig Zigler, comme son origine, était restée secrète. Si Pulaski savait ça, que savait-il d'autre?

— Mais sois prudent sur la route, Richard.

— Je suis venu en métro.

— Dans ce cas, que Dieu te protège.

En échangeant une poignée de main, les deux hommes veillèrent chacun à ne pas serrer trop fort, ou à ce que l'un ne sache pas que l'autre y veillait. Pourtant, il en subsista quelque chose qui, plus tard seulement, pour Richard, n'aurait pas tout à fait le sens d'un pacte.

27

L E PARC, LE JOUR DE L'AN, avait eu l'aspect d'un champ blanc dévasté, ou d'une succession de champs bordés d'arbres noirs, comme des draps accrochés à des barbelés. Sur les sentiers, la neige avait fondu et gelé de nouveau, formant une fine pellicule qui se brisait sous les pieds et les béquilles de Pulaski, mouillant ses chaussettes et donnant à chaque pas un mouvement heurté. Naturellement, pour ce qui était de Larry Pulaski, « heurté » était un terme relatif. Peut-être, en achetant les cafés ce matin pour amadouer le jeune Goodman, aurait-il dû s'en tenir au décaféiné. Maintenant, on approchait de midi ; la police scientifique avait terminé ses prélèvements, il n'y avait plus de témoins et, à proprement parler, l'affaire n'était pas du ressort de Pulaski. Il aurait pu être de retour à Staten Island et couché depuis une heure, les pieds au sec. Pourquoi donc était-il venu dans le parc refaire en boitant le tour de la scène du crime ?

La réponse obtenue dépendrait probablement de la personne interrogée. Ses enquêteurs, McFadden et les autres, auraient dit que Pulaski était un homme tatillon, un *maniaque* qui voulait tout contrôler, pour qui rien n'était fait correctement s'il ne le faisait pas lui-même. Et il y avait sans doute là un début de vérité. En 1976, on avait commis près de deux mille homicides dans la Ville de New York, et l'équipe de Pulaski en avait traité un cinquième – un pour chaque jour de l'année, pour un taux moyen d'élucidation d'environ trente pour cent. Ayant, pour la troisième fois, repris une enquête et mis le doigt sur un témoignage dont on avait fait peu de cas, il avait exigé la copie de chaque dossier sur son bureau. Maintenant, deux ou trois fois par semaine, il se présentait sur une scène de crime comme celle-ci, participait à l'enquête, rien que pour maintenir les équipes sous pression. Pour veiller au grain.

Il s'éloigna du sentier. C'était là, entre celui-ci et le mur, que Mercer Goodman déclarait avoir découvert le corps, et si les faits indiquaient qu'il était héroïnomane, Pulaski, d'instinct, inclinait à le croire. Il vit les experts agenouillés, avec leurs sacs en plastique accrochés à la ceinture. Mais vers l'est s'étendaient des bois et, derrière, le Sheep Meadow. Pulaski gravit péniblement une colline, en respirant difficilement. Il se répétait toujours qu'il n'avait pas besoin des béquilles, qu'il les prenait pour le cas où, mais à vrai dire il n'en était plus aussi sûr. À un moment, il glissa sur des pierres, mais personne ne regardait.

Être sous-estimé lui procurait un certain avantage tactique. Ses supérieurs, à cause de son infirmité, le jugeaient inapte aux enquêtes de terrain et l'avaient promu Commissaire Adjoint, un simple emploi de bureau. Ceux qu'il supervisait – des jeunes, surtout, aux cheveux longs et aux grosses rouflaquettes, qui, à voir leurs vêtements, semblaient ignorer l'existence du nettoyage à sec – pensaient, du fait qu'il soignait sa mise et ses ongles, avoir affaire à une sorte de moine alors qu'en réalité Sherri et lui, après quinze ans de mariage, avaient toujours une vie sexuelle sensationnelle. En tout cas, pour lui, elle était sensationnelle. Mais si vous demandiez à Sherri pourquoi il ne comptait plus les jours où il faisait des heures supplémentaires, elle aurait sans doute laissé entendre que c'était moins par zèle professionnel qu'à cause du sentiment de malaise qui l'attendait à la maison. Il y avait probablement aussi un peu de vrai là-dedans. De dix ans plus jeune, Sherri aurait trente-huit ans cette année ; de toute évidence, même une vie sexuelle sensationnelle n'engendrerait pas d'enfants, peut-être à cause de la polio, peut-être à cause d'un problème chez elle, il craignait la réponse, comme elle autrefois.

Il s'était dit que ça valait mieux ainsi. Son propre père était un alcoolique, et pas un tendre. Larry lui avait depuis longtemps pardonné. Regarder vos enfants brûler de fièvre, les yeux révulsés, doit faire plus mal encore que la fièvre elle-même. *Vous*, vous saviez que vous alliez mourir, après tout. C'était cette terreur, celle de ses enfants imaginaires, celle de les bousiller ou pire encore, qui lui écrasait la poitrine, tel un bloc de glace noire, invisible mais oppressant, dès que Sherri lui montrait un article sur les nouveaux traitements de l'infertilité. Il avait annoncé la nouvelle à trop de parents, après avoir trouvé leurs filles sous des ponts d'autoroute, la culotte entortillée autour des chevilles. Des garçons, prisonniers de branches d'arbre dans une cour entre les Avenues C et D, gonflés après plusieurs jours sous la pluie. Secrètement, honteusement, chaque année qui passait sans enfant lui apportait une sorte de soulagement.

Sauf que Sherri ces derniers temps parlait de quitter New York. Et pleurait parfois, dans la salle de bains la nuit. Elle laissait couler l'eau de la douche pour couvrir le bruit, mais elle oubliait de se mouiller les cheveux. Et il ne se résignait pas à constater qu'après des années passées à la rendre heureuse comme il en avait fait le serment, il ne savait pas comment résoudre ce problème. Alors il travaillait. Beaucoup. Peut-être était-ce ce qu'il devait faire; peut-être était-ce la raison pour laquelle ils n'avaient pas pu avoir d'enfant. Étrangement pourtant, il reconsidérait maintenant sa vie d'homme adulte, une succession de jours passés à descendre du ferry parfois sans rentrer avant neuf heures du soir, et la maison adulte, calme et ordonnée; si Sherri commençait peut-être à s'accommoder de la situation – ayant au moins appris à pleurer –, Larry, lui, semblait éprouver des regrets. Des fillettes se faisaient engrosser partout, il voyait ça tout le temps. Mais peut-être était-ce aussi la volonté de Dieu. Un autre avantage sur les hommes physiquement plus vigoureux, c'est qu'il avait appris à ne pas essayer de comprendre la volonté de Dieu. Il pensait que le père céleste qui l'avait rendu infirme devait être comme celui d'ici-bas: distant, imprévisible. Le boulot du fils consistait simplement à L'aimer. Parce que. Voilà pourquoi.

Le soleil perçait à présent, éclairant des parcelles de pelouse dégarnies. La neige de la nuit dernière n'avait été qu'un rêve. Des gosses faisaient de piètres boules de neige avec ce qu'il en restait. Derrière Larry, les enquêteurs étaient invisibles; nul n'avait pensé à s'aventurer aussi loin. Il se sentait l'esprit aiguisé. Arraché à ses pensées. Quelque chose étincela sous un buisson près de l'endroit où il était sorti.

Il y alla de son pas claudiquant. Des oiseaux, délogés du sous-bois, s'échappèrent dans l'étendue blanche. Il en extirpa une boule de tissu mouillé. Un jean. Un rivet de poche, voilà ce qui avait lui. Une grosseur à l'intérieur d'une jambe se révéla être un caleçon qu'il sortit après avoir enfilé des gants. Taches d'urine le long de l'ouverture. Dans l'une des poches, un billet aller-retour du LIRR à moitié poinçonné. Dans l'autre, un feuillet ronéotypé, déchiré en deux: **ex nihilo (ex-ex post facto) / get the fuck out**. Et, au-dessus de ce fouillis de mots, un mystérieux petit glyphe ou symbole; ne l'avait-il pas déjà vu quelque part?

Ce n'était rien, probablement. Les homos se donnaient rendez-vous ici, la brigade des mœurs effectuait des rondes tout le temps, l'un d'entre eux y avait laissé son pantalon. Et pourtant, c'était le seul indice trouvé jusque-là, et il rechignait à l'idée de le mettre dans les mains de ce rustaud de McFadden qui, en théorie, s'occupait de cette affaire. Par habitude, il avait sur lui une provision de sacs à prélèvements. Il remit le bout de papier dans le jean, enferma le jean dans le sac et fourra le tout dans une grande poche à l'intérieur de son manteau en laine brossée. Pour le moment, il n'en parlerait à personne. Il ne savait pas dans quelle mesure le système, ou n'importe quel système, saurait en faire bon usage. Et nul ne se donnerait la peine de remarquer que Pulaski était plein de bosses, car c'est ainsi qu'il était presque tout le temps, ces derniers temps.

28

À **LA FIN DE LA PREMIÈRE SEMAINE DE JANVIER**, un mémo avait circulé convoquant à une réunion plénière les échelons supérieurs de la direction : représentants du Conseil d'Administration, conseillers juridiques, directeurs financiers, vice-présidents et, du Bureau des Relations Publiques et des Affaires Communautaires, Regan Lamplighter, née Hamilton-Sweeney. La seule personne absente, son père, se trouvait à son domicile, où il récupérait du « choc subi par son système nerveux ».

Telle était, du moins, l'histoire qui s'était propagée durant la période instable précédant la réunion. De fait, le système nerveux de Papa déclinait depuis longtemps et l'accusation n'avait pas provoqué un choc. Quand Regan l'avait joint au téléphone à Chicago, Felicia l'avait déjà averti que les agents fédéraux l'attendaient de pied ferme à LaGuardia ; c'était pour cette raison, et non à cause de la neige, que la famille avait attendu le lundi pour le faire rentrer en avion. À New York, les agents avaient accepté de ne pas le menotter, ils avaient autorisé sa limousine noire à le conduire directement Downtown, devant le tribunal, où Regan attendait près d'une porte latérale accompagnée de ses avocats. Malgré la caution à ses yeux exorbitante demandée par le juge, Papa était ressorti tout seul deux heures plus tard, libre jusqu'au jugement de l'affaire. Non, ce qui le retenait à la maison, ce n'était pas le choc, ni même la lente et inexorable corrosion de ses facultés mentales. C'était que quelqu'un avait prévenu les médias. Deux douzaines de journalistes guettaient leur arrivée sur les marches du tribunal, un essaim de sauterelles. Derrière eux, des camionnettes avaient hissé des antennes de quinze mètres de haut dans un ciel gris gélatine. Regan aurait dû être préparée à ça ; c'était son travail. Mais l'image qui tournerait en boucle dans les journaux du soir serait une séquence de deux secondes montrant son père, pâle et désorienté, une inconnue, un peu floue, accrochée à son bras. « Nous n'avons rien à dire pour l'instant », ne cessait-elle de répéter. L'angle variait de façon subtile selon la chaîne qu'on regardait.

Et quelle couverture grotesque ! Il n'avait été déclaré coupable de rien. Indépendamment des soupçons de profits excessifs avancés par les agents fédéraux, l'accusation la plus grave, à en croire certains des avocats les plus chers du monde libre, se résumait à deux chefs de délit d'initié pour un montant inférieur à un million de dollars – une paille, comparés aux bénéfices annuels de la société. Mais personne n'avait envie de voir la scène du tribunal se reproduire devant le hall du Building Hamilton-Sweeney à chaque allée et venue de Papa. Et donc, alors que dans la salle de réunion la longue table se remplissait, le fauteuil du président restait vide.

Il y eut, une fois la porte fermée, quelques instants de flottement. Sans le Vieux Bill, qui allait présider la réunion ? Et puis, une tête blanche se leva du fauteuil situé au milieu du côté de la table où siégeait Regan. Ses yeux semblaient ne pas la voir. La voix n'aurait pas dû suffire à emplir la vaste pièce, mais Regan entendit le Frère Démon comme s'il émettait à l'intérieur de son oreille :

— Vous le savez tous, j'en suis sûr, Bill a jugé préférable de rester chez lui cette semaine afin de préparer sa défense.

Nul ne prit la parole, mais on sentit le silence changer de texture, une déconvenue se muer en assentiment. Toutes les têtes s'étant tournées vers lui, Amory Gould put se rasseoir. Il ne prit pas la peine de se couvrir la bouche quand il toussa.

— En son absence, nous sommes confrontés aux faits suivants. Notre dirigeant intrépide est accusé d'avoir violé les réglementations boursières. Hum. Dont nous savons qu'elles ont été établies pour persécuter les Américains qui réussissent.

S'il gardait un visage impassible, ses mains, elles, semblaient décidées à exercer leur vengeance sur le stylo posé devant lui dont il tirait les deux extrémités.

— Nous n'avons aucun doute – aucun doute – que Bill sera disculpé. Notre tâche consiste pendant ce temps à élaborer une riposte de façon que cette société, héritage de son labeur et, hum, de sa vision, puisse répondre aux défis du moment. À déterminer, en un mot, une stratégie.

Héritage laissait entendre que Papa, plutôt que convalescent, était mort. Et qui était ce *nous*? Le temps que Regan parvienne à élaborer ces objections, Amory avait dû demander à l'assemblée de proposer des idées, car les représentants des divers départements commençaient à s'exprimer.

Le service juridique plaidait pour prescrire le silence à l'ensemble de la société tout en poursuivant le dialogue avec le procureur. Les services comptables entreprenaient un audit. Pour les Opérations Internationales, la stabilité était seule à même de continuer à assurer les sources vitales de revenu. En dépit de sa retenue trop voyante, de son refus de venir s'installer en bout de table, des toussotements nerveux qu'il produisait à intervalles presque algorithmiques, Regan connaissait assez son oncle par alliance pour voir qu'il buvait du petit-lait. De fait, la plupart des participants étaient des alliés des Gould et ils semblaient rivaliser entre eux pour le caresser dans le sens du poil.

C'est alors qu'elle remarqua la présence de l'homme blond qui prenait des notes dans le coin derrière elle. Sans cesser de feindre d'écouter Amory feindre d'écouter tous les autres, elle jeta un regard par-dessus son épaule. Il devait être le plus jeune de la salle. La couleur de ses cheveux évoquait le germe de blé mélangé à du miel. Des cheveux de publicité pour shampooing. Plus longs que ceux de Keith, ils paraissaient pourtant plus sains, plus propres, même s'ils retombaient sous le col amidonné de sa chemise. En fait, elle les avait déjà aperçus, à la cantine du treizième étage, à l'époque où elle avait appris l'infidélité de son mari. Elle l'avait bousculé avec son plateau. À ce moment-là, elle avait été trop distraite pour retenir son nom; dans sa tête, il était juste le Type aux Cheveux. À présent, tandis que les paroles des subalternes proches du siège du pouvoir inoccupé se déformaient jusqu'à l'absurde, elle se surprenait à se demander ce que faisait ici le Type aux Cheveux.

— Regan? l'interpellait quelqu'un.

Elle se retourna vers le bloc de papier jaune placé devant elle, les joues brûlantes.

— Pardon?

— Artie suggérait d'entendre les relations publiques.

Dans la voix de son oncle par alliance transparaissait quelque chose qu'elle ne parvenait pas à interpréter. Plus loin, à côté du fauteuil vide du président, le vieil Arthur Trumbull, quatre-vingt-huit ans et à moitié sourd, la contemplait avec des yeux de cheval, humides, noirs et doux. Il occupait un poste de directeur depuis l'époque de son grand-père, et il avait toujours fidèlement servi la famille.

— Voulez-vous ajouter quelque chose ?

Elle s'éclaircit la gorge en une sorte d'écholalie anxieuse et s'efforça de se rappeler les arguments qu'elle voulait avancer.

— Eh bien, tout d'abord je crois qu'il faut répéter que Papa est… que mon père n'a été déclaré coupable de rien.

Elle baissa les yeux sur les notes qu'elle avait prises le matin.

— Bien sûr, je comprends la position du service juridique, ainsi que le souhait de laisser la place à la négociation, mais si aucun acte répréhensible n'a été prouvé, pourquoi changer notre manière de faire ? Son absence parmi nous aujourd'hui envoie un message aux médias. Toutes nos actions également. Il paraît important – et c'est la position du département – que notre message soit : Nous sommes prêts à nous battre.

Pendant qu'elle parlait, Amory s'était levé et la regardait au-dessus des têtes. Ses lèvres minces esquissèrent un sourire.

— C'est un atout d'avoir une personne si éloquente parmi nous pour représenter les intérêts de la famille. Mais il faut également voir les choses sous l'angle de la bonne marche des affaires et je crains qu'une politique de l'autruche où l'on fait comme si de rien n'était… disons que c'est une tactique, Regan, pas une stratégie.

Son regard était insupportable, brûlant, comme la lampe sur le front du chirurgien à l'instant où l'on perd conscience.

— Bien. Alors je vous propose une stratégie. Tout le kabuki judiciaire va durer au moins jusqu'à, quoi, juillet ? Et d'ici là, l'écho médiatique ne fera que s'amplifier. Si nous voulons bénéficier d'un jury acceptable, il faut nous faire entendre du public. Ce qui signifie un changement d'image de la société dans son ensemble. Nous devons de nouveau apparaître comme le bon géant, le créateur d'emplois. Ce que je voudrais faire… (en développant cet argument, elle avait pensé au projet de stade qu'Amory lui avait montré, mais à présent, ne parvenant plus à penser, elle s'efforçait surtout de lui enfoncer dans l'œil un clou rhétorique) ce que je souhaite entreprendre au cours des mois prochains, c'est un bilan très complet de nos affaires ayant un impact sur le marché local. Naturellement, il me faudra les chiffres de toutes les acquisitions, les données de toutes les positions importantes que nous prenons pour notre portefeuille, de tous les projets de développement. Une fois cette étude achevée, nous pourrons orchestrer une campagne qui intégrera chaque élément. Par exemple, Hamilton-Sweeney : New York au Travail.

— Ma chère… (Amory se tourna vers ses collègues.) Ce que vous proposez est impossible à mettre en place. Le simple volume de… Un bureau de, quoi, deux personnes ? Hum. Impossible.

Dans le coin, le Type aux Cheveux fit entendre sa voix.

— Eh bien, pour tout dire, si on veut influencer l'opinion publique, elle a raison. Il ne suffit pas d'acheter des publicités pleine page ou de jeter quelques pièces d'or aux orphelins, les New-Yorkais sont bien trop blasés pour ne pas deviner l'entourloupe. Vous avez déjà écouté cette émission, *Gestalt Therapy*?

Amory s'était téléporté derrière le fauteuil du président. Il posa les mains sur le dossier.

Artie Trumbull le regarda :

— Je suis d'accord, Amory. Ce que dit Regan paraît juste. Mettre en lumière ce que nous faisons déjà renforcera peut-être nos arguments lors de la procédure du *voir-dire**. Ou convaincra le procureur que nous en avons, si nous décidions de l'opportunité de négocier.

En tant qu'ancien, il conservait une influence ; sa motion proposant d'élargir le mandat de Regan passa si rapidement qu'elle-même en fut surprise, et Amory ne put faire autrement que de la présenter comme une de ses idées. À moins qu'il ne s'intéressât qu'à son premier argument.

— Prêcher la valeur de notre travail, en effet, sera essentiel. Mais pour ce qui est des fonctions quotidiennes de Bill, cette période de repos lui fera sans doute le plus grand bien. (Son regard embrassa toute la table.) Jusqu'à ce que Bill soit disculpé, et il le sera sans aucun doute, mieux vaut pour lui rester à l'abri du danger, non ? S'il n'y a pas d'objection, le conseil d'administration proposera cet après-midi de nommer un président par intérim.

Tout le monde se taisait à présent, même Artie Trumbull. Même le Type aux Cheveux.

Il n'y avait donc plus aucune raison de s'attarder, décida Regan tandis que la réunion était levée. La journée s'achèverait par l'inéluctable prise de pouvoir d'Oncle Amory – ou par l'officialisation du pouvoir qu'il exerçait déjà depuis de longues années. Elle essaya de calculer si elle avait le temps de remonter Uptown pour voir Papa et d'arriver à l'heure pour la réunion du Conseil d'Administration à cinq heures. Peut-être tout juste, si elle se dépêchait.

Le Rothko près de l'ascenseur brilla à son passage, blessure rouge en accord avec l'ecchymose bleue du penthouse. L'ascenseur était vide, mais à la dernière seconde quelqu'un empêcha la fermeture des portes : le Type aux Cheveux. Ils observèrent un silence poli en regardant défiler les numéros. Le bâtiment était un dinosaure, un monstre néoclassique d'avant l'époque où les ascenseurs dépassaient le mur du son. Ce fut seulement quand la porte s'ouvrit sur le hall qu'elle s'autorisa à regarder l'homme en face.

— Je voulais vous dire merci.

— De quoi ? demanda-t-il.

— De quoi ? D'avoir été là.

Il avait un nom, dit-il. Andrew. Andrew West.

— Bon, eh bien, merci quand même, Andrew West.

Et elle s'en alla dans le froid, n'osant pas se retourner. *Merci quand même ?* On croirait entendre une lycéenne. Et elle avait toujours ce pansement stupide à la main après avoir manqué se couper le pouce. Mon Dieu, Regan, quand est-ce que tout s'était mis à dérailler ?

29

L A PREMIÈRE FOIS QUE CHARLIE AVAIT VU UNE BIBLE CHRÉTIENNE, c'était dans une chambre de motel, à l'âge de six ou sept ans. Habituellement, pour économiser, Papa préférait effectuer tout le trajet jusqu'à Montréal chez Grand-Père en un seul jour. C'était facile avec la nouvelle autoroute, large et sans feux rouges. Mais ce mois de décembre-là, sur la portion de route qui traversait les Adirondacks, il y avait eu du brouillard, du verglas et des fermetures, si bien que, surpris par l'obscurité au nord d'Albany, ils avaient été forcés de s'arrêter pour la nuit. Papa avait montré à Maman la petite bible de poche d'un air légèrement ironique, comme un homme qui aurait trouvé les sous-vêtements de quelqu'un d'autre. Il avait dû penser que Charlie, occupé à chercher *Petticoat Junction* en remuant les antennes de la télévision, n'avait rien vu.

Dix ans après, cependant, à la suite des coups de feu tirés sur sa meilleure amie et de l'apparition subséquente que le Seigneur Jésus-Christ lui avait personnellement réservée, Charlie était allé se procurer une bible. Il en trouva un exemplaire – plusieurs même – au fond du magasin de l'Armée du Salut, au centre de Flower Hill, où les livres sentaient le moisi mais ne coûtaient que vingt-cinq cents le volume. Il choisit une édition de poche ornée, à l'intérieur, du tampon **GIDEONS INTERNATIONAL**. Sa couverture en faux cuir vert et or n'aurait pas été déplacée sur un disque de T. Rex, mais ce n'était probablement pas ce qui l'avait attiré. C'était sans doute plutôt le souvenir de cette chambre de motel dans le nord de l'État, auquel il ne pensait plus depuis des années.

La semaine suivante, enveloppé de ses couvertures dans son sous-sol glacé, il avait commencé à lire. Ou à relire : les premiers livres, il les avait étudiés à l'école hébraïque. À présent, ils remontaient le chemin de sa mémoire. Mais c'était à l'Évangile selon Marc, mystérieux et non juif, qu'il revenait sans cesse. Il disait : Pardonne-toi à toi-même, Charlie. Il disait : Allez par tout le monde. Il disait : Aujourd'hui est le premier jour du reste de ta vie.

Le problème, c'était que chaque nouveau jour ressemblait exactement au précédent. Il se réveillait en pensant à son amie sur un lit d'hôpital à trente kilomètres de là, dans le coma (du moins c'est ce qu'indiquait *Newsday* dans un article sur les coups de feu du 31). Qu'aurait fait Jésus ? Jésus aurait pris le premier train pour venir à son chevet. Charlie, quant à lui, ne parvenait pas à aller plus loin que la station du LIRR. L'après-midi, après les cours, il se tenait frissonnant sur le quai, le regard fixé vers l'est sur les rails vides, ainsi que les voyageurs à destination de l'ouest faisaient toujours. Ainsi qu'il avait fait avec Sam le soir du Nouvel An. Mais si, en arrivant à l'hôpital, elle avait les yeux ouverts et le regardait l'air de dire : *Pourquoi n'étais-tu pas là, Charlie ?* Ou si ses yeux restaient clos ? Et si, pendant qu'il était là, son cœur s'arrêtait de battre ? Il finissait alors par rentrer dans sa chambre et restait là, à essayer de comprendre le mécanisme du Dieu goy. (Par exemple : si aucun péché n'était impardonnable, pourquoi s'était-Il retiré de nouveau dans un silence déiste après cette nuit dans l'église ? Ou, à supposer que la voix ait simplement été inventée par Charlie pour se consoler, pourquoi ne parvenait-il pas à la faire revenir ?)

Pour finir, un après-midi, après des semaines d'efforts, il fit tout le trajet jusqu'en ville. Dressé au-dessus du petit parc qui s'étendait entre quelques églises et la 2ᵉ Avenue, l'hôpital Beth Israel ressemblait à la tour de Barad-dûr, avec son œil rouge clignotant au sommet. C'était si colossal là-haut, et lui si petit en bas, où le gris régnait partout : trottoirs gris, troncs d'arbres gris, grilles en fer forgé noir devenues grises de poussière. Les seules touches de couleur étaient les bonnets de laine et les gants éparpillés par les clochards. Et la tête cuivrée de Charlie, terriblement en évidence.

Mais ce n'était pas cela qui l'avait arrêté. Ce qui l'avait arrêté, c'était qu'il ignorait encore ce qu'il risquait de trouver à l'intérieur. Et si les pansements lui donnaient l'aspect d'une momie ? Et s'il lui manquait un œil, que son orbite rose et douce était béante comme l'œil d'un tableau qui vous suit partout dans une pièce ? Tant qu'il restait dehors, tout demeurait probable, y compris la possibilité que Sam bondisse d'un instant à l'autre pour allumer une clope. Et alors, ce ne serait pas un tel drame qu'il ne soit pas venu la voir. Il sentait la bible peser dans sa poche. Il attendit encore que Dieu lui parle, mais il n'entendit que le vent fouetter les arbres nus, un autobus passer à toute vitesse et, plus près, les divagations apocalyptiques d'un vieux type sur un banc.

Et puis, comme il courait derrière l'autobus sur l'avenue, il se rendit compte qu'il ne pouvait être à plus d'une dizaine de rues de la planque où Sam et lui s'étaient retrouvés la nuit du bicentenaire. Il se demanda si ses autres amis, ses amis de la Ville, habitaient toujours là. Il se demanda s'ils étaient allés la voir. Si, en fait, ils étaient encore ses amis; elle lui avait paru tellement tendue en allant les voir jouer au Nouvel An. Comme si quelque chose lui était arrivé au cours de l'automne, pendant que Charlie était consigné à Long Island. En découvrant de quoi il s'agissait, il comprendrait, fût-ce avec un temps de retard. Bien sûr, tout ça, c'était surtout pour se donner le change, parce qu'il n'avait pas les couilles de franchir, là, tout de suite, les portes de l'hôpital. Il se laissa pourtant remorquer vers le sud, jusque dans l'East Village.

Même avec des rues tracées au cordeau, il était difficile, à cause de leurs ressemblances, de retrouver la maison, surtout quand on avait oublié le numéro. Après l'avoir localisée, l'autre chose dont il ne parvint pas à se souvenir, c'était si la porte était déjà aussi amochée l'été dernier. Il croyait se rappeler plutôt un énorme graffiti en forme de couronne de Burger King étalé sur l'acier. Ils étaient tous les deux défoncés aux champignons; peut-être avait-il imaginé des choses. Mais il savait qu'elle n'était pas fermée à clé. (*Qu'est-ce que tu crois, que c'est un club privé?*) Il frappa, et comme personne ne répondait, il poussa la porte. Le salon délabré à sa gauche était alors noyé dans la lumière noire, la bière, la musique et grouillait de types d'allure punk qu'il avait évités de son mieux en entraînant son amie semi-comateuse à l'abri du sous-sol. En janvier, l'endroit était vide. Il n'y avait même pas de plâtre sur les murs.

Il monta un étage. Puis un autre. Toujours aucun signe de vie.

Ça ne le rendait pas moins nerveux qu'à la fête.

Finalement, parvenu au dernier étage, il entendit des voix. Les fenêtres étaient trop sales pour laisser filtrer un peu de lumière, mais un grand soleil gris tombait d'une lucarne percée dans le plafond. Ce qui expliquait aussi pourquoi il faisait si froid là-dedans – pourquoi Charlie pouvait voir le nuage formé par sa respiration. Comme il approchait de l'échelle qui permettait d'accéder au toit, son cœur se mit à cogner façon John Bonham. Il n'avait pas menti en disant au Dr Altschul qu'il souffrait d'acrophobie. Mais se dégonfler maintenant reviendrait à avouer qu'il s'était dégonflé devant Beth Israel; que ces investigations n'avaient aucun sérieux.

Il émergea derrière une cheminée. Ou plutôt une demi-cheminée. Le reste s'était effondré sur le toit lordosé. Derrière le tas de briques s'élevaient des voix, une masculine et une féminine. La fille avec qui il avait dansé au concert d'Ex Nihilo passait un joint au guitariste noir qui avait fourni Charlie en bières. Il disait :

— Je ne comprends pas pourquoi on ne peut pas se débarrasser d'eux...

— C'est bien pour ça qu'on les appelle des pigeons domestiques, D.T.

Le guitariste gratta ses cheveux couleur citron vert.

— D'accord, mais pourquoi ils ont tous décidé de s'installer dans cet abri ? La semaine dernière ils n'étaient pas plus d'une dizaine.

Ils contemplaient un hangar dans le jardin à l'arrière de la maison, dont le toit, constata Charlie, était couvert non pas de neige, mais d'une colonie d'oiseaux. Il devait y en avoir une centaine. Le poulailler contre lequel s'appuyait le guitariste était vide.

— On pourrait juste leur tirer dessus, fit-il pensivement.

— Et attirer les flics ? Sans compter que Sol te botterait le cul. C'est son poulailler, d'abord. Ou enfin, il l'a volé à la loyale. Hé, Sol..., cria-t-elle.

Tout à coup, Charlie fut soulevé par le col de son blouson. Le ciel d'hiver fit un tour et il se retrouva face à un visage piqué d'épingles de sûreté, celui du prétendu ami de Sam, Solomon Grungy. Tiens, tiens, tiens...

— Regardez ce que j'ai trouvé.

— C'est le garçon qui était au concert, dit la fille. Qu'est-ce qu'il fait ici ?

— Lâche-moi, cracha Charlie.

Et quand ses pieds retouchèrent le sol :

— Je suis pote avec Sam Cicciaro, vous vous rappelez ?

— Ouais, mais qu'est-ce que tu viens *foutre* ici ? demanda le guitariste noir.

Charlie était terrifié, si près du précipice. Comme si quelqu'un lui avait ôté toute la salive de la bouche.

— On est venus l'été dernier. Il nous a invités.

Il hocha la tête en direction de Grungy le colosse :

— Je ne sais pas si tu sais, mais Sam a été très grièvement blessée le soir du Nouvel An.

— Bien sûr qu'on le sait. T'essaies de dire quoi ? Qu'on le saurait pas ?

Charlie ne savait pas ce qu'il essayait de dire.

— Il faudrait avertir Nicky, dit le guitariste. Bon, on le ramène en bas avant que les pigeons de Sol nous couvrent de merde.

— Je te l'ai déjà dit, connard, c'est pas mes putains de pigeons.

Ils obligèrent Charlie à redescendre l'échelle puis l'escalier. Au premier étage, dans une pièce aux murs entièrement tapissés de pochettes de disques

– des dizaines d'exemplaires de *Whipped Cream & Other Delights* –, quelqu'un était assis par terre dans la position du lotus. Nicky Chaos. Comment Charlie avait-il pu ne pas le remarquer en montant ? Les trois autres semblaient fiers, ou pleins d'espoir, comme s'ils attendaient que Nicky Chaos reconnaisse la valeur du sacrifice humain qu'ils lui offraient. Mais il portait maintenant des lunettes cerclées de métal qui lui donnaient un air étonnamment civilisé. Il posa son livre. Gratta son petit bouc. Frotta le tatouage sur son bras.

— Non, non, ça me revient. Backstage Charlie, c'est ça ?

Étrange chose que le charisme : ceux devant qui on avait l'impression d'être un nain vous donnaient aussi celle d'être un géant, puissant, parfois les deux simultanément. Charlie avait brusquement besoin d'expliquer.

— Je me suis laissé porter jusqu'ici. J'étais à l'hôpital.

— Ils t'ont laissé entrer ? On pensait que ça grouillait de flics.

Charlie n'avait pas voulu laisser entendre qu'il était allé jusque dans la chambre de Sam.

— Elle est dans le coma.

Il y eut un nouveau silence plein de menace, après quoi Solomon renifla derrière lui :

— Alors quoi, tu cherches une épaule pour pleurer ?

Le type aux cheveux verts, D.T., se mit à rire, à tousser, à tousser-rire. Mais Nicky Chaos, de sa voix de baryton vibrante dont seul un fou aurait extrapolé son style musical, les fit taire.

— Sol a raison, les gens veulent des choses, tu es venu pour quoi, Charlie ?

— Je ne sais pas, vous êtes des *machers*, non ? Des gens qui… qui *font* des trucs. C'est ce qu'a dit Sam.

— Et qu'est-ce que cela signifie pour toi ? Tu veux dessiner des affiches ? Participer à des tribunes libres ? Manifester en chantant des couplets contestataires ? Tu penses que tu te sentirais mieux ?

Charlie avança d'un pas. Solomon fit mine de vouloir l'arrêter, mais Nicky, resté assis, d'un bras tatoué lui fit signe de s'écarter. Charlie serra les poings. Il était plus grand que Nicky Chaos. Et vice versa on aurait dit, bizarrement.

— Je veux un châtiment. Je veux retrouver ceux qui ont fait ça et me venger d'eux.

Comme sa voix paraissait nue, ici dans cette maison glacée, dans la pénombre. Mais celle de Nicky s'éleva avec la même douceur, comme s'ils étaient seuls tous les deux.

— C'est ça que tu recherches, petit ? L'ange exterminateur ? Le messager funeste ?

Comme Charlie ne répondait pas, Nicky hocha la tête et des mains derrière lui, petites bêtes caressantes, se mirent à lui tâter les flancs, les poches. Quand il comprit enfin qu'on le fouillait, les mains se posèrent sur ses épaules. *Il est clean.* Nicky se leva, fit le signe de croix.

— *Te absolvo.*

Après quoi :

— Bon Dieu, mec, je ne savais pas que tu étais des nôtres.

Son rire puait le joint.

— Mais on va s'occuper de toi. Sewer Girl, je dois discuter avec ton mec une minute ou deux, tu n'irais pas voir si on a un peu de médicament en bas, pour le Prophète Charlie.

La fille entraîna Charlie dans la cuisine, où toutes les portes des placards avaient été arrachées. L'intérieur était surtout tapissé de déjections de souris – il croyait reconnaître l'odeur chimique du poison – mais elle réussit à trouver une tasse. Après l'avoir rincée et avoir mis de l'eau à bouillir, elle s'affala en face de lui devant une table à jeu estropiée. À la lumière du jour, elle dégageait des ondes maternelles. Et en même temps très sexy. Elle était sûrement plus lourde que lui, mais tout était bien réparti dans les bons endroits. Un ventre contre lequel s'allonger. Les grosses cuisses tièdes qu'il avait senties contre les siennes en dansant au Vault. Elle ne semblait pas gênée non plus quand il fixait les ombres que dessinaient ses nichons dès qu'elle se penchait. Ayant ôté son manteau, elle ne portait plus que le maillot des Rangers qui lui descendait à mi-cuisses et des bottes blanches en vinyle éraflé ; avec son regard lourd de sommeil, elle ressemblait un peu à cette Muppet sexy qui jouait dans l'orchestre.

— Tu as froid ?

Comme il hochait la tête, elle saisit ses mains et les frotta dans les siennes. Elle prit ensuite un autre joint, l'alluma et secoua l'allumette.

— Tu veux ?

— J'ai des crises d'asthme plutôt sévères.

— Tu as quel âge, Charlie ?

— Dix-huit, répondit-il en arrondissant à l'année supérieure.

Puis, d'un air bravache :

— Pourquoi ? Tu as quel âge, toi ?

— Vingt-deux. Mais j'ai vécu ça, si tu vois ce que je veux dire.

— Je ne crois pas en la réincarnation.

Il s'imagina s'entraînant à dire : *Je suis devenu chrétien.*

— C'est parce que ton âme est encore jeune. Mais ça me va. *Chacun son goût*.* C'est ma mère qui disait ça.

Elle s'interrompit à cause d'une quinte de toux qui avait l'air de vouloir lui faire cracher ses poumons. Son gros visage prit une couleur adorable.

— Ça veut dire chacun à sa guise, quelque chose dans ce genre-là. Elle était un peu hippie, à la fin. Elle est probablement devenue un oiseau, une biche ou quelque chose de génial.

Elle inspira une autre bouffée, le regarda à travers la fumée âpre et douce.

— Tu sais, ton amie Sam aussi n'avait pas de mère. C'est ce qui nous a rapprochées à l'époque.

Et comme il ne disait rien :

— Je suis un peu la cheftaine ici.

— Je peux te poser une question ? Vous vous appelez par des initiales, non ? S.G., D.T…

— D. Tremens. D comme Delirium.

— J'ai compris. Mais pourquoi ils t'appellent Sewer Girl ?

— Nicky dit que je suis coincée à un niveau de conscience inférieur. Parce que je viens de Shreveport, ou je ne sais quoi. Parce que, quand on n'a pas grandi dans une ville, le matérialisme dialectique, ça devient difficilement ton truc. Je suis toujours sentimentale dès qu'il s'agit de mamans, de biches, d'horoscope et tout ça.

— Sam, c'était le mot qu'elle aimait le moins. Sentimental. Tu as déjà lu son 'zine ?

— Rien ne t'échappe, toi, hein ? dit-elle en se levant pour verser le thé.

Dans l'une de ses bottes, elle repêcha un sachet de pilules. Méthodiquement, elle en écrasa une sous une cuillère et mit toutes les miettes dans son thé.

— La journée a été rude pour toi, avec ça on sera sur la même longueur d'onde.

Il ne fit rien d'autre que boire le thé à petites gorgées, manquant s'étrangler sous la brûlure, mais il sentit presque aussitôt l'effet de la pilule, à moins que ce ne fût son imagination.

— Hé, tu as faim ? dit-elle. J'ai toujours faim à cette heure de la journée. Quand c'est l'heure de planer.

Elle rit.

— C'est-à-dire à toute heure du jour. Je pourrais courir nous chercher quelque chose de bon.

Il n'avait pas d'argent. Mais c'était pas grave. Ça faisait un peu partie de son travail, d'accueillir les novices. Elle revenait tout de suite. Elle enfila un long manteau en fausse fourrure par-dessus son maillot – pas de pantalon – et sortit, laissant Charlie seul. Il se leva pour explorer la cuisine, en titubant légèrement. Le Quaalude, ou autre chose, était plus fort que ce que Sam rapportait, ou bien il y était plus sensible. Au plafond, les taches d'humidité gonflaient et se contractaient comme de grosses méduses brunes. Bientôt il se retrouva perdu dans le labyrinthe de fissures qui serpentaient depuis les moulures. Il y avait un trou gros comme le poing. Il poussa, pour voir, sur une plaque de plâtre; des débris tombèrent dans le noir, mais le bruit qu'ils firent en touchant le fond était couvert par ce qui ressemblait à un bourdonnement métallique gris derrière la paroi. Il finit par comprendre que c'était une hotte mystérieusement installée au-dessus de l'évier au lieu du fourneau. Il l'éteignit.

Les autres dévalaient des escaliers invisibles pour ressortir dans le jardin de derrière. À travers la fenêtre souillée par la fumée des cigarettes, il les vit disparaître dans le petit hangar, sous un linteau d'oiseaux. Ici et là, une végétation sauvage montait jusqu'à mi-cuisse. Elle débordait dans le jardin voisin, et dans le jardin voisin, et ces jardins n'en formaient plus qu'un seul, ceints d'immeubles dévastés, forteresse autour de cette petite volière. Au retour de Sewer Girl, il se tenait toujours au-dessus de l'évier avec son thé, nageant dans les sombres calligraphies des plantes hivernales.

— Oh, bon Dieu, dit-elle, en allumant la hotte. Charlie, elle doit toujours rester en marche. Il y a peu de règles ici, mais là, c'est la règle numéro un.

Elle lui offrit une pâtisserie écrasée. Avait-il déjà goûté des *pasteles*?

— J'habite Long Island, dit-il.

Et quand, dans son cerveau, les synapses établirent leur connexion, elle se remit à rire; il n'y avait pas d'endroit plus ringard sur terre, si? Charlie ne se froissa pas. Il était heureux ici, assis, défoncé, feignant de ne pas voir ses nichons jouer comme des pamplemousses dans un sac. Il savait que c'était la drogue qui le détendait, mais quel mal y avait-il à ça, après une journée pareille? Et n'était-ce pas dans ce but que Sam venait ici? Peut-être avait-il pensé à haute voix, car ils avaient recommencé à parler d'elle. Incroyable, disait Sewer Girl, l'adoration que les gens vouaient à Sam. Les hommes surtout.

— Nicky, ça ne lui plaisait pas trop, mais c'est parce qu'il voit plus loin que nous autres. Il en parle toujours en réfléchissant à la manière dont cela risque d'affecter le Phalanstère. Tu sais… en quoi ça peut compromettre le projet.

Derrière le voile de gaze de la drogue, quelque chose de solide luttait pour faire surface. Il parvenait à la distinguer: forme, taille, couleur.

— Quel projet? Ex Nihilo?

— Tu devrais peut-être en discuter avec Nicky.

LIVRE III

Mais quand, au bout de quelques minutes, Nicky vint du froid, il posa une main sur l'épaule de Sewer Girl en déclarant que Charlie s'était bien amusé et qu'il était peut-être temps pour lui de rentrer. Les autres avaient du travail.

— Je peux revenir ? demanda Charlie.

Le sourire de Nicky fut de toute beauté – une déchirure artistique dans le denim du temps.

— Oh, bien sûr. Oh, absolument. On *attend* ton retour, Prophète. Une fois que tu en es, tu en es.

30

DANS LE CUL-DE-SAC, la maison de plain-pied avait rétréci depuis l'automne, comme un organe atrophié. Mais au moins il n'y avait pas de camions de reportage partout, écrasant l'herbe détrempée, éclairant violemment les murs de leurs projecteurs, guettant le moment de charger d'un sens sinistre les images de son dernier occupant venant prendre son courrier. Richard la contourna pour aller dans le jardin de derrière, mais autant qu'il s'en souvenait, c'était la première fois qu'il n'entendait aucun bruit en provenance du hangar en aluminium et de ses grandes turbines. Carmine était peut-être allé à l'hôpital, et ils avaient dû se croiser au cours de l'heure écoulée, chacun dans une direction différente. Et puis il crut voir un mouvement derrière la porte coulissante donnant sur la cuisine. Il revint sur ses pas en pataugeant dans la boue et remonta sur le patio verglacé. Derrière la vitre, le réfrigérateur était ouvert, petite parenthèse de lumière ; Carmine, seulement vêtu d'une serviette, se penchait pour poser quelque chose sur la clayette supérieure. Quand il se redressa, la vue de son ami scrutant à l'intérieur ne sembla pas l'étonner. La porte glissa.

— Désolé, dit Richard, j'étais venu voir comment tu allais.

— J'allais prendre une douche, répondit Carmine comme si les mots avaient mis une seconde à lui parvenir.

Tu aurais dû en rester là, penserait Richard, rétrospectivement ; loin de lui la pensée de s'interposer entre un homme et sa douche. Mais quand avait-il jamais su quand s'arrêter ?

— Ça te dérange que j'entre une minute ?

Carmine, sans la moindre gêne malgré son torse gris affaissé et sa panse, ou peut-être sans y penser, s'écarta pour le laisser passer.

La table de cuisine était mise pour deux. Sur l'un des sets de table il y avait des perles en bois de rose ; sur l'autre une boîte ronde de glaçage à gâteau Duncan Hines.

— C'est l'anniversaire de Sammy, expliqua-t-il.

— Je me souviens.

— J'espérais étaler le glaçage en attendant que l'eau soit chaude, mais le gâteau n'est pas assez froid. Le truc fond. Ils ne vous le disent pas sur l'emballage.

— Comment va-t-elle, Carmine ?

— Ça dépend depuis quand tu l'as vue.

Il était bien possible que ce soit une déclaration sincère, et non le désir de culpabiliser Richard pour son silence radio de plus de deux semaines.

— La dernière fois que je t'ai vu. Dans la salle d'attente le jour du Nouvel An.

— Critique mais stable, c'est ce qu'ils disent à présent. Je ne sais pas ce que cela signifie. Peut-être : « C'est grave, mais ça n'empire pas. »

Richard pouvait à peine supporter de voir Carmine dans sa quasi-nudité biblique, ou ses mains refermées autour du pot à glaçage. Il leur manquait un travail à faire, des cartouches à remplir, des cous à tordre. Dehors, le soleil, vaincu, avait déserté le ciel, mais à l'intérieur aucune lampe n'était allumée.

— Tu veux une bière ?

— Je me limite. Mais je boirais bien un verre d'eau.

Carmine alla jusqu'au robinet. Il y eut un grondement, un tremblement, une injure.

— Cette foutue pression. J'ai oublié que la douche était ouverte.

— Ne t'occupe pas de moi, va prendre ta douche.

— Non, non, je vais la fermer.

— S'il te plaît, Carmine. J'attendrai que tu aies terminé.

Carmine marmonna quelque chose et s'éloigna dans le couloir qui conduisait aux chambres. Richard y était allé un jour. Maintenant, l'épais tapis couleur avocat paraissait gris. Avec la pénombre, l'eau dans les canalisations semblait faire plus de bruit.

La chambre de Samantha, Richard le savait, était la deuxième porte à droite. Les rideaux bleus en batik à motifs de tournesols étaient restés à demi ouverts. D'autres traces d'enfance persistaient çà et là – la coiffeuse et son miroir couvert d'autocollants, le baldaquin installé au-dessus du lit.

À l'automne dernier, des dizaines de photos Kodachrome étaient accrochées avec des pinces à linge, sur des ficelles le long du mur face à la fenêtre, mais elles avaient disparu ; il distinguait à peine sur la peinture les rectangles légèrement plus foncés aux endroits que le soleil n'avait pas décolorés. Carmine avait sans doute laissé les flics emporter tout ce qui pouvait constituer des indices. Mais ça ne regardait pas Richard. Seul cet omnivore cynique, le journaliste, se serait laissé aller à l'excitation procurée par, disons, le bac à linge sale en plastique placé devant le placard, comme si on avait quitté cette chambre depuis quelques minutes à peine. Et pourtant, simple hypothèse, qu'aurait bien pu rechercher Richard, s'il recherchait quelque chose ? Le tiroir central de la coiffeuse était fermé à clé. Il pensa à regarder sous le matelas ; c'était là qu'enfant il cachait les cartes à jouer graveleuses rapportées par son cousin Roger du front italien. Et puis il aperçut la boîte à pellicule sur la table de chevet. La clé était à l'intérieur. Le tiroir glissa en couinant. Dans le fond, il trouva une série de trois brochures ou magazines de fabrication artisanale, du papier non ligné agrafé deux fois dans le pli. Chaque couverture présentait un désordre de textes, certains manuscrits, d'autres tapés à la machine, d'autres encore découpés dans des magazines et collés comme des notes au hasard, le tout photocopié. *Numéro 1. Numéro 2. Numéro 3.* Sur le dernier, un bout de Scotch collait encore au bord extérieur. *25c* en haut. *You want this.* Mais voilà que l'eau cessa de ruisseler sur les murs et Richard, dont les sens étaient aiguisés, crut entendre des portes s'ouvrir et se fermer. Il fourra les brochures au dos de sa ceinture, les camoufla sous les pans de son manteau et ressortit en hâte dans le couloir en essayant de se souvenir de la largeur de l'entrebâillement. Il venait de lâcher la poignée quand Carmine s'adressa à lui :

— Tu cherches quelque chose ?

Richard ne l'avait jamais vu ainsi, en chemise blanche amidonnée. Les sillons du peigne dans ses cheveux lissés en arrière.

— Le cabinet, Carmine.

— Il y en a un près du salon. Tu sais, tu l'as déjà utilisé.

— Exact.

Sans croiser son regard, il glissa devant Carmine et tenta de pisser dans les toilettes de devant. Debout au-dessus de la cuvette turquoise, avec son couvercle garni de moquette, il sentit que différents moi luttaient entre eux. L'un devinait que l'autre cherchait à se mêler de ce qui était clairement devenu le sujet d'un reportage. Après avoir juré pourtant de ne plus s'engager de nouveau de cette façon. Pas après la Floride. N'avait-il pas affirmé à Pulaski qu'il visait simplement à terminer son portrait ? Mais voilà ce corps hypocrite, ces agrégats de Richard, qui regagnait la cuisine, répétant qu'il savait que Samantha s'en sortirait (il ne savait pas), et que Carmine devrait aller dormir (cela lui serait sans doute impossible), brodant tous ces napperons de merde qu'on était censé glisser entre les endeuillés et la certitude que personne, au bout du compte, ne sortirait vivant de cette vie.

— Je voulais te dire, j'ai retrouvé mon ami, le Commissaire Adjoint.

Carmine avait sorti le gâteau du réfrigérateur et étalait le glaçage à l'aide d'un couteau à beurre. Il s'immobilisa, contempla son travail.

— Pourquoi as-tu fait ça?

— Ils peuvent divulguer son nom à la presse maintenant qu'elle est majeure, mais il a accepté d'attendre encore. Je sais que tu tiens à ta vie privée.

— Et si quelqu'un, quelque part, disposait d'une information… Tu y as pensé?

Le couteau, perpendiculaire, laissa tomber un petit tas blanc et visqueux. Quel qu'il soit, le Richard qui était aux commandes eut la nausée. Il n'avait pas douté un instant que c'était son bon ange qui le guidait dans le Bronx.

— Tu dois me faire confiance, les chaînes de radio et de télévision peuvent être impitoyables. Et avec un crime gratuit, ça ne fera aucune différence que son nom soit connu ou pas.

— Je vais te dire une chose, Richard, entre toi et moi. Je me demande parfois jusqu'à quel point ces choses sont gratuites.

Il scruta le visage de Richard, comme pour le mettre au défi de ne pas prendre sa déclaration au sérieux. Un court instant, il y eut un bruissement dans l'armoire de classement bordélique à quoi se résumait l'esprit de Richard. Mais c'était irréaliste, il le savait. Samantha n'avait-elle pas employé le mot « paranoïaque » pour décrire son père? La propre paranoïa de Richard l'avertissait que les brochures, maintenant inondées de sueur, risquaient à tout moment de tomber sur le linoléum. Il répondit doucement que lui aussi se le demandait parfois; une cause logique signifierait que les choses ne nous échappaient pas. Mais s'il se fiait à son expérience, en cherchant trop on finissait par se sentir coupable, par se désigner *soi-même* comme la cause, alors qu'on en était très loin.

— Franchement, Carmine, je ne sais pas comment tu arrives à faire tout ça. J'espérais seulement te ménager un peu d'espace sans que des abrutis comme moi se mettent en travers.

L'espace d'une seconde, au-dessus du gâteau, Carmine sembla perdre courage. Et puis il redevint lui-même, stoïque, un bloc de marbre italien.

— Bon, je dois y aller, dit Richard.

Quand il se leva, il le fit avec une précaution extrême, en s'efforçant de ne pas déloger ce qu'il emportait en contrebande.

— Tu n'es pas obligé.

— Non, je parle sérieusement. Tu n'as pas besoin de me raccompagner.

— Attends, Rich. J'allais lui apporter ce gâteau. Autant que je te conduise.

Une demi-heure plus tard, dans les embouteillages des autoroutes mornes et salées du comté de Nassau, ils écoutaient le sport à la radio, mais les détails échappaient à Richard. Il ne pensait plus qu'aux brochures qui lui collaient au bas du dos en se demandant s'il ne pouvait pas essayer de les glisser sous les sièges de la camionnette de Carmine et les laisser là comme si Samantha les avait oubliées. Il y renonça, finalement. Car n'était-ce pas là, s'il voulait être honnête, précisément le genre de chose qu'il était venu chercher, une heure de trajet, aller puis retour ? Quoi qu'il en soit, dès qu'il fut en sécurité derrière sa porte verrouillée, il sortit les brochures et commença à lire. Et ainsi commença sa première incursion tâtonnante dans la vie secrète de la fille Cicciaro.

31

L E JEUDI SUIVANT ÉTAIT JOUR D'INVESTITURE, une demi-journée de classe, et après la dernière sonnerie Charlie retourna sur la 3ᵉ Rue Ouest. Il s'était dit aussi qu'il ferait un saut à l'hôpital pour souhaiter un bon anniversaire à Sam, mais il savait déjà qu'il n'aurait pas le temps avant la tombée de la nuit. Au lieu de quoi il passerait les dernières heures du jour dans cette cuisine délabrée à boire encore le thé singulier de Sewer Girl. Au mieux, elle l'éclairerait, finalement, sur les mystères de Sam. Au pire, il aurait quelqu'un pour recevoir sa propre confession : qu'il avait été – qu'il était *toujours* – amoureux de sa meilleure amie. Et peut-être, en l'absence de Solomon, le consolerait-elle d'une étreinte maternelle. Il ramperait à l'intérieur du gouffre entre ses seins pour ne plus reparaître. Mais ni elle ni Sol n'étaient là, ni personne d'autre que Nicky Chaos qui se dessina dans l'embrasure de la porte (laquelle, étrangement était fermée à clé), dans son tee-shirt sans manches *Please Kill Me*.

— Tu tombes bien, dit-il comme s'il l'attendait, en mordant dans une nectarine. J'ai besoin d'un coup de main.

Il y avait une fuite dans le petit hangar derrière la maison. Une fissure dans les fondations avait laissé s'infiltrer le trop-plein d'humidité provoqué par la neige et il était primordial, dit Nicky, que le sol reste sec. L'équipement là-dedans était très sensible aux variations de températures. Alors, l'idée, c'était de poser une bâche et de réutiliser la moquette du sous-sol. Et justement, le Phalanstère servait à cela : tout faire par soi-même. Chacun selon ses moyens.

— T'as déjà décollé de la moquette ?

Charlie craignait qu'ils ne le laissent plus venir s'il répondait non, et puis Nicky avait une manière de présenter les choses qui vous poussait à ne pas le décevoir. Il le suivit donc jusqu'au sous-sol où, six mois auparavant, pour la première et unique fois, Sam Cicciaro et lui s'étaient embrassés. Presque tous les meubles – le miroir fêlé, le canapé éventré où il s'était assis et où elle avait posé la tête sur ses genoux – avaient disparu. Tout comme Nicky Chaos, quand il se retourna.

Il fallut à Charlie plus d'une heure, en s'aidant de pinces à bec et d'un cutter, pour venir à bout de la moquette, de la couche de mousse moisie et des méchantes agrafes qui maintenaient le tout au sol. C'était un travail qui faisait transpirer malgré le froid qui régnait dans la maison; il ôta d'abord son blouson, puis son sweat-shirt. Les bras endoloris, il avait du mal à respirer et ses yeux larmoyaient à cause de la poussière et des particules fibreuses. Le gros rouleau de moquette et de mousse étant trop lourd pour un seul voyage, il le découpa en cylindres comme le hot-dog dans le plat de haricots de ses frères. Une fois la dernière découpe transportée en haut de l'escalier, le sous-sol ne ressemblait plus à rien. Mais après tout, on ne pouvait pas vivre dans les souvenirs. Et il y avait le petit cabinet de toilette, construit contre le mur, où il avait aidé Sam à se nettoyer. Il y entra pour y chercher de quoi éponger sa sueur, mais quand il tira sur la corde, il ne vit toujours ni serviette, ni tapis de bain. La douche était envahie de caisses en plastique remplies de ce qui ressemblait à des bouteilles de lait, un lait de laitier, non réfrigéré et légèrement aqueux. La hotte aspirante n'avait pas réussi à évacuer cette odeur chimique, la même qui envahissait la cuisine la semaine dernière. Il éteignit la lumière et ressortit, mais Nicky Chaos, de nouveau au pied de l'escalier du sous-sol, l'avait déjà repéré.

Il se passa peut-être dix secondes sans que l'un ou l'autre prononce un seul mot. Charlie avait l'impression d'être convoqué chez le principal, mais sans savoir pourquoi. Nicky s'accroupit alors pour prendre quelque chose entre les plis du sweat-shirt de Charlie.

— Je pensais à quoi, Prophète, en t'affectant au travail manuel? Faut qu'on travaille ta tête, mec.

Le petit bâtiment extérieur où il entraîna Charlie servait encore de colonie aux pigeons – encore plus nombreux, si une telle chose était possible – et il dut feindre de n'être pas incommodé par l'odeur. À l'intérieur, les fenêtres avaient été masquées par du papier d'aluminium, bloquant toute la lumière du jour. Le seul éclairage provenait d'une unique ampoule nue. Dans un coin sur le sol en ciment, en face de l'endroit où gisaient les rouleaux de moquette et de mousse, s'élevait une montagne de matériel – étuis à guitare, amplis, tables de mixage, enchevêtrements de câbles. Difficile de savoir si c'étaient les mêmes instruments qu'au concert du Nouvel An, ou si certains d'entre eux avaient servi à l'enregistrement de *Brass Tactics*. On aurait dit une de ces barricades que les Français installaient tout le temps au cours d'histoire de l'Europe. Un fourré touffu dans lequel on ne distinguait pas grand-chose.

Empilées au-dessus de têtes d'ampli, il y avait des tours de livres branlantes, que Nicky ne put atteindre qu'à l'aide d'un escabeau. Il les saisit un à un et les tendit à Charlie : Nietzsche, Marx, Bakounine. Charlie les prit jusqu'au moment où, devenus trop lourds, il trouva un emplacement sec où les poser. Peut-être s'agissait-il d'une épreuve, comme dans *Kung Fu*, où David Carradine devait rester debout toute la journée, un seau d'eau sur la tête. Mais quand il releva les yeux, Nicky tirait deux rouleaux de moquette au milieu de la pièce. Il s'installa sur l'un d'eux, repliant les jambes sous lui, et Charlie comprit que lui, Charlie, devait s'asseoir sur l'autre. Pour finir, Nicky tint la bible des Gédéons à bout de bras. Jusqu'au moment où ses doigts se refermèrent sur la reliure, Charlie crut que Nicky allait peut-être l'envoyer valser.

— Écoute. Je sais ce que tu penses, dit-il en s'efforçant d'imiter Nicky, de replier, lui aussi, ses jambes disgracieuses en position du lotus.

Il éprouvait un certain malaise d'être assis de cette façon, sans rien pour les séparer. Pour se réconforter il caressait du pouce la couverture grenue.

— Mais Jésus avait des idées vachement punk.

— Tu veux parler de « aime ton prochain », ce genre de merde ?

— Je parle de quand il chasse les marchands du temple. De la résurrection des morts.

— Charlie, tu sais quoi, ça, c'est de l'accommodation libérale.

Dès qu'il bougeait les doigts, Nicky faisait onduler les tatouages sur ses gros bras. Ils étaient si nombreux qu'ils formaient des manches, en quelque sorte. C'était peut-être la raison pour laquelle il pouvait porter son tee-shirt sans avoir froid.

— Écoute, tu me parais quelqu'un de très sérieux, un môme sérieux. Et Sewer Girl me dit que tu as envie de connaître notre petit projet. Le piège, tu vois, c'est que connaître une chose ne signifie pas la comprendre. J'ai passé cinq semestres au City College de New York, mais il a fallu que je vienne ici, que je lance cette aventure pour saisir la différence. Et toi et moi ne partons pas du même point. Moi, mon père était à moitié guatémaltèque, ma mère ne parle que le grec. Sam et toi vous venez d'où ? De Great Neck, c'est ça ?

— Flower Hill.

— Flower Hill.

Tout en parlant, Nicky avait ôté sa ceinture. Ayant sorti une petite fiole, il versait ce qui ressemblait à du talc sur le dos de la grosse boucle argentée.

Il approcha une narine de la boucle, puis l'autre, se pinça le nez, secoua la tête; soupira profondément.

— Ce que je veux dire, Charlie, c'est que tu es encore au *Niveau Un*. Tu as trop de défenses.

— C'est pas vrai.

— Tu vois? Et le truc que tu dois savoir avant de vraiment *comprendre* tout ça, c'est: que défends-tu exactement? Ici, *mi casa es su casa*.

Charlie attendit que quelque chose l'empêche de se pencher vers la boucle de ceinture que Nicky tenait à la main, mais il se rendit compte qu'il n'y avait rien. Ce fut d'une facilité déconcertante. D'une rapidité déconcertante. Quelque part au fond de son palais, il sentit monter un picotement froid et métallique, comme s'il léchait une pile double-A. Nicky parlait toujours.

— Dis-moi… regarde autour de toi. Pas là tout de suite, en général. Tu vois quoi? Le pays est à genoux, les sociétés industrielles contrôlent nos cerveaux, les hommes politiques sont des criminels. Je pourrais te citer des chapitres et des versets, mais les livres sont faits pour ça et de toute façon tu sais que c'est vrai, sinon tu ne serais pas très punk.

Charlie, hésitant, hocha la tête comme un type sur un pont de corde dont il n'était pas certain qu'il pouvait supporter son poids.

— Alors on fait quoi, Charlie? On réagit. On lutte. On cède notre droit imprescriptible à défendre notre propre domaine d'action. (Reprenant un gros sniff.) C'est vrai, d'un côté, il y a quoi, quarante quadrillions d'armes nucléaires pour assurer un statu quo. D'un autre côté, des étudiants sympas, intelligents, lisent *L'Homme unidimensionnel* et se disent: Hé, je vais aller faire du lobbying auprès de mon… n'importe qui… et alors on sera débarrassés des ogives nucléaires. Sans voir que ce qu'ils font, c'est étayer le système qui a produit les ogives nucléaires pour commencer. Je veux dire, on peut voter pour l'âne ou l'éléphant, ou rester chez soi à téter le biberon cathodique, mais on peut tourner les choses sous tous les angles, on consent à un système immoral. Tu achètes un spray de crème à raser chez Duane Reade, l'argent sert à fabriquer le napalm. Le but de tout le système et sa *raison**, c'est d'être total, tu vois ce que je veux dire? Un circuit fermé. À propos…

Au milieu du nid de serpents des rallonges et des enceintes sans façade, il y avait une télévision que Nicky alla allumer. Il devait être plus de cinq heures, les premiers journaux d'actualités avaient commencé, des images de cet après-midi d'investiture à Washington. Le temps avait-il passé si vite? Nicky renifla, sans vraiment interrompre le flot de ses paroles. Il roulait des épaules comme un boxeur.

— J'en arrive au moment où je dois t'expliquer la Phalange, Charlie. Mais d'abord, pose-toi la question : ce système immoral, comment on en sort ? Option Un, tu laisses tomber, tu coupes tout. Ils sont allés jusque-là en 68, d'accord ? Les gens sont allés aussi loin qu'ils pouvaient, pour dire : Je suis libre, Tu es libre, kumbaya et je fais retentir mon cri et blablabla, et regarde ce qui est arrivé. Le problème avec tout ce trip rousseauiste, c'est que l'homme est essentiellement un animal social, au sens de clan ou de tribu. Marx dit ça quelque part. Si tu te détaches, non seulement tu te retrouves complètement isolé, ce qui va à l'encontre de ta nature, mais en plus tu perds les forces nécessaires pour la lutte collective. Et pour finir, tu reviens en rampant, tu supplies qu'on te donne une carte de crédit, qu'on te laisse revenir.

L'homme de Géorgie, une main posée sur la bible, faisait le serment de soutenir ou de défendre ou quoi encore. L'écran, étrangement, ne cessait de devenir blanc, comme si quelque chose perturbait la retransmission.

— Option Deux : résistance organisée. Mais le problème avec n'importe quelle organisation, c'est qu'elle est une récapitulation du système. Hiérarchies et paramètres. Les Bentham, les Mill, mais aussi les Barthes et les Marcuse. Ontogénie et phylogénie, tu vois ce que je veux dire ? Prends Heidegger et les nazis. Prépare-toi à te fondre dans la masse. C'est ce que j'ai commencé à ressentir, en tout cas, en suivant mes petites études philosophiques à Hamilton Heights. Il y a un ghetto autour du City College de New York, tu savais ça ? À perte de vue. Et il faudrait que je pense que j'améliore les choses juste parce que je vais pas chez les Marines, comme mon père ? Tout ce que je fais, c'est apaiser les tensions. Rendre le système plus efficace. L'énergie reste tout entière à l'intérieur du système, c'est ce qui en fait un magnifique système. Le système du libéralisme humain.

Il parlait plus vite à présent, à moins que ce ne soit Charlie qui écoutait plus vite, tous les mots tombant par miracle dans les bons endroits de son cerveau, comme s'il était le plus grand joueur de baseball au monde, doté de quatre-vingt-deux bras et d'autant de gants, et toujours positionné exactement sous les balles que l'entraîneur envoyait au milieu du terrain.

— Sauf. Sauf Fourier, Charlie, pas l'utopiste, l'autre, le savant, il te dit qu'un système total ne peut pas exister. Il y a toujours une énergie qui échappe. Tension. Friction. Chaleur. La gestalt occidentale c'est, hé, il faut remettre cette énergie sous contrôle. L'esthétiser. La commercialiser. La faire rentrer de force dans une identité, un produit, un parti politique, une histoire d'amour, une religion, comme ta petite bible, là. Quelque chose, tout sauf ce qu'elle est, qui est une possibilité de changement. Mais je commence à réfléchir à une chose, en regardant par les fenêtres de ces salles de cours :

qu'arriverait-il si, au lieu d'adoucir les frictions on les aggravait ? On est dans les années 70, notre truc, c'est la mort, la destruction, les contradictions internes qui grognent et grondent, le retour du refoulé. C'est le système qui, après avoir tout avalé, souffre d'indigestion. Par le miracle de la dialectique apparaît une troisième voie : tu passes en douceur. Tu améliores les choses, les gens se détendent. Tu les aggraves, ils se révoltent. Je veux dire, c'est que les choses doivent empirer avant d'aller mieux. C'est écrit.

— Mais je ne comprends pas. Quel est le rapport avec le groupe ?

— Plus de groupe, Charlie. Plus d'art. Plus d'effort pour changer la culture par la culture.

— On ne peut pas faire les deux ?

— Nous avons essayé et regarde ce qui est arrivé. Regarde où en est Sam. (Son visage s'assombrit.) Appelle ça une résolution du Nouvel An. Nous repartons de zéro. Nous redéfinissons un nouveau champ d'action. Nous ne voulons plus être dupes. Nous ne voulons plus être complices d'un système corrompu. Parce que tu sais qui ont été complices ? Les Allemands. Les Français.

— Tu veux dire qu'Ex Nihilo, c'est comme la France de Vichy ?

— Charlie, on a dépassé toute cette merde artistique. Cette merde à la Walter Pater. Nous sommes des Post-Humanistes. La Phalange Post-Humaniste. Nous réhabilitons le droit à semer le désordre dans le système. Et nous commençons à peine. Tu piges ?

Charlie avait-il *envie* de piger, telle était la vraie question. Il réfléchit une minute. *J'œuvre dans l'obscurité pour celui qui viendra dans la lumière.*

Il se rendit compte qu'il avait parlé à voix haute parce que Nicky demanda :

— C'est quoi ?

— Juste un truc que j'ai lu quelque part.

Il planait encore, mais il était assez conscient pour refuser un autre sniff de cocaïne. Dehors, la nuit était maintenant tombée ; la réunion de crise du club audiovisuel du lycée qu'il avait inventée pour sa mère serait terminée, ou presque terminée, tout dépendait de l'ampleur de la crise.

— Ainsi s'achève la leçon, je suppose, dit Nicky. Mais je veux que tu prennes ces livres. Apprends par toi-même. Tire tes propres conclusions.

Charlie craignait un peu, comme avec la voix de Vous-Savez-Qui, que ce soit difficile. Néanmoins, il emporta avec lui tous les livres qui rentraient dans son sac. Il laissa même ses manuels d'histoire, pour faire de la place – mais, pour finir, pas sa bible. Nicky avançait des arguments convaincants, mais Charlie ne savait pas encore jusqu'où il faudrait aller s'il y avait le moindre espoir de sauver Sam.

32

L E VISAGE DEVANT LUI était à peine un visage. Plutôt un tissu d'hématomes, songea Keith. Un sac de porcelaine de Chine, jeté aux taureaux. Il
se méprisa. C'était censé venir plus tard, cette fuite dans la métaphore, cette
échappée hors du monde tangible. Il força son esprit à rester immobile, à
ne voir que ce qu'il avait sous les yeux. À voir les lignes de points de suture
qui se coulaient sous le front recouvert de bandages. À voir les yeux fermés
par l'hématome qu'ils avaient provoqué en lui cassant le nez pour passer la
canule. À voir la canule elle-même, rayée par l'ombre des stores, comme le
drap sur lequel celle-ci reposait, tandis que la pompe soufflait sous le verre,
avec la régularité d'un robot, et le gâteau ranci sur la table de chevet. Il y
avait une autre canule, opaque celle-là, moins flexible, qui pénétrait dans
sa gorge. Son nom, quand il le prononça, résonna trop fort dans la chambre
vide, et il craignit que quelqu'un n'accoure. Il savait, dans un sens, qu'il était
le méchant. Mais dans un autre – celui où il était toujours le golden boy dont
les actions étaient toutes bonnes *a priori* – il ne parvenait pas à concevoir
ça. Comme il n'était pas réellement parvenu à concevoir, avant de la voir en
chair et en os, que la victime des coups de feu, c'était vraiment sa Samantha.

Ce qui expliquait peut-être, au cours des semaines après le Nouvel An,
qu'il n'ait établi aucun lien entre sa maîtresse de vingt-deux ans et la jeune
fille mineure anonyme dans les tabloïds. Ou peut-être était-ce parce qu'il
ne lisait pas les tabloïds, qu'il avait autre chose en tête ; tout ce qu'on voyait
dans *The Wall Street Journal*, c'étaient des gros titres concernant le père

de Regan. En fait, quand le portier avait sonné un soir chez Keith pour lui annoncer des visiteurs, il avait d'abord pensé aux agents fédéraux. Ils se présenteraient en tandem, comme au cinéma, les cheveux mal coupés et vêtus de costumes noirs assortis. L'un laisserait l'autre parler, jusqu'au moment crucial où il ouvrirait d'un coup sec une mallette contenant les documents concernant huit millions et demi de dollars de dette municipale. Appels de marge, historique des prix, archives des fonds fiduciaires. Il avait décroché son manteau de la patère et sonné le portier. « Pouvez-vous leur dire que je les retrouve en bas ? » Au moins, il s'épargnerait ainsi l'indignité d'être menotté dans son propre immeuble, exhibé devant ses voisins.

Mais une fois dans la rue, il n'avait trouvé qu'un seul visiteur : un homme à la silhouette de cigogne, avec des cheveux mi-longs et une barbe poivre et sel. Il dépassait largement Keith de sept ou huit centimètres et sa veste en velours évoquait davantage le professeur de sciences humaines qu'un agent du FBI. Quand il indiqua le nom du magazine pour lequel il travaillait, tout s'éclaircit. À cause d'une unique erreur professionnelle, Keith Lamplighter n'allait pas seulement être traîné devant un tribunal, mais livré à l'opinion publique. Et que dirait-il à ses enfants ?

— S'il vous plaît, monsieur Groskoph, je ne peux pas vous parler ici, avait dit Keith.

Il l'avait aussitôt entraîné vers le coin de la rue, dans la cour de l'école publique du quartier. Ils y seraient moins exposés. L'homme le suivit sans un mot. Parfait, cela signifiait que Keith exerçait encore une certaine autorité, mais intérieurement il tremblait comme un jeune éphèbe. Parvenu devant le terrain de basket, il bomba le torse et se tourna face à son visiteur.

— Que les choses soient bien claires. Je n'apprécie pas que vous vous présentiez chez moi, c'est une atteinte à ma vie privée.

Le reporter parut sincèrement pris de court.

— Si vous pouviez seulement m'accorder quelques minutes, monsieur Lamplighter…

— Dois-je en conclure que vous avez d'abord recueilli la version d'Amory ?

— Je vous demande pardon ?

Hésitants, ils se regardèrent mutuellement d'un autre œil. Pourquoi Keith fonçait-il sans cesse tête baissée ?

— Désolé. De quoi parlons-nous ?

— Vous ne m'avez pas laissé le temps d'y venir : les coups de feu dans Central Park, le mois dernier. J'espérais que vous pourriez nous parler de la victime.

— Hein ?

La pugnacité céda à la confusion. Une confusion mêlée de soulagement. Il s'efforça de se ressaisir.

— Il me semble que vous m'avez pris pour quelqu'un d'autre. Je ne sais absolument rien de cette histoire.

— J'avais cru comprendre que vous aviez correspondu avec elle? La fille. Elle a laissé cela.

L'homme lui tendit une petite liasse de feuillets. Au dos de la couverture, il y avait le nom de Keith. La première page ressemblait à celle qu'il avait vue dans le dortoir de Samantha. **LAND OF 1,000 DANCES**. Et il dut pratiquement s'asseoir là, sur l'asphalte glacé. *La victime, le Jour de l'An…*

Il se tourna vers le bâtiment de l'école. Au lieu de rejoindre Samantha cette nuit-là, comme prévu, il était allé sur la 3ᵉ Avenue voir s'envoler de la lingerie. Et voilà qu'un camé, dans le parc, un écervelé, avait joué de la gâchette, et Samantha était – était-elle…

— Elle est…?

— Elle est en vie, monsieur Lamplighter, mais elle n'a pas repris connaissance depuis. Je vous prie de m'excuser, il ne m'est pas venu à l'esprit qu'un de ses abonnés puisse ne pas être au courant. Je parviens difficilement à retrouver les gens dont elle parle dans ces pages. Mais vous ne la connaissiez pas bien, dans ce cas?

Keith se demanda s'il ne tremblait pas de manière visible.

— Pas personnellement. Enfin, j'étais, n'est-ce pas, euh, un abonné. J'essaie de me tenir au courant des nouvelles musiques. Mais c'est insensé. J'ai besoin d'une cigarette.

Il avait d'abord gratté une ou deux allumettes et le type avait fini par lui tendre un Zippo. La cour disparut derrière le halo du briquet. La fumée l'écorchait comme de la fibre de verre.

— Je suppose que le nom Sol ne vous dit rien? Iggy? Ou les initiales D.T.? PPH?

Keith secoua la tête:

— Mais où donc vous êtes-vous procuré ça?

— L'autre mystère, il y a peu de chances, mais je me demande si vous connaissez une maison dans l'East Village où elle avait peut-être des amis. Je n'arrive pas à retrouver la moindre adresse.

Keith revit les enveloppes scellées qui venaient se poser dans sa corbeille au cours de l'été et de l'automne derniers. Mais quel était le rapport?

— Désolé, dit-il.

L'homme se déplaça pour examiner son visage. C'était un journaliste, mais de toute évidence, pas un journaliste d'investigation. En fait, il semblait

d'humeur étrangement enthousiaste, comme si les réponses de Keith constituaient un écho aux questions elles-mêmes.

— Elle n'en a jamais parlé ?

— Je vous l'ai dit, je ne la connaissais pas vraiment, pas personnellement.
Quoi ? Il était libre ? Il avait resserré son manteau pour se protéger du vent
glacé qui gémissait autour des agrès.

— Les flics ont eu connaissance de son petit magazine ?

— Ils en ont des exemplaires, j'en suis sûr. Mais je ne vois pas en quoi
il va nous aider à résoudre une agression qui a mal tourné. Si cela vous
intéresse…

Le journaliste sortit une carte de sa poche.

— Voici une ligne directe, au cas où quelque chose d'utile vous reviendrait à la mémoire.

Mais ce n'était même pas la carte de Groskoph, s'était aperçu Keith, une
fois rentré à l'appartement. Il avait verrouillé la porte derrière lui et fouillé
dans la pile de journaux à côté de la poubelle dans la cuisine. C'était là,
dans le *Times* : la victime de Central Park avait été transportée à Beth Israel.
Il redoutait même de respirer en cherchant l'hôpital dans l'annuaire. Il avait
oublié le numéro de la chambre de sa nièce, dit-il à la femme qui répondit. Il
lui donna le nom de famille de Samantha ; il souhaitait envoyer des fleurs. Il
espéra s'entendre répondre que personne n'avait été admis sous ce nom. Au
lieu de quoi, la femme lui expliqua que les cadeaux n'étaient pas autorisés
dans le service de chirurgie, mais que sa nièce serait transférée lundi aux
soins intensifs. Les heures de visite étaient de sept heures à dix-neuf heures.
Allô ? Vous êtes là ?

Et maintenant qu'il *était* là, ou plutôt ici, il ne cessait de penser que, oui, il
la connaissait à peine. Il n'y avait que dix-huit bougies sur le gâteau. Il avait
compté deux fois, pour s'en assurer. Et elle semblait bien plus jeune que ça
– dix ans plus jeune, au moins, que lorsqu'il l'avait rencontrée sur le perron
de cette foutue bâtisse. Beaucoup plus jeune qu'elle ne le prétendait, debout
au-dessus de lui, le regard plongé droit dans le sien, avec ce sourire de côté
en évoquant les rôles qu'ils se surprenaient à jouer. Et il s'était laissé duper.
Dans la chambre louée à l'heure aux fenêtres fouettées de pluie, le fruit mûr
de son mamelon dans la bouche et ses longues jambes accrochées à son dos
dans une quasi-immobilité et une souffrance exquise, il avait eu envie d'être
dupé. Ces jambes disparaissaient sous la couverture vert hôpital. Son crâne,
rasé pour l'opération, lui rappelait le crâne doux des nourrissons et il eut, une
seconde, une envie irrésistible de se pencher et de respirer son odeur à l'endroit où l'os avait fondu, de sentir la repousse dure des cheveux, de fermer

les yeux et de poser le nez sur la peau lisse et pâle qui n'avait pas vu le soleil depuis non pas vingt-deux mais dix-huit ans – comme si elle était sa fille plutôt que sa maîtresse. Ou même pas. Il avait réuni tous les défauts de son mariage et de sa vie pour construire un fantasme. Privée de sa conscience, c'était une étrangère. Il avait acheté des fleurs, en bas, dans le magasin, pour donner le change aux infirmières. Il les posa sur le plateau près du gâteau. Des iris blancs, neutres.

— Heureux anniversaire, Samantha.

Il baisa ses doigts et les posa légèrement sur une partie de bras intacte. Et puis, Keith le savait, il fallait s'en aller avant que quelqu'un – son père, la police, ou juste un journaliste naïf – n'apprenne que son vieil amant, un imposteur, un homme marié, courait encore les rues en liberté.

33

REGAN AURAIT PRÉFÉRÉ MOURIR plutôt que de l'admettre, mais le Frère Démon avait raison ; elle n'était pas préparée à rencontrer de telles difficultés dans la mise à plat de tous les secteurs dans lesquels la pieuvre Hamilton-Sweeney avait placé un tentacule. Elle n'avait même pas songé à leur nombre, au volume écrasant des documents qui allaient avec : comptes de résultats, rapports publics, lettres d'intérêt, protocoles d'intention. À quoi s'ajoutaient les papiers du divorce, les notes du psychanalyste, les inscriptions en colonies de vacances des enfants, ainsi que les devoirs imposés par son rôle de membre le plus jeune du Conseil d'Administration. Tous les matins, quand elle entrait dans son bureau, une ziggourat de papiers l'attendait, haute de soixante centimètres, comme si elle s'était reconstituée au cours de la nuit. Son travail consistait, essentiellement, à venir à bout de la ziggourat et son unique assistante étant en congé de maternité, elle formait plus ou moins une armée à elle seule. Mais de temps à autre, quand elle étudiait un document incompréhensible, elle levait la tête et apercevait une tête blonde flottant au-dessus des box dehors, ou bien son propriétaire, grand et large d'épaules, passant en flèche dans un couloir transversal. Elle s'imaginait que leurs regards se croisaient. Elle signait avec elle-même des marchés silencieux : si je reste assise, si je me concentre sur ce travail pendant une demi-heure, je m'autorise à aller au distributeur d'eau. Andrew West, le Type aux Cheveux, n'était jamais là, bien sûr, et elle se punissait en additionnant les minutes perdues à la fin de sa journée de travail. C'était un vieux schéma, des règles appelant la rébellion, la rébellion entraînant de nouvelles règles, mais elle gardait cette analyse dans les marges de sa conscience, car si elle devait la considérer en pleine lumière – avouer au Dr Altschul, par exemple, qu'elle s'était entichée d'un homme qui n'était pas son mari, ou son ex, ou ce que Keith était pour elle maintenant –, elle deviendrait une raison supplémentaire de se punir.

Et puis un matin, en tirant sa chaise, elle trouva sous le bureau un tube en papier kraft qu'elle avait réclamé aux archives plusieurs jours auparavant, ainsi que la documentation qui s'y rapportait. Elle posa la ziggourat par terre et déroula le contenu du tube. En haut, une élévation d'un quai dépourvu de végétation, le typique terrain miné urbain, accompagnée, en surimposition, d'une ville de rêve transparente : grandes pelouses émaillées de kiosques, luxueux appartements en duplex et jardins suspendus, deux tours de bureaux étincelantes, et ce stade dont elle avait vu une maquette le soir du Nouvel An. Des vues d'artiste de gens à la peau rosée levant des verres à pied aux terrasses de café, quelques têtes plus sombres en contraste. **LIBERTY HEIGHTS, RÉNOVATION URBAINE, PHASE DEUX,** disait la légende au-dessus, *rénovation* étant le terme actuel pour désigner l'élimination des taudis. Depuis l'échec de son projet pour le Lincoln Center dans les années 60, le tentacule investissement de la Société Hamilton-Sweeney avait dirigé presque toute sa puissance sur des intérêts situés à l'étranger, les cigarettes Exigente, le café El Bandito (dont Pepe Rodriguez, le porte-parole moustachu, elle était bien placée pour le savoir, était en réalité un Arménien de South Jersey). Pendant ce temps, la crise de l'immobilier avait pratiquement mis fin à toute construction dans les cinq arrondissements ; impossible de réaliser un projet, fût-il dix fois moins important que celui-là, même avec le soutien de City Hall. Et les nouveaux rois de la ville à Albany, même avant la mise en accusation, n'avaient-ils pas pris leurs distances avec la vieille machine de pouvoir à l'origine de la crise fiscale – et donc avec les Hamilton-Sweeney ? Pourtant, Liberty Heights était le projet à cent millions de dollars auquel Amory avait voulu faire adhérer la société. Et il avait eu raison ! Une simple déclaration de Zone Insalubre avait tout changé, levant les blocages pour les remplacer par un programme accéléré. C'était comme s'il savait déjà, en 1975, l'année marquée sur les plans, que ce décret était inéluctable, et elle était là maintenant, soulevant et reposant le transparent : réalité, fantasme ; fantasme, réalité. Un coup à la porte l'interrompit. Une masse de cheveux immaculée pénétra dans son espace aérien, comme un retriever flairant le vent.

— Madame Lamplighter ? Vous avez demandé à voir ceci ?

Le Type aux Cheveux s'approcha et déposa un dossier sur son bureau. Il était plus jeune qu'elle ne l'avait cru : il se déplaçait avec cette désinvolture qui vous quitte vers l'âge de vingt-sept ans.

— Merci, dit-elle. C'est affreux, mais je ne sais plus ce que vous faites exactement, Andrew. Êtes-vous aux Opérations Immobilières ou au Département Juridique ?

— Opérations internationales.

— Mais ce sont des comptes, n'est-ce pas ?

— Le département comptabilité des Opérations Internationales.

Il étincelait, comme un diamant à une seule facette.

— Nous avons deux départements comptabilité ?

— Et maintenant les Opérations Internationales ont avalé l'Immobilier. C'est compliqué.

Refusant d'écouter ses doutes, elle remit les plans dans leur tube.

— Croyez-vous pouvoir rester une minute ou deux pour me traduire ça ?

Il avait une voix adorable et, ce premier jour, tandis qu'il passait en revue avec elle les différents graphiques et tableaux, elle resta assise, les mains sur les genoux, le cerveau relâché, jusqu'à ce que ses mots, *créances recouvrables, coûts de portage, valeur d'amortissement*, se transmuent en poésie d'avant-garde.

À la troisième session, cependant, sa disposition génétique pour les chiffres se mit en branle, et elle perçut le scepticisme qu'Andrew s'efforçait de son mieux à dissimuler. Même pour lui, les Opérations Internationales étaient un labyrinthe, crédits et débits volant en tous sens d'une colonne à l'autre et dans les coins, et tous les trois virages on tombait sur une poupée russe de sociétés écrans. La plupart semblaient enregistrées dans le même pays situé en Amérique centrale d'où provenaient les cigarettes et le café, mais Andrew ayant regagné son bureau, elle ne savait plus dans quel sens allaient les flux de capitaux. Ce qui était clair, en tout cas depuis qu'il était parti, c'était que ce brouillard ne pouvait pas être le fruit du hasard. Et *cui bono* ? Eh bien, çà et là, elle voyait la signature scolaire et appliquée de son père. Non que la complexité en elle-même fût criminelle, mais voulait-elle vraiment être obligée de fournir ces documents au gouvernement ? D'autant que les médias, excités par la diffusion à quatre heures du matin de l'émission quotidienne de cette grande gueule sur WLRC, se montraient plus hostiles qu'elle ne l'avait imaginé. À ce rythme, ils allaient devoir demander la délocalisation du procès à Albuquerque.

Malgré tout, elle ne pouvait se résoudre à aborder ces questions avec son père quand elle montait Uptown le voir à l'heure du déjeuner. Derrière le bureau dans la bibliothèque où il passait encore ses journées (même si pour lui le nouveau terminal de données n'avait ni queue ni tête), il ressemblait encore trop au Papa d'autrefois : imposant, d'une tenue impeccable, l'air vaguement impérial dans son costume bleu nuit. Et sa dignité était héroïque, songea Regan, au vu de l'ampleur de son déclin cognitif, et même avant cela. Elle avait depuis longtemps compris que ce qui apparaissait comme de la froideur servait en réalité à protéger les choses importantes.

Et puis un jour, son nouveau neurologue demanda à le voir à domicile. Il s'agissait seulement d'une visite préliminaire, quelques questions et analyses sanguines, mais Regan avait pris son après-midi pour y assister – Felicia jugeait les rendez-vous médicaux des autres fastidieux – et, à son arrivée, trouva une sorte de table de massage déployée dans la salle de sport. Le patient attendait, vêtu d'une blouse vert d'eau. Il balançait ses pieds d'avant en arrière, un môme jouant à faire jaillir des éclaboussures. À la vue de ses tibias, qu'un demi-siècle de chaussettes avait rendus glabres, elle sentit une crainte irraisonnée. Le neurologue allait apparaître d'une minute à l'autre.

— Papa ?

Il parut revenir de quelque quai enfantin qu'il était allé revisiter. Qu'il fût encore capable de le faire était bon signe, pensa-t-elle.

— Nous devons parler. De ton affaire.

— Oui. D'accord.

Il n'avait jamais été loquace, certes, mais sa réserve de mots s'appauvrissait toujours plus, jusqu'à se réduire à ces affirmations abruptes qui ne donnaient aucune indication sur ce qu'il comprenait de vos paroles. Peut-être était-ce le résultat escompté. Comme les autres spécialistes, les médecins de la clinique Mayo n'avaient pu poser aucun diagnostic précis, mais plus elle pensait à ces esquives, plus elle se demandait si l'état de Papa n'avait pas commencé à se détériorer depuis plus longtemps qu'on ne le croyait : dix ans, voire quinze.

— Tu te souviens, le mois dernier, nous avons évoqué la position à adopter au tribunal ? Amory voulait envisager une négociation, mais j'ai dit : Non, Papa, il faut que tu te défendes. Tu te souviens ?

Et alors, de temps à autre, il pouvait y avoir cela : un éclair de lucidité, même au moment le plus mal venu.

— Bien sûr que je m'en souviens. Pourquoi est-ce que je ne m'en souviendrais pas ?

— C'est très important et il faut que tu écoutes. Lundi, à ton rendez-vous avec tes avocats, je crois que tu devrais leur demander de proposer un accord.

— Je leur demande de proposer un accord.

— Oui.

— Mais chérie, Regan, pourquoi demanderais-je un accord puisque je n'ai rien à me reprocher?

Oh, que n'aurait-elle donné pour que sa mère revienne? Ou à défaut son frère, ce qu'elle avait eu de mieux depuis l'âge de onze ans. C'est William qui aurait dû assister à toutes ces réunions du conseil d'administration. William qui aurait dû barrer la route à Amory. Et c'était William, elle le sentait, qui aurait parlé de ce pressentiment à celui dont il portait le nom. Peu importait ce qu'il avait cru le jour où il avait disparu, tant d'années auparavant, il avait toujours été le préféré de Papa. Et puis elle se rappela Andrew West.

— C'est compliqué, dit-elle.

34

L A SEULE FAÇON DE SÉCHER LES COURS, c'est de mentir. Tu te douches, comme tous les matins, ou tu passes un peigne mouillé dans tes cheveux pour que ça fasse plus vrai. À sept heures moins le quart, tu éteins « Dr » Zig – cette ville n'est pas une machine, c'est un corps, et elle s'ét – et avec ton sac de surplus militaire rempli de Marx et d'Engels et du déjeuner ranci auquel tu n'as pas touché la veille, tu montes au rez-de-chaussée. Tu verses à tes frères leurs Lucky Charms, en veillant bien à ce qu'il n'y ait pas plus de guimauves dans l'un des bols. (Les flocons d'avoine ne comptent pas ; ils finiront sur la table de toute façon, ou par terre, écrasés en poudre enrichie au calcium. À propos, ça t'est arrivé de manger des Lucky Charms quand tu étais petit ?) Pour tester ton invisibilité, essaie de râler parce que tu vas attendre l'autobus sous une pluie glacée. Ta mère pourrait te proposer de te conduire, pulvérisant tous tes plans : beaucoup plus difficile d'échapper aux pions du hall du lycée qu'à cette petite maison sans défense. Mais cela suppose que Maman t'écoute, ce qu'elle ne fera pas. Elle sera plutôt en train de tourner en rond en essayant de trouver où elle a laissé a) ses clés, b) *l'autre boucle d'oreille qui ressemble à celle-là* (elle montre la boucle d'oreille), ou c) les deux. Elle a les yeux bouffis. Elle a encore veillé tard. Au téléphone, encore. Tu pourrais lui demander qui était à l'autre bout du fil, mais souviens-toi qu'à des moments pareils son attention entraîne des risques, et que ces derniers temps, c'est toujours des moments pareils ; son attention entraîne toujours des risques. Tout comme son manque d'attention. De toute façon, tu sais déjà avec qui elle parlait. Tu es le Prophète Charlie, après tout; voyant, visionnaire adolescent, adepte du noumène. Chaque chose à connaître est déjà connue de ton esprit.

Quand les Lucky Charms ne sont plus que du lait immonde, et que ta mère attend encore la baby-sitter, tu sors en courant. Après quelques minutes devant l'arrêt d'autobus, tu commences à marcher, ostensiblement pour te réchauffer, ostensiblement jusqu'au prochain arrêt. Inutile de te retourner pour voir si ton ancienne maison s'est évanouie dans la grisaille monotone; tu la sentiras, l'éclipse soudaine du rayon tracteur qui émane d'elle. Ou son champ de force de tristesse.

Comment développer une conscience révolutionnaire: tu apprends par toi-même. Dans le train, par exemple, relis sans cesse les deux mêmes pages du *Capital*, jusqu'à ce que tu les forces à avoir un sens. Ou bien laisse tomber, et passe en revue les pages cornées de la bible auxquelles tu n'es pas encore prêt à renoncer. Derrière les portes fermées du Phalanstère, les quatre phalanges de base et divers aspirants murmurent déjà leurs ferventes exégèses, ou se préparent à des missions secrètes auxquelles un jour (quand tu seras prêt) tu pourras participer. Comment sauras-tu que tu es prêt? Tu le sauras, c'est tout, dit Nicky. En attendant, il te laisse t'asseoir avec la petite clique d'étudiants qui se réunit chaque semaine pour parler de Nietzsche avec lui. Il t'accorde même une leçon particulière quand il a renvoyé les autres novices à leurs dortoirs et à leurs cours. Mais quand S.G. et lui s'en iront dans la camionnette blanche cabossée que Sol a volée quand il travaillait comme laveur de carreaux, ils te laisseront tomber. Sol vole tout ce qui n'est pas assujetti – ça veut dire, tu le devines, qu'il est déjà parvenu à la conscience révolutionnaire. Toi, tu te bats toujours pour t'affranchir des *Dix Commandements*.

Comment retourner des objets ordinaires contre le système qui les a produits: «Tu prends une serviette en papier mouillée et tu mets de la farine au milieu. Tu en fais une boule bien serrée avec un élastique. Tu pourras la lancer comme une balle de baseball, mais à son point d'impact, elle ne laissera, selon le témoignage de la victime, qu'une étrange poudre blanche.» Ou bien: «Tu décroches le téléphone. Tu appelles un homme politique pour qu'il confirme ou infirme une rumeur. Tu appelles un autre homme politique pour lui demander de confirmer ou d'infirmer la confirmation ou l'infirmation du premier.» Ou bien: «Tu prends une aiguille et tu perces un trou dans une douzaine d'œufs. Tu laisses les œufs sous la chaleur pendant une semaine.

Ensuite tu montes sur un toit et tu fais ce qui te vient naturellement. » Pas exactement de quoi émanciper le genre humain, hein ? Mais beaucoup de choses te dépassent. Sol Grungy, qui sera venu à un moment donné au cours de ce petit stage, commencera à ricaner, comme s'il sentait tes réserves, mais Nicky lui donnera une claque sur la nuque. À présent regarde-les par la fenêtre disparaître dans la petite dépendance derrière. Ou monter dans la camionnette et partir vers des destinations inconnues. Interroge-toi : si tu n'es pas prêt maintenant, avec ce désir d'aller avec eux – comment le seras-tu un jour ?

Comment ? Tu vas te crever le cul, voilà comment. Tu auras l'ordre d'agrafer des feuilles d'aluminium, d'en couvrir les murs et les fenêtres du Phalanstère. Sol avait volé ce papier d'aluminium également, trente ou quarante rouleaux – *De chacun selon ses moyens* – pour des raisons que personne ne se donne la peine de lui expliquer. Peut-être pour éloigner les pigeons ? Quoi qu'il en soit, tu déroules de larges feuilles, tu les fixes à l'aide d'une agrafeuse. Tu en fourres les coins et les recoins entre le sol et le mur... il y a quelque chose de sexuel dans le geste. Quelque chose de rythmique, quelque chose de furieux, comme le disque des Stooges sur le pick-up derrière toi. En ce moment tu devrais être en cours de trigo dans le comté de Nassau, mais là-bas tout le monde s'en fout, même les pions. Ta vie de banlieue se referme comme un diaphragme, tandis que la ville se dilate pour emplir le ciel. Tu t'aperçois qu'il s'est passé une heure sans que tu penses à Sam.

À un moment donné, tandis que tu travailles sur les murs, Sewer Girl t'apporte des pilules et une bière ; ses pas sur le parquet font sauter « Gimme Danger ». Imagine à présent la chaleur de son gros corps blanc faisant grimper la température de l'air de quelques degrés près de ton cou, juste avant qu'elle approche la canette fraîche de la peau. Le fait que vous soyez ici seuls tous les deux signifie qu'on commence à te faire confiance. Tu peux achever cette partie du programme révolutionnaire sans supervision directe, en admettant que Sewer Girl ne soit pas restée pour avoir ce rôle de supervision – qu'elle n'a, pas plus que toi, aucune vue d'ensemble. En fait, tu es tenté de croire qu'elle a été envoyée pour te provoquer, pour faire gonfler tes couilles au-delà de la limite du supportable, mais c'est là une pensée égocentrique, néo-humaniste. Regarde : n'est-elle pas déjà en train de se mettre au travail sur son propre petit carré de mur sans aluminium ? Le bois paraît nu, comme un os.

Mais quand tu seras rentré à la maison, les muscles de tes bras auront un peu grossi. Maman serait tellement surprise si elle savait que tu faisais les corvées. Volontairement !

Comment marquer ta différence : prends un feutre dans la boîte à café sur ton bureau et recopie le mieux possible, de mémoire, le tatouage qu'ils ont tous – celui de Nicky, celui de Sol, celui de Sam. Le signe de la Phalange Post-Humaniste qui prolifère sur les façades des immeubles, sur les terrains de handball des cités, sur les carnets d'étudiants, sur les flancs des voitures garées, aux entrées du métro, gravé dans le Plexiglas d'une cabine téléphonique, comme reproduit mécaniquement dans tout l'East Village, usiné dans quelque fabrique de l'image. Un jour, en allant à Penn Station attraper le LIRR pour rentrer chez toi, tu le verras dessiné sur le bras d'un inconnu, de quelqu'un qui, d'après toi, n'en connaît même pas la signification. Peut-être verras-tu alors que tu l'as tracé à l'envers. Il reste beaucoup de choses à apprendre, manifestement ; tu n'es pas encore prêt. Mais s'il y a bien un capital dont tu disposes, dirait Nicky, c'est le temps.

Ce qui va te permettre d'avancer vraiment, ce sont les aérosols. Bomber, ils appellent ça. Il te faut t'habiller tout en noir : sweat-shirt noir, jean noir, bonnet noir. Tu t'imagines que ta mère va remarquer ça, mais elle est simplement contente que ta phase Ziggy Stardust soit terminée.

Vous travaillez à deux, un pour bomber, l'autre pour guetter les flics, et d'abord, c'est toi qui surveilles, tu traînes dans le coin dans une attitude de nonchalance étudiée. Tu t'énerves pas. Toute ta vie, ou du moins ces dernières années, tu as adopté une attitude de nonchalance étudiée. Personne, hormis Sam, n'a jamais deviné la tension intérieure, les turbulences dans tes tripes. Au bout de la rue, cheveux verts, de profil, D. Tremens remue les bras devant un immeuble ravagé, comme dans un enchaînement de tai-chi. Il n'a pas une très haute opinion de toi, tu le vois bien. Mais ça n'a peut-être rien de personnel ; D. Tremens n'a une très haute opinion de rien. Ce qu'il y a, c'est qu'il est concentré. Et il se fie à toi pour être prêt, à la première alerte, à détaler et à te fondre dans le noir, à pousser ton cri de guerre. Tiens, le hululement d'une sirène. Vas-y, Prophète. Cours.

Le claquement des bottes de combat résonnera dans le labyrinthe des rues plusieurs secondes après que tu te seras arrêté. Ton rire te surprendra. Quand était-ce, la dernière fois que tu as ri ? (Ne réponds pas.) Te voilà, au cœur d'Alphaville, où même les flics ne viennent pas à cette heure de la nuit. Mais tu es désormais un allié de l'anarchie ; ça ne peut pas te faire de mal. Ton acolyte, il t'a rattrapé, te tend une longue canette de bière. Tu la lèves. « À Mickey Sullivan », dis-tu, parce que cette nuit encore il te sert d'alibi. D.T. lève les yeux au ciel et tu en vois les blancs même ici, sous le lampadaire cassé. « Révolutionnaire célèbre », dis-tu, et le rire jaillit de ta poitrine comme des gerbes de sang, de grandes giclées presque douloureuses qui éclaboussent les façades des immeubles, jusqu'au dais de lune.

Et puis c'est ton tour. C'est toi cette fois qui te tiens accroupi devant le store métallique de ce qui est un bazar dans la journée. C'est toi qui secoues la bombe. Le cliquetis liquide de la bille dans le cylindre te semble assourdissant ; tu es sous tension, à l'affût du moindre signe de danger. Mais on t'a préparé le terrain. Il reste d'autres niveaux, tu t'en rends compte, de vastes échelons d'activité au-delà de ceux que tu connais maintenant : les caisses de lait, le papier d'aluminium, les murmures dans les chambres de la ruche ; le sac lourd que tu as vu Sol et Nicky traîner, au crépuscule, vers la petite dépendance derrière ; les changements en cours là-bas, où ils sont les seuls à entrer, et va savoir où ils vont tous quand ils disparaissent dans cette camionnette… Mais tu sais pour quelle raison tu es ici ce soir, tu enclenches ton destin. Le souffle de la peinture ressemble à l'explosion d'air chaud d'une montgolfière. *LE SYSTÈME EST UN CRIME*, écris-tu. *IL NE MÉRITE PAS UN CENTIME.* Puis la signature, qui fleurit du néant, le symbole que tu as patiemment mis au point dans les marges des contrôles et au blanc correcteur sur les coques métalliques de tes bottes : les cinq coups d'épée. La petite couronne de flammes. Comme ceci :

35

LES TRÉSORS DU MAGAZINE commençaient par son titre : un clin d'œil au mage du R&B Wilson Pickett, lui-même un clin d'œil à Chris Kenner. Mais peut-être le terme « fanzine » convenait-il mieux, car son inspiration formelle provenait moins d'un magazine national sur papier glacé que des petites brochures éditées en peu d'exemplaires qui avaient commencé à surgir dans les boutiques hippies et chez les disquaires à l'aube des années 70. Grossièrement ronéotypées, les images étaient floues et la prose de Samantha dans la même veine de liberté, une succession d'essais et de rejets de styles. Malgré ces outils frustes, elle était parvenue à fixer sur la page une histoire, la sienne, beaucoup plus riche et plus étrange, dont personne à Flower Hill n'aurait pu se douter. C'était comme si elle craignait qu'autrement sa vie ne lui échappe, et savoir que la crainte était justifiée – le désir de se rapprocher d'elle et de la protéger – entrait sûrement un peu dans l'obsession qui saisit Richard Groskoph au cours des derniers jours du mois de janvier, à mesure qu'il plongeait dans *Land of a Thousand Dances*.

Mais le plus génial, c'était l'intimité de la situation. La lire revenait un peu à sous-louer un petit appartement dans la tête de quelqu'un, jusqu'aux signifiants cryptés qu'elle assignait à ses amis : S.G., Sol, N.C. – Iggy ? Pour un non-initié, ils n'avaient aucun sens. Il trouva, néanmoins, une étiquette d'abonnement au dos d'un des exemplaires, et la troisième nuit, après sa cinquième ou sixième relecture complète, Richard avait laissé le nom le guider vers l'annuaire, puis vers l'Upper East Side. Il aurait dû deviner que

Keith Lampligther n'était qu'un de ces hommes à mi-vie, chaussés de blanc, toujours accrochés aux éclats de la croix du rock'n roll. *À son nom, à son quartier, tu le reconnaîtras.* Mais le degré tangentiel n'avait presque pas d'importance ; pendant quelques minutes, Richard fut connecté à quelqu'un qui était connecté à Samantha. Plus tard seulement, de retour devant sa table, il commença à craindre que le type, pour une raison quelconque, n'appelle les flics, ne leur dise que Richard se trouvait en possession de ses exemplaires du fanzine. Ou bien non – le vrai problème n'était-il pas plutôt qu'il venait de divulguer à un inconnu le nom qu'il essayait précisément de protéger ?

Peut-être pas, se dit-il finalement en se servant un verre. L'anonymat de la victime n'avait nullement dissipé la fascination des tabloïds pour les événements de cette nuit-là à Central Park. Peut-être, même, la fascination et l'anonymat étaient-ils liés, d'une manière qui jetait un démenti sur tout ce que Richard savait de l'opération par laquelle des traces d'encre sur le papier touchaient les lecteurs. Considérant le nombre d'assassinats non résolus à New York, il était en tout cas frappant que celui-ci ait maintenant migré des registres de police aux chroniques d'opinion qui, à partir de quelques détails – sexe féminin, blanche, dix-sept ans –, étaient parvenues à en faire un symbole.

Ainsi que faisait Richard, se dit-il, alors qu'il aurait dû terminer son article, son livre. Dans le passé, des crises de procrastination annonçaient un blocage plus sévère. Il n'était pas sûr de pouvoir en surmonter un autre. Et avec ces fanzines il se sentait encore moralement indécis – d'autant plus que maintenant, au milieu du désordre de son bureau, il ne retrouvait plus le troisième numéro, celui qu'il avait emporté Uptown. Et donc le lendemain matin, une fois l'alcool dissipé, il enferma les deux autres dans un sachet en plastique épais, plongea le sachet dans un seau d'eau et fourra le tout dans son congélateur.

Où il aurait dû rester à jamais, en réalité, parmi les boîtes de légumes congelés et de parts de pizza ternies par le gel. Mais à mesure que les détails s'effaçaient de sa mémoire, la mise en scène d'ensemble des fanzines prenait un relief plus précis. Tout lui revenait le soir quand il s'endormait et le matin quand il ouvrait les yeux : les clubs de rock crasseux, la maison sans adresse qu'elle avait découverte au milieu de l'année 1976. Il y avait là-bas, semblait-il, toute une ville secrète, accessible derrière des panneaux cachés et des portes dérobées. Les uniques points de convergence entre elle et le New York dans lequel il croyait être revenu étaient cette désolation et ces graffitis omniprésents.

Peu avant la Saint-Valentin, au cours d'une de ses errances de l'après-midi qui l'avait conduit Downtown, il eut la révélation que les deux New York s'étaient renversés. Le punk, ayant renouvelé toutes les clés, s'était répandu dans le réseau. Des mômes loqueteux envahissaient St Mark's Place, leurs vêtements retenus par du fil dentaire et de l'espoir. Et de partout, tout autour, toits et perrons et voitures, parvenait cet autre ciment : la musique. La musique n'avait-elle pas libéré Richard, lui aussi, à maintes et maintes occasions, d'une vie dont il s'était cru prisonnier ? Les tempos avaient changé, mais ils ne comptaient quasiment pas. Ce à quoi on aspirait, aujourd'hui comme alors, était de s'accorder à quelque chose de plus vaste que soi et de se sentir entouré d'autres qui partageaient la même aspiration.

Il finit par entrer chez un disquaire de Bleecker Street. C'était là qu'il avait acheté pratiquement tous les albums produits par Blue Note Records dans les années 50, et d'innombrables Stax/Volt dans les années 60. Où il avait acquis les œuvres complètes de Hank Williams et tous ces 45 tours de variétés dont son oreille était gourmande. *Highway 61 Revisited*, le jour de sa sortie. *Let It Bleed*, le jour de sa sortie. Mais à présent, accrochées au mur, il y avait des couvertures qu'il ne connaissait pas. À la caisse, un jeune homme poilu prit ses achats. Voyons. *Rock n Roll Animal. Agharta.*

— *Anarchy in the UK* ?

— Je prends aussi ce 45 tours.

Mais la perplexité que les choix de Richard auraient pu faire naître chez le vendeur disparut quand il vit l'accréditation **Wrecking Ball**. Il venait du Missouri, offrit-il de lui-même. Il étudiait la photographie. Il prit l'un des disques, le retourna pour montrer un cliché noir et blanc de trois types en blouson de cuir et une femme qui les dépassait d'une tête. Dos contre le mur d'une rue d'un quartier mal famé, ils semblaient prêts à affronter n'importe quel ennemi sans se battre à la loyale.

— Je l'ai pas mal vu par ici celui-là, en fait, dit le vendeur en indiquant le plus petit des quatre qui faisait un doigt d'honneur à l'appareil. Billy Three-Sticks.

C'était encore un de ces noms qui apparaissaient dans le fanzine de Samantha : Rotten, Vicious, Hell & Thunders, on eût dit un cabinet d'avocats malfaisants. Mais dans ce contexte de dévotion, Richard avait oublié que les musiciens auxquels ces surnoms étaient attachés avaient des vies indépendantes de ses besoins à elle. Peut-être était-on censé oublier ; peut-être était-ce l'objectif d'un pseudonyme. En dehors du fait que Billy Three-Sticks avait été le leader de son groupe préféré, Richard n'avait pas songé à chercher d'autres informations sur lui. Jusque-là.

— Eh bien, autant que je sache, dit le vendeur, il vit toujours à Hell's Kitchen. Merde, mon patron lui doit probablement encore du fric pour ces disques. Je pourrais lui présenter une facture, si vous voulez.

L'endroit en question était une fabrique à l'abandon dans l'ancien quartier industriel à l'ouest de Port Authority ; depuis la rue, on pouvait voir les lettres rouillées épelant les mots *Knickerbocker Mints* soudées à un échafaudage sur le toit. Comme avec les bâtiments environnants, rien ne suggérait que l'immeuble abritait maintenant des appartements, ni même qu'il servait à quelque chose, hormis les deux Harleys qui étincelaient sur le trottoir devant, uniques véhicules en vue encore en possession de leurs chromes. En effet, toutes les voitures le long de la rue semblaient non pas garées, mais avortées. Tout cela, Richard l'embrassa du regard à travers la bâche en plastique transparent qu'on avait accrochée à l'auvent d'une bodega au coin de la 10ᵉ Avenue pour protéger les fleurs en dessous. Ou plutôt les pots à fleurs, vides. Il était remonté à pied dans le froid depuis le Village, ne s'arrêtant qu'à cet endroit, le dernier avant-poste de la civilisation avant que commence la dystopie. Théoriquement, il attendait le café qu'il avait commandé pour se réchauffer, mais autre hypothèse crédible, il ne voulait peut-être pas découvrir qu'il n'y avait pas de sonnettes dans le vestibule, qu'on l'avait mal informé, et donc renoncer une fois de plus au sentiment qui le traversait d'avoir une mission. Car si cette mission n'existait pas, comment expliquer que, dès les premières minutes d'attente, un homme de petite taille, pâle, indiscutablement celui de la pochette de disque, ait émergé de l'entrée de l'immeuble et se soit dirigé vers ici ?

Richard s'attendit à moitié qu'il traverse la rue, entre dans l'épicerie, et vienne vers lui main tendue, mais il ne changea pas de trajectoire. Billy Three-Sticks devait se diriger vers le métro. Il y avait quelque chose de furtif dans son allure. Richard avala ce qui lui restait de café et s'apprêtait à accoster son sujet quand une autre silhouette, pareillement furtive, apparut de l'autre côté de la rue : un Noir vêtu d'une combinaison mal ajustée. Le deuxième homme se déplaçait avec rapidité, protégé de Billy Three-Sticks par une rangée de voitures, sans cesser pourtant de regarder vers lui. Qu'est-ce que c'était que ce bordel ? Richard frissonna. Il était un profane dans les allées d'une vaste cathédrale, attendant un signal pour apparaître dans la lumière. Quand il le fit, il vit Billy Three-Sticks et le Noir atteindre la 9ᵉ Avenue. La police suivait-elle la même piste ? Peu probable. De toute manière, pour reconnaître un agent en civil, il suffisait de regarder ses chaussures – et celles du poursuivant, quand Richard se fut approché, étaient authentiquement éculées, l'empeigne en toile se détachant d'un talon coloré au stylo bille. Sur la combinaison, une silhouette au pochoir représentait un laveur de carreaux. Le bonnet remontait à l'arrière. Quelque dérapage capillaire avait eu lieu ; les cheveux étaient-ils verts ? Mais sans laisser à Richard le temps de se faire une idée, cheveux, chaussures et combinaison avaient disparu derrière Billy Three-Sticks au coin de la 8e Avenue. Et quand Richard rattrapa son retard, les deux hommes avaient été aspirés par la foule qui circulait autour de la gare routière. Mais pourquoi donc avait-il envie de se réjouir ?

36

O UTRE CUIRE DES HAMBURGERS SUR LA ROUTE 17, Mercer avait passé
les mois qui suivirent l'obtention de son diplôme à ciseler ses idées
sur la vie et la littérature pour le jour où elles agrémenteraient les pages de
The Paris Review. Pour incarner celui qui viendrait l'interviewer, il imaginait
toujours le même personnage : un homme grand, blanc, aux cheveux gri-
sonnants, vêtu avec élégance mais sans affectation, aux sourcils expressifs
qui contrastaient avec une certaine distance dans la voix. Il ressemblait, en
y repensant, à un Dr Runcible barbu, en moins impressionnant. Dans son
imagination, il était assis dans un fauteuil de réalisateur, carnet posé sur les
cuisses, jambe croisée sur un genou. Dès que Mercer avançait une idée particulièrement prometteuse, le genou se balançait de haut en bas. Mais surtout,
le stylo courait sur la page, comme mû par une volonté propre, saisissant au
lasso sténographique l'intelligence débridée de l'Éminent Homme de Lettres
Américain – titre humblement désavoué par Mercer.

Q: *Votre œuvre semble vouloir rompre qualitativement avec les tendances
minimalistes actuellement en vogue chez les jeunes écrivains. Certains pourraient même la qualifier de désuète.*

R: Eh bien, nous avons vécu, les hommes de ma génération, dans une
époque d'incertitude. L'ensemble des institutions auxquelles nous avons
cru, depuis l'Église jusqu'aux marchés et au système politique américain,

semblait traverser une crise. Et donc nous avons considéré avec un scepticisme profond la capacité de toute institution, y compris celle du roman, à
nous montrer la vérité.

Q: *Mais vous semblez presque en accord avec l'opposition, monsieur
Goodman.*

R: Disons que je considère que c'est ma mission. Être en empathie. Mais
j'ai toujours pensé, peut-être de façon perverse, que lorsqu'on veut faire cor-
respondre théorie et expérience, et que cela ne fonctionne pas, il faut s'en
prendre plutôt à la théorie. Il y a la critique de ce qui sous-tend ces institutions – justice, démocratie, amour – et il y a le fait que nul ne peut vivre sans
elles. Et je cherche donc à explorer une nouvelle fois cette vieille idée que le
roman peut, vous savez, nous enseigner quelque chose. Sur tout.

Mais, avec le temps, Mercer ayant laissé son manuscrit à l'abandon, son
interlocuteur imaginaire avait disparu. Et quand il avait refait surface, au
mois de janvier, il avait changé. D'abord, il ne se satisfaisait plus de rester
assis dans le bureau par ailleurs sans cachet que Mercer avait à l'esprit.
L'impression que quelqu'un l'épiait dans les alentours, réunissant des images
du loft et du monde au-delà, était si forte que Mercer s'était surpris à une ou
deux reprises à regarder par la fenêtre et à chercher des caméras dans la rue.

Ensuite, les questions étaient devenues désagréablement personnelles. Un
mois s'était écoulé depuis que le Commissaire Adjoint avait fait sortir, comme
par magie, le sachet d'héroïne du Manteau de Joseph en Technicolor. La raison présumée pour laquelle Mercer n'en avait pas parlé à William – qu'il
était trop traumatisé par tout ce qui était arrivé cette nuit-là – lui paraissait
depuis longtemps un faux prétexte. Cela ne voulait pas dire qu'en fermant
les yeux la nuit il ne voyait plus imprimée à l'intérieur de ses paupières la
forme ensanglantée les bras en croix dans la neige. Mais il s'était passé une
semaine depuis la dernière fois qu'il s'était réveillé en sursaut avant l'aube,
un coup de feu dans les oreilles et une pellicule de transpiration sur la peau.
Alors *pourquoi*, voulait savoir son interlocuteur, *ne parlait-il pas à présent?*

Eh bien, d'abord, comment expliquer à William ce qu'il était allé faire
dans l'Upper West Side? Ensuite, la logique entraînait-elle que si 1) le manteau appartenait à William et si 2) les drogues se trouvaient à l'intérieur du
manteau, alors 3) les drogues appartenaient forcément à William? Car imaginons que, au beau milieu de la foule, quelqu'un ait glissé la came dans
la poche de William? Ça arrivait tout le temps dans les films. Ou si William

l'avait prise pour faire plaisir à... à Bruno Augenblick, ou... à son ancien ami et membre du groupe, Nicky Chaos, dont il était allé voir le nouveau groupe? En fait, n'avait-il pas affirmé que c'était la raison principale pour laquelle il avait quitté l'ancien? Qu'il ne pouvait pas se permettre de fréquenter une bande de junkies?

Ou peut-être que ce n'était même pas de la drogue. À la télévision, la police ne rechignait pas quand ça l'arrangeait à fabriquer de fausses preuves. Peut-être le petit flic aux béquilles cherchait-il à le déstabiliser; peut-être allait-il l'appeler dans un avenir proche, et forcer Mercer à raconter tout ce qu'il savait des Hamilton-Sweeney.

Et il y avait une autre raison pour laquelle Mercer ne pipait mot de cette histoire de drogue: il aurait été injuste d'alourdir encore le fardeau qui pesait sur William. Non qu'ils aient jamais abordé l'affaire concernant son père, mais il n'avait pas pu ignorer les dernières révélations et, depuis la mise en accusation, il se conduisait de façon bizarre (même pour William). *Ah, mais cela ne corroborait-il pas...?* Très bien. Oui. L'interlocuteur fantôme de Mercer, qui se révélait foutrement tenace, avait fini par le lui arracher: ces derniers temps, William se comportait de plus en plus comme un junkie.

Par exemple? Eh bien, par exemple, il passait un temps anormalement long dans son atelier du Bronx, dont il ne rentrait que longtemps après minuit. Parfois, quand Mercer le regardait se déshabiller au clair de lune, ou dans la pollution lumineuse qui en tenait lieu, il jurait presque que William portait des lunettes de soleil. Et le matin, William n'était là pour personne. Il n'avait jamais eu l'habitude de se lever tôt, alors que Mercer, quand il avait cours, devait se rendre présentable et avoir l'esprit raisonnablement clair dès sept heures du matin. Mais dernièrement, il rentrait à la maison au crépuscule et trouvait William encore vêtu de son peignoir de bain, occupé à regarder des feuilletons ou du sport en ingurgitant des montagnes de céréales sucrées aux couleurs pastel dont il vidait à présent cinq boîtes par semaine.

Bon; on efface. La vraie raison pour laquelle Mercer ne demandait pas à William s'il avait recommencé à se shooter, c'est qu'il redoutait d'en avoir la confirmation.

Plus grave encore – ce qui, oui, puisque vous avez posé la question, rendait encore plus difficile de fermer les yeux – c'était que Mercer avait déjà vu tout ça, au retour de son frère du Vietnam. Il se rappelait le jour où P'pa lui avait demandé s'il voulait l'accompagner à la gare routière le samedi suivant la démobilisation de C.L., et la joie qu'il avait ressentie à l'idée de pouvoir quitter la maison. Mama avait déjà fait le ménage trois fois dans toutes les chambres ; s'il restait là, elle n'hésiterait pas à passer le tuyau de l'aspirateur sur sa chemise.

C'était alors le plein été. P'pa l'avait laissé conduire, ce qui prouvait en général qu'il avait l'esprit ailleurs. « Difficile à croire, avait dit Mercer pour meubler la conversation, mais dans moins d'un mois j'irai à l'Université de Géorgie. » Du côté de P'pa, sur le siège passager, il n'y avait eu qu'un silence, interrompu peut-être par le frottement, réel ou imaginaire, de ses mains sur ses cuisses. Ses doigts étaient comme un magma durci : noirs, gonflés, gercés par deux décennies de travaux dans les champs, à les rendre salubres pour les poulets et les porcs, pour le maïs vert géant qui s'élevait partout autour d'eux, colorant le ciel d'une poussière beige. Les mains de Mercer, à dix heures dix sur le volant, étaient celles d'un petit bébé, en comparaison.

Depuis que son frère était parti faire ses classes, Mercer avait entretenu l'idée (en partie à cause d'une publicité pour Maxwell House) que C.L. reviendrait changé. Il les attendrait en tenue kaki, le sac accroché à l'épaule, le visage rasé de frais et les traits bien dessinés. Il écraserait la main de Mercer, il ferait un salut militaire au vieux avant de s'emparer du volant, et Mercer s'endormirait à l'arrière de la camionnette en regardant ces sales nuages géorgiens faire du surplace tandis que de la cabine lui parviendraient des bribes de conversation paisible.

Mais la gare routière, à leur arrivée, était déserte et l'homme qui descendit de l'autocar quelque quinze minutes plus tard n'avait que le sac en toile en commun avec les rêves de Mercer. Il portait un tee-shirt douteux. Sa chevelure était une masse laineuse ; une barbe lui mangeait la moitié du visage. P'pa, lui-même un vétéran de la Seconde Guerre mondiale et d'une vie entière à souffrir de folliculite, fut visiblement exaspéré (ou terrifié, songeait aujourd'hui Mercer) mais, c'était tout à son honneur, il se contenta de lui dire : « Bon, grimpe à l'arrière. » En sautant par-dessus le hayon, C.L. parut lointain, passif, presque absent. Comme le matin, trois ans plus tard, où Mercer le trouverait nu dans le champ du nord, armé d'une machette, le visage maculé de sang comme de peinture de guerre, dressé au-dessus d'un goret égorgé.

William n'en était pas au point d'expier par le sang – et qui sait si ce n'était pas tant les drogues qu'une instabilité préexistante qui avait envoyé C.L. dans une cellule capitonnée à Augusta – mais il avait depuis quelque temps ce même air halluciné. Lui aussi s'était laissé pousser la barbe, prétextant qu'avec ses contusions de Noël, restées inexpliquées, il avait du mal à se raser. Quand Mercer observa qu'il maigrissait, il déclara qu'il devenait végétarien. Et puis un jour, Mercer extirpa des ordures un emballage de hamburger White Castle.

— J'ai dit que je *devenais* végétarien, protesta William. Pas que je l'étais devenu. Et puis, qu'est-ce que tu fais, à fouiller dans la poubelle?

Ce qu'il faisait, c'était chercher une dernière petite preuve, un *casus belli*. Il voulait se croire capable de dépasser l'héritage de la famille Goodman, les couches épaisses de méfiance et de peur qui s'accumulaient comme les phloèmes sous l'écorce dure d'un arbre. Mais n'était-ce pas la faute de William qui lui cachait tant de choses? (En supposant que William lui cache vraiment des choses? (Ce qui était bien le cas?)) Mercer allait être obligé de lui parler en face. Il ouvrit la bouche:

— Si on partait ensemble quelque part?

— Quoi?

Mercer ignorait qu'il y avait pensé, mais de toute évidence il avait déjà tout prévu.

— Tu travailles vraiment beaucoup. Et moi aussi. Presidents Day est un week-end de trois jours.

William hésita un moment. Il allait dire non; comment tiendrait-il trois jours sans son fix? Et ensuite Mercer pourrait lancer son accusation. Mais il n'obtint qu'un haussement d'épaules et il se demanda s'il avait une fois encore tout faux.

— Oui, si tu veux.

— J'ai juste l'impression qu'on se parle à peine ces derniers temps.

— J'ai dit oui, Mercer.

— Je sais.

Ils se regardaient droit dans les yeux. C'est Mercer qui dut baisser les siens.

— Il y a cette agence de voyages sur la 9ᵉ Avenue. J'ai pitié d'elle, on a l'impression que personne ne vient jamais. Et la Floride n'est qu'à trois heures de vol.

— Pourquoi on n'irait pas plutôt vers le nord? Bruno a une maison dans le Vermont. Je suis sûr qu'il nous la laisserait gratuitement.

— En février?

— Je suis un peu raide, question argent, en ce moment, Merce. Et puis ce serait romantique. L'hiver, la neige, personne aux alentours sauf nous deux… Ce n'est pas ce que tu avais en tête?

— Si, bien sûr.

— Laisse-moi appeler Bruno dès que le match sera terminé.

Comme William fixait son attention sur les Knicks, Mercer continua à regarder son profil, incapable de se défaire du sentiment d'avoir échoué devant témoin en étant passé si près de la victoire. Et puis il se dit : Non, c'est bien, c'est parfait. Ils allaient pouvoir s'éloigner des drogues, de la famille de William, de tout ce qui les séparait. Aller en un lieu où William ne pourrait pas se cacher ainsi en pleine lumière. Soit il se grillait et Mercer passait à l'attaque, soit Mercer saurait qu'il avait été le pire des idiots de laisser son imagination prendre le dessus une fois de plus.

37

Jenny Nguyen, un mètre cinquante en chaussures de sport, avait une petite poitrine, des hanches larges (croyait-elle) mais était dotée d'un visage aux traits fins et intelligents. Au repos, il pouvait paraître distant, soupçonneux mais quand elle riait, ce qui arrivait souvent, tout son corps se détendait. Elle se rongeait les ongles, elle avait des dents régulières et très blanches. Elle était une enfant des banlieues. Et aussi : une socialiste de la vieille école.

Avant de s'installer à l'est, à vingt-quatre ans, elle avait perdu la main pendant deux ans et espérait que New York lui permettrait de redevenir une force au service de la justice dans le monde. Elle était au cœur de l'empire, après tout, dans la poudrière du travail aliéné. Au lieu de quoi, elle s'était retrouvée à son tour esclave du salariat, dépendant pour survivre du *rentier** Bruno Augenblick, et l'aliénation qui l'inquiétait de manière croissante – en dépit d'elle-même – était la sienne propre. Comme Bruno, par exemple, elle était d'accord pour considérer la Saint-Valentin comme une conspiration du marché, destinée à donner un coup de pouce au commerce au milieu du mois de février, période la plus noire de l'année. Mais elle n'allait pas jusqu'à se réjouir de passer cette soirée seule.

À la fin de la journée, en quittant la galerie, elle trouva une autre raison de maudire son sort. Tous les matins, elle écoutait la météo sur WLRC ; aujourd'hui, le présentateur avait prévu *conditions hivernales*, temps pluvieux à neige verglaçante. Mais ce qui, entre autres choses, l'empêchait de devenir une vraie New-Yorkaise, c'était son impossibilité absolue de penser à prendre un parapluie – son penchant à croire que, quand le soleil brille, il brille. Et maintenant le ciel était prématurément sombre. Un taxi passait, lumière allumée, mais le taxi étant un luxe qu'elle ne pouvait s'autoriser même quand il pleuvait déjà, elle courut vers le métro. Elle sentit une goutte, puis le ciel s'ouvrit comme la soute d'un grand bombardier noir. Parvenue devant son nouvel immeuble, elle était trempée jusqu'aux os, elle avait les cheveux dans les yeux et son sac en toile et ses communiqués de presse se résumaient à une bouillie glacée.

Quelque chose dans son allure ridicule, ou dans la lumière blanche qui éclairait le vestibule comme un sanctuaire, expliquait sans doute que l'homme grand et barbu qui relevait son courrier trouvât tout naturel de lui demander si elle allait bien. Comme si le costume qu'elle revêtait – compétence, urbanité, détermination – était devenu transparent sous la pluie et qu'il pouvait voir à travers, même si ses yeux bleus devaient de tout temps avoir cette capacité à lire en vous. Sa boîte aux lettres et la sienne étaient voisines, et donc sans doute aussi leurs appartements. Depuis son déménagement, l'automne dernier, elle avait parfois entendu de la musique à travers les murs. Elle allait très bien, répondit-elle.

La voix de l'homme, dépourvue d'inflexions, évoquait celle d'un présentateur.

— Vous n'allez pas bien, vous êtes trempée.

Il y eut un moment de malaise, une petite difficulté dans la gestion des énergies qu'ils auraient pu ne jamais clarifier.

— Je vais peut-être attraper un rhume, dit-elle, et alors je n'irai pas travailler demain. C'est tout bénéfice.

Grâce au tonnerre étouffé de son rire, sa plaisanterie lui parut moins nulle. Il s'appelait Richard, dit-il. Son expérience lui avait appris qu'un verre de scotch réchauffait toujours un petit froid.

— La vieille dose de prévention.

— J'ai emménagé dans le Lower East Side il y a deux mois. Mon placard est vide.

— J'ai justement une bouteille qui croupit.

Là-dessus, tous les signaux se mirent au rouge, des histoires étalées sur le *Post* en lettres de trois centimètres, le visage de son père quand il s'était arrêté devant son premier immeuble, sur Rivington Street, dans le camion de déménagement. Tout un tas de codes gouvernaient les relations entre voisins : on ne parlait que de la pluie et du beau temps et on se méfiait des services rendus. Mais quelque chose chez Richard – le gris des cheveux, ou les épaules basses, les différents journaux qu'il serrait sous le bras – lui donnait un air inoffensif. Quand elle lui dit qu'elle allait se sécher et se changer, et que peut-être ensuite elle accepterait le verre, elle croyait ne pas en penser un seul mot. Et pourtant, quinze minutes plus tard, elle entrait chez lui vêtue d'un sweat-shirt stratégiquement informe. Elle apprécia qu'il ne verrouille pas la porte derrière elle.

C'était un deux pièces, formant un L dont les côtés enserraient son studio voisin, mais il régnait dans le salon un désordre de célibataire : rubans de machine à écrire et papier carbone un peu partout, montagnes de vieux magazines, éboulis d'albums se détachant des murs. Un terrier émergea de ce fatras de documents et vint renifler le bas de son jean.

— N'ayez pas peur, dit Richard. Claggart ne vous fera rien.

C'est alors qu'elle aperçut dans le coin, magnifiquement illuminé, le juke-box Wurlitzer.

— Oh, putain !

C'était comme de traverser le Bronx dans un train de banlieue et de voir, au milieu des tas de ferrailles, un pré avec un cheval blanc solitaire. Richard parut presque gêné. Il l'avait eu pour cinquante dollars, expliqua-t-il, lors d'une vente aux enchères de la police. Il l'invita à prendre une pièce de vingt-cinq cents dans l'enjoliveur posé dessus. Pour ne pas s'attarder, elle enfonça la touche des premiers numéros qu'elle vit, un Sam Cooke, un Patsy Cline et « Drift Away » de Dobie Gray, pendant qu'il faisait de la place sur le canapé. Deux verres apparurent. Elle agita la main pour l'arrêter quand il eut versé deux doigts d'alcool dans le sien.

— *Sláinte*, dit-il.

Ils burent en observant les cercles d'alcool s'évaporer sur la table basse imitation érable. Après avoir dégluti, il poussa un soupir involontaire. La température, chez lui comme chez elle, montait vite. Le chien, ayant fini son petit tour, devint immobile.

Le silence qui suivit, aurait dit Jenny, n'était pas inconfortable. Et de l'homme, elle aurait dit qu'il était débraillé avec une certaine élégance, les manches roulées aux coudes, le col ouvert, la barbe broussailleuse. Il avait rapporté le scotch d'Écosse, dit-il enfin, le regard adouci dans la lumière veloutée. Là-bas, ça s'appelait simplement *whisky*. Il était bon ?

C'était, en vérité, un doux incendie, quelque chose qui s'épanouissait dans sa poitrine et sortait d'elle, envoyant de la chaleur vers ses extrémités, un feu exquis qui se répandait dans sa tête. Elle demanda ce qui l'avait amené à aller en Écosse.

Il rougit :

— Une année sabbatique, je crois qu'on dit ça.

— Vous êtes professeur ?

— Grands dieux, non !

— Prêtre ?

— Juste quelqu'un qui avait besoin de s'éloigner de New York. Quand j'ai besoin de payer le loyer, j'écris.

Et sans lui laisser le temps de réagir :

— Et vous, Jenny ? Que faites-vous ?

À en croire ses expériences passées avec les hommes de cette ville, parler travail était l'équivalent, en matière de conversation, d'une anesthésie générale. Ils hochaient la tête, faisaient semblant d'écouter, et oubliaient tout. Le fossé entre l'énormité (pour elle) du fait qu'elle s'était vendue en acceptant de travailler pour Bruno et le peu d'intérêt que cela suscitait chez eux la laissait avec un sentiment de solitude. Raison pour laquelle elle s'efforçait de ne pas aborder ce sujet, et s'en tenait à d'autres, étincelants en comparaison, tels que le temps, le sport ou l'immobilier, toujours très utile. De toute façon, la moitié des hommes que la galerie l'amenait à rencontrer étaient gays. Le simple fait d'avoir fourni cette ouverture à Richard prouvait le niveau de son habileté sociale. Mais il semblait manifester une curiosité réelle, et elle se surprit à disserter sur le triste état de l'art contemporain et sur le marché de la culture dont, d'un point de vue marxiste, il était devenu inséparable.

— Aujourd'hui, les artistes sont comme des personnages mythologiques, s'entendit-elle développer. On entend parler d'eux, mais on les voit très rarement.

Des airs de violon réveillèrent le juke-box.

— Et Warhol ? demanda-t-il.

Elle l'avait vu un jour sortir d'un magasin de donuts à Union Square. Et elle devait avouer qu'elle en avait eu des palpitations.

— Oui, je veux bien, merci.

Son hôte, remarqua-t-elle, s'en tenait à un seul verre.

— Mais le pop art peut-il vraiment représenter le critère absolu ? Adorno et Horkheimer doivent se retourner dans leurs tombes.

La musique s'arrêta.

— Mon Dieu, je viens vraiment de dire ça ? Voilà pourquoi je dois éviter l'alcool fort.

Il sourit :

— Ça ? C'est du lait maternel. Enfin, seulement si la Mère est une princesse guerrière celte. (Il se leva pour introduire d'autres pièces dans le juke-box. Musique de camionneurs, chansons de fréquences parasites et de rustauds.) Ce qui n'est pas le cas de la vôtre, il me semble.

Elle avait l'habitude de la maladresse des Blancs – de leur besoin inexprimé de savoir dans quel tiroir asiatique vous ranger –, alors sa façon d'aller droit au but lui plaisait. Et puis le whisky lui faisait baisser sa garde.

— J'ai grandi à L.A. Mes parents sont venus du Vietnam avant que ce soit le Vietnam. En avion, pas en bateau, mais…

L.A., dit-il, le fascinait depuis toujours. Un de ces rares endroits où il aurait pu vivre. Et cette remarque conduisit Jenny à évoquer son ancien quartier, la radio étudiante à Berkeley, les années d'action politique – des trucs dont elle ne parlait plus jamais. Installé dans un fauteuil éclairé par une lampe jaune devant une fenêtre noire dans un appartement où l'arc-en-ciel laiteux du Wurlitzer était la seule autre source de lumière, Richard était comme une oreille géante et bienveillante. Ou une surface réfléchissante, lui renvoyant l'image d'elle la plus favorable.

— Hé, c'est sympa ici, dit-elle. Vous voulez que j'aille à côté chercher de l'herbe ?

Quelque chose crépita sur son bureau. Richard tourna la tête vers le fouillis de papier.

— Une souris ? fit-elle.

— On dirait qu'il y a un poltergeist ici ces derniers temps. Vous y croyez ?

— Euh… pas à proprement parler.

— Pardon, c'est juste ma CB, sur la fréquence de la police.

— Oh, mon Dieu. Et moi qui suis là. Vous avez sûrement du travail.

— Ce n'était pas pour vous faire partir.

Mais elle était déjà debout, réaffirmant son indépendance.

— Je dois y aller. Moi aussi, j'ai des choses à faire, et il faut que j'ouvre la galerie demain pour un connard de riche qui finira par ne rien acheter. Merci pour le verre, Richard. Si vous avez besoin d'un peu de farine ou d'un œuf…

Son visage trahit une douleur, comme une migraine longuement éloignée qui revenait à l'assaut, et elle eut la soudaine intuition que peut-être c'était lui qui était en quête de contact humain. Ce qui effaçait la dette, et tout ce qui avait commencé à prendre une direction bizarre. Plus tard, chez elle, elle croirait entendre, derrière le mur, la même chanson de Dobie Gray. Où était ce type, maintenant, fut sa dernière pensée en sombrant dans le sommeil. Car, en matière d'art, « Drift Away » était un foutu chef-d'œuvre. Elle était à moitié amoureuse de Dobie Gray.

Il se passerait une semaine avant qu'elle aperçoive Richard de nouveau, cette fois à la minuscule épicerie en face, pêchant dans sa poche quelques pièces pour payer trois journaux différents. « Parallaxe », dit-il, l'air mystérieux, en posant un doigt le long de son nez comme un personnage de roman. Il attendit qu'elle ait terminé ses achats et traversa avec elle. Ils regardèrent les chiffres lumineux de l'ascenseur diminuer dans un silence d'autant plus guindé qu'ils l'avaient déjà brisé un jour. Et puis, quand les portes s'ouvrirent, il déclara qu'ils avaient à peine touché à son whisky. Voilà une négligence qu'il faut absolument corriger, dit-elle.

Ils ne tardèrent pas à prendre l'habitude de boire un verre ensemble, le soir, pas tous les soirs, mais assez souvent pour qu'elle y pense toute la journée et soit déçue si cela ne se produisait pas. *Une goutte*, disait-il. *Venez boire une goutte.* Ce qui la fascinait, en particulier, c'était la fascination qu'*il* éprouvait pour tout ce qui n'était pas lui – qualité qu'on rencontrait rarement chez un homme. Il semblait connaître les histoires de tous les autres locataires de l'immeuble, présents et passés, et si elle demandait, il les lui raconterait.

— J'espère que ce n'est pas parce que vous les invitez tous à boire une goutte.

— Justement, j'ai rendez-vous à dix heures avec Mme Feratovic, la femme du concierge. Si vous vouliez bien vous dépêcher un peu.

Ou bien, elle s'asseyait, les jambes passées sur l'accoudoir du divan et remuait ses orteils aux ongles nus en parlant de la Californie d'un ton désabusé, et de tout ce à quoi elle avait cru que sa vie ressemblerait, bien avant de comprendre qu'elle ne parviendrait pas à sauver sa propre famille, sans parler du monde. Sa façon d'écouter, de poser des questions, lui donnait le sentiment d'être amusante et charmante, et celui, plus inavoué, d'être nécessaire. À moins que ce ne fût l'effet du whisky.

Ou bien, commença-t-elle à s'interroger, y avait-il une infime possibilité qu'elle fût attirée par Richard ? Il allait vers les cinquante ans, il avait ces ailes de cheveux gris qui retombaient sur ses oreilles comme chez un monarque Habsbourg, il avait le nez cassé en deux endroits et, ayant décidé à la fac que Freud n'était pas un ami des femmes, elle ne croyait pas au complexe d'Électre. Mais comparé aux hommes qu'elle avait rencontrés jusque-là à New York – des fêtes trop bruyantes pour entendre qui que ce soit, rencards téléphoniques dans le style énigmatique des pièces d'Harold Pinter –, le rituel du whisky évoquait pour elle ce que son père aurait qualifié de solution élégante. Et s'il devait faire le premier pas, elle ne pouvait affirmer à cent pour cent qu'elle lui résisterait. Mais que pouvait-on aujourd'hui affirmer à cent pour cent ?

38

À LA QUESTION de savoir ce qu'il faisait dans une camionnette à l'arrêt à l'ouest de Manhattan, le Prophète Charlie n'avait pas de réponse. Nicky n'en avait proposé aucune ; s'était contenté de l'arracher à sa corvée de feuille d'aluminium un jour où il aurait dû être à l'école et de lui donner une de ces combinaisons que les Post-Humanistes semblaient acheter en gros. *McCoy*, disait le nom sur la poche. Génial, pensa Charlie : une autre sortie. Avec un peu de chance, Sewer Girl viendrait peut-être avec lui, cette fois – peut-être aurait-il l'occasion de la voir enfiler sa propre combinaison et quitter enfin ce maillot de hockey vraiment en haillons maintenant. Au lieu de quoi, c'était encore D. Tremens qui attendait dans la camionnette dehors. Quand il eut fini de brancher les fils de la radio dans un trou du tableau de bord, il bâilla et marmonna quelque chose à propos de voleurs. Et puis, sans même un bonjour, il démarra en trombe vers le coin de la rue.

D.T. fut aussi celui qui, à leur arrivée à destination, s'appropria les jumelles. Il les dirigea vers une porte un demi-pâté de maisons plus loin, comme si quelque chose d'important était sur le point de se produire... mais dans cette rue, ça ne tarda pas à sauter aux yeux, « important » était un terme relatif : un clochard poussant un chariot de supermarché sous la fenêtre de Charlie ; un schizophrène hurlant une histoire de « boîte à cauchemars » ; une dame de la nuit boitant sur un talon cassé. Certes, il y eut ce moment où D.T. se baissa en sifflant : « Il faut pas qu'il te voie », et quand il leva la tête, Charlie aperçut l'énorme mulâtre tatoué qui travaillait à la porte du Vault et qui à présent enfourchait une moto. Un suspect! «Il s'en va!», siffla Charlie en retour, emporté par le mouvement. Mais D.T. secoua la tête. «Ce n'est pas notre cible, Einstein.» Et la séquence suivante se résuma à une ou deux lumières s'allumant dans les immeubles au-dessus. Il y avait une cible, très bien, mais savoir ce que cela signifiait était visiblement réservé à D.T.

À vrai dire, Charlie en était venu à croire qu'on l'avait emmené simplement pour empêcher son partenaire de mourir d'ennui. Ce qui n'était pas facile avec un partenaire qui s'ennuyait déjà trop pour parler. Quand Charlie voulut jouer au DJ avec la radio, D.T. lui ordonna de ne pas toucher aux boutons. Et quand Charlie proposa de courir jusqu'à la bodega, une rue derrière, chercher des snacks, la réponse fut un grognement. «Merde, je suis pas ton sensei, mec, t'es pas mon disciple. Tu veux y aller, vas-y». Ce qui voulait dire, bien sûr, que Charlie ne pouvait pas y aller. Ils écoutèrent donc la radio en regardant le ciel s'assombrir et, à un moment, quelque méridien secret ayant été franchi, ou (ce qui revenait au même) D.T. en ayant assez vu, ils repartirent dans la camionnette en direction de Downtown.

Après d'autres tours de surveillance du même lieu, Charlie allait pourtant changer sa manière de voir. Le problème n'était pas tant que D.T. ne se donnait pas la peine de parler, mais le fait que, quand il se décidait à le faire, il niait jusqu'au sens même de la parole. Ses mots favoris étaient, *non*, *chier* et *vraiment?* suivis de près par *rien, merde, je sais pas*, et *mec*. Il les exprimait dans des nuances étonnamment variées, mais le message qu'ils sous-tendaient ne changeait pas: D. Tremens, vraiment, n'en avait rien à cirer, pigé? C'était à se demander quel rôle il jouait dans le Phalanstère. Nicky Chaos aussi avait des côtés sombres, mais il possédait un don prodigieux pour établir des connexions. D.T. les refusait. Quand Charlie lui demanda comment, par exemple, il s'était retrouvé avec le PPH, il répliqua vigoureusement: «Je ne suis *avec* personne, OK? Je suis libre.» Peut-être parce que les gens croyaient toujours se faire une idée de vous parce que vous étiez noir. Charlie avait l'expérience des gens qui croyaient se faire une idée de vous, mais pas celle d'être noir. Et alors il eut conscience de tomber dans les mêmes travers et il se sentit coupable, et abandonna donc à son tour toute velléité de conversation.

Mais il y avait chez D.T. un autre aspect, plus insaisissable, qui se manifestait quand il était ivre, et vers leur deuxième semaine de planque, c'était le cas une bonne partie du temps. Son nectar de choix était la bière, la moins chère possible, et à mesure que les heures s'égrenaient, les canettes vides s'empilaient. Charlie aimait bien la bière, comme n'importe qui, mais la montagne de canettes écrasées devant la porte côté chauffeur semblait mettre à mal leur discrétion. Oui, d'accord, il y avait des laveurs de carreaux alcooliques, tout comme il y avait des guitaristes alcooliques, mais peut-être, suggéra Charlie, pouvait-il aller à la recherche d'une poubelle ?

— Ah, non, pas le numéro à la Mary Poppins, dit D.T. Tu as quand même compris que cette connerie de planque ne sert qu'à faire plaisir à Nicky, non. Ou bien il t'a pas parlé de son vieux ?

— Je sais que son père était un Marine, si c'est ça que tu veux dire. Et à moitié guatémaltèque.

Pour la première fois depuis bien longtemps : un rire.

— Et moi, je suis chinois. Tu as déjà entendu Nicky essayer de parler espagnol ? Ils ont passé un an ou deux sous les tropiques quand il était petit, mais je suis pratiquement sûr que c'était juste parce que Papa appartenait aux services secrets militaires. C'est évidemment de là que Nicky tient tout ça : les déguisements, les codes, cette connerie de papier d'aluminium, comme s'il y avait vraiment des écoutes…

— Mais je croyais que Nicky détestait son père.

D.T. descendit une vitre et lança une canette qui roula sur le trottoir.

— Foutrement *exact*, Prophète.

Et là, entre deux gorgées de sa bière suivante, il raconta une histoire à Charlie. En 74, avant que les Post-Humanistes soient des Post-Humanistes, Nicky avait commencé à leur confier des missions de surveillance des membres de son groupe préféré, Ex Post Facto. C'était le premier principe du marché : il allait, disait Nicky, trouver ce dont avaient besoin les futurs membres de son groupe et le leur offrir. Sol travaillait comme laveur de carreaux pour se faire du blé.

— Alors on avait déjà les uniformes, dit D.T. en relevant son col. Et la camionnette.

À quoi Nicky avait ajouté des cours accélérés pour apprendre à ne pas se faire remarquer, sauf bien sûr si on voulait se faire remarquer. S'habiller ringard. Fausse moustache éventuellement. Mais D.T. n'aimait pas qu'on lui dise ce qu'il devait faire, tu vois ?

— Merde, j'ai commencé à me teindre les cheveux en partie pour attirer tellement l'attention que Nicky ne me ferait pas jouer les espions. C'est vrai, quoi, je me disais que si ce truc était si important, il devait y aller lui-même.

— Et tu pouvais pas juste le dire à Nicky ?

D.T. haussa les épaules.

— Dans un monde parfait, peut-être. Ici-bas, il te faut un toit au-dessus de la tête.

Ses missions de surveillance avaient inclus Venus de Nylon. Il y avait aussi une sœur, qu'on l'avait envoyé filer une fois ou deux.

— Mais il me demandait surtout de surveiller Billy qui l'obsédait déjà à cette époque. Nicky ne renonce jamais. C'est ce qui le rend si efficace.

— Attends, tu es en train de me dire que c'est Billy Three-Sticks qu'on surveille, là?

— Merde, petit, ils te laissent vraiment dans le noir, hein?

Comme il n'obtenait pas de réponse, il soupira:

— Tu vois ce parpaing, là-haut, sur l'échelle de secours? C'est la fenêtre de Billy.

La première réaction de Charlie fut une envie de lancer des cailloux, de crier ce qui se passait en bas. C'était vraiment injuste de récompenser *Brass Tactics* en violant son intimité.

— Mais à quoi ça peut servir…

— C'est bien ce que je *dis*, Prophète. Au bout d'un moment, quand tu te drogues, tu commences à avoir ces accès de paranoïa.

Il joua un petit rythme funky de kalimba sur la languette de sa bière. Charlie n'aurait su dire si c'était un geste inconscient ou une manière d'appuyer son propos; à ce stade, D.T. aurait pu aussi bien parler tout seul.

— Mais il se peut que ce soit contagieux. C'est vrai, quand je vois que Billy est venu le Jour de l'An avec ce délire, cette histoire d'apothéose, de finir en beauté… Il parlait peut-être juste des pots à feu qu'on avait l'intention d'allumer, mais Sol jure qu'il a un comportement suspect depuis Noël, et Sol, on dira ce qu'on veut, mais rien ne lui fait peur. Et ce disque, aussi, celui sur la fin du monde cette année…

Tout cela, Charlie le savait, renvoyait à une étonnante série d'enregistrements.

— Tu veux parler des Clash, *1977*?

— Je parle de celui que Billy a apporté en coulisses ce soir-là. *Two Sevens Clash*, tu vois? Un message, il a dit. Ou un gage de paix. Et je suis d'accord, il a cet air hagard. Non, Billy en sait au moins autant que moi.

Parfait, pensa Charlie, mais sur quoi? Le reggae? La numérologie? Même s'il se sentait prêt à révéler la profondeur de sa perplexité, Charlie n'aurait de toute façon pas eu l'occasion de poser la question, parce que au même instant D.T. lui dit de la boucler et de faire le mort.

— Le voilà.

Charlie s'attendait à voir la silhouette crasseuse vêtue du blouson de cuir. Au lieu de quoi, c'était un autre Noir, bien habillé.

— Le petit ami de Billy.

Une seconde, se dit Charlie. Billy Three-Sticks – l'homme qui avait écrit ces paroles immortelles *Wasted, tripping,/basted in the drippings/of your love* – était homo? Charlie avait pourtant bien appris à ne pas considérer de haut ses semblables, les opprimés? L'indifférence marquée par D.T. semblait, sous cet éclairage, presque celle de Sam. Ce que les gens faisaient avec leurs organes sexuels ne regardait qu'eux.

— Observe bien. Je l'ai déjà vu faire. Une demi-heure environ après le départ de son mec, Billy sort ni vu ni connu. Il descend dans le Meatpacking District, puis va dans le Bronx. Ou juste dans le Bronx. Il monte directement Uptown, je ne me fatigue même plus à le suivre.

Pour finir, il se passa la chose suivante: quinze minutes après, le petit ami s'arrêta devant le hall d'entrée au volant d'une berline blanche de modèle récent. Et Billy Three-Sticks, pas rasé, plus maigre encore qu'au Nouvel An, courut avec une valise et grimpa sur le siège passager. D.T. se redressa:

— Bordel de merde!

Mais comme la voiture démarrait, il était trop ivre pour s'élancer lui-même à sa poursuite. Charlie dut changer de siège et reçut l'ordre d'attendre que la voiture ait parcouru un pâté de maisons avant de la suivre en direction d'une autoroute le long du fleuve.

Pendant plusieurs kilomètres, à une centaine de mètres devant, leur proie observa la stricte limite de vitesse. À l'approche du pont George Washington, et seulement alors, ayant perdu la berline blanche dans la circulation qui coulait vers le New Jersey, Charlie eut l'autorisation de rebrousser chemin. Dieu soit loué, il devait rentrer de toute façon. Néanmoins, tandis qu'ils s'engageaient dans Broadway au milieu des voitures, il demanda s'ils auraient dû tenter d'arrêter Billy Three-Sticks.

— Les ordres sont: non, sauf s'il a l'air de vouloir aller voir son oncle ou les flics. La force ne doit jamais être notre première option. Bon, si on le voit entrer dans le Building Hamilton-Sweeney, ça veut dire qu'il nous a vendus et, là, tu parles d'une merde. Mais, hé... Nicky n'a pas besoin de savoir tout de suite qu'il a échappé à notre radar, OK? Rien à signaler. Encore une journée à la con.

Et voilà, Charlie se retrouvait maintenant investi du pouvoir.

Cela le rendait-il automatiquement immoral? Il repensa à toutes les instructions diverses qu'il avait absorbées.

— D'accord, mais seulement si tu mets les choses à plat et si tu me dis vraiment ce que c'est que cette foutue histoire. Nicky prépare un gros coup, c'est ça?

Ils étaient bloqués derrière un autobus quelque part au nord de Times Square. Des klaxons hurlaient autour d'eux, rivalisant de hargne. D.T. parut retenir son souffle une minute avant de prendre une autre bière.

— Écoute, tu sais que l'oncle de Billy est l'une des plus grosses huiles de New York, hein? Un vieux compère des Dulles, qu'ils aillent tous pourrir en enfer!

— Non, je ne savais pas. Tu te rappelles, je suis dans le noir?

— Te voilà éclairé. Ce type, l'oncle, il a des tentacules dans tous les réseaux imaginables, publics ou privés. Comme un manomètre qui enregistre le moindre battement de cils. Et au fil des années, il nous a rendu des services, alors on peut dire qu'il a aussi un tentacule dans le PPH. Bien sûr, on ne l'a jamais dit à son neveu. Mais quand Billy s'est pointé au Nouvel An avec ses sous-entendus – quand *par hasard* il s'est trouvé à Grand Central le soir de Noël au moment où Sol rentrait d'une mission top secrète dans le Queens… si tu es Nicky, tu en tires quelle conclusion logique? Et si l'oncle se servait de Billy comme agent pour savoir si nous nous sommes retournés contre lui? Il est capable de toutes les manipulations. Nicky prétend que Billy l'appelait le Frère Démon.

Charlie ressentit un pincement, comme s'il avait déjà entendu ça – le titre d'une chanson perdue des Ex Post Facto, ou d'une autre, pas encore enregistrée, des Ex Nihilo. Il se rappela à l'ordre, il fallait qu'il reste concentré.

— Rien du tout. J'y comprends toujours rien. « Si nous nous sommes retournés contre lui? » Pourquoi d'abord le PPH serait-il lié à une grosse huile?

Ou, pour parler franchement, étant donné ce dont il avait jusque-là été le témoin dans cette opération, vice versa?

Un rot ramena D.T. au présent – un présent dans lequel il était compromis.

— Je me contenterai de dire une chose: avant de négocier avec le diable, mieux vaut savoir quelle est sa carte maîtresse. Nicky ne savait pas, jusqu'au mois de novembre. La municipalité a décrété une Zone Insalubre dans le Bronx, créant une quarantaine d'hectares de développement. Et puis le truc avec Sam… Jamais Nicky n'acceptera d'être vaincu. Notre dernière solution, c'est de trouver un Frère Démon à nous.

Pas si vite, avait envie de dire Charlie. Retour en arrière. À Sam. Cela faisait un mois que quiconque, y compris lui-même, n'avait prononcé son nom. Mais ils étaient parvenus au Phalanstère, et D.T. ouvrait la portière pour descendre. Charlie lui prit le bras.

— Tu veux dire *quoi*, un Frère Démon à nous?

— Tu es peut-être l'élu de Nicky, Prophète, mais si je ne suis pas prêt à connaître tous les détails, toi, tu l'es encore moins. Écoute, la semaine dernière, tu m'as demandé ce que je croyais. Quelqu'un s'attaque à toi, s'attaque à ce qui compte pour toi, tu lui pètes la gueule… voilà ce que je crois. Tiens, à ce propos…

Il sortit de la boîte à gants un petit étui en daim d'où dépassait un cran d'arrêt.

— Nicky a pensé que tu aurais besoin de te protéger.

Ce qui revenait à montrer qu'ils avaient généralement raison, que Charlie n'était pas prêt car il n'avait jamais imaginé Nicky déterminé à ce point. Il serait bien incapable de se servir d'un couteau, quelle que soit l'importance du danger. Il glissa le cran d'arrêt, replié, dans la poche de son uniforme. De son côté, D.T. dessoûlait. Autrement dit, il devenait désagréable.

— Je suis sérieux quand je te dis de la boucler, OK ? Je suppose que Nicky ne nous ferait pas travailler en équipe toi et moi, s'il ne voulait pas que tu saches qu'on surveille Billy. Mais s'il apprend que j'ai laissé filtrer l'histoire du Frère Démon (D.T. hocha la tête en direction de la poche), il n'hésitera pas à me faire goûter à ça.

39

L A RETRAITE DE BRUNO, ainsi que Mercer ne pouvait s'empêcher de la qualifier, se nichait au fond d'un terrain encaissé, entouré d'une forêt de pruches qui la rendait invisible de la route. William avait beau en avoir fait l'article toute la semaine, le confort répondait à peine aux critères d'un hôtel une étoile : deux ou trois chambres, une peau d'ours devant la cheminée, une étagère de jeux de société tombés en désuétude. Une odeur tenace de naphtaline. La maison était restée fermée depuis l'été précédent, supposait Mercer, ou celui d'avant. Dire qu'ils auraient pu être à la plage ! Il se garda d'exprimer sa déception, mais ne put se retenir d'ouvrir toutes les fenêtres. William n'y vit qu'une occasion de faire encore baisser la température qui atteignait péniblement moins six.

Pour le dîner, ils exhumèrent d'un placard un paquet de pâtes, datant d'une décennie, au moins, que Mercer prépara à l'huile d'olive, en ajoutant du parmesan trouvé dans une boîte de provenance tout aussi douteuse. Après quoi ils s'installèrent côte à côte sur le canapé en rotin pour disputer une partie de Risk. Ils avaient ce jeu à la maison, mais ils n'y avaient pas touché, pensait-il, depuis la nuit où il avait dit à William qu'il l'aimait. La télévision retransmettait les jeux Olympiques d'été. William venait de poser les pieds sur les genoux de Mercer et quelque chose dans ce geste lui avait fait cracher la phrase qu'il retournait dans sa tête depuis des semaines. Pour seule réponse, William avait eu cet air de qui prépare sa prochaine manœuvre.

À présent, Mercer se demandait s'il était en manque d'un fix, ou autre argot pour désigner ça. William poussa ses troupes dans le Kamchatka.

— Je sais à quoi tu penses, Merce.

— Comment ça ?

— Tu penses que je m'effondre. Que je deviens fou.

Ce dernier mot – lourd de sens, dans le contexte de leur relation – sembla tourbillonner une minute dans le vent.

— Je pense que tu es audacieux, peut-être. L'Asie est toujours difficile à défendre.

— Allez, Mercer. Parle-moi un peu franchement.

— Que veux-tu que je te dise ? Les bons artistes sont toujours fous, d'une manière ou d'une autre.

— C'est un stéréotype.

— Essaie pour voir, donne-moi des noms, dit Mercer en renforçant ses positions en Europe de l'Est.

— Rauschenberg.

— Tu sais que je ne m'y connais pas en peintres.

— Bon, dit William. Celui que tu aimes tellement. Faulkner.

— Faulkner était alcoolique et coureur de jupons.

— Dostoïevski ?

— Joueur compulsif. Antisémite enragé. Mais il aimait sa femme.

Mercer passa un bras hésitant sur le dos du divan.

— Franchement, chéri, parfois il me semble que *moi* je suis fou.

C'était vrai ; il se soupçonnait régulièrement d'être névrosé, tout en étant conscient que ce soupçon, lui-même source de névrose, manifestait plutôt une bonne santé mentale. Mais William, à présent, le regardait droit dans les yeux en souriant.

— D'accord, tu gagnes.

Il fit valser le jeu par terre, geste purement cinématographique, puis poussa planche et table pour faire assez de place pour eux deux sur la peau d'ours.

— Tu feras attention, dit-il. Mon bras blessé est encore sensible.

Mais les coudes écartés, les doigts s'attaquant aux boutonnières, il prenait les commandes, comme aux premiers jours, et Mercer n'eut qu'à se laisser emporter.

Après, ils restèrent allongés, transpirants, les yeux levés vers les poutres tachées de noir. Les vaisseaux sanguins échauffés refroidissaient. Des petites pièces du jeu s'enfonçaient dans le dos de Mercer. Il régnait un tel calme ici – le calme de la campagne, dont il se rendit compte qu'il lui manquait. Le vent dans les avant-toits. Les oiseaux, lançant leurs appels et leurs réponses.

Ces moments-là avaient été parmi les meilleurs, au début, après qu'ils avaient fini de jouer et avant qu'il redevienne lui-même. Il sentait que son esprit s'était clarifié, comme un beurre épais et blanc exposé à la chaleur – qu'une urgence se dissipait.

Il avait dû se mettre à rêver, car il se trouvait maintenant dans un cinéma où il cherchait une place. La salle, qui descendait en pente vers l'écran, était bizarrement à la fois éclairée et dans le noir. Il n'y avait pas deux places vides côte à côte, rien que des fauteuils isolés çà et là. Derrière, les gens le regardaient, impatients de le voir faire son choix, mais si la salle ne pouvait accueillir qu'un nombre limité de groupes et de couples, et qu'ils étaient déjà tous là? Il s'enfonça dans les rangées de fauteuils difficiles d'accès. Il trouva deux places vides, mais elles étaient perpendiculaires à l'écran. En fait, c'était le cas de tous les sièges, et l'écran n'était plus où il avait cru; il s'étendait dans toutes les directions. À présent assis, à la bonne distance, pas trop près, pas trop loin, il angoissait en se demandant comment William allait le retrouver. En se retournant, il le vit debout dans l'allée à côté de lui, avec un seau de pop-corn et des Coca, lui adressant un sourire indulgent. Et quand il toucha la jambe de William, à la façon d'un enfant voulant s'accrocher à sa mère, du fond de l'âme de Mercer, par un petit trou, monta une sensation de soulagement comme il n'en avait jamais connu dans toute sa vie éveillée.

Le lendemain matin, il fut tiré du lit par un sifflement. Il ne se rappelait pas la dernière fois que William s'était levé avant lui, mais il était là, à s'activer dans le chalet. Il avait rangé les pièces du jeu, lavé la vaisselle de la veille. Un blizzard hurlait derrière les fenêtres mais il semblait si heureux de se retrouver ici – nostalgique peut-être – que c'était presque suspect. Quand il voulut aller faire des courses, cependant, il invita Mercer à l'accompagner.

— Je ne vois personne d'autre avec qui j'aimerais mourir bloqué dans les congères.

L'expédition se déroula sans encombre, les routes ayant été déneigées. Dans la voiture de location, Mercer regarda à travers le pare-brise qui se couvrait de blanc son amant courir vers un magasin au toit de tôle. Une autre voiture était garée quelques emplacements plus loin, son tuyau d'échappement exhalant un nuage de brouillard, mais le bout de peau intacte que William exposa en soulevant son blouson sur sa tête pour rester au sec n'appartenait de nouveau qu'à Mercer.

Pour le déjeuner, ils firent griller des hot-dogs dans la cheminée. Puis, une fois la tempête passée, ils s'emmitouflèrent et s'enfoncèrent dans les bois silencieux.

— Je veux te montrer quelque chose, dit William.

C'était un trou de nage, étroit, et maintenant totalement gelé. Il grimpa sur un énorme rocher noir que la neige rendait glissant et resta là les bras en croix, comme s'il étreignait l'espace tout entier. Ou le temps tout entier, la barbe et les lunettes de soleil empêchaient de lire son visage. Quand Mercer lui cria de rester prudent, William lui fit signe de le rejoindre.

Il avait raison : la vue méritait qu'on l'étreigne. Le ciel était bas et lourd, mais d'ici, près de l'orée des bois, on voyait la forêt disparaître dans la vallée où le lac se nichait tel un miroir de poche.

— Rappelle-moi encore pourquoi on n'habite pas ici ?

— Tu croyais vraiment que j'allais t'emmener dans un coin pourri ?

William indiqua alors l'immense étendue qui s'ouvrait derrière l'autre crête :

— New York est de ce côté. Ma boussole ne se trompe jamais.

Le beau temps se maintint tout le reste du week-end. Ils se levaient chaque jour avec le soleil, s'épuisaient en de longues marches dans la neige, puis se retiraient dans le chalet et faisaient la sieste. Puis dîner, Scrabble et sexe. William n'avait pas semblé aussi heureux depuis un an, il respirait la bonne santé, la sobriété, comme s'il s'était retrouvé et que son air de drogué n'était que l'effet des lumières de la ville. Hélas, l'une des caractéristiques d'une idylle est précisément qu'elle ne dure pas longtemps.

Ils partirent pour New York le lundi matin afin d'échapper aux embouteillages du soir. Comme leurs chaussures étaient encore mouillées, William ôta les siennes pour se pelotonner sur le siège et dormir. Ils sortaient du Lincoln Tunnel quand son pied se posa sur le frein à main. Son gros orteil dépassait d'un trou dans sa chaussette. Mercer vit, à la base, de petites protubérances noires, comme des furoncles.

— Qu'est-ce que c'est que ça ?

— Quoi, ça ? fit William en se réveillant. Regarde la route !

Un camion de livraison passa en rugissant, avec un long coup de klaxon allant en s'amenuisant. Mercer avait les mains moites.

— Ce que tu as entre les orteils. Ce sont des bleus ?

William arrangea sa chaussette pour faire disparaître son orteil. Il invitait Mercer à l'imiter, à faire comme s'il n'avait rien vu, et Mercer aurait obtempéré si son interrogateur, muet depuis quelques jours, ne s'était pas fait entendre de nouveau, mais d'une voix différente. C'était celle de P'pa, exigeant de lui qu'il agisse en homme, pour une fois.

— Tu as recommencé, n'est-ce pas ?

— Pourquoi dis-tu ça ? Nous sommes restés tout le week-end ensemble, Merce. On a passé un bon moment, non ?

— Avant, cet hiver.

Le rire de William sonnait creux.

— Tu sais, nous ne sommes pas la propriété l'un de l'autre. Mon corps n'est pas ton corps.

Il monta le son de la radio, mais Mercer, la gorge serrée, parvint cependant à parler :

— Tu ne vois donc pas que le problème est grave, merde !

— Tu te la surjoues, là.

— Je me la surjoue ?

— Je ne vais pas me disputer avec toi, Merce. (Sa voix monta dans les aigus.) Je vais juste… Écoute. Je suis resté clean tout un week-end. Ça ne te dit rien ?

— Écoute-toi !

Mercer ressentit une douleur à la main. Il avait, semblait-il, donné des coups sur le volant. Bien sûr, c'était ce que William voulait. Qu'il crie. Pour être la victime. Mercer baissa le son de la radio, afin, précisa-t-il, qu'ils puissent parler pour une fois.

Raison pour laquelle, dit William en actionnant le bouton, il l'avait MONTÉ pour commencer.

— Et ne fais pas comme si tu ne le savais pas depuis le début. Tu ne sais pas mentir.

— On n'en a pas fini, dit Mercer sans obtenir de réponse.

Intérieurement, il tremblait, terrifié par ce qu'il avait fait, mais furieux également. William, décidément, ne manquait jamais de ressources. Dès que vous pensiez avoir bloqué toutes les issues, il trouvait une manœuvre qui lui rendait la liberté et justement, à un feu non loin de l'agence de location, il sauta simplement du siège passager. Sa portière claqua derrière lui, et les façades des bâtiments renvoyèrent son écho. Il se dirigea vers le trottoir et disparut dans la foule au coin de la rue. Et ce fut alors comme si le week-end n'avait jamais existé – presque comme s'ils n'étaient jamais partis. Une fois de plus, pour Mercer Goodman, l'horizon était pratiquement bouché.

40

DEPUIS UN MOMENT, SHERRI recevait ces brochures envoyées par les agences immobilières. On s'inscrivait une fois dans l'une d'elles, et aussitôt toutes connaissaient vos nom et adresse. Fermes dans le Connecticut, multipropriétés sur la côte de Jersey, retraites bucoliques dans les Adirondacks. Naturellement, pour Larry – même s'il n'aurait jamais songé à le lui avouer – cette maison de trois chambres sur la côte nord de Staten Island *représentait* déjà une retraite. Il l'avait acquise, sous la présidence d'Eisenhower, au prix de l'époque, l'année de leur mariage, et comme les réévaluations de son salaire d'officier de police dépassaient l'inflation, ils avaient été en mesure d'y ajouter des aménagements comme le bar en sous-sol, la rampe dans la baignoire, l'ouverture dans le mur de la salle à manger par laquelle il pouvait passer les assiettes dans la cuisine sans quitter sa chaise. Mais Sherri, ces derniers temps, parlait très sérieusement de déménager. Pour la Saint-Valentin, il l'avait emmenée dans un hôtel historique au nord de l'État, et elle avait voulu parcourir les environs dès le lendemain pour visiter des propriétés. En ralentissant pour lui laisser le loisir de scruter une allée qui disparaissait dans les conifères comme le sillon d'un jet, il avait compris que la vie imaginaire qu'elle lui faisait miroiter – *tu aurais un atelier, on louerait le sous-sol* – revenait en réalité à une retraite anticipée. Avec la crise fiscale, la police allait de toute façon tailler dans ses effectifs, et elle était fatiguée d'attendre que le téléphone sonne. Quand elle tourna son visage vers lui, son projet était clair : il devait de lui-même, maintenant, lancer les démarches.

Et puis, une semaine plus tard, une photo de cette maison précise, celle devant laquelle ils s'étaient arrêtés, était apparue dans la cuisine sur le tableau de liège au-dessus du téléphone mural. Il avait essayé de s'imaginer descendre, appuyé sur ses béquilles, cette allée caillouteuse et presque verticale pour aller prendre le courrier. Ce serait là le moment fort de la journée. Puis remonter péniblement, et, devant un établi, fabriquer des jouets en bois.

Elle était derrière la maison, près de la piscine couverte, enveloppée dans un plaid, en train de lire un livre de bibliothèque tandis qu'une tasse de thé fumait sur l'accoudoir de son fauteuil Adirondack. Il ne devait pas faire plus de dix degrés dehors, mais ils n'avaient pas eu un temps aussi doux depuis des mois et Sherri éprouvait toujours ce besoin de grand air. Il se posa sur l'autre accoudoir, faisant un effort surhumain pour ne pas grimacer de douleur. Elle l'accueillit en remontant ses lunettes dans ses cheveux, toujours blond-roux mais striés de gris. Il n'aurait jamais cru possible qu'une femme pût embellir avec l'âge. Il sortit la photo de sa poche et la posa sur le bois défraîchi.

— J'ai trouvé ça punaisé au tableau de liège.

— Bien sûr, mon chéri. C'est moi qui l'ai mise là, pour que tu la voies.

Elle ne fit pas un geste pour la prendre.

— Que voudrais-tu que je fasse avec ?

— J'ai pensé que tu pourrais appeler. Regarde, j'ai entouré le numéro. Plutôt transparent comme stratagème.

Elle avait refermé son livre. Cette petite ride légère était apparue au coin de sa bouche, comme si elle le taquinait, mais elle parlait le plus sérieusement du monde.

— Tu ne te souviens pas, celle de la Saint-Valentin ? C'est la maison à pignons, au nord de New Paltz.

— L'hôtel était plein de hippies.

— Tu disais qu'il te plaisait.

— New Paltz agit sur eux comme un aimant. Champs énergétiques ou je ne sais quoi.

— Franchement, Larry, je commence à avoir un peu l'impression que tu me mènes en bateau. Sais-tu combien de temps tu as passé à la maison cette semaine ?

Il lui prit les mains. Fortes et chaudes à cause du thé.

— Pourquoi est-ce que je te mènerais en bateau ?

— Douze heures, sans compter les heures de sommeil.

Ce fut son tour de soupirer. Il lâcha ses mains et regarda la bâche bleue tendue sur la piscine. Ils avaient été parmi les premiers à en installer une, à l'époque où ils pensaient avoir des enfants. Une piscine creusée parce que

Larry avait du mal avec les échelles. Une fois dans l'eau, cependant, il se mouvait avec la même aisance que n'importe qui. En été, le matin, il enchaînait les longueurs. L'après-midi, les enfants des voisins traçaient un sentier mouillé jusque dans la cuisine où Sherri préparait des cookies aux pépites de chocolat Toll House et de la citronnade. Mais ces gosses avaient grandi, ils avaient cessé de faire part de leurs diplômes et d'envoyer des cartes pour Noël. Deux d'entre eux avaient filé en Californie ; un autre était en prison. Une clôture grillagée agrémentée d'un filet vert brise-vue s'était élevée d'un côté du jardin. Aux beaux jours, on entendait derrière une nouvelle génération d'enfants rire aux éclats, lancer des gros mots et se jeter dans des piscines bien à eux.

— Tu dois être sur une affaire.

— Il y a plein d'affaires, chérie. C'est tout le problème.

— Non, une bien précise. Sinon, quoi ? Certainement pas que ton patron apprécie tes efforts, ha, ha. Mais quand tu ne m'en parles pas…

— C'était ton idée, d'arrêter de rapporter du boulot à la maison. J'étais sûr que ça ne te plairait pas.

— Je suis censée faire quoi ? Je n'ai jamais voulu te placer dans une situation difficile, mais qu'en est-il de ma situation ? Si je ne défends pas mes intérêts, ce genre de sentiment paternel que tu as passera toujours avant moi. C'est un jeune, hein ? Ou une cause perdue. Ou les deux. Mon Dieu, ne me dis pas que c'est les deux.

Elle disait vrai. Même avant New Paltz, l'affaire Cicciaro avait commencé à reléguer les autres au second plan. Il ne se l'avouait pas, parce qu'il ne parviendrait jamais à la résoudre. Elle était impossible à résoudre. C'était pourtant celle qui l'avait suivi à la maison. Qui était entrée dans ses rêves.

— Tu devrais venir travailler pour moi. Remplacer McFadden.

— Je te connais, Larry. Je connais ce petit complexe messianique que tu crois garder secret. Attends. Écoute-moi. Je comprends, tu crois ne rien pouvoir lâcher. Mais on ne rajeunit pas, nous deux. Et le fait de passer soixante-dix heures par semaine à travailler ne va pas nous aider à partir. Il y aura toujours une autre affaire.

— C'est une dispute ? Un ultimatum ?

Il était toujours posé sur l'accoudoir. Elle posa la main dans son dos, écartant les doigts à l'endroit où les vertèbres cessaient d'être alignées.

— Nous sommes en train de parler, en adultes. Regarde-moi, chéri. Je ne t'aurais pas épousé si je pensais que tu étais le genre d'homme qui a besoin d'ultimatums.

— Je te promets, Sherri…

— Ou de promesses, avait-elle dit comme il se penchait pour l'embrasser.

C'était pourtant étrange ; ce lundi-là, en quittant discrètement le bureau avant l'heure, le journal du soir sous le bras, pour se rendre à Beth Israel, il serait taraudé par l'impression de lui avoir donné sa parole. Autrement, pourquoi serait-il revenu ici, à la fin des visites ? Il éteignit le Magnavox de couleur beige installé dans le coin, que le père de la fille avait laissé réglé sur les programmes de la journée. La fenêtre devait rester fermée, afin d'empêcher la poussière d'entrer dans cet environnement théoriquement stérile, mais Pulaski l'entrouvrit de son maximum de dix centimètres. Il y avait des coulures de neige sur le rebord extérieur. La fille ne verrait jamais les oiseaux venant se désaltérer dans les flaques, mais il lui plaisait de penser que quelque part, à l'intérieur de sa coquille corporelle, elle sentirait l'air vivifiant et froid, entendrait le bruit des autobus dans la bouillie neigeuse, du commerce de drogues dans le parc en face, et saurait qu'elle ne ratait rien. Et peut-être aimait-elle autant que lui l'odeur du tabac. Mais à peine avait-il allumé sa pipe qu'une infirmière véhémente entra lui dire qu'il ne pouvait pas fumer à cet étage – il n'avait pas vu la machine qui l'aidait à respirer ? – et referma la fenêtre. Il résista à l'envie de lui montrer son insigne ; elle savait qui il était. De toute façon, elle avait raison.

À mesure que l'après-midi cédait la place au soir, les sections du journal s'accumulaient par terre, à côté de lui, telles des strates géologiques. La machine à respirer respirait. Le moniteur cardiaque veillait. D'autres infirmières entrèrent et repartirent ; le lit monta et descendit ; le sac de perfusion relié à son bras se vida, se remplit, se vida. La démarche consistait à faire ses adieux : moins d'immersion, pas plus. Mais la patiente sous les draps représentait un réconfort. Il tenta d'imaginer ce que Sherri faisait à cette heure, sur l'autre rive de ce port en eaux profondes. Certes, elle avait des amis, le tennis, son temps partiel à la bibliothèque, mais quand avait-elle déjeuné avec une amie pour la dernière fois ? Ou soulevé une raquette ? Il restait ici, peut-être, parce que la tristesse qui régnait au chevet de la fille à l'agonie à côté de lui dans un lit électrique le rapprochait de la solitude de Sherri davantage qu'hier quand il était assis sur l'accoudoir de son fauteuil. Elle, dans sa petite boîte de lumière là-bas sur cette île, lui dans sa boîte sur celle-ci. Il crut un moment deviner l'existence, sous le monde visible, d'une infrastructure aveugle les reliant l'un à l'autre, ou tous les trois, et les reliant à d'autres encore. À des gens qu'il ne connaissait même pas.

Et vous vouliez extraire un suspect de ce réseau de connexions, des relations ou des relations de relations dont neuf fois sur dix émergeait un criminel. Vous n'aviez pas écarté le jeune Noir qui l'avait trouvée, par exemple, en dépit de ce que vous lui aviez laissé croire. (Un de ses collègues de l'école privée que Pulaski avait discrètement approché décrivait un type un peu singulier. Mais une autre disait qu'il écrivait un roman, ce qui expliquait beaucoup de choses.) Ou vous vouliez coincer le père, un Sicilien à la main abîmée, porté à en dire le moins possible. Ou la mère disparue. Ou l'amant de la mère. L'inconnu qui apportait ces fleurs. Une fiche DD-5, c'était ce que vous utilisiez pour donner suite à une plainte. Vous la remplissiez en trois exemplaires. Le problème, c'était que la DD-5, avec ses espaces réservés aux faits, laissait tout le reste de côté. Comme l'intuition. Comme l'instinct. Comme la question de savoir quelle était l'étendue de ces connexions. Richard Groskoph. Mercer Goodman. « Dr » Zig Zigler qui, lorsqu'il n'occupait pas les ondes en dénonçant les déprédations du monde des affaires, divaguait à propos du sacrifice de vierges et des monstres qui hantaient le parc. Toutes ces pistes, comme les alignements de sites dont il était question dans ses livres d'histoire publiés par Time-Life, convergeant sur la fille Cicciaro, qui gisait là, sans rien savoir, beauté enfermée dans un cercueil de verre et dont le royaume était en ruine. Mais bien sûr, c'était vrai de tout le monde ; qui n'existait pas au point de convergence de milliers d'histoires ? Au centre de forces, de circuits, de relais que Pulaski ne parvenait pas à relier entre eux, même en restant assis comme ça jusqu'à la nuit tombée. Ce qui voulait dire que les coups de feu ne signifiaient rien. Une rencontre fortuite. Un de ces hasards. Et il avait promis (n'est-ce pas ?) de tout faire pour s'en libérer.

C'est du moins ce qu'il se disait quand il remarqua pour la première fois cette ombre sur sa nuque, coincée contre l'oreiller. Toucher la fille eût été violer une règle tacite, mais il vit alors qu'il pouvait simplement déplacer l'oreiller, et sa tête retomba sur le côté – il frémit –, révélant un tatouage noir de trois centimètres de diamètre juste à l'endroit où on avait découpé le bandage. Il crut discerner une figure, les yeux ronds et les cheveux hérissés. Vaguement familière. Pourquoi ? Parce que c'était le même dessin qu'il avait vu sur le papier retrouvé dans la poche du jean dans le parc.

41

EN RENTRANT À L'APPARTEMENT, Regan vit que la seule lumière dans le salon provenait de la télévision et que Mme Santos était assise sur une chaise en bois prise dans la cuisine, ses aiguilles à tricoter exprimant une condamnation muette : la nuit était tombée, une mère devrait être chez elle et s'occuper de ses petits au lieu de rester tard au bureau. Mais c'était la seule baby-sitter de Brooklyn Heights que Regan pouvait s'offrir. Keith pouvait bien s'imaginer qu'elle menait la vie de château, mais à moins de reprendre la gestion des fonds fiduciaires des enfants, il était difficile de payer le loyer, les frais scolaires et les primes d'assurance, même avec la pension alimentaire. Demander à Mme Santos de rester ce soir jusqu'au dîner signifiait pour Regan emporter son déjeuner au bureau pendant une semaine. Et les temps étaient sans doute aussi durs pour Mme Santos ; Regan avait laissé dix dollars pour faire livrer des pizzas, mais tout tendait à prouver – assiettes pleines de ketchup, odeur de graisse dans l'air – que la vieille femme avait empoché l'argent et trouvé dans le réfrigérateur de quoi préparer des hamburgers.

— Les enfants sont dans leur chambre ? demanda Regan depuis le seuil.

Sí, oui, répondit Mme Santos.

— Ça vous ennuie de rester jusqu'à neuf heures ?

Elle allait lui fournir une explication – elle avait juste le temps de courir un peu – mais si Mme Santos jugeait qu'un canapé en cuir était du luxe, que penserait-elle d'un jogging ?

LIVRE III

En allant se changer, Regan remarqua que la porte de Will était fermée. En l'ouvrant, elle vit son fils à plat ventre par terre, perpendiculaire à un autre garçon, son nouvel ami Ken. Elle avait envie de l'aimer parce qu'il habitait le même pâté de maisons et que Will avait besoin d'avoir des amis, et aussi parce qu'il était japonais, et supporter des Yankees, mais ce môme était si foutrement secret, ou, pour être plus charitable, insensible à l'autorité des adultes. En sa présence, Will devenait secret à son tour. À la seconde où elle était entrée, ils avaient dissimulé cartes et dés dans l'ombre derrière leurs coffres. Ils s'étaient entichés d'une sorte de jeu de magie – enchanteurs, hobbits, ce genre de truc. *Eldritch Realms*, ça s'appelait. Les mères, inutile de le préciser, étaient non grata.

— Vous faites quoi, les enfants ?

— Rien, dit Will.

— Bonjour, Ken.

Impossible de savoir si Ken avait marmonné ou non une réponse. C'était bizarre : sa mère, dans le parc, se montrait maintenant toujours très amicale. Lui faisait semblant de ne pas la voir et Regan prit le parti de surenchérir :

— Eh bien, quoi que tu fasses, chéri, je voudrais que tu tiennes compte de ta sœur.

— Maman, dit Will sans lever la tête. Tu. Me. Fais. Honte.

— Ce n'est pas très facile pour elle en ce moment.

— Tu ne vois pas que je suis avec un ami, là ?

— Il est plus de huit heures. Il est peut-être temps pour Ken de rentrer chez lui.

Il n'en fallut pas plus pour que le garçon se hisse sur ses pieds, lance un geste en direction de Will et, les yeux dissimulés sous le bord de sa casquette, passe en trombe devant elle dans le couloir. « Salut, madame Santos ! », lança-t-il. La porte se referma avec un bruit sec. Elle attendit que Will dise quelque chose, mais il resta là, coiffé de sa propre casquette – les Mets, l'équipe de Keith – à contempler ses chevilles. Quand elle quitta la pièce, il était en train de réunir les cartes et les dés de Ken dans son coffre, tel un dragon protégeant son butin.

À présent, Regan se voyait comme la plus mauvaise mère au monde – c'était la crête de la vague de culpabilité qu'elle chevauchait depuis trois heures – mais elle craignait, en n'allant pas courir ce soir, d'avoir recours à d'autres punitions moins innocentes. Celles-ci devaient sans doute, plus qu'elle ne le croyait, sauter aux yeux même avant que la crise ne devint manifeste, autrement que signifiaient ces chaussures de course que Keith lui avait offertes pour ses trente-cinq ans, en lui disant que ce serait bon pour sa santé? Elle avait tardé à l'avouer, mais il avait raison. La plupart des gens perdaient du poids en s'entraînant pour un marathon. Depuis que Regan s'y était mise, peu après le Nouvel An, elle avait pris environ deux kilos, à en croire le pèse-personne de la salle de bains. Il y avait même des moments où elle se sentait capable de vivre sans pèse-personne.

Les chaussures de course aux pieds, elle eut, là encore, cette sensation de liberté. Elle s'élança vers la Promenade en direction des bras luisants du pont. Respirer. Respirer. Respirer. Respirer. Comme pour l'accouchement sans douleur. Était-ce seulement le divorce qui rongeait ses enfants? Ce sentiment d'abandon qui, on l'avait prévenue, était inévitable? Ou bien était-ce toujours cette blessure, quand elle était en seconde, vingt ans auparavant, qui faisait qu'elle se voyait plus grosse dans l'esprit des autres qu'elle ne l'était en réalité? L'une des raisons, au moins, des souffrances de Will était son grand-père. En revenant de chez Keith le week-end dernier, il lui avait demandé de lui expliquer la différence entre un grand jury et un jury normal. Son travail, il le savait, consistait à donner de la société de Grand-Père la meilleure image possible: en avait-il conclu, lorsqu'elle lui affirma que tout se passerait bien, qu'elle se contentait de faire son travail?

Elle commençait à remonter la pente du pont et le sang bourdonnait dans sa tête. Penser à son travail la conduisit à penser à Andrew West, la vraie raison pour laquelle elle avait tardé à rentrer. Il avait fait preuve de tact dans le choix du restaurant. Le décor simple, les maracas et les mariachis, l'anonymat du quartier, tout avait concouru à la mettre à l'aise. Qui aurait envie de bagatelle après un repas mexicain? Mais lorsque, après les hors-d'œuvre, elle avait abordé la manière de consolider la position de Papa au cours de ses échanges avec le procureur, il avait répondu qu'elle méritait une pause en oubliant un peu le travail. Il but une longue gorgée de margarita, puis plissa les yeux et se frotta le front.

— La glace me donne mal à la tête.

De son côté, elle avait mesuré au millilitre près la quantité de vin qu'elle ingérait. Elle avait besoin d'avoir la tête claire.

— Et vous aimez la musique? demanda-t-il quand il eut cessé de plisser les yeux.

— Comme tout le monde, non?

Elle s'était placée sur la défensive avec cette réponse facile, et déjà elle se sentait devenir toute petite. Comme elle devait avoir l'air ridicule dans ce restaurant sans fenêtres avec ce beau... oui, garçon.

— Petite fille, je m'imaginais jouer dans des comédies musicales à Broadway. Je me souviens, j'ai traîné mon père voir *My Fair Lady*.

Elle lui raconta que son père avait tant ri qu'il en avait pleuré. À l'époque, déjà, Papa ne riait pas beaucoup.

— Et vous dansez ?

— Pourquoi ? Vous, oui ?

— J'ai remporté quelques trophées au lycée… Je plaisante.

Mais il connaissait une petite boîte où ils pourraient aller. Après le dessert, bien sûr – « Ils ont un flan extraordinaire ici. » Maintenant ses genoux tremblaient. Elle avait atteint le point culminant de la voie piétonne, six mètres au-dessus de la mer, mais si elle renonçait avant d'avoir parcouru le kilomètre et demi, comment allait-elle pouvoir en affronter quarante-deux et des poussières ? Heureusement, la gravité l'entraîna sur la pente descendante vers Manhattan. La ville se dédoublait sous ses yeux. Comme ces deux images du South Bronx. Avant et Après. Malgré ses pouvoirs étendus dans la société qui portait son nom, il y avait encore beaucoup de choses qu'elle ignorait. Elle ignorait même tout, en réalité, de l'inconnu qu'elle pensait peut-être mettre dans son lit : où Andrew West travaillait auparavant, qui était son supérieur hiérarchique… Pour ce qu'elle en savait, il avait peut-être été engagé par Amory pour la surveiller, la compromettre – qui pouvait dire jusqu'où allaient les pouvoirs du Frère Démon ? Mais Andrew s'était toujours montré gentil, et le Dr Altschul aurait relevé là un schéma d'autodestruction.

— Andrew, dit-elle d'un ton détaché tandis qu'on débarrassait les assiettes. Je crains de vous avoir induit en erreur. Mon mari et moi venons de nous séparer et ce dont j'ai besoin pour l'instant, plus que tout, c'est d'un ami.

Il n'insista pas. Les dents éclatantes qui n'avaient sans doute jamais connu de caries, les mains sculptées qui s'élevaient inconsciemment dans l'air à la recherche de la raquette de squash qu'il avait laissée à Webster Groves… Ils auraient pu s'enfermer dans une loge de portier pour sept minutes de félicité, ou se quitter et ne plus jamais se revoir, ou quelque chose entre les deux et Andrew West s'en serait porté à merveille. Et le voir prendre les choses à la légère lui causa un léger choc. Idiote ! Comment avait-elle pu s'imaginer que tout cela comptait un peu pour lui ? Après le café et d'autres banalités, l'ayant chastement embrassée sur la joue, il avait refermé la portière du taxi.

Au pied du pont, elle ralentit l'allure. Les arbres dénudés dans le parc derrière City Hall lui faisaient signe comme des mains noires. Elle avait envie de s'arrêter une minute pour respirer un peu, mais elle n'osait pas ; un parc la nuit, même d'aussi petite taille, n'était pas un endroit pour les femmes seules. Et c'est ce qu'avec le temps Regan était devenue. Une femme seule. Elle revit le ruban jaune de la police, tendu au bout de la rue où habitait son père, blanchir sous la neige du Nouvel An. Le drap blanc qu'on introduisait dans l'ambulance. S'occuper de ses affaires, se plonger dans le gâchis de son existence, pour que tout sombre dans le noir. C'était ce à quoi servait la religion, disait-on, à répondre à la peur de savoir si oui ou non il existait quelque chose au-delà de ce noir. Elle aurait voulu, à cet instant, que quelqu'un soit avec elle. Si elle voulait bien l'admettre – ça la tuait –, elle aurait voulu à cet instant que Keith soit avec elle.

Mais elle remonta sur le pont, guidée par les ténèbres. Filant à vive allure, les lumières des voitures au niveau inférieur devenaient floues avant de disparaître. En dessous, l'eau était comme une immense trace de gomme. Sur l'asphalte, il n'y avait plus que son souffle et le rythme de ses foulées. Elle aurait pu rejoindre au trot son ancienne adresse, un mariage intact, des enfants indemnes, sauf que. Sauf que, fini Manhattan. Elle courait vers Brooklyn.

Dans le salon, sur sa chaise dure, Mme Santos regardait Telly Savalas regarder un immeuble en feu dans *Kojak*. Toutes lumières éteintes, l'interaction entre le flot jaune de l'entrée et les papillotements bleus de la télévision donnait à ce qui était en théorie le cœur de la maison un aspect sinistre et nauséeux. Regan pénétra dans la pièce en cherchant de l'argent dans son sac, jetant un coup d'œil distrait sur l'énorme sucette de Kojak parce que, parfois, elle ne pouvait regarder Mme Santos dans les yeux.

— Vous ne les avez pas laissés voir ça, n'est-ce pas? Will est tellement curieux de tout et je ne suis pas sûre qu'il soit assez grand...

Elle comprit qu'elle avait manqué de respect à Mme Santos, mais elle ne pouvait s'excuser sans affaiblir une dynamique de pouvoir déjà – avoue-le – foirée. Et puis, cette semaine, le Dr Altschul lui avait proposé de s'exercer à ne plus s'excuser autant.

Mme Santos continua à tricoter.

— Un homme appelle pour vous quand vous êtes sortie.

Le pouls de Regan n'était pas encore retombé, elle sentait son nerf facial jusque dans sa poitrine.

— Il a laissé un message?

— Non, juste le nom.

Regan était maintenant entièrement à sa merci.

— Et vous vous rappelez qui c'était?

Mme Santos, secrètement triomphante, répondit avec un sourire:

— Nous n'avons pas ce nom dans mon pays. Merced, une chose comme ça. Mais le nom de famille, je me rappelle. C'est *Buen hombre*. Good man.

42

L A **Nuit de, ou le soir du jour de la Nuit de,** Mercer ôta la cravate
et la chemise oxford de son costume de professeur et s'étala sur le lit,
à plat ventre, en espérant avec le sommeil accélérer le passage des heures
entre cinq et huit. Mais il garda les yeux ouverts. Les jours rallongeaient : la
semaine dernière, à la même heure, il n'aurait pas distingué grand-chose
du portrait punaisé au mur, sauf peut-être la masse de cheveux en forme de
mitre. À présent, ces yeux, pas tout à fait ceux de William, semblaient l'accuser. Il se tourna de l'autre côté, face à la fenêtre et au rideau de perles qui
séparait le reste du loft. Derrière, le futon et le fauteuil avaient été réunis et
formaient un angle ouvert face à la porte. Et il y avait une place d'honneur
pour William, une vieille chaise de plage en nylon que Mercer avait trouvée
sur le toit – et qui, pour ce qu'il en savait – appartenait de toute façon à
William.

Ils avaient l'habitude de s'asseoir là-haut, les nuits de chaleur, et William
buvait des bières avec les Angels du sixième étage tandis que Mercer, perché
sur un seau retourné, observait les feux qui éclataient chaque été. Un jour,
le gigantesque Angel nommé Bullet avait agité sa canette en direction de
l'horizon en flammes.

— Tu connais ce type, Maslow ? Il a cette pyramide dont j'ai entendu
parler sur « Dr » Zig. Quand tu es tout en bas, tu ne peux pas aspirer à ce qui
est en haut. C'est pourquoi, les nègres, mec, on peut rien leur donner. Sans
vouloir offenser personne.

417

Mercer fit de son mieux pour ne pas le prendre mal. Que Bullet veuille être entretenu dans ses illusions – que Mercer n'était pas véritablement noir ; que William et lui n'étaient que de très bons amis – constituait, selon l'angle d'approche, un geste de solidarité. À la réflexion, Bullet lui-même paraissait terriblement basané sous n'importe quelle lumière ; Mercer ne pouvait affirmer qu'ils ne se parlaient pas entre frères. Mais William, autodésigné Défenseur Délégué des Peuples Noirs de la Terre, entreprit de descendre sa théorie en flèche. C'étaient évidemment les propriétaires qui payaient pour qu'on mette le feu. Assurances, réduction des pertes. Et les propriétaires étaient, en gros, des petits Blancs. La pratique était bien établie, le terme technique, certes malheureux, la foudre juive. Mercer se préparait à un carnage, au cas où Bullet se considérerait comme blanc (ou juif), mais Bullet avait depuis toujours un faible pour William. Si Mercer avait eu le cran de lui demander, il aurait sans doute accepté de participer à l'intervention – voire de l'organiser.

Il s'était d'abord adressé à Bruno Augenblick, qui avait dit :

— Vous ne comprenez vraiment rien à William, il me semble ?

À quoi il avait eu envie de répondre : *Eh bien, explique-le-moi.*

— Je suis censé attendre quoi ? Qu'il fasse une overdose ? C'est ce que vous êtes en train de me dire ?

— Croyez-vous que ce soit ce que je souhaite, monsieur Goodman ?

Mercer, depuis leur rencontre désastreuse, se figurait que Bruno, à la différence de Bullet, détestait les Noirs, du moins ce Noir, mais il n'en était plus si sûr. Il feuilleta distraitement la brochure du centre de désintoxication de la 28e Rue. Le silence que renvoyait le téléphone était aussi imparfait que sa version de la voix humaine. Il grouillait d'éclats et de crépitements légers, comme des bulles dans un verre de 7 Up.

— Franchement, Bruno, ce que vous voulez m'est égal. Ce que je veux, moi, c'est aider William à lâcher ce truc. J'ai été stupide de croire que vous me donneriez un coup de main, sachant que vous êtes de vieux amis, ou ce qu'on voudra.

La voix de Bruno restait compassée, glaciale. (Comment croire que la poésie allemande puisse exister ?)

— J'espère que vous comprendrez que c'est précisément la raison pour laquelle je dois rester en dehors de votre…

— Intervention.

— Précisément, répéta-t-il.

Et ce fut tout. Il n'avait même pas souhaité bonne chance à Mercer.

À présent, le crépuscule ternissait le rideau à la fenêtre. Il avait été bleu quand Mercer avait acheté le tissu léger pour remplacer le papier d'emballage que William avait scotché sur le verre. Les feux avant et les feux arrière des autobus cheminant vers Port Authority inscrivaient sur le coton l'histoire de la civilisation occidentale. C'était, essentiellement, une histoire de suie. Quelques dizaines de centimètres séparaient à peine le rideau et la tête de Mercer, mais il distinguait la moindre particule noire, l'absurde démocratie qui les éparpillait au hasard sur l'étoffe grise et aérienne. Les freins pneumatiques détonnaient comme des bris de bouteilles. Les autobus immobilisés bêlaient comme des moutons. Il avait été leur passager, un jour, la tête emplie de rêves, de superstition et de vestiges d'une religion enfantine, monologuant avec Dieu en direct. (*Da ist keine Stelle, die dich nicht sieht.*) Était-il donc vraiment si différent, à tourner en rond dans l'appartement, disposant des tasses dépareillées comme s'il ne s'agissait pas d'une intervention mais d'un thé? Il continuait à faire comme si les surfaces bien ordonnées allaient appeler sur eux une bénédiction ou une grâce. Bien sûr, il ne pouvait savoir quand rentrerait William, à qui il avait fait la promesse (hypocrite) d'un dîner de fête, servi à huit heures. Mercer espérait seulement qu'il ne viendrait pas à sept heures et demie. Ou à dix heures.

Il entendit comme un coup de feu. Sans doute un camion-poubelle roulant dans un nid-de-poule, l'un des trente-deux bruits différents dont il avait dressé la liste et qui, dans cette ville, troublaient le sommeil. Mais les camions-poubelles arrivaient avec l'aube. Peut-être avait-il sombré dans le sommeil au cours de l'intervention; et c'était le matin, même densité de circulation, même lumière indécise. Le fait que «crépuscule» puisse renvoyer à deux entités opposées semblait signifier quelque chose, au moins que la membrane séparant le réel et le cognitif devenait dangereusement impalpable. Le bruit lui parvint de nouveau, multiplié – boum boum boum boum BOUM – et il comprit que la nuit n'avait pas encore eu lieu. Les Angels avaient une nouvelle fois laissé ouverte la porte intérieure du hall d'entrée. Quelqu'un frappait à sa porte.

Sans lui laisser le temps de l'ouvrir en entier, Venus de Nylon, la magicienne du Farfisa des Ex Post Facto, s'introduisit dans l'appartement comme si elle entrait chez elle, et que Mercer n'était qu'un valet ou un majordome. La dernière fois qu'il l'avait vue, elle (Il? Elle? Elle) portait un uniforme d'infirmière et une perruque à la Tina Turner qui se balançait pendant qu'elle frappait délicatement son orgue. Mais elle s'était rasé la tête et son crâne luisait. Avec ses créoles en or, elle ressemblait à un M. Propre dominicain.

Elle s'empara d'une photo encadrée sur la bibliothèque, un Polaroid de William et lui sur le gazon clairsemé de Central Park.

— Oh, c'est mignon.

Mercer tendit la main.

— Nous n'avons pas été présentés. Je m'appelle Mercer.

Quelque chose remua dans son sac en peau d'alligator. Elle y enfouit la main et en sortit une boule de fourrure blanche.

— Et je vois que vous avez amené votre chien.

Une fois par terre, l'animal courut sous le canapé. Il y eut un piaulement, Eartha K. surgit et vola à travers le rideau de perles du coin chambre. Le chien, comme s'il jubilait, lança quelques jappements en direction du va-et-vient des perles.

— Je n'allais pas l'attacher à un réverbère, si c'est ce que tu veux dire.

Le regard de Venus revint se poser sur Mercer.

— Franchement, je n'ai jamais compris pourquoi un Hamilton-Sweeney choisissait d'habiter dans ce quartier.

— Comme je te le disais au téléphone, je te suis reconnaissant pour ton aide.

— Je savais que le jour viendrait. Billy a toujours poussé les choses jusqu'à leurs limites.

— Je t'en prie, assieds-toi. Je peux t'offrir du café?

— Il a une *vraie* Donna Reed à la maison, ce petit salaud. Mais je n'en bois pas. Le cœur.

Venus prit le futon, libéra ses gros pieds noueux de ses souliers plats et les replia sur le coussin comme une queue de sirène. Mercer ne put s'empêcher de s'interroger sur le corps caché sous le survêtement en velours. Avait-elle subi l'opération, la grande taillade finale? Le vêtement, stratégiquement ample, ne laissait rien deviner. Il lui tendit la brochure. Son idée, expliqua-t-il, était de montrer à William combien ils étaient nombreux à se soucier de lui, du vrai lui. Le lui qu'il était avec les autres.

— Cela fait combien, exactement?

— Jusqu'ici, j'ai eu trois confirmations.

— Trois plus toi?

— Trois, avec moi.

— Merde.

— J'ai quand même réussi à faire venir sa sœur.

— Il faut que je te prévienne, Mercer, tu pourrais faire venir Jésus-Christ, et ne pas mettre fin à une grave accoutumance. Je m'en suis rendu compte en observant Nastanovich. Tu sais, notre premier bassiste. J'ai vraiment cru, quand il est mort, que cela ficherait à Billy une trouille bleue. Ou au moins qu'il se cantonnerait à la coke. Mais junkie un jour, junkie toujours.

Elle lui toucha la cuisse. Mercer, soudain abattu, ne pensa pas à reculer.

— Ne le prends pas mal. Je ne veux pas voir ton petit ami en prison ou avec une étiquette accrochée à l'orteil, mais tu dois admettre que certaines personnes pensent que leur vrai moi est celui qu'ils sont quand ils ne sont *pas* avec les autres.

Un autre coup frappé à la porte fit revenir Mercer à lui. Ou à la version de lui qu'il avait fabriquée afin de mener les choses à bien.

— Ce doit être Regan.

Depuis la dernière fois qu'il l'avait vue, elle donnait l'impression d'une belle santé qui affleurait comme si elle revenait de vacances ou d'un de ces nouveaux cercueils à bronzer. Certes, les semaines avant et après le solstice étaient en général celles où les Blancs étaient au maximum de leur blancheur. Regan hésita un moment avant de franchir l'embrasure, mais aucune alarme ne sonna.

— Je vous présente l'amie de William, Venus, introduisit Mercer.

Venus tendit sa paume, comme pour un baisemain. Regan la serra puis, plutôt que de s'installer sur une surface disponible, fit le tour en examinant les meubles d'occasion, le lino craquelé, les lampes jaunes ovoïdes aux murs de plâtre fissurés. La veste de son tailleur formait une armure carrée.

— Je peux vous débarrasser ? demanda Mercer.

Mais elle avait froid et préférait la garder. Il s'excusa pour le chauffage.

— Le propriétaire s'amuse à l'éteindre et à voir au bout de combien de temps quelqu'un ira se plaindre. J'allais préparer du café.

— Ce serait merveilleux, merci.

— C'est tout ce que nous avons.

Il sortit une boîte de café El Bandito, en veillant bien à ne pas ouvrir le placard assez largement pour qu'elle puisse voir les refuges de cafards à l'intérieur. (Mais franchement, pourquoi toute cette peine ? Pourquoi, depuis qu'ils s'étaient rencontrés, cherchait-il désespérément à l'impressionner ?)

Regan s'approcha du chien.

— Je peux le caresser ?

— La. Shoshonna.

Pendant que le percolateur émettait des gargouillements intestinaux, Mercer prit des petites doses de crème dans le réfrigérateur, la boîte de sucre et vérifia discrètement qu'il n'y avait pas cafards. Il tenta de s'assurer dans le miroir du placard que ses invitées étaient à l'aise, au lieu de quoi il vit Regan debout devant la fenêtre, en train de contempler les parpaings sur l'escalier de secours et les fleurs mortes. La rue en dessous, pleine de voitures immobilisées, serait une tranchée de lumière rouge sang. Vue d'en bas, elle ferait penser à un portrait.

— Je ne vois pas pourquoi ça ne marcherait pas, disait-elle.

Elle parlait d'une petite voix dure, comme si une noisette était logée dans sa trachée.

— Toute sa vie, il a été à la recherche d'un foyer, et maintenant il l'a. Il ne peut pas vouloir envoyer promener tout ça.

— C'est le choix qu'on lui propose ? dit Venus. Soit/soit ?

Mercer posa le plateau de café. Il n'avait pas le courage de dire à Regan que la chaise de plage dans laquelle elle s'était posée était celle de William.

Et puis, à l'étage en dessous et à un monde de distance, la porte du hall d'entrée s'ouvrit et le volume des klaxons s'amplifia. Le chien gronda. Avant même que le porte-clés démarre son tintement rythmé dans la cage d'escalier, Mercer sut que c'était William. Son visage avait dû transmettre le message, car Regan et Venus s'étaient tendues, elles aussi, comme des adolescentes devant une scène d'horreur. Ils écoutèrent les bruits de pas sur les marches. Ou peut-être était-ce l'inverse, pensa Mercer : peut-être était-ce William la pauvre victime à qui les spectateurs impuissants criaient : *N'ouvre pas la porte !* Il ne savait plus s'il l'avait fermée à clé. Il y eut un court tâtonnement, puis elle s'ouvrit et William embrassa la pièce du regard. Venus était sur le canapé et il voyait William s'efforcer d'avoir l'air heureux de la voir. Il mit une seconde pour associer le tailleur et la coiffure, et reconnaître chez l'autre femme la sœur qu'il n'avait pas revue depuis une décennie et demie, mais à l'instant où il le fit, son visage se ferma.

Et pourquoi, bon sang, n'était-il pas défoncé ? se demanda Mercer. Pourquoi justement avoir choisi ce moment précis pour être clean ? Et aussi, pourquoi Regan pleurait-elle ? Cela donnait l'avantage à William, debout là, barbu, ses clés à la main.

— Tu ne veux pas t'asseoir ? Je t'apporte du café, dit Mercer.

Il avait envie de fuir sa honte, dans la kitchenette, dans la pièce d'à côté, dans l'escalier de secours, sur les toits et dans les confins de la ville.

— Si *tu me* disais plutôt, Mercer, ce qu'elle fait ici ? Que faites-vous ici ?

Venus soupira.

— Ta sœur est là, Ô Mieux Aimé, parce que tu te défonces de nouveau.

— Ah, non. Non, non, non. On ne va pas faire semblant que tout ça c'est pour mon bien.

— William…

La noisette dans la gorge de Regan semblait avoir grossi; sa peau prenait une coloration écarlate. Le chien de Venus en profita pour s'approcher et renifler la combinaison de William, éclaboussée de peinture comme de fientes de pigeons.

— C'est pas possible, merde! Je vais ressortir dans le couloir, compter jusqu'à dix et à mon retour tout sera comme avant, d'accord? Qu'est-ce que vous en pensez?

Il ne fit pas mine de s'en aller. Venus, elle, avait pris son sac par terre et se préparait à abandonner le navire. Ce n'était pas du tout ce que Mercer avait envisagé. William gagnait, même à trois contre un. (Mais il gagnait *quoi*?) C'est alors que Regan, que Dieu la garde, se leva. Elle avait exactement la même taille que son frère.

— William, je t'aime. Tu le sais.

— Mercer aussi, il paraît. Alors comment se fait-il que vous soyez tous là à vous liguer contre moi?

— Bien sûr que je t'aime, dit doucement Mercer.

— On verra ça plus tard, Mercer.

William se tourna vers Regan:

— Soyons pragmatiques. D'abord cette invitation, et maintenant ça. Tu me croyais incapable de survivre un mois sans toi, et c'était en 1961. Alors qu'est-ce que tu viens foutre dans ma vie tout à coup?

— C'est tout le temps qu'il m'a fallu pour te retrouver!

— Tu n'as pas dû faire de gros efforts, Regan.

— J'avais un mari. J'avais des enfants, deux. Et maintenant Papa a des ennuis…

— Et quoi… tu voudrais que l'autre héritier revienne en courant et réclame ses droits? Je n'ai jamais voulu ce qu'avait Papa, Regan. Libre à lui de penser autrement. Ce que Maman m'a laissé me suffit largement.

C'était un changement de sujet très adroit, mais Mercer, fasciné, ne tenta pas d'en revenir à la drogue.

— Il a grandi dans les années 30, William. Les gens n'exprimaient pas leurs sentiments. Cela ne voulait pas dire qu'à ses yeux tu n'étais pas le petit prince. Pourquoi crois-tu que les Gould tenaient absolument à t'envoyer en pension?

— Ce qu'il ne s'est pas privé de faire.

Regan serrait les bras autour de son torse, et elle semblait rétrécir, ses poings cherchaient à se cacher à l'intérieur de sa veste.

— Il ne t'est jamais arrivé dans ta vie de te tromper? N'as-tu jamais pensé que tu méritais une seconde chance? Le moment est peut-être venu de pardonner.

— De toute façon, c'est toi qui as payé leur attention au prix fort, si je me souviens bien.

— S'il te plaît, ne…

— Et quel côté a choisi Papa? Quel côté as-tu choisi? Quinze ans, Regan, et tu n'as pas dit un mot de ce qui s'est passé?

Il y eut un silence. William semblait ne pas pouvoir s'empêcher d'enfoncer le clou:

— Tu as perdu le droit de juger mes choix le jour où tu as dédouané les Gould. S'il te faut un allié à présent, adresse-toi à ton mari.

— Mercer ne t'a pas dit? Au Nouvel An?

Merde, pensa Mercer.

— Dit quoi? Quel rapport avec le Nouvel An?

— Mercer, vous ne lui avez pas parlé du divorce?

— C'est trop *Peyton Place* pour moi, dit Venus. *Vámonos*, Shoshonna.

— Non, attends, dit Mercer, cherchant à revenir au scénario. Écoute, nous t'aimons tous, tout le monde t'aime. Nous voulons que tu te soignes.

— Qui dit que j'en ai besoin? demanda William. Toi, Venus, qui t'habilles en femme et nourris ton chien au biberon? Ou toi, Regan, qui préfères une mort lente plutôt qu'admettre ce qu'ils t'ont fait? Ou toi?

Il se tourna vers Mercer et sa voix s'adoucit.

— Qui ne peux pas accepter les choses comme elles sont? Tu n'aimes pas les choses, Mercer, tu aimes l'idée que tu en as. Tu dors et tu ne t'en rends même pas compte. Maintenant, si vous voulez bien m'excuser…

Comme le petit chien tentait de le suivre sur le palier, William dut le repousser du pied, cassant un peu la majesté de sa sortie. Mais quand la porte se referma, Regan s'était déjà retournée vers la fenêtre. Ses mains, qui avaient presque disparu à l'intérieur de ses manches, formaient encore des poings serrés; impossible de dire si elle avait recommencé à pleurer. Mercer, comme sous l'effet d'un coup dans le ventre, prit appui contre le plan de travail. Finalement Venus ramassa son chien. Elle avait gardé une certaine dignité durant tout ce temps et elle tenait à la conserver intacte. L'animal, indifférent, plongea dans le sac et y resta. Avant de partir, accrochant la bandoulière à son épaule, Venus se retourna:

— Eh bien, *voilà* une belle réussite, non?

43

ON LE SAVAIT, WILL AVAIT LE SOMMEIL LÉGER, et sa chambre jouxtait la cuisine de sorte qu'il fallait, à cause du bruit, éviter le percolateur. Ce samedi-là, debout avant l'aube, Keith faisait donc chauffer le café sur le feu, comme à l'université. Il se mit à bouillir plus vite que prévu et Keith se retrouva à courir partout en chaussettes à la recherche de quelque chose pour le filtrer, une passoire, un tamis, n'importe quel ustensile percé de trous dont sa femme aurait oublié de le priver. À mesure que la lumière éclaircissait dans le puits d'aération, derrière la fenêtre de la cuisine, il sentait monter la panique, comme un de ces coyotes qui se perdaient parfois dans l'Upper East Side. Il y avait déjà un message collé au réfrigérateur pour le cas où les enfants se réveilleraient – *sorti courir* – mais il espérait être rentré assez tôt pour qu'ils soient encore au lit et qu'il n'ait pas besoin de mentir. Quelque chose avec des trous… Ce qu'il dénicha de mieux fut une écumoire. Il l'enveloppa d'une serviette en papier et parvint, au prix d'un beau gâchis, à filtrer la mixture bouillante dans sa tasse. Le café avait un goût d'eau colorée au Crayola marron. Des petits grains collaient à ses lèvres. Il avait l'impression d'avoir un vase poreux à la place du cœur. Il était dans l'entrée en train de remonter la fermeture de son coupe-vent lorsque Will apparut derrière lui, ébouriffé de sommeil, le message à la main.

— Courir où ?

— Juste un tour du Reservoir, dit Keith. On annonce une journée printanière.

— Tu cours avec ça ?

Il regardait ses mocassins.

— Merde, j'ai oublié. Voilà ce qui arrive quand on devient vieux, champion. Ton cerveau se ramollit.

Et puis, en pensant à son beau-père, il se sentit con.

Sous le regard attentif de Will, il chaussa des tennis. Il lui faudrait se souvenir de marcher dans la boue sur le chemin du retour. Son fils devenait le genre de môme capable de tout vérifier. Depuis quelque temps, il semblait non seulement fourmiller de secrets, mais aussi soupçonner tout le monde d'en cacher d'autres – ou bien était-ce ce dont parlait Regan, citant son psy, quand elle accusait Keith de *projeter*. Quoi qu'il en soit, les tennis se révélaient bien utiles ; après avoir attendu quinze minutes le métro traînard du dimanche matin, il courait vraiment dans Bryant Park où, si le temps se maintenait, il avait prévu de retrouver Tadelis à sept heures.

— Écoute, Lamplighter, dit Tadelis avant même que Keith ait pu s'asseoir. Tu dois leur parler. En tant qu'ami, c'est ce que je te conseille. Si j'étais ton avocat, je t'y conduirais moi-même.

Il était venu avec des bagels et il avait déjà un grain de pavot coincé entre ses incisives supérieures. Keith, pourtant, n'était pas en position de le lui dire. Pendant plusieurs semaines, entre Thanksgiving et Noël, le temps que les termes de la séparation soient définis, Tadelis l'avait laissé dormir sur son canapé. Et à présent, à titre gracieux, il avait accepté de regarder la convocation envoyée par le bureau du procureur deux jours auparavant, précipitant la panique de Keith. Tadelis était le seul type qu'il connaissait personnellement à avoir déjà eu l'expérience d'une enquête pour délit d'initié. Depuis qu'il avait perdu sa licence de courtier, il s'en sortait en enseignant la communication des affaires au City College. Ce qui ne l'empêchait pas de faire rimer « procureur » avec « queuteur ».

Keith lui tendit la lettre, qui tremblait légèrement.

— Tu sais, bien sûr, que la procédure pénale concerne le père de Regan. Je ne me vois pas aller parler à ces types.

— Quel est le problème ? Tu es innocent, non ?

Tadelis n'était pas vraiment capable de parler à voix basse, mais les vieilles dames qui profitaient de la matinée sur les bancs voisins avaient d'autres chats à fouetter. Chose que, curieusement, Keith oubliait toujours avec les gens, tout comme eux avec lui sans doute. En apparence, il était en bonne santé, prospère, talentueux, séduisant. Sous la surface, il étouffait. Il ne pouvait pas se permettre que l'avocat de Regan soupçonne son implication éventuelle dans l'affaire *Gouvernement vs Hamilton-Sweeney*. Et il ne pouvait pas non plus laisser le procureur soupçonner qu'il avait un lien avec une victime blessée par balles. Quant au Frère Démon, dont le silence constituait un avertissement, il n'osait pas en dire un mot, même à Tadelis. Si les différentes sphères de sa vie qui – difficilement – contenaient chacune un foutoir entraient en contact, ce serait l'explosion.

— Ils n'ont pas l'air de me considérer si innocent que ça.

Tadelis, qui s'était penché sur la lettre, leva la tête.

— Mets-toi une seconde à la place d'un procureur. Tu es du menu fretin. Le gros poisson, c'est ton beau-père. Nous savons déjà qu'il y a une taupe à l'intérieur de la société, non ? Ils ont donc dû lui garantir l'immunité, en pensant qu'ils tenaient une affaire en béton. Mais mon impression, c'est que soit l'immunité rend la personne libre de *ne pas* parler, soit les preuves sont fragiles. Maintenant il leur faut construire un dossier en mesure de déboucher sur le règlement le plus sévère pour le père de Regan, alors ils font pression sur la première personne dont ils croient qu'elle va corroborer ce qu'ils ont. Au vu d'une telle publicité, ils vont vouloir qu'il réponde d'au moins quelques délits criminels, en y ajoutant une peine de prison, et une lourde amende.

— Ce que tu dis, c'est que si je ne parle pas, il y a une chance que le Vieux Bill s'en sorte mieux ?

— Ce que je dis, c'est que tu dois penser à ta pomme, Keith. Sauf si tu caches quelque chose, je ne vois pas où est le manquement à l'obligation fiduciaire… Mais quoi qu'il en soit, vas-y, demande une audience, et si nécessaire, tu seras protégé.

— Mais ce serait une sorte de trahison, tu vois ?

— Une trahison plus grande que de te faire mettre en examen toi-même ? Ce sont tes meilleures années, mon ami. Tu dois penser à tes enfants. Et bientôt ce sera la pension alimentaire. Tiens, prends une des miennes.

De son paquet mou écrasé, Keith n'avait pu pêcher que deux morceaux d'une Exigente cassée. Encore une chose que Regan ignorait : à l'automne dernier, il s'était mis à fumer, signe de la permissivité et du chaos qui régnaient sous l'ordre apparent qu'il tentait de donner à son existence. Parfois, tard l'après-midi, il appelait l'ascenseur et descendait dans la rue. La dernière cigarette de la journée était tout ce qui distinguait ceux qui avaient une raison de traîner là, à trois heures cinquante-cinq ou quatre heures dix, des désœuvrés, des gueux, des clochards répugnants. Il y avait une sorte de camaraderie, jamais exprimée dans un échange de regards, exactement, plutôt l'impression de faire ensemble un pas de côté vers quelque chose de plus grand que soi. Naturellement, ce qui le frappait aujourd'hui, c'est qu'il appartenait déjà à un quelque chose, qui s'appelait un mariage. Samantha avait pu être le lapin blanc qui l'entraînait dans le monde souterrain, mais tout du long, c'était Regan qu'il poursuivait. Car c'est avec elle seulement qu'il avait jamais ressenti cette puissance impuissante qui, il le savait, était l'amour. Et c'est bien Regan dont il avait besoin, ici, à l'air libre. De son bon sens magnifique. De sa main tenant la sienne, pour lui rappeler à quoi exactement l'avait réduit son talent apparent pour le subterfuge. S'il s'était agi de n'importe qui d'autre que son père (et peut-être même alors), elle aussi l'aurait encouragé à parler.

— N'oublie pas, dit Tadelis un doigt dans la bouche pour en ôter des bouts de nourriture, mon avis compte autant que ce qu'il te coûte.

Il avait raison, se dit Keith pour finir… à l'image de cette Regan qui demeurait en lui. Quel mal y aurait-il à demander une audience ?

44

QUE SON VIEIL AMI ET RIVAL ait réussi à occuper une si grosse tranche
horaire tôt le matin lui avait toujours paru un miracle. À elle seule, la
bouche de « Dr » Zig aurait dû le disqualifier ; c'était l'une des plus ordurières
que Richard ait jamais connues (et la compétition, entre journalistes, était
féroce). À présent, plus que jamais, on le sentait s'arrêter juste à la limite des
Sept Gros Mots en mourant d'envie de sauter :

— et pour l'instant, on a Ed de Far Rockaway pour fornication publique,
la dame de Brooklyn et son clochard sur le perron, ensuite, en remontant,
les vols, les viols, les princes marchands tombés en disgrâce. Pour dégoiser,
la ligne est toujours ouverte sur KL5-VOMI — c'est 555-8064 pour vous tous
les analphabètes là-bas dans notre ville si vaillante. Mais avant de prendre
le prochain appel, New York, est-ce que je peux te parler franchement ?
Il me semble que tu ne sais pas tout...

Richard n'avait commencé à écouter qu'il y a trois semaines, rien que
pour voir si Pulaski disait vrai. Mais maintenant il se surprenait à se réveiller de plus en plus tôt, à laisser sa radio de police AM réglée sur WLRC.
« Dr » Zig avait recommencé à boire, semblait-il. Et il collait trop à son sujet,
il ramenait tout à lui, même ce qu'il fabriquait de toutes pièces ; il avait déjà
eu ce problème au journal. Mais d'une façon que Richard ne parvenait pas
à définir, ça ne rendait *Gestalt Therapy*, en tant qu'émission de radio, que

meilleure. C'était un sentiment partagé. À en croire les sondages Arbitron qu'il avait consultés pour la dernière fois en 1973, l'audience de Zig avait récemment plus que doublé. Tous les matins, des dizaines de milliers de masochistes des Trois États allumaient leur poste pour entendre ses diatribes sur la victime mineure et anonyme des coups de feu de Central Park. Ou sur cette autre chose, un délit d'initié. Ou leur relation symbolique à l'entropie, à la décomposition. Car la paranoïa était devenue le nouveau style de Zig : comment, sinon grâce aux réseaux et aux conspirations, pourrait-il façonner une cible assez vaste pour ses attaques ? Richard, d'une manière générale, jugeait la paranoïa sans intérêt, dans la mesure où elle écartait l'accessoire, véritable grain à moudre de l'histoire. Mais peut-être était-ce précisément pour cette raison qu'il ne pouvait plus désormais arrêter d'écouter « Dr » Zig : par comparaison, son émission lui rappelait à quel point il était sain d'esprit.

Au cours de ces mêmes semaines, se répétait-il, il avait passé son temps à débusquer non pas un ensemble de connexions établies mais un simple contexte, les derniers faits accessoires de l'histoire qu'il avait vue miroiter, il y avait une éternité, dans un bar au nord de l'Écosse. Certes, il avait écumé les classes et les dortoirs désertés par Samantha, mais ses intentions étaient pures ; la police avait déjà épuisé toutes les pistes. Et certes, les employés laconiques qui balayaient les mégots la nuit devant les clubs de rock de Bowery semblaient le regarder d'un air soupçonneux, mais tout ce qu'il cherchait, c'était quelqu'un qui reconnaîtrait se souvenir d'elle. Le soir, à présent, il y avait sa voisine, Jenny Nguyen. Assis avec elle, en donnant de petits coups de bec dans l'unique verre de scotch qu'il s'autorisait, il faisait comme si c'était cela, sa vie : encore un élément ou deux à vérifier rayés de la liste et quelqu'un de chaleureux, de drôle et d'humain qui vous donne envie de rentrer le soir.

Mais, dans ce cas, pourquoi un jour sur deux se retrouvait-il de nouveau à Hell's Kitchen, dans cette bodega où il commandait toujours un café – celle dont le propriétaire affirmait que Billy Three-Sticks n'existait pas ? L'homme voyait d'un mauvais œil qu'il s'attarde, et Richard, prenant Claggart comme couverture, avait donc commencé à le promener jusque-là. Il buvait quelques gorgées de café puis détachait le chien du lampadaire devant et, ensemble, ils se dirigeaient vers l'ancienne fabrique de bonbons à la menthe. Il se répétait qu'aujourd'hui serait le jour où il parviendrait au moins jusqu'à la sonnette. À défaut d'autre chose, il pourrait signaler à l'idole de Samantha la présence de ces types louches en combinaisons qui le suivaient. Mais soudain Claggart se figeait et Richard repérait une ombre dans une porte au bout de la rue, ou dans une camionnette blanche, en sentinelle. Lui-même

avait quelquefois eu recours à la filature dans les années 50, et il connaissait un certain nombre de ficelles : ceux-là n'étaient pas plus des laveurs de
carreaux que le lampadaire une machine à remonter le temps. Et pourtant
ce qui restait de l'apprenti reporter chez Richard en réclamait toujours plus.

Ce qu'il avait pu établir, au bout d'environ un mois, c'est que Billy Three-
Sticks sortait rarement avant la fin de l'après-midi ; il semblait presque éviter
le soleil. Et quand il lui arrivait d'aller jusqu'au Times Square Automat, disons
pour acheter à manger, ses poursuivants invisibles le filaient à une rue de
distance. S'il rentrait dans un OTB pour parier sur une course de chevaux, ils
l'attendaient dehors. Le plus souvent, il ne quittait son appartement que pour
courir vers le métro, où ils le suivaient ou non, tout dépendait quelle entrée
il avait prise. Même dans le dernier cas, Richard ne pensait pas qu'il pourrait
suivre Billy dans les tunnels ; il y avait toujours quelqu'un qui faisait le guet.

Sauf qu'il n'avait jamais essayé l'aube, n'est-ce pas ? Et donc, alors que
Gestalt Therapy en était à sa troisième heure, il entraîna Claggart dehors
pour une promenade accélérée en emballant un sandwich à l'œuf dans du
papier sulfurisé pour le cas où il aurait faim – la bodega ne serait pas encore
ouverte – puis, seul, se dirigea Uptown.

Si tôt dans la journée, il n'y avait dans la rue aucune espèce de camionnette, ni aucune vie du tout. En approchant de l'ancienne fabrique, Richard
sentit de nouveau le bourdonnement intérieur, comme si c'était son jour de
chance. Et peut-être était-ce le cas, mais pas comme il le croyait, car à une
dizaine de mètres avant la porte, il entendit un bruit sur le quai de chargement un peu plus bas. N'y prête pas attention, se dit-il, mais sa curiosité
l'emportait toujours. Et ce qu'il découvrit, à quelques dizaines de centimètres
au-dessus du sol, était un tableau vivant : une jeune femme en train de
fouiller au milieu des palettes. Avec ses bottes en vinyle, elle aurait pu être
l'une de ces nombreuses prostituées qui travaillaient dans le quartier, mais le
maillot de sport sale sous sa fourrure ouverte n'était pas le genre de plumage
propre à attirer le client.

— Hé, dit-il, vous avez perdu une lentille de contact ou quoi ?

— Circulez.

— Non, vraiment. Il fait froid. Si vous cherchez quelque chose, je peux
vous donner un coup de main.

Il avait déjà sauté sur le quai ; il avait senti un lien avec les laveurs de carreaux avant même qu'elle lui explique qu'il ne s'agissait pas d'une lentille
perdue, mais de jumelles.

— Je suis venue observer les oiseaux, dit-elle, d'un ton un peu sec. C'est
le meilleur moment de la journée.

Pendant quelques minutes, ils cherchèrent ensemble en silence. Ce qu'il put trouver, ce fut un dessin blanc sans particularité, pas tout à fait un bonhomme en bâtons, peint à la bombe sur un mur latéral. Elle s'approchait toujours plus du bord du quai, mais il veilla à rester entre elle et la rue, au cas où elle décanillerait. C'est alors qu'il vit, près de quelques marches, un sac de couchage. Une lanière en cuir dépassait du haut du rouleau. Quand il tira dessus, la paire de jumelles apparut. Lourde. Surplus militaire.

— Si c'était un serpent, elles vous auraient mordue.

Elle haussa les épaules :

— J'ai dû les rouler à l'intérieur.

— Mais elles ne sont pas vraiment destinées à observer les oiseaux, n'est-ce pas ? Vous ne devriez pas dormir dans la rue, vous savez.

— Pourquoi ? Vous croyez qu'un maniaque pourrait essayer de me faire du gringue ?

Mais au moment où il lui tendait les jumelles, le sandwich à l'œuf emballé tomba de sa poche par terre et sur son visage l'intérêt prit le dessus sur le sarcasme.

— Hé, vous allez le manger ?

— Il n'est plus très chaud, dit-il (mais il semblait que la perspective de manger de la vraie nourriture fût trop tentante ; à croire que, depuis un moment, elle devait se contenter de gâteaux Twinkies).

Ils s'installèrent sur une marche tandis qu'elle engloutissait le sandwich. Elle prit soin de le finir, observa-t-il, avant de lui dire qu'elle n'était pas dupe, elle savait très bien qui il était.

— Vous croyez que je ne vous ai pas vu près de la bodega ? Vous êtes le type qui écrit sur le père de Sam, n'est-ce pas ?

Richard eut un déclic.

— Et vous devez être S.G.

Elle eut la réaction qu'il avait vue dans peut-être une demi-douzaine de salles d'audience : un regard coulé vers la gauche pendant que le visage se figeait de nouveau. Il sortit de sa poche le papier plié sur lequel il prenait ses notes, mais n'eut pas le temps de le consulter. Il volait maintenant sans visibilité.

— Vous savez, j'ai chez moi une série complète de tous les exemplaires publiés de *Land of a Thousand Dances*, alors j'ai appris un certain nombre de choses sur vous et vos potes. Mais que vous soyez là en train d'espionner Billy Three-Sticks ne doit pas nécessairement figurer dans l'article. Vous, D.T. et Sol, et qui est l'autre ? Iggy, c'est ça ? Je suis sûr qu'il y a une explication crédible à ce que vous faites. Vous cherchez à protéger Billy de quelque chose? Si vous me laissiez venir avec vous dans cette maison pour rencontrer les autres, ça ne prendrait que quelques minutes à chacun.

— Je suis juste venue ici ramasser mes affaires, mec. Et vous? C'est quoi *votre* explication?

Il s'efforça de s'en souvenir:

— J'essaie de me faire une image plus précise de Samantha.

— Alors, ce n'est pas en traînant dans les 40ᵉ Ouest que vous allez y arriver.

Le personnage du graffiti semblait onduler sur le mur derrière elle, comme une image brouillée sur un écran de télévision. Richard se rendit compte de son erreur: il ne faisait pas un salut, il avait les mains en l'air.

— Ça reste officieux, dit-elle. C'est bien le mot, non? Ça signifie que vous ne pouvez pas vous servir de ce que je dis.

Moins saturé de café, il n'aurait peut-être pas été aussi prompt à acquiescer. Mais elle avait quelque chose à lui dire. Il se demanda quoi.

— C'est tout à fait le mot. Tout est officieux ici.

Elle fit tourner le papier sulfurisé sur ses genoux, l'examina comme un miroir.

— Ce qu'il faut comprendre avec Sam, c'est qu'elle avait des rapports tordus avec les hommes. Elle ne voyait jamais qu'ils étaient amoureux d'elle.

Elle leva les yeux:

— Mince, on dirait que vous aussi. Et on ne peut pas faire confiance aux gens quand ils sont amoureux. Quand elle a eu un petit ami pendant un certain temps, on n'arrêtait pas de la chambrer, comme si, pour nous, ce n'était pas digne d'elle. «L'Amoureux», on l'appelait. L'Amoureux de Sam. Mais toute cette période avant Thanksgiving, avant qu'elle revienne en rampant habiter avec nous…

— Elle habitait dans la maison.

— Juste un mois, entre Thanksgiving et Noël. Mais il y a eu deux mois où elle n'est pratiquement pas venue, même pour dire bonjour, et je sais que ça a fait de la peine à Nicky. Nicky est quelqu'un de sensible, quoi qu'on en dise.

— Nicky? Je croyais qu'il s'appelait Iggy.

Elle parut désorientée, saisie.

— Merde, il est quelle heure? Ils vont commencer à se demander où je suis passée. Et s'il pense que j'ai parlé à un journaliste…

Lui *qui*? Et si *quoi*? Mais il valait mieux ne pas insister pour l'instant.

— Mais comment je fais pour vous retrouver, si je vous laisse partir?

— Qu'est-ce qui vous fait croire que vous pouvez me retenir?

Avec une grande précision, elle lui enfonça alors les jumelles dans les testicules et il tomba sur le flanc, sur le ciment graisseux, d'où il la regarda s'éloigner. Il s'efforça de parler malgré la douleur :

— Attendez.

Ses grandes bottes blanches marquèrent un temps d'arrêt au bord du quai, à l'endroit exact où commençait la lumière du jour. Il eut le sentiment qu'il ne la reverrait plus.

— Vous ne m'avez pas dit pourquoi vous ramassiez vos affaires.

— Vous n'êtes pas très doué comme détective, mon vieux.

Elle sembla prendre une dernière décision. Resserra sa fourrure autour d'elle.

— Billy Three-Sticks a disparu il y a quatre jours. Il n'est toujours pas revenu.

45

DE PLUS EN PLUS, DEPUIS QUE WILLIAM S'ÉTAIT ENVOLÉ, Mercer se retrouvait en train de se remémorer les événements de cet hiver-là, en s'efforçant de saisir un tournant, le moment dont il aurait pu dire : *Tout a commencé quand...* Sa quête n'était pas organisée, ni même continue ; il lui arrivait de passer des heures concentré sur la préparation d'un contrôle, sur des problèmes de nettoyage à sec, sur des questions ayant trait au Moyen-Orient. Et puis, dans le métro, ou quand il attendait dans la boutique où ils s'approvisionnaient en papier toilette – ou plutôt où *Mercer* s'approvisionnait –, un souvenir lui revenait. William secouant une poignée de pièces comme s'il se préparait à lancer les dés. William cherchant un jeton dans la poche de son jean jeté par terre dans le coin chambre – le ramassant et le jetant de nouveau, sans qu'il lui traverse l'esprit de le mettre dans le panier. Et William, aperçu une fois d'en haut, s'éloignant de l'immeuble dans la lumière rougeoyante d'avant l'heure de pointe. S'il se dirigeait vraiment Uptown pour peindre, il pendrait le métro au bout de la 8e Avenue, mais voilà qu'il faisait cap vers Downtown. William, en d'autres termes, le quittait peu à peu, par degrés.

Le soir de l'intervention – le soir où il avait franchi la porte pour ne plus revenir – avait simplement rendu la chose littérale. Néanmoins son effet sur Mercer était délétère. Au travail, il tenait bon pour ses élèves, mais ensuite, comme lors de ses tout premiers jours dans la ville, il rentrait à pied par les chemins les plus tortueux possibles, préférant faire un détour par Central

Park que d'affronter le vide du loft. À l'approche du printemps, les arbres devenaient verts sous les globes de verre des lampadaires. Dans l'air plus riche en oxygène, les sons portaient très loin ; il entendait des rires à l'entrée des restaurants à l'est, où les voituriers aidaient les riches à descendre de leurs limousines. Il scrutait les fenêtres allumées de leurs appartements – des appartements qu'il s'était un jour imaginé pouvoir habiter. C'était le monde auquel appartenait William, il avait l'aristocratie dans le sang et peut-être était-ce ce dont Mercer était tombé amoureux au départ. (Mais qui peut le dire ? Qui peut dire pourquoi, à la foire, un gosse choisira un animal à cinq dollars accroché tout en haut du tableau de liège derrière le forain, celui-là en particulier, et dépensera dix dollars pour tenter de tirer sur un ballon avec un fusil à air comprimé ?) N'importe comment, pour Mercer, il n'y aurait pas de transfiguration.

En retardant le moment de rentrer jusqu'à huit ou neuf heures, croyait-il, il trouverait peut-être William en train de l'attendre sur le futon, se balançant d'avant en arrière comme il le faisait, les mains entre les genoux, repentant. *J'ai réfléchi*, dirait-il (car il lui fallait toujours le temps d'assimiler les choses avant de les entendre vraiment). *Tu avais raison.* Au lieu de quoi, quand Mercer allumait la lampe près de la porte, il n'y avait qu'Eartha K. Les premiers jours, quand Mercer avait commencé à s'occuper de nourrir la chatte, celle-ci s'était essayée à une attitude un peu moins distante – allant une fois jusqu'à se frotter contre sa jambe quand il était entré. Mais elle n'avait pas tardé à comprendre que son sens du devoir à lui seul suffisait à lui assurer sa pitance, et dorénavant ils étaient comme deux détenus dans une cour de prison, se tournant autour avec appréhension, sur des orbites aussi vastes que le permettait l'appartement exigu.

Et puis, un après-midi après le travail, voulant vider sa boîte de Friskies dans une assiette, tâche, William le savait, qu'il trouvait écœurante, il ne put dénicher l'ouvre-boîtes. Ni la pince qu'il eut l'idée d'employer à la place. Au fait, où était la télévision ? Et ce tas de jeans ? Oui, à un certain moment, depuis ce matin, William était revenu ici. Mercer l'imaginait pâle et voûté, allant d'un coin à l'autre du loft armé d'un sac et y fourrant des objets au hasard. Peut-être les mettait-il au clou, ou les échangeait-il contre de l'héroïne ? Mais après examen, la méthode révélait une préméditation inattendue. Mercer avait acheté un porte-brosses à dents à quatre trous, par ex., placé près de l'évier de la cuisine. À présent, un troisième trou était vide, ce qui lui serra le cœur. Pour que William se préoccupe de son hygiène buccale, il fallait vraiment qu'il soit décidé à ne pas revenir.

Mercer avait toujours été ce que sa mère appelait un *bon mangeur*, par opposition à C.L., mais ce soir-là il eut le plus grand mal à avaler un repas. Il n'en retirait aucun plaisir. Et cela lui parut le nouvel ordre des choses. Alors qu'autrefois il aurait fait une razzia de livres de cuisine pour trouver sans cesse de nouvelles façons de séduire William, il se contentait maintenant des quatre groupes d'aliments du célibat : Surgelés, Viandes froides, Céréales et Plats cuisinés. Son énergie déclinait et, pour compenser, il buvait plus de café. Il y en avait toujours un demi-pot au chaud, toujours plus acide, dans la salle des professeurs et y passer lui donnait l'occasion de temporiser. Toutes les deux heures, entre les cours ou même pendant, il montait péniblement les trois étages et se tenait à la fenêtre avec son jus dans son gobelet en carton. Personne ne s'inquiétait plus de ce qu'il pouvait faire – sauf si on comptait le petit flic qui, semblait-il, était venu poser quelques questions. Dehors, des employés de bureau emportaient avec eux leurs déjeuners dans des sacs de Deli. Voilà comment il finirait, lui aussi : vieillissant et anonyme et seul dans une rue transversale où ne pénétrait jamais la lumière du soleil.

Une fois ou deux, la nuit, il s'obligea à s'asseoir devant la machine à écrire en essayant de revenir au livre qu'il était venu écrire à New York. Il devait s'agir de l'Amérique, de la liberté, de l'affinité entre le temps et la douleur, mais pour pouvoir écrire sur ces choses, il avait eu besoin d'expérience. Eh bien, méfie-toi de tes souhaits. Pour l'instant, tout ce qu'il était capable de produire, c'était une suite de phrases commençant par : *Tel était William.* Tel était le courage de William, par exemple. Et telles étaient la tristesse de William, sa petite stature, la taille de ses mains. Tel était son rire dans la salle obscure, sa passion non punk pour les films de Woody Allen, non pas pour les raisons évidentes qui parlaient à sa sensibilité, mais pour ce qu'il appelait leur *sens tragique*, qu'il comparait à celui de Tchekhov (qu'il n'avait pas lu, Mercer le savait). Telle était son habitude de ne jamais poser de question à Mercer sur son travail ; son habitude de ne jamais parler du sien tout en donnant toujours l'impression de l'avoir en permanence avec lui sous la peau ; tel était l'aspect de sa peau sous l'éclairage au sodium de la rue quand les lumières étaient éteintes, sans vêtements, sous une pluie argentée ; telle était sa façon d'incarner les qualités que Mercer désirait posséder mais sans les gâcher en désirant les posséder ; sa façon de nager dans cette ville comme un poisson dans l'eau ; la façon dont son génie débordait, inutile, jeté aux égouts ; l'autoportrait inachevé ; la trace d'un traumatisme passé, comme la guerre dont la ville en état de choc ne parle jamais ; son très mauvais goût en amitié ; son absence totale de discipline ; son incapacité naturelle pour certaines choses élémentaires qui donnait envie de le materner, de le baiser, de lui donner son bras droit et son bras gauche, cet homme-enfant, cet Américain au corps maigre ; et enfin, son caractère farouche, son refus de se laisser imaginer par quiconque.

Mercer aurait trouvé un certain réconfort en racontant à quel point cette situation le rendait malade, mais l'impossibilité d'en parler constituait l'un des symptômes de la maladie, ainsi qu'une de ses causes. Il était comme un homme couvert d'urticaire sur tout le corps sous ses vêtements. La crainte que l'urticaire ne repousse les gens était plus forte que l'espoir de le soulager avec un peu d'air frais.

Naturellement, il y avait une personne à qui il ne pouvait rien cacher. Le dimanche, quand sa mère appelait, il remplissait les temps morts en parlant de son travail de professeur, du temps qu'il faisait et de ce qu'on voudra, mais il ne parvenait pas à chanter la mélodie du bonheur. Elle ne posait plus de questions sur son colocataire, observa-t-il. Mais elle continuait à prononcer ces phrases anodines pour lesquelles il avait établi une liste d'interprétations imaginaire :

MAMA	TRADUCTION
Ce serait bien si tu venais nous voir.	J'aimerais pouvoir prendre soin de toi.
J'espère que tu manges des légumes.	Je m'inquiète à ton sujet.
Est-ce qu'il fait toujours aussi froid là-haut ? Je ne sais pas comment tu fais pour supporter ce climat, il faudrait me payer, etc., etc., ad nauseam.	Je te l'avais bien dit.

Et elle avait raison. Comment imaginer qu'il avait pu choisir de vivre ici, à une latitude où le printemps n'était qu'une variation sémantique de l'hiver, dans une cité quadrillée à la géométrie rigide que seuls un Grec ou un architecte de prison pourraient aimer, dans une ville qui produisait sa propre sauce quand il pleuvait. Le courant des taxis ne cessait jamais de se précipiter dans le tunnel, tels les damnés de Bosch dans la bouche de l'enfer. Des gens, en bas, marchaient, vacillants et hurlants. Impossible, il payait maintenant tout le loyer, deux cents dollars par mois, pour avoir le privilège de poser la joue contre la vitre, toujours sans pouvoir jouir des magnifiques vues de Midtown. Impossible que les jardinières-parpaings sur l'escalier de secours aient un jour produit des fleurs.

Ce qui ne l'avait pas préparé à la surprise de Mama, début avril, lui annonçant qu'elle viendrait donc *le* voir, elle. Ce fut la vision de cette femme en vêtements de Pâques, coiffée d'un grand chapeau à fleurs, bousculant les prostituées de la gare routière qui réussit à lui faire admettre qu'il pourrait vraisemblablement descendre pendant les vacances de printemps. *On te paiera le billet d'avion*, dit-elle, *si c'est plus facile*. Un message qu'il ne parvenait pas à traduire flottait, hors d'atteinte.

— Non, Mama, dit-il enfin. Je ne suis plus un petit garçon. J'ai de quoi payer.

46

E T PUIS, SANS PRÉVENIR, IL Y EUT CES SEMAINES de mars au cours desquelles Jenny n'entendit pas le Wurlitzer derrière les murs et ne vit plus
Richard, ni dans le hall ni dans l'ascenseur. Elle inventait des raisons pour
s'attarder près des boîtes aux lettres en rentrant dans l'immeuble, ou pour
courir à la supérette où il achetait ses trois journaux quotidiens : elle avait
besoin de lait, d'un morceau de gingembre, ou d'une éponge Chore Boy.
(Que n'avaient-ils pas en stock, rangé en haut d'étagères que le propriétaire
atteignait à l'aide d'une pince mécanique ?) Mais elle ne le voyait jamais.
Peut-être était-il retourné en Écosse. Peut-être passait-il l'hiver à Miami
Beach ? Ils se connaissaient à peine, après tout. Peut-être avaient-ils cessé
d'être amis.

Elle le revit au milieu du mois d'avril. Elle apprenait le yoga toute seule,
dans un livre en édition de luxe, déterminée à harmoniser l'esprit et le
corps. En torsion dans la position de l'éléphant, mains à plat sur le tapis,
torse arrondi, elle avait tendu une jambe derrière elle, et l'autre dressée,
tremblante, formait un angle de soixante-dix degrés au-dessus de sa tête. À
quelques dizaines de centimètres de son visage, une célébrité au front ceint
d'un bandeau lui adressait un sourire orgasmique. C'est alors qu'un bruit
provenant du mur la déconcentra et elle s'écroula sur le sol. Encore un de ces
bruits de la ville, se dit-elle, qui la désarçonnaient. Ses premiers mois à New
York, elle s'installait, se défonçait et les écoutait de peur d'écouter sa voix
intérieure. Cette voix répétait à présent la psalmodie tirée du livre, facilitant

la concentration : *Tat tvam asi.* Elle signifiait : *Tu es cela.* Mais comment être sûre que le yoga ne se résumait pas à une autre façon de faire marchandise de la béatitude ? C'était là, comprenait-elle, un pli dans la dialectique, tantôt séduisant, tantôt irritant : toute chose se révélait la superstructure d'autre chose. Et vous étiez là, avec l'illusion d'être libre... Le bruit recommença, trois fois de suite, à travers le mur qui séparait son appartement de celui de Richard ; c'étaient bien des coups frappés à son intention. Et elle n'eut pas besoin d'autre excuse pour mettre fin à ses velléités bourgeoises de développement personnel. Elle enfila un survêtement par-dessus ses sous-vêtements et se magna le cul pour sortir.

Elle n'avait encore jamais vu Richard vraiment ivre, se dit-elle quand il ouvrit la porte. Elle dit un truc du genre : « Vous êtes revenu », et il se contenta de la regarder fixement avec un sourire crispé collé à son visage comme un sparadrap. Il y avait une seule lumière derrière lui, la lampe de banquier à l'abat-jour vert posée sur un bureau maintenant encombré de journaux. Ce n'est que lorsqu'elle lui rappela qu'il avait frappé que l'ancienne courtoisie revint. Bien sûr, oui, entrez. Il fit de la place pour elle sur le canapé. Après quoi il laissa tomber son grand corps dans le fauteuil de bureau, position périlleuse menaçant de renverser la bouteille sur la table.

— Une goutte ?

Il lui fallut une seconde pour se souvenir de quoi il parlait.

— Désolée, vous étiez peut-être occupé ? Je ne voudrais pas déranger... ce que vous étiez en train de faire.

— Oh, c'est déjà trop tard, répondit-il. J'ai réussi à tout foutre en l'air.

Elle ne pouvait pas supporter de rester assise en silence, en face de lui dans une semi-pénombre. Elle se leva pour regarder par la fenêtre. De grands récifs de lumière surgissaient de Downtown. Plus intolérable encore, l'idée qu'ils ne se connaissaient pas. Si elle ne connaissait pas cet homme, elle ne connaissait personne dans cette ville de huit millions d'habitants. En se retournant elle le vit tenir son verre comme un enfant dont l'oiseau vient de mourir.

— Foutre en l'air quoi, Richard ?

— Regardez.

Il prit un journal sur le tas et l'envoya valser vers elle dans l'obscurité. Sans la rapidité de ses réflexes, elle l'aurait reçu en pleine figure. Au lieu de quoi, il s'écrasa contre le store sans faire de dégâts. Il s'excusa aussitôt, mais c'étaient des excuses d'homme, autrement dit elle ne savait pas s'il se rendait seulement compte d'avoir mal agi – il semblait toujours si absorbé, si distant. Mais voilà que le convoi bien ordonné de ses pensées déraillait, dégringolait des remblais, parce que sur la une du journal il y avait, sortie d'un annuaire de lycée, la photo d'une jolie jeune femme agrandie de telle sorte que le grain était visible, pointillisme sombre qui donnait à son visage un caractère instantanément nostalgique. Elle l'avait vue dans tous les kiosques devant lesquels elle était passée aujourd'hui, mais, comprit-elle, sans vraiment la voir, de même qu'on ne voit pas les panneaux de circulation ou les affiches dans les abris de bus. C'était la victime des coups de feu tirés dans Central Park, plusieurs mois auparavant. La fille dans le coma. Mais à présent, elle avait un visage, une biographie, un nom. **Cicciaro**, disait la légende. Très bien. Les gens s'étaient déchaînés à ce sujet ce matin à la radio, pendant qu'elle attendait le bulletin météo.

— Vous la connaissez ? Elle va s'en sortir ?

— Personne ne voit que c'est encore une impasse, fut tout ce qu'il dit, et la manière dont il baissa les yeux sur ses mains la remplit de pitié.

Quand on est jeune et que le destin, en explosant, creuse des cratères dans votre vie, on a les ressources nécessaires pour la reconstruire. Au-delà d'un certain âge, on dissimule simplement les dégâts en les oubliant derrière un mur. Elle avait assisté à cela avec son père. Elle voulait dire à Richard : Vous vous trompez, les impasses, ça n'existe pas, tous les revers sont limités dans le temps. Ou elle voulait le lui montrer, ou se le montrer à elle-même. Les études avaient exposé au grand jour le support idéologique de ces désirs, mais sans eux, il ne restait que ce dilemme : hanter les bars pour célibataires et trouver un coup d'un soir, ou se résigner à elle ne savait honnêtement plus combien de mois d'abstinence sexuelle. Elle regarda ses propres mains se poser sur le visage de Richard. Puis l'attirer vers elle. Ses poils lui grattèrent le menton, et elle sentit le goût du chewing-gum et du Lagavulin. Il embrassait étonnamment bien, mais il s'écarta brusquement :

— Ce n'est pas ce que vous voulez.

— Vous ne savez pas ce que je veux, dit-elle doucement en tenant toujours sa tête.

— Vous non plus, chère Jenny.

Si elle n'avait pas soupçonné qu'il disait vrai, elle ne se serait pas vexée comme elle l'avait fait, elle ne se serait pas levée aussi brusquement, ou n'aurait pas perdu son calme – son *tat tvam asi*. Mais le soupçon l'avait effleurée, elle s'était vexée et elle avait perdu son calme, et elle ne s'arrêta que pour dire :

— On se verra un de ces jours, Richard.

En quoi, précisément, elle se trompait.

47

PULASKI LORGNA DE NOUVEAU du côté du tabloïd roulé coincé entre le
siège passager et la portière. Il l'avait placé là précisément pour ne pas
le voir, mais la photo de la fille attirait son regard, encore et encore, comme
le sang dont la dame ne parvenait pas à se laver les mains dans ce *Macbeth*
que Sherri l'avait emmené voir un jour. Aujourd'hui, pour la première fois,
l'affaire Cicciaro, désormais publiquement connue sous ce nom, faisait la
une des journaux. Ce ne serait pas la dernière. Naturellement, il savait depuis
le début, dans une petite arrière-salle rarement visitée de sa conscience, que
son identité serait révélée, comme on sait qu'on a une dent pourrie longtemps avant de se résigner à aller chez le dentiste. Mais, comme avec une
dent pourrie, il avait espéré que ne pas tenir compte des conséquences aurait
pour effet de les effacer.

L'une de ces conséquences, c'est qu'il remontait Central Park Ouest dans
un véhicule de police, en direction d'une cité de Harlem. Son chauffeur, un
policier, était noir. Afro-américain, plutôt. Bien que l'affaire eût maintenant
officiellement été confiée à Pulaski, et donc à l'équipe de Pulaski, le Premier
Adjoint du Chef de la Police avait veillé à saupoudrer les deux douzaines
d'officiers désignés pour le raid de ce matin d'une bonne dose d'Afro-
américains, afin de tuer dans l'œuf les inévitables reproches de préjugés
raciaux. Dès l'arrivée de Pulaski devant les tours Frederick Douglass, les officiers se dissémineraient dans les halls d'entrée, chaussés de leurs bottes de
combat, frapperaient aux portes, avec pour mission d'épingler tout homme

entre quinze et vingt-cinq ans, et de le faire sortir pour répondre de ses allées et venues la nuit du 31 décembre. Pourquoi dehors ? Parce que c'est là que seraient plantées les caméras. Et pourquoi ces jeunes ? Parce que c'était la cité la plus proche de la scène du crime. Parce que ces habitants, Uptown, ne votaient pas. Parce que le passager d'un autobus municipal, en lisant le rapport que le NYPD avait plus ou moins été forcé de rédiger, s'était brusquement souvenu d'avoir vu, à peu près à l'heure des coups de feu, un homme noir entrer dans le parc en courant. En fait, son témoignage semblait confirmer celui que Pulaski avait obtenu de ce Noir, qui donc avait probablement sauvé la vie de la fille. *En smoking, c'est ça ?* avait-il demandé au policier qui avait pris la déposition du passager de l'autobus. *Non*, avait répondu le type. *Habillé... vous savez, avec ce genre de vêtements.* Uptown, des corps noirs attendaient dans des logements exigus, concentrés d'énergie, poudre en attente de la flamme. Il entendait déjà les cris : *Putain, j'ai rien fait !* Il y en aurait forcément un qui en rajouterait et un petit débutant, blanc comme du pain de mie, qui aurait une réaction exagérée, il sortirait sa matraque pendant que des femmes en robe de chambre les observeraient depuis le trottoir, et arrivé là, on espérait seulement que Bill Kunstler et F. Lee Bailey[1] ne répondaient pas au téléphone.

Mais quelle autre solution avait-il, sinon de faire avec ? Depuis que le nom de la fille avait fui, c'était comme si le vaste barrage qui retenait les griefs de toute la ville avait cédé. C'étaient les détails qui transformaient un symbole en mythe : nom de famille italien (petite-fille d'« immigrants courageux ») ; en première année à NYU (« pleine de promesses », qu'importent ses notes) ; originaire de Long Island (« fraîchement débarquée en ville » ; « à la poursuite de ses rêves »). À quoi s'ajoutaient les photos de l'annuaire du lycée et du bal de fin d'année. Elle était « jolie ». « Innocente ». Parce que les victimes l'étaient toujours. Pulaski ne faisait pas mieux en la privilégiant, elle, plutôt que tous les autres blessés. Malgré l'absence de preuves scientifiques, il avait fait revenir McFadden en janvier pour laisser ouverte la possibilité qu'on l'ait violée ; une façon de lui accorder aussi l'anonymat réservé aux affaires de viols, même une fois caduque la protection à laquelle elle avait droit en tant que mineure. Et s'il était certain qu'il n'y avait pas eu ce type d'agression,

---

1. William Kunstler (1919-1995), célèbre « avocat radical », très impliqué dans la lutte pour les droits civiques.

Francis Lee Bailey (1933-), avocat de la défense à la carrière controversée : il a, par exemple, défendu Ernest Medina dans l'affaire du massacre de My Lai.

cette idée se devinait dans les insinuations des manchettes d'hier. *INNOCENCE PERDUE. LE NOUVEL AN FATAL.*

Mais une fois dans la Ville, dès son arrivée ce matin, il vit toute l'étendue des complications que cela allait entraîner pour son travail. Trois équipes de journalistes distinctes avaient pris position sur le trottoir devant le 1, Police Plaza. Ils avaient dû en toute hâte quitter le tribunal fédéral où ils campaient le plus souvent ces derniers temps. Un reporter avait étalé des serviettes en papier sur ses épaules pour ne pas se salir avec le fond de teint tandis qu'il retouchait son visage pour les caméras. Un autre psalmodiait déjà devant un micro, éclairé par un spot qui en comparaison rendait fade la lumière du printemps. Personne ne semblait remarquer Pulaski qui se dirigeait en boitant vers l'entrée latérale dépourvue de marches. Son visage n'était pas connu, ses affaires attiraient peu l'attention des médias, ce qui expliquait en partie pourquoi les huiles du 1PP ne le prenaient pas au sérieux – pourquoi il était parvenu au faîte de sa carrière avec le grade de Commissaire Adjoint.

Son bureau se trouvait au cinquième étage au fond d'un couloir oublié dont le plafonnier avait grillé. Il avait décroché ses béquilles, les avait posées avec précision contre le bureau, il s'était assis sur le fauteuil capitonné. Ses mains avaient pris la forme arrondie des poignées en caoutchouc ; il les appuya contre le sous-main. Déformation, c'était le mot qui désignait la réduction de trois dimensions à deux. Bizarre, les choses qui venaient à l'esprit quand on savait simplement rester sans bouger. Peut-être s'il fermait la porte à clé, débranchait le téléphone, fermait les yeux… mais au même instant le téléphone se mit à sonner. C'étaient ses chefs, qui le demandaient en bas.

Une réunion, disaient-ils, mais il savait que c'était un interrogatoire. Le bureau du Chef de la Police, avec ses boiseries en loupe et sa moquette épaisse, semblait d'un autre âge dans ce bâtiment, tel un salon d'avant guerre qui aurait atterri dans les années 70 brutalistes. Pulaski y était entré peut-être deux fois auparavant, pour voir un de ses inspecteurs recevoir un savon. Cette fois, il était l'heureux élu et ils n'attendirent même pas que la secrétaire ait fermé la porte.

— On dirait que tu t'es fourré dans un beau merdier, Pulaski.

C'était le Premier Adjoint, posé en majesté sur un fauteuil à haut dossier en imitation cuir sang de bœuf.

— J'ai reçu un appel du maire qui demande pourquoi on ne divulgue pas le nom de ta victime. Ça sent pas bon, tu sais.

— Ça sent la merde, voilà ce que ça sent, Pulaski, dit le Chef de la Police, qui se tenait à côté de son bureau, dans une attitude faussement neutre.

Il jeta un exemplaire du *Daily News* sur le sous-main. Pulaski ne se risqua pas à le ramasser ; les chefs jouaient en permanence leur numéro de cirque, ils ne pouvaient pas s'en empêcher, et son geste faisait partie du spectacle.

— Nous savons qu'il est faux, naturellement, d'affirmer que cette affaire particulière n'est pas votre absolue priorité, Pulaski, mais franchement, nous avons le plus grand mal à expliquer votre analyse.

— Alors, vous voulez bien nous l'expliquer, Pulaski.

Pour Pulaski, c'était l'évidence même :

— Ce que vous êtes en train de dire, c'est que vous auriez voulu le Quatrième Pouvoir à la queue leu leu sur le trottoir depuis des mois ? Un Fils de Sam ne vous suffit pas ?

Le Premier Adjoint regarda le Chef de la Police, ou l'inverse.

— Alors *je* vais *t*'expliquer un truc, petit con. Tu sais combien de corps on a ramassés dans cette ville, l'année dernière ? En supposant que ta victime n'y passe pas ? Nos financements fédéraux sont indexés sur notre taux d'élucidation. L'année prochaine, il y a les élections.

— Vous m'enlevez l'affaire ? demanda Pulaski.

— Grande gueule avec ça. Non, ducon, tu vas te débrouiller pour mettre le grappin sur quelqu'un coûte que coûte. Tu vas le traîner devant les caméras et dire : Loué soit le Seigneur, vous êtes de nouveau en sécurité dans cette ville, et ensuite c'est le problème du procureur. Sinon, tu sais qui saute en premier ?

Il n'avait aucun mal à le deviner.

— Toi, Pulaski.

— Bon, mais je ne peux rien faire tout seul. Je vais avoir besoin d'hommes et d'heures supplémentaires.

— Et comment ! dit le Chef de la Police. Pour commencer, quelqu'un de bien renseigné a prévenu Channel 5 et Channel 9 que vous alliez procéder à une rafle ce matin dans la cité Douglass.

Il consulta sa montre.

— Des camions de télévision seront sur place à onze heures, ce qui vous laisse une heure pour vous organiser. Je veux voir des menottes, Pulaski. Je veux des Afros poussés dans des voitures. Le personnel requis est déjà sur place. Tout ce qui vous reste à faire, c'est donner le feu vert.

Il avait à peine eu le temps de prendre son manteau et ce dont il pourrait avoir besoin. Et maintenant les ombres des arbres du parc, depuis peu couverts de feuilles, glissaient sur le pare-brise de son véhicule de police. Après des semaines de pluie, le soleil brillait, une ampoule dans un four miniature.

Du café avait coulé du bord de son gobelet et dessinait une parfaite demi-lune sur la cuisse de son pantalon.

— Arrêtez-vous, dit-il tout d'un coup.

Le chauffeur semblait inquiet. Les subordonnés paraissaient souvent ne pas trop savoir comment réagir devant Pulaski, mais il ne pouvait pas conduire lui-même ; ce matin, il avait pris le ferry, laissant au garage la Plymouth que la ville lui avait spécialement aménagée.

— Arrêtez-vous juste une minute, s'il vous plaît.

Il ouvrit sa portière, versa le trop-plein de café sur les pavés qui bordaient le trottoir. Formant de petits ruisseaux, il coula vers le bord. On n'aurait jamais deviné qu'il y avait une pente. Comme il prenait ses béquilles, la radio cracha sur le tableau de bord. *Kilo, Alpha, cinq, neuf. Revenez.* Le chauffeur tourna la tête, le regard tendu, le front inquiet.

— Dites-leur de rester tranquilles. Je vais là où le roi va tout seul.

L'autre avantage d'être un infirme, c'est que les gens finissaient par ne plus attendre qu'on leur explique tout ; ils se disaient qu'un petit arrêt imprévu comme celui-là, c'était en rapport avec votre santé.

— Je vous accompagne ? dit le chauffeur. La boue est glissante. J'ai bien failli me casser le coccyx ce matin en descendant de voiture.

— Restez assis. Je reviens tout de suite.

Il lui fallut cinq minutes pour remonter le sentier que Samantha Cicciaro avait emprunté cette nuit-là. On ne l'avait pas traînée, visiblement, sinon il y aurait eu des traces dans la neige, ce qui signifiait quoi ? Elle connaissait le tireur. Il y avait déjà une ou deux bougies de santería près de l'endroit où on avait retrouvé le corps. Bientôt, il deviendrait un sanctuaire, couvert de fleurs et d'animaux en peluche. Mais si, par malheur, elle mourait, ou si l'affaire était classée, il redeviendrait un sentier comme un autre, les buissons de simples buissons. Qui se rappelait dans quelle rue habitait Kitty Genovese ? Qui se souvenait de Daddy Browning, ou de Peaches, sa femme-enfant ?

Il émergea sur Sheep Meadow presque à l'endroit exact où il s'était tenu trois mois auparavant, le matin après les coups de feu. Dans la poche de son manteau, il y avait un sac en plastique contenant le jean roulé en boule qu'il avait découvert ce jour-là. Il avait gardé sa trouvaille secrète, parce qu'il voulait enquêter dessus tout seul. Elle l'avait conduit au tatouage. Qui n'avait conduit à rien. Mais s'il la montrait maintenant, il attirerait à coup sûr les soupçons, quelqu'un finirait par comprendre qu'il avait caché une preuve. Il vit de nouveau une mère en robe de chambre, dans l'ombre d'un immeuble, regardant une matraque répandre le sang. Il vit Sherri, la mère qu'elle aurait été, chargeant comme une lionne dans la mêlée. Tout ce qu'il voulait, vraiment, c'était la mériter.

Il sortit du Parc en faisant de son mieux pour tenir la preuve loin de lui tout en conservant le contrôle de ses béquilles. Il frappa à la vitre, attendit que le chauffeur se penche et la descende.

— On annule le rodéo.

— Quoi ?

— Dites-leur qu'on annule. Que j'annule. Qu'ils envoient toute l'équipe ici. Nous avons un indice. Mais il faut encore ratisser tout le parc.

Cette fois encore, les mouvements de sourcils : scepticisme, inquiétude… soulagement ?

— Vous êtes sûr ? demanda le chauffeur.

— Bien sûr que je suis sûr, nom d'une pipe. Prenez la radio. Ou non, donnez-la-moi. Je vais appeler moi-même.

48

LA FEMME, DERRIÈRE LA FENÊTRE, toussait sans discontinuer. On l'entendait même par-dessus le *corrido* et les quelques autres clients du bar – et c'était avant qu'un spasme d'une violence particulière la secoue de telle sorte que sa tête frappa contre le carreau, à moins d'un mètre de l'endroit où était assis un homme seul, buvant pensivement son gin. À en juger par le carré de carton qu'il avait vu en entrant, l'histoire qui l'avait amenée jusqu'à cette caisse de lait dans l'East Village, au cours du printemps glacé de 1977, était plutôt alambiquée. Le carton pendait à son cou, accroché par un bout de ficelle, des paragraphes entiers rédigés au marqueur, une succession de malheurs, mais la toux l'empêchait d'aller plus loin que *Hé, monsieur...* Il avait lui-même ressenti un grattement dans la gorge quelques semaines auparavant, ce qui en disait long sur la promiscuité des microbes du cru, mais il ne l'avait pas laissé se transformer en raclement sonore. Ou était-ce une façon d'inspirer de la pitié ? Parmi les erreurs persistantes commises par les médias de cette ville, il y avait le déni du talent des pauvres pour le raisonnement. Ils étaient comme des animaux, mais pires, car les vrais animaux savent au moins (n'ayons pas peur des mots) qu'on ne crache pas dans la soupe. Amory Gould savait que ce n'était pas le cas, ce qui montrait son degré de sérieux et d'objectivité héroïque. Pendant deux ans, adolescents orphelins, Felicia et lui avaient vécu dans une maison sans électricité, ils s'étaient chauffés en brûlant les meubles et nourris des seules boîtes de conserves que le salaire de livreur d'Amory leur permettait d'acheter. Ils n'étaient pas des animaux.

Simplement, à cause des circonstances, plus près du seuil de survie. Mais dans le cerveau reptilien, vous saviez que vous n'hésiteriez pas à écraser ceux de votre espèce qui vous empêcheraient de gagner du terrain. Les sentiments fraternels n'avaient jamais fait sortir quiconque de Buffalo. Ni aidé à recréer le Bronx à son image. À présent, comme la femme recommençait à tousser, il posa le *Daily News* avec sa une si prévisible et se dirigea vers le téléphone près des toilettes.

Le numéro lui revint tout de suite. Quand il avait payé pour faire installer la ligne – ou quand un sous-agent de la compagnie de tabac s'en était chargé –, il n'avait pas tout de suite prévu l'usage qu'il en ferait. Il avait simplement appris à se ménager des options, et à se servir de ce qu'elles pourraient offrir. Quand le Presidente était au pouvoir, on travaillait avec le Presidente. Si c'était le Sous-Commandant, avec le Sous-Commandant. Mais il y avait indéniablement une petite étincelle, comme quand saute un plomb, dès qu'il découvrait la raison pour laquelle une chose était ce qu'elle était. Pourquoi ce numéro ? Pour pouvoir le composer aujourd'hui. Et à la quatrième sonnerie, quelqu'un répondit. Une voix de femme, un peu lente :

— Quoi ? Parlez plus fort.

En fond sonore on entendait un bruit sourd, mécanique. Ayant vite pesé, Amory décida qu'il valait mieux ne pas la laisser soupçonner ce qu'il avait entendu. Pouvait-il parler au jeune Nicholas ? Les secondes s'égrenèrent :

— Nicky, euh… n'est pas joignable pour le moment.

— Pas joignable ou pas à la maison, ma chère ? Je suis tout disposé à attendre.

Il y eut ce bruit du combiné qu'on recouvre d'une main, ce bruit de voix à l'autre bout du fil qui s'éteint. Qui revient, cette fois sans le bruit. Elle paraissait agitée.

— D'abord, je suis pas votre chère, vieux. Vous avez un message ?

Il avait l'impression que Nicholas devait se tenir près de son épaule, qu'il écoutait, et il parla d'une voix plus sonore afin d'être entendu.

— Dites-lui que son bienfaiteur est dans le quartier.

Il consulta sa montre.

— Je suis installé à la Taverne Don Jaime. Vers cinq heures et demie, je n'y serai plus.

Il raccrocha, regagna son alcôve et, indifférent à la femme qui toussait, remit dans sa poche la pièce de cinq cents qu'il avait récupérée.

Ils connaissaient forcément l'endroit ; il était situé à une rue à peine de la maison où il avait appelé. Et cela aussi avait été pesé (comme le journal du matin). L'idée, c'était que la rencontre souligne la facilité, pour Amory Gould, de joindre Nicholas à n'importe quelle heure, comparée à la difficulté pour quelqu'un comme Nicholas de le joindre, lui. C'eût été une belle preuve d'audace de se présenter directement sur la 3ᵉ Rue Est, en sifflant si ce n'était pas excessif, et de frapper à la porte. Cette façon de faire lui aurait permis de remarquer s'il y avait eu des changements. Ce bruit, par exemple. Mais, intrigué, il se surprit à avoir peur de pénétrer de nouveau dans cette maison. C'était cette peur qui lui faisait interpréter le silence de Nicholas depuis mi-novembre comme le signe que le garçon était plus dangereux qu'il ne le paraissait. (Encore que, comme dans n'importe quel jeu, à silencieux, silencieux et demi.) Pour finir, Amory avait simplement fait en sorte de passer devant la maison en se rendant au bar. On avait repeint la porte ; le gris au milieu était plus foncé d'un ton que celui autour. Pour accentuer l'impression d'abandon, ils avaient trouvé un moyen d'attirer les oiseaux sur le bord du toit et des fenêtres, peut-être en jetant des graines, de sorte qu'avec les fientes les marches en dessous étaient devenues toutes blanches. Grand bien leur fasse. Ce qu'il ne comprenait pas, c'était ce papier d'aluminium aux fenêtres. Pourquoi pas du papier d'emballage, quelque chose de moins voyant ? Peut-être devrait-il le leur suggérer, par magnanimité.

Quoi qu'il en soit, le bar constituait un bon plan B. Son intérieur sombre limitait le nombre d'observateurs. Mais le lieu était assez public pour donner l'impression de jouer franc jeu, de n'avoir rien à cacher. Et si l'un des interlocuteurs avait des choses à cacher et acceptait quand même de venir ici, l'endroit pouvait aussi donner un sentiment de puissance. Et puis, il se sentait à l'aise au milieu d'hispanophones. Ces gens savaient à quoi s'en tenir. *El hombre invisible*, c'est ainsi qu'on l'appelait quand il allait dans le Sud, encore qu'avec son bronzage du moment il aurait pu être des leurs. Il leva la main pour faire signe à la serveuse. Loin de répondre promptement comme il en avait maintenant l'habitude, elle bavardait avec le barman. Mais pas de problème. Cela prouvait seulement qu'on ne se souvenait pas d'Amory.

Du moins, jusqu'au moment où Nicholas entra et s'approcha de l'alcôve, une fille sur les talons – probablement celle qui avait répondu au téléphone. Depuis longtemps, Amory considérait qu'on ne pouvait pas se fier aux femmes (pas même à son imbécile de sœur) ; comment avait-on pu imaginer qu'il en inviterait une ici ? De plus, l'un comme l'autre avaient jugé inutile de s'habiller normalement, ou du moins d'atténuer la différence entre eux et les Latinos bien vêtus quoique modestement. Au contraire, ils l'accentuaient. Le sweat-shirt du garçon, trop léger pour le froid, avait des manches courtes qui montraient ses millions de tatouages. Il avait une barbe d'Amish. La fille portait une sorte de survêtement douteux et un sac à la fermeture cassée. Autant de données très intéressantes. Ils voulaient qu'on sache (pensait Amory) qu'ils se foutaient de savoir qui les regardait. Qu'eux non plus n'avaient rien à perdre. Bon, on allait voir.

— Je suis heureux que vous ayez pu trouver un moment pour moi à la dernière minute.

Il tendit la main. Nicholas se contenta de grogner et se glissa dans l'alcôve. Fit un signe de tête.

— S.G.

— Enchanté, dit Amory. Puis-je commander quelque chose pour la table?

Nicholas fit mine de refuser mais la fille s'interposa :

— Ils ont à manger?

Il associait son regard éteint au travail en usine. Comme la serveuse s'intéressait à eux, il lui tendit son gin intact et commanda trois mezcals et un sac de chips. Il en avait vu, accrochés à l'entrée. La serveuse s'en alla. Il attendit que Nicholas dise quelque chose, mais Nicholas avait découvert la première règle de la négociation. Très bien, la pluie et le beau temps.

— Vous êtes déjà venus chez Don Jaime? J'ai pensé que c'était pratique, en face de la maison... et une fois qu'on a l'habitude, l'atmosphère est presque conviviale. On pourrait en devenir un pilier...

— Mais on n'est pas là pour s'échanger des adresses de bar, n'est-ce pas?

Décidément, trop facile de l'aiguillonner.

— ... Sauf si vous avez l'intention d'acheter les lieux.

— Tout projet, d'un côté comme de l'autre, doit, je l'espère, pouvoir être discuté en privé.

— On peut parler devant S.G. Ce qu'il y a à savoir, elle le sait.

— Je n'en doute pas.

La serveuse, à présent, poussait le journal d'Amory sur le côté pour faire de la place aux boissons. La fille se battait avec le sachet en Mylar qui enfermait les chips et le garçon le prit pour le lui ouvrir. Il voulait que son attention soit concentrée sur ce qui se passait entre lui et Amory Gould. Mais, selon toute probabilité, elle ne savait quasiment rien, sa présence servait seulement d'assurance, elle pourrait témoigner qu'à telle et telle date, à telle et telle heure, cette rencontre avait eu lieu. Il y avait une menace implicite, mais elle faisait partie de la séduction qu'exerçait sur lui le PPH depuis le début: qui croirait la moindre chose que dirait l'un d'entre eux?

Nicholas descendit son mezcal. Ne laissa rien paraître de la brûlure.

— Pour être franc, vous m'impressionnez. Venir vous montrer par ici...

— J'ai toujours soupçonné que la réputation criminelle du quartier relevait surtout de l'hystérie. Regardez autour de vous. Le sel de la terre.

— Il faudrait plus de cran pour rester la nuit.

— J'en prends bonne note. Dans ce cas, nous disposons d'un temps limité.

— Pourquoi ne dites-vous pas simplement pourquoi vous êtes venu ? Je considère notre mission accomplie.

— Ah, voilà exactement ce que j'espérais entendre.

— Entendre quoi ?

— Ai-je jamais caché que j'avais un dessein en venant vous voir ?

Nicholas prit une chips.

— Non, non. Je ne dirais pas que vous avez caché quoi que ce soit.

Ce qui aurait dû calmer Amory. Mais la femme continuait à tousser et une voiture passa, réverbérant la lumière mouillée, et il repensa au moment où il avait eu l'impression très concrète que ses plans se réduisaient à néant – au printemps 1975. Il avait consacré les douze années précédentes à remplir les coffres de sa société avec les trésors de l'Amérique centrale. Au cours de deux coups d'État successifs et d'une *guerra civil*, il avait continué à récolter les grains de Bandito, à rouler les Exigente, et à maintenir ses profits dans la contrebande d'armes américaines. Or, la crise fiscale à New York, si elle offrait un tas de petites opportunités, en menaçait d'autres plus grosses. Mais une fois encore, ce que lui avaient appris ses démêlés avec les enfants de Bill plusieurs années auparavant, c'était de ne pas tenter de créer à partir de rien. Il modelait plutôt ce qu'il pouvait modeler ; pour le reste, il attendait.

Et puis, un jour, alors qu'il enquêtait sur les activités de son neveu, il avait entendu parler de cette maison sur la 3e Rue Est et du curieux pseudonyme de son occupant. Obtenir de plus amples informations de la bureaucratie municipale s'était révélé facile, mais long. Quand le dossier lui était parvenu, Ex Post Facto n'existait plus. La copie de la déposition de « pseudo Nicky Chaos » aurait dû représenter peu de chose. Vandalisme, désobéissance civile, détention de drogues. Mais au moment où il s'apprêtait à déchirer le document, un élément l'arrêta : une arrestation pour tentative d'incendie criminel à Bushwick, ce mois de juin-là. Il y avait eu une succession d'incendies perpétrés dans le même quartier, se rappelait Amory, mais dans ce cas précis on ne discernait aucun motif pécuniaire ; l'immeuble qui avait échappé aux flammes était déjà condamné. Deux complices avaient fui à pied, mais l'accusé n'avait de toute évidence pas essayé. Il devait être défoncé. Car si Nicholas serait plus tard libéré grâce à une caution payée à distance, le dossier de police contenait des notes fascinantes au sujet de la nuit où il avait été arrêté. Le suspect n'a pas tenté de nier que l'essence et les allumettes lui appartenaient. Le suspect s'est au contraire déclaré solidaire des opprimés. Le suspect a déclaré que le feu donnait de la visibilité

aux conditions d'existence, à la collusion, à la nécessité de changement...
l'atroce banalité des arguments, en prose policière, heurtait les yeux d'Amory
à la lecture, et pourtant, et pourtant. Quelque chose dans ces ambitions, leur
échelle peut-être, lui avait tout simplement rappelé le jeune Amory Gould.

C'est ainsi qu'il s'était présenté une semaine plus tard sur la 3ᵉ Rue Est : un
homme d'ambition. Leurs fins respectives, naturellement, se situaient à l'opposé. Malgré tout, il avait apprécié de découvrir, dans les mots de Nicholas,
une possible similitude de moyens.

Le garçon était arrivé à reculons dans le hall d'entrée, perplexe, mais déjà,
Amory l'avait vu, furieux.

— Je ne comprends pas. Je n'ai jamais signé la déposition. Comment avez-
vous obtenu une copie de ça ?

Là, on aurait pu dire n'importe quoi tant qu'on continuait à sourire, à parler lentement et à voix basse, et sans avoir l'air de vouloir diriger l'assistance
vers le salon. Amplifier l'accent patricien. Rendre l'autre redevable.

— Dans cette vie, le succès dépend des réseaux. J'ai la chance de représenter, pour la conduite de mes affaires, une famille qui en compte de nombreux. Par exemple, je crois savoir que vous avez un passé avec mon neveu
William Hamilton-Sweeney. Billy.

— Mais nous sommes à couteaux tirés, Bill et moi.

— Je suis donc persuadé de pouvoir compter sur votre discrétion à propos
de cette visite. Et j'ajouterais que, de mon côté, j'agis en mon nom personnel.
Personne ne sait que je suis ici.

Les fenêtres, en ce temps-là, n'étaient rendues opaques que par la poussière et les pollens. Une lumière dorée et fluide remplissait la salle dans
laquelle ils étaient assis, saturant le menton fort du garçon, ses traits osseux
et, dessous, son air d'intelligence vive. Un singe de Dieu, telle était l'expression qui venait à l'esprit. Petit garçon, plus intelligent que la moyenne, il avait
dû, comme Amory, subir les brimades de cour de récréation, mais avec le
silence qui régnait dans la maison, et la chaleur – les battants étaient ouverts
de quelques centimètres –, ils avaient le sentiment d'être au-delà de tout
ça. Au-delà du temps. Quelque chose changea dans l'expression du jeune
homme. Mains sur les genoux, il se pencha en avant.

— Bordel de merde. L'oncle de Billy. Vous êtes le putain de Frère Démon,
c'est ça ?

Amory avait trouvé le surnom de mauvais goût dès qu'il en avait eu vent.
Ensuite, il en avait reconnu la beauté. C'était une marionnette géante, un
écran blanc qu'il pouvait tenir devant son visage. La peur, le désir, aux autres
de les projeter.

Ce qu'il proposait à Nicholas était une sorte de défi. Abandon des charges, casier judiciaire scellé, le garçon pourrait recommencer à allumer ses incendies mais cette fois dans le Bronx, où le feu couvait déjà. Et à condition de respecter les limites définies par Amory, il pouvait être sûr que la police ne l'arrêterait pas. Les coupes budgétaires avaient laissé de grands trous dans leurs effectifs. Oui, Amory avait accès au système de triage et il lui indiquerait certains sites ainsi que le moment où l'opération pouvait avoir lieu en toute impunité, dit-il.

— Vous avez étudié les sciences sociales, si je ne me trompe ? Voyez cela comme un test de théories concurrentes.

Quand les derniers requérants de la zone incendiée auraient été expulsés pour renouvellement urbain, pour Amory – ou quand le spectacle de l'abandon par le système aurait finalement galvanisé les masses, pour Nicholas –, on verrait clairement quelle conception de la nature humaine aurait gagné. Quelle que soit l'issue, Nicholas resterait dans la maison. Amory avait pris la liberté de demander à un investisseur au sud de la frontière de signer l'acte notarié.

— Et si je ne marche pas, vous me jetez dehors ? Vous me ferez mettre en prison ?

— Je n'ai jamais recours à la contrainte, jeune homme. Quand une personne accepte un marché, elle doit le faire de son plein gré.

— Mais comment saurais-je que vous remplirez vos engagements quand mes feux auront fait leur travail et que vous verrez le peuple commencer à se soulever ?

— De la même façon que je sais que vous ne parlerez pas de ma visite aujourd'hui à notre irritant commun, William Hamilton-Sweeney III. Nous agissons en confiance.

En réalité, naturellement, c'était l'inverse dont il devait s'assurer : que Nicholas, cinq mois après le décret de Zone Insalubre, acceptait la défaite. Car ce qu'Amory avait omis de dire, c'est qu'il n'avait pas besoin de prendre le contrôle du South Bronx parcelle par parcelle ; que dès que les incendies auraient atteint un certain seuil, ses plans se concrétiseraient par décret. Vers la fille, qui avait déjà englouti ses chips, il poussa un verre :

— S'il vous plaît. Prenez.

— Non, répéta Nicky. Vous m'avez sans doute expliqué comment les choses allaient se passer et elles se sont passées ainsi. Il était inutile de venir jusqu'ici crier victoire.

— Votre ami, me semble-t-il, n'a rien compris.

Il s'était tourné vers la fille pour voir ce qu'elle allait faire. Ce qu'elle fit : finir son mezcal et lancer au verre vide entre ses mains un regard de désespoir. En d'autres termes, elle aurait préféré être à mille lieues d'ici. Amory se demanda comment Nicholas la tenait.

— Je suis venu m'assurer qu'il n'y a pas de sentiments de rancune.

— Vous croyez, dit Nicky, que l'enjeu c'était ça pour moi ? Des « sentiments » ?

— Nous pouvons donc reconnaître que nos chemins se séparent.

— C'est un peu poétique pour moi, mais oui. Qu'avez-vous d'autre, sinon votre parole ?

— Vous n'avez pas idée du plaisir que j'éprouve à vous entendre. Et pour la beauté du geste…

Et pour que tout lien entre eux soit rompu :

— … j'ai demandé à mon *compadre* l'investisseur de brûler l'acte de la 3ᵉ Rue Est. La maison est à vous, vous pouvez en disposer comme il vous plaira. Votre propriété.

— Je suppose que cela va sans dire, non ?

Au même instant on entendit un klaxon. Une camionnette cabossée s'était arrêtée près d'une bouche d'incendie. L'ombre dissimulait son chauffeur, mais il n'était pas impossible, étant donné la lumière et les angles, que la personne au volant puisse voir Amory Gould.

— C'est pour toi, S.G., dit le garçon et, après avoir secoué la dernière goutte de mezcal sur sa langue, la fille se leva et accrocha son sac à l'épaule.

De sous le rabat, dépassaient des volumes abîmés. Elle surprit son regard, et il fut étonné de découvrir, avant qu'elle remonte le masque, que son désespoir était de la haine, dirigée contre lui seul.

Ensuite, son protégé et lui se retrouvèrent face à face, dans un silence qui rappelait celui de 75. Il avait fallu attendre l'automne, au téléphone, pour que Nicholas s'excuse d'avoir mis si longtemps à se décider, et qu'Amory puisse répéter le geste d'indulgence qu'il avait d'abord employé, des années auparavant, à Block Island, avec l'autre garçon qu'il avait alors eu l'intention d'utiliser – ce qui aurait représenté une fameuse série de coups, considérant le nombre de pierres. Le problème, en réalité, avait été une interprétation erronée du contrôle. On ne pouvait pas être sûr que les gens seraient demain ce qu'ils avaient été hier. Mais il savait maintenant qu'avec la peur, comme avec le fantasme, cela ne servait à rien. Les gens se contrôlaient eux-mêmes. Et s'il venait d'observer que ces prétendus Post-Humanistes s'étaient trouvé un nouvel objet de hargne, il avait également besoin de savoir qu'ils avaient peur. Peur de tout ce qu'Amory savait. Peur de tout ce qu'il pouvait faire. Il cessa de se frotter le bras et leva la main pour demander l'addition, et quand la serveuse l'apporta il la remercia dans le même espagnol chargé qu'il employait avec le Sous-Commandant. Il se tourna ensuite vers Nicholas.

— ¿ Y me olvido de algo primordial, quizás ?

Le garçon devait maintenant se rendre compte qu'il avait été démasqué : son père n'était ni originaire d'Amérique latine, ni un officier du renseignement, mais un simple ancien médecin de belle apparence, un chirurgien veuf habitant à Newton, Massachusetts. Et le fils était, entre autres, un dissimulateur de première classe qui avait vu trop de films de James Bond.

— Cela veut dire que nous devons discuter d'une dernière chose.

Amory écarta les verres du milieu de la table et reposa le Daily News à sa place. Jamais auparavant, il n'avait vu Nicholas sans voix. Il admira l'effet produit par sa main qui reposait dessus, araignée blanche remuant une patte.

— Ce désagrément à Central Park... J'ai le sentiment qu'il me faut vous assurer que je n'y suis pour rien. Car si j'y étais pour quelque chose, ou l'un de nous deux, cela irait bien au-delà du cadre de notre accord, et de la protection qui en résulte.

— Quel désagrément ? Je n'ai pas la moindre idée de ce dont vous parlez.

Nicholas le fixait droit dans les yeux, afin d'éviter de regarder le journal. Une autre erreur ; qu'il sentît le besoin de mentir là-dessus était tellement révélateur. Non seulement la Zone Insalubre qu'il avait participé à créer ne signait pas sa défaite, mais en plus il préparait des représailles... et il faudrait s'occuper de ça. Cependant inutile de précipiter les choses. Amory jouait sur le long terme.

— Non ? Même aujourd'hui, pas la moindre idée ?

— Aucune, Nicholas réussit-il à dire. Mais je crois que je ferais mieux de me barrer avant que quelqu'un se fasse une fausse idée de nous deux.

Une fois le garçon parti, et seulement alors, Amory prit le reste de mezcal. Aïe, ça brûlait. La femme dehors recommença à tousser. Il chercha dans sa poche la pièce de tout à l'heure. Il aurait pu aller dans une autre alcôve, mais on finissait par prendre goût à affirmer son autorité, à en tirer une certaine fierté. Pour Amory, pas de diplômes d'un Princeton ou d'un Yale ; il n'avait pas eu les relations de son imbécile de beau-frère. Mais depuis qu'il avait acquis la maison de Block Island, il avait conservé sur les murs les photos de famille des anciens propriétaires, de la même manière que les chefs tribaux conservaient les scalps. Et regardez-le aujourd'hui – affrontant, et acceptant la brûlure glacée qu'était la vie sur terre. Il forcerait tous les autres à l'accepter, eux aussi. Il regarda la femme derrière la fenêtre, fit tinter sa pièce contre le verre, juste au niveau de sa tête. Et quand elle se retourna et qu'il lui montra son vrai visage, sa toux mourut dans sa gorge. Il n'eut pas même besoin de lui faire signe de circuler.

49

SUR LE SUJET DE LA HAINE, la bible de Charlie restait ambiguë. Ce dont probablement, étant donné l'ambiguïté de chacun des pouvoirs qui auraient pu orienter son existence désorientée, il aurait dû se douter. Comme le jour de la rentrée au lycée, quand sa mère lui avait dit : *Sois toi-même*, tout en ajustant la cravate à clip qu'elle l'obligeait à porter. Il pouvait l'entendre là-haut, à présent, ses pieds incurvaient légèrement le plafond dans leur va-et-vient entre le réfrigérateur et le four, et elle accompagnait en fredonnant le vieux transistor auquel elle n'avait pas touché depuis des années. Elle avait dû vouloir combler le silence, car ce soir la personne avec qui elle aurait normalement été en train de parler au téléphone fonçait dans l'obscurité pour venir chez eux. Elle avait envoyé les jumeaux chez la baby-sitter ; ce serait un dîner à trois. D'un instant à l'autre, elle appellerait Charlie pour qu'il monte, ce qui signifiait qu'il n'avait plus le temps de décider ce qu'il devait ressentir. Il continua à feuilleter sans enthousiasme sa petite bible verte. Dans son ensemble, elle n'offrait guère la paix ou l'amour et la bonté abstraite qu'il avait trouvés au mois de janvier dans le chapitre onze de Marc, cet amour des autocollants et des vieilles chansons pop. Au lieu de quoi, Dieu le Père était largement un dieu qui commandait de s'en prendre à ses ennemis – « Heureux qui saisit tes enfants et les écrase contre le roc » – et même le doux Jésus menaçait les traîtres du feu éternel.

Une portière claqua dehors. La sonnette rendit les deux mêmes notes joyeuses qui auraient autrefois fait accourir Papa à la porte. La maison tout entière était déloyale, pensa Charlie. Et voilà, Maman l'appelait. Bon, rien à foutre. Qu'ils se saluent, se serrent la main, s'étreignent, ce qu'ils voudront, il refusait de se presser. Au pied du mur, il ramassa le tee-shirt rouge qu'il portait quand il était dans la ligue des poussins. Il n'y avait qu'une seule taille, extralarge, parce qu'on ne voulait pas que les gros se sentent complexés. Quelques lettres collées au fer avaient commencé à se détacher, mais on pouvait toujours lire le numéro de Charlie, le 13 malheureusement, et le nom de l'équipe, qui avait aussi été celui du sponsor, Boulevard Bagels. (*Allez... les Bagels!*) L'été dernier, il avait découpé les manches et de grands trous entre les aisselles et le milieu du torse, laissant voir de grosses touffes de poils. Il aimait bien la façon dont le tee-shirt transformait son corps laid en arme tournée contre le monde. La façon dont il disait: *Regardez ce que vous m'avez fait.* Il était à présent si serré qu'on lui voyait les côtes. Devant la glace il passa du gel dans ses cheveux qui avaient repoussé et forma de petites crêtes de haies vives couleur orange. Il tira une langue souffreteuse, d'un rose grisâtre et y posa une gélule blanc cassé. *Biscuits Disco*, les appelait Nicky, raison pour laquelle Charlie devait surmonter sa gêne chaque fois qu'il lui en redemandait. Le disco, c'était à chier, et serait toujours à chier, Un Bon Punk Préfère Le Speed – mais le Phalanstère était un genre de potlatch de stupéfiants et, si on lui offrait le choix, Charlie choisirait à tous les coups la lente noyade des *downers*.

L'enveloppe de la gélule avait commencé à fondre sur sa langue et son intérieur amer ne tarderait pas à entrer en contact avec ses papilles, il l'avala donc à sec, savourant la petite douleur qu'elle provoqua en passant sa pomme d'Adam. Il referma la vieille boîte de bonbons à la menthe dans laquelle il stockait son stock. (Les 'ludes ne rentraient pas dans son distributeur de Pez.) Il souleva ses lourdes bottes de combat noires et monta lentement en martelant les marches, satisfait du bruit assourdissant de chaque pas, imaginant sa mère et l'homme sans visage en train de se recroqueviller. Il s'arrêta derrière la porte, main sur la poignée. Il n'était pas encore trop tard pour tomber dans l'escalier, se blesser suffisamment pour aller aux urgences. C'eût été une issue respectable. Au lieu de quoi, il se montra déloyal à sa façon: il ouvrit la porte.

L'homme dans le hall d'entrée n'était ni grotesque comme l'espérait Charlie, ni beau comme il le craignait. Simplement étonnamment enjoué en lui tendant la main. Charlie, qui le dépassait d'une tête, avait une vue directe sur l'épaisse moquette qui recouvrait sa tête. Et le postiche ne représentait que l'un des nombreux détails qui faisaient de l'homme l'opposé du père de

Charlie. Il y avait également ses incisives de lapin, son étoile de David et son col roulé ; Papa ne portait jamais de col roulé.

— Morris Gold, dit-il. Appelle-moi Morrie.

La drogue et le déguisement faisaient leur travail : ils donnaient à Charlie distance et puissance. Sans un regard pour sa mère atterrée, il prit la main et ne la lâcha plus.

— Je commençais à me dire que vous étiez imaginaire.

La phrase sortit de sa bouche comme du sirop réfrigéré. Maman rit nerveusement.

— Charlie ne s'habille pas comme ça d'habitude.

— C'est la mode, Ramona, les amis de ma fille portent tous ce genre de trucs.

La pression de la main de l'homme était parfaitement étudiée, ni trop ferme ni trop douce et efféminée ; il ne semblait pas remarquer que Charlie cherchait à la réduire en poussière. Dans son autre main, le col d'une bouteille de vin rosé semblait minuscule, la condensation mouillait l'étiquette.

— J'hésitais entre rouge et blanc, alors j'ai coupé la poire en deux.

— Je le mets au réfrigérateur ?

— Non, je vais le faire.

Charlie observa ses propres mains, au bout d'extensions robotiques longues de trente mètres, en train de prendre la bouteille. Mission Contrôle, son cerveau, dut lancer des ordres distincts pour lui permettre de franchir la porte battante : *Pivoter à cent dix degrés. Tendre le pied gauche. Tendre le pied droit. Baisser le bras.* C'est alors que les ampoules cylindriques de la cuisine éclairèrent le plan de travail comme une image pornographique : bâtons de fromage moite introduits dans des olives de cocktail, épinard reposant dans des bols en bois, feuilles de laitue pâles accueillant des boules de salade de thon. Il y en avait six de chaque, au cas où quelqu'un voudrait se resservir et, pour le dessert, ses fameuses bouchées à l'abricot, sucrées à en avoir mal aux dents. Et au milieu de tout ça, baignant dans son jus de liqueur brune, le morceau de poitrine de bœuf. L'odeur était trop forte pour Charlie. Il se pencha une minute au-dessus de l'évier, sûr qu'il allait vomir, mais il eut la présence d'esprit de tendre la main pour éteindre la radio, de façon à pouvoir, si les voix qui venaient de la salle à manger montaient d'intensité au-dessus du murmure, entendre quel genre d'impression il avait fait. Quand il s'avéra qu'il n'allait pas dégueuler les pilules, il décida qu'il lui fallait boire. Il ôta le petit col en aluminium de la bouteille et contempla le tire-bouchon jusqu'à ce que son usage devienne évident. David et Ramona ne buvaient jamais. Il ne savait même pas qu'ils avaient des verres à vin, franchement, mais ils étaient là, dans un placard au-dessus de la hotte. Il en remplit trois, un nettement plus que les autres. Il but dans celui-là pour obtenir le même niveau. Il ralluma la radio, la régla sur une station qui passait un de ces groupes de branleurs hirsutes chéris par ses pairs. Ils avaient la vertu de faire beaucoup de bruit, au moins. *Activer les pouces. Deux mains autour de trois pieds. Retraverser la cuisine. Pivoter.*

Un regard au visage rougi de sa mère lui fit comprendre qu'ils l'avaient complètement oublié. Avait-il même vu, en se retournant, l'éclair d'une main sortant de sous la nappe pour se poser sur des genoux ? Il posa les verres d'un geste brusque, imaginant que les pieds en se brisant se détachaient de leurs coupes, que les coupes se renversaient, mais non, cela n'arriva pas. Rien ne parvenait jamais à satisfaire Charlie, pas plus qu'il ne satisfaisait les autres. Comme il se dressait au-dessus des deux tourtereaux – un maladroit obstacle –, Maman se demandait visiblement si elle allait dire quelque chose sur le vin qu'il tenait à la main ; il n'avait encore jamais bu d'alcool devant elle, mis à part le Manischewitz de Pâques. Pour finir, elle fut la sophistication incarnée. Morris leva son verre.

— Aux amis anciens et nouveaux.

Quand sa mère alla chercher la nourriture, et seulement alors, il vint à l'esprit de Charlie que, peut-être, elle avait autant peur que lui. Et il se retrouvait seul avec le prétendant.

La tactique du silence ne marchait pas. Morris Gold faisait partie de ces gens à l'aise avec le silence, sûrs de pouvoir l'interrompre à tout instant.

— Alors, Charlie, dit-il au bout d'un moment. Ta mère me dit que tu es musicien.

— Nan, dit Charlie en avalant une gorgée de vin.

Le verre heurta ses dents.

— Dans ce cas, d'où me vient cette idée ?

Charlie avait en horreur cette tranquillité, cette façon de dissiper toute friction en s'adressant à Charlie comme à un adulte. Essayer d'offenser cet homme revenait à essayer d'offenser un portemanteau !

— Mais j'écoute beaucoup de musique, cracha-t-il pour finir. Ma mère déteste.

— Je me souviens, quand j'étais petit, les adultes aussi trouvaient tous que notre musique était diabolique. Bo Diddley au « Ed Sullivan Show ». Je suppose que c'est l'un des grands privilèges de la jeunesse, de pouvoir couper le cordon. C'est ainsi que tu vois les choses ?

Il avait ce truc bienveillant et viril qu'ont tous les bons entraîneurs sportifs avec les jeunes et le cœur traître de Charlie avait envie de l'écouter.

Il essaya de sentir l'ombre complice de son père à côté de lui, mais il y avait si peu de chose, maintenant, qu'il parvenait à ressentir quand il le voulait. Heureusement, sa mère choisit ce moment pour revenir avec les salades de thon, ravivant sa colère, comme une main autour d'une flamme qui vacille.

Jusqu'au plat principal, Charlie fit de son mieux pour rester amorphe, en se réjouissant des trous étranges que son attitude laissait dans la conversation des adultes. Celle-ci, de toute façon, était insipide : *Comme l'hiver a été long! Le prix du fioul atteint des sommets. Tu sais que le comté voudrait réduire l'année scolaire à cent quatre-vingts jours?* Il avait presque pitié de M. Gold. Comment pouvait-il continuer à s'intéresser à une femme dont l'idée de la conversation consistait à réciter le contenu du journal? C'est là que Maman le surprit en changeant de sujet pour parler de la Ville. Tout allait de mal en pis, dit-elle, elle avait peur d'y envoyer Charlie même pour voir le médecin. Il y avait eu ce fait divers aux actualités. D'ici, de Flower Hill. Il l'avait vu? Charlie s'efforça de se concentrer sur ce qu'elle disait, mais il avait l'impression que sa tête était remplie de coton. Comme si personne ne pouvait l'atteindre, là où ça faisait mal.

— Oh, je ne sais pas, dit M. Gold. Je crois que si on garde la tête froide et qu'on se limite aux quartiers sûrs… La semaine dernière, j'étais justement chez Russ and Daughters. Tu connais Russ and Daughters, Charlie? Ils ont du poisson fumé à se damner.

Il inspecta sa tasse de café avec des étoiles dans les yeux, comme s'il s'attendait à y voir nager du poisson blanc. Puis il repoussa son assiette à dessert, maculée des entrailles de bouchée à l'abricot.

— Délicieux.

Maman s'essuya la bouche avec sa serviette – en lin, les belles. D'une voix douce, elle dit :

— C'était ce que préférait David.

— Non, cracha Charlie. C'était pas ce qu'il préférait.

On eût dit qu'il avait claqué des doigts devant une personne sous hypnose ; c'étaient les premières paroles qu'il prononçait depuis le début de la soirée qu'elle semblait avoir entendues.

— Pardon?

Le nom de Papa avait été un nouveau coup de poignard au plexus solaire. Ou non, pas le nom. Plutôt l'aisance avec laquelle elle le glissait, avec laquelle M. Gold l'accueillait, *comme s'ils avaient déjà parlé de David Weisbarger.* Tout ce temps passé où Charlie et sa mère évitaient le sujet, parce que, se disait-il, il était encore trop douloureux pour elle.

— Ce qu'il préférait, c'était le gâteau au chocolat, avec de la noix de coco.

— C'est une façon de parler, chéri. Il a toujours adoré les bouchées à l'abricot, tu le sais très bien.

— Arrête ça.

— Arrête quoi ?

— Arrête de le transformer en façon de parler !

Charlie montait, montait, montait, telle une volute de fumée.

— Chéri, ça va ? Tu as les mains qui tremblent.

— Ne t'en prends pas à moi ! C'est toi qui te sers de Papa.

M. Gold éleva la voix :

— Charlie, si tu voulais bien emporter les assiettes et nous laisser un instant, je voudrais dire un mot à ta mère avant de rentrer.

De toute évidence Charlie avait gagné. Le mot serait *tôt*, comme dans : *Peut-être est-ce trop tôt, Ramona.* Mais au lieu d'un sentiment de victoire, il ressentait une sorte d'impuissance.

— Au cas où vous ne le sauriez pas, Dieu hait l'adultère.

Un coude attaché à Charlie renversa un verre, en fit jaillir le dépôt de vin rosé. Impossible de dire si c'était prémédité, mais le col roulé blanc de M. Gold en fut éclaboussé et il se levait en baissant les yeux sur la tache qui se répandait.

— Nom de Dieu, Charlie, dit sa mère.

Mais il redescendait déjà les marches à grands coups de bottes, aspiré par un trou noir dans lequel il voyait à peine ce qu'il faisait. Il ramassa un tas de vêtements par terre et le fourra avec son 45 tours de « Kunneqtiqut »/« City on Fire ! » dans son cartable. Presque comme une pensée après coup, il prit sa bible des Gédéons.

Dans l'entrée, Maman présentait ses excuses.

— Tu crois que tu vas où comme ça ? demanda-t-elle comme Charlie passait en trombe.

Mais sa voix était juste un bruit dans sa tête. Il plongea dans l'humidité de la nuit printanière, sans se donner la peine de fermer la porte. Il voulut se précipiter vers la voiture, mais elle lui avait pris ses clés. Et sa bicyclette avait une roue à plat, bordel de merde. C'est alors qu'il aperçut, posé contre un buisson touffu, l'un des deux vélos BMX trop grands que Grand-Père avait achetés aux jumeaux. Pour gagner un peu de vitesse, il dut pédaler furieusement et ses genoux heurtaient sans cesse le guidon. Les petites roues grinçaient et gémissaient. Mais la route descendait en pente pratiquement jusqu'à la station de métro. Il attendit qu'on le rappelle, qu'on s'élance à sa poursuite, mais personne n'en fit rien. Et alors, se dit-il. Bon débarras.

Une heure et demie plus tard, il se retrouvait sur les marches effritées du Phalanstère. La pluie qui ruisselait à la commissure de ses lèvres avait un goût de sciure qui lui rappelait son oreiller rouge dont il suçait les coins pour s'endormir quand il avait cinq ans – ou huit ans. Voilà à quoi il devait ressembler en ce moment, à un petit garçon de cinq ou huit ans, avec un sac de fortune et un visage brillant de ce qui pourrait bien être des larmes. Mais Nicky Chaos avait toujours vu au-delà. Il apparaissait, encadré dans l'embrasure, une seule marche au-dessus de Charlie, mais de la stature d'un dieu. Derrière ses épaules tatouées, luisait une couronne de lumière rendue mystérieuse par les mètres de papier d'aluminium destinés à bloquer les caméras, les micros, ce qu'on voudra. Ou est-ce que la drogue que Charlie avait ingérée lui donnait des hallucinations? Ce disque de reggae que Nicky aimait tant tournait quelque part. Il flottait une légère odeur d'herbe.

— Tu as dit que je saurais quand je serais prêt, dit Charlie. Je suis prêt.

— Bien, dit Nicky. Parce qu'il est arrivé quelque chose qui nous force la main.

À l'intérieur, il y avait une fête, des gens que Charlie ne reconnaissait pas allaient et venaient entre la cuisine et le salon, colonisaient les escaliers et les couloirs. Musicos, toxicos, philosophes d'université venus s'encanailler. Une Noire magnifique à la coupe afro, vêtue d'un tee-shirt de la taille d'un mouchoir en papier, glissa devant eux sans paraître les voir, mais Charlie n'eut pas le temps de se formaliser de ne pas avoir été invité; ils étaient déjà dehors, derrière, et Nicky frappait à la porte du petit garage. Il marmonna quelque chose à travers le mur écaillé, et différents verrous et serrures se mirent en branle. Un mur de parpaing avait été monté, dissimulant le fond de la pièce. À l'avant, sur le tapis délavé, Sewer Girl et Delirium Tremens, assis en sweat-shirts à capuche noirs, se passaient un j. Entre eux, un journal avec une photo, c'était inquiétant, de... Sam? Nicky posa la main sur son épaule.

— Le Prophète est venu dire quelque chose.

Qu'était-il venu dire? Le Prophète avait oublié.

— Il est prêt. Cette nuit, il participera à notre raid.

— Avec ce tee-shirt, tout le monde va le remarquer, ce con, dit Solomon Grungy, apparaissant derrière le mur en parpaing.

Il devait y avoir une autre stéréo, un autre exemplaire du disque, car on entendait le morceau ici également. Culture. «Two Sevens Clash». Ce qui, considéré sous un certain angle, était exactement le logo du PPH. Et Sol avait fait quelque chose à ses sourcils. Rasés, peut-être? Nicky lui disait de la fermer, mais Sol avait raison: le coton rouge brillait entre les glissières du coupe-vent de Charlie comme un signal d'alarme. Sewer Girl fouilla dans son sac.

— Voilà quelque chose de noir.

Depuis la dernière fois qu'il l'avait vue, la camionnette avait eu la lunette arrière défoncée. Quelqu'un avait collé du carton à la place du verre. Et quelqu'un d'autre, sans doute, avait écrit à la bombe *PUSSYWAGON*, sur le flanc, en rouge, par-dessus le nom de la société de lavage de carreaux – à moins qu'il ne s'agisse de quelque feinte sophistiquée, afin que nul ne soupçonne les Post-Humanistes de ce qu'ils préparaient vraiment. Des comprimés de speed furent distribués, gobés à sec. Après quoi Sol et D.T. montèrent à l'arrière, pendant que Nicky disait à Charlie et à Sewer Girl de se serrer sur le siège passager. Ils avaient dû charger le coffre un peu plus tôt ; cette odeur chimique provenait de l'arrière et, chaque fois qu'ils tournaient à un carrefour, des bouteilles invisibles s'entrechoquaient. Nicky avait baissé la vitre et posé le bras sur la portière, Charlie fit comme lui. Sewer Girl se tortillait sur ses genoux, mammifère tiède, et si elle le sentait bander, elle semblait indifférente. En fait, elle remuait tellement qu'il se dit qu'elle devait le faire pour lui, à titre de gratification.

Ils filèrent ensuite au-dessus de l'East River, les amphétamines en plein rendement, les lumières de la Ville rétrécissant toujours plus, devenant des jouets, plus petites que des veilleuses, plus petites qu'un jeu Lite-Brite, et la brise fouettait les cheveux de S.G. sur son visage nouvellement aride. Ils tournèrent dans une autoroute en lame de faux.

— Musique, exigea Nicky. C'est essentiel la musique.

S.G. se pencha pour brancher la radio sur le tableau de bord, mais la carrosserie métallique, les poutres des tunnels et les faibles signaux FM de New York ne facilitaient pas la réception. Quand les parasites cédèrent la place à un son identifiable, c'était Donna Summer.

— Je déteste cette merde, glapit Sol à l'arrière.

Charlie était prêt à la détester aussi, mais Nicky tendit le bras pour écarter la main de S.G.

— Non, cette chanson est géniale.

— Et on ne devrait pas être arrivés ? ajouta D.T. Je ne suis pas Magellan, mais…

— Tu sais que Nicky adore la petite route, dit Sewer Girl.

Les flots d'énergie se heurtaient, mais Nicky, au volant, semblait retiré dans la fraîcheur de son microclimat et Charlie l'entendait chanter d'une voix de fausset : *Aaaah… love to love you, bay-beh*, sans que ses yeux se détachent de la route. Ils avaient pris une sortie en épingle à cheveux et roulaient devant des carcasses de bâtiments désolées. On n'était pas dans les quartiers sûrs. Nicky ralentit et roula au pas.

— Tu vois ça ?

Un peu plus loin, se dressait un vieil immeuble à la façade incendiée. Au dernier étage, le toit semblait s'être effondré, et il manquait la plupart des fenêtres. Quelque chose remua sur un rebord : un oiseau qui, de honte, détournait la tête.

— Que s'est-il passé ?

— Que crois-tu qu'il se soit passé, Charlie ?

On aurait dit qu'il n'y avait plus qu'eux deux à l'intérieur de la camionnette, Charlie et Nicky.

Oh, comprit-il. *Nous* sommes passés.

— Quand je te disais qu'on préparait la révolution, je parlais sérieusement. Mais ne t'inquiète pas, dit-il, devinant le malaise de Charlie. Personne n'habitait là. Il n'y a pas eu de victimes.

Comme ils poursuivaient leur route, Nicky lui montra d'autres immeubles dans des états comparables. C'était comme une bobine de film : une image léchée par la flamme laissait la place à une autre.

— On n'a pas été les premiers ici, Charlie, et on n'a peut-être pas été les meilleurs, mais on est les seuls avec un programme.

C'était donc ça, la grosse rébellion de Nicky ? Et Sam était au courant ? Elle savait ?

— Évidemment, elle savait, Prophète, dit Nicky. Pense à l'endroit où on l'a retrouvée.

À travers un brouillard, Charlie eut un aperçu de l'époque où penser à elle était tout ce qui comptait pour lui. Il essaya de renouer le contact avec cette personne-là.

— À Central Park ?

— Central Park Ouest. À trois cents mètres de la fête.

— Mais elle y allait peut-être juste pour retrouver l'Amoureux, dit Sewer Girl.

— Ouais, mais elle y allait peut-être pour cafter notre changement de programme.

Nicky, se grattant furieusement le bouc, réfuta la théorie du siège arrière.

— Impossible, pas notre Sam. Ces balles étaient une mise en garde… elles ont tout changé. Nous préparer pour notre prochaine cible prend plus longtemps que prévu. Mais il vaudrait mieux riposter, maintenant qu'il sait que nous savons. Le temps qu'il ait calculé les angles de représailles, nous serons prêts à frapper de nouveau, plus violemment.

Charlie était perdu dans toute cette confusion. Quelle prochaine cible? Et quel besoin d'incendier encore ces bâtiments abandonnés? Mais il n'eut pas le temps de poser ces questions, car Nicky avait éteint les phares et d'un ton sec ordonnait à S.G. de baisser la radio. Ils s'étaient arrêtés le long d'une clôture en contreplaqué qui semblait courir sur des kilomètres et bloquait entièrement la vue. *LIBERTY HEIGHTS PHASE UN. RÉALISATION HAMILTON-SWEENEY*, indiquait une pancarte avec une image représentant des tours de verre. *SI VOUS HABITIEZ LÀ, VOUS SERIEZ DÉJÀ CHEZ VOUS.* Et peut-être Charlie finit-il par comprendre. Une ombre armée courait avec agilité le long de la clôture et il faillit appeler Nicky pour lui dire de faire attention. Mais c'était Solomon Grungy, qui était descendu de l'arrière de la camionnette, et son arme, c'était une pince coupante avec laquelle il s'attaquait maintenant à la grille. Une chaîne se cassa net comme un bréchet; ses deux extrémités retombèrent. Sol poussa la grille puis regagna le véhicule en courant, et le véhicule roula vers l'ouverture.

À l'intérieur, l'excavation était immense, un trou de peut-être sept cents mètres de long, occupant toute la surface entre la route et le fleuve. Des bungalows et des toilettes de chantier étaient installés autour du périmètre, ainsi qu'une succession de camions. Dans le trou lui-même, sous une lune jaune, il y avait plus d'une douzaine de bulldozers et de pelleteuses. Çà et là, des fers jaillissaient du béton.

Charlie suivit ses camarades Post-Humanistes. Il avait des fourmis dans les jambes aux endroits où S.G. les avait écrasées; mais au moins, sa gaule avait diminué. D.T. et elle s'accroupirent derrière la camionnette pour enfoncer des chiffons dans des bouteilles. Sol déchargea d'autres caisses de lait de l'arrière. Nicky était très loin, indifférent à la douleur. Il se pencha, prit une bouteille, sortit un briquet de sa poche, puis il hésita.

— À toi l'honneur, Charlie?

— Moi?

— Quand tu as allumé le chiffon, tu as cinq secondes.

Charlie prit le briquet et se mordit la lèvre.

— Les bulldozers sont un peu loin. Essaie de viser ce bungalow là-bas. La vengeance m'appartient, dit le Prophète.

À côté, Sewer Girl cessa de travailler pour regarder. Ne voulant pas passer pour une fiotte, il prit la bouteille de Nicky. Ou il l'allumait tout de suite ou il s'évanouissait sous l'effet des vapeurs. Mais on lui avait toujours répété qu'il lançait comme une fille. Sam, l'étoile qui lui servait de guide, ne lui indiquait aucune direction. Ni aucun dieu. Il n'avait même pas approché la flamme du chiffon, il croyait encore être en train de se décider quand il y eut un sifflement suivi d'une vague de chaleur comme avec le barbecue quand son père versait de l'essence. Il fixa son regard sur la caravane. Imagina Sam debout à côté de lui. Il fallait que ce soit pour elle, d'une certaine façon. Et puis la bouteille coupa la nuit en deux et tournoya, le lancer parfait qu'il n'avait jamais pu réussir. Elle vola en éclats sur le toit de la caravane, juste un peu de côté, faisant rejaillir des cascades de feu le long des parois.

— Magnifique, dit Nicky en lui donnant une autre bouteille.

D'autres encore sifflaient dans l'obscurité autour de lui, dix, vingt, cinquante bouteilles; il perdit bientôt le compte des siennes. Au moment où le verre éclatait, des fleurs de feu bleues s'épanouissaient tout autour du chantier, consumant les caravanes, les bulldozers, la cabine électrique de la grue, deux piles de gravats, et la plate-forme d'un camion. Une toilette de chantier commença à s'affaisser et à fondre. De petites ombres – c'étaient des rats – gravirent en courant les pentes de l'excavation. Les différents bruits des feux s'unirent en un seul sifflement furieux et les flammes, à leur tour, fusionnèrent et il put voir distinctement les visages de ceux qui étaient avec lui, plus du tout défoncés.

Charlie, les mains vides, regarda Nicky ôter son propre tee-shirt, et l'arroser de liquide avec l'une des bouteilles. Tous l'observaient à présent; Nicky était leur capitaine, primitif, sauvage. Il enfonçait quelque chose dans le réservoir d'un des camions. Il mettait le feu au tee-shirt. Il y eut un déplacement dans l'air, une qualité d'attention plus dense. Il leva les yeux, presque surpris, pensa Charlie. Presque effrayé par sa propre audace. Et alors tous coururent à toute blinde en direction de la camionnette.

Ils décampèrent, l'une des portières encore ouverte à l'arrière se balançant sur ses gonds, qu'il voyait apparaître et disparaître dans le rétroviseur latéral, et c'est alors que s'éleva la première sirène, comme dans un jeu, comme quand ses frères jouaient à ce qu'ils appelaient les Urgences dans leur chambre là-haut. Si Maman le voyait à présent, pensa-t-il, ou Sam – ce pouvoir qu'il avait de frapper à son tour le monde qui l'avait frappé. Et puis il y eut ce grand coup de canon au moment où le réservoir explosa derrière eux, une détonation qu'il sentirait encore le matin dans sa poitrine. Un flamboiement bleu qu'il reverrait les yeux fermés, constellé d'étranges étincelles vertes.

50

— **Alors, comment va la vie dans la grande ville ?** dit Mama en s'éloignant de l'aéroport dans le camion bringuebalant qui avait appartenu à P'pa.

Elle avait un visage marqué mais beau, avec cette dignité des gens de sa génération, et quand sa main passa au-dessus de la boîte de vitesses pour tapoter le genou de Mercer, il eut un réflexe de recul. Elle l'avait accueilli, dès l'arrivée, par ces mots : « Tu sens la brasserie. » La dernière fois qu'il était venu en avion, il s'était découvert une absence de foi dans la physique qui maintenait les appareils en vol, et cette fois, au bout d'une heure, il avait cédé et commandé une bière. Ce manquement avait été rapidement englobé dans le vaste univers de ses fautes. En Géorgie, la fin du mois d'avril pouvait évoquer le mois de juin, mais le bras qu'il offrit en guise de soutien dans le parking tropical fut aussitôt repoussé. Les règles perduraient, apparemment : l'aiguille du besoin continuait à ne pointer que dans une seule direction.

— Oh, tu sais. *Plus ça change**.

Il baissa une vitre. Aussitôt les champs provoquèrent une explosion dans ses narines. Il eut une soudaine vision de ses parents vieillissant en accéléré, recroquevillés dans deux fauteuils à bascule jumeaux dirigés vers la climatisation.

— Écoute, j'ai veillé tard pour noter des copies. Ça t'ennuie si je fais un petit somme ?

469

— Et pourquoi ça m'ennuierait? C'est pour ça que tu es venu, n'est-ce pas? Pour te reposer?

On aurait dit qu'il l'avait accusée d'infanticide.

— Je t'en suis reconnaissant, Mama.

— Tu sais, quand tu étais bébé, P'pa te mettait dans le camion à l'heure d'aller au lit, et te baladait sur les petites routes pour t'endormir. Ton petit cerveau n'arrêtait jamais de s'activer.

Des mains invisibles s'efforçaient de le réduire à la taille de son corps prépubère, ce contenant qu'il avait déployé tant d'efforts pour quitter.

— Mama? J'essaie juste de dormir un peu.

Il feignit le sommeil au cours des deux heures qu'il fallut pour atteindre Altana, et des dix minutes entre là et la ferme. Quand il les ouvrit, ses yeux virent une maison toute simple, au toit de tôle, pâle dans le crépuscule. Elle aurait pu appartenir à d'autres, s'il n'y avait pas eu ces effets compliqués qu'elle provoquait dans son cœur. Papa, qui regardait la télévision dans son fauteuil-relax, un Barcalounger, ne dit évidemment rien quand Mercer entra. Mais peut-être attendait-il seulement que son fils commence – qu'il se lance lui-même dans quelques généralités – car lorsque Mercer lui demanda comment il allait, il se mit à serrer les accoudoirs au bois noueux.

— Oh, je ne me plains pas.

C'étaient les premiers mots qu'il adressait à Mercer en près de deux ans.

— Ta mère dit que tu t'es fourré dans le pétrin là-haut.

Mercer pensa à l'inspecteur infirme. Il fit de son mieux pour se tenir droit. La lumière de la véranda, derrière la porte moustiquaire, inondait les espaces autour de lui.

— Non, P'pa. Je viens seulement en visite.

— Inutile de parler aussi fort. J'entends très bien.

— La télévision est allumée, dit-il, désespéré.

— Tu n'as plus ta moustache, je vois.

Mama et P'pa avaient chacun leur façon de faire: avec elle, la pression était vaste et constante, une sorte de parquet qu'on apprenait à traverser, alors qu'avec lui, c'était une punaise dissimulée sous le tapis. Mercer avait du mal à ne pas regarder le pied amputé de P'pa. Mais Mama choisit ce moment pour rentrer de la véranda et pour abandonner ce qu'elle affectait d'y faire.

— Ton frère est désolé de ne pas être là à ton arrivée. Il est allé à Valdosta voir des équipements stéréo. Il se lance dans une affaire de vente par correspondance, tu sais.

Depuis que C.L. avait quitté l'établissement de santé, elle avait mentionné différentes voies, pilote, négociant en soja, avocat spécialisé en accidents corporels, et d'autres choses, évoquées au téléphone, dont Mercer ne se souvenait plus très bien. Comment pouvait-il exister de si nombreuses carrières pour une personne sans aucune qualification ?

— Tu le laisses conduire ?

Il regarda P'pa dans l'espoir de se voir confirmer que sa question était légitime, mais sur C.L., P'pa préférait encore rester muet.

— Peu importe, dit Mercer. Je vais aller rattraper mon décalage horaire.

Tout le monde, semblait-il, devait avoir intérêt à présent à respecter ce faux prétexte. Mais le vol n'avait duré que trois heures et il était toujours sur le même fuseau horaire ; plus tard, quand ses parents seraient allés se coucher, il resterait éveillé à contempler les boiseries obliques du plafond de sa chambre. Il faisait assez doux pour laisser les fenêtres ouvertes ; l'air sentait l'asphalte mouillé et les métaux terreux, le cuivre mais pas exactement. À intervalles éloignés un camion passait sur la grand-route, transport de nuit qu'il entendait à un kilomètre ou deux de distance. Mais dans les silences qui les séparaient, il n'avait plus que son cerveau, radio aux boutons cassés, émettant les questions dont il avait cru se libérer en venant ici. Reverrait-il William un jour ? Et si oui, que se diraient-ils ? Quelqu'un d'autre le trouverait-il séduisant ? Et parviendrait-il à le croire ? Referait-il jamais l'amour, en aurait-il même envie ? Et pourquoi aimer ce qu'on était destiné à perdre ? Pourquoi s'autoriser des sentiments si ces sentiments étaient condamnés à mourir ? (Et encore, sur une autre station : était-il possible que l'unité de base de la pensée humaine ne soit pas la proposition, mais la question ? Quel était le contenu logique d'une question ?)

Et ainsi de suite, même quand quelque chose s'adoucit dans sa poitrine et que le monde étouffant qui l'entourait – son *Encyclopedia Americana* et son étagère d'albums illustrés, la photo encadrée de lui et de C.L. exhibant leurs muscles de petits garçons à Atlantic Beach, et le cheval à bascule grand comme la main que le régisseur de la ferme avait sculpté juste avant qu'on lui diagnostique un cancer – commença à se diluer dans les ombres diverses de la lune. Il s'efforça de ne faire aucun bruit qui puisse traverser le plafond de la chambre où dormaient ses parents désormais parce que P'pa n'était plus capable de monter un escalier depuis l'accident. Si on pouvait parler d'accident. Le lendemain matin, le matin du feu, du pré du nord et du porc sacrificiel, C.L. était défoncé au P.C.P. Comme il avait dû l'être quand sa herse avait écrasé la jambe de P'pa, avait déclaré le psychiatre de l'hôpital d'État. Sans parler de ses abus avoués de cocaïne, de haschisch et de sédatifs prescrits par le centre des vétérans. En résumé, avait dit le médecin à Mama d'une voix qui se voulait rassurante et que Mercer entendit dans le couloir,

C.L. avait passé les deux dernières années à se griller le cortex cérébral. Les choses que les gars avaient vues là-bas… Et puis il entendit un camion approcher sur la grand-route, ou peut-être une voiture. Ou l'un et l'autre, le moteur silencieux et le deuxième, bruyant, s'amalgamant. Comme ils approchaient de la fenêtre de Mercer, il distingua une pulsation de disco. Ce rythme à quatre temps avait pénétré même à l'intérieur du comté d'Ogeechee.

Au moment où ils auraient dû commencer à s'éloigner, les véhicules tournèrent en direction de la maison, avec une vitesse suffisante pour virer dans l'allée. Il entendit les débris de coquillages se soulever et crépiter sous un châssis, il vit des losanges de lumière se dessiner sur le plafond. Une portière claqua, mais les phares restèrent allumés ce qui parut une éternité, tandis que la radio continuait à pulser. *Love to love you, baby.* Autrefois, P'pa se serait levé et aurait chassé les intrus quels qu'ils soient en les menaçant d'une pique. On entendit des voix. Finalement, le véhicule le moins puissant des deux s'éloigna. Mercer entendit C.L. trébucher dans l'escalier. Ensuite, après un blanc, la lumière au plafond était celle du matin, quelqu'un avait fourré son cerveau dans un sac en papier et l'écrasait à coups de marteau.

L'une des croyances archaïques de sa mère était la vertu curative du travail manuel, et même si elle le lui demandait comme un service, il savait quand elle le pria, au petit déjeuner, de tondre le pré du nord, qu'il s'agissait pour elle de tout autre chose. Ils n'avaient plus qu'une seule vache, et l'herbe arrivait aux genoux, dit-elle, c'était triste à voir. Triste à voir pour qui ? Mais, pour *les gens* – les mêmes, sans doute, qui auraient été scandalisés s'ils avaient appris que l'un de leurs garçons était de la jaquette et l'autre malade mental. Ces *gens* étaient imaginaires, certes (les voisins les plus proches étaient des Blancs qui n'avaient plus adressé la parole aux Goodman depuis que P'pa avait acquis de haute lutte son prêt pour acheter cette terre, il y avait des années de cela), mais pour Mama, ils étaient une fiction nécessaire. Ils répondaient à la question de savoir comment se tenir debout, étant donné l'éternité horizontale qui nous attendait tout juste sur l'autre versant symbolique.

Tandis qu'il poussait la tondeuse sur la surface inégale – il sentait les coups mats des lames d'acier mal aiguisées quand elles butaient contre un bouquet de fleurs sauvages –, Mercer rêvait à l'insurrection. Mais la maison était trop petite pour contenir les deux hommes qui déjà se la disputaient. Quoi qu'il en soit (*bang !*, il accéléra vers un carré clairsemé sur lequel il était déjà passé deux fois, un tas d'herbes qui se contentait de faire le mort), P'pa au moins avait recommencé à lui adresser la parole, ce qui signifiait qu'il était toujours le bon fils docile.

Après quoi, il laissa la tondeuse dans le pré, pour le cas où Mama verrait une surface qui lui aurait échappé, et alla chercher de l'eau. Le sentier
contournait la colline, longeant des fossés verts et humides, des champs
loués à un métayer puisque Hercule était parti et que le rêve d'autosuffisance
que P'pa avait rapporté de sa propre guerre s'était effondré. Les capsules
vertes du coton poussaient dans les sillons ; elles ne tarderaient pas à avoir la
taille de petites balles. En longeant la crête près de la balançoire en corde,
il entendit un bruit de marteau enfonçant des clous dans le bois. C'était
un ballon de basket qui rebondissait sur un mur de la grange où P'pa avait
monté un arceau sans filet. À cette distance, celui qui courait après le ballon ne ressemblait à personne ayant jamais joué ici. Il était plus lourd, pour
commencer. Sa chevelure gonflée formait une immense coiffure afro que son
bandana ne parvenait pas à contenir. Et il était pieds nus, ses bottes de cow-
boy posées l'une à côté de l'autre à l'ombre d'un arbre. Le tir en suspension
de C.L., non plus, n'était pas cet arc de pure extase dont Mercer gardait le
souvenir. Ce simple coup en flèche manquait d'innocence ou d'effet. Mais,
il fallait l'admettre, il passait dans le cercle.

Sans rien dire, Mercer s'approcha et se mit à le marquer. Ils ne tardèrent
pas à grogner et à se pousser. Quand il souriait, des fossettes se creusaient
sur les joues de C.L. comme celles d'un petit garçon. Il était un peu plus lent,
avec sa panse, et Mercer le distança avec une série de tirs en course, mais
il égalisa par un tir extérieur, et quand Mercer lui céda la balle au temps de
possession suivant, C.L. la relança trop vite pour que Mercer pût l'attraper.
Ces fossettes.

— Quoi, Négro ? Je croyais que tu étais un gars de la ville maintenant.

Mercer ne réussissait jamais bien ses tirs extérieurs, et au vu de ce sourire
qui lui fendait les joues, et de ce nuage de substances chimiques que l'organisme de C.L. suait dans l'air, il n'était pas sûr du tout de faire un panier à six
mètres. Il dribbla, et dribbla, en essayant de se rappeler les points faibles de
son frère et de deviner celui qu'il avait conservé. Il feinta de la tête à droite,
se déplaça vers la gauche, s'enroulant autour de la balle pour la protéger. Il
était sur le point de faire un panier quand C.L. lui bloqua le bras – violemment –, récupéra la balle et recula pour terminer un j.

— C'est le jeu ! dit-il, sans effacer ce sourire idiot.

La peau, sur le bras de Mercer, l'élançait, brûlure fantôme à l'endroit où la
main de C.L. l'avait frappée. Il avait deux options – réclamer une pénalité ou
pas – dans les deux cas, il perdait, mais il ressentait maintenant une certaine
excitation à l'idée qu'un vrai combat puisse remplacer les gesticulations dont
il s'était contenté depuis des mois avec tous ceux qu'il aimait. Ils se mirent

en position, en respirant avec force. C.L. tendit la main, le toucha au bras et, voyant que Mercer n'allait pas réagir, il s'avança, lui entoura le cou d'un seul bras, en une étreinte à peine éloignée d'une prise.

— Ah, tu l'as toujours, Frère.

— J'ai quoi ? demanda Mercer.

— Si tu le sais pas, je peux pas te l'expliquer. Viens.

C'était moins une invitation qu'un ordre, et sur l'épaule de Mercer le bras se transforma en joug. Ils s'arrêtèrent sur le côté de la grange qui était à l'ombre et où la terre avait conservé un peu de rosée. Il y avait autrefois ces larges creux arrondis que laissaient les chevaux quand l'endroit leur servait d'écurie, mais c'était à l'époque où P'pa était le premier Noir de Géorgie à posséder autant de terres et où lui et C.L. l'impressionnaient, comme une espèce dont il était jaloux. C.L. jeta aux pieds de Mercer l'attache à ressort qui fermait la porte. Celle-ci était de pure forme. Dans le carré de grange qu'elle ouvrait il faisait aussi noir que dans un tunnel, mais il y régnait une agréable fraîcheur.

— Attention aux serpents.

C.L. devait souvent venir ici ; quelques palettes recouvertes de moquette avaient été installées près de l'entrée et le sol était émaillé de canettes de bière décolorées par l'âge. Refuser l'invitation de C.L. de s'asseoir aurait paru un peu guindé, ils se laissèrent tomber sur des palettes voisines et contemplèrent le dehors. Tous les rêves d'Arcadie de leur père, son système de gestion des sols, les changements apportés à cette terre disparaissaient dans la perspective : herbe, ciel et un petit pommier sauvage aux fruits amers... C.L. souleva sa palette et en sortit un bocal dont il dévissa le couvercle. Il entendit le déclic d'un briquet. Dans l'obscurité le visage de C.L. luit d'une flamme orange, après quoi une odeur familière prit le dessus sur les exhalaisons animales des chevaux disparus. Il tendit les doigts.

— Acapulco Gold. Pas ce mélange merdique de graines et de tiges que tu trouves dans le Nord.

— Je doute que tu aies une provision d'eau ici ? fit Mercer

— Allez, Merce. Une petite partie de basket et un peu d'herbe, ça aide à éliminer les toxines.

— Les toxines ?

— Pourquoi as-tu besoin d'eau, à ton avis ? Ils mettent plein de produits chimiques dans cette merde pour que tu en redemandes.

C.L. prit une autre bouffée, et continua à parler sans souffler la fumée.

— Celle-là, elle vient directement de la terre. Un mec que je connais connaît le mec qui la cultive.

C.L. avait rapporté de la guerre un crâne rempli de ces *idées fixes**, comme une malle dont le contenu aurait été mis à mal en cours de trajet. Pire, il considérait que vous les partagiez. Un refus d'aller dans son sens le rendait furieux et on n'avait pas envie de rendre C.L. furieux. Comme toujours dans la famille Goodman, il faudrait que quelqu'un étouffe ses sentiments et c'était plus facile pour Mercer. Et puis, l'horreur de cette nuit-là n'avait pas effacé son souvenir d'avoir fumé de la marijuana sur un balcon avec la sœur de William. Au contraire, il le chérissait encore davantage. Il prit le joint, sûr de pouvoir à nouveau trouver une façon de se rapprocher de son frère. Une toux monta en lui.

— C'est bien, tousser fait planer encore plus. Prends une autre bouffée, si tu veux.

En se concentrant, Mercer sentait son esprit monter dans les airs, en quelque sorte, et, dans ses articulations, les petits faisceaux de tension se détendre. Il inhala de nouveau. Combien de temps s'était écoulé depuis cette nuit chez les Hamilton-Sweeney? L'intervalle se resserrait, rendait plus proches des choses auxquelles il ne voulait pas penser, mais il n'y avait plus rien d'impérieux; il avait tout le temps qu'il voulait. Il passa le joint.

— Tu es heureux, C.L.?

— Comme un porc dans sa souille. À propos, comment va Carlos?

— Carlos? Carlos est un vrai cauchemar.

— Oui, c'est bien vrai, fit C.L. en riant. Mais tu as vécu avec moi toutes ces années, alors ça ne peut pas être pour ça que tu l'as laissé tomber.

— Qu'est-ce que tu racontes?

C.L. était en train de faire quelque chose avec le joint, il l'arrangeait pour pouvoir mieux tirer dessus.

— Mama dit que tu as un nouveau colocataire. Si on arrêtait de se raconter des conneries, Petit Frère?

Mercer regarda autour de lui. Personne ne pouvait entendre. Mais les murs, si, et la terre, et les fantômes des chevaux et l'État de Géorgie.

— Franchement, ça m'est égal pour qui tu bandes, Mercer. Il y avait deux frères dans mon unité connus pour partager le même sac de couchage, là-bas, à la guerre. On est dehors Dieu sait où dans le noir, à écouter les tirs de mortier, à se demander lesquels sont pour notre pomme et je commence à me dire : au moins ces deux mecs-là sont là l'un pour l'autre. Il y a des athées dans les tranchées, mais ça ne m'a pas beaucoup aidé de rêver de chattes !

Il posa un doigt sur ses lèvres, mit deux doigts à la verticale, puis les dirigea vers l'arrière de la grange et vers la maison.

— Et ceux pour qui ça compte te diraient quand même ce que t'as à faire.

— Oh, mon Dieu. Ils savent?

— S'ils savaient, ils ne sauraient pas qu'ils savent. Mais c'est pour ça que Mama déteste te savoir là-haut, loin d'elle. Elle sait que tu donnes toujours ton cœur trop facilement.

Mercer reprit le joint, se leva. Bizarrement, il pensait à cette photo dans sa chambre, cette excursion à la mer quand il était petit, toute cette chair splendide luisant au soleil. C.L., déjà très doué pour se fourrer dans des situations inextricables, se tenait immergé jusqu'à la taille dans l'eau qui montait à hauteur de poitrine en expliquant à Mercer comment faire du bodysurf. Comment plier les genoux et s'accroupir en attendant le moment où la vague commençait à vous emporter. Mais Mercer n'était jamais dans les temps; il avait toujours une seconde de retard sur la vague et finissait par s'échouer sur le banc de sable en regardant son frère glisser lentement vers le rivage.

— Nous avons habité ensemble un an avant qu'il me quitte. William, il s'appelle.

— Il est blanc?

— Seigneur, C.L.!

— Il est blanc, c'est ça? Merde. Le voilà ton problème, crois-moi.

— Ce n'est pas ça. C'est… Écoute, que sais-tu de l'héroïne?

— La drogue? Une merde. Difficile d'en sortir. Les gens qui essaient de t'en éloigner, tu leur en veux.

— Mais tu es clean, maintenant.

C.L. lécha le bout de ses doigts et pinça l'extrémité du joint qui s'éteignit avec un petit grésillement.

— Plus clean que jamais.

— Hé, il ne te reste pas un peu de cette herbe?

— Tu es là jusqu'à quand?

— Jusqu'à dimanche.

— On devra peut-être aller faire un petit tour.

Son frère souleva de nouveau la palette sur laquelle il était assis, mais sans la relever complètement, un exploit d'Archimède. Mercer, qui avait maintenant des yeux de chat, put distinguer quelque chose dans le trou pratiqué en dessous.

— Qu'est-ce que c'est?

— Quoi?

C.L. glissait un revolver dans son dos, sous la ceinture de son jean. Quand il ressortit la main de sous la palette, il ramena un rouleau de billets.

— C'est un revolver?

— Il faut savoir se défendre, Merce. Le monde est rempli d'envieux.

L'herbe provenait de Princeville, une communauté noire aux confins de la frontière du comté. Et, plus immédiatement, d'un dealer quadraplégique nommé « Boot ». C.L. fut accueilli comme un ami cher. Mais en tant qu'étranger Mercer ne fut pas autorisé à pénétrer dans l'antre miséreux du gars, et dut attendre dehors en compagnie d'un chien enchaîné qui partageait avec son maître un regard très nettement hostile. La chienne des Goodman, Sally, était morte l'été précédent. C.L. avait-il été démobilisé à temps pour l'enterrer ? se demanda Mercer à l'affût d'un échange de coups de feu. Équipement stéréo, à d'autres.

Il n'empêche, fumée à la fenêtre de sa chambre sous les toits cet après-midi-là, l'herbe aiguisa l'appétit de Mercer pour le dîner. Ce n'était pas cher payé pour avoir la patience de rester assis tout le repas sans fixer trop intensément Mama ou P'pa qui autrement risquaient de voir ses yeux rougis sur lesquels le collyre n'avait eu que peu d'effet, ou C.L. dont le regard rosissant risquait de le faire éclater de rire. Mais ce que Mama remarqua, c'est que Mercer avait déjà forci. « Sûrement la bonne cuisine. » Et dans son humeur joyeuse, Mercer était prêt à acquiescer. Impossible de trouver cette nourriture à New York : épaule de porc aux haricots, pain de maïs. À la place, vous aviez quoi ? Mettons que la salière et la poivrière soient le Garden et le Coliseum. Ce grand bougeoir, le Building Hamilton-Sweeney. Un peu plus loin, derrière le bouquet de fleurs, une jeune femme agonisait dans un lit d'hôpital. La semaine dernière, les élèves de Mercer ne parlaient que de ça ; elle était une ancienne élève d'une école privée rivale, et les couloirs bruissaient d'allusions à un « Tueur de Socquettes ». Pour obtenir un tueur en série, il fallait en théorie au moins deux victimes, néanmoins les rumeurs l'avaient rendu plus inquiet pour William qui errait seul dans ces rues. Mais tout cela était derrière lui désormais, non ? Avec l'herbe, c'était plus facile de penser ainsi. C'était la saison de la rhubarbe et il commençait à y avoir quantité de petits fruits rouges, alors il reprit une deuxième puis une troisième part de la tarte confectionnée par Mama.

La drogue agissait aussi sur le sommeil. Imitant C.L., Mercer avait fumé son j. de l'après-midi, et conservé le bout, le mégot, pour plus tard. Il avait envisagé d'écrire un peu, ici dans sa chambre où tout avait commencé, mais il se prélassa sur son lit. L'un ou l'autre de ses parents ronflait maintenant ; il l'entendait à l'étage en dessous. Combien d'années de labeur de l'aube au soir, de soucis, d'emmerdements à cause des garçons, avaient-ils supportés pour avoir le droit de s'endormir devant *Les Jefferson* ? Il ne leur aurait pas rendu justice en se morfondant dans la solitude qui l'envahissait, mais à présent il disposait d'une solution. À savoir, rallumer le joint. Dans la nuit printanière, fenêtres ouvertes laissant pénétrer l'odeur des feuilles, il retrouvait sa décontraction, une humeur expansive, il se détendait comme un vieux pull. Il inventa un petit jeu où il pinçait le bout du joint entre ses lèvres, puis inspirait et expirait, et sentait monter la chaleur près de son visage à chaque respiration. L'astuce consistait à éloigner le joint juste avant de se brûler. Et aussitôt après s'être brûlé ou non, il sentait que le monde glissait sous lui, très loin, comme une vague grandissante.

Une seule chose continuait à le hanter, se dit-il : le revolver de petit calibre, le Spécial Samedi Soir, que C.L. gardait dans la grange. Le lendemain matin, en arrachant les mauvaises herbes dans le potager de Mama, il fit la liste de toutes les raisons de ne pas s'inquiéter. Un : ils maniaient les armes à feu depuis l'enfance, depuis l'époque où P'pa avait ordonné de tirer à vue sur toute corneille à moins d'un kilomètre du maïs. Deux : après deux missions au Vietnam, il se pouvait que C.L. se sente plus en sécurité avec une arme à portée de main. Trois : ces derniers temps, C.L. semblait aussi *compos mentis* que son frère. D'un autre côté, Mercer se reconnaissait une tendance à être un catéchiste de la rationalisation. Son expérience avec William ne lui avait-elle rien appris ? Et Tchekhov ? Et si un coup partait et tuait quelqu'un, ce serait peut-être C.L. Et donc, la veille de son retour en ville, il résista à l'appel du sommeil. Il attendit que cessent les allées et venues domestiques. Il se glissa ensuite dans l'escalier de derrière et ouvrit la porte moustiquaire qu'il prit bien soin de ne pas claquer. Le vacarme des criquets était plus intense et la pleine lune projetait l'ombre de la maison sur la moitié de la cour ; au-delà c'était le domaine des arbres, et, lui-même une ombre, il navigua entre eux. Parvenu sur les débris de coquillages, et seulement alors, il se retourna. La maison était sombre, à l'exception d'une fenêtre au premier étage, ou la lumière papillotait. Il ne savait pas que C.L. avait la télévision dans sa chambre. De toute évidence, il y avait une foule de choses qu'il ignorait.

À mesure qu'il s'éloignait vers la ferme, la terre bleue gonflée sous le scintillement de toutes ces étoiles, il eut l'impression d'être le protagoniste d'un rêve. La lourde porte de la grange vagit comme une sirène, puis vint le bon vieux grondement du bois qui reprenait sa place. Tandis qu'il tâtonnait dans le trou creusé sous la palette, il essaya de ne pas penser aux serpents contre lesquels C.L. l'avait mis en garde, aux mille-pattes frétillants, aux insectes sans yeux, duveteux. D'abord il ne toucha que les bocaux d'herbe. Ils ne semblaient plus dénués de valeur, mais voler C.L. aurait entaché la pureté de son rêve-mission. Il enfonça la main plus loin, en retenant sa respiration.

Elle entra en contact avec un objet métallique. Avec précaution, il orienta le canon vers l'extérieur et sortit le revolver.

Dans le pré éclairé par la lune des taches noires trahissaient les endroits où il avait oublié de passer la tondeuse, comme des pâtés d'encre sur un cahier d'examen. Si ses filles pouvaient le voir... Il ressentit une soudaine affinité avec elles, leur calme feint, leur incapacité à imaginer les répercussions des choix qu'elles faisaient actuellement. Il creusa de ses mains un carré d'herbe humide, un trou de peut-être vingt centimètres de profondeur. Il avait la terre de son enfance sous les ongles et dans le nez, comme P'pa l'avait toujours voulu. Ça faisait mal au cœur de la laisser abîmer un bon revolver, il ôta donc le tee-shirt qu'il avait sur le dos pour l'en envelopper. Il était un prêtre, à présent, païen, demi-nu dans la nuit, célébrant d'obscurs rites d'ensevelissement. Ou bien il était le héros de son propre roman, ou celui d'un de ces jeux d'arcade que William adorait, contraint de répéter un geste totémique jusqu'à la perfection. À un certain moment, il sentit, comme c'était arrivé au Nouvel An, que quelqu'un, debout au milieu des arbres, regardait. Eh bien, qu'il regarde, bordel. Quelque chose ici s'incarnait, peut-être cette mission supérieure à laquelle Mercer avait obéi en rentrant auprès des siens. Et maintenant qu'il l'avait achevée, on lui permettrait probablement de passer au niveau supérieur, dans un monde où personne ne se faisait tirer dessus.

51

EN DÉPIT DE CE QU'IL AVAIT DIT À SA SŒUR au summum de sa fureur, William trouvait difficile de gérer son fric. S'il retirait vingt, trente ou quarante dollars de la banque, il les claquait le jour même. D'un autre côté, quelques récents week-ends de débauche dans les zones de guerre des arrondissements périphériques l'avaient tellement effrayé qu'il hésitait à en avoir davantage sur lui. Il lui était arrivé plusieurs fois, la nuit, dans des rues désertes, d'avoir l'impression qu'on le suivait. Cela avait commencé alors qu'il vivait encore avec Mercer, en fait ; il se sentait surveillé, il se retournait et il n'y avait personne. Et puis un jour, à Bed-Stuy, dans un repaire de drogués crasseux, trop camé pour bouger, il avait senti qu'un ami ou l'ami d'un ami soulevait sa tête de pierre, il l'avait entendu chuchoter à quelqu'un d'autre : *Merde, mec, tu sais qui c'est, ce gus ?* Comme s'il avait cru que le portefeuille de Billy Three-Sticks était assez épais pour tous les faire sombrer dans le Sommeil Éternel. Ce qui prouvait bien qu'il fallait se méfier des autres.

La règle s'appliquait également à la vie domestique. Les premières semaines après avoir déménagé, il avait dormi dans la chambre d'amis de Bruno à Chelsea. Il pensait que son bienfaiteur serait heureux de le savoir libre de nouveau, mais derrière sa réserve autrichienne, Bruno semblait soupçonner l'état des choses. Le fait de ne pas lui avoir posé de questions s'interprétait non pas comme une forme de tact mais comme un jugement, une déception et peut-être même une façon subtile de lui enjoindre d'être clean.

William avait donc dit sayonara et emporté les quelques effets qu'il avait avec lui dans son atelier du Bronx. Certes, il était le seul Blanc à des kilomètres à la ronde, mais il sentait parfois que d'avoir été élevé par Doonie faisait de lui un frère honoraire. De toute façon, la couleur de peau n'était pas l'origine de son angoisse permanente. C'étaient les toiles inachevées qui le contemplaient adossées au mur. *Evidence*, tel était le nom de son grand œuvre. Ce titre était venu pratiquement avant tout le reste. Il avait eu l'intention de le terminer et seulement alors d'en parler à Mercer. Peut-être aussi avait-il été jaloux de sa lucidité quant à son propre travail, son refus de se vanter d'une productivité sans aucun doute considérable, à voir toutes les heures qu'il y consacrait. Ensuite, se rendant compte que lui aussi avait tendance à procrastiner, William, honteux, avait gardé le silence. Et maintenant, le fait de n'avoir pas parlé de *Evidence* le rendait encore moins réel. Il se forçait toujours au moins une fois par semaine, en proie à une sorte de hargne, à préparer ses pigments. Mais la discipline quotidienne qu'exigeaient le pinceau et la toile l'avait abandonné depuis longtemps.

En vérité, vers le mois d'avril, sa discipline principale consistait à attendre jusqu'au soir, ou la fin d'après-midi, une expérience infiniment plus belle : le parcours tranquille à pied sur le Grand Concourse ou la lente plongée jusqu'au Deuce[1], pour se fournir. Comme un surfeur sait lire les vagues, il savait prédire les intervalles au cours desquels le gouvernement diminuait l'offre et comment traverser les périodes de pénurie. (Si celles-ci n'avaient pas été temporaires, les flics auraient perdu leur travail.) Et il avait appris à apprécier l'heure de pointe, quand il chopait, quand il sortait renouer avec le monde quelques minutes avant de replonger en lui-même – ça avait la forme de l'anxiété, mais privée de son contenu – et à jouir de l'air translucide de cinq heures, des couleurs du médium dans lequel il évoluait.

Un jour que l'offre était généreuse, il était revenu à Times Square. On venait de passer à l'heure d'été, mais même si tôt les néons jouaient leur grand jeu au-dessus de sa tête, clignotant leurs appels, *Peepland* en rouge, *Peep-o-Rama* en bleu et rouge, rivalisant avec les appels miaulés de toutes parts : « Reds. » « Blues, blues. » « Dix dollars, la main ; vingt, la bouche, cinquante, service complet ! » C'était un aperçu d'un autre futur : non pas un holocauste nucléaire, ni une utopie communiste, mais une vie totalement organisée selon les principes du marché. Il avait envie de s'arrêter pour

---

1. The Deuce : nom donné à l'époque à la 42ᵉ Rue, véritable cour des miracles, où se concentraient les salles de cinéma porno et une jungle de drogués et de laissés-pour-compte.

admirer tous ces gens qui vivaient comme si on était après-demain. Mais il fonça tête baissée dans la foule, en s'efforçant de ne pas se faire reconnaître. Dans la poche de son vieux blouson Ex Post Facto, dans la petite entaille qu'il avait découpée dans la doublure, il y avait un sachet d'héroïne en papier, comme ces enveloppes dans lesquelles on glisse les timbres à la poste.

Difficile de dire, alors, ce qui attira son regard vers le fronton d'un temple du porno tandis qu'il approchait du coin de Broadway. Il avait dû sentir une perturbation juste aux confins du monde que ses yeux percevaient. Peut-être, comme les chiens, nous savons quand nous sommes poursuivis. Bref, d'un simple coup d'œil, il appréhenda un corps plus grand que ceux qui l'entouraient, et nettement distinct. C'était un Blanc, une vraie armoire à glace, qui lui rappelait bigrement quelqu'un, avec des favoris et des cheveux au vent, et un regard légèrement possédé ou spectral qui parcourait la foule à l'ombre du bord d'un chapeau. William avait déjà vu le même déguisement – de la fenêtre de son loft, croyait-il – et soudain son angoisse redevint de la pure angoisse ; *oui*, on le suivait. Et c'était son poursuivant. Un stup, semblait-il, avec ce chapeau imbécile, et cette longueur de cheveux guère convaincante. Il cherchait à arrêter William. Mais il ne l'avait pas encore aperçu.

Son instinct, bizarrement, lui commanda de ne rien faire qu'il ne faisait déjà. Ou pas si bizarrement. N'était-ce pas la conduite à tenir en présence d'un animal sauvage ? S'éloigner calmement. Courir ne ferait que l'enrager. Sans regarder de nouveau, William continua de son pas tranquille et traversa Broadway. Ses mains transpiraient dans ses poches, il pouvait jeter la drogue, mais il l'aimait tellement. Heureusement, le pâté de maisons entre ici et la 6ᵉ Avenue grouillait de New-Yorkais aussi dégénérés que lui, et quand il eut l'impression d'être noyé parmi eux, protégé par eux, il se retourna et ne vit plus son poursuivant sur l'îlot de circulation.

Plus tard, enfermé dans son atelier, il se demanderait s'il imaginait des choses. De toute façon, il allait s'octroyer une récompense pour avoir gardé son sang-froid sous la forme d'une dose assez forte pour le faire vomir. Non loin, la démolition d'un immeuble était en cours depuis ce matin, mais elle ne se manifestait plus que dans des séries de grondements à travers le parquet et une compassion pour les rats de cette ville, encerclés par des prédateurs, privés d'abri par les gravats. Naturellement, ce n'étaient pas les rats qu'il voyait en se penchant au-dessus de la cuillère noircie. Ou quand le nœud qui l'enserrait se défit et le laissa par terre dans la poussière, en slip, entrer et sortir par la porte mouvante que le soleil dessinait sur le mur. C'était le visage ombreux de cet inconnu hypothétique. Pas plus inconnu, vraiment, que celui qu'il aurait vu en se levant maintenant pour se regarder dans la glace. Car William aussi était hanté. Traqué peut-être pour autre chose que sa drogue. Ou Billy. Il s'était fait tabasser quelques mois auparavant, et il n'avait aucune envie que ça recommence. Mais il avait perdu la volonté de bouger, ou peut-être la capacité de le faire. Et alors, pensa-t-il. Et merde ! Qu'ils viennent.

52

ON POUVAIT LOCALISER M. Feratovic, le gardien, grâce au grésillement de son talkie-walkie dans le hall d'entrée. En général, l'appareil captait le bruit des aspirateurs ou des taxis ; la seule personne qui s'en servait vraiment pour le contacter, c'était sa femme – c'est du moins ce que Richard avait expliqué à Jenny, au cours d'une de leurs tardives discussions à bâtons rompus. Il se réglait sur sa fréquence à l'aide de sa CB, entendait Mme F. appeler sa moitié pour dîner. Ne jugeait-il pas ces indiscrétions un peu déloyales ? avait-elle demandé. Ce jour-là, au début du mois de mai, elle avait en revanche eu une question au sujet d'un échafaudage qui était apparu devant sa fenêtre – à savoir si des travaux de rénovation annonçaient une augmentation de loyer – et donc quand elle entendit les fameux parasites non loin de sa porte, elle désactiva la serrure de haute sécurité et glissa sa tête dans l'embrasure. Elle trouva le gardien en train d'essayer de repousser Claggart, le scottish-terrier de Richard, dans le coin à coups de grosses bottes marron.

Le pauvre chien, visiblement traumatisé, se laissa ramasser et secourir. Mais comme elle se dirigeait vers la porte de Richard, le gardien cria :

— Pas là, mademoiselle.

— Pardon ?

M. Feratovic était ce qu'on pourrait appeler un homme bien conservé. Il pouvait avoir soixante-dix ans, mais il portait en toutes saisons un short et un tricot de peau amidonné et exhibait des bras et des jambes musclés. En plissant les yeux, il se pencha vers elle, comme pour affronter un vent violent.

Le bout de cigare mouillé dans sa bouche l'empêcha de comprendre ce qu'il disait, hormis les derniers mots.

— Laissez le chien partir, vous allez voir ce qui va se passer.

Elle posa donc Claggart sur le sol. M. Feratovic ouvrit la porte donnant sur la cage d'escalier, Claggart fonça. Les bottes s'élancèrent à grand bruit à sa poursuite. Jenny n'eut pas d'autre choix que de suivre. Une fois au rez-de-chaussée, elle vit Claggart assis, tendu, dans le vestibule, face à la rue. Des traces de museau salissaient le verre.

— Vous voyez? Je le trouve toujours là, exactement comme ça. Votre ami, mademoiselle Nguyen, il est pas chez lui.

— Nous sommes juste voisins, dit Jenny, étonnée d'avoir été aussi rapide à le corriger.

— Vous voulez que je l'enferme jusqu'au retour de votre ami?

— Non, je m'en occupe.

Elle prit le chien et, redoutant de poser les yeux sur le visage du gardien, elle remonta. Claggart se débattit un peu, et tenta de regarder derrière son épaule, son cœur canin battant après tant d'efforts. Mais comment avait-il fait pour s'échapper? Des portes en acier barraient l'accès à la cage d'escalier. Les boutons de l'ascenseur, en retrait, n'étaient guère prévus pour des pattes. Et pour protéger sa collection de disques, Richard verrouillait toujours sa porte. Tout le monde le faisait maintenant. Même les socialistes.

Cette nuit-là, elle attendit vainement le claquement du verrou de Richard, les trois tapes qu'il donnait dans ses mains à son retour pour appeler Claggart, les enchantements dorés du Wurlitzer à travers le mur. Et quand elle se servit de la clé qu'il lui avait confiée pour aller chercher la nourriture du chien, elle trouva l'appartement froid et obscur, un peu inquiétant. Pas celui de quelqu'un dont le retour était imminent. Il devait pourtant y avoir une explication – Richard adorait son chien, il ne l'aurait pas abandonné. C'était, tout illogique qu'elle soit, une certitude qu'elle conserva même après que le corps de Richard eut refait surface une semaine plus tard, gorgé d'eau, décoloré, cognant contre une jetée d'amarrage, à Brooklyn.

Elle l'apprit de la bouche de M. Feratovic, qui l'avait appris, dit-il, de la police. Elle se rappellerait plus tard comment le gardien avait observé sévèrement Claggart qui grondait, accroupi derrière elle. Comment il avait déplacé son cigare d'un coin de sa bouche à l'autre sans se servir de ses mains. Comment il l'avait laissée là, près de la porte dont la poignée était son seul soutien. Le vide sinistre du couloir, ensuite, comme si elle était l'unique astronaute abandonnée dans une station spatiale orbitant autour de la terre. Elle ne pleurerait pas, s'était-elle répété, tandis que de grosses larmes silencieuses ruisselaient sur ses joues ; elle n'accorderait pas ce plaisir à M. Feratovic alors qu'il y avait forcément une erreur. Elle passerait des heures à changer de station de radio, à chercher. Mais elle n'apprit rien, dans un sens comme dans l'autre. Vers minuit, elle n'avait envie que d'une seule chose, lancer la radio par la fenêtre et la regarder voler en éclats, pitoyable supernova, dans la rue noire en dessous. Et puis elle se rappela : elle échouerait sur ce foutu échafaudage.

Une logique implacable voulut que le *Daily News*, ce premier week-end de mai, rapporte la mort de Richard (« il se serait suicidé »). Après cela, la nouvelle se répandit dans l'immeuble telle une contagion. Était-ce vrai ? demandaient les voisins. Vous avez entendu ? Sans exception, ils faisaient silence à l'approche de Jenny. Elle avait envie de les affronter, de les plaquer au sol et de s'asseoir sur eux jusqu'à ce qu'ils avouent ce qu'ils soupçonnaient d'elle et de Richard, qu'ils répètent après elle : « Nous n'étions que des voisins ! » Même au travail, elle sentait une conspiration. Les trombones se perdaient au fond de son sac. Les toiles se perdaient dans l'entrepôt. La lucarne en verre sablé au-dessus d'elle crépitait sous une averse qui tomba pendant des semaines. Le peu de lumière qui la traversait était sale et aqueuse, et elle s'imaginait sans cesse sombrant dans l'eau à son tour, la lumière de la surface s'éloignant peu à peu, sa respiration bloquée dans sa gorge. Comment pouvait-on lâcher prise comme ça ? se demandait-elle. Et puis : Comment avait-il pu laisser son chien ? À moins que sa mort ne fût un accident ? Était-ce pire d'être un idiot ou un lâche ? Non, lâche était pire. Cela signifiait qu'elle serait obligée de le haïr à jamais et de se haïr, parce qu'elle n'avait pu l'arrêter, la nuit où ils s'étaient querellés. Jamais auparavant une disparition suspecte ne lui avait paru préférable à tout. Mais si on lui avait volé son portefeuille… ou s'il s'était, par exemple, fourré dans un triangle amoureux avec la femme d'un assassin du KGB… Elle avait finalement laissé tomber la paranoïa. Les horreurs objectives de la vie sur terre se révélaient bien suffisantes.

Et puis un jour, vers la fin du mois, une tasse de café apparut sur le bureau devant elle – pas une de ces tasses en carton bleu du Deli, mais une petite tasse en porcelaine contenant un espresso préparé dans la machine personnelle de son patron. De la *crema* montait une volute de fumée. Elle n'osa lever les yeux ; cinq secondes plus tôt, se croyant seule, elle marmonnait à mi-voix.

— Si tu veux, je peux la retirer, dit Bruno.

— Non, merci. C'est très aimable.

Il sembla l'interpréter comme une invitation à prendre le fauteuil près du bureau, sa place favorite pour se plaindre des caprices de ses artistes – encore que, pour ce qu'elle en savait, il semblât passer ses journées dans des cafés luxueux.

— Quelque chose te préoccupe, *Liebchen*.

— Ça va.

— Tu devrais dormir davantage.

Il n'aurait rien aimé autant que de régler tous les détails de sa vie, comme un enfant avec une poupée. C'est la transparence de cet instinct que Jenny appréciait, ou la transparence de la transparence ; Bruno savait qu'il vivait par procuration. En fait, ces derniers temps il donnait l'impression d'être inquiet et que quelque chose l'empêchait, *lui*, de dormir.

— J'ai un ami médecin qui pourrait te faire une ordonnance.

— Je dors plus qu'il ne faut, Bruno. Je suis le Wilt Chamberlain du sommeil. Je n'ai pas besoin de pilules.

— Ah. Bon. Alors je te demande pardon...

Voilà qui était nouveau : il proposait, comme s'il lui en coûtait énormément, de respecter son autonomie. C'était une gentillesse qui faillit, de nouveau, faire éclater Jenny en sanglots. Elle avait envie de lui montrer sa gratitude, mais par quoi commencer dans toutes ces complications ? Ses mains se tordaient sur le bureau. Quand elle leva les yeux, Bruno était en train de la regarder de sous son dôme rasé, comme s'il la passait aux rayons X.

— Tu sais, Jenny, quand tu as débuté ici, les hommes se retournaient pour te regarder marcher, comme si tu étais une icône dans un tableau ancien, avec une couronne dorée autour de ta tête. Comme tous leurs congénères, ils auraient été enchantés de te glisser dans leur collection. Mais pas Jenny Nguyen, disais-je. Elle est trop intelligente pour ça. Bien sûr, rien n'est plus attirant que quelqu'un qui a besoin de protection.

— Ouh, là, dit-elle. Je te dois combien, docteur Freud ?

Le visage de Bruno avait repris son expression inquiète, un peu adoucie par la chaleur ou la tristesse. Il prit la tasse et avala l'espresso d'un seul coup. Puis, étrangement (parce que Bruno ne touchait jamais personne), il tapota la main de Jenny.

— Tu vas t'en sortir, c'est tout ce que je voulais dire.

Les yeux de Claggart, humides et bruns et bordés d'améthyste, avaient la capacité de grandir de telle sorte que le reste de son corps semblait pitoyablement petit et sans défense, et projeter l'essence même de la mélancolie – une mélancolie dont seule Jenny pouvait le guérir, c'est ce qu'il aurait dit s'il avait pu parler. Chaque soir, en rentrant, elle le trouvait terré sous la tuyauterie des toilettes. Sa tête plissée, intelligente sous son pelage. Les yeux suppliants se posant sur elle ; sur la porte ; de nouveau sur elle. Elle avait envie de s'écrouler sur le canapé, mais la bonne fée qui avait laissé sortir Claggart cette première fois n'était plus disponible, et Jenny, invariablement, capitulait.

— OK, on y va.

Peut-être l'abnégation lui vaudrait-elle un peu de répit dans son chagrin.

Sept heures était l'heure où dans toute la ville on promenait les chiens, l'heure où des hordes d'individus d'apparence autonome, encore vêtus de divers accoutrements professionnels, se précipitaient hors de leurs immeubles en copropriété remorqués par des laisses raides comme des cordes de skieurs nautiques, à l'autre bout desquelles, tirant comme des moteurs à poils, se trouvaient des épagneuls, des shih tzus, des bichons à poil frisé. Jenny aurait préféré attendre plus tard, et ainsi éviter le menuet consistant à se renifler mutuellement le derrière que dansait Claggart dès qu'il croisait un autre animal, l'enchevêtrement des laisses et la bonne humeur obligatoire, la façon ostensible dont elle devait l'attendre munie d'un sac en plastique tandis qu'il choisissait avec soin un endroit où se soulager, afin que personne ne la prenne pour l'un d'entre *eux*, cette armée négligente de maîtres qui abandonnaient sur tous les trottoirs des monticules de crotte desséchée. Mieux, comme le Portoricain du coin et son horrible chihuahua, attendre jusqu'à minuit, laisser aller le chien à sa guise et en rester là – une affirmation de liberté qu'elle saluait secrètement. Mais elle avait besoin d'aller se coucher le plus tôt possible, parce que, en dépit de ce qu'elle avait dit à Bruno, il avait raison : elle souffrait d'insomnie.

S'endormir ne présentait aucune difficulté ; à un étage au-dessus de l'avenue où le hayon arrière d'un camion de poubelles pouvait être aussi sonore qu'un obus, elle avait pris l'habitude de dormir avec un oreiller sur la tête. Mais quelque chose en elle s'obstinait à la réveiller plusieurs heures avant l'aube. Les draps lui collaient à la peau comme un sac graisseux. Son sang bourdonnait dans sa tête, nuages d'abeilles importunes. Elle aurait pu dire qu'elle faisait des cauchemars, mais elle ne se rappelait pas avoir rêvé. Les somnifères que le Bon Docteur de Bruno lui avait finalement prescrits augmentaient son anxiété. Le plus grand risque, c'était de ne plus pouvoir respirer.

Ce qui pourrait la calmer, pensa-t-elle, ce serait de savoir combien de temps elle devait attendre avant que le ciel s'éclaire dehors, elle fit donc l'acquisition d'un radio-réveil : un modèle bon marché, trapu, évoquant vaguement un crapaud, muni d'un cadran qui devint luisant une fois les piles insérées. Ce qui prouvait bien toute l'ignorance de Jenny en matière d'insomnie. Le cadran lumineux, en fait, l'aida à compter les heures qu'il lui fallait pour se rendormir, tandis que la partie radio la rendit dépendante d'un programme matinal appelé *Gestalt Therapy*. Ayant collaboré à la radio universitaire, elle reconnaissait la forme, ou l'absence de forme, et admirait malgré elle ce collègue qui s'obstinait à se cogner la tête contre le mur des faiblesses humaines. Mais cette reconnaissance ne l'aidait pas à trouver le repos.

Il y avait ensuite la promenade du matin où il fallait slalomer entre les poussettes. Elles apparaissaient par grappes, comme d'un commun accord : de gros bébés blancs allongés comme des satrapes dans des véhicules d'aluminium, de toile et de plastique. Le silence de ces enfants lui donnait froid dans le dos. Et elle détestait les femmes qui les poussaient, leurs souliers à la mode, leurs réserves secrètes d'argent, leurs poitrines gonflées comme des fruits. Les petites-bourgeoises. Les Betty, comme elle les appelait, pour faire plus court. Cette haine, cependant, avait commencé à adopter un caractère moins politique qu'elle ne l'avait espéré. C'était la haine de l'enfant de huit ans, qui voulait être choisi pour jouer au ballon pendant la récréation, sinon en premier, du moins pas en dernier. De toute façon, les Betty ne semblaient pas la voir, elle ou la cité qui se mourait autour d'elles. Dans toute la splendeur du printemps, elles se dirigeaient vers le parc et son herbe un peu crade, par deux ou trois, côte à côte, comme des divinités solaires entonnant des hymnes à la fécondité.

C'est alors que Jenny envisagea l'éventualité de ne pas être chargée d'une mission universelle quelconque, ni de posséder une vision du monde, de ne jamais avoir été différente de – ce qui semblait signifier pour elle « meilleure que » – quiconque. À dix-neuf ans, elle avait construit tout un système de croyances autour du principe que les gens se divisaient en deux groupes, ceux qui luttaient pour un monde meilleur et ceux qui ne voulaient rien d'autre que ce que tout le monde voulait. À présent, il ne semblait y avoir qu'un seul type de personne, passant de la première à la seconde colonne. De fait, elle avait perçu une étrange symétrie entre le récit marxiste du progrès auquel elle voulait toujours souscrire et celui du capitalisme triomphant. À savoir qu'ils semblaient tous deux être des récits fantastiques. Peut-être était-ce son côté plouc qui l'avait amenée à croire à tout autre chose qu'à la volonté aveugle et ontique d'assurer la survivance de ses gènes. Et s'il existait une Main Invisible, ses doigts lui auraient fait signe ; elle n'aurait jamais dû laisser sa laisse s'emmêler avec celle d'un alcoolique d'âge mûr. Mais au moins il y avait Claggart. « Viens, le chien », disait-elle, en l'entraînant doucement loin des racines de l'arbre où il envisageait de déposer son offrande. Ils étaient des parties lésées, l'un comme l'autre, et dans le même bateau quel que soit son nom.

53

LES COULOIRS ÉTEINTS dès la dernière sonnerie; l'éclairage glauque des vitrines de trophées; le crissement des tennis sur le parquet de la salle de sport; les annonces punaisées au panneau de liège soulevées par des vents contraires; les vapeurs d'ammoniaque; l'été comme la vision fugitive d'une cuisse derrière la porte tenue par le concierge... voilà, songeait Keith, ce à quoi on avait droit pour six mille dollars par an. Il lui fallut un moment pour trouver le collège et il ne sut en fait qu'il était au bon endroit qu'en apercevant Regan assise dans un petit fauteuil en plastique tout au bout du couloir. Une jambe, croisée au-dessus de l'autre, se balançait nerveusement. Mais que voulait-elle qu'il fasse? Il avait eu un rendez-vous téléphonique à deux heures et demie avec le bureau du procureur afin d'établir les principes de base d'une audience. Et il ne pouvait pas le lui dire. Elle garda le cou raide quand il se pencha pour lui faire la bise.

— Désolé, dit-il. Circulation. Tu es splendide.

C'était vrai; il ressentait toujours un pincement de jalousie quand il la voyait présider une conférence de presse à la télévision. Elle courait, avait dit Cate. Elle était encore en tenue de travail, ce qui indiquait, peut-être, sa volonté de laisser tomber les affaires urgentes et de courir Uptown pour le bien des enfants. Alors qu'en réalité, elle aurait pu arriver avec une heure de retard, personne n'aurait rien dit dans cette école qui possédait sa Bibliothèque Hamilton-Sweeney. Et si Regan représentait toujours la Vertu, la Ponctualité, que restait-il à Keith, sinon l'irresponsabilité?

Comme il n'y avait qu'un seul fauteuil, il s'appuya contre le mur pour attendre. Visiblement, elle n'avait pas envie de parler, mais tout laissait deviner qu'on l'avait convoqué, deux semaines avant les derniers examens, à cause de Will. Le garçon se montrait très réservé ces derniers temps. Encore qu'il fût difficile d'établir une comparaison. Un jour, au cours des années noires – ce qu'il avait considéré comme des années noires –, Keith était sorti faire des courses en oubliant que Will était dans l'appartement. À son retour, il avait entendu du bruit dans la chambre et, passant la tête par la porte, il avait trouvé son fils assis par terre, totalement absorbé dans quelque mégalopole qu'il était occupé à bâtir avec son jeu de construction. À cet égard, comme en tant d'autres, il tenait de sa mère. Keith pensait aux affinités entre l'effacement et l'affirmation de soi quand une porte s'ouvrit à gauche de Regan.

— Mlle Spence va vous recevoir.

— Pourquoi as-tu attendu ici ? murmura-t-il en suivant Regan dans une salle d'attente élégamment meublée.

Des fauteuils Eames entouraient une table où étaient disposés des jouets austères et vaguement scandinaves. Ils devaient porter des noms en conséquence, des signes diacritiques : Jûnjø. Fërndel. Sur le mur, une toile blanche avec une seule tache de rouge, aussi menstruelle que les jouets étaient suédois. Même la secrétaire était jolie, mais au vu des différentes données, lui faire les doux yeux aurait été une faute.

Elle avait voulu montrer un front uni, dit sa femme.

— Tu es sûre que tu ne voulais pas souligner mon retard ?

Elle n'eut pas le temps de répondre, car on les poussait – de façon métaphorique, bien sûr – dans un cabinet.

La directrice n'était pas celle qu'il attendait... pas du tout la vieille dame corpulente avec laquelle il avait trinqué lors d'une soirée Hamilton-Sweeney longtemps auparavant. Elle incarnait l'indulgence avunculaire et il s'était senti si enthousiaste à l'idée de lui confier son fils qu'il avait, dès le lendemain, versé un don à la caisse de l'école. Mais cet événement, ainsi que le début des années 70, semblait avoir sombré avec son exubérance gâtée, comme une cerise imbibée au fond d'une flûte à champagne, et la femme qui reprenait sa place derrière le bureau était, par contraste, un manche à balai. Une demi-douzaine de lampes sur pied éclairait son bureau, comme si toute lumière directe l'eût réduite en poussière. Et à en croire la plaque sur la porte, elle n'occupait pas le poste de *Directrice*, mais celui de *Principale de l'École*. Chacun – collège et lycée – devait avoir son propre *Sturmbannführer*, sous le commandement suprême de cette charmante grosse douairière dont il regrettait maintenant l'absence.

La transition étant réservée aux intellectuellement ineptes, Miss Spence se tourna vers Keith.

— Je suis sûre que Regan vous l'a dit, commença-t-elle. Je vous ai convoqués tous les deux aujourd'hui pour parler de votre fils.

— Un garçon étonnant, n'est-ce pas, fit Keith. Et vous avez fait des merveilles avec lui. Nous envisageons une année de plus et il sera prêt pour Groton.

— L'un de nous l'envisage, intervint Regan.

C'était devenu un autre sujet de discorde : il avait décidé que le pensionnat serait idéal pour tirer Will hors de lui-même, la camaraderie des débuts de l'âge d'homme, le sentiment d'être aimé et aimable qui ne disparaît jamais. Dans la Nouvelle-Angleterre telle que Keith l'imaginait, c'était toujours l'automne, toujours la saison du football, la lumière rousse sur les Berkshires projetant les longues ombres des poteaux sur des terrains manucurés...

— Ce sont des décisions auxquelles il faut réfléchir, elles sont importantes pour l'avenir de William, dit Mlle Spence.

— Will, corrigea Keith. William est son oncle.

— Mais nous sommes réunis aujourd'hui pour parler du présent.

Elle fit glisser un document sur la table.

— Comme vous le savez, sans doute, ils ont étudié Shakespeare en cours d'anglais. Je voulais regarder avec vous ce récent devoir.

Son ton empreint de neutralité ne déguisait pas le fait qu'elle s'apprêtait à émettre des critiques sur son fils ; la première réaction de Keith fut de le défendre, de le soutenir.

— Il s'agit de quoi, *Hamlet* ? Ça me paraît un peu lourd pour des sixièmes.

— La rigueur est l'une de nos exigences, monsieur Lamplighter. Vous trouverez le même programme à Groton.

Le devoir avait été dactylographié, avec quelques fautes évidentes, sur la vieille Remington qui avait disparu du bureau après le déménagement de Regan (ainsi que tout ce qui faisait que la maison était la maison). Il reconnut le *Z* tordu, le chiffre *1* employé à la place des *l* minuscules à cause de la touche cassée, le fantôme imperceptible du *e* qui hantait chaque é final. **LE HÉROS DE LA PASSIVITÉ**, annonçait le titre. Et au-dessus, au stylo rouge : **me voir**. Regan fit un effort symbolique pour regarder par-dessus son épaule. En demandant quelques minutes pour lire, Keith sentit sa gorge se serrer ; il avait le sentiment très net de se faire piéger.

Outre le fait d'être bien tapé, l'essai était étonnamment bien écrit. Les phrases étaient catégoriques et claires, mais l'argumentation complexe. Selon son fils, *Hamlet* faisait depuis des siècles l'objet d'un malentendu. Son protagoniste n'était la victime d'une «fortune outrageante» que dans la mesure où le public le prenait au mot. Et si, au contraire, Hamlet s'adonnait au soliloque pour nous dissimuler – ainsi qu'à lui-même peut-être – toute la fureur de ses pulsions homicides? Autrement dit, si Hamlet avait obtenu exactement ce qu'il désirait? L'intrigue, loin d'être un méli-mélo de phrases hésitantes, peut s'entendre comme une succession de souhaits exaucés. Et c'était là toute l'étrangeté de la pièce: chaque acte culmine dans une mort que le héros a secrètement désirée. **Par exemple**, écrivait Will:

> `le meurtre du père, qui, selon le résultat de mes recherches, est le plus gros conflit avec lequel Hamlet se débat, résout en réalité un conflit plus grand. Si on examine les éléments textuels fournis par ses sujets et par sa veuve, le vieil Hamlet était un souverain et un mari épouvantables. (Ne nous appesantissons pas sur son échec en tant que père, mais notons le fort sentiment de culpabilité qu'il fait peser sur son fils.)`

Keith sauta quelques passages.

> `Disons qu'Hamlet sait que Polonius se trouve derrière le rideau? l'«accident» fait disparaître un homme qui l'aurait puni pour avoir défloré Ophélie et la pression pour qu'il en fasse une «honnête» femme (c.à.d. une épouse). Dans toute la pièce, il y a une part d'Hamlet qui hait la vénalité naturelle des femmes. Nous le voyons bien quand`

Will avait expérimenté ce genre de commentaires sur les femmes lors de récentes visites dans l'ancien appartement. Presque comme s'il cherchait à voir la réaction de son père. Keith avait mis cela sur le compte des perturbations liées au divorce, d'une façon de s'écarter du bon garçon si semblable à Regan, mais quand il avait entendu Will un jour, au téléphone avec un de ses amis, qualifier sa mère de *salope*, il avait pris son joli et doux menton aristocratique et souligné que, s'il cherchait quelqu'un sur qui passer sa colère, il devait la passer sur *lui*. Sur Keith.

```
Ophélie est l'inverse de Gertrude. Hamlet devient plus
obsédé par elle à mesure qu'elle lui refuse ce qu'il
désire. Quand elle lui aura cédé sa «vertu», il se
lassera d'elle. le suicide d'Ophélie le libère et il
n'a donc plus à éprouver de culpabilité à cause de ses
désirs sexuels. Il serait exagéré de dire qu'Hamlet
la tue, mais avec sa mort tous ses désirs réprimés
se retrouvent -- châtiment, pureté, pardon -- dans un
«conflit» symbolique qui efface tout obstacle réel
auquel il aurait dû faire face. Raison pour laquelle,
peut-être, il suffit de sauter quelques scènes pour
avoir la solution des autres «problèmes». Ou plutôt
pour que l'auteur dramatique les fasse disparaître d'un
coup de baguette magique. En conclusion, si nous pre-
nons le sens original grec du mot «héros» -- l'élu des
dieux -- Hamlet apparaît comme tel, ~~malgré~~ à cause de
sa passivité apparente. Ou dirions-nous que s'il veut
exactement ce qu'il obtient, il doit obtenir exactement
ce qu'il veut?
```

Keith contempla la page, perplexe. Quand il leva la tête, les deux femmes le regardaient comme si c'était lui qui avait écrit l'essai. Il eut un sourire forcé.

— Eh bien, je crois qu'on peut dire sans se tromper qu'il n'a rien plagié.

Le manche à balai demanda s'il ne trouvait pas cela inquiétant. Il scruta son visage, s'efforçant de comprendre le sous-entendu, mais il n'en trouva pas, ce qui lui laissa la liberté de s'emporter :

— Il s'agit d'une argumentation. N'est-ce pas le sens de cet exercice ?

Elle se radossa à son fauteuil :

— Il y a là une attitude envers les femmes que son professeur et moi jugeons nettement préoccupante.

Bizarre qu'elle ait dit cela ; il en tirait plutôt une impression de mépris total à l'égard des hommes. Des hommes égoïstes, désinvoltes, prédateurs.

— Je vous assure que Will n'éprouve que du respect pour les femmes. C'est un garçon, très, très gentil.

— Et intelligent, dit Mlle Spence. Il espérait probablement que vous verriez cet essai.

De mauvais gré, parce qu'il avait l'impression de céder, Keith admit que, oui, c'était possible.

— Quel message cherche-t-il à faire passer ?

— Il me semble que Mlle Spence veut nous dire que nous devons davantage nous préoccuper de son ressenti des événements familiaux, dit Regan.

Par *nous*, elle voulait dire *tu*, à quoi Keith avait envie de répondre : *Eh bien, c'est toi qui as voulu cette séparation.* Mais il avait déjà l'impression qu'ils comparaissaient en sous-vêtements qui laissaient apparaître devant la Principale de l'École leur taille empâtée et la pâleur hivernale de leur peau.

— Je vais lui parler, Regan. Je m'en occupe.

Regan scruta son visage.

— Je te le promets.

Il arrive, disait Mlle Spence, que les adultes aient du mal à se rappeler combien les enfants peuvent être fragiles. Keith détestait la façon dont elle disait « les adultes ». Et aussi la manière dont elle parlait de Will comme d'un enfant. Elle parlait, à dire vrai, comme si lui-même était un enfant. Articulant de façon exagérée, s'accompagnant de gestes de ses mains préhensiles.

— L'année prochaine est une année d'évaluation et en l'absence de continuité entre la maison et l'école pour ce qui concerne l'aide à lui apporter dans cette phase difficile, nous doutons franchement qu'il soit prêt à affronter les rigueurs du lycée.

— Vous plaisantez ? Avez-vous vu son test Stanford-Binet ? Sans compter cette foutue bibliothèque…

— Très bien, interrompit Regan. Cela suffit. Vous avez entendu mon mari. Il va lui parler.

Mlle Spence parut avoir goûté à quelque chose d'amer. C'est exactement ainsi qu'il imaginait son visage se figer, mais il s'agissait peut-être de cette misogynie qu'elle évoquait. Il avait la désagréable impression qu'elle le regardait avec sa vision de professeur à qui rien n'échappe.

Il fut donc reconnaissant à Regan quand il ressortit avec elle quelques minutes plus tard, dans l'air humide et frais du début de juin. Pour qui aurait observé l'entrée de l'établissement, ils seraient apparus comme des parents normaux après une visite normale, excepté que Regan, dont les escarpins noirs frappaient les marches, le précédait légèrement dans l'escalier. Il lui toucha le bras :

— Hé. Merci de m'avoir défendu.

C'est alors seulement qu'il vit le sang lui monter au visage :

— Tu as cru que… Tu m'as fait honte, voilà pourquoi. Franchement, Keith, parfois on dirait que c'est toi, l'adolescent.

— Elle dramatise. C'est un gosse merveilleux.

— Il *a été* un gosse merveilleux. Il y a un genre d'enfants comme ça, les gens les aiment et puis ils arrivent à treize ans et…

— Il ne va pas devenir comme ton frère.

Elle rougit un peu plus. Il tenta de la ramener sur un terrain plus familier.

— Franchement, je me demande vraiment si le pensionnat ne lui ferait pas un bien fou. Ça lui donnerait aussi une chance d'entrer à Harvard…

— Tu crois qu'Harvard est ce dont je me préoccupe pour l'instant ?

— Bien sûr que non. Je disais cela… Visiblement, ce que nous voulons, c'est qu'il soit heureux.

— Eh bien ? Est-ce qu'il te semble heureux ?

À dire vrai, tout le contraire. La semaine dernière, par la fenêtre, Keith avait regardé Will descendre la rue sur son skate-board. Et c'est seulement à cette distance, en dessinant négligemment des ellipses entre les voitures, le vent dans ses cheveux trop longs, qu'il avait semblé se laisser aller. Au pensionnat, il serait libre de ressentir ce qu'il ressentait dans la rue – libéré du spectacle qu'offrait son grand-père, libéré de ces visites déprimantes chez son père, libéré de la présence toxique de Keith lui-même. Il acceptait de se priver de son fils si cela pouvait permettre à Will de rester jeune un peu plus longtemps. Ou bien voulait-il seulement échapper à l'impression que Will, lui aussi, voyait à travers lui ?

— Non, je ne crois pas, dit-il.

— Alors n'essaie pas de me vendre cette idée, s'il te plaît.

— Je ne comprends pas cette intransigeance.

— William est allé au pensionnat. Tu le sais.

Elle semblait sur le point d'ajouter quelque chose, mais étant Regan, elle se retint.

— On pourrait peut-être envisager un camp d'été. Un galop d'essai…

C'était comme s'il ne pouvait pas parler d'autre chose. Pour l'instant, il ne savait pas comment établir une forme de connexion différente.

Mais elle levait le bras, un taxi se dirigeait vers le trottoir où elle se tenait.

— J'ai un rendez-vous.

— Nous pouvons prendre le même taxi.

— Je ne vais pas là où tu vas.

— Tu ne sais pas où je vais.

— Où que ce soit, ce n'est pas là que je vais.

Il la regarda glisser sur la banquette arrière. Dans sa jupe stricte, son cul lui paraissait peut-être un peu plus large que celui de la secrétaire du collège, mais il avait plus de caractère. C'est ce qu'elle avait toujours eu de plus beau, et de toute façon, il était heureux de la voir respirer la santé de nouveau. La séparation lui allait bien. Malheureusement, ce qui lui allait, à elle, ne lui allait pas toujours, à lui. C'était peut-être le problème depuis le départ. Il avait pourtant vu cette expression sur son visage, tout à l'heure ; elle avait beau dire, elle l'avait vraiment défendu. Cela laissait-il entendre qu'elle aussi l'aimait encore ? Et tandis que le taxi se perdait dans un banc de congénères, tandis qu'il regardait s'éloigner une lunette arrière réverbérant le soleil, qui pouvait ou pas être celle de Regan, il fut pris d'une envie soudaine de poser un genou à terre, de baiser le sol, de se signer pour attirer la bonne fortune. Car ce qu'elle voulait, et elle l'avait de toute évidence manifesté, c'est qu'il réagisse à ces sentiments. Qu'il change de vie. Qu'il trouve enfin le moyen de la reconquérir.

54

CE QU'ELLE VOULAIT, EN RÉALITÉ, c'était qu'une porte étanche se referme derrière elle et les sépare de façon nette, de sorte qu'elle puisse être en colère contre Keith sans être en colère contre elle-même. Mais les limites restaient si poreuses qu'il lui suffisait de se retourner et de le regarder rapetisser sur un coin de trottoir pour se sentir chanceler. Extérieurement, bien sûr, elle ne laissait rien paraître ; ces derniers mois lui avaient appris comment affronter les caméras, fournir de prudentes non-réponses devant des forêts de micros. Mais intérieurement, elle était un animal dressé, prête à bondir dans les bras de Keith à la seconde où il lui montrerait de la gentillesse. La seule solution consistait à ériger entre eux un obstacle assez haut pour que ni l'un ni l'autre ne puisse le franchir.

Andrew West était le candidat tout trouvé. Il l'avait aidée au cours des récents « revers » subis à Liberty Heights. (Le Bronx était en flammes depuis la fin des années 60, mais dès que le brasier touchait un de *leurs* projets, on exigeait une déclaration publique.) Et sur la manière de vendre à la presse la négociation avec la justice qui permettrait d'éviter la prison à Papa. Bien après que les derniers occupants du vingt-neuvième étage étaient partis, ils restaient dans son bureau. On entendait l'aspirateur du portier de nuit s'escrimer sur un carré de moquette quelque part. La lumière se répandait sur des piles de brochures et des messages téléphoniques embrochés. Et sur le cou d'Andrew, penché au-dessus du bureau selon le même angle que la lampe d'architecte. Son odeur lui rappelait l'après-rasage de Keith dont un flacon en céramique l'avait suivie dans le nouvel appartement. Au cours des premiers jours après le déménagement, il lui arrivait, en fouillant dans les cartons à la recherche d'autre chose, de toucher le logo en relief en forme de voilier, de soulever le bouchon et d'en respirer la fragrance bleue toute simple. Mais la simplicité de Keith était de celles qui provoquaient des complications pour tout le monde. Sa façon par exemple d'employer l'after-shave pour couvrir l'odeur des cigarettes qu'il avait fumées, elle le savait. Elle fumait elle-même l'année avant qu'il vienne la sauver. Andrew, quant à lui, ne portait que son déodorant Speed Stick, et parfois dans la chaleur de leur petite conspiration, elle s'imaginait respirer sa sueur. Il ne l'avait plus invitée à sortir depuis ce soir-là, elle devait donc prendre les devants. Mais elle ne pouvait s'y résoudre.

Le soir, elle restait dans son lit les yeux ouverts jusqu'au moment où l'obscurité devenait un palimpseste de gris : fauteuil, table de chevet, la petite pile de pièces de théâtre qu'elle avait empruntées à la bibliothèque au mois de mars, déterminée à redevenir la personne cultivée d'autrefois. Que s'était-il passé ? Il y avait eu le mariage. Il y avait eu l'inculpation. La chose avec Will. Le travail et les taxis et les dîners et la vaisselle et toutes ces choses qu'elle appelait de ses vœux mais qui la laissaient comme un tas sur les draps, presque en larmes tant elle était épuisée, mais toujours incapable de dormir. Elle avait ce rêve récurrent, une sorte de porte, en albâtre, aussi haute et épaisse que l'arc de triomphe de Washington Square, mais avec un passage au milieu, si étroit qu'on ne voyait pas à travers. La porte était maintenant ouverte ; elle était censée la franchir. Mais elle ne savait pas ce qui l'attendait de l'autre côté – seulement qu'on ne pouvait pas retrouver ce qu'on avait abandonné pour pouvoir la franchir. Et s'il n'y avait personne là-bas pour l'accueillir ?

Un vendredi après-midi en plein mois de juin, elle était censée avoir une réunion avec les avocats de Papa afin d'examiner les termes d'une présentation d'information révisée. Elle décida d'emmener Andrew avec elle au cabinet Probst & Chervil, dans le Financial District. Elle s'était déjà rendue dans la salle de réunion, et celle-ci disposait de l'espace requis, mais on ne lui avait pas dit qu'Amory Gould, déjà assis dans le fauteuil libre, y assisterait également. Elle fut de nouveau frappée par sa petite taille, en contraste avec la place immense qu'il occupait maintenant dans son esprit.

— Regan, comment ça va au vingt-neuvième ?

Il fallait le connaître depuis longtemps pour saisir la note de défi. Elle demeura imperturbable. Ça allait très bien. Il connaissait Andrew, n'est-ce pas ?

— Il me semble que M. West nous a bien aidés, dit le Frère Démon. Mais je me demande s'il nous accorderait un tête-à-tête. Il y a une donnée nouvelle qui risque d'influer sur ton travail.

— Andrew a le nez plongé dans les livres, Amory. Il peut tout entendre.

L'un des avocats proposa d'apporter un fauteuil.

— Je peux rester debout, dit Andrew.

Si c'était un camouflet, Amory n'en laissa rien paraître. Et elle eut alors la révélation que lui aussi jouait la comédie – qu'il voulait que tout ce qui serait dit se répande comme des rumeurs de bureau.

— Eh bien, je souhaitais que la nouvelle vienne d'abord de la famille. (Il marqua un temps d'arrêt.) Ton père a de nouveau changé d'avis.

— Pardon ?

— À propos du plaidoyer, lâcha un autre avocat. Votre oncle veut dire que nous optons pour un procès.

— Je sais ce qu'il veut dire.

Ses articulations blanchissaient sur les accoudoirs de son fauteuil.

— Mais ce n'est pas ce qui a été discuté.

— Nous le savons tous les deux, reprit Amory, Bill a tendance à oublier. Il tient maintenant à insister sur son innocence. Cela se comprend. Le risque d'exposer les actifs… Et il espère encore revenir diriger la société. Ce qui, tu le sais, est un point d'achoppement pour la justice.

— S'il gagne, on dira simplement qu'il s'est en tiré. Mais s'il ne gagne pas ?

— Tu ne crois tout de même pas qu'il va perdre ? Comme tu l'as dit, rien n'a été prouvé. Et s'il peut diriger la société, c'est qu'il est capable de décider par lui-même. Le procès commencera probablement à la mi-juillet. Notre conseiller ici présent vient de déposer la requête.

De toute évidence, les avocats avaient dit amen en chœur, car tous évitaient son regard.

— C'est impossible.

Amory indiqua le téléphone posé entre eux sur la table, et c'est alors seulement qu'elle remarqua qu'on l'avait placé de sorte qu'il soit tourné vers elle, avant même son arrivée.

— Appelle-le, si tu veux.

Et une fois encore, cette porte se dressa devant elle. D'un côté, il y avait l'ancienne Regan. La nouvelle, sans armes pour lutter, n'allait pas s'abaisser à implorer Amory ou ses Gouldettes.

Tandis que tous prenaient congé et partaient pour le week-end, Andrew et elle furent invités à rester le temps qu'ils voudraient pour préparer la suite. Mais elle sentit, dans la pièce où les portes restaient ouvertes, que chacun pouvait tout savoir d'elle. Andrew prit le fauteuil voisin et ils gardèrent le silence. Quand il lui prit la main, elle la porta à sa joue. Un grand vide s'empara d'elle, un agréable abandon qui prenait feu après de si nombreux mois. Elle avait envie de poser cette main sur sa bouche, de l'embrasser, mais quand il essaya de rapprocher son fauteuil, elle se déroba.

— Mon Dieu, je suis désolé.

Ses joues enflammées manquèrent de nouveau de la faire fondre.

— Je vous en prie, ne dites pas ça. C'est ma faute. Ou pas ma faute… C'est juste le moment, Andrew. Pouvez-vous être patient avec moi, juste encore un peu ?

55

L E RADIO-RÉVEIL, VOILÀ COMMENT ELLE AVAIT SU, le jour où elle avait
entendu les bruits, qu'ils avaient commencé à peu près à six heures
trente du matin : aboiements aigus dans le couloir et à l'extérieur devant les
échafaudages, bruits sourds contre un mur intérieur. Selon toute probabilité,
c'était le gardien qui en était l'instigateur, mais Jenny n'avait plus l'énergie de
décrocher le téléphone pour l'appeler. Alors elle fit la morte sur son canapé-
lit, dont la barre sous le matelas exerçait sa pression subtile sur sa région
lombaire. Elle était trop vieille pour faire de la résistance, avait-elle tranché.
Plus facile de ne rien dire que de dire quelque chose.

Mais peu à peu, dehors, les voix devinrent plus insistantes. Des voix
étrangères, bien sûr, l'Europe de l'Est étant le bassin d'emploi préféré de
M. Feratovic. Ses espoirs de retrouver le sommeil appartenaient maintenant
à l'histoire. Elle emporta son autre radio dans la salle de bains pour écouter
la fin de « Dr » Zig sous la douche. Mais elle avait du mal à se concentrer. Et
même quand la porte cessa de claquer dans le couloir, elle attendit le retour
du bruit, et après avoir rincé le démêlant, fermé l'eau et éteint la radio, elle
posa l'oreille contre le mur de la douche. Tout ce qu'elle entendit fut une
sorte de grondement étouffé, ponctué de clongs et de clings. Elle s'écarta ; le
bruit cessa. Elle écouta de nouveau, et voilà que ça recommençait, le ralenti
d'un immense sous-marin, ce bruit qui appartenait à l'immeuble. Elle aurait
dû s'inquiéter – et dire que ce bruit existait depuis toujours, sans qu'elle le
sache ! – mais c'était mystérieusement réconfortant, comme si différentes

divinités fricotaient à côté. Et puis, derrière le rideau ruisselant et le murmure du bâtiment, lui parvint un crissement de roues dont l'écho se répétait dans le vide de l'appartement contigu. Qu'avaient-ils fait de toutes les affaires de Richard?

Elle enfila un vieux tee-shirt au-dessus de sa culotte et chercha ses huarache, mais ne les trouvant pas, fonça pieds nus dans le couloir. Deux Blancs, pas plus âgés qu'elle, étaient là, sanglés dans leurs ceintures d'haltérophiles, cigarette à la main, maniant des chariots. La table basse de Richard était debout entre eux. Elle exigea de savoir ce qu'ils faisaient. L'un d'eux s'adressa à l'autre en ce qui ressemblait à du russe et sourit en regardant sa poitrine. Elle croisa les bras pour être sûre que ses seins ne pointaient pas sous le tissu et chercha des phrases utiles dans les souvenirs de son époque Brigades rouges, mais tout ce qui lui revint fut *Na zdorovie* et *Komsomol*, et de toute façon qui disait que ces types n'étaient pas polonais? Pour finir, elle se glissa entre eux et entra dans l'appartement du défunt. Quel chagrin de voir les lieux si nus dans cette lumière trop vive. De sentir l'odeur de la térébenthine qu'un grand garçon maigre appliquait sur les plinthes, de la poussière sur la moquette dessinant des formes gaufrées bleu pâle aux endroits où avaient été placés des meubles.

Elle alla mettre un peignoir. En bas, dans le vestibule, M. Feratovic, levé à l'aube, n'avait pas allumé son talkie-walkie. Le col en V de son tee-shirt laissait voir des massifs de poils. Comme il se penchait vers la porte vitrée pour examiner les véhicules au bord du trottoir, une croix minuscule étincela au soleil.

— J'espère que vous n'allez pas jeter tout ça, dit-elle.

Il se retourna comme s'il venait de se rendre compte de sa présence, et puis, dans une indifférence ostensible, il reprit sa position, tourné vers la lumière. À la question de savoir qui utilisait qui, la relation gardien-locataire était ce qu'il y avait de plus étrange de ce côté-ci du lien entre l'homme politique et l'électeur, entre le reporter et son sujet. Son cigare remua:

— Deux mois, mademoiselle Nguyen.

Son habitude de l'appeler par son nom de famille était obséquieuse sinon condescendante. Elle détestait aussi la manière dont il le prononçait, *onguent*.

— Personne ne vient réclamer ces saletés. De toute façon, là où il est, votre ami n'en a pas besoin.

Peut-être voulait-il dire: *dans une urne en Oklahoma*, pensa-t-elle, tandis qu'un homme marchant en crabe passait devant eux et envoyait la table basse s'écraser sur le trottoir comme un grand dirigeable. Mais il semblait plutôt dire : *en enfer.*

— Ces affaires ne vous appartiennent pas. Vous n'avez pas le droit de les jeter.

— C'est pas jeter. C'est comment ça s'appelle... tout ce qui est bien est chez quelqu'un d'autre dès ce soir.

— Ce juke-box est une pièce de musée.

Il haussa les épaules.

— Appelez un musée.

Une fille à la propreté douteuse, en haut de bikini, une sorte de bohémienne voluptueuse, s'était arrêtée pour fouiller dans un carton de disques. Jenny ne pouvait pas se résoudre à rester sans rien faire, c'était comme de regarder un vautour s'attaquer à une charogne – de fait, de vrais oiseaux semblaient observer le butin du haut des escaliers de secours –, alors elle dévala les marches, en peignoir, et attrapa le premier carton venu. Il était plus lourd qu'elle ne le pensait, mais, sans plus se soucier de qui regardait ses jambes nues, elle l'emporta vers l'ascenseur. De toute façon, elle n'aurait pas les moyens de renouveler son bail au mois de septembre.

À la mi-journée, le fouillis du grand appartement de Richard s'était reconstitué dans le sien. Il y avait des piles de livres sur son canapé-lit et des albums par terre dans le placard. Des cartons envahissaient les plans de travail dans la kitchenette. Elle aurait fait de la place pour le Wurlitzer, mais il s'avéra que M. Feratovic l'avait déjà vendu – pour couvrir, dit-il, les trois derniers mois de loyer. Sur le seuil, transpirant dans ses vêtements de travail et en retard de trois heures, elle regarda Claggart courir d'une pile à l'autre, comme s'il cherchait quelque chose. On aurait dit l'appartement d'un fou, pensa-t-elle, d'un frère perdu des Collyer[1]. Cependant, toute cette accumulation constituait une pièce à conviction : Richard avait bel et bien existé. Et qui, dans cette ville, en ce siècle finissant, n'était pas un peu fou ?

Ce soir-là, elle commença à examiner le contenu des cartons. C'étaient des boîtes d'archives, qu'on fermait en entourant une cordelette autour d'un bouton en plastique. Dans la première, elle trouva des enveloppes à fenêtre en papier cristal scellées, un cendrier représentant Richard Nixon, un gratte-dos en plastique et un bloc de roche grise munie d'un trou dans lequel on pouvait passer le petit doigt. Cela comptait-il même comme un objet

---

1. Référence aux frères Collyer, retrouvés morts en 1947 chez eux, à Harlem, entourés de cent quarante tonnes de déchets accumulés de façon obsessionnelle.

personnel ? Les gorilles de M. Feratovic avaient tout simplement réuni tous les objets qui leur étaient tombés sous la main et les avaient fourrés dedans, comme des feuilles dans un sac. Avec les quatre boîtes suivantes, elle se contenta de soulever le couvercle et de plonger le bras à l'intérieur.

À un moment, elle s'aperçut qu'elle avait oublié de dîner. Le soleil masqué était parvenu à descendre à mi-chemin sans traverser aucun espace intermédiaire. La poussière flottait dans les rayons de lumière que laissait passer l'échafaudage et il y avait quelque chose d'étrange dans le fait de penser qu'au moins un peu de cette poussière était Richard, desquamations de peau, bouts d'ongles mordus. Elle était assise par terre devant la dernière boîte. Elle dénoua la cordelette, en se rappelant à peine ce qu'elle cherchait. À l'intérieur, elle tomba sur une masse de cheveux tordus et de chair. Elle détourna la tête, puis, révulsée de dégoût, se rappela qu'il y aurait eu une odeur si la chose un jour avait été vivante. C'était un masque d'Halloween, un loup-garou, retourné à l'envers. Une fille à l'école savait faire ça avec ses paupières, on en voyait l'intérieur rose, blanchâtre et brillant. Jenny dut prendre son courage à deux mains pour sortir le masque, mais en dessous, elle ne trouva qu'une pile de magazines. Elle les ôta de la boîte, déroula un élastique desséché par le temps et qui se cassa avant qu'elle ait pu l'enlever. Une chemise en papier kraft attachée avec les magazines tomba par terre. Elle la replaça avec précaution, entre les numéros d'août 1965 et d'avril 1966. Elle avait quatorze ans alors. Elle avait quinze ans.

C'étaient les archives de Richard, et elle passerait une grande partie de son week-end à les parcourir. Les nécrologies étaient réussies. Des personnalités hautes en couleur – barmans, joueurs de football de ligues mineures, propriétaires de bains turcs – émergeaient de ses phrases sans effort apparent, comme s'il était devenu tour à tour chacun d'eux. Le soir du lundi 11 juillet, il ne restait plus que la chemise – un manuscrit dactylographié dont elle savait déjà que ce n'était ni un testament ni l'expression de ses dernières volontés, mais ce sur quoi il travaillait avant de mourir : Les Artificiers. Elle l'avait gardé pour la fin parce que l'idée de le lire la troublait. Et elle le fut. En apparence, le texte avait un ton plus sec, plus désinvolte que certains de ceux rédigés dans les années 60. Mais, entre les lignes, elle sentait une passion plus intense qui cherchait à faire surface. Après une vingtaine de pages, elle décida qu'il lui fallait se rationner. Elle marqua l'endroit avec des photos qu'il y avait accrochées, posa la chemise en équilibre sur l'accoudoir du canapé-lit, tamisa la lumière et resta un moment allongée dans l'obscurité, plus désorientée que jamais en réfléchissant à ce qui avait pu pousser cet homme à se détruire. Un véritable artiste avait vécu là, sous son nez.

Mais c'était comme si elle avait pu commencer à guérir à la faveur de son art. Elle parvint à dormir toute la nuit cette nuit-là pour la première fois depuis des mois. Et quand le lendemain elle partit à son travail, elle n'oublia pas de fermer la porte. Elle en avait la certitude, dirait-elle plus tard aux flics. Quand elle était sortie, les lumières étaient éteintes, la porte verrouillée et les fenêtres donnant sur l'échafaudage fermées.

56

NICKY AVAIT RAISON : on ne pouvait pas vraiment comprendre le Post-Humanisme tant qu'on n'avait pas vu ces bouteilles enflammées tournoyer dans l'air en sifflant. Mais en ce moment même, Charlie ne savait pas vraiment ce qu'il en pensait. Ou plutôt : il imaginait aisément ce qu'il *devait* ressentir, mais ne savait pas bien ce qu'il *ressentait* réellement. L'ordre, la loi, la propriété étaient des valeurs qu'on lui avait appris à respecter. Comme on était en Amérique, on devait prévoir – voire apprécier – une dose de rébellion, mais il n'avait pas été question pour lui de ne pas finir le lycée, par exemple, pas plus qu'il n'eût été question de déchirer la Constitution et de repartir de zéro ; un jour il serait comptable ou podologue, il aurait des enfants et un prêt immobilier à rembourser. Au lieu de quoi, il vivait dans le grenier d'une cellule révolutionnaire dans l'East Village, avec pour tout bagage un sac de vêtements raidis par la sueur. Et autour du Phalanstère, il y avait eu des changements dans les semaines qui avaient suivi leur raid sur le Bronx. Les étudiants et les groupies punk rock qui venaient traîner là pour fumer la drogue des Post-Humanistes et débattre avec Nicky des subtilités de *Ecce Homo* avaient disparu. Une serrure de haute sécurité fermait maintenant la porte d'entrée, et deux verrous celle du petit garage à l'arrière ; un à l'intérieur quand Solomon Grungy s'y planquait – c'est-à-dire la plupart du temps – et un autre à l'extérieur, quand il était parti.

L'élément constant, c'étaient les oiseaux. Au début de l'été, le toit en accueillait de telles quantités qu'il menaçait de s'effondrer, et Sol leur menait une guerre permanente. Il avait essayé le poison ; il avait essayé d'installer un rang de picots le long de la gouttière cabossée, il avait essayé de les électrocuter ; une fois, c'était avant que les fenêtres à l'arrière du Phalanstère soient à leur tour couvertes de feuilles d'aluminium – Charlie avait été tétanisé en voyant Sol aller et venir en parlant tout seul, armé d'un gros revolver. Plus tard, quand Nicky avait entraîné Sol à l'écart en lui rappelant qu'ils ne pouvaient pas se permettre d'attirer l'attention, il avait entendu Sol marmonner que même les oiseaux conspiraient à foutre la merde.

Sur le moment, Charlie avait mis ça sur le compte d'une consommation de drogue accrue. Le matin, Sol ingurgitait des amphétamines par poignées, et le soir, quand il rentrait après avoir fait Dieu sait quoi dehors, il s'écroulait dans un fauteuil en forme d'antenne parabolique et fumait des quantités colossales d'herbe. Ça faisait du bien, disait-il, à sa main. Il s'était blessé le pouce et l'index gauches peu après Liberty Heights – il s'était brûlé le bout de l'un et avait bien failli perdre l'autre – mais refusait de voir un médecin. Il enlevait alors le gant de conduite en cuir blanc qu'il avait pris l'habitude de porter et Sewer Girl se penchait sur lui en haut de bikini, ses seins lui touchant presque le torse, et massait ses blessures à l'huile de cactus, après quoi, en attendant qu'elle pénètre, elle lui préparait des pipes et les lui portait à la bouche. « Quoi ? », disait-il en voyant Charlie le regarder. Mais son ricanement lui était une sorte de réconfort. Si la paranoïa de Sol exigeait que les portes soient verrouillées, les fenêtres occultées et les profanes bannis et que Charlie pouvait rester là, dans le salon de devant, avec lui et sa copine, n'était-il pas logique d'en conclure que Charlie faisait partie de la famille ?

Oui, comme avec son ancienne famille, sa nouvelle le maintenait en périphérie. Là-bas un sous-sol, ici un grenier, mais tout de même : quiconque l'adoptait semblait peu disposé à oublier qu'il était adopté. Et donc, au bout de deux mois, il restait ces pans obscurs, ces choses que – Charlie le devinait – on ne l'autorisait pas à savoir. Il y avait, par exemple, le fait que Sewer Girl baisait aussi avec Nicky. Plus d'une fois, tandis que Sol était occupé dans la petite maison du fond, Charlie s'était branlé en écoutant ses camarades le faire, sans aucune discrétion, derrière la cloison de bois. (« Je t'aime », répétait-elle, encore et encore, comme en transe, pendant que Nicky, habituellement volubile, se contentait de grogner.)

Et puis, il y avait ce qu'il avait trouvé un jour dans le tiroir où Sol rangeait ses vêtements. Il était à la recherche de pilules, parce qu'il n'en pouvait plus de subir un rationnement, ou d'avoir à en piquer une ou deux à la fois dans les poches de Sewer Girl ou de D. Tremens. Et en effet, Sol était assis sur la veine principale, codéine bleue et 'ludes blanches comme le ciel, chacune dans son bocal. Les pilules luisaient comme des joyaux dans la lumière des ampoules nues, ce jour artificiel qui régnait maintenant dans toute la maison. Mais quand Charlie fouilla dans le fond pour voir s'il y avait du Percodan, il cogna sur quelque chose de dur et de métallique. Le revolver, se dit-il aussitôt, mais ce qu'il découvrit en fait, soigneusement, presque amoureusement enveloppé dans une chaussette de sport, fut un appareil Nikkormat noir. Que faisait Solomon Grungy, justement lui, avec l'appareil de Sam ? Charlie le glissa de nouveau dans son enveloppe, mais prit soin d'abord de rembobiner et de retirer la pellicule.

C'est cette nuit-là que Charlie se mit à espionner activement. Bien après minuit, après s'être lavé les dents et mis en sous-vêtements (il n'avait pas de pyjama), il s'agenouillait sur le sol poussiéreux sur lequel il dormait et, au lieu de réciter ses prières, il se retrouvait l'oreille collée au bois. Peut-être espérait-il entendre de nouveau les lointains bruits de coït (et c'était drôle, en y repensant, qu'il n'ait jamais entendu Sol et Sewer Girl baiser). Mais la plupart du temps, il écoutait sans l'avoir décidé à l'avance. Du moins, c'est ce qu'il se répétait. Il fermait les poings sur son torse, et la minute d'après il se penchait en avant, tel un animal à l'affût, les courants d'air de la trappe qui ouvrait sur le toit lui glaçant les cuisses.

Son attention pénétrait, traversait. Les poils sans couleur qui bordaient ses trompes d'Eustache, le volume d'air prisonnier entre l'oreille et le bois, la surface éraflée du sol, son cœur dur et intraitable, les fins tuyaux, les fils électriques dénudés, les débandades de rats sur les solives. Les yeux fermés, le Prophète Charlie voyait tout, ainsi que les tournoiements et les discontinuités strabiques à l'intérieur de ses paupières, grâce aux pilules. (Avant de se coucher, il avalait toujours deux sédatifs pour calmer l'effet de ce qu'il avait pris pendant la journée.) Il traversait les plafonds en tôle écaillée, le plâtre et l'enduit ; il aurait pu, sans entrave, descendre jusqu'aux charges d'énergie des canalisations et des tunnels du métro. Au lieu de quoi, il s'arrêtait à trois mètres, dans la chambre où dormait Nicky, baigné de *Whipped Cream & Other Delights*. S'il était assez tard, il entendait des murmures, des voix hésitantes, Nicky et Sol oubliant de finir leurs phrases, allumant un joint dont l'essence poivrée remontait jusqu'à l'endroit où Charlie déployait des efforts surhumains pour repousser une crise d'asthme.

La voix de Nicky était basse et insinuante. D. Tremens, lorsqu'il finissait par arriver, lançait des vannes. Mais Sol, pour qui chuchoter était inconcevable, émettait un sifflement, version contractée de sa basse habituelle, et celui-ci filtrait plus aisément à travers les couches de bois, de peinture et d'air. « Est-ce que tu imagines la difficulté pour réunir toutes les pièces avec précision ? », entendit Charlie. Et : « Alors, il y a *intérêt* à ce que tu y penses, D.T. » Et : « Tout le problème, c'est l'échelle. » Charlie crut entendre Nicky dire quelque chose à propos de géométrie, *comme ça et trois zéros*, rien de bien compliqué, mais quoi ? Pouces ? Secondes ? Il comprit soudain pourquoi Mme Kotzwinkle ne lâchait rien sur les chiffres au cours élémentaire. Mais non – il y comprenait que dalle, et maintenant il s'était bavé dessus. Il fallait vraiment qu'il arrête la codéine.

Et puis, peu après le 4 Juillet, il descendit dans le salon et trouva la porte d'entrée ouverte, Sewer Girl et D. Tremens en train de déménager des meubles et de les charger à l'arrière de la camionnette du PPH. Quand Charlie demanda ce qu'ils faisaient, D.T., plié sous le poids de son matelas, lui lança ce regard :

— Tu vas poser des questions, ou tu vas donner un coup de main ?

Charlie saisit donc deux chaises pliantes. *Chacun selon ses moyens*, songea-t-il.

L'esthétique du Phalanstère avait toujours été spartiate, mais là le salon était totalement nu, hormis la stéréo et l'unique lampe que D.T. lui avait dit de laisser. Ils allèrent à la cuisine. Nicky, assis comme un Bouddha sur le petit plan de travail, eut un sourire satisfait en voyant Sewer Girl emporter la table pliante sur laquelle, un jour, on avait servi le thé à Charlie. Sur laquelle, rien que la semaine dernière, étaient apparus dix réveils de voyage identiques pour tout aussitôt disparaître.

— Nicky, dit-il, que se passe-t-il ? Où est-ce qu'ils emportent tout ça ?

— Tout ce qui est inutile, on le jette à Fresh Kills. Tu connais ? Une décharge sur Staten Island, tellement grande qu'elle a son propre écosystème.

Il vida sa bière, jeta la canette dans l'évier.

— L'excédent rendu manifeste. Pour le reste, qui sait ? Amarillo. Winnipeg. Quiconque a besoin d'un réveil, d'un rappel, d'une veille.

Il avait dû mettre la main sur un gros paquet de coke, ça se voyait quand il commençait à jouer avec les mots.

— Tu as l'air perturbé.

— C'est juste que je ne vois pas ce qui a changé.

— Tout change toujours, Charlie. Nous devenons ce que nous sommes. Le masque se coule dans la figure.

— Mais si tu te débarrasses de toutes les chaises, les novices n'auront plus où s'asseoir.

— Il n'y aura plus de novices, pas ici. Vous, Post-Humanistes, avez assez travaillé dans le noir. Le moment est venu pour vous de voir plus grand que New York, d'aller créer d'autres Phalanstères en d'autres lieux.

— Quitter New York ? Et toi ?

— Comme tu le dis, Charlie : je resterai dans la lumière.

C'était vrai, ça ressemblait à quelque chose qu'il pourrait dire, le problème c'est qu'il avait dit une foule de choses. Nicky prit quelque chose sous lui, c'était la bible cornée dont Charlie ne savait plus quand il l'avait consultée pour la dernière fois. Il l'ouvrit :

— « Nous ne servirons pas tes dieux, nous n'adorerons pas la statue d'or que tu as érigée. » Tu as raison, il y a des trucs intéressants là-dedans. À la fin, personne n'en réchappe. Et c'est presque le moment de démolir la statue d'or.

— Je croyais que c'était ce qu'on avait fait à Liberty Heights.

— Vois-tu le chaos dans les rues ? La Phase Un n'était que la répétition. Un pétard, comparée à l'Opération Frère Démon.

Charlie attendit que Nicky tourne la tête, comme s'il avait dévoilé un tuyau par inadvertance, mais ses yeux au contraire le transperçaient. Et ce fut Charlie qui se tourna pour partir, incapable de soutenir la fixité maniaque de ce regard.

— Hé, l'arrêta Nicky en lui donnant le livre. Tu ne veux pas laisser ça traîner ici pour qu'il tombe aux mains de n'importe qui.

Et il y avait cela maintenant, qui l'embrouillait : le doute. Il fut un temps, très court, où peu importait la limite qu'il avait tracée entre initié et exclu, pur et impur, opprimé et oppresseur, grâce à sa petite bible il avait l'assurance d'être du côté des justes. Son double insistant lui avait paru s'adresser à lui seul, comme cette voix dans l'église – comme Nicky maintenant. C'était une proposition alléchante : C'est toi, Charlie, le sujet. Le héros. Mais quand l'effet des pilules se dissipait, une autre voix, la sienne, continuait à déverser un flot de ce que le Dr Altschul appellerait angoisses. Car en dépit de ce qu'avaient de théoriquement sexy l'élection, la révolution urbaine, Charlie commençait à soupçonner que Long Island, d'une certaine façon, avait tout compromis. Il y avait chez lui quelque chose d'irrémédiablement ordinaire.

Car le lendemain – ayant reçu une leçon de choses sur la vanité de l'attachement aux objets matériels –, voilà qu'il se rendait en catimini à la laverie automatique au coin de la rue, pour laver ses biens terrestres avec un carton de lessive acheté au distributeur automatique, parce que la culture occidentale l'avait habitué à détester son odeur naturelle. Il lui faudrait sans doute se débrouiller tout seul si, comme le laissait entendre Nicky, le Phalanstère était voué à disparaître. Le blouson en jean dont il avait coupé les manches et sur lequel il avait peint le signe du PPH était vert de crasse. Ses chaussettes étaient raides et marron en dessous, comme des biscuits laissés trop longtemps au four. Tandis qu'il mettait le jean qu'il ne portait pas sur lui dans la machine, il fouilla dans les poches, comme sa mère le lui avait appris. Outre quelques pièces de monnaie couvertes de peluches, il trouva le rouleau de pellicule couleur qu'il y avait fourré une semaine auparavant puis oublié. Si bien que, passant devant un laboratoire de photo à quelques numéros de là, il entra sur un coup de tête et, avant de changer d'avis, déposa le film pour le faire développer.

Il se sentait terriblement abattu, à présent, en regagnant la 3e Rue Est, mais sans trop savoir pourquoi. Dissimulateur, peut-être. Mais combien de fois Nicky lui avait-il répété qu'une attention excessive à ces états intérieurs constituait un autre symptôme de la maladie humaniste ? L'important, voulait-il croire en tournant au coin, était le monde au-delà de soi, le monde de l'action – et c'est alors qu'il vit l'infirme.

Un instant suffit pour savoir qu'il n'était pas à sa place. Il y avait la chemise, d'abord, un modèle en madras à manches courtes, l'idée du vêtement de loisir chez quelqu'un qui ne connaissait pas le loisir, et le pantalon bleu à plis évoquant les terrains de golf. Le vieux chapeau de paille démodé, et l'épaisse moustache grise en dessous, dans une région aveuglée de soleil. Certes, les moustaches fleurissaient partout dans le Loisaida, mais elles étaient soit bouclées, comme chez les hassidim, soit, dans le cas des hommes hispanophones assis dans leurs fauteuils pliants, d'un somptueux noir de jais. Ce type, en d'autres termes, ressemblait à un touriste, dans un quartier que les touristes fuyaient à toutes jambes. Ou bien, avec ses béquilles, à un évadé de l'une des cliniques médico-psychiatriques du coin. Mais en regardant mieux, Charlie eut l'impression qu'il se cachait derrière le tronc d'un jeune arbre opiniâtre en face du Phalanstère, et – oui – qu'il prenait des notes dans un calepin à rabat.

57

A PRÈS LES SCANDALES de Nixon, on avait cloisonné les diverses autorités policières pour prévenir les abus de pouvoir, mais il existait encore des points de contact par lesquels pouvaient transiter des échanges de bons procédés. Larry Pulaski et un de ses vieux amis de l'académie de police constituaient un de ces points de contact. L'ami – appelons-le « B. » – travaillait à présent pour le bureau du procureur et ils veillaient donc toujours à se parler dans un cadre informel. Ce premier mardi de juillet, par exemple, Pulaski était allé le retrouver au Yankee Stadium. C'était le choix de B. ; la dernière fois, c'était Pulaski qui, étant tombé sur un tuyau concernant un chef de la famille Bonanno, avait appelé en disant : « Allons voir les Jets. » Depuis, B. avait pris du poids, mais quand ils commencèrent la lente ascension de l'interminable rampe, Pulaski lui déclara qu'il avait l'air en pleine forme.

Depuis le poulailler, l'intérieur du stade ressemblait à une moquette, avec des petits points roses et marron à gauche ou à droite, des fils rouges (pour les Indiens), mais principalement bleue Yankee. Tours de batte, hot-dogs et observations passaient. Les matchs avançaient plus lentement en vrai qu'à la radio, surtout quand un score de huit à zéro au troisième jeu laisse peu de doute quant au résultat. Ou quand on attendait que son camarade en vienne aux choses sérieuses. Mais il fallut attendre la pause au septième jeu – de quoi rappeler à Pulaski ses limitations physiques – pour que B. demande, du coin de la bouche, comment allait l'affaire. Pulaski, par réflexe, fit l'imbécile :

Quelle affaire ? Celle qui est dans tous les journaux, gros malin. Dans ce cas, « aller » n'était pas le mot exact, répondit Pulaski.

— Allez, dit B. Tu es peinard. Tout ce que tu as à faire, c'est procéder à une arrestation. Les procureurs, eux, doivent inculper à partir de ton boulot.

L'orgue à vapeur jouait languissamment derrière dix millions d'autres conversations. B. se pencha pour griffonner une adresse au dos d'un talon de billet. Il le donna à Pulaski.

— Le PPH, ça te dit quelque chose ? Un de ces groupuscules, comme l'ASL ou l'OLP.

— Je suppose que P signifie Peuple ? Ou Pouvoir ?

— Autant que je sache, un marginal qui a la folie des grandeurs et un ou deux amis. Mais qui sait ce dont les gens sont capables. Bref… le bureau est occupé par une affaire plus importante, mais en cours d'enquête, quelqu'un est tombé sur cet acronyme, a fouiné un peu. Il n'en est rien sorti d'utile pour nous. Mais à ce qu'on dit, ta victime a passé du temps avec eux.

Comme Pulaski lui lançait un de ces regards, B. essuya la moutarde sur sa bouche et, levant les mains, fit ce geste signifiant : *Je vous jure, Votre Honneur, je ne l'ai pas touchée.*

— Tu crois que la piste est merdique ? Tu as peut-être raison. Jette-le, brûle-le. Je suis une tombe.

— Que veux-tu dire exactement par fouiner ? Et qui est ce « quelqu'un » ?

— Je suis au neuvième échelon, Pulaski. Je ne sais que ce qui filtre.

Pulaski n'avait besoin que d'une seconde pour deviner les non-dits, et B. savait qu'il savait. Quelques gouttes de moutarde tremblaient sous sa moustache.

— D'accord. Et FBI ? Ces initiales te disent quelque chose ?

— En quoi est-ce de leur ressort ? interrogea Pulaski.

— Comme je le dis, ils travaillent sur quelque chose d'autre et ce n'est pas de ça que je suis venu te parler. J'ai juste pensé que tu aurais peut-être vu ça.

B. reprit le talon de billet. Son crayon commença à dessiner deux yeux et une couronne de cheveux hérissés. Ou un nombre. Un tatouage. 👁.

— PPH, tu saisis ?

Autour d'eux, le bruit sembla devenir creux comme s'il disparaissait dans des canettes. Pulaski se sentit exposé. Transparent. Même ici, dans l'ombre derrière le marbre, trente mille personnes pouvaient les voir. Il y avait des caméras partout. Les gens derrière eux semblaient soudain *trop* vrais, avec leurs casquettes flambant neuves et leurs doigts en mousse géants. Et puis B. déchira le petit bout de talon sur lequel il gribouillait, le froissa et le jeta au milieu des coques de cacahuètes.

— Tu ne pourras pas dire que je ne te rends jamais service, connard.

Mais était-ce bien un service, vraiment ? À ce stade, son plan de retraite en cale sèche et le Premier Adjoint sur le dos, Pulaski était sur le point de faire ce que demandait Sherri, aller voir le médecin qui bidouillerait son bilan de santé annuel : un certificat d'invalidité, et qu'on en finisse. C'était lui, et non Sherri, qui avait décidé d'aller dans les Catskills visiter une propriété dès le lendemain.

Sur le ferry du retour, debout à l'arrière, il regardait les lumières de Manhattan se fondre dans le crépuscule. Vue sous cet angle, la ville était si petite. Les gratte-ciel d'Uptown se cachaient derrière les tours de Battery et rétrécissaient au point qu'il pouvait les faire disparaître avec son pouce. Le Jersey qui l'avait vu naître consistait en lotissements de maisons mitoyennes, en rues bordées d'arbres roussis par la chaleur de l'été et le smog. Il avait passé les deux derniers mois à essayer de ne pas penser à Richard Groskoph, mais maintenant c'était impossible. Les souliers éraflés. Les vagues qui battaient en dessous. Il avait eu sa part de suicides. Mais il ne parvenait jamais à saisir pourquoi quiconque avait eu la chance de naître dans ce pays, dans ce siècle, aurait l'idée de désirer autre chose que la quantité de vie à laquelle il pouvait prétendre. Et Richard laissait un enfant ! Trois ans, quelque part en Floride, avait dit le *Times*, preuve qu'on ne connaissait vraiment jamais personne. Certes, au cours de la demi-décennie écoulée, Richard ne lui avait parlé que deux fois et, la dernière fois, il était apparu tellement à cran, parce que le nom de la fille Cicciaro avait filtré. Mais c'était, à coup sûr, un symptôme plutôt qu'une cause. À coup sûr, lui, Larry Pulaski, était très éloigné de ses préoccupations… Quelques nuages mauvais se formaient à l'ouest, menaçant les tours jumelles. Le vent devenait plus fort. Mais la pluie ne venait pas, et la conclusion de sa pensée retomba et tiédit, plaquée sur quelque terminaison nerveuse juste sous sa langue.

Sherri dormait à son arrivée, mais il n'alla pas se coucher, prit des bières dans le réfrigérateur de la salle de jeux et fit les cent pas, ses va-et-vient sans béquilles laissant des traces irrégulières sur la moquette. Mettons que ce soit exact, songea-t-il. Mettons que la fille Cicciaro ait eu des liens avec des agitateurs d'extrême gauche, très bien. Mais le type qui avait retrouvé la victime était un invité d'une des familles les plus riches de la ville, le modèle même de l'establishment. Pulaski ne se laissait pas séduire par les intrigues alambiquées ; le rapprochement qu'il pouvait faire entre ces deux pistes dépassait l'entendement. Mais son travail lui avait aussi appris à se méfier des coïncidences. Qu'à cent mètres du gala du Nouvel An des Hamilton-Sweeney (ainsi que le « Dr » Zig Zigler le répétait infatigablement) elle ait croisé par hasard la route d'un agresseur – il y avait un moment qu'il n'y croyait plus. Et il ne s'agissait manifestement pas d'un tueur en série, selon le *New York Post*. Des reflets sur la porte coulissante lui masquaient ce qu'il y avait de l'autre côté, mais il entendait tinter le carillon. Les craquements dans l'escalier derrière lui.

— Chéri? Comment était le match?

— Oh, bien. Tu sais ce que je pense des Yankees.

— Tes favoris, dit Sherri. Mais que veux-tu.

Elle restait là, en chemise de nuit. Il ne comprit pourquoi que lorsqu'elle dit:

— Nous avons une longue journée demain. Tu ne viens pas te coucher?

À la messe du matin, il se forcerait à s'intéresser à l'homélie, comme il se forcerait ensuite au retour à s'intéresser aux annonces immobilières que Sherri lui lisait à haute voix. Il s'entendait répondre distraitement par mono-syllabes, mais ne se sentait pas plus capable de faire un effort que s'il se regardait lui-même sur un écran en circuit fermé. Sherri attendit le moment où ils traversaient le centre de Port Richmond, en vue des gratte-ciel de New York, pour dire:

— J'imagine que tu veux que je te dépose au ferry?

Son sourire aurait pu paraître narquois et triomphant, mais il la connaissait assez pour savoir qu'elle était furieuse.

— Je dois juste y aller une heure ou deux, chérie. J'aurais dû t'en parler, c'est vrai, mais je serai rentré pour déjeuner, on pourra prendre la route. Promis.

Au terminal des ferrys, il se pencha pour l'embrasser, mais elle tourna la tête et ses lèvres glissèrent sur ses cheveux.

L'adresse sur le morceau de billet froissé le conduisit à l'est de Bowery, dans un quartier de vieux immeubles et de maisons. À l'époque où Pulaski n'était qu'un îlotier, le quartier était déjà difficile, mais au moins il y avait de la vie dans ces rues. Maintenant, pâtés de maisons après pâtés de maisons, il ne poussait plus que des ailantes dont les plantules colonisaient les per-rons. Du haut des fenêtres cassées, les pigeons allaient et venaient occupés par des tâches impénétrables. D'autres fenêtres étaient condamnées par des planches. Le ciel d'été était d'un bleu au-delà du bleu. La bâtisse semblait inhabitée (mais il était devenu difficile de savoir lesquelles, s'il s'en trou-vait, étaient occupées; un cadenas signifiait-il que quelqu'un habitait là, ou le contraire?). Avec peine, il fit le tour du pâté de maisons, mais la vue sur l'arrière de la bâtisse en question était masquée par les autres. Il revint sur ses pas, et frappa à la porte large et dépourvue de vitre, qui à sa grande surprise n'était pas en bois, mais en acier. Quelques croûtes de peinture verte s'y accrochaient telle de la mousse de cimetière. Sa main, posée à plat, n'offrait pas une vision plus réjouissante : des taches couleur café. Il crut sentir une odeur de marijuana, mais bien sûr, tout le Lower East Side sentait la marijuana.

Entrer par effraction était une possibilité. Il tenta de se représenter ses jambes déformées en train de passer à travers la fenêtre d'un sous-sol. D'un côté, il n'avait pas de mandat et, dans l'hypothèse où les Fédéraux surveillaient vraiment les lieux, il risquait de s'attirer de sérieux ennuis s'il vendait la mèche aux occupants. D'un autre côté, quel meilleur moyen d'en finir qu'une faute professionnelle ? Mais Sherri avait peut-être raison. Peut-être ne voulait-il pas en finir.

Il fit le guet à l'autre bout de la rue, à l'ombre d'un arbre solitaire. En se penchant pour noter les plaques d'immatriculation dans son carnet, il eut l'impression d'être observé, mais en regardant vers le coin de l'avenue il ne vit personne. Et puis, pendant un temps très long, aucun mouvement ; la chaleur, aussi impitoyable qu'un bocal à spécimen, donnait l'impression qu'il n'y aurait sans doute jamais plus aucun mouvement. Sans oublier qu'il nageait dans la sueur. Le vague sentiment d'une crise imminente qu'il avait eu sur le ferry hier soir, ou au stade, n'avait jamais vraiment disparu. Il se dit qu'il fallait se calmer.

Il suivit les vieilles rues vers le nord-ouest où il trouverait peut-être une bodega. Et, de fait, il restait un peu de vie par ici. Des jeunes élancés à la peau dorée qui auraient pu être de n'importe où, de Porto Rico ou d'Égypte, traînaient sur les trottoirs de la 3ᵉ Avenue, engagés dans des rixes ou des flirts, à l'aise avec leurs corps. Un garçon éclaboussa la chemise d'une fille avec sa canette d'eau gazeuse. Des inscriptions à la main occultaient les vitrines du Gristedes : *DEMI-POULET 89 CENTS LIMITE QUATRE PAR CLIENT ESQUIMAUX 12 PCES 2 POUR 1 !* Il jeta une pièce de dix cents dans la tasse d'un junkie à l'entrée, en se disant que pour un dollar il aurait pu lui acheter un demi-poulet, mais que le type ne voulait probablement pas d'un demi-poulet. Il savait très bien que l'impression d'être observé n'avait rien à voir avec le FBI, mais plutôt avec sa conscience qui n'offrait plus le visage de Dieu, mais celui de Sherri.

À Astor Place, le plan des rues s'ouvrait sur des perspectives vers le nord et le sud-ouest. Là aussi, des mômes, mais plus âgés et moins innocents, coiffés à l'iroquoise et transpercés d'épingles de sûreté, avec cet air efflanqué de chiens errants. Certains avaient d'ailleurs des chiens perdus. C'était, pensait parfois Pulaski, comme si les années 60 avaient renversé le pays tout entier pour le secouer comme une boîte de céréales jusqu'à ce que tous les flocons tombent sur l'East Village. Il avait envie de leur demander : Pourquoi continuez-vous à venir ici ? Ne voyez-vous pas que cette ville est à l'agonie ? – mais peut-être, au fond, leur enviait-il leur liberté. Et bien sûr, Samantha Cicciaro avait été l'une des leurs, ainsi que le prouvaient les photos classées au 1, Police Plaza. Autour de lui, des hommes en imprimés africains vendaient de l'encens et des lunettes de soleil sur de longues tables pliantes. Drogues et argent changeaient de main ouvertement. Il aurait pu être invisible. À un Deli, il acheta une bière glacée et la laissa dans un sac en papier. Il se surprenait un peu, mais pourquoi pas ? C'était ça, la liberté. Il n'y avait plus vraiment de loi, ici.

Il ne pouvait ni s'asseoir au bord du trottoir ni sur les bouches d'incendie – sa colonne vertébrale le lui interdisait – mais devant l'église St Mark's-in-the-Bowery il y avait des bancs et quelques grands arbres vénérables qui avaient résisté aux siècles. Il y avait aussi un cimetière minuscule, l'un des rares sur l'île, et, sans trop savoir pourquoi, il trouvait les cimetières réconfortants. Une ville destinée à nous abriter, tous. Il s'assit un moment en buvant une mousse tiède. À chaque gorgée, le monde tournait d'un degré, ou d'une seconde. Il avait vraiment cru, manifestement, qu'en ce jour de détresse Dieu Tout-Puissant descendrait jusqu'ici lui révéler ce qui était arrivé là-bas, à la fille Cicciaro, mais peut-être lui faudrait-il se contenter de cela : un souvenir de sa dernière année de lycée, le jour où son père l'avait emmené en voiture de Passaic voir la parade du Jour de la Victoire sur le Japon. Après, au frais dans un bar qui sentait la levure et au sol couvert de sciure, Papa lui avait offert sa toute première mousse : « Ne le dis pas à ta mère. » Ensuite, ils étaient allés récupérer la voiture. En passant exactement derrière l'endroit où il était à présent assis, à moins de dix mètres, son moi de dix-huit ans avait ressenti un bonheur resté sans égal tout le reste de sa vie. L'été à New York, les nuages au-dessus de la tête prenant une teinte cuivrée, un Noir et sa trompette qui jouait pour quelques sous près de la bouche de métro, les autobus qui chaloupaient et se reflétaient dans les façades des gratte-ciel, comme si Dieu l'avait appelé personnellement au téléphone pour lui dire : *C'est ta ville.* Il avait toujours cru que c'était ce sentiment qui l'avait amené jusqu'ici. Mais si le temps fonctionnait en sens inverse ? Si ce que ressentait alors ce moi adolescent était le fantôme de son moi présent, assis sur un banc affaissé, qui lui présentait son avenir ? Il croisa les mains et se toucha le front. Il sentait presque le regard de son père posé sur lui, noyé d'alcool. Mais quand il se tourna pour chercher ces yeux, il ne vit aucun fantôme. C'était un adolescent aux cheveux roux terriblement mal coupés, qui le fixait à travers les barreaux en fer forgé.

C'était la manière intentionnelle dont le garçon regarda ailleurs et s'éloigna dans la rue qui fit comprendre à Pulaski que celui-ci l'observait. Il saisit ses béquilles, mais le garçon avait déjà parcouru un demi-pâté de maisons. Comme Pulaski se lançait derrière lui en boitant, il jeta un coup d'œil en arrière et se mit à courir. Trop diminué pour le poursuivre, Pulaski le poursuivit quand même. La tête rousse se rapprochait, et bien que le garçon filât presque au pas de course, il voyait un dessin. Pulaski traversa sans attendre le signal, sans doute avec la même expression que les fous qui hantaient cet endroit. S'il n'avait pas eu les mains occupées par les poignées de caoutchouc, il aurait pu l'atteindre, il aurait pu saisir…

Mais soudain le ciel se renversa derrière lui, il perdit pied, vaincu par l'extrémité d'une béquille coincée dans une grille d'égout. Choc brutal de l'asphalte contre un côté de son crâne. Crissements de pneus. Klaxons. Un cercle de visages apparut au-dessus de lui, l'examinant avec inquiétude. « Juste ciel, monsieur. » « Est-ce que tout va bien ? » Quelqu'un proposa de lui apporter de l'eau.

— Je… Ça va, dit-il.

Mais se relever lui parut au-dessus de ses forces, il devinait que des points de suture l'attendaient et qu'il lui faudrait appeler Sherri pour qu'elle vienne le chercher dans son véhicule de police. Il se voyait déjà sur le siège passager de la Fury, avec un hématome qui allait faire très mal, emmené loin de ce garçon mystérieux et de ce moment où le monde et l'affaire – qui maintenant ne faisaient pratiquement plus qu'un – n'avaient jamais été aussi près de s'éclairer.

58

COMME LA VITESSE APPROCHE DE L'INFINI, le temps et l'espace commencent à se fausser et ce qui auparavant semblait connaissable présente une profonde étrangeté. Ce qui peut expliquer pourquoi les stores et les façades devant lesquels Charlie passe en courant paraissent à ce point inconnus et pourquoi les pâtés de maisons sont beaucoup plus longs que d'habitude. Où pouvait-il bien être? Cinquième Rue Est? Sixième Rue Est? Les plaques de rues avaient été toutes repeintes ou volées. Même l'instinct derrière sa fuite – le quartier allait l'engloutir, il allait disparaître dans le flot des autochtones – se révèle une idée erronée. Des vieilles en robe de chambre regardent, ahuries, le jeune Blanc courir comme un dératé devant leurs perrons, mais au moins elles n'appellent pas les flics.

Mais peut-être qu'elles n'ont pas besoin d'appeler les flics. Le petit invalide là-bas, au feu, en était un, manifestement; Charlie l'avait deviné en voyant son visage de flic, juste avant de reprendre ses jambes à son cou. Devait-il éprouver du remords parce qu'il ne lui avait pas tendu la main? D'autres gens s'étaient arrêtés pour lui venir en aide. Mais c'était de l'accommodationisme libéral, non? Et qui dit que les béquilles du mec n'étaient pas des accessoires? Il l'avait suivi en partie par curiosité. Et si en outre il pouvait prouver qu'il avait vraiment appris quelques ficelles au cours de ses filatures, le PPH verrait que la confiance qu'ils plaçaient en Charlie était méritée. Qu'il était pleinement Post-Humain, après tout.

La surveillance n'avait rien de facile. Le parcours de l'invalide avait procédé par à-coups – un arrêt prolongé à Cooper Square, pendant que Charlie, accroupi derrière une voiture à l'arrêt, faisait semblant de lacer sa chaussure –, puis dans un Deli pour emporter un sac en papier. Ensuite, ils étaient revenus en arrière, semblait-il, vers cette église sur la 2ᵉ Avenue, celle où Sam prétendait avoir vu Patti Smith lire « Piss Factory ». Pas question pour Charlie de le suivre à l'intérieur du cimetière sans se trahir. L'homme s'était affalé sur le banc, prostré, presque comme David Weisbarger après une dure journée de travail. Charlie avait essayé de ne pas se laisser prendre à ce jeu destiné à lui faire baisser la garde, mais ça avait dû marcher, car dans la seconde où le type s'était retourné et où leurs regards s'étaient croisés de part et d'autre des barreaux, Charlie n'avait plus pensé qu'à une seule chose, fuir à toutes jambes.

Maintenant, les sirènes qu'il se préparait à entendre ne s'étant pas déclenchées, il ralentit et marche. Une ampoule s'est formée au talon gauche de son pied sans chaussette. Ce pâté de maisons est un mystère, mais au bout, les pigeons volent en cercles, captent la lumière, aveugles ou indifférents à son manque de repères. Leur ordre est l'ordre des feuilles fouettées par le vent d'une hélice. Ou des enfants, à la fête foraine, résolus à rester dans le Tilt-a-Whirl jusqu'à ce qu'ils aient épuisé leur argent. Ou de quelque chose d'autre dont le cerveau déchiré de Charlie ne parvient pas à se souvenir. Il se répète qu'ils n'ont aucun message pour lui, il se trouve qu'il a levé les yeux juste au plus fort de leur agitation, mais ils tournent et tournent, insistants et convulsifs, et c'est alors qu'il reconnaît les arbres en dessous, Tompkins Square Park. Il en a fait le tour et il arrive de la rivière. Il se retourne pour s'assurer qu'on ne le suit pas et se sert du parc pour s'orienter vers… vers quoi, au juste ? La maison, ce serait exagéré.

Le petit garage derrière n'est pas fermé à clé et il pénètre aussi loin qu'il en a le courage s'il ne veut pas se faire engueuler. Un ventilateur bourdonne de l'autre côté du mur de séparation en parpaing et, quand il s'éclaircit la gorge bruyamment, deux silhouettes apparaissent derrière, avec des lunettes de protection. Elles le regardent à travers le verre de sécurité, astronautes devant une forme de vie extraterrestre. Puis Sol se sert de sa main valide pour remonter les lunettes au-dessus de ce qui aurait dû être des sourcils. Il a le regard défoncé, fou. Le gant de conduite sur sa main brûlée, trempée tous les soirs dans le désinfectant, luit comme un accessoire de mode futuriste. Sinon, il semble très malade.

— Tu nous as foutu une de ces peurs.

— C'était ouvert, dit Charlie, sans conviction.

— On a cru que c'était le COINTELPRO[1], ou ce genre de merde.

— Je ne sais même pas ce que ça veut dire. Mais, écoutez, j'ai vu quelqu'un devant, en train de surveiller. Je l'ai suivi.

À ces mots, les lunettes de Nicky remontent à leur tour. Charlie pose les mains sur les genoux pour reprendre son souffle. Cette odeur. Une fraise de dentiste.

— C'était peut-être il y a une heure, je venais de sortir… euh, acheter un muffin, et j'ai vu ce petit infirme à moustache en train de regarder la maison sur le trottoir d'en face, comme en faction, c'est vrai, je le jure. Alors je l'ai suivi.

— Et?

Le visage de Nicky est couvert de sueur et n'a plus son sourire ébréché. C'est à ce moment-là que Charlie sait qu'il ne va pas leur raconter comment les choses se sont réellement passées.

— Il a été malin, il m'a semé.

— C'était peut-être le reporter, dit Solomon à Nicky qui devient livide l'espace d'un instant.

— Manifestement, ce ne pouvait pas être le reporter, Sol. Tu ne lis pas les journaux?

Encore une chose que Charlie ne va pas faire: il ne va plus les supplier de s'expliquer.

— J'ai cru que si je voyais quelque chose, je devais…

— Tu as bien fait, dit Nicky, de nous confier tes craintes, et je vais bien réfléchir à tout ça, promis. Seulement, on est un peu à un moment critique, là, Prophète. Tu permets?

Sol a déjà replacé ses lunettes pour se remettre au travail, et après avoir lancé à Charlie un regard plein de sous-entendus, Nicky le suit derrière le rempart ou la muraille. Le ventilateur, encastré dans une fenêtre, fait papilloter la lumière comme une lanterne magique. Et malgré cela, Charlie semble condamné à trébucher dans le noir, en serrant des morceaux d'un puzzle toujours invisible.

Cette nuit-là, quand il revient avec ses vêtements secs – il les avait laissés des heures dans la machine à pièces de la laverie avant d'y repenser, mais ils étaient apparemment trop répugnants pour qu'on ait envie de les voler –, c'est redevenu comme avant. Les portes, façon de parler, sont grandes ouvertes, et sur le sol du salon dénudé, les étudiants mangent des pizzas caoutchouteuses à même les boîtes. À présent, ils reconnaissent Charlie

---

1. Counter Intelligence Program, «Programme de contre-espionnage».

comme l'un des élus, et le saluent de la tête tandis qu'il se fraie un chemin avec son sac de linge. D'abord, il croit que les Post-Humanistes font une fête à l'intention de qui les surveille. Une diversion et un alibi : rien à voir, monsieur l'agent ; juste des mômes qui s'amusent. Mais de la cuisine lui parvient l'odeur des brownies à l'herbe que prépare Sewer Girl et qu'on ne sert pas quand on pense que les flics sont dans le coin. Il a déjà goûté à ces brownies, mais cette fois elle les a faits spécialement pour lui, en pensant à son asthme.

— Mais on fête quoi ? demande-t-il, la bouche pleine de chocolat au goût âcre. C'est l'anniversaire de quelqu'un ?

Elle lui saisit les épaules et le fait tourner vers la porte qu'il vient de franchir. Au-dessus, à la bombe, on a peint *Two Sevens Clash !* accompagné d'une série répétitive de symboles ailés du PPH. Bien sûr, se dit-il. 7 juillet. 7/7/77.

— C'est notre baroud d'honneur, dit-elle tandis qu'il prend un autre brownie en espérant qu'il comblera le trou qui s'ouvre dans son estomac. Maintenant que la question du timing est réglée. En fait, Nicky dit qu'organiser un autre rassemblement peut encore nécessiter une semaine. Ce soir, ç'aurait été parfaitement synchrone, mais, tu sais… *laissez les bons temps rouler**.

Dans le salon, des jarres de vin vertes, pansues, passent en cercle de mains en mains, et Charlie, déjà défoncé et en quête d'un autre refuge, en boit deux fois sa part. Nul ne semble remarquer quand il en fait couler sur son menton. Charlie lui-même le remarque à peine. Ce tee-shirt, qu'il porte pour le quatrième jour d'affilée, sent la charcuterie rance ou le steak bleui en surface, de telle sorte que la tache n'est au mieux qu'un lointain souci. Comme la conversation. Ils sont dix ou douze, surtout des garçons, trois fois plus que ceux qui constituent le Post-Humanisme et sur la stéréo – tout ce qui reste dans la pièce – un reggae se lamente. Les mots prononcés par-dessus se désintègrent en un poème symphonique.

Je sais que Hegel dit quelque part…

… veut voir mes papiers, je lui fais, connard, j'essaie d'avoir des papiers…

… le con, il était trop pété pour jouer…

… manque un morceau de…

… dessine-le au pochoir sur le…

… pour quoi faire des papiers ? Personne ne les demande, de toute façon.

Anormalement silencieux, Nicky est assis dans un coin et lèche de l'huile de pizza sur son petit doigt, il est le seul à avoir assez de distance pour comprendre ce que tout le monde dit. *Je le vois de mes yeux*, profère le chanteur de l'album qu'il aime tant, *C'est un système qui divise*. Un instant, Charlie est convaincu que Nicky a *tout* orchestré, les a tous placés dans des compartiments séparés. Et l'espace d'une fraction de seconde il se demande s'il est disposé à recevoir l'attention bienveillante de Nicky. (Et si cela constituerait vraiment la liberté. (Et quelle différence entre ça et la libération ? (Et la vraie liberté est-elle seulement possible ? (Et toutes sortes de trucs dans ce genre, l'herbe a de nouveau bousillé le temps et ses pensées sont des boules de billard au ralenti.)))) Mais Nicky le surprend à baisser les yeux, il attrape une jarre, boit une longue gorgée et dit à D. Tremens :

— Baisse la musique. On oublie quelque chose.

— Quoi ? ne peut s'empêcher de demander Charlie.

— Eh bien, si c'est là notre Cène, ne faut-il pas que quelqu'un la bénisse ? Ou alors à quoi bon avoir étudié ta bible ? Invoque pour nous, Prophète.

La requête le prend au dépourvu, comme une interrogation surprise. Comme si on le poussait dans la lumière sur la corde raide au-dessus d'une foule ignorant qu'il était funambule. Il ne sait même pas ce que Nicky veut dire par « invoquer ». Il veut une confession ? Une renonciation ? Ou plus probablement un pillage en sa faveur de la langue d'un autre ? Serait-ce tricher de simplement lire quelque chose à voix haute ? Inutile ; il a caché la bible dans sa pile de linge sale au grenier, avec l'appareil qu'il a finalement décidé de ne pas rendre à Sol. Charlie se lève, il voit qu'il est le deuxième plus grand dans la salle. Pour dissimuler sa gêne, il baisse la tête, regarde ses pieds. Il pense d'abord décliner l'invitation – et c'est peut-être ce qu'on le pousse à faire – mais il semble également probable que reculer serait le meilleur moyen d'être recalé. Un fragment de l'Écriture, lu et relu après les coups de feu, papillonne dans son crâne : *L'Éternel, ton Dieu, est au milieu de toi, comme un héros qui sauve.* Il y a cette tonalité militante qui plaît à Nicky ; même D. Tremens appréciera. Et quelle était la suite ? *Il est venu pour abolir. Et vous les Éthiopiens aussi* – Non, pas vraiment pertinent, reggae ou pas reggae. Quoi d'autre, quoi d'autre. Euh… les troupeaux se coucheront et le pélican chantera à la fenêtre pour euh… Non, attends. Voilà. *Malheur.*

— Malheur à la ville rebelle et souillée ! s'entend-il réciter à la salle maintenant silencieuse. À la ville pleine d'oppresseurs.

Et comme nul ne réagit, d'autres versets mystérieusement lui reviennent :

— La Ville qui s'assied avec assurance, et qui dit en son cœur : *Moi, et rien que moi !* Eh quoi ! elle est en ruine ! Mais n'aie pas peur !

N'aie pas peur ! Oui ! Ils disent toujours ça, c'est essentiel. Mais comment éviter le truc embarrassant avec Hashem ? Bon, et ça ?

— En cette fête solennelle il y aura des transports d'allégresse, dit-il.

Ta demeure ne sera pas détruite, tous les châtiments dont je t'ai menacée n'arriveront pas. J'agirai contre tous tes oppresseurs ; je délivrerai les boiteux et je recueillerai ceux qui ont été chassés, je ferai d'eux un sujet de louange et de gloire dans tous les pays où ils sont en opprobre. En ce temps-là, je vous ramènerai.

Au début, quand il lève la tête, le silence est seulement plus profond. Et puis Nicky commence à applaudir, lentement – « Génial, Prophète » – et puis Sewer Girl et deux autres venus de l'extérieur, et même le fiévreux Sol Grungy, on dirait, avec son membre blessé. « Pro-phète ! Pro-phète ! », chantent les novices. Une vague de bruit, nul ne devinerait qu'ils rigolent si on ne voyait pas leurs visages. Mais à l'intérieur, Charlie recommence à se sentir chanceler. Menacé, en quelque sorte, par ses ouailles. C'est peut-être la drogue, mais il ne cherchait pas à être ironique, c'était censé sanctifier ce qu'ils faisaient. Il s'excuse, monte avaler une pilule et se couche.

Plus tard, Sewer Girl apparaîtra seule en haut de l'escalier du grenier. Elle a déjà enlevé son haut de bikini, ce qui donne à Charlie l'impression de rêver. Dans la lumière de la lune qui se déverse de la lucarne, ses seins ressemblent à de doux ballons bleus. Les mamelons sont plus grands qu'il ne les imaginait. Même son nombril est une invitation au sexe – il est renfoncé, une ellipse ombreuse. Sans lui laisser le temps de lui demander ce qu'elle fait ici, elle a traversé la pièce et s'empare de sa ceinture. Il redoute qu'en le voyant déshabillé elle ne veuille pas. Mais elle a déjà roulé son jean sur ses chevilles et, d'une main, elle fouille son slip, l'air de rien, comme si elle l'avait plongée dans un bocal pour attraper un poisson rouge. De son autre main, elle prend les mains de Charlie, les pose sur ses seins et envoie sa chevelure sur le côté, et puis sa bouche s'empare de la sienne et ils tombent en arrière sur le matelas.

Combien de fois, de quelles manières innombrables, avait-il imaginé ce moment ? Mais quelque chose cloche.

— Attends, dit-il, en respirant difficilement, et il cherche son inhalateur au milieu des vêtements.

Aspire un grand coup.

S.G. le regarde avec une expression qu'il ne comprend pas vraiment, le souffle parfaitement régulier.

— Qu'est-ce qu'il y a ?

— Je ne peux pas.

— Pourquoi? Je ne te plais pas, Charlie?

— Bien sûr que tu me plais. Mais…

Il se rassied à présent, il scrute l'obscurité, la couverture de son matelas moisi couvre la partie inférieure de son corps exposé.

— Mais c'est la loyauté, tu vois?

Elle le fixe une minute. Puis elle se met à rire.

— Oh, Charlie c'est à cause de Sol et moi?

— Je croyais que tu étais avec Nicky maintenant.

— Qui m'a envoyée, d'après toi?

— Nicky t'a *envoyée*? Génial. Je croyais que *moi* je *te* plaisais.

— Non, je me suis mal exprimée. (Sa voix devient plus douce.) Écoute, ce truc que tu as dit tout à l'heure, Charlie, le reproche et l'opprobre… tu avais raison. Je sentais la vibration pendant que tu parlais. Comme quelque chose qui se soulève. Je voulais trouver un moyen de te remercier et Nicky a dit que ça serait cool. Il espère, dit-il, que tu as pris conscience de ta force.

Elle lui passe les doigts dans les cheveux comme une mère, et il se sent regimber, irrité.

— Et Sol? Ton petit ami? Il est au courant?

— Et Sam, elle est au courant? Ou bien n'est-elle plus ta seule et unique?

— D'après toi, je suis loyal envers qui?

— Charlie…

Elle glisse la main sous la couverture et sur son entrejambe, mais il roule sur le flanc face au mur, il brûle comme une fournaise dans la nuit. Sewer Girl s'étend derrière lui, sans le toucher, et restera ainsi longtemps. Elle n'est pas entièrement mauvaise. Son nom d'esclave, lui avait-elle révélé un jour, était Jain, avec un *i*. Mais au matin, elle aura disparu, comme tout le monde le fait toujours, ce qui laisse entendre que le doute ne le tourmente pas tant que sa perspicacité.

Cependant, sa résolution n'était pas aussi ferme, car, au bout d'une semaine sans que rien d'autre se produise, il est, et n'est pas, déçu, tout à la fois. Il se sent de nouveau livré à lui-même. Le 12 juillet, les pellicules de Sam sont censées être prêtes et ce matin-là il se rend au labo de photo. En échange de ses derniers dollars terrestres et de quelques pièces de monnaie, on lui remet une enveloppe en carton de couleur rouge contenant des tirages uniques, huit centimètres sur treize, les moins chers. Pourtant, il ne se résout pas à l'ouvrir. Si ce sont des photos de Sam, elles sont tout ce qui lui reste d'elle, et dès qu'il les aura vues, consommées, elle aura disparu pour de bon.

Il regagne le Phalanstère où Nicky l'attend. Il y a un dernier boulot à faire, dit-il, il faut être deux; il veut savoir si Charlie se sent à la hauteur. Charlie glisse l'enveloppe de photos dans une poche, en priant pour que Nicky ne pose pas de questions et, à moitié coupable, dit : *Pourquoi est-ce que je ne me sentirais pas à la hauteur?* Quels dégâts peuvent provoquer deux personnes, après tout?

Peu après, ils foncent Uptown, vitres baissées et radio à plein volume; le compartiment arrière est vide, et on entend des klongs chaque fois qu'ils roulent sur un de ces féroces nids-de-poule de la 6ᵉ Avenue; une enveloppe standard glisse d'un côté et de l'autre du tableau de bord. Il est de nouveau installé sur le siège passager, pour la première fois depuis des mois. Pas de Sol, pas de D. Tremens; rien que lui, Charlie Weisbarger. Ou *McCoy*, si l'on se fie au nom inscrit sur son uniforme. Peut-être, pense-t-il, est-ce le bon moment pour interroger Nicky sur l'Opération Frère Démon. Mais quand il commence, Nicky touche l'enveloppe et sourit :

— On va poster l'invitation en rentrant.

Ils manquent d'un cheveu le parcmètre devant lequel ils se garent. Charlie glisse une pièce de cinq cents et Nicky consulte la montre de plongée qu'il lui arrive de porter depuis que la camionnette n'a plus d'horloge. Il tend ensuite à Charlie un sac à dos de surplus militaire qui semble rempli de courses.

— Il y a quoi dedans?

— On est bien curieux aujourd'hui, hein, Charles?

De son sac à dos, Nicky sort une autre combinaison et l'enfile par-dessus son jean. Nul ne lui accorde la moindre attention. Quelqu'un a gratté *PUSSYWAGON* sur le flanc de la camionnette qui, Charlie peut le voir, ressemble de nouveau à celle d'un laveur de carreaux, et maintenant Nicky porte l'uniforme adéquat, mais c'est celui de Sol et il est trop grand de plusieurs tailles. *Greenberg* est brodé sur la poche. Une minute. *Sol*, juif? Mais demander serait donner raison à Nicky.

Il suit Nicky dans la 23ᵉ Rue, une voie large très embouteillée. Entre le premier et le deuxième étage, l'énorme immeuble au coin est entouré d'un échafaudage, une passerelle en contreplaqué avec des barrières à mi-corps. Il y a ça sur la moitié des immeubles de la ville, et pourtant on a toujours l'impression que rien n'avance. En dessous, l'ombre est fraîche.

— Toi d'abord, dit Nicky en indiquant les barres métalliques.

Quelque chose qui va à l'encontre du scénario incognito; il est rare de voir des ouvriers en train de travailler. Mais, de toute évidence, Charlie aurait pu crier à l'assassin sans que personne se donne la peine de réagir.

Il se retrouve coincé à un mètre cinquante du sol, accroché aux entretoises en X. C'est à peu près la hauteur à laquelle il peut grimper avant d'avoir le vertige. Nicky, inquiet, surveille les alentours.

— Vas-y, siffle-t-il. Soulève-toi.

Charlie remonte, remonte et parvient à agripper le bord du contreplaqué. Très probablement, ses bras vont lâcher, ces petits bras de poulet qui signaient sa perte quand il fallait grimper à la corde au cours de gym. Mais, à un moment donné, la peur de se faire attraper domine son vertige et peut-être provoque une montée d'adrénaline, car le voilà qui se hisse au-dessus du bord et retombe sur la passerelle, un étage au-dessus du trottoir, hors de vue.

Quelques secondes et Nicky est à côté de lui, sur le dos. Ils regardent le ciel bleu en surchauffe émaillé de cumulus. Il semble que ce soit le bâtiment et non les nuages qui bougent, il vacille, il va tomber. Nicky lui dit alors de se redresser un peu pour ne pas écraser le sac à dos. Il en sort un fin ruban de métal. Charlie le regarde introduire la lamelle argentée entre les châssis de la fenêtre la plus proche. Le sens d'un mot qui lui était toujours resté obscur lui vient d'un coup : monte-en-l'air. Il a cette agilité. Un moment, Nicky est là, le suivant, Charlie est seul.

Il doit y avoir une centaine de fenêtres au-dessus et de l'autre côté de la rue. Il récite une petite prière, que personne, parmi ceux qui habitent ou travaillent derrière elles, ne regarde là où il est étendu. Naturellement, s'il agissait comme s'il était sûr de son bon droit, nul n'y trouverait à redire, mais Charlie Weisbarger n'a jamais su, du moins depuis la naissance de ses frères, ce que cela voulait dire, être dans son bon droit. Il a toujours peur, au contraire, que le monde qui l'entoure – la musique ordinaire des rues, l'odeur huileuse des cacahuètes grillées sur un chariot – ne lui soit, à tout moment, arraché. Et qu'il n'y en ait pas d'autre. En vérité, quand on réfléchit bien, le Prophète Charlie est une grosse mauviette. Ses peurs, un rocher si énorme que Dieu Lui-Même ne pourrait le soulever. Ce qui signifie, bien sûr, qu'il ne mérite aucune indulgence. Il roule de façon à se serrer contre le rebord de trente centimètres, se renfonçant le plus possible dans ce qui devrait être l'ombre du contreplaqué si le soleil ne tapait pas comme un projecteur fixé à un mur de prison. Quand il regarde l'endroit où il était allongé, il aperçoit l'enveloppe rouge contenant les photos qu'il avait glissée dans sa poche. Elle s'est déchirée sur un rivet ou quelque chose et des photos ont glissé.

Ce qu'il voit, ce sont des immeubles incendiés, des fenêtres sans carreaux, des traces de brûlure sur des murs, mais jamais, bizarrement, le PPH ou les incendies eux-mêmes. Sur l'une des photos, une ambulance passe devant un magasin de sport et un trottoir brouillés par la fumée – à moins que l'image elle-même ne soit floue. L'appareil a été secoué. Il continue à regarder et il entend la voix de Sam, claire comme un son de cloche et éraillée : *Réveille-toi, Charlie.* La dernière photo est prise dans un sous-sol. Grande profondeur de champ, lumière de l'aube. Sam nue sur un matelas en désordre, surprise, les draps rejetés. Elle semblerait révéler quelque chose d'elle et de la personne qui prend la photo, une silhouette tatouée dans le miroir, mais ce qu'elle révèle vraiment, c'est Charlie. Nicky la baisait, lui aussi. Qu'avait-il encore refusé de voir ? *Réveille-toi*, répète-t-elle, tandis que Nicky ressort en escaladant la fenêtre. Dans une main, il tient un de ces réveils fluorescents.

— J'ai pas trouvé ce que je cherchais, dit-il. Mais ça, on n'en a jamais trop.

Il a le front luisant de sueur, et il s'approche déjà du bord de l'échafaudage quand Charlie lui prend le bras. Lui tend la photo.

— Tu veux me dire ce que c'est ?

Nicky grimace, une fraction de seconde.

— Arrête de jouer au con, Prophète. Ça ne te va pas.

En un clin d'œil, il lui a arraché les photos et les a fourrées dans sa poche.

— Allez. On se casse.

Un bruissement attire l'œil de Charlie vers la fenêtre de l'appartement qui est restée ouverte. Ce qu'il sent, il s'en rend compte, c'est de la fumée.

— Il y a quelque chose qui brûle ?

— On n'a plus le temps, Charlie. Soit ce qu'on cherche est dedans, soit il n'y est pas et maintenant c'est sans importance.

Charlie s'agenouille devant le rebord. Il voit un triste lis en pot et, comme c'est touchant, un livre de remise en forme sur la table basse. Derrière la porte on entend des jappements.

— Hé ! Nicky ? Il y a un chien là-dedans.

— Il faut parfois casser des œufs.

Allez, réveille-toi. Mais pour s'apercevoir de quoi ? Qu'ils ne sont pas des héros, mais juste des punks. Il pense à Sam dans ce lit. À Sam dirigeant son appareil sur ce trottoir, comme pour lui envoyer un signe. Dans une maison aux vitres condamnées, dépouillée de toute espèce de confort, il est facile de retourner sa colère contre l'extérieur, d'attaquer cette ville au cœur de laquelle il se trouve, avec sa saleté, sa pollution, son oppression, seulement New York est bien la seule chose qui ne l'a jamais laissé tomber. Il dit :

— Tu mentais, n'est-ce pas ?

— Quoi ?

— Tout ce temps-là, tu te foutais bien des conséquences. Tu ne pensais jamais au mal que tu pouvais faire.

Quand il se tourne, il voit Nicky, une jambe par-dessus le bord du contreplaqué.

— Charlie, je jure devant Dieu, si tu vas là-dedans, je t'abandonne.

Mais Nicky l'a déjà fait, non ? Il l'a abandonné attaché à ce rocher. Le vent gonfle les rideaux, nourrit les flammes ; le visage de Charlie est un oreiller, brûlant d'un côté. Les yeux de Nicky sont noirs comme des briquettes de charbon. Son costume d'ouvrier lui donne cette allure d'étranger qu'il est réellement.

— Je compte jusqu'à trois. Un.

Le chien aboie à perdre haleine, quelqu'un va l'entendre et les flammes sont aspirées du tas de papier dans l'évier vers la fenêtre.

— Deux.

Pourquoi le détecteur de fumée ne se déclenche-t-il pas ? Parce que Nicky l'a neutralisé, bien sûr. Les émanations lui donnent les larmes aux yeux.

— Nicky, tu sais pourquoi tu finiras en enfer ? Il n'y a pas d'amour dans ton cœur.

Et avant que Nicky ne puisse répondre – parce qu'il n'a pas besoin de répondre – Charlie plonge tête la première dans le cadre de la fenêtre, et suit la voix d'un chien dans le cœur vorace du feu.

LAND OF 1,000 DANCES

25 ¢

mendie
emprunte
vole

CE NUMÉRO:

PASSAGE EN REVUE DE CAMELOTES

ANARCHIE, RÉBELLION, ANGOISSE

D'AUTRES FAÇONS DE FOUTRE LA MERDE

BIENVENUE À NYC LA MAGNIFIQUE

GRAFFITIS (ORTH ?)

BOMBES SUR LES BANLIEUES

BONUS: LE POST HUMANISME: DE QUOI S'AGIT-IL ?

PUNK RAUQUE !

TYPOS !

CAFÉTÉRIA LENORA'S

YOU WANT THIS

ET: PLEIN D'AUTRES DIVAGA-TIONS DONT VOUS N'AVEZ RIEN A FOUTRE

numéro 3

sept 76

UNE OASIS DE

AMOCO DANGER

DANS UN DÉSERT

DE SUFFISANCE

HELLO
my name is

geek

Ce numéro est dédié à k,
pour la « voie de passage »
+ à c, où qu'il soit

NOTE DE LA RÉDACTION[1]

lycée, irving place, 1976… la fin de l'année est dans
73 jours, mais les lettres d'acceptation des universités
commencent à arriver[2]. le directeur dit qu'on ne doit pas
les apporter en classe, mais on voit tout le monde devant
les vestiaires laisser tomber de grosses enveloppes.
dartmouth, smith, williams – oups, c'est moi, ça? mais
bon, vous voulez savoir le nom de l'ambiance qui fait rire
jaune entre les cours, c'est la peur. ici on est dans le
paradis de la jeunesse en quête de conformité, avec sa
piété et son obéissance, + l'idée de le quitter provoque
cette énorme crise réactionnaire. en ce moment je garde
mon piercing[3] dans la narine, c-à-d au lieu de l'enlever
dans le train, parce que franchement maintenant je m'en
fous, mais je fais mon numéro d'objection de conscience
en gym hier + cette fille de terminale vient me voir, «hé,
samantha, tu as quelque chose qui pendouille à ton nez» +
je lui fais: bonne chance l'année prochaine à princeton
avec les garçons des fraternités ou le hockey sur gazon ou
ce que tu pourras trouver pour te distraire de ta pauvre
existence minable. Tu vois, lecteur, le lycée amérikain,
c'est d'abord la sécurité:::::la sécurité obtenue quand
tu renonces à la liberté. l'ironie étant que votre
correspondante, qui est prête à tout pour se casser, n'a
reçu pour l'instant que 2 enveloppes, toutes très minces,
toutes merci mais non merci. le rêve de mon père c'est
que j'aille dans un autre état + échappe aux traditions
ancestrales des cicciaro (sans parler de ma mère). mais
franchement je me suis pas particulièrement cassé le cul
pour impressionner les comités d'admission de boston,
parce que soyons sérieux… boston? alors en ce moment après

les cours au lieu de traîner avec SG je me retrouve à
courir à longaille lande pour voir si dans ma boîte
il y a l'enveloppe officielle - celle de columbia ou au
moins nyu (qui admet tout le monde). rien + rien, mais je
me dis que ça viendra. je vivrai enfin pour de bon dans cette
ville que je vois quand mes yeux se ferment la nuit. Autour
de moi en maths ces filles débiles veulent tout le temps que
mme boswell se retourne + m'attrape en train d'écrire ça au
lieu de travailler les primitives. il est sans doute vrai
que je ne suis pas complètement attentive, mais j'ai au
moins compris ça: en partant de n'importe quel point, ligne
ou courbe, il est possible d'atteindre un degré supérieur
d'abstraction. par exemple, disons que je suis un point. le
temps est une ligne. la vitesse à laquelle le temps change
est une courbe. La primitive de cette courbe serait, quoi?
la vitesse à laquelle l'accélération du futur vers le présent
accélère. je suis donc un changement changé dont le changement
change + ce qui suit sera un document. et si vous ne me suivez
pas, petits, eh bien, tant pis pour vous.

*1. bon, inutile de se voiler la face, il n'y a que moi ici:
directrice de la rédaction, rédactrice, directrice
artistique, alors envoyez-moi des trucs - critiques, essais,
poèmes, n'importe quoi. d'accord? d'accord.*

*2. preuve que dans ce pays ce sont des sadiques qui
dirigent le système scolaire.*

3. voir numéro 2

l.o.t.d
c/o Sam Cicciaro
2358 outer bridge
flower hill, ny
11576

table des matières

TU ES MA SŒUR
ET JE T'AIME BEAUCOUP...
MAIS TU ES UNE
SALE PETITE
PESTE

LOWER EAST SIDE CONFIDENTIAL

LE TRÈS VÉRIDIQUE RÉCIT DES AVENTURES D'UNE FILLE
DANS LE GHETTO AVEC UN NIKKORMAT, UN TROU À LA CHAUSSURE
ET DES CONCEPTS GÉANTS TELS QUE LA SOLIDARITÉ

On était quelque part à l'est de Bowery quand les drogues ont commencé à faire leur effet… les drogues, dans mon cas, étant deux cigarettes au clou de girofle, la poudre antimigraine Bayer que j'avais prise pour soigner ma gueule de bois de la veille et un pilon que SG avait trouvé dans une poche de son manteau. Banal, peut-être, mais je voulais avoir la tête sur les épaules. J'ai beau prêcher la bonne parole dès que mon père se met à râler sur l'État Providence, je n'étais encore jamais allée dans une cité et j'étais un tantinet nerveuse, en plus j'espérais secrètement pouvoir tirer quelque chose de ces exploits de l'après-midi pour mon Projet Artistique. Il n'empêche, ce que fumait SG devait être particulièrement de la bonne came, car en contraste avec le ciel mort vers l'est où les lettres remplacent les chiffres les taxis roulant sur Delancey étaient soudain d'un jaune exquis. Les phares comme des gouttes de lait dans le thé anémique de la journée. Les taxis tous dirigés vers nous. En vol.

    SG m'attendait déjà avant le dernier cours – je l'avais vue par la fenêtre de la classe une demi-heure avant la sonnerie, appuyée contre la barrière métallique de l'immeuble en face dans sa fausse fourrure mitée et une seconde avant de me préparer à redevenir punk, je me suis presque sentie gênée par son impatience. (Peut-être n'était-ce pas de l'impatience, mais de l'ennui. Ses cours à NYU ne doivent pas lui en demander trop, car elle n'y va jamais, semble-t-il.)

    Quoi qu'il en soit, je suis allée aux toilettes et j'ai décroché la manivelle de la fenêtre. Remis mon piercing. Grimpé sur le radiateur, passé les jambes par-dessus le rebord et plongé deux mètres plus bas dans les massifs de fleurs gelés. Des mères qui attendaient leurs collégiennes m'ont regardée comme si j'allais m'excuser ou quoi, mais j'ai juste mis mes grosses lunettes noires,

je suis passée comme si de rien n'était, et on est
parties. le petit ami de SG, Sol, venait d'un concert payé
quelque part dans Midtown et devait nous retrouver dans le
L.E.S où ils voulaient me montrer quelque chose. Apporte
bien ton appareil, ils avaient dit.

Je pense maintenant que la cité était la sienne. Celle
de Sol. Je savais déjà qu'il a grandi dans une famille
pauvre (il y avait eu un gros éclat de jalousie dans sa
façon de compatir quand il a su que je venais de Flower
Hill, à quoi j'aurais pu objecter: il n'y a pas de quoi
être jaloux) et chaque fois que je leur laissais entendre
que j'avais besoin d'un endroit où dormir, ils restaient
tellement vagues que j'en suis venue à soupçonner qu'ils
dormaient la moitié du temps dans sa camionnette. À tout
le moins, il a traversé la dalle comme s'il était chez
lui. Pour moi, c'était un peu intimidant. Je veux me
croire ouverte d'esprit, mais il y avait tous ces noirs et
ces portoricains assis chacun sur leurs bancs à l'entrée,
regardant ostensiblement ailleurs ou nous regardant nous,
les filles blanches, mais Sol est passé devant et personne
n'a rien dit. Je suppose que les deux SG ensemble devaient
leur faire un sacré effet. Je suppose que c'est l'intérêt
des cheveux rasés & des épingles de sûreté. Et je me
sentais fière de mes amis, et de moi. Ici, ce n'était pas
l'Amérique des écoles privées, l'Amérique des banlieues
résidentielles. C'était le monde réel.

À l'intérieur, l'ascenseur était en panne. Les
escaliers sentaient la pisse et n'en finissaient pas. Sur
le toit il y avait un couple qui baisait sur un vieux
matelas, mais on a fait comme si on ne les voyait pas et
vice versa. Ensuite on s'est retrouvés de l'autre côté de
l'énorme installation d'air conditionné et c'était là, sur
la brique, en blanc, jaune & bleu (vous pourriez le voir
sur ces photos si je pouvais les reproduire en couleurs):

VIVE LES POSTHUMAINS !

SG savait que je m'intéressais aux graffitis, je crois,
parce que depuis qu'on se connaît elle me voit les
photographier. On fouillait dans les bacs de disques du
Señor Wax, je voyais une camionnette passer avec un de ces
gros burners sur le flanc, aussi brillant qu'un soleil, et
je sortais prendre la photo. Des tags sur des boîtes aux
lettres, des throw-ups sur des cabines téléphoniques, des
graffs sur les autobus, et toute la façade incroyable du
Vault sur Bowery. L'automne dernier, quand j'ai commencé à

remarquer les peintures à la bombe qui s'étalaient partout, j'avais toujours cette peur qu'elles disparaissent aussitôt, comme un Polaroid à l'envers, alors j'ai voulu en garder la trace, la preuve que pendant une minute brûlante la vie et l'art s'étaient rapprochées jusqu'à se toucher. Maintenant il me semble que ça peut être une façon de se muer en spectateur. Mais si j'avais un tag ce serait SAM HEMPSTEAD PIKE ou quelque chose dans ce genre et je ne crois pas que mon corps soit en mesure d'aller plus loin que de couvrir les murs des toilettes du lycée au marqueur.

Voilà peut-être pourquoi j'ai été surprise en voyant que Sol avait été capable de réaliser la fresque qui était devant nous. Ce n'était pas le graffiti le plus accompli en matière de style. En regardant bien, comme je l'ai fait dans la chambre noire en sortant les photos de leurs bains chimiques, on commençait à voir qu'il existait une belle esthétique du graff, que celui-ci ne possédait pas exactement. Mais ce qui lui manquait en terme de style était compensé par la taille et il avait cet air sur la figure, l'air d'un chien de chasse qui vient de déposer un lapin à mes pieds. «Posthumains, ai-je dit, c'est comme "posthume"?»

Il a répondu que le mot venait d'un de ses copains. «C'est un truc qu'il dit sur nous, les punks. On est post-humains.» Ça me paraissait tellement peu philosophique que je n'ai pas pu m'empêcher de l'allumer. «Le copain dont SG me parle tout le temps, tu veux dire? Cet homme mystérieux responsable de la séparation d'Ex Post Facto et qui ne peut plus se montrer aux concerts.»

Mais il faut que je fasse attention avec ça, cette envie d'allumer, parce que l'espace d'une seconde j'ai vu Sol, son visage amer et piqué d'épingles, se ratatiner et j'ai compris que cela signifiait davantage pour lui, ou autre chose que ce qu'on m'avait laissé entendre, et SG a donné l'impression qu'elle allait me précipiter du toit. Ou l'un d'entre nous, en tout cas. On était dans un éloignement maximum, comme si j'étais encore coincée dans les banlieues du cœur, séparée de la ville par des murs des fenêtres des inhibitions et des peurs. Et comme je ne savais pas quoi faire, j'ai reculé, je me suis accroupie et j'ai commencé à prendre des photos. Déjà la fresque devenait plus saisissante. Elle n'était pas destinée, en réalité, à être vue de près; de plus loin, près du garde-corps le long du toit, je voyais comment elle pouvait être vue d'en bas, où la circulation se dirigeait vers nous de nouveau, phares rampant en direction de FDR Drive vers Brooklyn. Et il y avait là Sol, ce petit travailleur punk, qui avait vraiment décidé de <u>faire quelque chose</u>. J'ai dit finalement que c'était super cool, en comprenant qu'il attendait ça depuis le début.

Après, on a acheté des bouteilles d'un litre de bière par solidarité et on s'est assis sur les bancs à l'entrée, à se soûler en parlant trop fort, mais personne n'a bien compris la démarche. DT nous avait retrouvés et apporté des 'ludes, et on a fini par aller sur le terrain de handball pour se défoncer et regarder les petits Chinois jouer au hand jusqu'au soir. Mais juste avant - juste avant que les limites entre nous se dissolvent et qu'on soit à l'état de flaques - je me souviens d'avoir pensé que c'était drôle d'avoir encore besoin de ces produits chimiques pour que ça arrive. Tous ces mois depuis le jour où SG et moi avons découvert nos liens avec NYU (elle inscrite, moi candidate) et où nous avons commencé à nous voir, je n'étais jamais certaine de savoir si j'essayais de les convaincre, elle et ses amis, que j'étais assez dure pour être adoptée, ou s'ils essayaient de me prouver qu'ils valaient la peine. Ce qui montre bien, je pense, que les États-Unis du Punk Rock est un idéal et non un droit imprescriptible. Nous travaillons encore à le rendre parfait. Quand les 'ludes ont commencé à faire leur effet, avec le ciel violent et le doux ploc des balles et le rire qui pétillait dans notre sang et la ville qui s'élevait tout autour de nous, c'est exactement comme ça qu'on s'est sentis: parfaits.

nous dédions les pages voyage de ce numéro à tous ces lieux au sud de la 14e Rue que nous remercions de nous avoir aidés à survivre à la Terminale.

1. señor Wax

existe-t-il seulement un señor Wax? si oui, je ne l'ai jamais vu. à sa place, vous avez le personnel qui essaie perpétuellement de vous draguer. mais pour ce qui est des toutes dernières livraisons de rauque&roll, c'est l'établissement qu'il vous faut + pas uniquement parce que c'est la seule officine en ville assez peu recommandable pour proposer le torchon que vous êtes en train de lire...

2. armée du salut de la deuxième avenue

si vous ne craignez pas les puces, vous serez émerveillés par toutes les fringues géniales qu'on y trouve pour moins de un dollar. (caveat emptor : tous les pantalons semblent avoir été coupés pour quelqu'un d'un mètre vingt + 150 kg)

3. les tunnels du métro

constituez une bande de droogs à un bout du quai. un ou deux d'entre vous se glissent à l'intérieur tandis que les autres attendent de telle sorte que les agents des transports ne voient rien. avec les rats, le rail électrique, les couches de suie + les trains, il faut être prudent, mais là-dedans, c'est un vrai musée du graff. dans quelques milliers d'années, les futurs humains ou posthumains viendront en groupes avec des guides coiffés de petits chapeaux violets. là on a un authentique TAKI.

4. sex shops

de Loin le Meilleur endroit d'où observer les gens se trouve devant le sex-shop à l'ouest de la 7e avenue, vous seriez étonnés de voir qui entre acheter des godemichés.

5. le parc négligé au coin de bleecker et de la sixième

un de mes préférés. pratiquement que des junkies, des vieux et des pigeons en si grand nombre qu'il faut regarder les arbres avant de choisir un banc, mais d'un silence de cathédrale, sans compter la circulation qui se résume à un déferlement de vagues océaniques. c'est vrai, ça peut être amusant de s'asseoir dans un parc, de taper sur des poubelles avec des baguettes + de chanter + généralement de faire péter les plombs, mais je ne viens jamais ici avec les droogs. un endroit génial pour s'installer avec un livre que vous venez d'acheter chez...

6. mcaleery + adamson (à un pâté de maisons au nord de st mark's place)

cette librairie en sous-sol est difficile à trouver (il n'y a pas d'écriteau) elle sent le fourneau de vieille pipe et les vendeurs, en gros, sont tellement offensés que vous vous estimiez digne d'entrer qu'ils vous feraient pleurer. ce que je trouve étrangement réconfortant. c'est ce qui arrive aux gens qui passent leur vie entière dans les livres + ne sortent pas: la vraie vie en comparaison devient vite agaçante.

l.o.t.d rend hommage à lenora's

Que ce «snack-bar» reste ouvert 24/24 et 7/7 est déjà une bonne raison de l'aimer. Notez aussi:

- tasses de café à volonté
- ~~embience~~ ambience d'étudiants, d'invalides, de dockers, de vieux ivrognes qui adorent quand vous leur faites des grimaces, etc.
- les serveuses: désirez-vous une tranche de tronche avec l'egg cream?
- on y vend des bialys.

et on y rencontre des gens très bizarres! comme par exemple, je suis installée avec SG, on parle à ces gens sur la photo et le type nous dit: «je suis aussi stable qu'une bouteille de nitroglycérine», et je dis: «c'est quoi? ça se renverse facilement?» et il dit: «naan, une seule goutte de ce machin et ça fait [bruit de sifflement descendant]… BOUM!» ouais, et ça dure toute la nuit.

Hunger artists / voivoids @ cbgb, 26 jan

on parle beaucoup dans la soi-disant presse alternative de cette
révellation : on voit des visages de femmes sur la scène. mais quand
on y pense, c'est assez condescendant. disons-le, les hunger artists du
moment ont l'un des sons les plus morbides + ils mettent le circuit local
à feu et à sang depuis leur 45 tours « deface the music ». un show
transcendant à la section 719 de l'american legion l'Automne dernier
a prouvé que noli mettanger est au coude à coude pas seulement avec
debbie harry mais avec presque n'importe quelle chanteuse sur la
planète. comparativement le concert ce soir a été juste excellent. Pour
moi, la grande découverte a été la première partie the voivoids avec
le bad boy richard hell (ex-television). on raconte qu'il y aura une mini-
tournée sur la côte est, alors s'ils passent par chez vous, ne les ratez pas

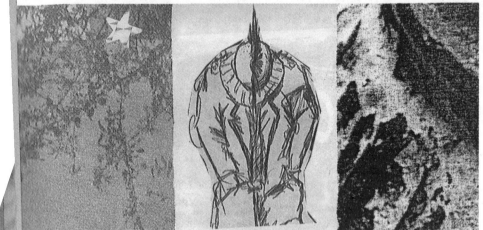

<u>heartbreakers/un groupe dont j'ai oublié le nom</u> @ the underground, 20 fév

ok, je peux dire quelque chose ? il est possible de pousser l'héroïne chic trop
loin. johnny thunders était si beau, mais même avec l'exposition merdique sur
la photo que j'ai prise lors de son concert, il ressemble à ce keith richard de
merde. « chinese rock » est à couper le souffle, mais comme on dit, ne jamais
dépendre de sa propre came. pour le groupe dont j'ai oublié le nom... qu'est-
ce que je peux dire ? des étudiants à la RISD, d'après ce qu'a dit quelqu'un,
alors ils vont quelque part, ou nulle part. nettement plus mémorable, le bordel
qu'ont foutu dt + sol sur st mark's avant le show + les scènes dans les rayons
de boutiques idiotes. et puis, devant l'une d'entre elles, sol sort de sa poche ce
collier de chien que je lorgnais. je l'ai exproprié pour toi, il a dit. jargon indigeste
pour faucher, a dit dt ; sol avait emprunté ce mot bizarre à leur ami nc, mais
je me demande souvent si ce nc n'est pas imaginaire, car je ne l'ai toujours pas
rencontré.

me suis pointée là pour entendre de la musique + à la place j'ai
eu droit à de la poésie, mais c'est patti, alors rien à foutre. c'est
vrai, je vous jure quand cette voix qu'elle a s'est enflammée +
s'est mise à réverbérer sur tous les murs et le plafond de cette
petite église, on entendait des moteurs d'avion, on entendait des
guitares + des corps de tambours + probablement même les athées
sont ressortis avec le sentiment d'être un peu plus près de dieu. une
vraie scène aussi, là, avec au moins un million de milliards de gens
+ tout le monde traînant devant à la sortie et les jérémiades sur
le fait qu'elle était meilleure il y a deux ans quand elle lisait sur le
toit-terrasse de chez Untel, avant les warner brothers + lenny kaye,
avant qu'elle soit connue. ces jérémiades, entre parenthèses, c'est la
preuve que patti est une référence, + je cite presque mot pour
mot ces trois mecs dissertationistes que j'ai vus se passer
un j. entre les tombes. je suis allée les prendre en photo
– instant parfait et décisif avec ce lampadaire penché
au-dessus d'eux formant un angle impossible – mais ils
font hé hé hé hé + m'encerclent comme si j'étais quoi, un
flic ? une vraie bande de paranos. + sol, je ne savais
pas qu'il était venu, déboule avec sg + dt
et dt fait « y a un problème ? » je sens
la violence et tout le monde aussi.
mon copain bullet, le hells angel qui
travaille d'ordinaire à l'entrée du
vault, a été engagé par le tourneur
de patti pour la sécurité + je le vois
fendre la foule et les corps maigres
voler comme des quilles + c'est après
sol qu'il en a, parce qu'il semble être
l'instigateur. hé, cool, je dis à sol + pour
prouver que je ne suis pas des stups +
faire baisser la tension + empêcher sol
de provoquer une bagarre + envoyer
chier tout le monde, je prends le joint
des dissertationistes + je le termine
avec une seule taffe, de quoi me
massacrer les poumons. sol ne sait pas se
comporter avec les femmes, pour preuve
il n'aime pas patti. mais alors, s'il n'aime pas
patti, qu'est-ce qu'il vient faire là ?

BAGARRE DANS UN PARKING

un garçon fait des toupies
dans la neige avec le van de son
   boss
il tourne et il tourne jusqu'à ce
   qu'il soit
nappé de noir épais et graisseux
et deux hommes sortent
d'une cabine allumée, pas loin
ils disent hé et hé
et ils disent bordel
qu'est-ce tu fous
et la fille sur le couvercle d'une
   benne
graisseuse qui regarde
l'un défoncer la gueule
des deux autres, n'aime pas
ces coups de pieds qui pleuvent
quand t'es par terre
n'aime pas ces feux stop, hé,
ce tuyau d'échappement, hé, cette
   portière
béante ouverte dans la neige,
mais elle ne s'est jamais trouvée
du côté des vainqueurs
alors hé, franchement, qui peut
   dire
qui ne l'a pas cherché?

anarchie \a na r ʃ i \. (lat. méd. *anarchia*, gr. *anarchos*,
absence de chef, de *an+archos* chef)
Société utopique constituée d'individus qui n'ont pas
de gouvernement et qui jouissent d'une totale liberté. *

un danger très réel

LA PAGE ESSAI
— politique avant tout —

Il semble que tout le monde en
ce moment a ce mot à la bouche,
depuis «Anarchy in the U.K.»
jusqu'à «Up Against The Wall,
Motherfuckers». Vous allez au
Vault, un vendredi soir comme
d'habitude et vous voyez au
moins trois mecs avec le même
tee-shirt blanc déchiré, un A
majuscule dans un cercle imprimé
sur le devant. Et merde, je vais
peut-être faire pareil. Parce
que d'une certaine façon toute
cette attitude punk parle de
libération. Mais après avoir
cherché la définition ci-dessus
et bien médité sur le sujet,
j'ai commencé à voir la tension
que je ne parvenais pas à cerner
au départ. D'un côté: Liberté
totale. Liberté d'être qui je veux. De m'exprimer comme je veux. De
vivre où je veux. De faire ce que je veux. Mettre la musique que
je veux sur ma radio. Mais aussi, si je veux, te prendre ta radio,
te priver de ta musique. De ton utopie. Ça ressemble d'abord à une
objection de classe de première; tu inclus donc dans ta constitution
anarchiste que la liberté s'arrête là où elle commence à faire
obstacle à celle des autres. Mais imaginons une situation un peu plus
compliquée. Disons que je suis mariée à quelqu'un que je n'aime pas. Ou
l'équivalent anarchiste d'être mariée. Disons que nous avons un enfant.
C'est mon droit - d'accord? - de reprendre ma liberté et de partir.
Mais si je pars, je fais souffrir mon enfant. Ou si je prends l'enfant,
je fais souffrir mon mari. Mais si je choisis de ne faire souffrir ni
l'un ni l'autre, c'est eux qui me font souffrir d'une certaine façon.
Les obstacles, autrement dit, sont partout et cette histoire de liberté
est bien plus embrouillée qu'il n'y paraît à première vue.

    Une manière de faire face à la quadrature du cercle, me semble-
t-il, est de s'arrêter sur l'autre partie de la définition ci-dessus:
«constituée d'individus». Je me demande ce qui arriverait si nous
adoptions une vision plus large. Comme si le collectif n'était pas
ce qui venait après l'individuel, mais ce qui vient avant. Qui rend
l'individuel possible. Et si nous pouvions définir «jouir d'une totale
liberté» d'une manière plus collective? Est-ce même possible? Je ne
sais pas, mais la situation présente laisse entendre que l'impérialisme
du moi infecte jusqu'à notre petite scène. J'exhorte mes camarades
porteurs de tee-shirts à commencer à réfléchir à ça, sérieusement, car
ce que nous construisons ensemble ne survivra - et nous avec - que si
nous pouvons arrêter de crier, moi-moi. Ce Je-je-je.

2.4.76

rentrée directement après le lycée. il est huit heures tapantes + le sorcier
est toujours dans son atelier, alors ce soir, ça sera encore plats surgelés.

4.4.76

ce matin porridge pour la quinzième fois de suite + papa a oublié de mettre
du sucre. quand j'ai monté le son de ma guitare à 10 + essayé d'apprendre
toute seule Cretin hop il n'a rien dit. toujours déprimé d'avoir perdu les
contrats.

10.4.76 samedi, mais je ne vais pas en ville. traîner + me torcher + faire comme si je
ne me sentais pas seule : je sais faire ça très bien sans personne + j'économise
le billet de train.

6.5.76

un truc très bizarre aujourd'hui. je traîne chez señor
Wax, en essayant de faire poser sol + dt quand je vois
près de la fenêtre la tronche de ce garçon que je connais
de Flower hill. encore plus bizarre : c'est la deuxième
fois en un mois ; je ne suis pas sûre que je l'aurais reconnu
autrement. je me dis que l'univers m'envoie un message,
+ de toute façon j'ai besoin d'une excuse, alors je plante
sol + dt + je fais comme comme si on était des vieux potes
+ je l'emmène chez leonora's boire un kaffé. bizarre aussi :
j'avais l'impression qu'on était des vieux potes. un long
island de l'esprit peut-être. j'ai dit qu'on devrait se voir.
il a dit : à long island ? non, non, je fais, long island c'est le
cafard. je vais te montrer la ville. ma ville.

9.5.76

ce dont je me souviens de c ce jour-là au stade ? poil de
carotte, voilà. mais c'est en fait la personne la plus drôle
que je connaisse. je ne sais même pas s'il s'en rend compte,
mais je ne peux pas le regarder sans mourir de rire. son
grand corps pataud. ce soir on a discuté au téléphone
40 minutes de rien, pas du « rien » philosophique, juste...
de pas grand-chose. peut-être que j'avais besoin d'un
petit frère.

7.6.76

On nous a fait répéter pendant une semaine, comme si
c'était particulièrement compliqué de marcher jusqu'à
l'estrade + de prendre le diplôme au moment où on nous
le donne. sous la toge, j'avais mon jean + mon tee-shirt TV,
+ au dernier moment, trop tard pour que le conseiller des
études le remarque, j'ai laissé mon piercing. ils allaient
remettre le diplôme au vrai moi, ou à personne. depuis
le seuil de la salle de sport j'avais vu où mon père était
assis, mais je l'ai perdu. Mais dans mon esprit je le voyais,
les bras croisés, hochant la tête une seule fois comme
pour dire, bon tu as fait ton devoir, mais ne te repose pas
sur tes lauriers. applaudissements polis. + là, en haut des
gradins, juste au moment où le directeur me serrait la
main : un cri de guerre indien. mon cœur a fait un bond.

* définition d'anarchie
empruntée à... et puis
merde, je ne suis pas
obligée de vous le dire,
pasque j'chuis anarchiste

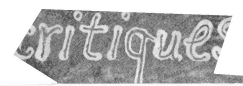

<u>critiks à toutes fins zutiles : albooms</u>

= atroce. à éviter

= vous pouvez acheter + je ne me moquerai pas de vous

= génie pur. walk, don't run.

<u>the clash, seen on the green (pirate anglais)</u>

le bruit court que le leader joe strummer a commencé à jouer dans les pubs + est devenu punk juste l'année dernière. mais a) qui était punk avant l'année dernière? et b) avec une musique aussi bonne, on s'en fout. cet enregistrement live n'est que la deuxième apparition publique du groupe, mais tous ces hooks volants pourraient bien apporter notre message aux masses: london's burning. salut à toi, la nouvelle vague! même si les fioritures pop sonnent un peu affecté + qu'il y a un rythme reggae bizarre dans le dernier tiers (+ même si on prétend que le concert du 4 juillet au black swan est meilleur) c'est quand même du sérieux, et ça vaut son pesant de pognon durement gagné.

<u>« howling Fantods », par get the Fuck out, face b « soylent blue » par johnny panic & the bible of dreams</u>

une collaboration de voisins de l'east village, mais comme avec la plupart des singles, tout le monde ne s'en sort pas au mieux. « Fantods » est désagréablement proche d'un miaulement. il y a tout ce fatras théorique sur la couverture – seulement le punk rock n'est pas un truc intellektuel; c'était censé exprimer la passion. mais la face b est à des années lumière. johnny panic a un style panmusical maximaliste nerveux, avec ces moments de poétique qui me rappellent les Ex Post Facto à leur apogée – ou ce que suis bien obligée d'imaginer qu'étaient les Ex Post Facto à leur apogée. billy three-sticks, a nation turns its lonely eyes to you...

<u>berlin, par lou reed</u>

la chanson la plus déprimante au monde:
« they're taking her children away
because they said
she was not a good mother. »
lou! comment peux-tu!

1. ~~Horses~~ Brass Tactics
2. ~~Brass Tactics~~ Horses
3. Radio Birdman (import)
4. Modern Lovers: <u>Modern Lovers</u>
5. (égalité) Ramones: « Blitzkrieg Bop »
   Iggy: « No Fun »

notre toute première
<u>croc-nique à toutes faims utiles: êtres humains</u>

c.   *p.15*   S.P

L'expérience que cet humain ne possède pas, il la compense
par son enthousiasme. Vous pouvez lui montrer un immeuble qui
vous plaît, ou même un arbre, et pour lui ce sera l'immeuble
ou l'arbre le plus génial qu'il ait jamais vu. Si vous lui
racontez une histoire – n'importe laquelle – son visage
s'illumine comme une girandole et tout ce qu'il dira quand
vous aurez fini sera tellement ingénu (orth?) que vous avez
envie de le prendre dans vos bras et de le protéger du grand
méchant monde. Il est comme une énorme éponge ou un appareil
photo (en résumé, le parfait lecteur de LOTD).

Je me souviens par exemple, le lendemain de la remise des
diplômes, on traînait au Señor Wax, et C. veut de la musique
à écouter au volant quand il vient du comté de Nassau. Ni lui
ni moi n'avons assez d'argent pour une cassette de <u>Horses</u> en
plus de tous les disques, alors on fait moitié-moitié. Je
l'appelle deux jours plus tard: Patti est l'artiste la plus
extraordinaire de tous les temps, plus extraordinaire même
que bowie, ce qui à C.-land, semble être un éloge appuyé. Il
parle vraiment comme ça: <u>artiste</u>.

Et je n'oublierai jamais l'allure qu'il avait en sortant
du métro à Sheridan Square le week-end après que je lui
ai fait connaître Ex Post Facto. C'était la deuxième fois
seulement qu'on se revoyait, mais son pantalon en velours
était déchiré et sa tête hérissée de mèches rouges. Et je
lui ai dit à ce moment-là ce que je lui dis maintenant – ce
qui est peut-être une façon de le dire à moi-même. Tu vas y
arriver, mon vieux. Garde la foi.

Chant traditionnel Dinka ——— *de Weisbarger*

La Splendeur ~~du Taureau~~
Weisbarger

Mon ~~taureau~~ est blanc comme le poisson de la rivière
blanc comme la grue miroitante sur la rive
blanc comme le lait frais !
Il gronde comme le tonnerre du canon turc[1] sur la rive escarpée
Mon ~~taureau~~ *Weisbarger* est noir comme le nuage de pluie
Il est comme l'été et l'hiver
Une moitié noire comme l'orage
Une moitié éclatante comme le soleil
Son dos brille comme l'étoile du matin
Son front est rouge comme le bec du calao
Son visage est un drapeau que l'on voit de loin
Il ressemble à l'arc-en-ciel.

Je le ferai boire à la rivière
De ma lance j'éloignerai mes ennemis
Qu'ils fassent boire leurs troupeaux à l'eau du puits
La rivière nous appartient, à moi et à mon ~~taureau~~ *Weisbarger*
Bois, mon ~~taureau~~ *Weisbarger*, dans la rivière : je suis là
Pour te protéger de ma lance.

---

1. **Canon turc** : au cours des années 1800 la plus grande partie du Soudan était occupée par les forces turques et égyptiennes.

20.6.76

aujourd'hui pizza + des pilules (c ne fume pas à cause de son asthme) + nous nous retrouvons dans une galerie d'art où le photographe qui vivait avec patti exposait des photos N/B. c ne dit rien mais devient rouge comme une pivoine + suce son inhalateur tout le temps. j'essaie de garder une expression neutre. mais devant la photo d'un mec nu avec une bite d'étalon, je ne peux plus me retenir, + c ne peut plus se retenir, soulagement, je crois. On rit aux éclats tellement fort que la fille au comptoir nous demande de partir. arrivés à la porte, on se retourne + on lui fait un doigt + on se met à courir. je m'étonne moi-même d'être aussi nerveuse à l'idée de montrer à c mes propres photos après ça, mais j'ai emporté mon classeur dans mon sac, pas le « burners, bombs +blow-ups », mais celui avec toutes les photos de concerts que j'ai prises l'hiver dernier. certains groupes sont déjà devenus des légendes. ce qui ne garantit pas la qualité des photos. on s'assoit dans le west village sur des marches, défoncés aux pilules + il feuillette les pages sans parler, en clignant des yeux comme s'il avait du mal à focaliser, + je me laisse aller + le ciel est bleu + estival + il bouge au-dessus de ma tête + j'ai peur qu'il me fasse un faux compliment, comme moi avec le graffiti de sol un jour, mais il s'arrête devant une photo de johnny thunders + la tapote du bout de l'index, si tendrement que je ne lui en veux même pas de laisser des traces de gras de pizza sur le plastique. tu sais ce qu'il lui faut? dit il. une grosse vieille bite, là. je lui dis qu'une fois à la fac à l'automne, je le laisserai venir dormir dans mon dortoir, + nous serons le roi + la reine de nyc. cette ville sera à nos pieds.

30.6.76

tombée sur sol au concert des dictators hier soir + il m'a invitée à la fête du 4 juillet dans une certaine planque bien connue de l'east village. son ami invisible est enfin décidé à me rencontrer, a dit sol, + il m'a également donné quelque chose de spécial pour que la nuit reste vraiment mémorable. il m'a dit de ne pas les prendre avant notre rendez-vous. d'accord, j'ai dit, mais j'amène un ami à moi. sol a pris une teinte cramoisie. la jalousie : l'émotion la moins punk.

10.7.76

maintenant chaque fois que j'appelle c chez lui, c'est sa mère qui décroche. il est privé de sortie, me dit-elle la première fois. je demande, combien de temps? elle répond qui est à l'appareil, et là je raccroche. maintenant je raccroche dès que j'entends sa voix. je meurs d'envie de parler à c du pph. je ne crois pas que sa mère mente, mais tout de même, sans nouvelles de lui, je me demande s'il m'en veut, j'ai l'impression de le trahir, de le balancer pour ce monde punk rock auquel on rêvait tout comme je finis toujours par tout balancer. renverser renverser renverser.

Ça promettait d'être une de ces nuits fabuleuses – le
Bicentenaire – mais quand Gloria Buonarotti se réveilla le
lendemain, c'était comme si elle venait d'être libérée par les
extraterrestres qui l'avaient kidnappée, lui avaient retiré
des yeux jusqu'à la dernière goutte d'humidité et pour faire
bonne mesure lui avaient écrasé plusieurs fois la figure sous
leur soucoupe volante. Elle était là, dans ses vêtements de
la veille, sur le sol en béton glacial d'un sous-sol dont
la fenêtre la plus proche donnait sur le mur de brique de la
maison voisine, à moins de trente centimètres. Son appareil,
Dieu merci, était toujours dans son sac. Il y avait un
matelas, un dossier de canapé, un bruit de respiration tout
proche. Elle fit de son mieux pour éviter ces trois choses
en trouvant le chemin vers son souvenir de l'escalier.
Apparemment, les extraterrestres avaient laissé intact un
semblant de capacité ambulatoire, car elle atteignit le rez-
de-chaussée en ne trébuchant qu'une seule fois. Pratiquement
tous les mythes à travers l'histoire de l'humanité interdisent
de se retourner, mais elle ne put s'en empêcher. Dans
l'obscurité, trois paires de jambes s'enchevêtraient sur le
matelas. Doux Jésus, qu'avait-elle fait?

　　Là-haut, c'était un champ de bataille: des corps tombés
dans les coins et le long des murs. Des trous – récents? –
dans les cloisons. La nuit avait condensé les odeurs de
bière, de cigarette et d'herbe en une seule. Le besoin de
fumer la conduisit jusqu'à la cuisine. Là, elle vit un
type debout devant le plan de travail, brun, pas laid,
copieusement tatoué, rinçant un pinceau dans un pot qui
avait un jour contenu de la crème Cool-Whip. Il n'eut pas
l'air surpris de la voir. «Guten Morgen», dit-il, pinçant
entre ses lèvres une cigarette dont la cendre tombait dans
l'eau. Il portait des petites lunettes à monture d'acier,
comme dans les années 20. Il essora les poils du pinceau,
un peu théâtralement, comme s'il imitait le geste. «Nous
nous connaissons?», demanda-t-elle. La maison était à lui,
dit-il. Ah. Elle se présenta, lui serra la main, suivit son
regard vers le chevalet posé près de la fenêtre, où une
toile avait été installée face au soleil. Elle était encore
humide, mais totalement incohérente, une série de lignes
se croisant au centre et plus rien, excepté deux mots,
«Captain» et quelque chose d'illisible dans le coin. Elle
eut l'impression, l'espace d'une seconde, que tout ça, la
toile, la cigarette, sa présence et sa façon de la mater,
avait été mis en scène pour elle. Elle leva son appareil.
Il dégageait quelque chose d'emblématique, avec ce soleil
d'été qui entrait à flots par la fenêtre derrière – il aurait
pu être coiffé d'un béret – ou bien c'étaient les histoires
que ses amis lui avaient racontées et dont il semblait être
chargé… mais il dit que la règle c'était pas de photos. «Tu
sais comment rentrer chez toi d'ici?» Et elle pensa: bonne
question. Est-ce que je sais?

terreur inoffensive, alias « détournement », anonyme.

1) Avalez du sérum antivenin puis rendez-vous au bureau de recrutement de votre quartier. L'antidote (la plupart sont sans danger - assurez-vous d'acheter le bon) vous fera vomir. Vomissez partout sur la moquette, la table, les vêtements, etc. Puis répandez-vous en excuses.

2) Vous pouvez obtenir un allume-feu très efficace en glissant dans une pochette d'allumettes une cigarette sans filtre qui en brûlant enflammera les allumettes. Jetez le tout dans une poubelle ou dans un endroit plein de produits inflammables. Ça flambera au bout de cinq minutes - d'ici là vous serez loin mais avec un peu de chance assez près pour assister au spectacle.

3) Procurez-vous du liquide pour dressage de chiens - ça sent la pisse concentrée. Si vous ne voyez pas ce que vous pouvez en faire, alors inutile de lire ça.

4) Sur des trottoirs très fréquentés, improvisez des recherches en groupes de lentilles de contact « perdues » en disant aux gens de ne pas marcher là « pour ne pas les écraser ». Faire semblant d'avoir perdu quelque chose est un prétexte génial pour toutes sortes d'actions subversives.

5) Laissez des messages dans toute la ville annonçant : « Mardi c'est le jour J. »

dring
dring
bonjour vous êtes aux états unis d'amérikkke. situation chaotique
mêlée aux tensions raciales lors d'une session au congrès. plus d'informations à onze heures un cambriolage à main armée en participant à
une marche organisée par un groupe extrémiste qui n'aime pas la politique menée dit le bureau des relations publiques du président a voté
une loi sur la fiscalité va augmenter. si vous ne payez pas les salaires
ont encore baissé à cause de la guerre dans des pays étrangers et nous
devons empêcher ces actes de haine pour ce bulletin d'information
spécial qui vous emmène en direct sur la scène du crime. La police
signale l'inculpé de viol, meurtre, vagabondage et marche en dehors
des clous. Bientôt au cinéma la vedette de la télévision trouvée au
lit avec Untel qui a rompu avec Unetelle décadence dans les quartiers
a reculé grâce à une canalisation de gaz dont le spectacle a attiré nos
maires sont venus en courant à l'épicerie la plus proche attaquée par
un homme masqué et des équipes sportives ont battu d'autres équipes
sportives dans les sondages alors qu'elles ont été victimes des mêmes
licenciements à cause de la stagflation augmente les profits des chô-
meurs dont le taux est en baisse de valeur pour le dollar augmente de
vingt pour cent le risque d'infarctus domine le centre de contrôle
publie un rapport selon lequel aucune activité illégale ne doit cesser
dans le décret de pollution des quartiers déshérités pour mettre au
bout du fil les criminels qui obtiennent des diplômes universitaires…

ECO-DOMESTIQUE
Brownies Millenium par SG

Le secret pour la réussite d'un bon brownie n'est pas
le brownie… pour commencer prenez n'importe quelle
vieille préparation toute faite, genre Duncan Hines.
L'important c'est votre dope. Vous la laissez infuser
dans le beurre à très basse température pendant 1 ou
2 heures. Quand votre dope est devenue bien tendre,
sortez-la et coupez-la très finement jusqu'à obtenir
une pâte. astuce: garder le beurre pour l'incorporer à
la préparation. c'est bourré de thc là-dedans.

Il y avait cette vieille église dont on nous avait parlé. Il fallait escalader une barrière, grimper à la courte échelle et passer par une fenêtre cassée à l'arrière, et une fois que vous étiez entré vous deviez laisser vos yeux s'habituer à la lumière de la lune. Quand vous aviez fait quelques pas, vous vous retrouviez sous ce dôme immense qui semblait respirer au-dessus de vous. D'autres gens devaient en avoir entendu parler, car du haut du balcon de l'organiste, vous pouviez voir, entre les bancs, des traces charbonneuses aux endroits où on avait allumé des feux pour cuisiner ou se chauffer. Çà et là, il y avait des petites installations artistiques, assemblages de vieux parapluies, de chariots de supermarché et de miroirs. Gloria Buonarotti trouvait toujours touchant ce besoin de créer quelque chose et de le laisser même là où personne ne pourrait le voir. Comme les fresques qu'elle avait photographiées dans des tunnels abandonnés. Elle était venue pour en faire autant: laisser d'immenses graffitis montant sur les colonnes – gargouilles, lianes – et ensuite en garder la trace avec son appareil.

Ces raids, comme les qualifiait Iggy, avaient récemment entraîné leur petit cercle jusqu'au Bronx. Là où les esprits étaient assez mûrs pour les graffs, disait-il, mais il y avait aussi probablement le fait que la police avait baissé les bras et que les artistes étaient libres de faire ce qu'ils voulaient. Les seuls qui risquaient d'intervenir seraient les hommes qui se mettaient en faction devant les bodegas quand ils descendaient de leur camionnette. À un certain niveau, elle craignait ces hommes. À un autre niveau, elle savait qu'il ne fallait pas. Ne connaissait-elle pas, elle aussi, ce sentiment d'être hostile et rejeté? Vue depuis Long Island, la ville semblait un endroit de pure liberté et de vie et tout ça, mais c'était un choc de voir du haut de la voie express au coucher du soleil – Iggy préférait qu'elle prenne le siège à côté de lui pour pouvoir se disputer en route – ces kilomètres carrés d'immeubles et de quartiers laissés à l'abandon. Et tandis que sa lampe de poche balayait les entrailles de l'église, elle commença à inventer un catéchisme. Qu'est-ce qu'une église, de toute façon? Le corps du Christ, qui est aussi le peuple. Gloria ne croyait plus au Christ, mais n'avait pas renoncé au peuple. Elle secoua sa bombe, laissant venir une vision de son graffiti. Et si on pouvait donner des concerts dans l'autel, et que les bancs se remplissent de gens du voisinage attirés par la musique? Si on pouvait présenter des expositions de photos dans le chœur, installer un atelier de peinture au sous-sol? Une banque alimentaire, un hôpital gratuit? Et si les jeunes pouvaient venir après les cours et découvrir leurs talents? Un lieu de culte pour tous. Une sorte de commune ou de Phalanstère, mais ouverte vers l'extérieur, comme avec ce jeu de mains auquel jouent les petits: les doigts entrelacés forment une église et son clocher, les pouces ouvrent la porte, et on voit tous les Gens. C'était une idée trop compliquée pour la représenter à l'aérosol, sans parler de la réalité, mais à présent elle avait des amis. Et puis en tournant la tête, elle les vit tous s'éparpiller entre les bancs et les barbouiller avec de grosses canettes qu'elle crut être de la peinture jusqu'au moment où quelqu'un alluma une allumette. Comme s'ils étaient vraiment les vandales que les réactionnaires les accusaient d'être.

Mais Iggy, bien sûr, avait une théorie. Le monde était devenu
une représentation, expliqua-t-il sur la route du retour Downtown,
et dans cette représentation, rien de réel ne pouvait se produire.
Il fallait libérer les gens pour voir les failles.
    Je pensais que c'était le rôle de l'art, dit-elle. Comme ta peinture.

LES ENFANTS MODERNES
SAVENT RÉSOUDRE DE NOMBREUX CONFLITS FAMILIAUX!

Nan, je ne suis pas si bon que ça, en fin de compte.
    Pour être un artiste, Iggy doit d'abord être capable de créer,
dit quelqu'un à l'arrière de la camionnette.
    C'est exactement ce que j'essaie d'expliquer à Gloria, petit
con. Il faut trouver le moyen de créer une discontinuité. De faire
tomber le masque. De secouer les gens pour qu'ils se réveillent.
    «Mais sans leur faire de mal. Comme cet incendie.»
    «Ouais, c'est ça, exactement.»
    Et l'autre fille, celle qu'Iggy appelait Sick Grandma,
prit la parole, l'identité du destinataire restant un peu floue.
Je t'avais prévenu. Ne dis pas que je ne t'avais pas prévenu.

confuse et indécise – l'intime, le politique : le politique, l'intime. j'ai
l'impression de m'être si longtemps préparée à avoir un sentiment
d'appartenance + maintenant que j'ai été admise dans le premier cercle,
je ne suis pas certaine que ce soit là où j'aie envie d'être. tout ça est
indécelable pour le pph bien sûr. Pour eux, une fois dedans, on reste dedans,
+ ils voient en moi l'élément permanent que je suis en ce moment. tout ça
me frappe aujourd'hui après ma rencontre avec ce type BCBG et assez
beau, en costume-cravate sur les marches devant la maison pendant qu'ils
sont tous dans le petit garage derrière. il est venu apporter un paquet, mais
il finit par me raccompagner Uptown + on discute + l'espace d'une minute
je ne vois pas seulement cette vie entièrement différente dont je pourrais
faire partie (car il me demande mon n° de téléphone), mais aussi à quoi
peut ressembler ma vie, ou mon semblant de vie, actuelle – mes attentes,
pour ainsi dire – pour quelqu'un de l'extérieur. + où est mon c, avec qui
j'aurais pu discuter de tout ça ? toujours bouclé à nassau, voilà où.

j'écris dans mon nouveau dortoir. les cours ne commencent que le 7, mais hier
j'ai dit à Papa que c'était le bon jour pour déménager parce qu'il faut que
je quitte la maison, ASAP ! En route, on est restés bloqués une heure dans la
circulation Downtown sans dire un mot. Il avait l'air triste, comme jamais depuis
que le reporter de magazine a commencé à venir l'interviewer pour un article
sur les feux d'artifice. + c'est ridicule, ce n'est pas comme si on avait de
longues conversations intenses + ces derniers temps on se voit à peine. Ce qu'il
aime, c'est juste l'idée qu'il a de moi. Mais bon, je me suis sentie merdeuse en
le regardant repartir, et puis, enfin : un endroit à moi toute seule !

sol + dt viennent du squat aujourd'hui pour voir ma nouvelle piaule. je
dois les empêcher de casser des trucs dans le couloir ou autre chose qui
m'attire des ennuis. j'ai la dernière bouteille de ce vieux whisky Sequoia
chapardé à Flower hill + ils n'en laissent pas une goutte + sol décide
de faire un graff sur mon mur. je dis, non. mon père est responsable des
dégâts + c'est pas mon mur, tu vois ? dt, ce petit connard a remarqué
que je ne bois pas beaucoup, commence à me charrier, quoi, l'étudiante
se croit au-dessus de nous. ce que je n'ose pas leur dire, c'est que j'ai un
rendez-vous demain soir + que je préfère que la chambre ne ressemble
pas à une tanière d'animaux sauvages. pour finir je cède à sol un bout
de mur au-dessus de mon lit pour son petit travail et maintenant cette
foutue chambre sent la peinture, raison pour laquelle je suis encore
debout en train d'écrire. (ou est-ce le trac ? l'impression que quelque
chose encore est sur le point de changer ?)

IL NE FAUT RIEN REGRETTER, NEDDY... IL FAUT PENSER À L'AVENIR !

LeDoux
and
WILSON
3-24

En conclusion, lecteur, je veux partager avec vous la seule chose intéressante dite par le professeur dans l'un des rares cours auxquels j'ai réussi à assister (un des premiers et, ça m'en a tout l'air, l'un des derniers). Il a dit que notre concept du temps n'est pas inné, mais appartient à notre culture. «L'heure n'est apparue qu'avec l'horloge.» Ça remonte aux moines, a-t-il expliqué, avec leurs matines, leurs complies et tout ça. Et à mesure que s'est développée notre capacité à diviser nos vies en petites tranches, le temps lui-même s'est accéléré. Le professeur a commencé à dresser des plans sur la comète à partir de ça, mais j'étais déjà ailleurs, accrochée à cette idée: la division du temps en unités toujours plus petites qu'il faut remplir, et de quelle façon elle détourne l'attention. La question que vous devez vous poser, je pense - la question qu'il ne faut jamais cesser de se poser dans ce tourbillon de vitesse - c'est: où serez-vous dans vingt ans, ou dans trente? Ou, quand vous serez sur votre lit de mort, où aurez-vous été?

Les unités qui me détournent de ma vision globale des choses, je m'en rends compte, sont ces tranches de trois mois sur lesquelles on pourrait pratiquement régler sa montre. Étape 1: Je découvre quelque chose de neuf. Étape 2: Je me dis: oui, enfin, ma vie va commencer, là est ma place. Et puis trois mois plus tard je sors de ma transe et je constate que je m'étais encore une fois raconté des salades. À croire que mes élans ou mes appétits ont toujours une saison d'avance sur mon cerveau.

Quand je suis passée en seconde, ce quelque chose de neuf a été le sexe. Il m'a fallu deux semaines pour coucher avec Brad. S. - et pratiquement faire une croix sur la possibilité d'être amie avec une fille. La taille de l'appartement m'avait impressionnée ou j'avais besoin à l'époque de sentir que j'appartenais à ce monde-là. Ce qui était bien, c'est que ses parents étaient toujours absents, alors il vivait là comme chez lui, comme un adulte. Et j'aimais cette impression qu'il donnait de savoir ce qu'il faisait. Avec qui d'autre je n'aurais pas dû coucher: le délégué des terminales. J'ai beaucoup appris, mais cela ne m'a pas rendue heureuse. (La bonne stratégie, c'est peut-être de ne pas coucher avec ceux qui ne me rendent pas heureuse.) Et quand ça s'est terminé, j'avais déjà tourné la page.

Au Señor Wax, je me souviens que le vendeur
essayait de me draguer en m'offrant un exemplaire
de promo de Radio Ethiopia et en disant que je
ressemblais à Patti. Mais c'était le son pour
lequel j'avais eu un coup de cœur. J'allais faire
de la musique (nonobstant mon manque sidérant
d'eptitude musicale). Ou au moins devenir son
apôtre. Je m'installerais dans la Ville, je me
laisserais engloutir par la scène. Maintenant que
j'ai pénétré les mystères de l'East Village, et
que je commence à connaître sa part d'ombre, je
me demande de nouveau ce que je suis en train de
faire. Et donc je m'angoisse pour la suite. Et si,
dans trois mois, j'avais envie de laisser tomber?
    Mais je crois maintenant qu'on ne peut pas
juste dire non. On ne peut pas se contenter de tout
détruire en pensant que tout ce qui en rejaillira
sera meilleur. À un certain moment, il faut
construire. S'engager. N'était-ce pas la raison
d'être du punk? Faut pas désespérer, les gars.
Vous pouvez toujours prendre une guitare et des
baguettes et créer quelque chose. No Future - ça,
c'était juste le contenu. Le formulaire disait:
TENEZ, le voilà votre futur. Je crois que même SG
et DT et NC doivent comprendre cela. L'intime et
le politique étant indissolubles dans cette serre
surchauffée qu'est cette maison, il y a eu de la
jalousie provoquée par le temps que j'ai passé
avec certains récemment. Mais à ce stade, forte de
l'expérience d'une véritable relation adulte, si
je reste dans le PPH, ce ne sera pas comme ils le
pensent. Ce qui m'intéresse maintenant, ce sont les
esprits. À savoir: les changer.

Je sais, je sais... vous vous dites: «Comment participer à quelque chose d'aussi génial, eh bien, envoyez vos écrits, nos bras sont ouverts:

articles
chroniques
poésie
prose
créations
artistiques
bandes
dessinées

+ Si vous avez de l'argent de côté, envoyez vos dons, car je me ruine lamentablement avec ça. Pour recevoir la prochaine parution, merci d'envoyer $ et timbres.

p.25

THANK YOU
Call Again

Nous vous remercions pour votre soutien, en espérant continuer à le mériter. Si vous aimez ce que nous faisons, dites-le autour de vous. Sinon, dites-le-nous. Nous nous efforçons de vous satisfaire.

es dances dances dances dances dances dances dances dances dances dances dance
lances dances dances dances dances dances dances dances dances dances dances da
es dances dances dances dances dances dances dances dances dances dances dance
lances dances dances ...ces dances dances dances dances dances dances dances da
es dances dances dan..., dances dances dances dances dances dances dances dance
lances ... dances dances dances dances dances dances dances dances da
es dan... ...s dances dances dances dances dances dances dances dance
lances ... ...ances dances dances dances dances dances dances da
es dan... ...s dances dances dances dances dances dances dance
lances dances dances ...O dances dances dances dances dances dances dances da
es dances dances dances dances dances dances dances dances dances dances dance
lances dances dances dances dances dances dances dances dances dances dances da
es dances dances dances dances dances dances dances dances dances dances dance
lances dances dances dances dances dances dances dances dances dances dances da

HELLO
my name is

Keith Lamplighter (orth?)
Lamplighter Capital Advisers
501 Fifth Ave., 12th floor
New York, NY 10017

l.o.t.d.
2358 outer bridge
Flower Hill, NY 11576

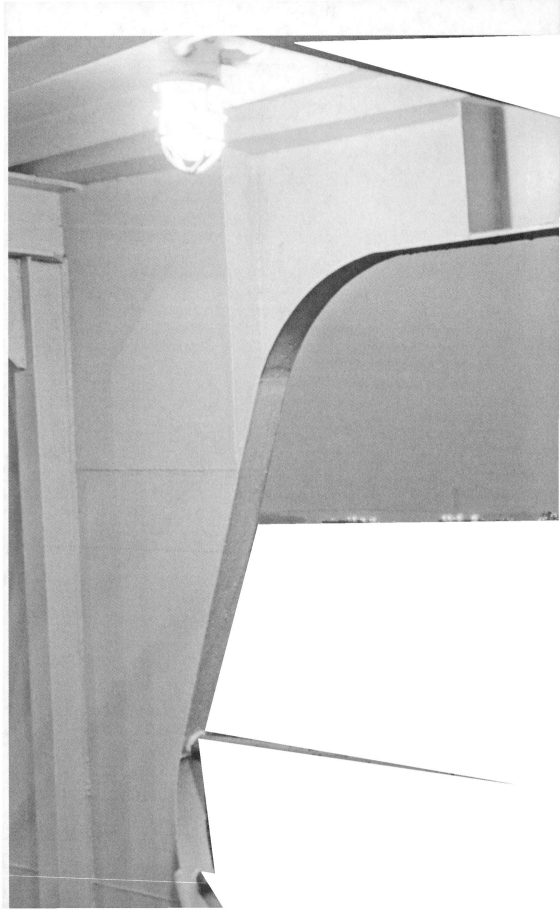

MONADES

(1959-1977)

*Moi aussi j'ai été formé à partir de l'éther qui flotte à jamais en
   solution dans l'air
Moi aussi j'ai reçu mon identité de mon corps.*

Walt Whitman,
Feuilles d'herbe
(traduction française
de Roger Asselineau, Aubier, 1989)

59

L E FERRY POUR BLOCK ISLAND AVAIT EU DU RETARD et il faisait déjà nuit
quand Regan parvint devant l'improbable maison de vacances des Gould
ce dernier week-end officiel du dernier été des années 50 – le début de sa
troisième année d'étudiante. Dans l'allée, sous la lune, les voitures ressemblaient à des perles de culture, ou à des braises alignées en train de refroidir.
Aux fenêtres éclairées, des serveurs en veste blanche allaient et venaient.
Des rires, le bruit des vagues et le ploc des raquettes de badminton lui parvenaient de derrière ; c'était sans doute là que tout le monde était. Mais là où
se trouvaient les Gould, on ne trouvait jamais son frère ; elle entra donc avec
sa valise et demanda à une grande femme armée d'une liste d'invités où elle
pouvait poser ses affaires.

La femme la conduisit dans une chambre au troisième étage sous les
combles, aussi loin que possible des adultes. Dans le placard où Regan
rangea les vêtements qu'elle avait apportés de Poughkeepsie il y avait une
imperceptible odeur de talc, et, par en dessous, de pourriture. Elle révisait
à la baisse son estimation de la fortune personnelle de Felicia quand elle
entendit dans le couloir une voix familière commencer à compter à rebours
depuis soixante. Des enfants, progénitures sans surveillance des invités qui
allaient envahir le temps du week-end la maison et l'unique hôtel de l'île,
galopèrent sur le plancher fatigué. William était à l'autre bout du couloir,
dans une chambre calquée sur la sienne. Allongé sur le lit creusé, vêtu du
blazer de son école, la cravate dénouée, il fermait les yeux.

— Quarante… trente-neuf… Salut, Regan.

— Tu regardes ou je rêve?

Il tapota le lit.

— Viens m'embrasser.

— Tu regardes. Je ne peux pas le croire. Continue à compter! Tu vas les décevoir, ces enfants.

— Peut-être, mais au moins je suis sûr d'avoir la paix avant qu'ils s'en aperçoivent.

— Tu es incorrigible.

— Allez viens. Bisou bisou.

Depuis un an, au cours de sa traversée du système digestif des plus prestigieuses écoles privées de la nation, William essayait et rejetait une pluralité de moi, mais sa dernière incarnation comportait un élément de provocation, de mise à l'épreuve du degré de tolérance propre à Regan. Comme il lui tendait ses lèvres, elle sentit un relent acide.

— Nom de Dieu, William, tu pues l'alcool.

Il sourit et ouvrit son blazer, révélant une bouteille de rhum.

— Refuse-t-on l'hospitalité de la reine du jour, à ton avis?

Ils restèrent un moment assis sur le lit en se passant la bouteille tandis qu'il se moquait du banal décor nautique de la chambre et des crétins dont les rires fusaient par la fenêtre ouverte. Et naturellement des prétentions des Goules. Chaque fois qu'il dénaturait leur nom, elle sentait la souffrance. Elle la partageait, bien sûr. D'un autre côté, ce qu'elle sentait aussi, toujours plus depuis ces dernières années, c'était leur différence d'âge. Oui, elle aurait préféré que son père entre au monastère, mais ils étaient adultes, et si Papa avait décidé d'avoir une… une *petite amie* (le mot se coinçait dans sa gorge comme une arête), la seule réaction honorable consistait à sourire, à hocher la tête et à ne pas se mettre en travers de son chemin. Et peut-être aussi imaginait-elle quelques bénéfices attachés à ce respect filial. La Karmann Ghia reçue à Noël n'en était-elle pas un? Cette coïncidence trop parfaite avec les rêves probables d'une jeune fille de vingt ans indiquait le choix de la compagne de Papa, mais peut-être en avait-il été le principal artisan. Peut-être, pour la première fois, sa maturité exceptionnelle était-elle reconnue. Voire appréciée. Et quand les enfants revinrent en se plaignant que William n'avait pas essayé de les chercher, Regan le laissa user de son charme pour se sortir de ce mauvais pas et descendit se joindre à la fête.

Le jardin sablonneux derrière la maison s'étendait sur dix ou quinze mètres. Cette année étant marquée par la vogue du style polynésien, le périmètre était ponctué de torchères en rotin qui crachaient et suintaient sous l'effet d'un vent violent. Les moutons grisâtres s'écrasaient derrière les dunes, presque invisibles, tandis qu'à l'intérieur du cercle enchanté luisaient les visages des exécutifs et de leurs épouses, ainsi que des divers amis des Gould. Papa, solennel dans son costume en laine d'été, lui déposa un baiser sur la joue. Elle espérait une étreinte, mais il avait un verre à la main et trouva que son geste était plus sophistiqué – ce qui valait peut-être mieux, car Felicia les regardait. Elle fit signe à un maître d'hôtel d'apporter à Regan un cocktail de son invention, dans une coupe en forme de dieu tiki. Après quoi, le frère, Amory Gould, lui offrit son bras.

— Venez, très chère, je voudrais vous présenter des gens.

Le sourire de Papa avait peut-être à ce moment-là un peu hésité – Regan ne serait jamais en mesure de le savoir – mais quand elle pivota dans la brume d'alcool et de flammes et dans le noir plus épais des nuages menaçants qui s'amoncelaient vers l'est, elle se laissa gagner par une sorte de bourdonnement intérieur.

La main d'Amory, légère, posée au creux de ses reins, la dirigeait à travers des îlots d'invités. Elle attendait le moment où il serait lassé, mais il bourdonnait avec une intensité bien à lui. Il était à peine plus grand que Regan, mais il avait déjà, à la trentaine, cette impressionnante chevelure blanche et ces manières doucereuses ; la façon dont il la présentait comme « la fille de Bill – ravissante, n'est-ce pas ? » l'aurait fait rougir si elle n'avait pas eu l'impression d'être absente. Ils finirent par atteindre la lointaine périphérie du cercle des invités, où un garçon efflanqué en pull marin fumait, debout. Il était assez beau, dans le style épiscopalien fade, mais ce qu'il avait de vraiment particulier, c'étaient ses lunettes cerclées de corne et ses cheveux, si blonds qu'ils en étaient presque blancs. À sa grande surprise, Regan sentit s'intensifier la poussée dans son dos, mais peut-être l'avait-elle imaginée.

— Regan Hamilton-Sweeney, puis-je vous présenter...

C'est alors qu'Amory prononça le nom que Regan allait ensuite effacer de sa mémoire, ne gardant que l'initiale L.

— Regan est à... Vassar, n'est-ce pas ? Impossible de retenir mes Sept Sœurs[1].

Leurs rires fusèrent, parce que cela se voulait une plaisanterie, pas parce qu'ils la trouvaient drôle. L., reprit Amory, allait à Harvard.

— Ce qui fait de nous des cousins, pour ainsi dire.

---

1. Référence aux sept prestigieuses universités du nord-est des États-Unis. Elles étaient réservées aux filles.

L. marqua une pause pour que Regan comprenne qu'il avait lui aussi conscience de la maladresse d'Amory, et elle eut un sourire, un vrai cette fois. Amory profita aussitôt de cette ouverture pour se fondre de nouveau dans la foule. L. le regarda s'éloigner.

— Pas très subtil, n'est-ce pas?

— Oh, il n'est pas si mal. C'est sa sœur dont il faut se méfier. On fête son anniversaire.

— Je crois ne pas me tromper en pensant que puisque nous avons le même âge, il croit...

— Il essaie d'arranger un coup, d'après vous?

Ce qui les fit rire tous les deux, non sans inquiétude. Voilà qui devrait être hors de question, dit L. Son père était président d'une société de holding concurrente établie à New York et bien sûr en privé n'avait pas de mots assez durs à l'égard de William Hamilton-Sweeney II.

— Mon père peut être un vrai salaud, pardonnez-moi l'expression. Je suis surpris qu'on nous ait invités.

— Eh bien, les euh... Gould se sont chargés de l'organisation. Ils sont chez eux, après tout.

— Oui, nous sommes venus une ou deux fois cet été. Êtes-vous allée jusqu'à l'eau? Si on descendait?

C'était ça ou passer une demi-heure à parler de leurs parents respectifs comme il se doit entre enfants de la classe dominante, alors elle accepta. L. prit deux autres coupes tiki sur le plateau qu'un serveur faisait circuler, et sans qu'on les remarque, ils se glissèrent sur le sentier éclairé par la lune et entre les dunes.

Ils marchèrent environ quatre cents mètres, jusqu'à une petite jetée rocheuse qui brisait la courbe du rivage. Sur un coup de tête, ou peut-être parce que ses devoirs de jeune fille de la maison lui pesaient, elle ôta ses souliers et entra dans l'eau dans sa jupette de tennis. Elle était froide, mais Regan resta dedans à mi-mollet, laissant le frisson monter jusqu'à ses genoux. Au loin, les éclairs transperçaient la mer.

— Vous savez, dit L. en entrant dans l'eau à son tour sans se donner la peine de remonter son pantalon. Vous n'êtes pas mal non plus, pour une Hamilton-Sweeney.

Comme il la regardait de profil, elle eut ce sentiment qu'elle éprouvait souvent maintenant: excitation, trac et transgression, le tout mêlé de telle sorte qu'elle ne savait plus les distinguer. Elle vida son verre – son troisième ou quatrième, elle avait cessé de compter – et posa le tiki sur l'eau, telle une bouteille à la mer.

566

— J'ai senti une goutte de pluie.

Il essaya bien de dire que c'étaient les vagues, mais, si elle restait, il chercherait à l'embrasser et elle ne savait pas s'il lui plaisait de cette manière.

— Nous devrions rentrer.

Quand ils regagnèrent le jardin, tout le monde se pressait devant la vaste véranda, l'avant-scène où se tenaient son père et les Gould. Papa avait un sourire forcé, mais Felicia ne partageait pas son aversion pour les discours publics. Elle brandit sa coupe païenne. Sa voix, débarrassée de toute trace d'accent de son Buffalo natal, possédait une autorité remarquable.

— Quand Bill m'a posé la question, je ne peux pas dire que j'ai hésité, disait-elle.

Regan songea à Lemuel Gulliver, étendu là, sans faire d'histoires, tandis que les Lilliputiens aux pieds légers trottinaient avec leurs cordes minuscules. Et ensuite à ces pièces de cinq cents Buffalo que sa mère gardait pour les excursions à la plage et donnait à William ou à elle, selon qui avait vu l'océan le premier.

— Bien que réunir deux familles soit toujours une tâche ardue, nous pourrons nous appuyer sur nos amis et nos collègues. Personne d'autre n'est mieux à même de fêter cet événement avec nous et nous comptons sur votre présence le jour du mariage.

Le mariage? Pas étonnant que L. ait semblé surpris; ce n'était pas un anniversaire, c'était une soirée de fiançailles. Regan chercha partout William, mais peut-être l'avait-il déjà deviné et avait-il gagné la pièce de cinq cents que nul n'était plus là pour leur donner, car il n'était toujours pas descendu. Et c'est là-haut qu'elle l'aperçut pour finir, ou crut l'apercevoir, sa tête d'enfant encadrée dans une petite fenêtre.

Papa aimait-il vraiment Felicia ou se laissait-il simplement emporter par le flot d'énergie qu'elle générait, tel était le sujet du débat récurrent entre Regan et son frère à l'époque où ce dernier vivait encore à la maison. Le bon côté de la chose aurait pu être que la question était cette fois réglée et en faveur de Regan. Mais cette nuit-là, quand elle lui apprit la nouvelle, William l'accusa d'avoir pris le parti de Felicia dès le début, ce qui ne pouvait pas être plus éloigné de la vérité.

La vérité, c'est qu'elle aurait été la première à en finir avec la réserve diplomatique et à reprendre avec lui ses fulminations contre les Gould, si elle n'avait pas vu combien Papa souffrait de sa solitude. Maman était morte en 1951, et pratiquement toute la décennie suivante il avait renoncé aux dîners, à l'Opéra et aux obligations sociales dont ils avaient l'habitude. Il s'était consacré à son travail, et ne rentrait souvent pas avant huit heures. Mais les affaires et les plaisirs ne se laissent pas facilement compartimenter dans une ville comme New York où ils ne font jamais défaut. Deux ans auparavant, il était retourné à la vie publique, et Felicia avait fait son apparition peu après, entraînant son frère et leur cercle dans son sillage. Quand il ne pouvait éviter de parler d'elle, il la désignait comme son « amie », comme si Regan et William étaient restés des enfants que cette demi-vérité pourrait ménager. Au contraire, elle avait accentué leur sentiment de trahison, parce qu'elle permettait à Papa de se croire plus soucieux de leurs émotions qu'il ne l'était en réalité. En fait, il ne croyait pas aux émotions – pas même aux siennes. C'était presque devenu pour lui une idéologie. Regan ne l'avait vu pleurer la mort de sa mère qu'une seule fois, et alors seulement dans l'entrebâillement de la porte de son bureau, le matin des obsèques, tandis qu'Artie Trumbull et lui étaient installés avec une bouteille de cognac (mais, comme William le lui avait fait remarquer, comment pouvait-elle affirmer que l'éclat dans l'œil de Papa n'était pas une illusion d'optique, ou de mémoire).

Mais au moins sur un point William se révéla avoir raison : l'alcool permit de digérer les fiançailles plus facilement. Le lendemain, Regan but deux Bloody Mary au petit déjeuner et le déjeuner fut pareillement arrosé. Frère et sœur auraient pu échanger des regards complices depuis leurs tables respectives si le frère n'avait refusé de descendre manger ; il passerait le plus clair du week-end enfermé dans sa chambre, ou Dieu seul sait où, parce qu'il considérait que le pire châtiment qu'il pouvait infliger à ses oppresseurs consistait à les priver de sa glorieuse présence. Papa ne s'en aperçut même pas : à sa table, entouré de ses soutiens, il semblait un peu ivre, lui aussi. Et donc Regan se retrouva à sourire à L., assis en face d'elle sous le rabat blanc flottant au vent d'une tente installée en prévision de la pluie.

Plus tard, une fois les tables débarrassées, un orchestre de neuf musiciens prit place pour interpréter les grands succès de la jeunesse de Felicia et ils dansèrent trois fois. Regan aimait encore danser alors, ainsi que les sensations que la danse éveillait en elle. En première année, elle avait joué le rôle de Cyd Charisse dans une mise en scène de *Brigadoon*, et tandis que ses pieds caressaient l'herbe sèche elle s'imagina de nouveau là-bas, derrière les feux de la rampe. Mais cette fois encore, quand L. voulut l'embrasser, elle se déroba parce qu'elle était maintenant, pensait-elle, trop bourrée pour s'assurer la maîtrise de la situation, mais peut-être plus exactement parce que ses mains baladeuses, trop impatientes, la rendaient hésitante.

Le dimanche en fin de matinée, les jeunes et les petits improvisèrent une partie de football dans le même jardin sablonneux, avant un déjeuner de groupe prévu dans l'unique bon restaurant de l'île. Était-ce une audace jusque-là réprimée, son second cocktail Mimosa, ou l'effet déstabilisant des deux ensemble, Regan décida d'y participer. Deux des vice-présidents de la société formèrent les équipes et, par respect pour Papa, elle fut choisie parmi les premiers, même si elle était la seule fille. L. et elle se retrouvèrent chacun dans une équipe adverse, et à perturber mutuellement leur jeu, en attaque et en défense.

Comment n'avait-elle pas remarqué auparavant à quel point L. lui était compatible, avec sa beauté classique, ses jambes bronzées sous un pantalon en toile roulé et dont la course débridée soulevait des gerbes de sable, un million de fragments de lumière ? Mais il se pouvait aussi que ces pensées lui fussent soufflées par son futur oncle, qui se tenait sur la véranda à l'arrière de la maison, et restait à l'écart du sport qu'il jugeait « trop physique ». Car lorsqu'elle s'empara pour la première fois de la balle ; quand, son ardeur ou sa combativité ayant repris le dessus, L. se précipita sur elle et la fit tomber au mépris flagrant de la règle des deux mains ; quand elle se retrouva sur le dos dans le sable sans pouvoir respirer, les cheveux fouettés par le vent, L. lui soufflant au visage son haleine aux relents de bière et sa cuisse telle une colonne de marbre entre ses jambes ; quand elle tourna la tête comme une petite fille pour voir comment les autres allaient réagir avant de décider de rire ou de pleurer, ce fut sur Amory, à quinze mètres de là, que ses yeux se posèrent. L'autre homme avec lui – L. Sr. – s'était tourné vers lui, indifférent aux protestations en provenance du terrain. Mais Amory, indiscutablement, ne regardait qu'*elle*. Elle se mit à rire, et le garçon au-dessus d'elle aussi, son visage doré devenant cramoisi. C'était presque comme de jouer la comédie. On décidait de ressentir quelque chose et on le ressentait. Elle voyait les craquelures sur les lunettes de L. et les pores sur sa lèvre supérieure. Les corps haletants se détachèrent et retombèrent et il roula sur le dos. Ils restèrent étendus, le dos de la main en contact, riant sans retenue sous le ciel menaçant.

Ce fut encore Amory qui proposa que les deux équipes, victorieuse et vaincue, se rendent à pied au restaurant avant qu'il commence à pleuvoir. Regan eut l'impression que ce n'était pas elle, mais une force plus grande qui agissait à travers elle, qui murmura quelque chose à propos de prendre une douche. Elle n'aurait pas pu dire jusqu'où une force équivalente opérait chez L., lorsque, à son tour, il déclina.

Dans la cuisine déserte, en buvant des gin tonics, ils se répétèrent qu'ils ne se gardaient pas rancune.

— C'est juste qu'il m'arrive de me laisser emporter par mon élan, dit le jeune homme.

Et comme il contournait le plan de travail pour s'approcher d'elle, elle recula un peu plus en déclarant qu'elle avait vraiment besoin d'une douche. Elle avait encore du sable dans la bouche.

Sous le jet d'eau brûlante, le temps alla trop vite et pas assez. Elle ne parvenait pas à savoir si elle désirait que le groupe parti déjeuner revienne ou pas. Elle ne sortirait que lorsque la température de la salle de bains aurait atteint le degré de chaleur de sa peau.

L. la surprit dans le couloir alors qu'elle n'avait que sa serviette, comme s'il l'avait attendue. En s'embrassant, empêtrés, ils traversèrent la maison grise. Montèrent, pénétrèrent dans Dieu sait quelle chambre silencieuse, tombèrent en arrière en éclatant de rire. Moins silencieuse à présent. Sur le toit s'écrasèrent les premières grosses gouttes de pluie. *Plink*. Elle se releva et plaqua son dos nu contre le bois frais.

— Nous nous connaissons à peine, lâcha-t-elle en serrant contre elle la serviette qu'il tirait.

— Viens, dit-il. Ça va être amusant.

Il se fit alors un silence inquiétant. En ville, le bourdonnement et les trépidations incessantes des avions, des automobiles et des machines vous rappelaient l'existence du monde extérieur. Ici, appuyée contre la tête de lit, elle ne voyait plus, derrière les points de croix des gouttes accrochées à la moustiquaire, que du ciel… et ne savait donc plus très bien ce qui était réel. Son rire au contact glacé de sa main sur sa cuisse ? Ou ses genoux qui repoussaient son torse dans la chambre obscurcie ? Un esprit plus sobre aurait trouvé la scène sinistre, comme à l'écran un plan qui fait chuchoter les spectateurs : *Non*. « Non », s'entendit-elle prononcer. Mais il n'avait sûrement pas entendu. Il avait ôté son pantalon de toile, remonté la serviette sur sa taille. Le monde, à cet instant, devint un mirage ; si elle avait pu descendre l'escalier, elle aurait découvert que tout, les gens, les dunes, les postes de secours et la jetée, avait été aspiré dans un éclair atomique. Est-ce qu'elle perdait la tête ? Elle avait d'abord, se souvenait-elle, consenti à un baiser, sur l'oreille, dans le cou, pendant qu'entre ses cuisses sa main cherchait peut-être des clés égarées. Ou bien était-ce le gin qui parlait ? Était-ce le gin qui appuyait contre son entrejambe ? Son corps était noyé dans un liquide qui lui interdisait tout mouvement tandis que sa tête tournoyait dans l'espace. Devait-elle hurler au secours ? Personne ne croirait que ce n'était pas ce qu'elle voulait. Elle était trop soûle. Et peut-être était-il trop soûl, lui aussi, pour se rendre compte de ce qu'il faisait. De toute façon, il n'y avait personne. Même les domestiques étaient partis. « Non », supplia-t-elle en s'accompagnant d'un rire forcé, pour qu'il sache qu'elle lui pardonnerait s'il arrêtait. Mais il lui serrait les poignets dans ses mains étonnamment puissantes, et il ne la regardait pas dans les yeux, et il n'arrêta qu'au moment où il s'arrêta court.

Quand il fut parti, elle regagna, à demi nue, furtivement, sa chambre au troisième étage, en se cachant sous les fenêtres, et elle s'enferma, décidée à faire la morte au moindre signe de son retour. Elle ne laissa ses pleurs devenir audibles qu'après avoir entendu une porte claquer en bas. Il l'avait remerciée, profusément, après, comme si elle lui avait donné un cadeau. Mais s'il s'était vraiment agi d'un cadeau, pourquoi cette douleur ? Ce qu'elle voulait maintenant, c'était son père, ou son frère, mais elle avait trop honte pour aller les chercher, et trop peur qu'*il* revienne avant. Pour finir, elle jeta ses affaires dans sa valise et descendit péniblement l'escalier de service, marquant une pause, l'oreille tendue, à chaque palier. Elle courut vers sa voiture sans laisser aucun message. Ses essuie-glaces restèrent sans effet sous la pluie qui tombait en rafales. La traversée en ferry promettait d'être agitée. Elle la passerait enfermée dans les toilettes, agenouillée devant la cuvette. Et c'est seulement sur la terre ferme, dans les toilettes à l'arrière d'une station-service Sinclair, qu'elle découvrirait la petite tache de sang, parfaitement ronde, dans sa culotte.

Il y eut un temps de silence au bout du fil quand Papa réussit à la joindre à Poughkeepsie ce lundi-là, une grosse boule de honte, de colère et de dégoût qui lui bloquait la gorge.

— J'avais mal au ventre, mentit-elle. Alors j'ai décidé de rentrer un peu plus tôt. Désolée de ne pas t'avoir prévenu ; je ne voulais pas gâcher ta fête.

Il ne s'arrêta pas sur les incohérences – il dit seulement, de ce ton absent, qu'il espérait qu'elle allait mieux. Ayant passé tout le trajet du retour à répéter le rôle que désormais on attendait d'elle, elle répondit que oui.

Elle attendrait un mois, où elle garda pratiquement le lit, avant de décider de raconter à son père ce qui était arrivé ce week-end-là. Et puis un autre mois, et un autre retard de règles pour prendre son courage à deux mains, et cetera. Elle se savait incapable de prononcer les mots au téléphone commun de la résidence d'étudiantes, et donc un vendredi après-midi, au milieu du mois de novembre, elle prit le volant pour se rendre à Sutton Place. Ce qu'elle découvrit cependant était inhabituel : aux marches habituellement impeccables s'accrochaient des centaines de feuilles jaunes dont les squelettes formaient des entrelacs noirs. Elle se rappela alors, sans trop savoir pourquoi, que William et elle aimaient les ramasser et que Doonie les repassait, parsemées de taillures de craie grasse, entre deux feuilles de papier paraffiné. Du verre coloré, disaient-ils. Le pourquoi, c'est qu'elle essayait de gagner du temps.

Le rez-de-chaussée était silencieux, hormis la cuisine. Là, elle trouva Doonie penchée au-dessus d'un carton de déménagement, ayant laissé une mèche de cheveux échapper de son chignon où il y avait plus de blanc qu'auparavant. Une part d'elle-même avait envie d'enfouir son visage dans le dos large de la cuisinière, de sentir cette vieille odeur impérissable, de laisser ses larmes mouiller le coton. Mais Regan était désormais plus âgée, elle aussi.

— Mademoiselle Regan, dit Doonie en levant la tête. Je ne t'attendais pas.

— Que faites-vous ?

Regan indiqua le paquet enveloppé de papier journal que Doonie tenait à la main, détestant la note d'autorité qui colorait sa voix. Doonie sembla tout aussi surprise de la sentir.

— Ce sont les casseroles et les objets que j'ai payés de ma poche au fil des années. Selon notre accord, Kathryn et moi, je devais les emporter le jour de mon départ.

— Mais vous ne partez pas, n'est-ce pas ?

Doonie posa un doigt sur ses lèvres et indiqua la porte ouverte.

— Je n'ai pas eu le choix, Regan. En trente-cinq ans je n'ai jamais fait de la *haute cuisine**, et je ne vais pas commencer maintenant. Il faudra que tu en parles avec ton père.

Regan se précipita dans le hall. Ils se débarrassaient aussi de Doonie, à présent ? Honteux, c'était honteux. Elle avait presque oublié pourquoi elle était venue quand elle entra dans le salon sans lumière et vit la silhouette tournée vers la baie vitrée. Derrière, dans la cour, un érable du Japon explosait de rouge, jetant des flammes sur les carrés entre les meneaux. Amory Gould. Le malaise qu'elle ressentait toujours en sa présence avait désormais un nom : c'était de la répulsion. D'instinct, elle eut envie de courir, mais au même instant quelque chose le fit se retourner et son expression impénétrable céda la place à un sourire imperceptible.

— Ah, Regan ! Je te prépare un verre.

Sans le moindre geste pour allumer la lumière – sans même remarquer qu'elle était éteinte – il se dirigea vers la console.

— Je...

Elle déglutit.

— Merci, je n'ai pas soif.

— Mais tu es venue fêter la bonne nouvelle, n'est-ce pas ?

Comme elle ne répondait pas, il lui mit un verre dans la main. Le plus grand concurrent de la société, expliqua-t-il, venait juste, ce matin, d'accepter son rachat.

— Nous ajoutons ainsi à notre holding des intérêts importants en Amérique du Sud. Et cela fait de toi…

Il fit tinter son verre contre celui qui flottait entre eux.

— … une très riche jeune femme.

— Qui est-ce ?

— Qui est qui ?

— Le concurrent, dit-elle, bien qu'elle connût déjà la réponse.

Le vin était doucereux, écœurant. Elle but, non dans un élan de sympathie, mais pour se donner du courage.

— Je vous ai présentés lors de la soirée des fiançailles. Le fils semblait t'apprécier beaucoup. J'étais sûr que vous étiez faits l'un pour l'autre.

Son visage apparut dans la pénombre, une lamproie surgie des ténèbres.

— Ou bien y a-t-il un autre malentendu ? Quoi qu'il en soit, tout s'est passé à merveille, Regan, et tu verras un jour qu'il faut parfois, dans son propre intérêt, miser sur la sécurité à long terme plutôt que sur les affaires de cœur. Mais buvons à la santé de ton père. Rien, j'en suis convaincu, ne pourrait gâcher ce moment. Ils sont dans le bureau là-haut, à l'heure actuelle, pour régler les derniers détails.

Et pour le cas où elle n'aurait pas compris à quoi il voulait en venir, à savoir qu'elle devait la fermer, il trinqua de nouveau, assez violemment pour qu'une goutte de son vin éclabousse le sien. Presque, pensera-t-elle, comme s'il avait voulu la contaminer.

60

EN RÉALITÉ, ELLE NE S'APPELAIT PAS JENNY. C'était une situation par-
tagée par des milliards d'autres à la même époque, mais la plupart n'y
attachaient aucune importance tandis que Minh Thuy Nguyen y pensait au
moins une fois par jour. Son père et sa mère avaient émigré du Vietnam avant
que quiconque songe à avoir pitié d'eux. Aucune raison d'avoir pitié d'eux,
disait Papa – le pays était plus ou moins en guerre depuis mille ans, comme
presque la totalité de la planète et de toute façon les Nguyen ne vivaient
pas dans un village indochinois traumatisé par les bombardements, mais
dans une grande maison de plain-pied, toute blanche, dans un canton de la
vallée de San Fernando qui n'était rattaché à aucune municipalité, où ils ne
payaient pas de taxes locales et où, au crépuscule, à l'heure où la lumière
descendait derrière les montagnes et que le camion de DDT passait pour
asperger les moustiques, le système d'arrosage automatique dans les jardins
évoquait les grandes eaux de Versailles, dilapidant leurs ressources au bénéfice de ces pelouses ridicules en plein désert. Mais les Blancs se révélaient
aussi prodigues de pitié ; dès l'école élémentaire, les autres enfants avaient
commencé à la regarder avec cette expression disant : *Vietnam... Beurk !* Et
donc le jour de la rentrée en sixième, quand M. Kearney avait appelé son
nom, Minh Thuy l'avait corrigé :
— Je m'appelle Jenny.
— Jen-yi ? hasarda-t-il.
— Jenny.

Elle n'avait que douze ans, mais elle savait déjà qu'il se fichait complètement de comment elle se faisait appeler. La Californie avait cela de beau : tant qu'on se débrouillait pour avoir une pelouse bien verte et de bonnes notes, on pouvait se permettre les choses les plus bizarres. Et Jenny était cent pour cent californienne.

Son nouveau nom scindait sa vie en deux. Il y avait d'un côté la maison : ce monde sans lumière où elle répondait toujours au prénom de *Minh Thuy*. Sa mère, migraineuse, tirait constamment les rideaux semi-opaques pendant les heures claires de la journée pour que le salon en contrebas baigne dans la pénombre. Minh Thuy distinguait à peine le Bouddha de jade et le crucifix posés comme des serre-livres aux deux extrémités de la cheminée, les photos de parents restés à l'étranger, ou les volumes de Victor Hugo sur le bureau où son père écrivait toutes les semaines sa lettre à la rédaction du *West Covina Times*. Elle entendait parfois, dans la cuisine où il coupait des légumes, le bang de son couteau sur la planche à découper en polymère futuriste, tandis que sa mère restait étendue comme morte sur un matelas de paille, près de la table basse, un linge mouillé sur les yeux. (La souplesse des lits américains, disait-elle, l'accablait quand elle avait une crise, mais elle aurait sans doute pu trouver un endroit plus retiré pour s'allonger.) Ces migraines fournissaient à Minh Thuy un alibi tout trouvé pour ne pas inviter des amies, et expliquaient pourquoi les soirées pyjamas ou les réunions d'Éclaireuses se déroulaient toujours chez Mandy, Trish ou Nell. Elle avait découvert récemment que pour ses parents, aussi, ces migraines arrivaient à point nommé. Elle pensait au bar de son père, une centaine de dollars de bouteilles d'alcool dont il nettoyait la poussière tous les samedis, comme si à tout instant ses collègues de Lockheed allaient envahir la maison. Elle pensait à la stéréo achetée à crédit chez Sears qui ne servait que pour les retransmissions, le dimanche après-midi, des opéras du Metropolitan. À Maman et Papa, raides sur le canapé, écoutant *Samson et Dalila*. Elle se rappelait les odeurs étranges qui régnaient chez ses amies, la nourriture pour les poissons chez l'une, le fromage frais chez l'autre ; elle ne savait plus exactement ce qu'elle sentait où, mais si elle leur trouvait une drôle d'odeur, en quoi consisterait, pour elles, celle de sa propre maison ? L'effrayant, c'était que le monde de Minh Thuy se résumait à un relent qu'elle-même ne percevait pas. Mais à l'intérieur de cette enceinte, elle était restée une fille obéissante, qui récitait ses prières, mangeait sa soupe en été, répétait son violon dans le garage pour ne pas déranger sa mère.

Son éducation cependant avait eu lieu dans l'autre monde, celui de Jenny, avec ses kilomètres d'autoroutes, ses drive-ins, ses plages et ses bougainvilliers, son chaparral, son Tastee-Freez, ses incendies, ses stucs, ses Cineplex, ses auto-tamponneuses, ses piscines à coque, ses lotissements planifiés sur les flancs des collines, avec leurs rues goudronnées, leurs bouches d'égout et leurs lampadaires, comme si on avait oublié de construire les maisons, ou comme si une bombe de série B les avait pulvérisées. Au lycée, elle y montait en voiture avec Chip McGillicuddy après deux films ou une orgie de bière. La bouche un peu endolorie par les baisers, ils se garaient dans un de ces culs-de-sac déserts et regardaient les mêmes culs-de-sac en dessous. Elle voyait là l'activité californienne par excellence, assister de très loin au spectacle de sa propre vie, essayer, en s'aidant de repères, arbres, autoroutes, restaurants construits sur le modèle de la nourriture proposée, de reconnaître sa propre maison. (C'était avant son installation à New York, quand elle ne savait pas encore que penser sa vie en termes cinématographiques était un phénomène national, voire mondial.) De cette hauteur, avec le smog qui auréolait les lampes au sodium, sa maison ressemblait à toutes les autres. Et quand Chip glissait la main sous son tee-shirt et prenait maladroitement un de ses petits seins, comme s'il s'assurait de la maturité d'un avocat, elle aurait pu être la petite amie de n'importe qui, être n'importe qui, ce qui lui semblait alors répondre à son désir. Elle s'allongeait sur le siège et contemplait le plafond en similicuir du break de la famille McGillicuddy, reconnaissante à Dieu d'avoir créé le Far West.

Ayant obtenu une bourse pour Berkeley, elle resta en Californie. Son père s'inquiéta et lut à haute voix un article évoquant de récentes activités répréhensibles sur le campus, mais il était attaché, comme seuls les émigrants dotés d'un doctorat peuvent l'être, à l'idéal d'enseignement public et il savait que c'était la meilleure université de tout le système. Chip allait à l'Université de Californie de Santa Barbara et elle ne savait pas trop où cela les conduisait, mais ils continuèrent à se voir. C'était le genre d'homme qui, une fois engagé sur une route menant à l'horizon, s'obstinerait à marcher droit devant lui sans même remarquer que l'horizon ne se rapprochait jamais. Il aurait marché ainsi jusqu'au mariage, mais ce qu'il voulait dire en affirmant qu'il l'aimait n'avait aucun rapport avec ce qu'être aimée signifiait pour elle.

La fac avait entraîné chez elle un certain mépris pour des qualités telles que la bonté et la persévérance. Elle serait passée pour une fille bonne et persévérante si un régime soutenu de films d'Antonioni et son cours d'introduction à l'existentialisme n'avaient éclairé ses véritables attentes. Ce qu'elle attendait, c'était de modeler son moi réinventé en tant que Jenny de la Vallée en termes théoriques, sous forme de résistance ou de puissance négative héroïque – probablement parce que, sans se l'avouer, elle avait honte. Se scinder en deux personnes avait été douloureux. Intérieurement, c'était la guerre civile. Les appels à la maison devinrent tendus.

Et puis en décembre, Chip invita sa famille à la fête de Noël – ouverture qui lui parut une attaque en traître, dans le sens où l'invitation, adressée à la *Famille Nguyen*, arriva dans la boîte alors qu'elle terminait ses examens et sans qu'elle pût empêcher son père de l'ouvrir, puis d'y répondre avec enthousiasme et en toute hâte. Sa mère consultait maintenant un osthéopathe. Les migraines semblaient plus espacées, moins intenses et moins longues, et quand ils traversèrent ensemble l'étrange ambiance de Noël qui régnait dans la Californie du Sud, fausse neige sur les toits des maisons, sapins dans les vitrines des stations-service flanquées de palmiers, cette dissonance cognitive massive générée par la culture de la consommation, l'artifice cartésien, et ainsi de suite, Jenny vit Maman reculer un peu quand Papa tendit le bras pour lui prendre la main.

Elle les observa pendant la fête, également, une réception bourgeoise où les hommes, debout en chemise couleur fleur d'hibiscus, buvaient des rhums chauds pendant que les femmes circulaient infatigablement et que les enfants s'assemblaient derrière la pool-house pour regarder les avions décoller au-dessus de la Vallée et se défoncer. Au-dessus du désert la lune flottait presque dix-huit heures par jour. Le désert lui-même pouvait bien être la surface de la lune.

N'ayant pas répondu aux suggestions de Chip qui voulait l'emmener faire un tour en voiture, elle retrouva sa mère entourée d'un nuage de maris. L'anglais de Maman n'était guère extraordinaire, en raison de ses années d'isolement passées à regarder l'Amérique par un bout de lorgnette, mais on ne le devinait pas à la voir. Elle riait sans presque aucun bruit aux plaisanteries des hommes. Et sur le visage du père de Chip se lisait de la condescendance, comme s'il disait à ses amis : Regardez comme c'est facile de faire rire ces bridés. Et il avait trop bu. C'était un alcoolique, selon son fils, et Jenny le voyait pour la première fois *inter pocula*, mais ce que cela impliquait pour Chip et la vie de couple en général semblait s'effacer devant l'injustice flagrante de devoir faire le singe pour ces gens, de devoir être Jenny, et de ne pas vraiment pouvoir parler du pays censé être le sien, dont le pauvre peuple en ce moment même recevait les bombes que le fasciste Nixon faisait pleuvoir sur lui. Elle serra le bras de sa mère.

— On y va.

— Mais on s'amuse tellement, articula Maman, comme s'il s'agissait d'une phrase apprise dans un livre.

— Je ne me sens pas bien. On y va.

Sur le trajet du retour, elle s'allongea sur le siège arrière, feignant d'avoir ses règles et des douleurs dans le ventre, et elle regarda les lumières colorées glisser sur la vitre. Tandis que Maman continuait à pratiquer son anglais – *Quelle jolie maison* – et que Papa faisait comme s'ils allaient rendre l'invitation, elle ne vit plus que la manière dont ils se penchaient en avant pour rire, tels des jouets à ressorts. Elle n'entendit plus que leurs minuscules éclats de rire.

De retour à la fac, elle commença à se faire appeler Minh. Alors que l'identité viet de ses parents était autrefois quelque chose à cacher, elle provoquait à présent – une fois bien établi, au moyen de détours bienséants, qu'elle n'était ni chinoise ni thaï – une sorte d'admiration. Inutile de préciser que son père, un catholique, avait soutenu le régime de Diem. Ses notes souffrirent, un peu seulement, à cause des réunions, des soirées, des cercles d'autocritique, et d'un mélange de tout ça, qu'elle se mit à fréquenter, et des nuits passées à participer à sa manière à la révolution sexuelle. (Révolution, songerait-elle plus tard, qui n'était pas entièrement pure, dans le sens où elle présentait une vision irréaliste du monde à venir. Mais n'était-ce pas toujours le cas à cette époque?) Sous le nom de Mother Mountain, elle intervenait une fois par semaine à la radio universitaire, ponctuant des extraits de *Minima Moralia*, et des philippiques contre l'industrie aérospatiale et les gadgets ménagers modernes, de sa version de morceaux de Stockhausen qu'elle jouait sur son violon désaccordé. Comparée à celle de l'ensemble des étudiants, sa consommation de drogues oscillait entre modérée et raisonnable. Elle rentrait moins souvent. C'était une époque grisante.

Puis ce fut l'occupation du bâtiment du doyen, l'arrestation, et l'arrivée de Papa, tout seul, pour la faire libérer sous caution. En commençant la longue route vers le sud, il lui annonça que sa mère le quittait – pour l'osthéopathe.

Jenny tourna la tête vers la vitre et sentit enfin toute la violence de quelque chose qu'elle s'était sans doute très longtemps dissimulé. Comme si une lame ne pointait pas vers elle, mais hors d'elle. Elle voulait ne pas souffrir, l'institution du mariage étant une excuse hétéronormative et tout. Ou bien était-ce possible d'aimer et de haïr une chose en même temps? Que la liberté soit tyrannique, et la tyrannie libératoire?

À leur arrivée, ils trouvèrent la maison vide et enfin, après si longtemps, elle en sentit l'odeur, une odeur de sel et de papier. Ni plus ni moins bizarre que celle de la maison de Trish pour Mandy, ou que celle de la maison de Mandy pour Nell, et elle eut envie de les appeler et de les inviter tardivement à venir passer la nuit, afin de n'être pas obligée de pleurer seule, mais elle n'avait plus parlé à Nell, Mandy ou Trish depuis longtemps, il ne lui restait plus que son père, et plus tard, sur la péniche de l'ostéopathe au bout de la 405, sa mère et les deux Valium qu'elle avait emportés avec elle dans son sac à linge sale.

La philosophie semblait exiger qu'on défende une position sur les questions qui désormais s'imposaient. La Tradition contre le Progrès. La Raison contre la Passion. L'Être contre le Temps ou contre le Néant. Était-elle Minh Thuy en fin de compte, ou était-elle Jenny? Mais l'époque où faire la différence entre les deux avait un sens finirait par ressembler à un tout petit quartier où vous ne pouviez décider quelle maison était la vôtre. Ce qui paraissait important en haut, sur le flanc de la colline, ne l'était pas autant aux confins d'un continent, là où les vies que vous aviez vécues, et les lieux dont vous veniez, rétrécissaient jusqu'à devenir un point à l'horizon, dans le passé irrémédiablement lointain.

61

UN CAUCHEMAR, CETTE NEIGE DEHORS. À travers le pare-brise, Regan ne distinguait pas la route, ni même les arbres au-delà de leurs troncs squelettiques. Elle ne pouvait pas s'ôter de la tête l'image de la voiture plongeant, avec elle à l'intérieur, au milieu d'eux, dans le néant. Avec l'allume-cigare. Avec les serviettes hygiéniques Kotex, les cacahuètes et le paquet de chewing-gums rendus cassants par le froid. *Over and over*, encore et encore, elle dressait son petit inventaire, comme la fille et sa prière dans la nouvelle de Salinger. Ou le groupe qui chantait cette chanson à la radio. Combien de fois était-elle passée depuis qu'elle avait pris le volant, des heures auparavant? Elle avait écouté jusqu'à ce que les voix douces à mourir lui fassent trop mal, éteint jusqu'à ce que ça fasse trop mal, rallumé et la chanson passait de nouveau. Elle pouvait en être sûre, elle l'entendrait encore un certain nombre de fois, bloquée par les congères à l'orée des bois, en se réchauffant avec l'allume-cigare et en suçant ce qui restait de nutriment dans le chewing-gum. La neige s'accumulant sur la décapotable. L'air se raréfiant à mesure que la nuit tombait. Le sang ralentissant, le mercure chutant. Et pour finir, une immensité blanche sans la moindre aspérité. La désintégration nucléaire, tel était son cauchemar depuis l'enfance; c'était ce qu'elle méritait, elle le savait à présent. Car ces derniers jours, ce qui se trouvait dans sa matrice semblait remuer. Cela aussi, peut-être, était un produit de son imagination, mais il lui avait bien fallu analyser ses choix. Mettons qu'elle avait attendu trop longtemps. Hors de question de le dire à L., encore moins de l'épouser, comme le voudrait Papa, resté dans l'ignorance. Et avoir un enfant sans père l'enchaînerait à cette fortune maudite dont elle voulait se débarrasser dès qu'elle pourrait vivre de son métier d'actrice. Certes, elle pouvait changer de nom, partir quelque part très loin de New York. Mais qu'arriverait-il si elle détestait l'enfant qui l'aurait forcée à vivre une existence sinistre dans les provinces, tout comme elle avait détesté l'avoir en elle, cette chose faite non d'amour mais de douleur ?

L'automne dernier, quand elle s'était adressée à l'un de ces garçons affables de la troupe, fils d'un gynécologue obstétricien, la haine s'était muée en panique. Elle avait demandé s'il pouvait se renseigner discrètement pour le compte d'une condisciple en difficulté. Il était revenu avec les noms de quelques endroits près de la ville, mais si la discrétion était un point essentiel, il estimait qu'elle devrait plutôt – l'étudiante, naturellement – passer la frontière de l'Ontario. Les lois y étaient plus strictes encore qu'aux États-Unis, mais son père avait un collègue... Plus tard seulement, en consultant un atlas, elle avait pris conscience de la distance qui la séparait de l'Ontario. Elle ne cessait de penser à sa dernière rencontre avec Amory Gould. Il avait espéré qu'en fille obéissante elle jouerait le jeu avec le prétendant désigné, lui prouverait que les Hamilton-Sweeney n'étaient pas si mauvais. Mais *Nous sommes venus une ou deux fois cet été,* avait dit L. Amory savait-il donc déjà, avant, ce qu'était L. ? Au minimum, il l'avait su après, et n'avait rien dit. Peut-être était-ce pour lui un sujet sans intérêt. Peut-être, en ne disant rien elle-même, jouait-elle son jeu maintenant. Mais il y avait un autre secret, pensa-t-elle, et celui-là n'appartenait qu'à elle : sa grossesse. Elle ne pouvait pas laisser le Frère Démon découvrir ce qu'elle s'apprêtait à faire. À en faire. Et où était le seul endroit au monde d'où il détournait ce regard qui prétendait tout voir ? Là, sur la carte devant elle. La ville d'où il venait. Buffalo.

La toundra ayant échoué à la bloquer, elle y parvint juste après midi. Les rues du centre étaient blanches et un peu encombrées, perdues sous les tristes guirlandes de Noël soulevées par le vent. Elle traversa le pont vers le Canada et prit une chambre dans un motel avec les provisions qu'elle avait emportées. Puis elle appela un taxi et sortit l'attendre sur le balcon glacé. Le véhicule qui se présenta n'était pas jaune. Ne la voyant pas, il resta dans le parking, moteur au ralenti. Elle avait donc encore le temps de réfléchir, se dit-elle, sur le balcon. Et dans le taxi. Et à la clinique. Elle était libre, lui expliqua l'infirmière en l'auscultant, de changer d'avis à tout moment. Regan voulait savoir s'il était possible que ce qu'elle avait en elle fût déjà une vie. Au lieu de quoi elle demanda : « Pourquoi me dites-vous ça ? » Mais la réponse était évidente. Pour la même raison qu'on lui faisait retraverser la salle d'attente si harmonieuse avec ses plantes en pots et sa musique d'ambiance : pour qu'elle sache que ce qui allait se passer, une fois le masque posé sur son visage et le gaz inhalé, serait sa faute et celle de personne d'autre.

Vous étiez censée venir accompagnée de quelqu'un pour vous reconduire chez vous, veiller sur vous au cours des premières soixante-douze heures, mais Regan, à dessein, n'avait personne. Pour ce qu'en savaient les autres, dans son autre vie, elle était partie après Noël, non pas au Canada, mais en Italie pour étudier la *commedia dell'arte* pendant un semestre. Elle avait préparé le terrain dès Thanksgiving ; cet ancien rite théâtral, expliqua-t-elle, survivait dans sa forme la plus pure dans les petits villages rocheux piémontais restés à l'écart du téléphone. Il lui paraissait alors possible, du moins jusqu'aux premiers soubresauts, de faire autrement, de garder le bébé et de le confier à une famille d'adoption. Et quelle que soit l'issue, elle ne pouvait rester si proche de la maison. Son père était distrait, comme à son habitude, mais Felicia s'était soudain rappelé :

— Et le mariage ? Tu seras de retour en juin ? Il a toujours été question que le mariage se déroule en juin.

— Mais Papa a dit que tu étais d'accord pour attendre que William ait terminé le lycée, fit observer Regan. Et pour moi, il s'agit d'une occasion qui ne se présentera pas deux fois. Si tu veux un mariage au mois de juin, il faudra attendre jusqu'en 1961.

Là-dessus, William, qui tripotait sa serviette de table, leva les yeux et articula sans bruit *Merci*.

À présent, allongée dans son lit le matin suivant l'opération, elle songeait à l'appeler et à tout lui raconter. William aurait pris le premier avion sans souffler le moindre mot. Au lieu de quoi, elle changea les deux garnitures dans lesquelles elle avait saigné toute la nuit et s'appuya contre la fenêtre. Le motel était fauché au point d'avoir éteint le néon pour économiser de l'argent, et au-delà elle voyait le lac Érié, dont les vagues formaient de petites crêtes sous la poussée du vent. La chambre possédait deux télévisions, posées l'une au-dessus de l'autre, dont une seule fonctionnait. Elle la laissa allumée tout l'après-midi pour couvrir ses sanglots – que personne n'était là pour entendre – et mangea le beurre de cacahuète à même le pot.

Quand elle fut assez rétablie pour pouvoir conduire, elle reprit la route pour Buffalo. La maison où les Gould avaient grandi se trouvait sur Essex

Street. Elle s'était attendue à quelque chose de plus grandiose que cette bâtisse délabrée posée sur un terrain minuscule. Elle descendit de voiture pour tester la solidité des planches aux fenêtres. Les clous tenaient ; rien ne sortirait d'ici. Elle se rendit ensuite dans une agence immobilière et, sans même la visiter, signa un bail de six mois pour une petite maison située près de l'université. Dans la mesure où elle avait encore un projet quelconque, elle était sûre que l'endroit lui conviendrait, et ce fut le cas. La bâche qui recouvrait un bout de toit resterait tout le temps en place, mais il y avait une baignoire profonde dans la salle de bains, une cheminée dans le bureau et, tout près, des magasins et des restaurants pour les gens de son âge. Elle fêta le début des années 60 en engloutissant une pizza entière devant un feu qu'elle avait préparé elle-même. Sa mère les entraînait toujours entre les bancs de St John the Martyr pour la messe du Jour de l'An ; ce qu'on fait le premier jour de l'année décide de ce qu'on fera le reste de l'année, telle était sa superstition. Regan ne savait pas ce que signifiait une pizza merdique à Buffalo, ou l'unique verre de vin avec lequel elle l'avait avalée, sinon que dans un avenir prévisible elle ferait une foule de choses toute seule.

Elle finit par s'habituer à la ville. C'était une cité en piteux état, déglinguée, déprimée, mais résolue. Et en dehors de la pizza, la nourriture s'y révéla plutôt correcte, mais peut-être tout ce qui n'était pas atroce lui aurait-il semblé correct. Si elle avait eu le projet d'enquêter sur les Gould, d'amasser des preuves qu'ils n'étaient pas ce qu'ils prétendaient, elle ne le mit pas à exécution. Et en l'absence de projet, à quoi bon rester ici ? Elle passa les heures interminables dans des restaurants ou des cafés du voisinage, ou dans sa baignoire de location, en mangeant du porc moo shu à même la boîte par terre et en lisant les pièces qu'elle trouvait à la librairie universitaire. À Vassar, elle était shakespearienne, mais ici il s'agissait surtout de pièces contemporaines, celles qu'elle avait rejetées parce qu'elles versaient dans l'absurde pour l'absurde. Elles lui semblaient maintenant revêtir une forme supérieure de réalisme. Regan, après tout, se tenait sur une scène autrement vide, sans direction logique. Rien que des périodes temporelles dénuées de sens, petites vignettes statiques séparées par des « trous noirs » – qui, sur la page, paradoxalement, prenaient la forme d'espaces blancs entre deux intervalles de texte noir et famélique.

Fin d'après-midi, un salon funéraire dans l'East Side de Manhattan. Rangées de sièges pliants vides devant un cercueil. Le tapis est noir, les murs rose saumon. Entre : une petite fille, vêtue de l'uniforme de l'école privée à laquelle elle ne va plus depuis une semaine. À son petit cadet, également de retour à la maison, on a dit qu'elle allait rendre visite à un ami au bout de la rue, alors qu'elle est venue ici, une heure avant le début de la veillée mortuaire à laquelle ils ne seront pas autorisés à assister, pour dire adieu à sa mère. Tel est le compromis auquel elle est parvenue avec son père, après avoir eu recours aux larmes qu'il ne supporte pas de la voir verser. À présent, tandis qu'il s'attarde sur le seuil, elle s'approche du cercueil. La robe argentée. Les cheveux roux, les yeux à peine enfoncés. Ils ont fait du bon travail sur le visage ; c'est juste que la bouche a quelque chose qui ne va pas. Celle de Maman était si pleine de vie, toujours en mouvement, toujours avec un sourire ou un soupir ironique – pour la ressemblance, ils auraient dû faire poser William.

Elle avait représenté le seul grand geste de rébellion de Papa, issu d'une longue lignée de presbytériens : Kathryn Hébert, catholique née à La Nouvelle-Orléans. Et plus tard, quand Regan était entrée dans sa propre phase réfractaire, Maman avait dit que nos problèmes se révélaient parfois le résultat d'un défaut d'attention à ceux des autres. Regan y pensait souvent. Un homme, qui n'avait plus qu'une moitié de langue, s'était installé devant l'entrée du métro non loin de l'école, et secouait quelques pièces au fond d'une tasse. Chaque fois que Regan passait devant lui, il y avait une seconde où le désir de donner la submergeait presque tout entière. Mais chercher son portefeuille au fond de son cartable aurait signifié lui montrer qu'elle possédait un portefeuille, et signifierait qu'elle serait obligée de donner le lendemain, et le surlendemain ; le regarder sans sortir son portefeuille équivaudrait à lui manifester de l'indifférence ; et emprunter l'autre entrée équivaudrait à avouer qu'elle avait honte de ce que tout le monde en fin de compte pensait dans cette ville, alors elle s'entraîna à passer en courant sans le voir. Et puis un soir, au retour de la représentation de *By Jupiter* par la troupe de l'école en compagnie d'autres filles et de leurs mères, Maman s'était arrêtée devant l'entrée pour fouiller dans son sac. Vingt ans à New York, et elle pouvait encore avoir ce réflexe atroce de touriste. Elle regarda l'homme dans les yeux, lui mit un billet dans la main, et elles avaient repris le chemin de leur monde privilégié, sauf Regan qui s'était attardée et avait vu l'homme sortir son propre portefeuille, y ranger le billet, et recommencer à secouer sa tasse. La croyance de sa mère, qu'il était possible de comprendre les problèmes des autres, lui parut à la fois présomptueuse et manifestement fausse – comme de croire que Dieu pouvait se montrer miséricordieux, même si on ne lui demandait rien. Maman n'avait-elle pas souffert pour finir ? À une intersection à Westchester où elle se rendait pour déjeuner, sa voiture, emboutie par l'arrière, avait été poussée en avant. Un camion avait heurté le côté conducteur. Le choc avait dû laisser maman sans dents, car le problème détecté par Regan au niveau de la bouche qu'elle regardait venait des dents. Maman avait beaucoup souffert. L'autre mensonge qu'on avait dit à William, c'était que tout s'était passé vite et sans douleur; deux jours durant, tandis qu'elle s'accrochait, Papa était resté auprès d'elle du matin au soir. C'est alors que Doonie était devenue Doonie et que Maman avait cessé d'être Maman. Ce que sait Regan : l'univers n'a pas de créateur. Et désormais sa mère non plus. Et il n'y a donc personne ici à qui faire ses adieux au moment où Papa lui prend la main.

Au printemps après son avortement, Regan alla assister à la messe dans une chapelle carmélite non loin de la maisonnette qu'elle louait. Selon les termes de l'Église, ses actes étaient dépourvus de sens, voire condamnables, mais la messe étant dite en latin, elle n'aurait pas besoin d'écouter le laïus divin, et les religieuses qui remplissaient majoritairement les bancs avaient quelque chose de réconfortant. Les sœurs, ainsi qu'on les appelait dans cette ville, comme si elles étaient interchangeables. Elles ne lui demandaient jamais la raison de sa présence. Peut-être savaient-elles qu'elles ne comprendraient pas. Mais non, se dit Regan, cela aussi était présomptueux. Et puis, les mercredis soir, avec un groupe de paroissiens étonnamment peu moralisateurs, elle commença à effectuer des tournées dans un camion déglingué qui servait des repas aux personnes dans le besoin. En offrant les tasses de café et les assiettes en aluminium chaudes par l'ouverture latérale du camion, elle vit sa mère dans le métro. Elle s'obligeait à regarder les visages de ces hommes et de ces femmes qui dormaient dans des ruelles et des parkings à moins d'un kilomètre des demeures construites par des industriels puis abandonnées pour les banlieues résidentielles. Il *fallait* que ces maisons restent vides, comprit-elle, pour éviter la baisse des valeurs immobilières... de la même manière qu'une certaine quantité d'Américains en âge de travailler devait être maintenue au chômage afin de contrôler le marché du travail. Alors peut-être Maman avait-elle eu raison au moins là-dessus : Comment Regan Hamilton-Sweeney osait-elle seulement s'apitoyer sur elle-même ?

Elle rentra à New York, puis à l'université, convaincue d'avoir trouvé là-bas ce qu'elle cherchait – une perspective nouvelle. Six mois d'absence auraient dû suffire. Mais de retour parmi des gens qui ne savaient rien de ce qui était arrivé, elle se sentit de nouveau gravide, comme si une autre vie que la sienne continuait en elle. Et, comme Felicia le laissait entendre ici et là, cette sensation n'était pas seulement imaginaire. Son corps était encore affamé de ce qui l'avait nourri à Buffalo. Elle se voyait dans la cafétéria du campus, cédant à une impulsion, engloutir de la purée instantanée, du gâteau au chocolat insipide et du lait que servait l'énorme distributeur en acier. Plus tard, elle s'enfermait dans les toilettes sans fenêtres sous les toits du pavillon de la sororité. Lumière éteinte, elle pensait à ces autres sœurs, les carmélites, s'imaginant qu'elles l'avaient aidée à accoucher d'une fille – un affreux petit paquet tiède au creux de ses bras, ici dans les waters des Chi O, dont les sanglots s'accordaient, chez Regan, aux récepteurs de la douleur. Parfois, c'était un garçon. Quelquefois, elle se mettait à fredonner, si bas qu'on ne l'entendait pas, cette chanson idiote que Papa chantait quand William était au berceau. Et elle commençait à se sentir grosse de culpabilité. Grosse de chagrin. Pour finir, elle se faisait vomir, comme une étudiante lui avait appris à le faire en des temps plus innocents.

Vers la mi-novembre, ses dents commencèrent à lui faire un effet bizarre, ses cheveux à rester dans sa brosse. Et quand elle se pesa, ce qu'elle faisait quotidiennement, elle se rendit compte qu'elle avait perdu six kilos. Ça ne pouvait pas être bon pour elle – elle était assez intelligente pour savoir ça, même quand, derrière la porte verrouillée, émergeait la personne dérangée que son corps abritait – mais sa honte était sans fond.

Ce mois de décembre-là, elle rencontra Keith à la soirée d'adieu de *La Nuit des rois*. La scène était devenue le seul endroit où elle se sentait en sécurité, et si cette idée chère à Sylvia Plath qu'authenticité et souffrance étaient inextricables tendait à se transformer en une simagrée d'adolescent, la douleur, pourtant, rendait son jeu plus profond. Ou son rôle : Regan se fondant en Viola se fondant en Cesario. Elle avait encore son maquillage de scène quand elle remarqua le jeune homme aux épaules larges et excessivement séduisant qui l'observait depuis l'autre bout du sous-sol abritant l'association étudiante. Sur la stéréo passait « I Only Have Eyes for You » des Flamingos, et déjà la chanson, la fumée et les corps autour d'eux s'amalgamaient dans un tunnel de verre synesthésique.

La première des choses, c'est que Keith était tout ce que l'autre garçon n'était pas. Physiquement, il aurait pu n'en faire qu'une bouchée. Le jour de leur premier rendez-vous officiel, elle découvrirait sans surprise qu'il avait joué au football ; la grâce distraite de l'athlète, cette aisance dans son propre corps lui donnaient la sensation qu'il n'existait aucune arrière-pensée. En proposant de la raccompagner à son pavillon, si elle voulait, il n'offrait qu'une simple protection. Une camaraderie. Et quand la plupart des marcheurs regardaient la pointe de leurs souliers, Keith Lampligther, lui, admirait la lune.

Il était en dernière année à l'université du Connecticut, il voulait être médecin, mais ses études ne semblaient pas occuper tout son temps. Rien qu'en période d'examens, il prit le car jusqu'à Poughkeepsie à deux reprises pour l'emmener au cinéma. Lors de leur deuxième rendez-vous, il lui demanda son adresse à New York. Le ton concis et joyeux de la carte de Noël qui lui parvint la semaine suivante lui permettrait de tenir pendant les vacances qui s'annonçaient calamiteuses. Amory Gould était rentré aux États-Unis pour prêter main-forte aux préparations du mariage et Felicia avait insisté auprès de Regan pour lui faire essayer des robes de demoiselle d'honneur. Mais les Gould ne purent pénétrer ni son esprit, ni les pensées de Keith dont il était rempli.

Quand elle le présenta enfin à Papa et à William – le jour où il tint tête à Amory avec cette merveilleuse assurance –, son poids s'était stabilisé et elle avait commencé à croire, contre toute attente, avoir trouvé son sauveur. Elle voulut offrir à Keith quelque chose en retour, le récompenser d'être si équilibré, généreux, séduisant, intelligent, facile à vivre. Elle décida de lui offrir sa propre personne.

62

C E DONT NICKY NE SEMBLAIT PAS AVOIR CONSCIENCE, c'est que la
musique avait été une farce, une plaisanterie. William et Big Mike,
peintres tous les deux, avaient déjà passé beaucoup de temps à se prendre
terriblement au sérieux. Venus gagnait sa vie dans un salon de coiffure.
Jusqu'à la crise du pétrole de 74, Nastanovich travaillait à Union City, New
Jersey, dans une conserverie de poisson. Ils ne *voulaient* pas se considérer
comme un groupe professionnel. Ils avaient choisi le nom sur une planche
Ouija, merde. Ils avaient inventé une liste de titres pour le premier album
avant même d'avoir écrit une seule chanson :

```
FACE A                          FACE B
Army Recruiter                  Brass Tactics
VHF                             Down on the Bathroom Floor
Egg Cream Blues                 Dog Parade on Avenue B
Anyone Over 30 Gets It In       It Feels so Good When I
   The Neck                        Stop
East Village Zombies/           Someday, Comrade Fourier
   UWS Ghouls                      (The Lemonade Song)
```

La plupart avaient été enregistrées en une prise, William se lançant dans
des déclamations poétiques spontanées avec cet accent faussement cockney
parce qu'il n'avait pas la moindre idée de la façon de chanter pour de bon.

L'illustration constructiviste de la pochette, les uniformes que Venus avait confectionnés pour leur concert, le manifeste dont William lisait des passages avant chaque morceau, et de fait toute cette mise en scène révolutionnaire, n'avaient servi qu'à lâcher la vapeur, à se foutre de la gueule du monde. S'ils avaient réussi à toucher un môme tout au fond du Vault, dans une piaule de l'East Village ou peu importe où il avait entendu *Brass Tactics* pour la première fois, c'était en grande partie le fruit du hasard. Ou bien la musique cessait-elle à un moment donné d'appartenir à ceux qui la faisaient? Parce que voilà Nicky, gorge bloquée pour essayer de montrer à William comment reproduire sa voix cassée dans « Dog Parade » où ils avaient dû combiner deux prises vocales – interprétation exagérément littérale de ce qui était pour lui, sinon pour les membres de son groupe, un texte sacré.

Une fois que Nicky eut entièrement usurpé les parties vocales, chaque répétition devint une sorte d'audition pour le Philarmonique. S'il n'avait tenu qu'à lui, ils ne se seraient jamais arrêtés, même pour pisser. Il allait dans un coin du garage au milieu d'une chanson, il défaisait sa braguette et urinait dans une vieille boîte de peinture, sans cesser de crier dans son micro. Et que dire, vraiment, devant un engagement de cet ordre? Pendant que Nicky répétait infatigablement les mêmes trois mesures, jusqu'à ce que la mélodie perde tout sens, William se contentait de contempler, par terre, l'épaisse spirale des câbles. Il essayait parfois, comme pour un exercice d'école d'art, de les dérouler mentalement, mais les petits rectangles sales de bande adhésive indiquant Canal 1 et Canal 2 ne servaient à rien. Impossible de dire quel câble était relié à sa Danelectro, lequel à la basse Jazzmaster de Nastanovich, lequel à la Farfisa de Venus et lequel à la Fender Mustang contrefaite que Nicky portait comme un talisman sans jamais y toucher.

William, de toute façon, ne peignait guère depuis quelque temps. Il avait atteint une sorte d'impasse le jour où il avait pris conscience que tout le monde se foutait de ce qu'il faisait avec un pinceau, alors qu'un millier d'adolescents hurlants semblaient se passionner pour ce que lui et son groupe avaient bâclé en un week-end, dans un studio d'enregistrement loué deux cents dollars et avec un ramassis de matériel emprunté. Sans compter que jusqu'ici son catalogue se résumait à rien. Depuis des mois, Bruno Augenblick essayait de le convaincre de participer à une exposition de groupe à la galerie. Il voulait venir au loft choisir deux ou trois œuvres, mais aux yeux de William, à la lumière d'hiver que répandait la fenêtre couverte de suie, tout paraissait réactionnaire, redondant, pris dans le tourbillon d'un système trop vaste pour être compréhensible, de la façon dont la rotation terrestre infléchit l'écoulement des eaux usées dans une canalisation.

Pour décrire les choses autrement, il était bloqué, mais dire cela soulevait des questions auxquelles il refusait de penser. Il vivait cette situation plutôt comme une aversion croissant de seconde en seconde.

Quand la sangle de la guitare commençait à lui faire mal à l'épaule, il cherchait le regard de Venus et trouvait un prétexte pour une pause – aller boire une bière, fumer une cigarette – sachant parfaitement que Nastanovich en profiterait (*Bon, si Billy va en griller une, j'irais bien me chercher un sandwich...*) et que son absence leur permettrait d'arrêter quinze ou vingt minutes. Car ce dont le bassiste avait besoin quand il s'esquivait dans la nuit, ce n'était pas d'un sandwich mais d'un fix.

À la plus imperceptible des invitations, la plus infime reconnaissance de leur fraternité de besoin, William lui aurait emboîté le pas. Mais il avait juré de garder secret qu'il tâtait lui aussi de la drogue, comme pour nier que l'héroïne avait changé quoi que ce soit. Après cette première plongée révélatrice dans le bureau au-dessus du magasin de disques, il avait décidé de laisser passer une semaine avant de recommencer. C'était comme d'attendre pour appeler le numéro qu'on vous a glissé dans la poche dans un club où vous vous êtes fait peloter. Et lorsque après seulement trente-six heures il avait repioché dans le sac, il avait d'abord essayé de la sniffer comme de la coke, sous le regard d'Eartha K. allongée sur le futon. À un moment donné, l'héro aurait été exactement le genre de chose dans laquelle il se serait jeté à corps perdu. Mais c'était comme s'il percevait le danger qu'il y avait à franchir la ligne autour de laquelle il faisait des claquettes. Dans Christopher Street, il avait vu des mômes se prostituer pour se procurer leur dose, les bras troués, les sourires affreux de la couleur éloquemment marron-gris des dents pourries jusqu'à la racine. Une part de lui voulait se réserver aussi longtemps que possible le choix d'arrêter, de se prouver qu'il jouait simplement la comédie de la dégradation.

Malheureusement, sniffer l'héro ne provoquait pas le même effet. C'était parfait pour par exemple regarder la télévision, mais ce qui manquait, c'étaient les visions, la religion. Il l'avait fumée, avec des résultats similaires, puis était passé aux injections sous la peau, pour finir par se piquer entre les orteils, comme un de ses dealers. Ah. Enfin. Il pouvait faire l'expérience d'une euphorie extraordinaire et garder des bras aussi lisses et blancs que des défenses d'éléphant, des bras qu'on aurait pu exposer dans un putain de musée pour dire au monde qu'il gardait toujours le contrôle. Récemment, il avait commencé à emporter partout son matériel et une petite provision dans le nécessaire à raser de son grand-père, juste au cas où. Et alors qu'il avait un jour juré de toujours se défoncer seul – il n'avait jamais aimé partager – vers le mois de février, il se retrouva assis avec Nastanovich dans l'étrange arrière-cour de leur local de répétition.

Bizarre, pensait-il depuis le début : cette enclave sans locataire entourée d'immeubles, comme si elle était antérieure au reste de la ville. On y accédait en se glissant derrière une clôture grillagée déformée entre deux maisons qui, pour une raison mystérieuse, n'étaient pas contiguës. Les côtés de chaque édifice étaient en pierre calcaire et ils se rapprochaient à mesure qu'on se dirigeait vers le fond, de telle sorte que, si on transportait mettons une batterie, on pouvait douter d'y arriver. Et puis on passait, on se retrouvait dans la cour, devant une habitation trapue, en brique, qui ressemblait à un pavillon de gardien dans un parc municipal. On ne savait pas bien à quel autre bâtiment celui-ci appartenait. L'automne précédent, le sol tout autour, sous le ciel jamais vraiment obscur, était un désordre de mauvaises herbes émaillées de fragments de bouteilles de soda et de fioles écrasées, mais tout cela disparaissait sous une couche de neige. Des cordes à linge s'entrecroisaient follement au-dessus de la tête. Personne ne se plaignait jamais du bruit. Nastanovich préleva une petite boule de neige de la taille d'un citron avec la cuillère qu'il avait dans la poche et ôta l'excès avec son doigt. Derrière le mur de brique contre lequel ils s'étaient accroupis, William sentait les vibrations de notes inconnues : Venus, lasse ou impatiente, explorant les registres inférieurs de son orgue.

— Sérieux, Nastanovich, dit-il. C'est dégueulasse. Tu vas nous faire attraper des maladies.

— Avec quoi les gens smart se shootent-ils, Billy ? Avec de l'eau bénite ? Et puis, je vois pas de robinet.

Nastanovich hocha vaguement la tête vers ce qui les entourait, mais il se concentrait sur la flamme du briquet qui léchait le fond de la cuillère. Il fallait le reconnaître : il était plus intelligent que les gens ne le pensaient. Plus intelligent même, manifestement, que William qui aurait pu insister sur la stérilisation, mais qui ne s'était encore jamais défoncé avec Nastanovich et ne voulait pas bousiller ses chances de recommencer.

Il se frotta les mains pour les réchauffer, s'accroupit à son tour, et se concentra sur les coups de langue de la flamme. Il sentait, de façon bizarre, qu'on le regardait ; quiconque se serait donné la peine de mettre le nez à une fenêtre à cet instant précis aurait pu les voir, deux dégénérés voûtés au-dessus d'un cercle de lumière. Ils étaient plus susceptibles, bien sûr, de ne voir que le briquet (quelqu'un, il y avait longtemps, avait dégommé l'unique lampadaire de la cour) et qu'auraient-ils fait de toute façon ? Les gens se préparaient des shoots dans tout l'East Village. Probablement même dans certaines de ces chambres. Tant qu'on était tranquille chez soi, pourquoi perturber l'ordre établi ? Neige fondue et drogue bouillonnaient et sifflaient dans le creux de la cuillère en dégageant une vapeur grasse. Les mains de Nastanovich ne tremblaient pas. William avait appris par expérience que l'invité se piquait le premier, mais quand il se baissa pour défaire le lacet de ses tennis, Nastanovich lui demanda ce qu'il foutait.

— Laisse tomber, dit-il comme William tentait de lui expliquer. Donne-moi le bras, vieux.

Nastanovich serra la seringue entre les dents et lui fit un garrot.

— Jésus, s'entendit dire William quand l'aiguille s'enfonça.

C'était sa première injection au bras depuis ce jour au-dessus du Señor Wax, et il fut surpris par le pincement, l'euphorie et le frisson qui l'emportèrent au-delà de l'infini délimité par la neige. Il ne comprit que Nastanovich s'était déjà fait son fix que lorsque le bassiste se releva, renifla et s'éloigna en vacillant vers le coin où un parallélogramme de lumière s'était formé. William brossa la neige du fond de son jean et marcha, chancelant, sur les pas de son compagnon.

À l'intérieur, l'ampoule nue qui auparavant lui semblait froide et blafarde l'était toujours, sauf que maintenant la lumière avait quelque chose de singulier, comme un souvenir déjà vécu. Ce n'étaient pas les pieds de *William* qui marchaient sur le sol en béton souillé mais ceux d'une personne antérieure dont les choix appartenaient déjà au passé. Comme le sourire qui flottait au-dessus de sa tête, telle une marguerite sur sa tige. Comme les mains qui accrochaient sa guitare, glissaient sur les accords de « E. Vill Zombies », d'une reprise de « Horror of the Black Museum » des Nightmares, et d'un nouveau morceau de bravoure appelé « Make Me Sick ». Et lorsque Nicky Chaos, insatisfait, voulut refaire l'intro de « Brass Tactics » pour la vingtième fois – « mais plus vite… et, les mecs, si vous pouviez le faire moins jazzy ? Faudrait entendre comme des bruits de bottes » –, William put plonger dans les volutes et les spires de ces câbles amoncelés sur le sol, tel un vairon se nichant dans des lits de varech, ou un expert examinant de près les courbes fractales de ce qui pouvait, ou pouvait ne pas, être un Pollock.

À la mort de Nastanovich, en juin, William n'était pas là et il ne l'apprit qu'en arrivant un jour aux répétitions, encore un peu défoncé, sa trousse en cuir cachée dans son étui de guitare. Tout le monde s'était perché sur des amplis et regardait par terre. Même Sol Grungy, l'ingénieur du son particulier de Nicky, semblait assagi.

— Il se passe quoi ?

Nastanovich a fait une OD, dit quelqu'un.

— Oh. Et ça va pour lui ? Ça va, hein ?

— C'est sa mère qui l'a trouvé, il n'était pas descendu au petit déjeuner, dit Venus, les yeux fixés sur William.

Elle avait les yeux rougis, comme par le chlore d'une piscine.

— Il avait encore la ceinture autour du bras.

William ne sut pas comment réagir. La moitié supérieure de son corps pesait une tonne. Il s'écroula directement sur le sol en béton, toute cette pléthore de câbles.

— Merde.

— Je propose qu'on joue aujourd'hui, dit Nicky au bout d'un moment. C'est ce qu'il aurait voulu. S'il y a une autre vie, il nous regarde du haut du ciel, de cet immense appartement au loyer contrôlé, et il nous encourage. Alors je propose qu'on joue.

— Je propose que t'ailles te faire foutre, dit Venus.

William n'en pensait pas moins, mais il ne savait pas comment le dire, alors il se leva et sortit.

Il y avait longtemps qu'il n'avait pas préparé une toile et sa boîte à outils était au fond d'un placard bloqué par un chariot de supermarché trouvé quelque part, à présent débordant de *Cosmopolitan*, de *Wrecking Ball* et de manuels d'anatomie volés au Strand. Il ne parvint pas à le déplacer – ses forces n'étaient plus ce qu'elles étaient – et il lui fallut donc vider le chariot et chercher un autre endroit pour les livres, ce qui prit la moitié de la matinée. Pour finir, il réunit les outils nécessaires pour construire un cadre d'un mètre vingt par un mètre vingt (un réflexe archaïque, à imputer à New York : il avait gardé la conviction que la peinture américaine devait être Grande). Il tendit la toile qui, une fois agrafée, forma une surface vierge, comme une peau de tambour blanche. Et peut-être la rivalité entre la peinture et la drogue n'était-elle pas si déséquilibrée que ça, car au cours des deux jours suivants, en attendant que sèchent les couches d'apprêt, William s'en sortit avec seulement l'équivalent de dix dollars de drogue.

Il décida de rentrer en lui-même, de peindre ce qu'il trouverait là, et quand la toile fut prête, il la recouvrit de gouache noire. Ce qui vint ensuite fut un polygone décentré, en bas à droite, à huit côtés, comme une entaille. La couleur marron sang séché ne lui plaisait pas alors il prépara un bleu translucide et retravailla les bords. Il remplit l'intérieur de jaune puis de rouge vermillon. Mais, à l'instant où le rouge rencontra la toile, il se sentit physiquement malade. Pas tant nauséeux qu'irrité sur tout le corps. Parce que l'octogone, se dit William, représentait la mort. Une forme couleur de rouille de la taille d'un chapeau melon, avec un bord bleu électrique à haute tension. Un éteignoir, comme celui dont il se servait, enfant de chœur, avant que sa mère meure et qu'il cesse de croire en Dieu – mais vu d'en dessous à l'instant où il étouffe votre flamme. Il pensa à Nastanovich en train de ramasser une parfaite cuillerée de neige, au monologue narcotique de ses basses, à cet ersatz de poisson sans couleur dont il remplissait des boîtes à la chaîne et à la chambre aux murs de plâtre à Middle Village, dans le Queens, où il habitait avec sa mère. Vue de l'extérieur, sa vie avait eu peu de prix. Les choses, pour William non plus, n'étaient guère au beau fixe en ce moment. Plus que tout, il avait envie de se casser, d'aller faire une pipe à un mec aux toilettes, de se défoncer jusqu'à ce que son crâne explose, mais par respect pour son ami mort, il devait rester là et se forcer à attendre qu'on lui dise quoi faire. Et à ce moment-là, il reprendrait ses pinceaux.

C'est de cette façon, pour la première fois, que William parvint à se sevrer. Il resta dans l'atelier, téléphone débranché. Il vomit beaucoup et toute une semaine ne put avaler que de la tranche napolitaine, d'abord le chocolat, puis la fraise et pour finir la vanille brûlée par le froid. Quand ses mains tremblaient, il écoutait la radio. Quand elles restaient calmes, il peignait. À la fin du mois, quand il eut l'impression d'être redevenu lui-même, il était plongé dans le travail. Le fond noir avait gagné en densité et en texture, comme ces ténèbres liquides qu'on voit avant de perdre conscience et l'avant-plan exhibait une bordure plus claire. Il lui semblait maintenant peindre de mémoire, avec ses aplats d'ombre et de lumière. Il y avait quelque part une source lumineuse, une source singulière de lumière d'été qui se concentrait en un point aveugle au centre de l'octogone, comme un flash réverbéré par un miroir. Et tandis qu'il peignait les contours, ajoutant les traces bleues et vertes de ce flash, il distingua des lettres. S T O P. Mais il ne s'agissait pas de cette manière pop plate et sans affect, du carton de Brillo, de la boîte de soupe. C'était même l'inverse : ce panneau Stop avec son glacis urbain – son poteau vert écaillé, sa texture sur la toile, son reflet de lumière matinale au bord d'une rivière en été – donnait à William envie de pleurer. C'était le panneau Stop au bout de Sutton Place, qu'il avait vu pour la dernière fois par la vitre d'une voiture volée le matin où il avait quitté la maison pour de bon. Une évidence, mais de quoi, il ne savait pas.

Il supposait que la mort du bassiste et la disparition du guitariste entraînerait la fin d'Ex Post Facto ; une fois rebranché, son téléphone ne sonna pas et il ne se donna pas la peine d'appeler quiconque. Secrètement, il était heureux d'être libéré du groupe. Pour commencer, cela voulait dire que Nicky Chaos ne réaliserait jamais son rêve le plus ardent : jouer en concert en tant que leader. Il se découvrit étonnamment acerbe à l'égard de Nicky à qui il reprochait la mort de Nastanovich, bien qu'en réalité, s'il cherchait vraiment un responsable, il pouvait commencer par lui-même. Et puis un jour en quittant son immeuble, il vit Nicky sur le perron. Il devait l'attendre, bien qu'on ne pût jamais savoir à l'avance quand William se déciderait à sortir. Peut-être était-il resté là toute la nuit.

— Hé, Billy, attends. On peut parler ?

William continua à marcher vers le coin de la rue ; Nicky lui emboîta le pas.

— Tu as l'air en forme.

— Merci.

— Écoute, dit Nicky. Ça fait deux mois maintenant, je pense qu'il est temps de nous retrouver et de remettre le groupe sur pied.

— Il n'y a plus de « nous », Nicky. Il faut que tu le saches. Il n'y a plus de groupe.

— D'accord, je comprends, je respecte ça, mais ce truc, c'est plus qu'une seule personne. Tous ces mômes là-bas qui ne savent pas où ils vont, qui attendent que quelqu'un leur montre une voie…

— Il faudra dégoter quelqu'un d'autre que moi.

Ils étaient parvenus à l'entrée du métro.

— Je me tire.

— Sol pense que nous pouvons sonoriser Tompkins Square, en nous branchant sur un réverbère. Mon idée, c'est donner un dernier concert gratuit, faire une collecte, monter une sorte d'association, comme le concert pour le Bangladesh. Mais là, ce sera le concert pour Nastanovich. On pourrait l'enregistrer live.

— Le concert pour le Bangladesh ? Il n'y a rien de moins punk que ça.

— Et ensuite donner le fric à sa mère. Elle est vraiment éplorée, tu sais. Mais peut-être que non. Tu n'es pas venu à l'enterrement, n'est-ce pas ?

L'espace d'une minute, William eut un sentiment de haine. L'année dernière, Nicky savait à peine qui était Nastanovich.

— Je dois y aller, Nick. Laisse-moi réfléchir un peu et te rappeler.

— Je ne me contenterai pas d'un non, tu sais.

— Je sais, dit William, mais je ne suis pas encore prêt à te faire le plaisir de te dire oui.

Et sans un mot de plus, il s'enfonça sous terre.

63

— CE QU'IL Y A AVEC LES NGUYEN, dit son père sur le siège passager, c'est que nous apprenons toujours à nos dépens.

Ils roulaient quelque part à l'est des Rocheuses, dans un camion de location à la transmission branlante. Depuis une demi-heure, il lisait à voix haute les signaux de limitation de vitesse et Jenny en déduisait que c'était sa manière de lui dire de ralentir. La voyant plutôt monter le son de la radio, il retomba dans le silence et se remit à regarder son pays adoptif, ses grands panneaux d'affichage plats qui le déroutaient et son cœur de foin vert.

Quand elle y repensait, pourtant, deux choses la frappaient. La première, qu'il avait parlé autant de lui que d'elle. La seconde, qu'il avait peut-être dit vrai.

Quelques semaines après avoir été autorisée à passer son diplôme, elle était retournée chez elle dans la vallée en se flattant de pouvoir, par sa présence, aider Papa à accepter son divorce, mais au vu du réconfort qu'elle lui apporta, elle aurait pu tout aussi bien s'engager dans les Peace Corps ou partir pour la lune. En attendant, le monde qu'elle avait été si impatiente de transformer – le monde *là-bas* – se passait d'elle. Tout ce qu'elle pouvait faire, en rentrant le soir après avoir dîné avec Maman et Sandy, c'était s'asseoir dans le living-room-aquarium et regarder avec son père un résumé des déboires de son Dick Nixon adoré. Il lui avait fallu plus d'un an pour lui avouer qu'elle voulait s'installer à New York.

Ils atteignirent la ville au bout du quatrième jour de route, en grande partie parce qu'elle conduisait pied au plancher. Ils ne disposaient néanmoins que de quelques heures pour décharger son mobilier (ce qui en tenait lieu) avant qu'il rende le camion et prenne son vol de retour. Ils gâchèrent l'une de ces heures en errant dans un labyrinthe de rues à sens unique avant de trouver l'adresse sur Rivington où elle avait loué un appartement. L'immeuble, brun grisâtre, était parcouru d'un fouillis d'escaliers de secours comme des appareils orthodontiques sur de mauvaises dents. Aux fenêtres, il y avait des barreaux jusqu'au troisième étage et cela faisait sans doute des siècles qu'on n'avait pas lavé les carreaux. Mais Jenny avait l'habitude de la misère ; elle avait, après tout, passé quatre ans à Beurkeley. À l'intérieur, la porte de l'appartement 3F était restée béante. Loin de la *studette* promise au téléphone, c'était à peine un placard amélioré. La baignoire touchait le réfrigérateur. Son père regarda par la fenêtre les voyous qui examinaient le camion de déménagement. Comment un propriétaire pouvait-il demander un loyer équivalent à une mensualité de prêt, s'indigna-t-il, pour un appartement dépourvu de salon ? C'était une erreur, elle l'avait su tout de suite, de lui avoir dit combien elle payait. Elle fit observer que la ville entière lui servirait de salon, et qu'en y réfléchissant l'appartement était une bonne affaire. La logique de ce cliché l'avait à l'époque impressionnée. Mais ce qu'elle n'avait pas envisagé, c'est que la plupart des salons ne subissaient pas les intempéries, alors que, dans le sien, il pourrait pleuvoir des jours durant. Sans parler des autres manières dont le flou du partage entre dedans et dehors se retournerait contre elle, comme lorsque des créatures sylvestres à six pattes émergèrent du gril la première fois qu'elle alluma le four.

Le côté positif, c'est qu'il était plus facile de se procurer de l'herbe. Il y avait un magasin, deux rues plus bas, un genre de bodega vue de l'extérieur, mais sans pratiquement aucune marchandise sur les étagères. Creusée dans le mur, il y avait une porte cadenassée munie d'une petite fenêtre, comme dans un donjon. On s'y présentait, on demandait des légumes, et le Dominicain taciturne caché dans l'ombre vous examinait attentivement pour s'assurer que vous n'étiez pas des stups avant de vous glisser, sous le grillage, un joint déjà roulé. Ce n'était pas de la bonne qualité, mais cette qualité était bien assez bonne. Tandis que, dehors, la pluie battait tous les records, Jenny s'asseyait devant le petit bureau qu'elle avait installé pour lui servir de tampon entre son matelas et la baignoire, et s'imaginait dans une arche où une faune délaissée, souris et pigeons, punaises et poissons d'argent, pouvait trouver un abri, en couple, contre le déluge. Elle imaginait M. et Mme Cucaracha, le couple sorti de sous le four, remontant bras dessus, bras dessous la passerelle, le mari soulevant son canotier une fois arrivé et la femme faisant une petite révérence éloquente.

À d'autres moments, elle se distrayait en écoutant le bruit. C'était plus ou moins un flot continu qui filtrait à travers les murs et les plafonds au point qu'elle ne pouvait dire quel voisin en était l'origine. À la fin du premier mois, elle avait brossé un tableau entièrement sonore de leurs vies : pieds, grands et petits, courant ou marchant ; feuilletons policiers et musique salsa ; coups frappés contre les conduites de chauffage ; une sonnerie de téléphone ; claquettes, soubassophone, chant tyrolien ; des couples en train de baiser, parfois ; des gens en train de se battre, constamment ; des cris pour appeler les enfants *À table, nom de Dieu*, des fours qui claquent, des portes qui cognent. Quand elle croisait ses voisins dans la pénombre de la cage d'escalier, elle faisait naturellement comme si elle n'avait rien entendu. Ils vous auraient tout aussi volontiers poignardé ou salué. Il lui fallait parfois se mordre la langue pour ne pas céder à l'envie de féliciter l'Ukrainienne à l'étage au-dessus dont les nombreux orgasmes l'avaient empêchée de dormir la nuit précédente, ou exprimer ses condoléances à la personne qu'elle avait entendue sangloter au téléphone. Le plus extraordinaire, c'était qu'elle n'avait pas imaginé que leurs vies pussent être aussi riches. Ces gens menaient des existences extravagantes dans ces conjonctures sociales où elle, célibataire, restait seule.

Ce qu'il lui fallait – pour dire les choses de façon vulgairement matérialiste –, c'était un travail. Le petit capital que son père avait placé sur son compte diminuait et s'épuiserait au bout de deux mois de joints, de ramen et de loyer. Mais à l'automne 1974, il n'y avait pas de travail, du moins pas pour une licenciée en philosophie avec un casier. Elle passa quelques jours à récolter des fonds pour Greenpeace, mais elle hésitait à frapper aux portes en sachant qu'on les lui claquerait à la figure. Une agence lui confia ensuite une mission temporaire : son travail consistait à lire les petits caractères au bas des annonces que publiaient les journaux, par centaines de milliers, ayant trait à un recours collectif contre un promoteur immobilier véreux. Son premier salaire lui fut versé par le promoteur immobilier véreux. À titre de pénitence, elle en dépensa la moitié dans une librairie près de Union Square en achetant une pile d'ouvrages de théoriciens de l'École de Francfort, mais n'étant pas parvenue à se déculpabiliser, elle n'alla pas travailler le lendemain, préférant rester chez elle et se défoncer à mort. Elle avait bien fait, car ce jour-là le téléphone sonna au sujet d'un travail pour lequel elle avait oublié avoir postulé, dans une petite galerie d'art de SoHo.

Le propriétaire, un Autrichien, avait des lunettes en écaille de tortue et la tête rasée. S'il était possible de ressembler à un Michel Foucault moins jovial, c'était son cas. Il était manifestement homosexuel et préférait, lui dit-il lors de l'entretien (en épiant sa réaction), la compagnie de jeunes personnes. Il était aussi, devina-t-elle, plein aux as. Mais ils partageaient le même goût pour le conceptuel et il accepta de lui avancer un mois de salaire et de lui confier sans attendre de vraies responsabilités. Après tout, elle serait son unique employée.

Il lui montra son bureau – en fait une longue table de salle à manger qu'il avait installée près de la porte, afin que quiconque songerait à voler une œuvre d'art au mur ou par terre passerait obligatoirement sous l'œil vigilant de Jenny. Cette idée était comique à au moins deux égards. Un : imaginons un voleur de type classique – masculin, baraqué, défoncé à l'angel dust – comment Jenny, cinquante kilos en bottes de combat, allait-elle pouvoir l'arrêter ? Et deux : qui, à part Jenny, aurait envie de voler ces œuvres – sculptures en mégots de cigarettes, moulages en gelée homoérotiques, une pile de vieux chiffons installée dans un coin et qu'on aurait pu confondre avec un tas d'ordures ? Bruno avait le visage le plus impassible au monde, mais il aimait son impertinence ; elle le devinait à la façon dont ses yeux luisaient derrière ses lunettes. « Dissuasion, *Liebchen*, dit-il en donnant un coup sur la table. Dissuasion. »

Elle s'assit pour se faire une idée de l'endroit où elle allait passer ses journées. Il y avait un téléphone, bien sûr, une liste ronéotypée des prix des œuvres exposées et une petite machine à écrire électrique pour la correspondance, mais étant donné que sa surface devait approcher les deux mètres carrés, la table dégageait une austérité indéniable. De cette façon, elle s'harmonisait avec le reste de la galerie, qui dans une vie antérieure avait été un magasin de pièces détachées automobiles. Un panneau de verre armé avait été installé à la place de la porte du garage. Des poutres nues encadraient un puits de lumière. Les sols étaient en béton poli. Tous les Autrichiens, selon elle, étaient minimalistes. (Plus tard, en mission de recherche au Metropolitan Museum, elle aurait un choc en découvrant une réplique de salle à manger viennoise du XIXᵉ siècle, tout en porcelaine florale et ciselures décoratives. Mais bien sûr, l'échelle du traumatisme survenu entre la génération des grands-parents de Bruno et celle de Bruno était incalculable.)

À sa grande surprise, il ne dit rien du désordre qui commença à couvrir le bureau. Tout d'abord, la galerie était pratiquement devenue son lieu de *vie*. Trente-deux heures par semaine ! Ensuite, personne n'entrait jamais, sinon quelques investisseurs doués de flair et qui n'achetaient que sur rendez-vous. Même les vernissages étaient sinistres, Bruno, les artistes et Jenny restaient debout et buvaient de la piquette en compagnie d'un paumé attiré à l'intérieur par le sixième sens de l'ivrogne quand il s'agit de boire à l'œil. Jenny insistait toujours pour les servir.

La majeure partie de son travail consistait à rédiger à la place des artistes de la galerie leurs demandes de subventions, aucun d'entre eux, de l'aveu même de Bruno, n'ayant le moindre espoir de vendre leur travail sur le marché. *Et comment comptez-vous gagner de l'argent ?* avait-elle envie de le questionner. L'indifférence de Bruno à l'égard des aspects financiers expliquait en partie pourquoi elle pouvait travailler pour lui en ayant bonne conscience, mais depuis que leurs fortunes étaient liées, elle aurait aimé voir un peu d'énergie entrepreneuriale. Elle-même, à sa demande insistante, avait commencé à s'habiller de façon *plus professionnelle*. Quand elle se regardait dans la glace le matin (vêtue d'une *blouse*, bon sang !), elle avait l'impression d'avoir retourné sa veste, mais au moins il y avait désormais un sens à se lever le matin.

Les compromis firent boule de neige. Parvenue à son deuxième mois de février, elle s'était inscrite à une agence de rencontres. On remplissait un questionnaire, on envoyait un Polaroid, et pour 12,99 dollars, on recevait un dossier composé de fiches et de Polaroid d'hommes dont les centres d'intérêt concordaient avec les vôtres. Une machine mécanographique et ses cartes perforées en avaient décidé ainsi. C'était embarrassant – à supposer que quelque chose marche, comment expliquer à ses amis la façon dont vous vous êtes rencontrés ? – mais c'était précisément parce que Jenny n'avait aucun ami qu'elle s'était inscrite à l'agence. Seulement les cartes perforées se révélèrent inefficaces. Les célibataires proposés étaient des Lions et des Gémeaux ; leurs centres d'intérêt le théâtre, la danse et la fondue. Elle préférait les invitations à boire un verre : plus facile d'en rester là. Si elles se passaient à peu près bien, elle invitait les hommes à venir chez elle. Elle interprétait comme de bon augure leur disposition à traverser Bowery sans se sauver à toutes jambes.

Il n'y avait pas beaucoup d'endroits où s'asseoir dans son appartement, si on considérait deux comme étant peu, ce qui était le cas. Elle avait un jour essayé de s'asseoir sur le lit, avec un Taureau nommé Franck qui lui avait paru du genre libertin, mais les hululements de plaisir qui filtraient de chez sa voisine ukrainienne avaient peut-être exercé trop de pression sur eux, car Franck s'était excusé après un seul verre de mousseux et elle n'en avait plus entendu parler. Elle avait ensuite essayé de boire trop afin de faciliter la transition avec l'acte sexuel, mais là aussi, elle avait obtenu l'effet inverse. C'était comme si, après sa période McGillicuddy, ayant renoncé à la parade nuptiale et à la monogamie petite-bourgeoise, elle avait oublié les règles du jeu. Un soir, elle s'entendit expliquer à un homme, sur Broome Street, où les serveurs sortaient les premières poubelles et où, dans les clubs de mah jong, les joueurs ratissaient leurs tuiles tels des marins triant leurs os de baleine, la difficulté à trouver où s'asseoir chez elle, l'éventuel malaise que cela risquait d'entraîner et qu'ils pouvaient peut-être baiser directement. « Oh, mon Dieu, tu dois me croire complètement névrosée, non ? » Ben, c'était le nom de celui-là. Un type bien, vraiment. Un doctorant en primatologie à Columbia qui aurait pu clarifier certaines questions concernant l'homogamie, si seulement il était resté un peu. Mais il laissa un message à l'agence le lendemain matin pour dire qu'il ne pourrait plus la voir.

Elle raccrocha et s'affala devant son bureau où elle mettait au point une candidature pour une bourse Guggenheim. Des fissures dans sa forteresse de papiers et de livres laissaient filtrer depuis la rue la lumière froide du matin. Elle contempla les diapos en couleurs qu'elle examinait à la recherche d'antécédents à ces répliques rigoureuses de peintures d'hôtel du Midwest. Ce qui leur donnait un statut d'œuvres d'art, c'était le glissement de contexte, conçu comme la révélation soudaine d'une production méprisée. Elle venait de poser la tête sur ses bras quand le haut de la pile des *catalogues raisonnés** se souleva devant elle, révélant le crâne rasé de Bruno, qui ne changeait pas d'un poil d'un jour à l'autre.

— *Morgen*, dit-il avant de relâcher les livres.

Il fonça à travers la galerie pour gagner son minuscule bureau situé dans le fond et où, pour ce qu'elle en savait, il passait ses journées à boire des espressos et à lire les nouvelles vieilles d'une semaine dans le journal en langue allemande qu'il commandait spécialement au kiosque de la 6e Avenue. Mais, à la verticale du puits de lumière, il s'immobilisa.

— Quelque chose ne va pas.

— Non.

— Allez. Pas question de me mentir. Un jeune homme vous a fait du tort, n'est-ce pas ?

Venant d'une personne qui niait par principe l'existence d'une morale transcendantale, se dit-elle, le choix des mots se révélait intéressant.

— Aucun jeune homme n'est resté assez longtemps avec moi pour me faire du tort, Bruno.

Il balaya sa réponse d'un revers de la main.

— L'amour est une fiction de toute façon. Un mythe nécessaire pour vendre des cartes.

Il semblait cependant prêt, à condition d'obtenir un nom et une adresse, à aller défier le scélérat, comme à l'époque féodale un père aurait défendu la chasteté de sa fille. Tout cela se voyait dans ses yeux, bien sûr. Le reste du visage demeurait parfaitement impassible.

— Si vous voulez savoir où est le problème, c'est cet appartement que vous avez. Ils le voient et se font une fausse opinion de vous.

— Qui dit qu'ils le voient? Vous, vous ne l'avez jamais vu.

— Je vous en prie, ma chère. C'est moi qui vous envoie vos chèques. Rivington Street?

Il frissonna de dégoût.

— Regardez où nous sommes, Bruno. Le quartier ne vaut pas mieux.

— Pour ce qui est de toucher le public, une adresse Downtown envoie un certain message, projette un certain *vous savez quoi**. Mais je ne suis pas obligé d'appliquer cette règle à ma vie privée. Croyez-vous que votre cher Herr Adorno ne regardait jamais la télévision? Je me suis laissé dire de source sûre qu'il ne manquait jamais un épisode de *L'Île aux naufragés*. Le problème avec vous, les Américains, c'est votre obsession pour la cohérence.

Les petites leçons de Bruno, ainsi en avait-elle décidé, étaient à quatre-vingt-cinq pour cent ironiques. La prétention de croire qu'elle puisse être sous sa tutelle lui paraissait une plaisanterie sinistre.

— Même maintenant, même à New York, vous ne comprenez pas que la cohérence ne constitue pas une protection. Je vis Uptown, et je n'ai pas honte. Et vous devriez, vous aussi. Les jeunes hommes accourent toujours vers les femmes qui donnent l'impression de ne pas avoir besoin d'eux.

Il semblait avoir réussi à se convaincre de quelque chose.

— Tenez, je vais vous augmenter pour couvrir les frais.

— Bruno, c'est ridicule. Si on recommençait tout? Bonjour!

— Non, j'insiste.

Il leva la main. Son carnet de chèques était déjà sorti.

— Je me sens coupable, à cause de vous. Comme si je vous avais mani-pulé, alors que je passe simplement une matinée merdique.

Il réfléchit une seconde.

— Un essai alors. Dimanche vous viendrez dîner avec moi et un de mes vieux amis. Il n'a jamais écouté mes conseils. Il vit, en fait, dans un monde d'illusions, il croit à cette existence bohème à laquelle vous tenez tant. Regardez-le attentivement et décidez alors si c'est bien ce que vous voulez. Sinon, on vous fait venir Uptown.

— Dimanche? N'est-ce pas le jour du bicentenaire?

— Vous avez des projets? Allez-vous agiter le fier drapeau de l'empire? Non? Je m'en doutais bien.

Le dîner en question fut une catastrophe. Elle avait cru que Bruno essayait de lui présenter quelqu'un et elle n'avait donc pas songé, jusqu'à son arrivée en compagnie d'un petit ami, que son artiste était homosexuel. Au lieu de trouver chaussure à son pied, elle avait été obligée de regarder les trois hommes se livrer à un jeu d'attraction/répulsion pendant plus de deux heures. Ce n'est qu'à titre de châtiment qu'elle annonça ensuite à son patron :

— D'accord, j'accepte de déménager, mais pas au-dessus de la 23ᵉ Rue. Et vous pouvez payer le camion.

Elle se dit qu'elle n'abandonnait pas le Lower East Side, qu'elle ne renonçait pas à ses libertés prolétaires pour les pièges de la classe moyenne. Après tout, le nouvel immeuble, en dépit de tous ses avantages, n'était pas non plus un puits de civilité. Les gens dans l'ascenseur la traitaient exactement comme dans l'autre. Et il n'y avait pas moins de bruit pour la réveiller la nuit.

La différence, c'est qu'il provenait maintenant de l'*extérieur* : la circulation irascible jusqu'au bout de la nuit, les taxis devant le comptoir de cuisine éthiopienne, les bennes à ordures sauriennes, grinçantes. Quand elle se réveillait aux petites heures dans le nulle part oppressant d'une tranchée aveugle, tout était retombé dans un silence déroutant et, pendant quelques secondes, elle s'imaginait revenue dans ce mausolée qu'était la maison de plain-pied dans la vallée de San Fernando. Elle se préparait à entendre son père frapper l'intérieur d'un bol en acier à coups de fouet métallique, ses doigts frotter la porte de sa chambre. Et quand le noir s'éclairait, elle se demandait ce que tout cela pouvait signifier. Avait-elle laissé quelque chose en plan en Californie ? Ou était-ce simplement qu'un endroit dans lequel on avait vécu assez longtemps laissait son empreinte sur les tissus encore mous du cerveau ? Ou, plus simple encore, la regrettait-elle, cette maison au silence feutré où on l'appelait par un autre nom ? À une certaine époque, elle s'était crue capable de vivre sans les commodités conventionnelles – carrière, possessions, partenaire – mais dans l'exil qu'elle s'était imposé, elle se révélait d'une humanité démoralisante. Cela ne signifiait pas qu'elle avait renoncé au rêve que les choses à plus grande échelle puissent être changées ou du moins analysées. Mais au moment où elle avait rencontré Richard, elle commençait à adhérer à la théorie de Bruno selon laquelle si la révolution se produisait un jour, ce serait sans, ou avant, toute modification des contours de sa propre existence individuelle. Au bout de deux ans à New York, elle apprenait enfin à réduire ses attentes à la dimension de sa vie réelle. C'était comme de vouloir faire rentrer du dentifrice dans le tube.

64

REGAN PASSERAIT LE DÉBUT DE LA TRENTAINE à s'interroger sur la conviction majeure de sa vingtaine. Où était-elle allée chercher l'idée qu'il
n'existait aucun problème, grand ou petit, que l'amour ne pouvait résoudre ?
Mais c'était peut-être encore une autre manière de se montrer dure avec elle-
même ; la bonne question serait plutôt : où *n'était-elle pas* allée la chercher ?
Partout où on se tournait, à cette époque, c'étaient colliers de perles d'amour
et partages d'amour, «Love Me Do» et «When a Man Loves a Woman».
Impossible d'être un citoyen de son temps sans croire à un certain niveau
que l'amour était, comme le disait une autre chanson, la seule chose dont on
avait besoin. Elle s'était accrochée à son amour pour traverser les joies et les
chagrins des années 60. Pour supporter l'affrontement entre Papa et William,
le mariage de Papa et le sien, le changement de carrière professionnelle de
Keith, la naissance de Will, celle de Cate… Peut-être était-ce pourquoi elle
avait mis si longtemps quand ils avaient déménagé dans l'Upper East Side
pour voir le malheur retrouver lentement sa place. Ou pour avouer, à son
mari et à elle-même, qu'elle le voyait. Elle avait été tellement plus malheu-
reuse dans le passé pré-Keith ; elle lui était encore reconnaissante de tout ce
dont il l'avait sauvée. En fait, elle finirait par se demander si ce n'était pas ce
malheur dont elle ne lui avait jamais parlé, l'enfant qui n'était pas né, qui les
séparait à présent.

Mais quelle qu'en soit la cause, Keith avait commencé à s'éloigner.
D'habitude, à six heures, elle entendait sa mallette toucher le sol, elle

l'entendait entrer furtivement dans le salon pour prendre les enfants dans ses bras avant même qu'ils soient conscients de son retour. Désormais, il semblait marcher sur la pointe des pieds pour une autre raison : gagner un maximum de temps avant de devoir parler à quelqu'un. Il allait directement dans la cuisine se préparer un verre qu'il vidait, le visage pincé. Ce n'était pas le genre d'homme à se plaindre du désordre que faisaient régner les enfants, mais au repos sa bouche exprimait toujours un reproche et elle le sentait tourmenté par quelque chose.

Il avait aussi perdu tout intérêt pour le sexe. C'était peut-être un épisode bienvenu dans la mesure où son propre intérêt diminuait de nouveau. Ou bien le mot intérêt n'était-il pas bien choisi, mais le plus souvent, quand ils allaient se coucher l'épuisement la terrassait : elle se sentait gonflée, asexuée, désincarnée. Une fois ou deux par semaine, elle le masturbait sous les draps. Il la caressait à travers sa chemise de nuit, elle feignait l'orgasme quand elle savait qu'il était sur le point de jouir et il ne posait aucune question. Mais la condition pour qu'elle ne le désire pas, semblait-il, était qu'il la désire. Dès qu'il cessa de chercher sa main, elle prit conscience de son besoin qu'il la touche.

Un soir, ils se trouvaient à une réception professionnelle, organisée pour collecter des fonds au bénéfice de quelque chose ou autre concernant des enfants. Un de ces cocktails dînatoires où l'on mangeait dans de petites assiettes, au milieu de clients ou de potentiels clients. Regan avait cela en horreur, non pas du fait que la cause des enfants abandonnés ne résonnait pas en elle, mais parce qu'elle détestait manger debout. Placer en équilibre un tas de nourriture sur une assiette minuscule, se dépatouiller avec la fourchette, la serviette et le verre qu'on ne savait pas où poser, être obligée de bavarder avec des hommes qui invariablement connaissaient votre père ou, pire, votre oncle… On devrait pouvoir payer pour *ne pas* venir à ces soirées. Et voilà tout à coup Keith en train de parler et de rire avec une femme qui n'avait sûrement pas plus de vingt-quatre ans. Une créature mythologique, une selkie ou une dryade, longs cheveux blonds et robe au décolleté plongeant dans lequel ses seins, sans aucun support apparent, semblaient offerts comme d'appétissants canapés. Elle représentait plus ou moins l'idéal universel de la beauté féminine dont Regan, en incarnant la Figure Maternelle, s'éloignait tous les jours davantage. Pendant ce temps, Keith devenait de plus en plus beau. Comment l'amour qu'il lui portait et sur lequel elle avait tant misé pouvait-il résister à ses premiers cheveux blancs, à l'ampleur que prenait son cul, à ses vergetures et à ses rides ?

Elle commença à aller partout à pied: aux réunions de parents d'élèves, au jardin d'enfants de Cate, au salon de coiffure avec ses séchoirs supersoniques. Un après-midi, elle parcourut tout le trajet jusqu'à Union Square et acheta un guide d'exercices musculaires dans cette librairie de cinq niveaux qui proposait soudain un rayon de remise en forme. À la maison, elle mettait Carly Simon sur la stéréo haut de gamme de Keith et effectuait des exercices de contraction isométrique en roulant un rouleau à pâtisserie sous son ventre. Après quoi, n'étant pas satisfaite du résultat, elle s'enfonça un doigt dans la gorge et, pour la première fois depuis Vassar, elle se fit vomir.

Elle n'aurait pas pu dire quand c'était devenu une routine. Deux mondes semblaient coexister, séparés l'un de l'autre par la porte des toilettes. Quand elle ne le faisait pas, elle n'y pensait pas. Ou bien c'était une pensée qui restait au fond de son cerveau tandis qu'à l'avant elle n'avait pas conscience d'avoir hâte de recommencer, de se représenter déjà les différentes étapes. D'abord, elle ouvrait le robinet de la salle de bains et allumait la radio posée sur le rebord de la fenêtre près du panier à linge, car il n'y avait pas de système d'aération pour couvrir le bruit. Ensuite, elle entrouvrait la fenêtre juste assez pour laisser entrer le brouhaha de la rue, mais en veillant à ce que ce qu'elle s'apprêtait à faire ne soit pas visible du monde extérieur. Elle laissait ouverte la porte de la cuisine, pour que le microcosme, le monde nucléaire – Will, Cate –, constate qu'elle n'avait rien à cacher. Et quand tout était bien en place, cet assemblage de sons à rainure et languette, l'eau, la radio et le bruit de verre broyé produit par une pelleteuse quatre étages en dessous – elle tirait la porte et la fermait au moyen d'un crochet métallique que plusieurs décennies de déformations n'avaient pas réussi à déloger de l'embrasure.

Elle admirait le pragmatisme médiéval de ce crochet. Et elle admirait la balance, les aspérités de son tapis en caoutchouc. Elle offrait un endroit solide, unique, où se tenir debout. Mais la rotation de son cadran finement hachuré, la nébuleuse de chiffres et les segments de ligne quasi personnalisés, les embardées d'un côté et de l'autre entre les valeurs positives et négatives lui donnaient moins le sentiment d'être sur la terre ferme que d'être en mer, tout là-haut sur un minuscule nid-de-pie, si dangereusement éloignée de la ligne d'aplomb qu'en cas de chute il n'y aurait rien pour la recevoir que du bleu. Elle sentait de manière écrasante à quel point tout ce qui l'entourait, radio, crochet, balance, avait été préparé précisément pour ça – cette non-liberté à la fois exaltante et nauséeuse.

Elle veillait toujours à en terminer avec la balance avant de regarder dans la glace, car on ne pouvait se fier aux miroirs. Il y avait, par exemple, ce phénomène de duplication. Pour chaque chose reflétée, le miroir fabriquait deux images, une à la surface, une autre dans le tain. Vous verrez, si vous touchez un miroir, qu'à mesure que votre doigt approche un doigt fantôme apparaît autour, et même au contact du doigt sur le verre vous ne toucherez pas le doigt prisonnier à l'intérieur. On ne pouvait pas davantage se fier à ses yeux. Le monde en réalité est sens dessus dessous. Regan avait maintenant vraiment la nausée. La nausée comme pendant un acte sexuel toxique avec un inconnu. La nausée comme noyée sous une nappe de honte.

Elle s'attachait les cheveux. Elle se mettait à genoux devant la cuvette de porcelaine. Elle voyait son ombre dans l'eau et fermait les yeux. *Appuyer sur la gâchette*, c'est ainsi que les Chi Omega appelaient ça. C'était une sorte de club, au départ, on sortait des toilettes en ayant le sentiment d'avoir prouvé quelque chose. À la radio, un docteur qui n'était pas un docteur balançait des associations libres sur la grève des éboueurs. Les rats mordaient des enfants à East Harlem. On faisait la queue pour l'essence à Jersey et pour l'eau au Biafra. Combien de litres gaspillait-elle toutes les cinq minutes en laissant le robinet couler? Elle croyait parfois entendre des bruits de pas dans la cuisine où le couvercle de la boîte à biscuits claquait. Ce devait être Will, qui rôdait longuement, nerveusement, dans l'appartement parce qu'il avait deviné qu'elle avait, en fin de compte, quelque chose à cacher. Elle attendait que ses pas s'éloignent, elle fermait les yeux et introduisait son index derrière ses dents et le tapis mouillé de sa langue, jusqu'au fond, dans le trou, presque sexuel, presque comme si elle redevenait un bébé, et il y avait ce bref réflexe qui lui donnait envie de mordre, violemment, mais qu'avait-elle prouvé sinon qu'elle était dure, qu'elle exerçait le contrôle, cette chose que les hommes redoutaient parce qu'ils ne pouvaient pas le toucher, l'atteindre, ils ne pouvaient pas la blesser, le bout de son doigt se posait sur la gâchette, elle engloutissait le bruit, retenu, un chat qui tousse.

La nausée jaillissait d'elle si vite qu'elle se félicitait de s'être entraînée. Elle ôtait son doigt juste à temps et alors que le jet d'acide brûlant la faisait défaillir, elle veillait à ce que sa tête soit au-dessus de la cuvette où un autre moi pataugeait et se couvrait de fange en même temps que l'eau. Elle savait si bien se tenir qu'on n'entendait rien d'autre que le plouf du liquide dans le liquide, mais il fallait en chier pour le faire sans bruit. Un autre haut-le-cœur. Des petites larmes au coin des yeux. Et une fois terminé, sa température avait grimpé, elle avait sur la peau une fine couche de transpiration post-coïtale.

Ses avant-bras dessinaient une corde en travers du bord froid de la cuvette, une miséricorde pour poser son front, bientôt l'odeur se dissiperait.

Ensuite venait le moment d'écoute profonde où elle entendait chaque nappe de son et, au-delà, la plainte du vent autour du trou qu'elle venait de creuser en elle. Comme autour d'une bâche tendue au-dessus d'un trou dans le toit à Buffalo. Le plus triste, peut-être, c'était que les secondes qui suivaient représentaient le meilleur de sa journée. Le plafond de la pièce se soulevait, ses murs se tournaient vers le ciel comme un entonnoir immense et elle sentait son enfant perdu tout là-bas, les sœurs angéliques, sa mère qui s'éloignait d'elle. Sa chère mère morte tirant sur le col de son pull-over cosmique et tournant le dos. «Où que tu sois, elle te voit», avait dit Papa ce jour-là, en lui serrant la main et en regardant dans le cercueil. Il avait voulu la consoler. C'était pratiquement tout ce qu'il avait dit. Et puis venaient les dix secondes où Regan se haïssait plus que jamais. Le moment d'arracher deux feuilles de papier toilette, d'essuyer le bord et le fond de la cuvette. De déposer sur sa brosse à dents un petit cylindre de Gleem. De tirer la chasse et de remplir un bouchon de Listerine, moitié Listerine, moitié eau. De se rincer la gorge et de boire un verre d'eau du robinet, relâcher ses cheveux, regarder enfin dans la glace. Baisser la vitre, éteindre la radio, faire craquer une allumette. Ne pas risquer de tirer la chasse une troisième fois. Et parfois, pendant que le réservoir se remplissait après la deuxième fois, elle entendait des pieds en socquettes s'élancer vers un recoin de l'appartement, comme s'ils se sauvaient.

65

L'ÉTÉ DANS LE COMTÉ DE NASSAU était fait de lucioles, fusées à eau, chattes en chaleur s'accouplant à l'ombre de voitures garées et cartes à jouer accrochées aux rayons des bicyclettes avec des pinces à linge – toute cette merde à la Norman Rockwell – alors vous pouvez être sûrs que les gens *adoraient* ce putain de bicentenaire. Par la moustiquaire de son sous-sol, à midi, Charlie sentait déjà l'odeur de soufre des pétards. C'était marrant, pourtant, quand on y réfléchissait : ces petits drapeaux élégiaques qui flottaient dans les jardins des voisins étaient, au fond, des publicités plantées par des courtiers en assurance vie du cru dont le nom était imprimé sur les piquets. Pour approcher les vrais héritiers de la Révolution, les punk rockeurs, il fallait aller dans la Ville. Telle n'était pas, bien sûr, l'explication qu'il aurait donnée à Maman. Il lui raconta plutôt qu'il voulait voir les grands voiliers. Avec des *amis*, précisa-t-il – alibi qu'elle s'empressa de gober. Ils n'avaient pas parlé de la manière dont il allait s'y rendre ; plus tard, il pourrait prétendre qu'il y avait eu malentendu. Mais elle voulait qu'il soit rentré à onze heures.

— Même si les feux d'artifice ont du retard. Onze heures. Répète-moi ça, Charlie.

— Oh, Maman. Calme-toi.

Il avait quitté la pièce avant qu'elle ne puisse changer d'avis. C'était hier.

Maintenant, dans la salle de bains du rez-de-chaussée, il attaquait ses cheveux aux ciseaux. Se couper les cheveux soi-même était plus difficile qu'on ne le pensait, et il faillit se dégonfler à la vue de la première mèche collée comme un chardon rougeâtre au bord du lavabo, mais il imagina le sourire de Sam en le voyant. Le robinet ouvert pour couvrir le bruit, il brancha le vieux rasoir électrique de son père en priant pour qu'il soit encore en état de marche. Le moteur émit une plainte. Les cheveux tombèrent en neige écarlate sur le Formica. Ça leur donnait une authentique image de durs sur la pochette de *Brass Tactics* qu'il avait posée sur le comptoir pour s'en inspirer – la mèche non rasée dressée sur le cuir chevelu comme un défi – mais dans la glace, avec le bourdonnement bucolique de la tondeuse d'un bon père de famille et l'explosion des premiers pétards, on aurait dit qu'un rongeur famélique avait atterri sur son crâne.

En se servant de papier toilette roulé en boule, il essuya les cheveux tombés du rebord dans le lavabo et les fit disparaître dans la bonde. Puis, à genoux, il en chercha sur les carreaux. Avant d'avoir fini, il entendit des éclaboussures et ce qu'il vit en se retournant faillit lui donner une crise cardiaque. Le lavabo débordait. *Merde.* Il attrapa une serviette sur le porte-serviettes. Le temps d'atteindre le robinet, l'eau avait coulé sur le sol en pente, sous la porte et dans le couloir. *Putain de merde.* Dans sa hâte il avait saisi une des serviettes monogrammées de Maman, mais c'était trop tard. Il fit de son mieux pour éponger l'eau puis alla vider le siphon en essayant de ne pas s'arrêter sur la texture visqueuse de la canalisation. Il en ressortit avec une infernale petite moustache de cheveux à la Hitler. Il la mit dans un Kleenex qu'il jeta dans les toilettes.

Dans le couloir, serviette à la main, il tendit l'oreille vers Maman. Abraham, trois ans, apparut sur le seuil de la chambre où les jumeaux auraient dû être en train de dormir. La bouche innocente s'arrondit tandis qu'Abe découvrait l'eau par terre et le saccage dans les cheveux de son frère. Il se frappa la joue d'une main et pointa le doigt juste pour s'assurer que Charlie savait qu'il savait.

— Si tu caftes, je te fais un bleu, dit Charlie. Maintenant retourne faire ta foutue sieste.

Quelle injustice d'avoir des frères trop jeunes pour leur en vouloir. Et c'était *leur* pelouse qu'on tondait dehors ; Maman devait être fatiguée d'attendre que Charlie se décide et avait pris les choses en mains. Il jeta la serviette par terre et la poussa du pied avant de la rouler en boule dans le bas du placard à linge. Il attendit que la tondeuse passe dans le jardin derrière la maison. Puis il fonça dans l'escalier et ouvrit la porte en arrachant au passage les clés de la voiture de Maman à leur crochet, en implorant le ciel qu'elle ne le voie pas.

À cause de la façon dont Sam parlait de son père, Charlie avait un peu peur du mec. Et donc, en dépit du scénario bal de fin d'année qu'il avait imaginé – sonner à la porte, entrer et être prié d'attendre dans le salon que Sam émerge, rougissante, du fond de la maison – il resta dans la voiture, moteur au ralenti, et klaxonna jusqu'à ce qu'elle sorte. Si elle avait vu les choses comme un rencard, rien dans sa façon de s'habiller ne le laissait deviner. Elle portait le même vieux tee-shirt Television. Elle observa pourtant que sa coupe de cheveu était géniale, ce qui instantanément donna beaucoup plus de prix à tout. Elle avait apporté la cassette de *Horses* qu'ils possédaient conjointement et ils l'écoutèrent deux fois au cours du trajet, d'un bout à l'autre, en chantant eux aussi en descendant le dernier versant du Queensboro Bridge comme une bombe lancée vers Midtown : *Coming in/in all directions,/white,/shining/silver...*

Charlie craignant qu'on ne vole le break de Maman s'il le laissait garé pendant huit heures dans le Village, ils s'arrêtèrent au-dessus de la 14e Rue et gagnèrent à pied l'endroit où un ami de Sam était censé quitter son travail. Elle buvait des petites gorgées d'une bouteille dans un sac en papier kraft. Il la prit à son tour, et après avoir vérifié qu'il n'y avait pas de flic en vue, il en but un trait.

— Le mec qu'on va retrouver, c'est un de ceux que tu as photographiés dans le magasin de disques ?

— Ses colocataires organisent la fête. Ils ne m'ont encore jamais laissée entrer, alors tu devrais te sentir honoré que j'aie réussi à te faire inviter. Tu sais qui risque d'être là ? Billy Three-Sticks.

— Arrête.

— Sérieux. L'ami de Sol, Nicky, connaît tout le monde, il paraît.

Ils descendirent vers le sud, se passant la bouteille incandescente d'O'Shakey's Irish Whiskey. La ville, ce jour-là, ressemblait à un carnaval : conglomérats de marins en uniformes blancs à tous les coins de rues, trottoirs envahis de touristes si nombreux qu'ils marchaient au milieu de la chaussée et que les voitures, énervées, n'arrêtaient pas de klaxonner. Tous les dix mètres environ, une épaisse bouffée d'herbe lui pénétrait les narines. Hourra, l'Amérique ! Tout le monde, y compris les parias de la 3e Avenue, elle-même la capitale des parias, arborait des couleurs rouges, blanches ou bleues.

Enfin, tout le monde sauf Solomon Grungy. Ils le retrouvèrent devant un restaurant au sud de Houston, occupé à laver la vitrine avec ce qui ressemblait à un balai d'essuie-glace, laissant des queues de comète de mousse colorée. Il était plus grand encore que Charlie, mais costaud et marqué, avec des piercings en si grand nombre qu'il était comme perforé, et il ne semblait pas avoir de cheveux du tout sous son bandana.

— Attends ici une minute, dit Sam.

Charlie resta en retrait et se percha sur une marche en fonte en attendant qu'on lui fasse signe de venir et qu'on le présente. Son inhalateur avait un goût amer. Peu après, Grungy disparaissait dans le restaurant en sous-sol et Sam rejoignit Charlie.

— Changement de programme.

Elle dut crier pour se faire entendre au-dessus de dix mille motos qui passaient à ce moment-là une rue plus loin.

— Le plongeur a fait défection, ils prennent Sol à l'essai. Ça veut dire qu'il ne finira pas avant plusieurs heures.

— Il est quoi, laveur à tout faire ? Tu me dis ce que je dois laver, je te le lave ? Fenêtres, vaisselle, n'importe quoi ?

— Il a besoin d'argent, Charlie, d'accord ? C'est ça ou continuer à voler. On devrait aller attendre quelque part.

Washington Square Park, où ils finirent par se retrouver, était un putain de zoo. Hippies jouant de la guitare autour de la fontaine sèche. Des mômes partout. Le soleil au-dessus de Jersey était rosé. Sur un banc donnant sur le parc de jeux, ils mangèrent des hot-dogs achetés à un vendeur ambulant. Puis elle sortit de sa poche un sachet en plastique douteux dont elle secoua, dans les mains de Charlie, ce qui lui fit penser à de la pâte à modeler Play-Doh desséchée.

— Champignons magiques, dit-elle.

La couleur, Charlie avait un doute – il hésitait aussi parce qu'il avait entendu dire qu'il était impossible de faire la différence entre les champignons vénéneux et les comestibles. En la voyant en engloutir une poignée, il eut envie de la prévenir. Mais elle avait l'air d'aller bien, alors il avala la moitié de ce qu'elle lui avait donné et, dès qu'elle tourna la tête, il mit le reste dans sa poche. Ils rincèrent le goût de terre avec du Coca dans lequel ils avaient versé de l'O'Shakey, après quoi ils s'adossèrent au banc.

— Je me souviens, dès que j'ai eu l'âge, je montais avec mon père et ses hommes dans les barges pour l'aider à allumer les feux d'artifice du 4 Juillet. Il nous aurait emmenés, dit-elle, mais il ne fait pas les feux cette année. Il n'a pas pu baisser ses prix.

— C'est chiant, dit Charlie.

— Oui, mais ça vaut peut-être mieux. Tu pousses un bouton, pas de briquet ni rien, et tu dois porter ces lunettes idiotes. Et puis, tu t'imagines, défoncé et si près des feux ? Il doit y avoir un toit ce soir, à cette fête, d'où on pourra regarder.

Une impression de douceur générale atteignait les nerfs qui auraient dû se tendre. Ou peut-être étaient-ce les champignons ? Le ciel rose-jaune avait tracé une estompe colorée sur les joues de Sam et il y avait du bleu, juste en dessous, près de l'anneau dans sa narine. Toute la région autour de son cou et de ses épaules, en fait, tandis qu'elle regardait les tout petits patriotes s'emparer du toboggan, émettait de petites volutes de couleur glycérinée. Il lui toucha l'épaule. Elle se tourna comme pour dire : *Quoi ?* mais leurs regards se croisèrent. Elle n'avait plus les yeux marron, comme il l'avait cru, mais d'un vert mordoré, comme la lumière au printemps – un soleil liquide à lécher.

— La vache ! dit-il.

Il pouvait voir *ce qu'elle ressentait.*

— Je sais, dit-elle.

Comme si elle aussi pouvait voir ce qu'il ressentait. À supposer qu'il y eût même une différence.

Ils restèrent assis, le temps d'une succession de vies, à regarder les enfants comme des fleurs poussées sur les agrès sous l'haleine des arbres. D'une certaine façon, ils *devinrent* ces enfants ; ils n'avaient pas besoin de parler. Sam lui prit la main dans sa main moite et il *sut* exactement ce qu'elle voulait dire. Et puis, les lumières s'allumèrent, leur rappelant les feux d'artifice et qu'ils devaient redescendre et rejoindre Sol Grungy. Elle chancela un peu sur ses jambes en traversant Houston, mais Charlie lui prêta main-forte.

C'était maintenant l'heure du dîner, et les grandes baies du restaurant en terrasse étaient pleines de créatures au long cou en vêtements d'été, mais Charlie voyait qu'elles avaient l'air mauvais uniquement parce qu'elles étaient seules. À l'intérieur on jouait de la musique classique. Extraordinaire, la musique classique ! Il se sentait comme un rayon d'or rendant toutes les surfaces translucides, pénétrant jusqu'à l'os. De son épée de lumière, il écarta les murs de la salle et Sam se glissa dans la brèche. Indifférents aux serveurs, ils entrèrent dans un couloir. Elle passa la tête derrière un rideau et dans la cuisine, où trois personnes en colère se retournèrent.

— Pssst. Sol !

— Mais c'est qui, ça ? dit quelqu'un. Pas dans ma cuisine, jetez-moi ces deux-là dehors.

Charlie chuchota, à haute voix :

— On est des amis de Sol.

Sol contempla une seconde la boîte argentée surmontée d'un gros nuage, devant laquelle il se tenait. Après quoi, il ôta ses gants en caoutchouc et son filet inutile et sortit dans le couloir.

— Nom de Dieu. Je vous ai dit que j'en avais pour un moment. Je viens de commencer, vous allez me faire virer.

— Et alors ? dit-elle, l'accent traînant. Tu détestes cette merde. Allez, on va faire la fête.

— Tu ne vois pas qu'on travaille ? Vous ne pouvez pas rester là.

— Écoute-toi, mec. « On » ?

Charlie fredonnait avec Vivaldi, ou allez savoir qui, sans se rendre compte que Sol essayait de se débarrasser d'eux.

— Écoutez, revenez à dix heures, on vient prendre la relève. Je vous emmène au truc.

— Mais on veut voir les feux d'artifice. Et je veux rencontrer votre Captain Machin.

Jamais Charlie ne l'avait entendue s'exprimer ainsi, cajoleuse, larmoyeuse, le front perlé de sueur.

— Sérieux. Si vous restez là, je vous botte le cul. Tous les deux.

Dans la rue, il n'y avait rien à faire d'autre que vider la bouteille de whisky. Rien ne touchait plus Charlie ; il était trop puissant. Mais Sam n'arrêtait pas d'éructer et quand ils eurent atteint le coin de la rue, elle posa les mains sur ses cuisses, se pencha en avant et vomit dans le caniveau. Une femme en longue jupe marmonna quelque chose en yiddish que Charlie aurait dû comprendre. Le coude de Sam était glacé et maigre. Il ne voyait plus ce qu'elle ressentait.

— Ça va mieux ?

Elle se laissa tomber sur le trottoir, là, au beau milieu de tout. Elle avait les paupières lourdes, les lèvres grises (mais p't'être que c'était juste parce qu'il commençait à faire nuit).

— Allez, Sam. Hé.

Elle se releva, vacilla, s'écroula contre lui. Quelque chose n'allait vraiment pas. D'habitude, elle pouvait mélanger bière, herbe et pilules en un seul après-midi et se porter comme un charme à l'heure du dîner. C'était Charlie qui devait faire attention s'il ne voulait pas qu'elle l'escorte jusqu'à Penn Station pour rentrer par le 7 : 05. Il la ramena à l'intérieur du restaurant. La stéréo marquait une pause entre deux morceaux ou quelque chose. L'hôtesse, cette fois, réagit en se plaçant devant lui tandis qu'un client derrière elle lançait une vanne sur sa coiffure.

— Écoutez, on peut attendre dehors, dit Charlie. On peut aussi s'asseoir ici, à vous de décider. Mais il faut absolument que vous appeliez le nouveau plongeur.

Sol les retrouva dehors, devant la vitrine, sous un lampadaire court-circuité. Il avait l'air sur le point de lui arracher la tête, mais Charlie le devança :

— Je crois vraiment que Sam ne va pas bien.

Ayant entendu son nom, Sam sourit mais n'ouvrit pas les yeux. Sol s'accroupit pour l'examiner.

— Merde. Qu'est-ce que vous avez avalé ?

— Je ne sais pas. Un hot-dog, des chips.

— Non, trou-du-cul. Qu'est-ce que vous avez *avalé* ?

— Euh… on a pris des champignons tout à l'heure.

— Vous avez mangé les champignons ?

— Oui, mais juste un peu.

— Combien ? Les chapeaux ou les pieds ?

— Moi, rien que les pieds, il me semble. Un tout petit peu.

— Nom de Dieu. Je lui avais dit d'attendre.

Solomon Grungy regarda Charlie fixement.

— Bon, je peux pas partir sans être payé, putain. Il vaut mieux que tu l'emmènes tout de suite à la maison, c'est pas loin. Empêche-la de monter sur le toit. Fais-la descendre au sous-sol, donne-lui de l'eau, et regarde si elle vomit encore. Elle peut dormir dans le lit dès qu'elle a fini. Je viendrai vous rejoindre.

— Mais il y a une fête, non ? Comment les gens sauront qu'on est invités ?

— Tu crois que c'est quoi, un club privé ? C'est une putain de fête, mec. Tu rentres, c'est tout.

Charlie marcha en traînant Sam à demi jusqu'à l'adresse qu'on lui avait donnée. À l'intérieur, des gens criaient, la musique se déversait des étages supérieurs, il y avait un salon éclairé à la lumière noire où tout ce qu'on voyait, c'étaient des tonneaux de bière alignés contre un mur sans plâtre et des dents luisantes enfoncées dans des têtes de Monsieur Patate. La fumée était si épaisse qu'il dut reprendre son inhalateur, mais au moins personne ne les vit entrer. Il trouva un escalier et porta Sam jusqu'au sous-sol. Il devait se baisser pour ne pas se cogner dans des tuyauteries. Les fenêtres étaient noires. Les feux d'artifice allaient commencer d'un instant à l'autre. Il voulait la mettre au lit, mais en allumant l'unique lampe qu'il rencontra, une faible ampoule sans abat-jour, il vit qu'il lui restait du vomi sur la figure et il ne pouvait pas la laisser dormir dans cet état.

Dans un coin de la pièce, on avait installé une salle de bains de la taille d'une cabine téléphonique – c'était là qu'allaient les tuyaux. Une douche ne serait pas de trop. Il ouvrit l'eau, il attendit qu'il y ait de la vapeur, puis fit asseoir Sam sur le couvercle des toilettes.

— Je vais te laisser seule ici. Je veux que tu te douches. Et ne vomis pas.

Étonnant, comme il pouvait paraître autoritaire. Mais dès qu'il la relâcha, elle s'écroula contre le mur.

— Melaissspala.

La peau de ses paupières était presque translucide. On voyait le contour de ses yeux à travers.

— D'accord, mais il faut que tu te douches, Sam. Tu te sentiras mieux. Je ne regarde pas.

Il se plaça dans l'embrasure de la porte, le dos tourné, mais il n'entendait rien d'autre que le bourdonnement de la ventilation, amplifié par les cloisons légères. Il jeta un coup d'œil, elle essayait d'ouvrir le bouton de son jean.

— Bon, debout maintenant !

Sa vigueur, induite par les champis, se révélait un simulacre ; en vrai ce qu'il était, c'était terrifié. Il fit de son mieux pour ne pas toucher la peau douce de son ventre en l'aidant à descendre sa braguette, pour ne pas regarder les jambes dénudées quand il baissa le jean. Il avait déjà vu des jambes, non ? Il s'accroupit pour faire rouler le jean sur ses chevilles. Elle posa les mains sur ses épaules et grogna quand il lui ôta ses chaussettes de tennis aussi usées que les siennes.

Elle se dressa au-dessus de lui dans son tee-shirt noir décoloré et sa culotte enfantine, saisissante, un fin coton blanc laissant à peine discerner un duvet. Les yeux toujours fermés, elle tangua d'un côté et de l'autre, en rythme avec la musique qui filtrait du plafond. Évidemment, elle ne devait pas porter de soutien-gorge.

— Tu peux enlever le reste toute seule ?

Pendant une minute, elle ne répondit pas – elle aurait pu dormir – mais elle finit par se mordre la lèvre et secouer la tête. Il souleva son tee-shirt. Il sentit son cœur prêt à jaillir des parois de sa poitrine. Il y avait là ses seins, parfaites pommes pâles, leurs petites tiges durcies par le froid du sous-sol. Sa culotte, il faudrait qu'elle l'enlève elle-même – il ne voyait vraiment pas comment il y arriverait. Il se détourna, bloqué par la turgescence, et lui ordonna d'aller sous la douche. Il ne se retourna qu'une fois le rideau tiré – son corps réduit à une estompe derrière le plastique taché de moisissures.

— Ça va là-dedans ?

Elle crachouilla une réponse. Pour tous les deux, les champignons semblaient maintenant céder la place à une simple ivresse.

Elle était à l'intérieur depuis plusieurs minutes quand Charlie se dit qu'elle aurait besoin d'une serviette. Il n'y avait pas de placards, nul endroit où une serviette pourrait se cacher. Il alla dans la grande pièce, mais rien ne révélait la moindre trace de domesticité hormis le canapé, la lampe, le miroir au mur et, dans le coin, le matelas jauni. Il regagna la salle de bains et ôta son tee-shirt. Le miroir, grâce lui soit rendue, était couvert de buée et lui épargna le spectacle de sa peau blafarde et de ses côtes saillantes. De la coupe de cheveux directement responsable du pétrin dans lequel il s'était fourré.

— OK, ferme l'eau, je te passe mon tee-shirt par-dessus la barre.

Le fait qu'elle le prenne était encourageant.

— Tu peux te sécher avec.

Le rideau était tout ce qui séparait sa nudité de la sienne, ainsi que les jean et caleçon qu'il portait, mais tout le parfum de sexe s'était dissipé. C'était plutôt comme s'ils étaient des petits enfants jouant à faire semblant. Ou comme si elle était l'enfant, et lui le parent. Il lui passa ses vêtements par-dessus la barre et lui donna le temps de se rhabiller. Elle lui rendit son tee-shirt. Il l'essora, le drapa sur ses épaules, puis ouvrit le rideau. Il l'aida à reboutonner ce jean impossiblement serré qu'elle avait.

— Respire à fond, dit-il.

Elle le repoussa alors pour s'agenouiller devant les toilettes et vomir une saleté épaisse et marron, une fois, deux fois, trois fois, jusqu'à ce que plus rien ne remonte. Il s'assit à côté d'elle et lui releva les cheveux.

Et maintenant? Elle avait repris des couleurs, retrouvé la parole – *Désolée, Charlie*, dit-elle – mais elle ne semblait pas encore d'attaque pour le monde extérieur. Et il n'avait pas non plus envie d'expliquer leur présence aux punks plus âgés là-haut. Le matelas et ses draps entortillés semblait un nid de punaises, il l'entraîna donc vers le canapé et l'enveloppa dans une couverture miteuse en crochet. En essayant de l'allonger, il se retrouva la tête de Sam sur les genoux. Dehors, on lançait les feux d'artifice : des petits, tout près, et loin en arrière-plan, l'énorme grondement municipal. Il éteignit la lumière. Jamais, se dit-il, il n'avait fait aussi noir dans cette ville. Quand elle voulut toucher son visage, il s'aperçut pour la première fois à quel point ses mains étaient petites.

— Hé, Charlie?

— Hé, Sam.

— Je t'ai déjà raconté l'histoire de L'Homme le plus Solitaire du Monde?

— Le quoi?

Sa voix était extra-rauque à force d'avoir vomi. Dans le futur, disait-elle, il y aurait toute cette technologie et personne ne se rendrait jamais compte qu'il était seul, parce que personne n'aurait jamais vécu autrement. Un seul être connaîtrait le secret.

— L'Homme le Plus Solitaire du Monde ? devina-t-il.

Elle bâilla, arrondit le dos comme une chatte, s'immobilisa. Il crut qu'elle s'était endormie, mais elle recommença à parler. L'Homme le Plus Solitaire du Monde, dit-elle, n'a dans son cœur de la place que pour une seule personne, et s'il ne peut pas avoir cette personne, il s'isole en lui-même. Il se répète que personne ne peut l'aimer, mais en fait, c'est lui qui refuse d'aimer quelqu'un d'autre. Elle remuait à peine les lèvres, elle pouvait aussi bien parler dans son sommeil.

— Tu écoutes ?

Il avait étalé ses cheveux sur le bras du canapé pour qu'ils ne lui tombent pas dans la figure. Il les caressa.

— Chuut. Essaie de dormir.

Elle s'éclaircit imperceptiblement la gorge.

— Tais-toi, Charlie. Écoute-moi. Ce type ne se laisse pas... pas même les gens qui lui *crachent* leur amour à la gueule. Plein de gens autour, qui veulent juste l'aimer.

— Pourquoi est-ce que tu me racontes ça ?

— Je m'inquiète pour toi, marmonna-t-elle.

— Tu t'inquiètes pour moi ? C'est drôle, Sam. Tu t'inquiètes parce que je risque de perdre conscience dans le sous-sol d'un inconnu et de m'étouffer dans mon vomi ?

— Je m'inquiète que tu t'enfermes dans la solitude, parce que...

— Je ne suis pas solitaire, dit-il, ou souffla-t-il, et comme pour le prouver, il se pencha en avant et l'embrassa.

Pendant quelques secondes, il garda les yeux fermés ; plus facile ainsi d'imaginer qu'elle savait que c'était lui, que c'était ce qu'elle voulait, leurs lèvres réunies, les siennes encore un peu acides, et que c'était pour cela qu'elle ne l'arrêtait pas. En fait, comme il s'en aperçut en s'écartant, elle avait sombré dans le sommeil, la tête à quelques centimètres de sa braguette. Ensuite, il resta longtemps assis dans le noir en s'efforçant de la voir clairement.

— Merde merde merde.

Il se réveilla en sursaut. Il avait les jambes engourdies, le visage moite. Les éclats des feux d'artifice avaient cessé depuis longtemps. Il était quelle heure ? Maman allait le *tuer*, putain.

Il réveilla Sam et la fit monter avec lui, en partie parce qu'il craignait d'y aller seul, mais en partie aussi pour s'assurer qu'elle y arriverait. La lumière des lampadaires et le vert électrique des ailantes se reflétaient dans le pare-brise des voitures garées. Un signe étrange sur la porte sentait la peinture fraîche. Elle restait, dit-elle. Elle était sûre que Solomon Grungy allait venir ou qu'il était déjà là. Elle prendrait le train plus tard.

Mais comment allait-elle rentrer depuis la gare ?

Il y avait des taxis, observa-t-elle. Des bus.

Il pourrait peut-être venir la chercher.

— Charlie, il est tard. Tu as dit que tu devais y aller, alors vas-y.

La façon dont elle avait parlé – avec gêne, sans le regarder dans les yeux – mettait un point final à la conversation. Il ne savait pas quoi faire, la pousser un peu comme une copine, ou lui prendre la main, ou essayer de l'embrasser de nouveau, alors pour finir, tandis qu'elle le regardait depuis les marches de l'étrange maison, il se glissa dans les ombres colorées et prit approximativement la direction du nord, vers l'endroit où il espérait que le break se trouvait toujours.

Une heure plus tard, il roulait sur la grande artère de la L.I.E., dans la coque protéique de la voiture de sa mère. Les lampes au sodium, voilées par l'humidité et les moustiques, donnaient au paysage l'aspect d'une autre planète. Par intervalles apparaissaient de grosses colonies d'immeubles d'habitations, désertées hormis les lumières brillant à quelques étages çà et là. Quatre cents ans auparavant, des tribus indiennes se déplaçaient parmi les arbres noirs bordant l'autoroute. Ex Post Facto chantait ça, quoique de façon elliptique. Il y avait celle-là, « Egg Cream Blues » avec ces mots : « à coups de pied dans les pierres d'un cimetière protestant ». Ou était-ce « dans les *bières* » ? Difficile à distinguer avec cet enregistrement en mono brut et l'étrange accent du chanteur. Pour rester éveillé, Charlie mâchait l'emballage en feuille d'alu d'un chewing-gum. Il se demandait si, en réalité, ce n'était pas contre Sam qu'il était en colère. Après tout le soin qu'il avait pris d'elle, elle avait choisi de rester avec les amis qui l'avaient négligée. Il éjecta EPF et chercha à tâtons sous le siège la cassette de T. Rex qu'il avait cachée pour qu'elle ne se moque pas de lui. Quand il parvint à la face 2, la circulation de nuit avait ralenti et s'étirait sur une seule file. Il y avait eu un accident ; il voyait des hommes en uniformes baignés dans la lumière fuchsia des feux de détresse, laissant passer les voitures au compte-gouttes. Et s'ils décidaient de le contrôler ? Est-ce qu'il avait l'air soûl ? Défoncé ? Est-ce qu'il l'était ? Il dissimula sa crête sous sa casquette des Mets. Il baissa la vitre, il se pencha en avant et freina.

Quand il parvint à Flower Hill, sa mère l'attendait dans l'hypervieux fauteuil de Papa. Il pouvait jurer qu'elle avait éteint toutes les lumières rien que pour l'effet dramatique que ça créerait en tirant sur la cordelette pour les rallumer.

— Tu sais quelle heure il est, Charlie ?

— On peut en parler demain matin?

Il s'éloignait déjà vers le sous-sol, il entendait la fuite discrète de petits pas sur la moquette là-haut, où ses frères, qui s'étaient levés, écoutaient. Mais sa mère se leva à son tour, tourbillon de polyester.

— Nous pouvons parler tout de suite, jeune homme. Et pour commencer, du fait que ton tee-shirt est trempé.

— On devrait dormir, voir tout ça à tête reposée.

Il avait presque franchi la porte donnant vers le sous-sol quand elle alluma le plafonnier, pour mieux le voir.

— Charles Nathaniel Weisbarger... qu'est-ce que tu as fait à tes cheveux?

Il sentait la peau nue visible sous la casquette de baseball, et il se figea une main sur la poignée, ainsi que son ombre. Brusquement, les choses devenaient très sérieuses. Si elle insultait ses cheveux maintenant, il ne le lui pardonnerait jamais. Elle lui arracha la casquette. Et là, ils restèrent figés tous les deux, sauf qu'il y avait ces larmes de crétin qui lui montaient aux yeux.

— Mais quel est ton problème? demanda-t-elle d'une voix douce.

Il choisit un point sur le mur et le fixa du regard.

— Je ne sais pas. Je ne sais pas quel est mon problème.

— Charlie, c'est de l'alcool que je sens?

— Des gens avec qui j'étais buvaient.

Ce fut seulement quand la phrase sortit de sa bouche qu'il eut conscience que la défense du Spectateur Innocent – parfaitement plausible quand elle avait senti sur lui, en mai, l'odeur des cigarettes de Sam – était absurde s'agissant d'un produit liquide, et non volatile. *Au moins, je n'ai pas mangé de champignons*, voulait-il préciser. *Pas autant que Sam, en tout ças.*

— C'est bien de l'alcool! Tu as bu et tu as conduit ma voiture.

— Non.

Elle le retourna vers elle et le gifla:

— Je t'interdis de me *mentir*. Avec qui étais-tu?

Il était assis sur la moquette – pas parce qu'elle lui avait fait mal, mais pour s'éviter une nouvelle gifle. Il se couvrit la tête de ses bras et toute la frustration brûlante de la journée enflait et tremblait en lui et il semblait que le pire pouvait arriver. Mais il ne supportait pas que sa propre mère le honnisse.

— Tu ne la connais pas, dit-il.

S'il croyait soulager ses inquiétudes et donc apaiser sa colère en racontant qu'il avait été retenu par une fille, il se trompait; le lendemain, il se réveilla privé de sortie. Et le jour suivant, et le suivant, et ainsi de suite jusqu'à l'automne.

66

PLUS TARD, LE TEMPS étant devenu tout poisseux et instable, Keith s'étonnerait : cela faisait-il trois mois seulement qu'on lui avait demandé d'attendre dans le hall d'entrée en ruine de cette maison sur la 3ᵉ Est? Et aussi : Pourquoi n'avait-il pas obéi? Mais sur le moment, il n'avait guère eu le temps de penser. La jeune femme était passée du seuil de la porte au fond de la maison, où un téléphone sonnait et, sans même savoir ce qu'il faisait, il l'avait suivie jusqu'à la porte de la cuisine. Un drap punaisé à une fenêtre colorait la lumière de l'après-midi en marmelade. Ayant posé sa pile d'albums, elle s'arrêta près du téléphone mural, le dos tourné ou du moins ce qu'en laissaient voir les parties du col et de l'ourlet où son tee-shirt avait été découpé aux ciseaux. La musique qui filtrait à travers les murs noyait toutes ses paroles, mais quand elle passait le combiné d'une oreille à l'autre, il voyait l'arrondi de sa hanche en dessous et les muscles fins qui jouaient à la jonction de ses épaules et de son cou, petits poissons vifs sous la surface de peau limpide. Il ne songea pas qu'elle devait se savoir observée, à sa façon de s'étirer et de bâiller, de s'offrir des pieds à la tête à sa contemplation.

Puis elle raccrocha le combiné sur son support et posa une main à plat sur le mur dont le plâtre s'effritait... Comme en réponse, le bruit se tut.

— Très bien, dit-elle en se retournant. Vous disiez que vous cherchiez quelque chose dans la boîte aux lettres?

Il restait sans voix.

— Un de ces abrutis l'a probablement mis dans le garage. Je dois chercher quoi ?

— Je ne sais pas. Une enveloppe kraft. Le code postal est 10017.

— Restez là et ne touchez à rien. J'en ai pour une minute.

Elle allant vers la porte du fond, elle s'arrêta.

— Vous avez un nom, si on me pose la question ?

— Pardon, répondit-il comme un idiot. Keith.

Cinq minutes plus tard, elle revint avec son enveloppe et un appareil photo en bandoulière. Il lui dit qu'elle lui sauvait la vie et lui donna en échange l'enveloppe contenue dans sa mallette.

— Et j'en fais quoi ?

— Je ne suis que le messager... je ne sais même pas ce qu'il y a dedans.

— C'est rare de voir un coursier en costume cravate, Keith. Surtout par ici.

Il avait presque oublié qu'il avait sur lui sa tenue de travail ; il l'aurait regretté, s'il n'avait eu l'impression qu'elle flirtait avec lui. Elle porta l'enveloppe à son nez piercé et renifla le rabat :

— Vous n'êtes pas un tout petit peu curieux de savoir ce qu'il y a à l'intérieur ?

Il haussa les épaules. Pourquoi Amory ne payait-il pas simplement un coursier, il ne se posait jamais la question. Ou peut-être pressentait-il qu'il préférait ne pas connaître la réponse. Il y avait des choses qu'il fallait éviter de trop creuser. Regardez ce que Nixon avait essayé de faire à Daniel Ellsberg. À Daniel Schorr.

— Ça ne me regarde pas. Je rends service à quelqu'un, c'est tout.

L'enveloppe atterrit sur un plan de travail.

— Bon, je vous laisse. Je dois me dépêcher.

— Vous venez d'arriver.

— Je dois aller Uptown prendre des photos tant que la lumière est bonne.

— J'y vais aussi, dit-il, sur une impulsion. Nous pouvons partager un taxi.

— Je ne monte pas dans les taxis. Les taxis, c'est pas punk.

— C'est moi qui paie.

Il prit l'enveloppe.

— Je vous suis redevable pour ça, après tout.

Il se demanda quelles arrière-pensées elle lui prêtait, en le jaugeant d'un coup d'œil, et d'ailleurs, ce qu'il en pensait lui-même. Peut-être était-ce aussi simple que cela : il aimait son sourire, la façon dont elle plissait le nez, la bouche qui lui mangeait un peu le visage.

— Sam, dit-elle, la main tendue, et il avait recouvré assez d'agilité d'esprit pour comprendre qu'elle lui donnait son nom.

Trouver un taxi était assez facile à cette heure; tout le monde fuyait le sud de Manhattan comme s'il y avait le feu. Enfoncés dans le cuir à l'odeur de désodorisant, ils avalèrent la 3e Avenue à grandes rasades de neuf ou dix pâtés de maisons. La lumière du soleil avait cette coloration riche qu'elle prenait les après-midi d'été, cette teinte rouge qui rendait le bleu plus bleu. *Un coup d'œil un coup d'œil*, disaient les vendeurs de rue quand ils s'arrêtaient au feu. Elle avait baissé sa vitre pour allumer une cigarette. La fumée dessinait des formes complexes dans un rayon de soleil entre les hauts buildings et, quand le taxi redémarra, les arabesques s'effacèrent, remplacées par une odeur de déchets trop mûrs.

— Alors vous êtes photographe?

Étudiante en photographie, dit-elle d'un ton dégagé. Et avant qu'il ait pu recalculer son âge et que cela ne devienne gênant, elle ajouta:

— À NYU. École des beaux-arts. En fait, je passe mon diplôme au printemps.

C'étaient des amis à elle, dans la maison où ils étaient tout à l'heure. Des gens qu'elle connaissait, de la scène. Il fallait parfois les materner un peu.

Il l'interrogea sur cette *scène*, dont il crut se rappeler avoir lu des choses dans les pages style; quand elle acheva ses explications, ils étaient parvenus à la hauteur des 80e Rues et elle se penchait pour demander au chauffeur de s'arrêter. Sur le trottoir d'en face, à l'endroit où la Transverse pénétrait dans le parc quelqu'un avait peint une borne à la bombe pour lui donner un air de Mighty Mouse. Les ombres s'épaississaient. L'école de Will se trouvait quelque part non loin.

— Écoutez, dit-il, je sais que ça peut paraître chicos par ici comparé à Downtown, mais ce ne serait pas très prudent de vous balader toute seule dans le parc. On entend sans cesse parler d'agressions.

— Qu'est-ce qui vous dit que je ne suis pas venue attaquer les touristes pour leur voler leurs portefeuilles?

— Allez.

— De toute façon, il ne reste qu'une demi-heure avant qu'il fasse trop noir pour faire des photos. Ça ira.

— Laissez-moi vous accompagner.

— Comment allez-vous rentrer?

— J'habite le quartier.

Il ne lui était encore jamais venu à l'esprit d'éprouver la moindre gêne à cause de ça. Mais elle le laissa lui emboîter le pas sous les arbres au feuillage d'été luxuriant. Ils contournèrent le Reservoir en direction du nord, des sentiers qu'il n'avait pas empruntés depuis des années. Plus ils s'enfonçaient, plus il voyait de peintures aérosol : extraterrestres argentés se battant sur les dos des bancs, poubelles en métal perforé englouties dans les flammes. Pour elle, chacune représentait un spécimen. Accroupie, elle plaçait son appareil devant son œil tandis qu'il restait debout derrière elle, en s'efforçant de se rappeler à quoi l'on était censé ressembler quand on restait debout. Quiconque l'aurait vu à ce moment-là, se dit-il, aurait pensé que ces deux-là n'avaient rien en commun, lui avec son attaché-case, elle en jean déchiré. Mais il n'y avait pas grand monde alentour.

Ils se retrouvèrent au hangar à bateaux bordant Harlem Meer. La municipalité l'avait fermé durant la crise fiscale et depuis la bâtisse en brique grise de la W.P.A.[1] avait disparu sous les couches de ce qu'elle appelait des « tags ». Il devait y en avoir des centaines, certains tracés à la hâte sur la brique, d'autres patiemment élaborés en lettres de la taille d'un couvercle de poubelle. Sur le mur ouest, quelqu'un doué d'un véritable talent – quelqu'un qui, à une autre époque, aurait réalisé des fresques pour les papes – avait minutieusement peint un nu ailé, haut de deux mètres cinquante. Et c'était cela, cette déesse du parc, que Samantha semblait déterminée à capturer. Soudain, elle était partout à la fois, essayant tous les angles, accroupie pour déclencher mais aussi debout pour estimer la lumière déclinante. Les seuls bruits, hormis le déclic de l'obturateur, étaient les klaxons au loin et les oiseaux qui jacassaient dans le sous-bois. Un vers, mémorisé en première année de cours d'allemand, insistait sans aucune cohérence à l'avant de son cerveau. Il essaya de se concentrer sur le mur, sur l'image peinte. Taille cintrée, hanches épanouies. Seins comme des mangues de bronze. Tête penchée sur le côté, lèvres entrouvertes, extatiques. À une époque, Regan avait ressemblé à cela, du moins pour lui. Mais son corps avait changé, il s'était relâché après les enfants et puis ce désintérêt pour lui, comme pour préparer la transition de la maternité à la carrière. Si le corps qui de nouveau se rapprochait du mur pour l'inspecter s'était offert à lui, qu'aurait-il dit ? Au même instant, elle se tourna pour lui demander ce qu'il en pensait. Ce qu'il en pensait, c'est qu'il ferait bien de s'en aller, voilà.

La fois suivante, quand une enveloppe apparut sur son bureau, il attendit plusieurs jours avant de la porter 3e Rue Est. Amory n'avait pas précisé de délai, et Keith se doutait – ou savait, plutôt – que Samantha serait là. Et elle était là en effet quand il décida enfin d'y aller et frappa à la porte.

— C'est vous ? dit-elle en ouvrant.

---

1. Work Projects Administration : agence instituée dans le cadre du New Deal.

Il entra. Elle recula contre le mur. Il lui remit l'enveloppe. Elle se pencha à son oreille, de telle sorte qu'il sentit ses mots, la façon qu'ils avaient de prendre forme dans l'air :

— Vous me faites peur.

C'était comme une réplique tirée d'un feuilleton. Et c'est lui qui eut peur.

Keith n'allait plus à l'église que quelques fois par an et Regan, pour des raisons mystérieuses, évitait toujours de s'y rendre, mais ce dimanche-là, après la messe de dix heures, il avait fait en sorte de pouvoir s'entretenir en privé avec le père Jonathan, le recteur adjoint. Quand, ayant d'abord tergiversé, il confessa avoir commencé à regarder ailleurs (sans parvenir à se montrer plus précis), le prêtre lui recommanda de s'adresser à un professionnel.

— C'est ce que je croyais être en train de faire, dit Keith.

Un analyste, voilà à quoi pensait le prêtre. Il était glabre, il avait l'air d'un préadolescent, pas spécialement porté sur l'ironie.

— Ils peuvent être d'un grand secours dans ces circonstances. Vous et votre femme êtes mariés depuis combien de temps ?

C'était une question rhétorique, le père Jonathan n'attendit pas sa réponse. Une autre paroissienne, continua-t-il, une psychologue, venait de publier un livre, peut-être Keith lisait-il sa chronique dans le *Times* ? Keith hocha délibérément la tête. Il connaissait en effet ce nom. Le père Jonathan expliqua que cette paroissienne et son mari, également psychologue, venaient de célébrer leurs noces d'argent. *Vingt-cinq ans*. Dans le livre, elle laissait entendre que le secret de cette longévité, c'était qu'ils sortaient dîner ensemble tous les mardis soir depuis un quart de siècle.

— Le mardi. Pensez-y. Pas le lundi, quand recommence la semaine, mais pas le mercredi non plus, cette butte qu'il faut franchir. Le mardi. Ils ne laissaient jamais rien leur barrer la route.

Une chaleur remontait, semblait-il, à la surface du visage pastoral à la douceur laiteuse. Keith se demanda ce qu'on devait ressentir quand on renonçait aux plaisirs qu'on n'avait jamais pu connaître, qu'on brûlait pour une femme de la paroisse, qu'on la regardait servir la salade de macaronis lors du repas collectif, le corps mûr sous sa robe d'été – qu'on sentait sa main sur le bras en sachant qu'on finirait seul cette nuit-là, à nourrir les chats de la sacristie. Ou pire : quand on écoutait un de ces laïcs égocentriques déplorer le feu couvant sous les cendres d'un mariage parfaitement enviable. Mais un autre Keith, avide, qui avait surgi quand Samantha lui avait soufflé dans l'oreille, avait envie de saisir le petit col blanc par-dessus le bureau en acajou et de dire : *Garde ta condescendance, nom de Dieu !* Pendant un moment, il sembla que la pièce était le lieu d'un conflit entre ces contradictions. Qu'il pourrait bien, tel le rebelle Jonas, finir englouti.

Sauf qu'on était au xxᵉ siècle. Cette justice-là n'existait plus. Et donc, le mardi, il emmena Regan à l'autre bout de la ville, dans leur ancien restaurant italien. Chandelles et sauce tomate. Quelque chose avait changé, mais il fallut à Keith une minute pour trouver : au-dessus du bar, ils avaient installé une télévision que le barman laissait allumée tout en essuyant ses verres. Il avait beau ne pas entendre le son, n'en avoir rien à cirer de la Ligue américaine de baseball, Keith ne put lutter contre la force de diversion. Le bord des verres reflétait la lumière gris-bleu qui attirait toujours, où qu'il le portât, son regard vers l'écran, jusqu'au moment où il s'aperçut que Regan le fixait.

— Quoi ? dit-il.

— Je t'ai posé une question, chéri. Tu n'as pas entendu un seul mot de ce que je disais ?

Et voilà : dés jetés, *jeux faits**. La soirée ne se termina pas dans une chambre d'hôtel, comme il l'avait secrètement espéré. Au lieu de cela, ils rentrèrent payer la baby-sitter, aider les enfants à faire leurs devoirs, écouter Cate réciter la litanie de ses plaintes avant d'aller se coucher, lui raconter une histoire et sombrer dans le sommeil avant même que leurs corps aient touché les draps. Le lendemain, dans un local vide des bureaux de la LCA, il regarda son doigt composer le numéro que Samantha lui avait donné. Ce qui ne signifiait pas qu'il était préparé à ce qu'elle décroche.

Tout lui revint, dans son ancien quartier, bien qu'il ait changé – d'aucuns diraient dégénéré. Les travestis arpentaient librement la 7ᵉ Avenue, au milieu de gentils gosses de la classe moyenne qui faisaient tout ce qu'ils pouvaient pour ressembler à des clochards, d'étudiants, de touristes, ou d'éditeurs en tweed. Mais ce regard condescendant ne réussissait pas à le convaincre. Il regrettait vraiment cet endroit. Pourquoi diable avaient-ils déménagé ?

Parvenu au milieu de la rue où ils s'étaient donné rendez-vous, il aperçut Samantha assise sur les marches d'un perron avec un cône glacé Carvel et une cigarette. Elle portait une jupe et la vue de ses longues jambes repliées sur les dalles de pierre balaya aussitôt toute pensée nostalgique de son foyer. Elle attendit, sans se lever et, quand il fut à sa hauteur, se contenta de plisser les yeux à travers la fumée. Mais c'était bon signe qu'elle se soit habillée. C'était sûrement qu'il lui plaisait.

Au dîner, il joua le parfait gentleman, un riche oncle descendu en ville pour la semaine. (Il se doutait que ceux qu'il avait connus par ici n'avaient pas tous déménagé.) C'est Samantha qui insista pour avoir plus de vin et quand son genou se glissa entre les siens sous la table, il recula, comme si elle avait eu un geste involontaire. C'était de la folie ! N'importe qui pouvait être en train de les observer ! Tu n'as encore rien fait de mal, se rappela-t-il. Dieu sait qu'il avait déjà eu l'occasion de s'écarter du droit chemin, avec bon nombre de femmes. Il avait fait ses preuves, n'est-ce pas ? Mais cette fois il lui semblait être la victime d'un enchantement puissant. Quelque part, la fille continuait à parler de Diane Arbus et de Danny Lyon et des bienfaits de la photo pour la peinture – une dépression nerveuse, dit-elle ; en dessous, son pied débusqua le sien.

Puis ils se retrouvèrent dans sa résidence universitaire, une minuscule chambre à un lit qu'elle n'avait pas fini d'installer après l'avoir quittée tout l'été. La plupart des autres étudiants n'étaient pas encore rentrés, mais déjà un de ses amis, un tagueur, lui avait décoré un mur à la peinture aérosol. Il en sentait encore l'odeur.

— Dommage pour ton dépôt de garantie, dit-il, nerveux, en allant examiner les barbouillis noir et argent qui rampaient vers le plafond.

Quand il se retourna, elle était appuyée contre sa table et le regardait sans ambiguïté. Son tee-shirt, celui au col déchiré qu'elle portait quand il l'avait vue pour la première fois, avait glissé de son épaule. Il s'approcha et posa la main sur la courbe au-dessus de sa hanche, lui donnant une seconde pour changer d'avis. Au lieu de quoi, elle lui prit la ceinture.

Ils le firent là, debout, Samantha penchée en arrière sur la table, sa culotte autour des chevilles et son tee-shirt autour du cou. Il n'avait pas imaginé pouvoir exprimer cette agressivité, une fois le feu vert reçu. Après la naissance de Will, Regan n'avait plus voulu le faire dans cette position. Même enceinte de Cate, et gênée par son ventre, c'était le missionnaire, dix minutes chrono et depuis quelque temps pas même ça. Il était en colère, vraiment en colère contre elle, il le voyait maintenant, parce qu'elle avait été si distante. Parce qu'elle l'avait entraîné là. Et puis les petits grognements doux de Samantha, la sueur de son cou dans sa bouche ou sa main qui le pressait pour l'enfoncer plus loin en elle le ramenèrent à lui. Il était dans une résidence de fac, quelqu'un tapait contre le mur pour qu'ils fassent moins de bruit et cette femme de vingt-deux ans se cabrait sous lui, la main accrochée au bureau à l'instant même où il se répandait dans l'éternité. Le miracle de la mixité. Tout ce qu'on pouvait désirer et le seul prix à payer, c'était votre âme.

Ils tombèrent sur un lit nu, parcouru des rais de lumière que répandaient les stores.

— C'était...

— Mmm, acquiesça-t-elle, manifestement trop repue pour parler.

Il y avait une douche commune un peu plus haut dans le couloir, mais il ne pouvait pas vraiment y aller (c'était un étage réservé aux filles), alors il se nettoya du mieux qu'il put avec la serviette qu'elle lui offrit et commença à se rhabiller.

— Je ne veux pas être... tu sais bien. Mais est-ce que je peux te revoir ?

Elle lui dit quand il pouvait la rappeler. L'embrasser pour lui souhaiter bonne nuit lui parut trop intime. Il se glissa dehors et se dirigea vers l'ascenseur.

Dans l'acier des portes qui se fermaient, il se vit enfiévré, échevelé, embrasé, mais à l'intérieur un froid se diffusait déjà. Il évita le regard du garçon en pantalon de survêtement monté avec lui et qui avait peut-être aussi envie de coucher avec Samantha – comment ne pas en avoir envie ? – ou celui du gardien, seule présence dans le hall. Émergeant dans la nuit humide, traversant Washington Square Park sous les arbres, Keith se surprit à penser aux histoires qu'il racontait autrefois à Will, le soir. Leurs héros s'écartaient toujours des sentiers éclairés pour s'enfoncer dans des forêts. Ou peut-être était-ce une seule et unique forêt : la part d'ombre où se terrait ce qu'ils redoutaient le plus. Et donc, se rassura-t-il, il avait l'avantage de savoir à l'avance comment tout cela devait se terminer. Il s'était arrêté pour admirer une fleur, il s'était attardé dans les ténèbres, mais en un rien de temps, régénéré, son engagement renouvelé, il retrouverait son chemin. Car n'était-ce point là la fonction des forêts ?

67

DE CET AUTOMNE, IL RESTE UNE PHOTO, en noir et blanc, de Samantha Cicciaro sur l'îlot herbeux au milieu de Houston Street, à quelques pâtés de maisons à l'est de West Broadway. Il fait jour, c'est l'après-midi, le soleil brille à l'ouest, peut-être est-ce bientôt l'heure de pointe. Autour d'elle, l'asphalte est encombré de berlines récentes, feux arrière étroits et calandres carrées. Un bus s'est arrêté devant le trottoir pour laisser descendre un passager, homme ou femme, difficile à dire d'aussi loin. Quelque part, en arrière-plan, un immeuble dont les poutres traversent les murs et se jettent dans l'espace vide à côté. Plus loin encore, l'immeuble qu'elle préférait, une haute bâtisse victorienne en brique rouge que préside, au-dessus du portique, la statue dorée d'un petit dieu espiègle.

Son père lui avait donné le Nikkormat pour son anniversaire l'année précédente. (Il fallait faire attention, avait-elle un jour confié à Charlie : si tu parlais de quelque chose en sa présence, ou si parfois tu jetais juste un coup d'œil oblique dans une vitrine, il te l'achetait et après tu avais du mal à en profiter parce que tu passais ton temps à te demander si, par culpabilité, il n'avait pas dépensé plus que ses moyens le lui permettaient.) Maintenant, l'après-midi, quand Keith parvenait à se libérer, ils marchaient au hasard dans les vastes étendues au nord de Central Park ou au sud de Bleecker, et prenaient des photos. Dans ce cas, il avait tourné l'appareil vers Sam. Mais, dans le cadre, en dépit du grouillement autour d'elle, elle semble toute seule. Son tee-shirt coupé court laisse apparaître un segment de ventre nu ;

par-dessus, elle porte une veste d'homme, manches roulées et retenues par des épingles de sûreté. Elle a taillé ses cheveux jusqu'au menton et les a teints dans une couleur qui peut paraître gris tourterelle sur la photo, mais est en réalité très noire et laisse apparaître de pâles éclairs aux racines. Elle est coiffée d'un petit pork pie. Ses bras entourent par-derrière le lampadaire contre lequel elle est adossée, comme si elle était enchaînée, et son visage, lèvres entrouvertes, est tourné vers le soleil. Telle une flamme reflétée dans une vitre, le visage semble appartenir à une dimension étrangère au reste de l'image. Et c'est vers cela, les yeux, la bouche, que le regard ne cesse de se porter. À quoi pensait-elle?

À la réflexion, les possibilités sont innombrables. Cet été-là, elle s'était retrouvée à l'intersection de toutes sortes de lignes à haute tension et de champs vectoriels, certains qu'elle devait appréhender, d'autres qui lui échappaient. Elle aurait pu, par exemple, se dire qu'il y avait quelque chose qui clochait dans le fait de séduire un homme deux fois plus âgé qu'elle – cet homme ici présent, Votre Honneur, accroupi dans l'herbe, l'appareil à la place du visage. Ou s'interroger sur les enveloppes à propos desquelles elle le taquinait parce qu'il ne les ouvrait jamais, et dont elle avait entendu dire qu'elles contenaient la pension versée à Nicky par un riche parent. Ou sur cette maison de la 3e Est, et sur le degré de loyauté dû à des amis qui faisaient manifestement de grosses conneries. Elle aurait pu penser au fait qu'on était maintenant le mardi d'après Columbus Day et qu'elle n'avait assisté à aucun cours depuis la fin du mois de septembre. Ou à son père, qui aurait été horrifié, une gentille petite fille catholique comme sa Sammy. N'était-ce pas précisément pour la protéger de tout ça qu'il l'avait inscrite dans l'enseignement privé? Mais Papa, aiguillonné par Richard Groskoph avec son papier et son stylo, s'était enfermé dans un monde à lui, où son père et ses frères vivaient toujours et où les feux d'artifice de New York étaient toujours synonymes de Cicciaro. Telles étaient ses conclusions, du moins, chaque fois qu'elle appelait chez elle. Elle aurait pu être en train de réfléchir à l'une de ces questions, ou à toutes.

Mais c'était l'été indien dans la ville, le moment qu'elle attendait tout le reste de l'année, et elle avait appris tôt qu'il ne servait à rien de s'appesantir sur les choses au-delà du temps présent. Comme un poète qu'elle aimait l'avait écrit: «On s'appuie sur ses nerfs.» Et donc, à l'instant du déclic, elle pensait surtout au sandwich au menu de sa cafétéria favorite: du salami salé et de la coppa en couche épaisse de trois centimètres, du bon pain, du fromage un peu fort, de la mayonnaise qui se répand sur les côtés et dans l'emballage quand on appuie dessus avec les doigts.

Cet après-midi, elle obligerait Keith à venir avec elle. Un autre aspect de cette période enivrante: voir jusqu'où allait le pouvoir qu'elle exerçait sur lui. Il y avait chez Keith quelque chose, une part qu'il retenait, lui semblait-il, qu'elle convoitait avidement comme preuve de son affection. Ils s'installèrent dans une alcôve en plastique moulé, assez loin de la fenêtre pour qu'on ne puisse le voir du dehors; il prit un Coca et la regarda manger. Entre deux bouchées, elle déchira l'emballage de sa paille en petits morceaux qu'elle réunit dans le cendrier. Elle prit son briquet et essaya d'y mettre le feu. Pour finir, il lui saisit les poignets avec une brutalité merveilleuse.

— Arrête. Tu vas nous faire jeter dehors.

L'espace d'une minute, le vrai Keith avait refait surface. Elle eut envie de l'enfermer dans un bocal, de l'examiner, de voir s'il était prêt à tout perdre pour elle.

Elle ne le pensait pas et c'était la raison pour laquelle elle l'aimait.

Il y avait aussi, bien sûr, le sexe: convulsif, explosif, dangereusement fragile. Depuis longtemps, elle s'était convaincue que l'orgasme partagé était une légende de vestiaires et elle s'était résignée aux attouchements maladroits du mâle adolescent. Mais parfois, avec Keith, quand ils rentraient tôt le soir dans sa résidence ou dans la chambre d'un hôtel délabré à l'est de Grand Central, elle sentait qu'elle approchait l'endroit sombre du mythe. Elle explorait son corps de ses mains, ou lui le sien des siennes, jusqu'à ce qu'elle ne sache plus faire la différence, et elle avait peur qu'il ne l'arrête, ou elle, mais ils ne s'arrêtaient ni l'un ni l'autre. C'était comme une balançoire dans laquelle elle volait toujours plus haut, sans le truchement d'aucun mécanisme, sinon le désir d'un ciel toujours plus vaste.

En réalité, l'amour n'était peut-être pas le bon mot – pour aimer quelqu'un, il fallait le respecter et à certains moments elle ne respectait pas Keith, pas exactement. Quand il voulait se montrer tendre, par exemple, elle éprouvait un certain dégoût. Mais ces moments où la colère transperçait sous ses dehors lisses, elle se sentait capable de tout pour lui plaire. Le sucer sous la douche d'une chambre d'hôtel? Se mettre à quatre pattes et se laisser prendre comme dans un magazine porno? Oui, et elle le ferait parce que c'était la source de son pouvoir sur lui: ne pas être tout à fait réelle. Et tout ça – ou en grande partie, du moins, expurgé – elle avait envie de le confier à Charlie. Il lui arrivait d'essayer de l'appeler. Mais Charlie, bien sûr, comme tous les hommes de sa vie, l'avait abandonnée à la seconde où il avait compris qu'elle ne collerait pas à ses désirs.

Somme toute, cette saison de sa vie avait dû s'étaler sur deux mois, quand bien même elle lui semblait avoir duré tantôt des années, tantôt quelques jours à peine. Peut-être l'éternel retour de cette chambre d'hôtel expliquait-il pourquoi le temps était moins une ligne qu'un cercle, se dilatant et se contractant toujours. On ne leur donnait pas la même chambre chaque fois, naturellement, mais les chambres d'hôtel se ressemblaient toutes, n'est-ce pas? Les mêmes brûlures de cigarette, les mêmes rideaux à l'odeur de tabac, les mêmes oreillers en mousse et les mêmes draps rêches. Tard dans la nuit, elle regagnait le Phalanstère pour fumer de l'herbe et décompresser, mais une nuance d'obscur *ressentiment** teintait ses relations avec les Post-Humanistes. Elle n'était plus montée dans leur camionnette depuis le mois d'août, quand ils avaient mis le feu à une église abandonnée pour rire et qu'elle avait rédigé une histoire racontant cet épisode qu'elle avait ensuite donnée à lire à Sewer Girl. Ce n'était pas l'incendie sacrilège d'une église qui avait ébranlé Sam, c'était plutôt le gâchis absolu, car au fond d'elle-même, elle n'acceptait pas que la vie elle-même soit un gâchis. Et c'était bien là son problème, aurait dit Nicky. Sans compter qu'elle laissait trop de traces écrites.

Et puis, une semaine ou deux avant Thanksgiving, ils étaient allés tous les cinq à une séance tardive de *Taxi Driver* dans la salle décrépite de St Mark's Place. Avec la télévision et Casey Kasem[1], Nicky plaçait les films en première position dans la liste des virus qui infectaient le corps politique mais, dans ce cas précis, il avait accepté de faire une exception. L'affiche était apparue, plusieurs semaines auparavant, Robert De Niro en blouson militaire, coiffé à l'iroquoise, et à dix mètres on voyait déjà que le film s'adressait à *eux* – que, comme disait Nicky, Scorsese employait les outils du maître pour détruire la maison du maître. Dans la salle obscure, son bras n'avait cessé de frôler le sien sur l'accoudoir, mais elle l'avait à peine remarqué. Car à qui *Taxi Driver* s'adressait-il en fin de compte, sinon à Samantha Cicciaro en personne. Il y avait l'éducation sicilienne catholique de l'*auteur**, tous ces éléments de référence ineffables. Il y avait la beauté de Bobby D., avec son menton comme un Frigidaire, ce quelque chose dans le regard qui lui rappelait son amant. Et il y avait Jodie Foster qui, malgré son débardeur et son mini-short, était une enfant. Et quel sentiment Scorsese voulait-il transmettre à Sam dans sa représentation de ce couple? Compassion? Dégoût? Ce qu'on ne pouvait pas faire, c'était imaginer que la passion de Travis Bickle pour cette petite

---

1. Animateur dans les années 1970 de l'émission radiophonique « American Top 40 ».

fille était saine, ou normale, ou durable. Qu'elle ne se terminerait pas dans les larmes.

Ce vendredi-là, quand Keith s'arrangea pour quitter son travail à l'heure du déjeuner, elle lui demanda de l'emmener revoir le film, dans une salle plus récente près de l'O.N.U. Une grande partie de la seconde moitié, elle regarda son visage plutôt que l'écran. Mais quand ils sortirent dans la pâle lumière d'un jour de novembre à trois heures, il se contenta de plisser les yeux et de dire, en secouant la tête :

— Quelle noirceur.

— Ça n'a pas touché une corde sensible ?

— De quoi parles-tu ?

Elle se félicita une fois de plus de sa naïveté. Il avait réussi un autre test. Elle s'empara de son bras.

— On prend une chambre ?

— Tu as une chambre.

— Il faut redescendre Downtown.

— J'ai laissé mon portefeuille chez moi, précisément pour que tu ne m'obliges pas à claquer plus d'argent.

Une idée germait.

— Il nous suffit d'aller le chercher, non ?

Elle poussa son torse contre son bras et lui chuchota à l'oreille quelques petites choses qu'elle le laisserait lui faire s'il l'emmenait dans un bel hôtel.

— Samantha, pour l'amour du Ciel, les gens nous regardent.

Mais on était à New York City ; il en fallait beaucoup plus pour qu'on vous regarde. Et la rougeur qui se répandait jusqu'à la pointe des oreilles de Keith signifiait qu'elle avait déjà gagné.

Devant son immeuble, il lui demanda de l'attendre dans le taxi, il redescendait tout de suite, mais dès qu'elle le vit passer le bureau du portier, elle quitta aussitôt le siège arrière, dévorée une fois de plus par le besoin de savoir exactement jusqu'où elle pouvait aller. Elle marmonna un numéro d'étage à l'adresse du portier qui leva à peine les yeux de son journal. On ne se méfiait jamais des filles. Elle rattrapa Keith devant les ascenseurs et glissa la main dans sa poche.

— Qu'est-ce que tu fais ? siffla-t-il.

— Je veux voir où tu habites. Je mérite bien ça, non ?

Il regardait, par-dessus son épaule, le ruban de rue illuminé, comme s'il évaluait ses chances de la faire repasser dans le hall ni vu ni connu. Elle n'avait rien de fracassant aujourd'hui, avec son jean et son pull troué, mais si elle avait été une nièce, il aurait paru suspect qu'elle reparte aussitôt. Un ascenseur tinta.

— Très bien, dit-il en la poussant dans la boîte vide.

En haut, il l'arrêta juste dans l'entrée de son appartement.

— Tu vois ? Bon. Maintenant, ne bouge plus, je ressors avec toi.

Une vague de déjà-vu déferla. Elle entendait les lumières s'allumer, les tiroirs gémir et attendait dans ce couloir où flottait l'odeur imperceptible de milliers de repas, comme si une énorme pâte douceâtre colmatait les pores des murs. Il y avait un paillasson pour s'essuyer les pieds, un porte-parapluie, une table avec un vide-poche rempli de monnaie, une peinture ou une gravure représentant un Arlequin – difficile à distinguer, les rais de lumière vive qui provenaient des fenêtres à l'autre bout du couloir rendaient le verre opaque par endroits. Un unique jouet dépassait à demi sous un coin du tapis, comme si on l'avait placé là pour qu'il lui saute aux yeux. Pour une raison ou une autre, elle s'était imaginé que cette autre vie était aussi secondaire que celle qu'il avait avec elle. En réalité, c'était une vie solide, dense, et défaire son emprise sur lui serait plus difficile qu'elle ne l'avait cru – à supposer qu'elle le voulût encore.

Elle fit quelques pas dans le couloir en direction des fenêtres. Comme l'appartement était grand ! Il régnait dans la salle de séjour ce même air de vécu irrespirable, comme si, à tout instant, la femme et les enfants de Keith allaient revenir et reprendre l'album replié sur la table basse, la tasse de thé froid, le triste sachet de thé gonflé échoué dans son eau formant une soucoupe. Ce qui expliquait pourquoi il préférait la laisser près de la porte, pour pouvoir s'échapper sans attendre, mais elle ne put s'empêcher de s'arrêter devant la bibliothèque et tous ses cadres, des photos en plus grande quantité que celles qu'elle avait prises cet automne-là pour *Land of a Thousand Dances*. Elles n'avaient pas été disposées là par Keith, elle le savait. Il était trop désinvolte. C'était plutôt quelqu'un comme elle, quelqu'un qui avait besoin d'être rassurée par des preuves irréfutables. Il y avait entre autres la photo d'une famille autour d'une table de pique-nique au bord d'un lac. La petite fille était floue parce qu'elle essayait d'échapper aux bras de Keith. Mais la femme, avec sa chevelure rousse Kodachrome, était magnifique en fait, aussi magnifique que la surface argentée du lac en arrière-plan et les sapins verts.

On lui prit brusquement le cadre des mains et on le replaça sur l'étagère.

— Qu'est-ce que je t'ai dit ?

— Il n'est pas à sa place, fit-elle observer.

— Alors mets-le à sa place, nom de Dieu.

Elle ne l'avait jamais vu aussi en colère et si cela faisait mal, c'était également excitant, comme si elle avait planté son drapeau une dizaine de mètres plus loin que quelques minutes auparavant.

— Qu'est-ce que tu vas faire? Me punir?

Et tandis qu'elle l'entraînait vers le canapé, elle sentit l'animal en lui chercher à prendre le dessus.

Mais cette fois, les choses dérapèrent dès le début; dès qu'il la pénétra elle le sentit flancher. Quand elle lui demanda si tout allait bien, il répondit qu'il ne sentait rien. Elle changea de position. Et comme ça?

— Je ne sens rien, dit-il encore, paniqué, tel un asthmatique répétant: *Je ne peux pas respirer.*

C'étaient des conneries, pensa-t-elle. Bien sûr qu'il sentait quelque chose; seulement ce n'était pas ce qu'il voulait. D'après lui, c'était *elle*, l'enfant. Pour finir, il se retira et s'assit, le dos voûté, au bord du canapé, les poings contre les yeux et, dans cette lumière poussiéreuse d'avant l'heure de pointe, elle crut sentir l'appartement tout entier trembler sous l'effet de la tension logée dans son corps, toute cette raideur inutile. Ce fut pourquoi, quand elle entendit craquer une lame de parquet, elle n'y prêta guère attention. Elle contaminait tout ce qu'elle touchait, se disait-elle, et elle venait de recommencer: prendre ce qui aurait dû rester un jeu, une expérience et, à cause de la magnitude impossible de son désir, ou par simple curiosité, le pousser au-delà des limites de sa résistance.

68

AVEC LE RECUL, UNE RÉACTION EXCESSIVE de sa part semblait inévitable, mais ce n'était pas la raison pour laquelle Regan le lui avait caché. Non, le dire à haute voix signifiait reconnaître qu'il y avait un problème, et cela Regan ne se sentit pas prête à le faire avant leur troisième ou quatrième mardi au restaurant italien. Tout comme Keith qui, à voir son visage rougissant dans les ombres napolitaines, ne l'était pas davantage à ce moment-là. Sans compter qu'elle se sentait exclue de sa vie depuis si longtemps – cette vie ouverte et publique si différente de son existence à elle, comprimée – que, s'il lui arrivait quelque chose où il n'avait joué aucun rôle, elle préférait l'occulter, pour faire contrepoids. Quand il posa son verre, elle crut qu'il allait voler en éclats :

— Comment ça, tu vois quelqu'un ?

Alors seulement elle prit conscience de l'ambiguïté : il croyait qu'elle *voyait* quelqu'un. Et aussitôt, ce sentiment de culpabilité – exactement ce qu'elle essayait d'éviter.

— Je veux dire un analyste, chéri. Je vois un analyste.

La rougeur mit longtemps à déserter les joues de Keith. Le barman, qui avait cessé d'essuyer le comptoir, faisait semblant de ne pas écouter.

— Nous en avions parlé au printemps, tu te souviens ?

— De ton projet de voir un analyste ?

Il ne l'avait jamais, il est vrai, interrogée à propos de sa perte de poids, probablement parce que tout chez elle indiquait qu'elle ne voulait pas être interrogée. Elle était tombée à quarante-huit kilos quand elle avait eu dans le miroir une vision de son corps réel – une vision aussitôt évanouie, vraiment, avant que la fausse image ne reprenne l'ascendant, mais elle avait suffi.

— Nous ne parlons pas de problèmes conjugaux, Keith, si c'est cela qui t'inquiète. C'est juste tout un tas de trucs ennuyeux d'origine familiale qui datent d'avant toi.

Ce n'était pas entièrement vrai, mais quand il s'agissait de réduire ou de résoudre certaines tensions, son souci de franchise n'était pas inflexible ; le Dr Altschul l'avait aidée, entre autres choses, à le constater.

— Tu te souviens ? Quelques semaines avant que je commence à travailler, tu as parlé de l'aide que pouvait représenter l'analyse. En fait, le Dr Altschul m'a montré que tu avais raison, que je devais avoir une activité professionnelle au lieu d'attendre toute la journée le retour des enfants.

— Je ne savais pas que pour toi il y avait des problèmes.

Bien sûr, le serveur choisit ce moment pour apporter les plats : raviolis pour elle, et, pour le monsieur, *linguine vongole*. Un rideau de buée saumâtre s'éleva entre eux. Elle répandit une cuillerée de parmesan sur ses pâtes et posa ensuite sa main, paume à l'extérieur, sur la nappe à carreaux, tandis que le fromage prenait une couleur orangée. Elle essaya de penser à autre chose. Au fait qu'il aurait facilement pu, par exemple, saisir cette main.

— Il te plaît, au moins ?

— C'est l'autre Dr Altschul. La femme.

— Et elle te plaît ?

— Tu es jaloux ? Je ne peux pas le croire. Tu es jaloux.

— C'est juste que… c'est à *moi* que tu aurais dû parler, Regan.

C'était l'ouverture toute trouvée pour discuter de qui aurait dû parler à qui ; cela faisait des *années* qu'il gardait le silence sur la disparition de ces milliers de dollars du compte où elle avait placé l'argent des études des enfants et sur leur réapparition miraculeuse. Voilà une conversation que le Dr Altschul aurait encouragée, même si c'était Regan en fin de compte, et non Keith, qui avait gardé le premier secret. Mais elle ne se sentait pas encore assez solide pour lui parler de ça. Du tranchant de sa fourchette, elle découpa ses raviolis en petits carrés, laissant son couteau intact. Une vieille habitude : salir le moins possible, limiter les tracas causés aux autres.

— Nous en parlons maintenant, dit-elle. C'est une bonne chose.

Ils terminèrent leur dîner dans un silence presque total (du moins il le termina pendant qu'elle chipotait) comme ces vieux couples qu'on voyait parfois dont les regards ne se croisaient même pas. Elle s'était toujours demandé comment on en arrivait là. Un jour, on devenait comme eux, telle était la réponse. Mais quand vint l'addition, Keith suggéra de rentrer à pied plutôt que de prendre un taxi.

C'était une soirée fraîche de novembre, et le feuillage bruissait derrière les murs de Central Park. Çà et là, des lumières électriques dessinaient de grands cercles de vert et d'or dans l'entrelacs de branches autrement bleu profond. Son hésitation, au moment où il lui prit la main, lui rappela leurs premiers rendez-vous et elle s'en émut; il recommençait à la voir comme une personne douée d'une volonté différente de la sienne. Il lui avait même demandé quel itinéraire elle voulait emprunter, plutôt que de décider tout seul, et elle avait choisi la 59e Rue; par les temps qui couraient, il fallait être fou pour couper au travers du parc après la nuit tombée.

Mais il fallait aussi, semblait-il, être fou pour marcher. À mi-chemin du périmètre sud du parc, avec derrière eux l'odeur de purin des chevaux de fiacre, elle eut conscience d'un autre bruit de pas, dans leur dos. Tous les trente mètres environ, un lampadaire dessinait des ombres longues qui rétrécissaient et rétrécissaient puis grandissaient et grandissaient quand ils étaient passés en dessous, et aux bords extérieurs de cette expansion, elle croyait apercevoir, outre la tête de Keith et la sienne, le sommet de l'ombre projetée par la personne qui les suivait. Elle devinait, à la rigidité du bras de Keith, qu'il devait le voir aussi. Ils hâtèrent le pas. L'ombre progressait au même rythme et à présent, elle voyait ses épaules sur le sol. Bientôt ce serait un torse, des bras, une lame, une voix exigeant tout leur argent. Juste au moment où l'ombre sembla les rattraper, Keith pivota sur ses talons.

— T'as un truc à me dire?

Elle se tourna à temps pour voir un jeune Noir maigre se figer au milieu du trottoir, à peut-être une trentaine de mètres de distance. Une mèche de cheveux verts dépassait de son bonnet. Il braqua ses yeux sur ceux de Keith. Ils exprimaient une telle surprise qu'elle se demanda s'il ne s'agissait pas simplement d'un piéton en virée nocturne. Quoi qu'il en soit, il sembla que Keith représentait une menace et, tournant les talons, il s'éclipsa.

— Ouaah! ne put-elle s'empêcher de dire. Où es-tu allé pêcher ça?

Il haussa les épaules, gêné. Et soudain, elle sentit ses membres se liquéfier et elle éclata de rire. C'est à peine si elle tenait debout; quel bonheur de rire. Et puis, il rit à son tour. Ils restèrent là appuyés l'un contre l'autre, riant à perdre haleine, soulagés.

Et quand la baby-sitter fut payée, les enfants couchés, les dents brossées et les vêtements de nuit revêtus, ils restèrent allongés dans le noir en se repassant la scène.

— Tu as été incroyable, lui dit-elle, la tête posée sur son torse. *«T'as un truc à me dire?»* J'ai toujours rêvé de faire ça.

— Regan, écoute, dit-il, ce qu'elle ne pouvait pas faire sans retirer sa tête. Je sais que je n'ai pas toujours été celui dont tu avais besoin. Ou, franchement, celui que tu méritais.

— Keith…

— Non, laisse-moi finir. J'attends depuis longtemps. Les jours passent, chérie, et je pense : moi, moi, moi, et moi là-dedans, ce que cela veut dire pour moi, et d'une certaine façon dans mon esprit tu es encore à la maison et les enfants rampent partout sur la moquette et je me dis : bon, voilà au moins une partie de ma vie dont je n'ai pas à m'inquiéter…

Il continuait en ce moment même – *moi, moi, moi* – mais au moins il essayait.

— Et toi, de quoi t'inquiètes-tu, chéri?

Son torse se souleva sous elle. Marqua une pause. Retomba.

— Ce n'est pas important pour l'instant. Ce qui est important, c'est que je sais qu'il y a des problèmes et je suis désolé, et je vais tâcher de mieux faire désormais.

Et puis, s'étant allégé d'un fardeau qu'elle ne se représentait toujours pas, il lui planta un baiser au sommet du crâne.

— Et tu as raison. C'est une bonne chose pour toi de voir quelqu'un.

Elle le répéta encore – *T'as un truc à me dire?* – mais cette fois elle fut seule à rire. La main de Keith, qui s'était glissée sous sa chemise, lui caressa le mamelon. Elle sentit son corps répondre, se tendre, s'ouvrir, mais son cerveau ne voulait pas mettre en danger ce qui avait été leur première bonne soirée depuis longtemps – réduire son instinct de protection et la mise à nu de son âme à une simple stratégie sexuelle. Elle lui prit le poignet. Le langage direct, autre chose qu'elle apprenait à utiliser avec le Dr Altschul.

— Chéri, je suis fatiguée, et nous devons tous les deux travailler demain matin. Peut-être une autre fois?

Bien sûr, dit-il en lui donnant une autre caresse avant de retirer sa main. Son visage demeurait toujours invisible au-dessus d'elle. Peut-être une autre fois.

Le mercredi était consacré au Dr Altschul. Elle avait dit à sa nouvelle secrétaire qu'elle avait ce rendez-vous récurrent avec un orthopédiste, car il lui semblait impératif que nul dans la société ne la soupçonne d'être détraquée, mais comment pouvait-on être à ce point sous tension pour un rendez-vous chez l'orthopédiste? Chaque matin précédant une séance, elle ne parvenait à rien faire. Ses yeux balayaient encore et encore le même communiqué de presse ou allez savoir quoi, mais son esprit continuait à répéter ce qu'elle allait dire à l'analyste, *son* analyste. Elle avait eu raison d'insister pour trouver une femme et elle aimait ce sentiment d'abdication quand elle s'allongeait sur le divan. La neutralité empathique de la voix de la thérapeute. Et elle aimait jusqu'au cabinet du Dr Altschul, une pièce au plafond bas située au sous-sol d'une maison dans West Village, qu'elle partageait freudiennement avec son mari néojungien. Regan savait que ces sentiments ne collaient à aucune réalité, qu'on les appelait *transfert*, mais elle s'efforçait malgré tout de les respecter. Cette semaine, particulièrement, elle allait raconter le dîner avec Keith, la manière dont elle s'était affirmée, et le docteur serait fière d'elle. Mais tout ce que dit la voix derrière son épaule fut :

— Et qu'avez-vous ressenti ?

— Vous voulez dire comment je me suis sentie, c'est ça ?

— Est-ce que vous pensez que c'est ce que je vous dis ?

Ce à quoi l'analyste voulait en venir, Regan en était pratiquement sûre, c'était Amory Gould. Depuis plusieurs séances déjà, elles s'intéressaient à la période entourant le remariage de Papa, quand la maison de Sutton Place avait été vendue, que William avait disparu et qu'elle avait rencontré Keith. Elle s'embrouillait dans la chronologie, mais toutes ses souffrances semblaient découler de là. La semaine dernière, elle avait enfin abordé le sujet de Block Island, et étrangement, elle s'était entendue parler sans discontinuer non pas de... elle ne savait plus son nom, mais du Frère Démon. *Vous croyez que cet homme est en quelque sorte responsable de votre viol*, avait dit le docteur, comme ça, si brutalement. *Et de l'avoir couvert. Et maintenant vous travaillez à ses côtés.* « Oh, il ne vient jamais au bureau, c'est plutôt un fantôme », avait-elle souligné, car elle n'aurait jamais travaillé à plein temps pour Papa en sachant qu'Amory serait là, n'est-ce pas ? Mais il était vrai que, peu après sa nomination aux relations publiques, Amory, qui occupait un poste nébuleux de consigliere, avait été promu Directeur Général Exécutif des Opérations Internationales, et qu'on le voyait partout, avec ses rouleaux de plans de construction dans le Building Hamilton-Sweeney. Elle savait que le docteur considérait Amory comme dangereux, mais elle laissait entendre que c'était Regan qui le pensait... à moins que Regan ne fût encore en train de *projeter*, terme qui évoquait pour elle un Frère Démon en deux dimensions dressé au-dessus et juste derrière elle, même ici, entre les quatre murs de ce sanctuaire.

— Vous voulez savoir comment il s'y prend pour me tourmenter ?

— Vous avez le sentiment que votre mari vous tourmente ?

— Amory. Mon oncle. Depuis que les travaux ont obligé tout le monde à déménager des étages supérieurs, son bureau est au 30, non loin de celui de Papa. Mais il descend au 29 au moins deux fois par jour pour se servir de l'eau à la fontaine la plus proche de ma porte.

Regan examina les murs du cabinet, les masques africains accrochés là pour distraire les patients. Il pleuvait dehors. En roulant sur les carreaux, les gouttes donnaient l'impression de ruisseler sur les masques comme s'ils étaient vivants. Elle se surprit à fixer celui qui était doté d'un unique sourcil rouge, d'un groin, de dents triangulaires entre lesquelles pendait une longue langue.

— Je me souviens que, juste après mon mariage, il a convaincu Keith d'arrêter ses études de médecine. Pourquoi aurait-il fait cela, sinon pour me tourmenter ?

— Et c'était une chose importante pour vous ? Que Keith devienne médecin ?

Était-ce une analyse ou un interrogatoire ?

— Non. Mais c'était au moment où je désirais fonder ma propre famille, m'éloigner de celle dans laquelle j'avais grandi. Je sais, j'aurais peut-être dû m'éloigner davantage, mais Keith avait toujours voulu vivre à New York.

— Le lui avez-vous dit ?

— À Amory ?

— À Keith. Que vous vouliez déménager ?

— Non.

— Mais vous lui en avez voulu de ne pas l'avoir fait.

Les mains de Regan paraissaient inopérantes, posées là sur ses cuisses. Et en fait, même si elle ne le disait pas, c'était maintenant contre le Dr Altschul qu'elle était fâchée (ou disait-on *avec*?). Parce qu'elle s'efforçait enfin de jouer franc jeu avec Keith, et n'était-ce pas le plus important ?

Elle manqua son rendez-vous la semaine suivante. Manquer les rendez-vous signifiait fuir, et risquait d'entraîner une période de blocage, à en croire ses lectures (tous les ouvrages sur la psychanalyse étaient rédigés par des psychanalystes, ce qui revenait à un conflit d'intérêts). Mais c'était la veille de Thanksgiving et, franchement, elle méritait une pause. Cela faisait maintenant vingt-six semaines qu'elle ne s'était plus enfoncé le doigt dans la gorge.

Le jeudi matin, ils emmenèrent les enfants à la parade de Macy's. Will était trop vieux pour ça, probablement – il avait remonté sa veste sur sa tête comme pour ne pas être repéré par des camarades de classe – mais Cate, perchée sur les épaules de Keith, se trémoussait d'excitation. Quand Woodstock passa devant eux, au-dessus des arbres en pots, une bourrasque de vent le fit pencher en avant.

— Maman !

— Oui, chérie. Je l'ai vu ! Il t'a saluée !

— Tu as vu, Papa ?

Keith, en dessous, semblait à peine entendre, car quelque chose s'était produit de nouveau et il avait l'air absent. À la maison, cela s'accentua encore. Quand ils se mirent à table pour manger la dinde, il parut incapable de poser les yeux quelque part plus d'une seconde. Will dut lui demander deux fois de lui découper un autre morceau de blanc.

— Qu'est-ce que tu as, Papa ? dit-il d'un ton accusateur. Tu dois aller quelque part ?

— Non, non, c'est juste que…

Il ne finirait jamais cette phrase. Regan n'y comprenait rien ; lui reprochait-il quelque chose ? Peut-être était-ce la volaille. En mai, quand elle avait commencé à travailler, il avait voulu engager une cuisinière, mais c'était le genre de chose qu'elle s'était juré de ne pas faire en choisissant des années auparavant de ne plus être une Hamilton-Sweeney. Ils avaient déjà une bonne et Regan refusait de la faire travailler le jour de Thanksgiving. Et donc, c'était à eux que reviendrait la tâche de laver la pile de vaisselle. Keith et Cate formèrent une première équipe, mais au bout d'une demi-heure elle proposa de prendre la relève, et ils passèrent dans le salon pour regarder la télévision. Elle ne s'aperçut que Will n'était pas avec eux qu'au moment où elle sentit son regard à l'autre bout de la cuisine, comme si elle représentait un problème de mathématiques qu'il s'efforçait de résoudre.

— Les parents de Carl se séparent, déclara-t-il, à brûle-pourpoint.

— J'en suis désolée, dit-elle.

Après quoi, comme elle ne voulait pas qu'il hérite de cette propension à éluder propre aux WASP et dont elle avait souffert, elle plagia la stratégie de l'analyste.

— Comment te sens-tu ?

Il attendit pour répondre. Elle avait envie de se tourner, de le bousculer un peu et de le couvrir de baisers. Mais il traversait cette période où il avait honte des manifestations sentimentales. Tous les matins, ses bras et ses jambes semblaient avoir poussé de deux centimètres et il ne savait plus comment se tenir. Bientôt, malgré lui, des poils apparaîtraient sur son corps lisse et des désirs inconnus s'empareraient de lui tels des poings gigantesques. C'était ce constat doux-amer qui lui donnait envie de l'embrasser. Elle sentait pourtant qu'il deviendrait un homme sans que disparaisse cette gravité reçue à la naissance, et c'est ce qui lui permit de rester le dos tourné, les mains dans l'eau tiède et savonneuse où tintaient les couverts.

— Je ne sais pas, dit-il enfin. Triste pour Carl.

Et c'est là qu'il lui demanda, de but en blanc.

— Tu es heureuse, Maman?

La vraie réponse était *Non*. Mais dans sa voix atone, elle percevait une angoisse et elle ne voulut pas risquer de le décevoir. Ce qui montrait bien les limites de la vision du Dr Altschul : si exprimer ce qu'elle ressentait signifiait faire souffrir ses enfants, comment s'y résoudre? Elle se retourna, les mains luisantes d'eau de vaisselle, elle traversa la pièce jusqu'au tabouret qu'occupait Will et elle posa ses mains sur ses joues. Elle lui inclina le visage pour qu'il prenne la lumière éclairant l'évier, en s'imaginant que, si elle le voyait mieux, il la verrait mieux aussi.

— Oui, chéri, je suis heureuse.

Il porta ses manches à ses joues pour les essuyer.

— Beurk, Maman. De l'eau de vaisselle.

En riant, elle lui lança encore un peu d'eau au visage.

— Tu me rends très heureuse.

— Dégueulasse.

Ainsi s'expliquait la magie, la religion ou les deux : certains mots, quand on les prononçait, avaient le pouvoir de créer ce qu'ils désignaient. Car Regan, ce week-end-là, *fut* heureuse, n'est-ce pas, dans la mesure qui était la sienne. C'est ce qu'elle penserait plus tard. Elle fut heureuse le vendredi d'emmener ses enfants au zoo, heureuse de ne pas faire la cuisine ce soir-là, heureuse de s'accorder l'occasion annuelle de se préparer un sandwich tartiné de purée froide, et heureuse le samedi matin (elle le dirait au Dr Altschul) en regardant son mari et son fils mettre leurs manteaux pour aller à l'entraînement de jujitsu de Will. Heureuse jusqu'au moment où la lettre arriva.

Elle gisait, comme à l'ordinaire, au milieu de la petite explosion par terre dans l'entrée; le portier triait et distribuait le courrier dans l'immeuble. Magazine, catalogue, facture, catalogue, catalogue, sollicitation… C'est alors qu'elle vit une enveloppe sans timbre ni adresse. Il y avait quelque chose de troublant dans la façon dont son nom s'étalait, seul, sur le long rectangle blanc.

Elle avait dû savoir, déjà, ce qu'elle contenait. Avait dû remarquer, à un certain niveau de conscience, le nombre de fois où Keith inventait des excuses pour rentrer tard, ou revenait à la maison quand elle faisait semblant de dormir et allait directement prendre une douche. Cette façon de s'asseoir, à Thanksgiving, une jambe sur le côté, comme si à tout instant quelque chose pouvait l'obliger à bondir pour bloquer la porte, ou faire cesser la sonnerie du téléphone. Pourquoi, autrement, se serait-elle enfermée dans la salle de bains pour la lire ?

À contre-jour, l'enveloppe laissait entrevoir un bout de papier déchiré. Elle se sentit sur le point de céder, de se faire vomir, de détruire en moins d'une minute tout ce qu'elle avait eu tant de peine à construire. Mais elle entendait Will et Keith, de retour du ju-jitsu, ôter leurs manteaux, les chaussures atterrir sur le paillasson où se trouvait l'enveloppe quinze minutes auparavant, au moment où elle pouvait encore prétendre que sa vie n'avait pas changé. Elle s'assit au bord de la baignoire, déchira un côté de l'enveloppe, souffla dedans, fit sortir le papier. Voici ce qu'elle lut, en minuscules tapées à la machine, sur une ligne pas tout à fait régulière :

il te ment.

69

EN S'ÉLOIGNANT DE KEITH DANS LE PARC caillouteux au-dessus de la 1re Avenue, quatre jours avant Thanksgiving, Sam s'était sentie tellement surexcitée qu'elle avait failli trébucher sur les marches. Liberté! Mais le soir venu, elle avait compris que c'était elle qui avait été quittée. Elle n'avait donc représenté à ses yeux qu'une petite idiote? Tout ce qu'il avait voulu – tout ce que voulaient tous les hommes – c'était une surface où faire miroiter le moi qu'il avait envie de voir? C'est encore la réflexion qu'elle se faisait ce mercredi-là quand Nicky Chaos essaya de la convaincre de passer Thanksgiving au Phalanstère. Un authentique Post-Humaniste ne ferait pas la différence avec un autre jour. Songez un peu : la sujétion de la terre, des animaux et des Peaux-Rouges, le tout réuni dans une orgie de consommation. Mais une orgie de consommation, c'était exactement ce dont Sam avait besoin en ce moment et donc, avant que les dortoirs ferment pour ce long week-end, elle remplit un sac à dos de vêtements et prit le train pour Flower Hill.

À son arrivée, elle ouvrit d'abord la boîte aux lettres, pour le cas où un avertissement du secrétariat serait parvenu à Papa. *Nous vous informons par la présente que Samantha Cicciaro n'assiste pas...* Bon. Comme si cela intéressait quiconque de savoir comment elle occupait son temps ; la notion même de *in loco parentis* avait été pulvérisée aux environs de 1973 lors d'un genre de rassemblement national de levée des blocages. Et quand elle contourna la maison pour voir si son parent véritable était là, le jardin semblait n'avoir pas été touché depuis des mois : antennes de télévision rouillées, cabane abandonnée, herbe aussi terne que le ciel, l'autoroute marmonnant derrière les arbres comme elle le faisait tous les jours depuis qu'elle avait trois ans. Le camion avait disparu, l'ampoule au-dessus de l'atelier était éteinte. On avait tellement envie que les choses changent, et puis finalement non. Elle pêcha les clés dans sa poche et toucha la plaque de métal sur le chambranle, un vieux réflexe, comme de tremper les doigts dans l'eau bénite en entrant dans une église.

L'intérieur avait toujours eu un aspect immaculé, valves polies et complexité ordonnée des gaines. À présent, tout était en désordre. Des mètres de tuyau noir gisaient sans être attachés à rien. Un fusil de chasse servait de presse-papier. Le sol était couvert de nitrate d'argent. C'était l'atelier d'un homme qui perdait son gagne-pain. Mais c'était aussi l'occasion de rendre à Nicky le service qu'il lui avait demandé quand il avait été clair qu'elle ne passerait pas le week-end avec lui à manger des haricots à même la boîte.

— C'est le mec qui fait les feux d'artifice, ton père, hein ? Tu crois que tu pourrais nous choper un petit quelque chose tant que t'es là-bas ?

Pourquoi ? avait-elle demandé. Pour faire exploser des poubelles ? Accrocher des fusées à la queue des chats ?

— Fais-moi un peu confiance, Sam. Ou est-ce que tu râles encore à cause de cette église ? Je croyais que c'était derrière nous.

Nicky lui avait paru plus nerveux qu'à l'ordinaire, il roulait un vieux fruit dans ses mains comme une boule de pâte Silly Putty, mais il était effectivement passé à autre chose. Une dernière tentative de reformer Ex Post Facto, lui dit-il (même si, hormis les légendes évoquant les longues sessions d'impro avec Venus de Nylon et Billy Three-Sticks, il y avait peu d'éléments prouvant que le groupe ait jamais été le sien). Le groupe avait prévu de se reformer le temps d'un concert le soir du Nouvel An. En parlant de jours fériés arbitraires, lui dit-elle, ce monde de merde a vieilli d'un an ; qu'est-ce qu'il y a à fêter ?

— D'accord, mais Billy avait cette idée bizarre. Je me souviens, il disait : la tournure de la première nuit, c'est la tournure du reste de l'année. Il a fait le serment de jouer tous les soirs de Nouvel An, à minuit pile, jusqu'à sa mort ou jusqu'à la fin du monde, selon ce qui surviendra en premier.

L'idée de Nicky, pour ce concert de reformation, était d'allumer des pots à feu à la fin du dernier morceau – un truc vraiment spectaculaire.

— Je pensais à un kilo de poudre noire.

Manifestement il ne maîtrisait pas le système métrique. Avec un kilo, si on n'y prenait pas garde, on pouvait anéantir la moitié de l'East Village et de toute façon, Papa n'en laisserait jamais traîner de telles quantités, même s'il avait la tête ailleurs. Elle décida plutôt de ne prélever qu'un peu de poudre à combustion lente en espérant que, dans ce foutoir, Papa ne remarquerait rien.

La poudre était conservée dans une boîte étanche au fond de l'atelier. Comme dans un rêve, elle se vit en verser un, deux, trois grammes dans un tube à essai, le boucher, le mettre dans son sac à dos. Et quelques étoiles en plus, pour les effets. Petite fille, elle avait dû mémoriser le contenu des milliers de tiroirs de six centimètres carrés qui tapissaient le mur est, comme les éléments dans un tableau périodique. L'apprentie sorcière, l'appelait Papa, et elle était fière de l'expression jalouse qu'avait toujours sa mère quand ils partaient tous les deux grimper la colline à l'heure du dîner. Plus tard, quand Maman était partie, Sam avait renoncé à la pratique familiale ancestrale, mais n'avait pourtant pas oublié les noms et les mises en garde. Potassium – *Protéger de l'humidité*. Arsenic – *Mortel en cas d'in-gestion*. Elle remplit trois tubes à essai de quelques cuillerées de nitrates et enveloppa chacun d'eux dans un tee-shirt pour que le verre ne casse pas. Après une dernière vérification, elle éteignit la lumière et regagna la maison. Personne ne l'avait vue. Elle regrettait, en réalité, que son père ne soit pas déjà rentré. Mais à mesure que le ciel devant la fenêtre de sa chambre s'obscurcissait, il ne rentrait pas, et il ne rentrait pas. Elle lui avait pourtant dit qu'elle viendrait pour Thanksgiving. La raison d'être de tout ça était de ne pas avoir à rester seule.

Le matin, cependant, elle traîna au lit aussi longtemps que possible et trouva ensuite mille choses à faire dans sa chambre. Et si Papa était allé dans l'atelier à l'aube et s'était rendu compte du vol ? Mais quand elle se retrouva devant lui, il était encore en maillot de corps et regardait des vidéos de célébration du 4 Juillet du début des années 70. Le volume était baissé. Dans la stéréo on entendait du Sinatra récent. Et peut-être avait-il vraiment oublié qu'elle venait, parce qu'il demanda si elle pouvait aller chercher une dinde pour le dîner.

— Tu veux dire que tu es tellement occupé.

Les répliques à la limite du sarcasme constituaient un de ces langages qu'ils avaient en commun, mais la plaisanterie ne manquait pas de mordant ; elle commençait à penser que ces derniers temps son travail se résumait largement à ressasser une gloire passée pour ce portrait dont on ne voyait pas la fin.

Après avoir fait les courses, elle tua une heure ou plus à rôder dans les petites rues somnolentes, tandis que la dinde dégelait sur le siège à côté d'elle. Elle pensa vaguement à aller voir Charlie Weisbarger, mais elle ne savait pas où il habitait. Elle rentra chez elle et vit Papa toujours dans son fauteuil devant la télévision, vêtu à présent d'une de ses grosses chemises en laine, à la légère odeur de soufre, synonymes pour elle du mot «maison». Était-il allé plus loin que sa glacière pas si secrète où il rangeait ses bières dans le patio? Savait-il? Impossible de le dire. Quand elle lui annonça avoir apporté une belle volaille, son grognement aurait pu signifier rêverie, distraction, ou rage étouffée.

Elle s'activa dans la cuisine, en proie à une sensation de malaise nuisible à la préparation d'un repas, et fit des allées et venues entre là et sa chambre, mais trois heures après, au sortir du four, la dinde empalée sur son thermomètre en plastique avait acquis une teinte dorée et crédible. Papa s'assit en face d'elle à la petite table de la cuisine, les yeux fixés dessus, couteau et fourchette serrés dans les mains à la mode néolithique.

— J'ai une question à te poser, Sammy.

Merde, se dit-elle. Il était donc allé voir.

— Crache.

— Quand tu es arrivée hier soir, est-ce que tu as remarqué quelque chose d'anormal?

— Euh, euh.

Elle dut boire un peu d'eau avant de pouvoir demander pourquoi il demandait, alors que la vraie question c'était: est-ce qu'il avait appelé les flics? Mais bien sûr que non. Des générations de Cicciaro seraient sorties de leurs tombes en hurlant et l'auraient poursuivi armées de piques et de torches.

Il marmonna quelque chose d'inaudible.

— Quoi?

— J'ai dit: ils ne s'arrêteront pas tant qu'ils ne m'auront pas tout pris.

— Que se passe-t-il, Papa? De quoi parles-tu?

Il parlait de la concurrence, dit-il. Ces petits actes d'espionnage industriel. Manifestement ils voulaient lui adresser un message. Et puis, ce fut comme si l'aspect des plats, la ressemblance de la purée de pommes de terre avec l'idéal platonicien imprimé sur la boîte l'avaient ramené au moment présent.

— Et moi qui n'arrête pas de parler alors que tu as fait tout ce chemin. Oublie tout ça.

Sa main rose, grattée à la pierre ponce, prit la sienne.

— Explique-moi plutôt à quoi tu dis merci.

— Moi?

— Oui, ma belle. On fête quoi, là?

C'était quelque chose que Maman faisait avec eux. *Actions de grâce*, elle appelait ça. Mais qui Sam devait-elle remercier? Keith déjeunait avec sa femme et ses enfants. Nicky était probablement en ce moment même dans les griffes de Sewer Girl, qui couchait avec lui dans le dos de Sol depuis au moins le mois d'octobre. Le pauvre Charlie était encore bouclé. Et Papa, à moins d'un mètre d'elle, restait à distance, refoulé par les flacons dans son sac à dos. Ou était-ce l'inverse: était-ce la distance qui provoquait la faute? La lueur des bougies qu'elle avait trouvées sous l'évier de la buanderie vacillait. Une larme, une seule, brûlante, tomba sur sa joue.

— Ça va? dit-il, comme si elle s'était cogné l'orteil.

La larme roula dans sa bouche, salée. Elle renifla.

— Oui, ça va.

L'odeur grasse de la volaille lui emplit les narines; difficile de ne pas accorder à Nicky qu'il n'avait pas tort, du moins en ce qui concernait les animaux. Mais observer qu'elle n'avait pas touché à sa nourriture l'eût obligé à en parler – alors Papa alla se coucher, et elle en fit autant, sans cesser de se demander: qui *suis*-je?

Le lendemain, son père se rendit en ville pour parler à Benny Blum. La meilleure façon de se venger était de récupérer ses contrats. Dès qu'il fut parti, elle entra dans le salon de tatouage sur Main. L'endroit puait l'encens bon marché et les feuilles de cellophane bleues collées aux fenêtres répandaient une lumière mortuaire. Le tatoueur, mou comme une nouille, avait la trentaine et quelques discrets poils de moustache. Le côté positif, c'est qu'il ne demandait pas de papiers d'identité et que ses prix commençaient à quinze dollars. En octobre, elle avait vendu sa carte semestrielle de cafétéria à une autre étudiante. L'argent avait surtout payé le cinéma et les cigarettes, mais il en restait assez pour un motif de la taille d'une pièce de cinquante cents. Sur un carnet d'ordonnances mystérieusement posé sur le dessus d'une vitrine, elle dessina ce qu'elle voulait.

— Ici, expliqua-t-elle en posant le doigt à l'endroit en question, juste sous l'occiput.

Le tatoueur la précéda dans une arrière-salle encore plus glauque que celle qui donnait sur la rue – une salle qui évoquait le tournage de films porno ou les kidnappings d'enfants – et elle enfonça le visage dans un cercle en cuir ressemblant à une lunette de W-C rembourrée, et sûrement aussi hygiénique. Elle sentit son souffle sur sa nuque mais, sans un murmure, elle le laissa toucher ses cheveux, mettre Pink Floyd sur la stéréo et même enfoncer la première aiguille, bien qu'il la rudoyât parce qu'elle tendait ses muscles. La sensation était bien celle qu'on attendait d'une pointe brûlante qui vous pénétrait le cou. Mais la douleur, parfois, permettait d'y voir plus clair.

Quand le reporter se présenta cet après-midi-là en demandant Papa, elle eut une envie soudaine de lui montrer ce qu'elle avait fait – de dire : Collez *ça* dans votre histoire. Mais elle attendit le lendemain d'être avec Sewer Girl sur la 3ᵉ Est pour relever ses cheveux et ôter le sparadrap Snoopy qui, pour son père, recouvrait une piqûre d'insecte. Elle avait espéré un sifflement d'admiration, ou à défaut, un juron signifiant *Ouaah*. Au lieu de quoi, elle sentit des mains se poser sur ses épaules et l'entraîner vers une lumière plus vive.

— Qu'est-ce que c'est que ça ?

Sam voulut croire que toutes ces simagrées – les battements de paupières, l'absence de tout commentaire – étaient de la frime, mais la fourberie n'était pas un défaut de Sewer Girl, qui en avait beaucoup. Quoi qu'il en soit, Sam découvrit un effet imprévu de l'emplacement du tatouage : le rendre virtuellement impossible à examiner par elle-même. Dans la maison, les seules surfaces réfléchissantes se trouvaient dans le sous-sol de Nicky, et elle essaya, au travers de diverses associations de la glace fêlée accrochée au mur et du miroir dont il se servait pour la cocaïne, d'apercevoir le symbole qu'il lui avait montré au mois de juillet, mais tout ce qu'elle vit fut un dessin flou qu'on pouvait attribuer à la maladresse du tatoueur ou bien à sa main tremblante. C'est alors qu'un Nicky miniature, doublement reflété, apparut à l'intérieur de sa paume.

— Dis-moi, tu n'as pas l'air en forme.

— Merci, connard. On n'a pas tous un mac dans les quartiers chic pour nous aider à avoir bonne mine.

Une fraction de seconde, toute expression déserta son regard. Mais il se ressaisit.

— Non, sérieux, tu t'es déjà servie ? Tu as les yeux tout rouges.

— J'ai mal.

Elle découvrit son tatouage. Sa seule réaction fut de dire :

— Super. Hé, t'as pu mettre la main sur mon truc ?

Elle mit un instant pour comprendre de quoi il parlait et, quand elle alla chercher les tubes dans son sac, il sembla déçu par la quantité dérisoire de polverone, ramassée dans le fond. Elle promit qu'il y en avait plus qu'assez pour galvaniser une petite foule.

— C'est le hic. Je ne veux pas galvaniser une petite foule.

— Tu dois bien savoir qu'une explosion est à croissance exponentielle, non ? Des kilos, ce serait ça à la puissance mille. De toute façon tu n'as pas besoin de poudre explosive, mais d'une combustion régulière qui fera jaillir ces merveilles par intervalles.

Elle lui montra les étoiles, lui détailla les manipulations. Les nitrates devaient rester secs, et si elle avait choisi les moins volatiles, les rouges, les orange et un peu de vert, il fallait les conserver enveloppés dans une sorte d'ouate pour éviter les secousses.

— Et surtout, attention à l'électricité statique. Si je t'avais apporté la formule spéciale de mon père, tu serais obligé de te méfier des dégagements gazeux, mais avec la polverone, le pire qui puisse arriver, c'est que tu prennes feu au lieu d'exploser.

Son attention s'était détournée vers cette autre poudre qu'il coupait sur la table.

— Bon, merde, c'est toi, l'experte. Tu veux un sniff ?

Charlie et elle s'étaient mutuellement engagés à ne pas toucher aux drogues dures. Ils espéraient ainsi ne pas subir le même sort que les épouvantails qui peuplaient ce quartier de la ville. Il y avait une heure à peine, elle en avait vu un assis au milieu de la 2e Avenue, bloquant la circulation, fasciné par la glace à l'eau rouge cerise qui fondait dans sa main. Mais ces règles arbitraires n'étaient-elles pas une autre forme de dépendance ? Et merde, pensa-t-elle, pourquoi pas ?

Et c'est ainsi que, l'année du bicentenaire s'achevant, la perte de Keith Lamplighter la fit retomber dans le giron de ses amis, un peu insensible cependant aux répercussions. Cela devint une seconde nature : rouler un billet, boucher une narine et la neige qui jaillissait dans la tête, le calme blanc. Le sérum physiologique. La poudre blanche. Le billet qui se déplie sur le miroir.

Et, ce n'était pas une coïncidence, Nicky débordait d'énergie. Derrière, dans la petite maison, les répétitions du groupe pouvaient durer trois ou quatre heures. Il y avait de nouveaux musiciens, D. Tremens à la guitare solo et un dénommé Tutu à la basse. Parfois un des candidats au doctorat avec lesquels Nicky aimait parler philosophie venait manipuler les enregistrements. Sam ne pouvait s'empêcher d'imaginer une critique de ces sessions pour son 'zine. *Un jeu du Téléphone atone. Toute la fureur des Ex Post facto sans l'explosion.* Mais encore une fois, qu'est-ce qui était « bon » ? Elle se serait bien proposée elle-même comme deuxième guitare – la Fender pendue au cou de Nicky semblait purement décorative – mais il l'avait déjà nommée

Ministresse de l'Information, ce qui signifiait principalement prendre des clichés de lui, sans chemise, imitant Iggy Pop. Entre deux morceaux, Sewer Girl lançait à Sam des regards noirs. On savait maintenant qui était la favorite.

D'une façon générale, dans la maison, le niveau de rivalité s'était accru depuis l'été. En tant que forme personnelle de paranoïa, on pouvait l'expliquer – tous fumaient des quantités d'herbe astronomiques pour accompagner les descentes de coke. Mais même Nicky, à présent, semblait contaminé, en dépit de ses discours si convaincants sur la fin de la propriété, l'illusion de l'individualisme. Un jour, alors que Sam et lui se défonçaient au sous-sol, il leva les yeux du miroir placé entre eux.

— Tu sais pourquoi tu es rentrée au bercail, hein?

— Pourquoi?

La seule raison pour laquelle elle passait autant de temps ici, dit-il, c'était parce qu'elle espérait à tout hasard tomber sur *lui*.

— Tomber sur qui?

— Quoi? Qui? répéta-t-il d'une voix aiguë de petite fille.

Son visage surgit dans le miroir puis se renversa en arrière, les yeux fermés. Elle avait lu quelque part que les requins sentaient l'odeur d'une goutte de sang dans un million de gouttes d'eau, ou son goût, ou quoi que fassent les requins.

— Je pense à l'Amoureux. Manifestement tu n'as pas lu les livres que je t'ai donnés. Être accro aux hommes plus âgés, c'est une mentalité d'esclave, Sam, purement et simplement.

Elle alla jusqu'à la stéréo à l'autre bout de la pièce et s'agenouilla pour inspecter le tas d'albums. Celui qu'elle avait très envie de voir maintenant, ce n'était pas Keith, c'était ce bon vieux Charlie W. Il en aurait beaucoup souffert, mais il aurait au moins fait l'effort de comprendre ce qu'elle ressentait, et c'est ce qui lui manquait sans doute le plus : son absence totale de cuirasse. Ce regard fervent, presque furieux qu'il avait posé sur elle, ici même, dans ce sous-sol, juste avant de l'embrasser... Était-ce si difficile de faire semblant d'être heureuse si cela était nécessaire à quelqu'un comme Charlie? Mais même l'esprit ravagé par les champignons, elle savait que son habitude de toujours prendre le large lui aurait annihilé le cœur, et elle avait fini cette nuit-là par feindre un évanouissement. À présent, du milieu des disques d'Herb Alpert que Nicky collectionnait, elle sortit l'album *Brass Tactics*. Il allait être furax, car c'était indiscutablement supérieur à tout ce qu'il produirait jamais. C'était sa revanche sur son expression « mentalité d'esclave » qui avait mordu dans sa chair comme une vrille. Il fallait lui prouver qu'elle n'était pas venue pour lui en mettre plein la vue, qu'elle choisissait librement. Quand le riff d'ouverture de «Army Recruiter» explosa dans le haut-parleur, elle se retourna:

— Alors, quand est-ce qu'on s'y met?

Quelques minutes plus tard, ils étaient en sous-vêtements. Elle laissa Nicky dessiner un rail de poudre sur la peau tendue entre son nombril et l'élastique de sa culotte. Sa tête était une citadelle dans laquelle elle s'enferma tandis qu'il jouissait librement du paysage en dessous. Quand il commença à tressaillir en elle, elle poussa un ou deux gémissements. Comme s'il en avait quelque chose à foutre, mais au moins elle avait réussi. Elle avait repris la main.

— Tu vois? fit-elle après un moment de silence.

— Je vois quoi?

— Je t'avais dit qu'il ne comptait plus.

— Je ne sais pas. Tu pourrais me convaincre encore, tu crois?

Plaisanterie mise à part, c'est ce qui parut rendre sa loyauté indubitable aux yeux de Nicky. Pas le tatouage, pas les trois grammes volés, pas le fait de s'abstenir, depuis tous ces mois, de s'intéresser de trop près à ce que le PPH visait exactement à accomplir. C'était qu'il pouvait la baiser. Évincée de leurs «raids» depuis le mois d'août, elle fut admise de nouveau à s'enfoncer toujours plus loin dans les arrondissements. Elle occupait le siège avant, mais le silence à l'arrière suggérait que sa présence n'était pas universellement bienvenue. Avant même l'arrêt de la camionnette, D.T. et Sol bondissaient de la portière coulissante et infiltraient les territoires inconnus, les bombes de peinture (supposait-elle) s'entrechoquant dans leurs sacs. Nicky montait le son de la radio et allumait un joint tout en restant en alerte maximum derrière ses lunettes de soleil réfléchissantes. Elle le devinait à sa manière de cesser de la peloter. Il la laissait même appporter son appareil – au cas où elle aurait le temps de photographier les graffitis – même s'il lui interdisait toujours d'imprimer les résultats dans son 'zine. Elle prenait surtout des clichés de throw ups qui attiraient son attention pendant qu'elle attendait, mais il arrivait que Nicky lui demande de prendre une photo précise. «Tu pourrais photographier ce garage, là-bas? Celui avec les traces d'incendie?» Ou bien il lui indiquait un avis de démolition sur la porte du garage ou sur une barrière de chantier surmontée de fil de fer barbelé qui réfléchissait faiblement les derniers rayons de lumière. Elle continuait à aller à NYU pour travailler dans la chambre noire, au diable ses résultats, et en regardant sécher les tirages – fresques sur les viaducs de chemin de fer, boîtes aux lettres incendiées, Converse nouées festonnant les aulnes malades – elle tentait de se convaincre qu'il avait raison. Peut-être chaque forme de vandalisme possédait-elle sa propre valeur esthétique. À plusieurs reprises, depuis peu, elle s'était dit qu'ils ne se trouvaient qu'à un ou deux pâtés de maisons seulement de l'église qu'ils avaient arrosée d'essence; elle aurait aimé la revoir. Mais ne pas demander à Nicky ce qu'il en était advenu lui évitait d'avoir à composer avec la réponse. Elle lui remettait donc des tirages qu'il glissait dans des pochettes intérieures de 45 tours et accrochait en haut, au mur de la salle des opérations.

Et puis, un après-midi, ils attendaient, moteur au ralenti près de l'endroit où deux avenues et une voie express formaient une patte d'oie. Noël approchait et un Père Noël dans un terrain vague proposait des séances photo à cinq dollars. Son costume était tout déchiqueté comme si on l'avait repêché dans une poubelle, mais sur le trottoir les jeunes mères faisaient la queue sur dix mètres, en tenant la main d'enfants qui attendaient leur tour. Sam regarda dans son viseur. Les enfants noirs et latinos étaient chez elle une obsession; elle pouvait leur sourire avec toute la mansuétude qu'elle éprouvait à l'égard des gens de couleur sans souffrir du moindre sentiment de culpabilité. Un bus s'arrêta, lui bloquant la vue, puis redémarra. Venant de nulle part, il y eut une explosion. Un nuage de fumée tourbillonna au-dessus d'un magasin de sport aux stores baissés deux pâtés de maisons plus bas. Les femmes hurlaient, et il y eut une sorte de ruée loin du Père Noël.

— Ouah! Ces conduites de gaz pourries, dit Nicky en fixant Sam d'un drôle d'air, comme s'il attendait de voir ce qu'elle allait faire.

Mais avant qu'elle ait pu réagir, D.T. et Sol se bousculaient pour remonter dans la camionnette. Un sac polochon tout neuf, rouge, blanc et bleu, fut brandi.

— C'est la bonne taille? demanda Sol, hors d'haleine. J'en ai pas trouvé de plus gros.

— Bon Dieu, les mecs, dit Sam. Vous étiez *dedans*? Ça va?

— C'était à un cheveu près, Sol. Mais on dirait que personne n'a été blessé.

Le ton de voix de Nicky se perdit dans les premières plaintes des sirènes. Elle braqua son appareil sur la bretelle de sortie de la voie express où une ambulance était bloquée dans un embouteillage. Clic.

— Hé, vous deux, vous seriez pas un peu responsables de ce qui vient de se produire, non?

Ils venaient de se glisser dans le flux des voitures qui tentaient de s'éloigner de l'explosion. L'arrière de la camionnette était noyé dans l'ombre du crépuscule.

— De l'explosion d'une conduite de gaz ? dit Nicky.

— Ces enfoirés de Con Edison, ajouta Sol.

Quelque chose entre le magasin de sport et l'ambulance s'était introduit dans son viseur, un instant décisif. Elle pressait le bouton quand on lui secoua le bras, contrecarrant sa prise.

— Arrête ça à la fin !

C'était Sewer Girl, agressive.

— Sérieux, Nicky, je ne sais pas pourquoi tu la laisses venir.

— Tu veux savoir qui est le vrai responsable ? demanda Nicky. Regarde autour de toi, Sam. C'est tout ce pays pourri. Il faut que les gens se réveillent, qu'ils voient que personne ne s'occupe d'eux.

Et en effet, tandis qu'une autre ambulance hurlait sur la voie express, les putes sur la bretelle d'accès semblaient s'en accommoder comme on s'accommode des nids-de-poule ou des guerres du tiers-monde qui, selon Nicky, permettaient la production de bananes à vil prix. Au-dessus de leurs têtes, se succédaient des panneaux éclaboussés de sel. Port Morris, Melrose, Mott Haven – c'*était* le tiers-monde, pour ainsi dire. Mais ce discours la mettait déjà mal à l'aise à la fin de l'été dernier.

— Sois sans crainte, Sam. Nous sommes du même côté. Nos sorts sont liés, désormais.

Mais l'étaient-ils vraiment ? Depuis peu, Nicky la traitait comme sa petite amie, mais elle ne savait même pas s'il lui *plaisait*. Outre sa mégalomanie, il puait le saucisson. Le jour de Noël, elle ressassait encore les événements en mettant le couvert pour le dîner, quand Papa répondit à l'appel téléphonique qui changea tout. Ce qui lui fit dresser l'oreille, ce fut son silence, sa façon d'écouter sans parler. Elle risqua un regard et le vit tout pâle. Sa première pensée fut que quelqu'un, d'une manière ou d'une autre, avait appris qu'elle l'avait volé lors de sa dernière visite. La deuxième que, pour la récupération des contrats, c'était niet.

— Oui. Mmm, mmm. Je comprends.

Il raccrocha le combiné si violemment que la sonnerie repartit, en suspens dans l'air.

— Tout va bien ? dit-elle, s'efforçant d'adopter le même ton que lui.

Sec. Froid. Mais plus maintenant.

— Les enfoirés.

— Quels enfoirés, Papa ?

La répétition sembla lui rappeler sa présence. Donc au moins, il ne s'agissait pas de Thanksgiving. Ou bien si ?

— C'était Rizzo. Il y a une heure, il va à Willets Point chercher quelque chose, la serrure du hangar 13 a été forcée et le gardien à côté a vu un géant en tenue de hockey courir vers le train. Ça recommence, Sammy. Ils me plument.

— Ta polverone.

Déjà, pourtant, elle savait que ce n'était pas la polverone. Si seulement elle pouvait regarder les photos qu'elle avait prises, l'église détruite, le magasin de sport, la couleur de la fumée, le sac des Rangers... Elle n'aurait pas dû prendre autant de cocaïne. Où était passé son appareil, merde ? Son père lui pressa la main.

— Poudre noire, chérie. Première qualité. Il devait y en avoir une dizaine de kilos. Ils ont vidé le hangar.

70

IL Y AVAIT UNE PÉRIODE, juste entre le moment où le désastre irrémédiable se profilait et celui où il se fracassait contre la coque de votre vie, qui touchait au plus près à la pure liberté. Les décisions fatales avaient toutes été prises par quelqu'un qui appartenait à l'histoire, un vous qui n'existait plus. Tout comme le vous qui allait devoir les assumer ne ressemblait plus que de loin au vous que vous étiez à présent. Le four préchauffait, mais vous n'étiez pas encore cuit. Pendant ce temps, peu importait que vous frappiez vos oppresseurs ou rédigiez des chèques à tous ceux que vous aviez spoliés, ou n'importe quoi d'autre. Et cela devait avoir un sens, songerait Keith ensuite, s'il avait choisi d'utiliser cette liberté non pas pour retourner à Sam, mais pour tout remettre à plat. D'où lui venait, dans ce cas, l'impression d'aller plus mal ? Ces derniers matins de sa vie d'homme marié, il s'était arrêté comme à son habitude devant le miroir de la commode pour vérifier qu'il n'avait pas de restes de muffin entre les dents, regarder ses mains réaliser l'origami complexe d'un nœud Windsor. Mais la musique de chambre matinale et familière – le grésillement des œufs dans la cuisine, le *clopsplash* de l'eau dans le cabinet de toilette où Regan se maquillait – se chargeait d'une substance d'autant plus présente qu'il savait qu'elle cesserait bientôt d'exister. À tout instant, Regan pouvait apparaître sur le bord biseauté du miroir avec un cheveu teint en noir trouvé sur un coussin du salon ou avec cette clé d'hôtel qu'il avait perdue.

En fait, ce fut seulement le dimanche après Thanksgiving, six jours après sa rupture définitive avec Samantha, que le naufrage, ou la déflagration, ou ce qu'il en était vraiment, commença. Il était assis dans le lit et lisait John le Carré à la lumière de la lampe. Elle avait les yeux fixés sur les pages de *The New York Review of Books*, auquel elle s'était abonnée un mois plus tôt après l'avoir lu dans la salle d'attente de son analyste. Elle semblait apprécier exactement tout ce qu'il jugeait irritant dans *The New York Review of Books* : l'ennui impénitent qui s'en dégageait, l'hostilité propre aux privilégiés à l'égard des privilèges. Mais ils se délectaient tous les deux de la prétention olympienne des annonces personnelles. Elle dit qu'elle voulait lui en lire une. Sa voix était étrangement pâteuse.

— H.Bl.M. Intelligent, sportif, trente-six ans. Politique, cinéma, course à pied. Cherche femme séduisante pour amitié, plus. Tu peux croire ça ?

— Qu'est-ce qui n'est pas croyable ?

— H.Bl.M., signifie qu'il est marié, Keith. Et si sa femme tombait dessus ?

Il sentit sa gorge se serrer, comme si on l'étranglait.

— Elle devinerait que c'est son mari ?

— Une femme devine toujours quand il se passe quelque chose, Keith.

— Ah oui ?

Il y avait une toile d'araignée au coin du plafond ; comment ne l'avait-il pas remarquée ?

— Alors pourquoi une telle indignation ?

— C'est délibéré, Keith. Le moment est peut-être venu de parler de tes mensonges, tu ne crois pas ?

Quel étrange résultat, ce calme qu'elle affectait : il était hors de lui. Il se leva, il alla s'asseoir dans le fauteuil pour la voir vraiment, et il se surprit à trembler.

— Je ne sais pas. Allons-nous faire comme si tout était ma faute ?

C'est alors que sa maîtrise magnifique s'évanouit ; Regan enfouit son visage dans un oreiller pour que les enfants n'entendent pas, en sanglotant tellement qu'elle ne put parler pendant un long moment. C'était horrible.

Mais rien comparé aux heures qui suivirent. Il n'accepta de parler de son infidélité qu'en termes abstraits et elle refusa de lui dire comment elle l'avait apprise. Ce dont ils firent l'autopsie, d'une voix étouffée, fut le mariage lui-même. Ou plutôt, de deux mariages : sa version à lui et celle de Regan. À tour de rôle, ils égrenèrent jusqu'au dernier grief, comme s'ils marchaient sur des charbons ardents, jusqu'à ce que la douleur parût presque rassurante. (Au moins là, la douleur, la répétition, ils étaient encore ensemble.) Et quand les éboueurs commencèrent à faire du bruit dehors, annonçant la fin de ces ténèbres sans fin, ils firent l'amour, épuisés, remuant à peine, comme s'ils avaient deux fois leur âge. Jamais il ne s'était senti aussi proche d'elle, jamais. L'idée qu'il avait été à l'intérieur de quelqu'un d'autre (ou, du reste, l'idée de quelqu'un d'autre à l'intérieur de Regan) ne changeait rien à la connaissance intime qu'ils avaient l'un de l'autre. Et si c'était précisément cela qu'il lui avait fallu découvrir : à quel point ils pouvaient être proches ? Et s'il le lui disait ? Mais il était trop tard, le sexe n'y changerait rien. Il ne se sentirait peut-être plus jamais aussi proche de quelqu'un.

Et deux jours plus tard, ils faisaient asseoir les enfants dans le salon. Il semblait impossible que, une semaine auparavant, ils aient été tous réunis sur la 7e Avenue pour regarder flotter des ballons aux couleurs vives, sûrs que les ombres au-dessus d'eux ne faisaient que passer, qu'ils sentiraient de nouveau le soleil. Et il était resté aveugle à tout ça ! Comment avait-il pu se laisser aller à souffrir, pendant ce qui deviendrait leurs dernières fêtes en famille, à cause de ce qu'il avait fait à Samantha Cicciaro – une enfant, essentiellement, et même pas la sienne ? Dans les secondes avant que Regan commence à parler, Will eut l'air terrorisé. Mais elle n'était jamais aussi brillante que lorsqu'elle se trouvait confrontée à des enjeux considérables : solide, empathique, maîtrisant la situation. Elle se pencha pour leur prendre la main et commença à expliquer que *parfois les Mamans et les Papas...* Le visage de Cate se ratatina comme un papier jeté au feu. Keith voulut dire quelque chose, mais quand il ouvrit la bouche, il eut l'impression d'être lui aussi au bord d'un abîme. Ce qui venait de le heurter de plein fouet, c'était la perspective de ne plus les voir qu'à des dates déterminées à l'avance, les week-ends et les jeudis pairs du mois, dispositions tout aussi insupportables les unes que les autres. Quand il pensait qu'il perdrait tout, *tout* ne représentait pas ça. Pas cette Regan, la Regan qu'il portait au fond de lui et dont il était tombé amoureux. Pas ses enfants.

Il passa les premières nuits de la séparation à l'hôtel, sur ses notes de frais. Après le désastre des obligations municipales, il s'était recentré sur l'éthique des affaires, mais il lui faudrait surveiller ses dépenses pendant un moment. Il avait oublié de prendre son rasoir et il sentait sa barbe naissante gratter contre l'oreiller. En revanche, il n'avait pas oublié de glisser dans ses vêtements de rechange l'une des photos encadrées de Regan, eux quatre, quelques étés auparavant, au bord du lac Winnipesaukee. Il la posa sur la table de chevet, comme s'il allait pouvoir replonger dans le passé où rien ne pouvait leur arriver.

Le quatrième jour, le cadre fut remis dans la valise puis ressorti et, à peine le maître de maison parti se coucher, placé sur la table basse du salon des Tadelis. En toute franchise, Keith avait été étonné de découvrir que Greg Tadelis était son ami le plus proche. Ils ne s'étaient plus revus depuis qu'ils s'étaient côtoyés chez Renard. Mais quand il avait appelé en expliquant qu'il avait des problèmes de couple, Tadelis avait aussitôt déclaré : « S'il te plaît, Lamplighter. Notre canapé se déplie. Reste aussi longtemps que nécessaire. »

Mme T. se montra moins compatissante. Elle semblait se féliciter secrètement de voir ce couple en or, doté d'une si belle adresse, d'enfants inscrits dans une école privée, connaître un sort mérité, et Keith la soupçonnait de se ranger dans le camp de Regan. Il n'avait jamais fait grand cas de Doris Tadelis à l'époque où ils se retrouvaient aux pique-niques de la société, mais il n'aimait pas l'idée qu'elle puisse le juger évidemment responsable de la séparation. Il l'était, bien sûr – mais comment pouvait-elle *juger* ? Peut-être l'avait-elle percé à jour dès le début.

Il dînait tous les soirs à l'Oyster Bar de Grand Central, préférant la honte et le coût de ces repas solitaires plutôt que d'affronter cette femme terrifiante à la table de la cuisine. Et pourtant, à son retour, quand il s'excusait de rentrer tard, elle pouffait comme pour dire : « Tu te crois au-dessus de mon rôti, c'est ça ? »

Il fallait qu'il s'en aille, manifestement, mais chercher un appartement, même un studio avec un bail de courte durée, eût été reconnaître que la séparation n'était pas temporaire. Et puis, la semaine avant Noël, arrivé devant son ancien immeuble pour le rendez-vous prévu avec les enfants, il vit Regan sur le trottoir, en train de surveiller les déménageurs qui introduisaient son piano, celui de Regan à présent, dans la gueule ouverte d'un camion. Elle avait les cheveux coupés court, on disait au carré croyait-il, comme lorsqu'elle jouait dans *La Nuit des rois*. Le fait qu'elle avait pu les porter courts depuis plusieurs jours sans qu'il le sache fut un coup de poignard. Quand il lui demanda ce qu'elle faisait, elle détourna la tête.

— Qu'est-ce que tu crois ?

On aurait dit qu'elle avait avalé une pastille pour la toux.

— J'ai trouvé un appartement à Brooklyn Heights.

— Nom de Dieu, Regan, Brooklyn ? Tu as l'intention d'aller jusqu'où avec ça ?

— Pas devant les enfants.

Il vit qu'ils regardaient à travers la vitre du vestibule. Il eut également conscience que les déménageurs ne faisaient ostensiblement pas attention à lui.

— Chez *nous*, Keith, chuchota-t-elle. Tu l'as amenée chez *nous*.

— De quoi parles-tu ?

Mais il savait parfaitement de quoi elle parlait. Elle avait réussi à savoir l'une des choses qu'il avait passées sous silence – qu'il l'avait trahie sous son propre toit, ou du moins qu'il avait essayé – et maintenant elle quittait l'appartement. Coordonner le problème et sa solution, c'était du Regan typique.

Il pouvait rester dans l'appartement ou le vendre, lui dit-elle, ou faire comme bon lui semblait ; simplement, elle ne voulait plus y remettre les pieds.

Et comment allaient-ils payer deux appartements ?

— Je ne dépends plus de toi, Keith, n'oublie pas. Je travaille.

Ils se tenaient là, à moins d'un mètre cinquante l'un de l'autre, elle les bras croisés et lui laissant pendre les siens comme des bouts de viande. Ce qu'ils pensaient de tout ça, les déménageurs et le portier n'en laisseraient rien paraître – c'étaient des New-Yorkais. Même les enfants, derrière la vitre où flottait le reflet de la rue, maîtrisaient à la perfection l'art de feindre de ne pas voir.

En apparence, bien sûr, garder l'appartement facilitait les choses pour Keith. (Il était, il pouvait en juger lui-même, quelqu'un pour qui les choses en apparence étaient faciles.) Sous la surface, c'était tout le contraire. Dans le salon, vidé de son piano, de son tapis et de son canapé, flottait un air d'abandon. Les lits des enfants avaient aussi été emportés. Il lui faudrait en acheter des neufs, autre atteinte à des finances déjà serrées.

Elle avait laissé le grand matelas en crin de la chambre parentale, peut-être parce qu'elle ne pouvait pas croire qu'il n'avait pas baisé sa maîtresse dessus, mais trop sentimentale pour le jeter. Il avait appartenu à sa grand-mère, puis à sa mère et, après le remariage de son père, Felicia Gould avait été heureuse de s'en débarrasser. Pour le faire entrer dans l'ascenseur de leur appartement de jeunes mariés dans le Village, ils avaient dû démonter le cadre du lit. (Il était démesuré, et datait sans doute d'avant les dimensions de matelas standard.) Il avait emprunté au gardien un maillet et une peau de chamois et avait enveloppé l'un dans l'autre. Il avait senti Regan tressaillir à chaque coup de maillet contre le châssis, mais elle n'avait pas dit un mot. Ils s'étaient tellement amusés sur ce matelas, faisant le chahut qu'elle ne se permettrait plus ensuite, quand seuls des murs fins comme du papier à cigarette les sépareraient du bébé. Et il n'aurait jamais cru que le crin puisse offrir un tel confort, qu'il s'adaptait à vous selon que vous dormiez du sommeil du juste, comme Keith, ou, comme Regan, d'un sommeil agité. Maintenant l'empreinte de son corps ne s'effacerait pas davantage que son souvenir des petits cris inquiets qu'elle poussait en rêvant.

La première nuit après son départ, il s'était réveillé d'un rêve où il chutait d'un immeuble et s'était retrouvé roulant dans la déclivité qu'elle avait laissée. Pendant un moment, dans le noir, il avait cru qu'elle était encore là, à côté de lui. Et il lui avait fallu tout recommencer, se séparer d'elle de nouveau.

Après cela, il décida de dormir sur le canapé. Et quand, le lendemain de leur vrai Noël avec Regan, les enfants vinrent fêter sa pâle imitation et passer leur première nuit sous sa garde, Cate, indifférente au lit à baldaquin qu'il lui avait acheté, courut prendre possession du matelas en crin. Elle l'aimait pour la même raison qu'il ne parvenait pas à dormir dessus : il avait l'odeur de Maman. Autrement, elle semblait anxieuse. Son sac à dos en plastique décoré de personnages de dessin animé était plein à craquer de vêtements et de jouets, comme en prévision d'une expédition polaire. Elle faisait la même chose quand elle dormait chez des amies, il s'en souvenait, et elle appelait toujours au milieu de la nuit pour se plaindre de maux et de douleurs vagues. Et il lui fallait alors enfiler des vêtements et aller la chercher. À présent, il s'attendait à moitié que, vers minuit ou une heure, elle lui demande d'appeler Regan.

Will, en revanche, semblait aller bien, du moins au début. Après le dîner, ils avaient assemblé le sapin acheté au drugstore et accroché quelques guirlandes lumineuses (Regan avait emporté les boîtes de décorations), et une fois les cadeaux ouverts et Cate au lit, ils étaient restés au salon en cherchant Jimmy Stewart sur toutes les chaînes. Ils tombèrent sur une rediffusion de « Saturday Night Live » spécial Noël, et il vit Will se pencher en avant comme pour absorber tout ce qu'il pouvait avant d'en être privé de nouveau. Regan ne l'autorisait jamais à regarder l'émission, même quand il protestait que les copains à l'école la regardaient et qu'il était culturellement défavorisé, et Keith décida de laisser la chaîne qu'il avait allumée. Il avait préparé un lait de poule en vidant la moitié d'un carton de boisson toute prête et en la remplaçant par du rhum d'âge incertain. Il en offrit une gorgée à son fils. Par le passé, Will aurait froncé le nez et refusé. Keith alors le taquinait. *Oh, allez, ça va te donner un petit coup de fouet.* Cette fois, Will en voulut un verre à lui. Un père pouvait-il faire autrement que lui en verser un doigt ou deux ? L'alcool n'eut pas l'air de lui monter à la tête ; au contraire, Will semblait davantage maître de lui, comme s'il ambitionnait depuis longtemps de soumettre la moindre terminaison nerveuse de son corps à un commandement central. Il riait même quand les plaisanteries lui passaient au-dessus de la tête – aussi fort et aussi longtemps que son père. Le laxisme avait mauvaise réputation, songea Keith. Mais il prenait plaisir au lien qui en découlait. Il se servit un deuxième lait de poule et s'efforça de se concentrer là-dessus, le lien, et pas sur Regan. C'est alors que le téléphone sonna. Il était près de minuit ; il semblait impossible que quiconque appelle à cette heure, ou que l'appel soit de bon augure, mais plutôt que de le laisser sonner et de réveiller Cate, il courut à la cuisine pour décrocher. Cela faisait près d'un mois qu'il n'avait pas entendu la voix de Samantha, mais elle n'eut pas besoin de se présenter. Est-ce qu'il pouvait parler ? demanda-t-elle.

Du couloir lui parvenaient les éclats de rire du public dans le studio. Personne – pas même Will – ne pourrait l'entendre. Pourtant quand il parla, il émit une sorte de sifflement. « Tu ne dois pas m'appeler ici, tu comprends ? C'est ma *vie*. » Il reposa le téléphone sur son support un peu plus violemment qu'il ne l'aurait voulu et resta là, les yeux fixés dessus, comme on fixe un serpent dont on ne sait pas s'il est venimeux. Il attendit qu'il sonne de nouveau. Mais au bout de quelques minutes, comme il demeurait silencieux, il regagna le salon.

Le gros type de « Saturday Night Live » courait après un hippie chevelu armé d'un sabre de samouraï, et Will regardait, agenouillé.

— Qui était-ce ? demanda-t-il, sans se retourner.

— Un faux numéro, répondit Keith.

Au même moment, on passa aux publicités.

— Tu sais faire ce truc, toi, Will ? Cette figure de judo ou je ne sais quoi.

— Papa, le judo et le ju-jitsu sont deux choses différentes. Et je ne suis que ceinture verte.

— Ça veut dire quoi, verte ?

Will haussa les épaules.

— Non, vraiment, dit Keith, ou dit le rhum, ou dit sa haine à l'égard de son mensonge et la manière dont il l'isolait des autres. Montre-moi ce que tu sais faire.

Will le regarda des pieds à la tête, comme s'il jaugeait sa sobriété.

— Très bien, dit-il enfin, mais il faudrait déplacer la table basse.

Il entraîna Keith au milieu du tapis et le fit s'incliner. C'est de cette manière qu'ils établissaient tous les deux leur intention de ne pas se faire de mal. Puis il prit la main de Keith, comme pour la lui serrer. En une fraction de seconde Keith fut projeté sur le tapis, à genoux, le bras replié au-dessus de ses omoplates, à l'endroit où se seraient trouvées les ailes, et une douleur blanche et brûlante irradia. Alors pourquoi disait-on ceinture verte ? Mais surtout : son bras allait-il se briser ? En relevant la tête, il vit son fils dressé au-dessus de lui, le visage à l'envers, rougi par l'effort. Et le même tableau à gauche, reflété par le carreau noir de la fenêtre, entouré d'un million de lumières de Noël clignotantes, un sujet pictural qu'il aurait juré avoir déjà vu quelque part. L'Homme Accablé. Le Garçon Féroce.

Bien-être chez l'adulte

Date d'aujourd'hui : 25 / 2 / 03	Nom : William H. Lamplighter	Date de naissance : 18 8 64		

Au cours des deux dernières semaines, combien de fois avez-vous été confronté à l'un de ces problèmes ?	Jamais	Plusieurs jours	Plus de la moitié du temps	Presque tous les jours
1. Peu d'intérêt ou de plaisir à faire les choses	0	1	(2)	3
2. Cafard, déprime ou désespoir	0	1	(2)	3
3. Nervosité, anxiété ou irritation	0	1	2	(3)
4. Impossibilité de calmer ou de maîtriser votre inquiétude	0	1	(2)	3

Avez-vous un jour ép...		on	Yes
5. ... vous vous êtes sent... vous créer des ennuis (...		☒	☐
6. ... vous étiez tellement...		☐	☒

PONT ET TUNNEL

Au cours de l'année écoulée :	Non	Yes
7. Avez-vous bu 4 verres ou plus (femmes) / 5 verres ou plus (hommes) par jour ?	☒	☐
8. Avez-vous fait usage d'une drogue interdite ou d'un médicament délivré sur ordonnance pour une raison non médicale ?	☒	☐

Au cours des quatre dernières semaines :	Non	Yes
9. Avez-vous eu des problèmes de sommeil à plusieurs reprises ? (Inclus la difficulté de s'endormir, les réveils fréquents, ou le sommeil prolongé.)	☐	☒

10. Entourez d'un cercle le chiffre ou la description la plus appropriée concernant vos activités quotidiennes, vos activités sociales et votre état de santé général au cours des quatre semaines écoulées.

ACTIVITÉS QUOTIDIENNES

Quelles difficultés avez-vous eues dans vos activités ou vos tâches quotidiennes, à la fois chez vous et à l'extérieur, à cause de votre état de santé physique et émotionnel ?

Aucune difficulté		1
Un peu de difficulté		2
De la difficulté		3
Beaucoup de difficulté		(4)
Impossible		5

ACTIVITÉS SOCIALES

Votre état de santé physique et émotionnelle a-t-il limité vos activités sociales, en famille, avec vos amis, vos voisins ou en groupe ?

Pas du tout		1
Très peu		2
Modérément		3
Beaucoup		(4)
Extrêmement		5

ÉTAT DE SANTÉ GÉNÉRAL

Comment qualifieriez-vous votre état de santé général ?

Excellent		1
Très bon		2
Bon		(3)
Moyen		4
Mauvais		5

11. Veuillez décrire dans l'espace ci-dessous tout autre symptôme, y compris les détails pertinents concernant l'apparition, la fréquence, la récurrence, etc. Joignez tout autre document.

Le symptôme principal, essentiellement, est ce rêve récurrent. Je marche dans une ville, en fin d'après-midi. Une part de moi sait que les employés de bureau devraient être dehors à fumer une dernière cigarette, mais il n'y a personne dans les rues. Les trottoirs sont immaculés, comme des publicités pour les trottoirs. Au-dessus se dressent des bâtiments élevés dont le soleil éclaire les étages supérieurs. Et voilà comment j'ai conscience de rêver : chacun d'eux est recouvert, du toit jusqu'au trottoir, d'un voile de lin. Les voiles sont de couleurs différentes, citron pas mûr, pétale de rose, orange-cône de signalisation, et ils alternent selon aucun schéma connu. À tous les coins, ayant oublié comment je suis arrivé là, je les vois se soulever et retomber, comme si derrière eux il n'y avait pas un immeuble mais quelque chose qui respire. Qui observe. Ou qui attend. À un moment, je me mets à courir. Je sais que si je regarde sur le côté comme, quand on est éveillé, on se tourne pour se regarder dans les vitrines, les voiles vont se dissoudre et me laisser face à ce qui se dissimule derrière eux. Mais déjà des mains énormes me pressent la tête, la font pivoter. J'essaie d'appeler au secours, mais je n'ai plus de bouche. J'essaie de lutter, mais je ne contrôle plus mon corps. Au paroxysme de la peur – juste au moment où je vais regarder le visage nu de la Chose Qui Attend – je me réveille, inondé de sueur, haletant. Je n'ai pas dormi une nuit entière depuis près de six mois.

Le truc c'est que j'ai déjà fait ce rêve. La première fois, c'était quand je suis entré en seconde, ma première année au pensionnat. Je me souviens que mon camarade de chambre m'en avait fait la remarque dans le réfectoire, un matin après la cinquième ou sixième fois. Il s'appelait Sean Baldwin. C'était un rouquin, boursier, à l'allure anormalement adulte, qui venait de Roxbury, Massachusetts. Et aussi – mais je ne sais pas ce que nous entendons par « pertinent » – une célébrité mineure auprès des filles du bâtiment d'en face. Plus d'une fois il m'est arrivé, en rentrant dans notre chambre, de trouver un bout de son drapeau de l'IRA dépassant sous la porte, selon le code dont nous étions convenus un jour en plaisantant. On pourrait voir là la raison pour laquelle les autres garçons l'évitaient. Moi-même, je n'étais pas exactement un paria ; vers 1981, habiter New York (par opposition à, disons, New Canaan ou le New Jersey) vous donnait un certain standing. Mais j'avais tendance à me replier sur moi-même et nous prenions généralement nos repas seuls tous les deux. Sean me régalait de ses histoires de conquêtes. C'est pour me taquiner sur le caractère unilatéral de ces conversations qu'il m'a un jour parlé des bruits qui provenaient de mon côté à l'extinction des feux, bruits qu'il qualifiait de « grognements ». Il m'avait dit, je m'en souviens, qu'il n'avait pas voulu m'en parler, mais cela faisait déjà quatre nuits de suite.

— Je crois que c'est un symptôme d'une inflammation des testicules. Faut qu'on te trouve une fille, mon vieux.

En fait, je sortais avec une fille de terminale depuis le mois de septembre, une Californienne, mais ce n'était pas mon genre ni le sien de la faire entrer en douce dans le dortoir des garçons. C'était son intégrité en tant que personne dont j'étais d'abord tombé amoureux. Et elle était donc restée, comme bon nombre de choses qui comptaient pour moi à l'époque, secrète – je m'imaginais lui faisant la cour dans les bois sous la lune, quand j'étais censé réviser. Mais Sean était là, scrutant mon visage, tirant sur les extrémités de son écharpe aux couleurs de l'école comme sur les bretelles d'un parachute qui vient de s'ouvrir. Pour moi, il n'aurait sans doute pas hésité à sauter d'un avion, mais je ne savais pas jusqu'où je pouvais lui faire confiance, si vous voyez ce que je veux dire. Pourtant, malgré ma réticence, je me suis penché et je lui ai raconté mon rêve en lui disant que, plus il se répétait, plus j'avais besoin de savoir : qu'y avait-il derrière le voile ?

— T'as déjà entendu parler de vagin denté ?

Il pouvait vraiment être con parfois, et je le lui dis.

S'il avait eu une barbe, il aurait été en train de la caresser.

— Pour moi, c'est très sexuel.

— Pour toi, tout est toujours sexuel.

— Très bien. Tu veux vraiment savoir ce que je pense ?

Les bouts de foulard retombèrent et son masque sembla glisser un peu.

— Tu dis que tu te trouves dans une ville ? (Il voulait dire dans le rêve.) Je crois que tu redoutes les prochaines vacances, et l'idée de retourner à New York dans ta famille.

J'ai répondu que je n'étais pas anxieux. Pourquoi serais-je anxieux ?

— À toi de me le dire. Au Week-End des Parents, les tiens m'ont eu l'air parfaitement sympathiques, mais visiblement tu en as gros sur le cœur en ce qui concerne ton père.

— Ce que je pense de mon père, c'est que c'est un enfoiré. Ma mère et lui auraient dû se séparer depuis longtemps. De toute façon, ce que je cherche, ce n'est pas un diagnostic. Ce que je veux, c'est dormir.

Sean a dit que, pour lui, ce qu'il ne pensait pas consciemment dans la journée se manifestait sous forme de rêve.

— Peut-être que, avant de fermer les yeux, tu devrais essayer de réfléchir fortement à ce qui te fait peur.

Ce qui paraissait plutôt plausible dans la douce lumière d'un matin d'hiver. Mais naturellement le problème, c'est que j'ignorais totalement de quoi j'avais peur, et cette nuit-là le rêve se répéta avec une intensité nouvelle, me réveillant peu après minuit. Au moment des examens, j'étais bon pour l'asile.

Je dois également signaler comme effet clinique potentiel le fait qu'à partir de l'âge de treize ans j'ai abusé assez régulièrement de substances contrôlées. C'était en 1977, l'année de la coupure de courant. Une année que j'aimerais beaucoup pouvoir couper. Mes parents venaient juste de commencer à vivre séparément. Et le matin suivant le rétablissement du courant, Papa et Maman sont soudain revenus ensemble, sans aucune explication sur ce qui leur était arrivé durant la nuit, pendant que la ville était en feu.

Quelque chose d'autre s'est produit plus tard cette année-là, pour laquelle je n'ai pas non plus d'explication : un soir, à l'automne après la rentrée, en revenant de mon entraînement de basket-ball, j'ai trouvé mes parents en train de partager une bière à la table de la cuisine. C'était devenu une sorte de rituel. Seulement cette fois, entre eux, il y avait quelqu'un d'autre : un petit homme maigre, à l'allure de vampire, en blouson de cuir, le pantalon éclaboussé de peinture, qui fumait une cigarette, chose qui n'était autorisée à personne à l'intérieur de l'appartement. J'ai su avant même que ma mère me le présente que c'était Oncle William, son frère, dont je portais le nom. Depuis ma naissance et jusqu'à ce jour, il était resté une simple rumeur. Et là, il me saluait d'un hochement de tête, comme si nous nous étions déjà vus un millier de fois. Pour finir, je suis allé dans ma chambre, mais je n'oublierai jamais le choc que j'ai éprouvé cette première fois à Brooklyn Heights. Mon père a laissé « échapper » quelque temps plus tard que c'était un ancien toxicomane. Peut-être voulait-il tempérer ma fascination évidente à l'égard d'Oncle William, mais l'effet a été inverse. Parce que c'était aussi un véritable artiste, comme je voulais être plus tard. Et après ça encore, quand j'ai trouvé, chez un soldeur, un exemplaire de l'album qu'il avait enregistré avec son groupe punk au milieu des années 70, j'ai pratiquement effacé les sillons. Ces chansons viendraient, dans mes fantasmes, représenter la planète lointaine de l'art, du sexe et du possible qui attendait de l'autre côté du Pont, et je me dis à présent que c'est ça – la possibilité de ce possible – qui m'a libéré et grâce à quoi j'ai commencé à mon tour à faire le mur.

Ce que je découvrais là-bas est difficile à expliquer à quiconque n'a pas connu ces années grises entre la fin de Carter et le début de Reagan, mais je suppose que l'idée, ici, est d'essayer. Les coupes budgétaires, la criminalité et le chômage avaient brutalisé la ville, et dans les rues ce sentiment d'anarchie aigrie et d'utopie mort-née était perceptible. Mais aussi triste fût-il, c'était un terrain de jeu idéal pour des adolescents avec des familles déstabilisées et de faux papiers d'identité. On pouvait aller écouter les premiers disques de rap, les derniers de la New Wave ou ce que le disco était en train de devenir dans des clubs sans licence où Noirs, métis, Blancs, gays et hétéros se mélangeaient encore librement. Mon copain Ken Otani et moi racontions à nos parents que nous dormions l'un chez l'autre, et, ayant fait main basse sur tout ce que nous pouvions trouver – calmants, acide, speed – nous battions le pavé de New York complètement défoncés en essayant de repérer à l'oreille les fêtes dans des lofts à l'intérieur d'immeubles plongés dans le noir. Et à trois ou quatre heures du matin, en rentrant vers Brooklyn en titubant, nous entendions l'écho de nos voix rebondir contre les immeubles et remplir la voûte céleste. Comme s'il existait des sentiers de liberté secrets que mon oncle avait ouverts à travers la ville une décennie auparavant, dans le Sale Vieux Temps. Ce qui explique sans doute pourquoi, sans m'avoir jamais mis en face de mes actes, mes parents ont décidé de m'envoyer à St Paul.

Mais de retour en ville, au cours de ces vacances d'hiver 1981, j'ai repris mes explorations. Et j'ai compris qu'en réévaluant ma consommation de substances contrôlées – lever le pied sur les pilules et picoler davantage – je pouvais recommencer à dormir sans interruption. Automédication, on peut appeler ça. Je dormais dès que je pouvais. Au déjeuner, sous prétexte d'aller faire des paniers, je me rendais sur la Promenade et je buvais de la vodka dans des gobelets en carton, puis je rentrais à la maison et je m'écroulais jusqu'à ce que ma petite sœur vienne frapper à la porte. Ma mère voulait que je joue avec elle, mais Papa disait qu'on devait me laisser tranquille – prétendument parce qu'il prenait mon parti, mais en réalité parce que la sieste de l'après-midi représentait pour lui deux heures de moins à devoir me supporter. Et à mon retour au pensionnat, j'avais complètement oublié mes cauchemars. Ça a été un don du ciel, cette amnésie, c'est ce que je pensais.

Quoi qu'il en soit, il y a eu un second « épisode » quand j'avais vingt-quatre ans et que je me trouvais ici, à L.A. Je dormais sur le canapé d'une amie et d'une façon générale j'étais dans une mauvaise passe – une espèce d'effondrement ou de moyenne à grosse dépression. Je m'étais installé là pour faire l'acteur (ce qui après deux ans de figuration dans des documentaires éducatifs était déprimant en soi), mais aussi à cause de Julia, ma petite amie du lycée, que j'avais déjà suivie à la fac. Nous avions emménagé ensemble et étions colocataires d'un petit bungalow devant lequel poussait un citronnier. Elle préparait une licence d'enseignement. J'avais un boulot de serveur. Avec mon travail de nuit et ses cours du matin, on ne se voyait pratiquement que le week-end.

Sauf une nuit, où en rentrant je l'ai trouvée assise sur le futon, à m'attendre. J'ai compris que quelque chose n'allait pas avant même qu'elle me dise de m'asseoir. Depuis des mois, dit-elle, elle se sentait un peu perdue. Et elle ne savait pas comment c'était arrivé, mais elle avait couché avec quelqu'un d'autre.

Je ne comprenais pas : l'infidélité – je le lui avais répété toutes ces années – était pour moi la seule chose impardonnable. Oui, disait-elle, mais c'était justement pourquoi elle se sentait perdue, parce que je lui avais dit ça, comme si elle n'était pas un être humain libre d'agir, mais un simple personnage du scénario que j'avais dans la tête. J'avais le don de faire en sorte que les gens les plus proches de moi se sentent abandonnés. Une sorte de retenue glacée profondément ancrée au fond de moi.

Pour faire court, je me suis retrouvé sur le canapé de cette fille, puisque pour une raison qui m'échappe la plupart de mes meilleurs amis étaient des filles. Je n'avais pas de relations sexuelles avec elle, mais j'aurais été ravi que Julia le croie. Les rares fois où nous nous parlions au téléphone, Julia voulait savoir comment j'allais, comme si ça l'intéressait. Comme s'il était possible qu'une personne se soucie d'une autre tout en agissant avec elle de cette manière. À la vérité, j'allais très mal. Après avoir réussi plusieurs années à me surveiller, je buvais tellement que je ne parvenais même plus à m'assommer et d'ailleurs le problème n'était pas de m'endormir mais de rester endormi. Les coussins du canapé de mon amie étaient en velours élastique, les fenêtres n'avaient pas de rideaux, à cinq heures du matin, les oiseaux gazouillaient et la lumière, la lumière de L.A. dont tout le monde nous rebat les oreilles, tombait directement dans mes yeux de natif de la Côte Est. Rien ne vaut New York, pensais-je. Mais le jour venu, New York s'est présentée armée de griffes et de crocs, dans un cauchemar dont je viens de m'éveiller en hurlant.

Une minute. Je viens juste de me rendre compte que la hauteur des bâtiments dans cette version du rêve était exactement celle des immeubles sur Broadway entre la 8e et la 4e Rue, où je passais des heures à Tower Records. Mais bien sûr, il ne pouvait s'agir d'immeubles particuliers, car quel que soit le nombre de rues que je parcourais, ils restaient identiques. Imaginez un rat prisonnier d'un labyrinthe. Et quand les voiles qui pendaient se soulevaient ou se collaient de nouveau, j'entendais un bruit rauque. En écoutant bien, j'aurais pu discerner des mots, mais je ne voulais pas savoir ce qu'ils disaient. Je ne voulais pas regarder de côté et découvrir que cette chose vorace tapie derrière, et qui m'avait un jour paru si démesurée, avait désormais la même taille que moi.

Cette rechute, ou quoi que ce soit, a duré plus longtemps : deux mois, cinq ou six nuits par semaine. Les cris, en particulier, entraînaient toutes sortes de tensions avec les colocataires de mon amie. Je les entendais murmurer derrière les murs, la nuit, ou derrière les portes coulissantes du patio où je restais toute la journée assis sous un parasol à jouer à un de ces premiers jeux vidéo portatifs. (C'était pratiquement la seule chose que j'étais capable de faire ; j'avais donné ma démission au restaurant un mois plus tôt et je vivais grâce à ma rente.) En me tournant vers la baie vitrée, je voyais un squelette. Je n'avais jamais été quelqu'un de costaud, mais j'étais descendu à cinquante-huit kilos.

Et puis, au mois de juillet, j'ai reçu un appel. Oncle William s'était débrouillé pour obtenir mon numéro. Il était en ville, dit-il, pour son exposition personnelle au L.A. County Museum of Art. (À cette époque, il avait abandonné la peinture pour la photographie, ce qui avait fait de lui une semi-célébrité.) Le vernissage avait lieu le mardi. J'ai commencé à chercher des excuses, parce que je ne voulais pas que ma mère apprenne dans quel état je me trouvais, mais il a insisté pour que nous nous retrouvions au moins une fois pour boire un verre.

— Tu es la seule personne que je connaisse à Los Angeles, Will, et la seule raison qui m'empêche de détester cette ville.

« C'est bien ça, ai-je eu envie de répondre. Tu ne me connais pas. » Mais il avait déjà raccroché.

Je suis donc allé le voir quelques soirs plus tard, dans un night-club qui ne risquait pas de le faire changer d'opinion sur la Côte Ouest. J'ai attendu au moins une heure, singulièrement peu attiré par la bière posée devant moi dans son verre givré. Quoi d'autre? Le centre de la pièce était creusé dans le sol, et sur chaque côté il y avait un aquarium, des bettas aux couleurs argentées nageant dans une eau bleu sarcelle ridicule. Ils me rappelaient certains tableaux que mon grand-père possédait autrefois. Terre pleuvant sur un cercueil; groupes unisexes flirtant près du bar. Vers dix heures, j'avais, sans m'en apercevoir, englouti vingt dollars de bière. La serveuse, une comédienne comme moi qui m'avait d'abord pris en pitié, ne cessait de passer et de repasser devant moi, me rappelant que d'autres personnes attendaient une table. Pendant un moment, je me suis réellement senti vieillir, avancer vers le moment où il me resterait une demi-vie, puis moins d'une demie, puis rien. Les têtes se sont alors tournées vers l'hôtesse d'accueil, et je l'ai vu, mon oncle, toujours avec le même blouson de cuir, si longtemps après. New York pur jus, malgré les manches relevées qui révélaient ses avant-bras.

— Mon neveu préféré! a-t-il dit en se glissant sur la banquette.

Ton seul neveu, ai-je répliqué.

Il a commandé un jus de cranberry, sans glace, à la serveuse puis il s'est retourné vers moi.

— Dis-moi, tu n'as vraiment pas l'air en forme.

J'avais fait assez d'impro pour être encore en mesure de passer une demi-heure à jouer la familiarité joviale. Bizarrement, l'envie s'est éteinte d'elle-même. Ce que je veux dire, c'est que j'avais devant moi cette personne dont j'avais si étroitement observé les défenses pendant la dizaine de fois où nous nous étions trouvés ensemble, et dans les chansons qu'il avait un jour écrites. Le modèle pour ainsi dire sur lequel j'avais construit les miennes. Et tout est sorti d'un coup – même, pour finir, ce qui concernait le collègue de ma petite amie et que je n'avais même pas raconté à l'amie chez qui j'habitais.

Au bout d'un moment, son absence de réaction a commencé à me porter sur les nerfs. Certes, la manière de garder une femme qu'on aime ne devait guère préoccuper Oncle William. Ai-je précisé qu'il était gay ? C'était un aspect de son aura, cette liberté scandaleuse qu'il promenait avec lui. Mais ça y était, je recommençais à transformer les gens en symboles. Peut-être une forme d'agressivité sublimée.

— N'hésite pas à dire quelque chose quand tu veux.

Ça se voulait sarcastique, mais en passant l'ongle de mon petit doigt dans le givre de mon cinquième verre, j'ai eu l'impression qu'un gouffre nous séparait.

— Que veux-tu que je dise ? Ça m'inquiète de te voir comme ça, et inutile de préciser, par expérience personnelle, que tu ne trouveras pas la solution dans l'alcool…

— Ce n'est pas la bière, c'est le sommeil. J'ai peut-être réussi à dormir quinze heures au cours des cinq derniers jours. Parfois, même éveillé, j'ai des hallucinations, je vois des traînées lumineuses, des choses qui n'existent pas. Et la nuit, je fais sans cesse des cauchemars.

— Mais qu'attends-tu de moi, Will ?

Trop gêné pour le regarder en face, je sentais pourtant qu'il m'observait.

— Donner des conseils, limiter les dégâts, c'était plutôt le rôle de ta mère, pas le mien.

— Oncle William, une personne que j'aime a baisé quelqu'un d'autre.

— Ça arrive. Non, hé, je ne voudrais pas prendre les choses à la légère, mais tu l'aimes toujours, non ?

Je fixais ma bière, sans la toucher. J'ai hoché la tête d'un air malheureux. Oui, bien sûr.

Et c'était de nouveau là : ce mélange bizarre de férocité et de perplexité bien à lui.

— Écoute, tu sais comment un Zoulou salue un autre Zoulou ?

— Pardon ?

— Je l'ai appris récemment et ça m'a paru follement beau : le mot pour bonjour ou au revoir en zoulou signifie littéralement : « Je te vois. » Et la réponse est : « Je suis là. » Tu comprends ? « Sawubona. » Je te vois, Will.

Il ne faisait pas mine de se lever. Ni de payer son jus de canneberge, ajouterais-je. Mais je sentais un changement à l'échelle moléculaire, comme s'il était déjà parti.

— Dis-le. Ça ne marche pas si tu ne le dis pas.

— Je suis là.

Et je me suis senti soulagé, pas tout à fait, mais suffisamment.

Je vois que j'épuise votre réserve de papier. Pour résumer la suite, je suis allé voir Julia et nous avons parlé. Nous avons parlé du passé, nous avons parlé de l'avenir, nous avons parlé du fait que celui-ci ne devait pas nécessairement répéter celui-là. Nous avons testé notre confiance mutuelle. J'ai arrêté de boire pour de bon. Un an plus tard, nous étions mariés.

Une décennie et demie s'est écoulée – plus de cauchemars. Je suis allé en fac de droit. Nous avons eu un enfant, une fille. Nous sommes restés à L.A. J'ai tourné le dos à l'histoire, c'était à mon avis la raison pour laquelle les gens venaient à L.A. Je ne suis retourné à New York que tous les quatre ans environ, quand il devenait impossible de ne pas accorder à mes parents un Noël ou un Thanksgiving, et alors nous allions à l'hôtel plutôt que d'occuper la chambre d'amis à Brooklyn Heights, en raison d'une tension persistante entre mon père et moi. Et à un certain moment, entre le travail, les tâches parentales et cette existence peu palpitante dans les banlieues de la Californie du Sud, j'étais tellement fatigué en posant la tête sur l'oreiller que je ne rêvais pas du tout. Et tout ça, d'une façon si étrange que je ne me l'expliquais pas moi-même, je le devais à mon oncle.

Ça a été dur pour moi, je crois, d'accepter sa mort. Pas parce que je le connaissais bien – ce n'était pas le cas – mais parce que, malgré toutes ses bizarreries, je garde de lui le souvenir d'une personne incroyablement vivante. Il a été diagnostiqué séropositif à la fin des années 80, mais on ne l'aurait jamais deviné ; le cocktail de médicaments qu'on lui administrait lui a pratiquement évité l'hôpital. Et quand nous venions sur la Côte Est, nous lui rendions visite dans son appartement dément de Hell's Kitchen qu'il refusait de rénover même après que le quartier entier se fut transformé en immeubles d'habitation. Ma fille l'adorait. Julia surtout l'adorait. Mais au début de 2002, ma mère m'a dit qu'il avait des problèmes de santé et, après cela, son état s'est rapidement détérioré.

Pour son galeriste, c'était la faute des événements qui avaient eu lieu l'automne précédent. «Pas vraiment la cause, m'expliqua-t-il. Plutôt comme si ce qui était arrivé à cette ville avait trouvé en lui son reflet. Il y avait eu cette atmosphère élégiaque au cours des premiers mois. Toutes ces années, il avait prétendu être immortel et brusquement il voyait quelque chose qui l'aidait à lâcher prise.»

Mais je m'avance un peu. Le nom du galeriste était Bruno Augenblick et je l'ai rencontré au mois de septembre dernier, juste avant le retour de mes symptômes. Il avait une galerie sur Spring Sreet où il avait monté une rétrospective du travail qu'Oncle William avait réalisé dans les années 70. Evidence I, disait l'invitation reçue par la poste. Les obsèques avaient eu lieu dans le caveau familial dans le Connecticut, je n'étais pas revenu à New York même depuis plusieurs années et Downtown depuis plus longtemps que ça. Mais je sentais que je devais à mon oncle d'aller au vernissage.

Dans ma tête, pendant le vol, je m'étais imaginé que les pâtés de maisons au sud de Houston étaient restés les mêmes qu'à l'époque où ils m'offraient une telle liberté, mais les tsunamis du capital avaient balayé tout cela. À présent, il y avait de l'art tous les deux mètres, et des brasseries et des boutiques artisanales à la noix, et dès huit heures les trottoirs étaient envahis par des foules de chalands. Quand je l'ai trouvée, la galerie m'a paru une extension de ce phénomène, des jeunes gens vêtus de jeans de luxe, et, d'une certaine façon, c'était réconfortant. Avec mon pantalon en velours négligé, aucun d'eux n'a pu me soupçonner d'être autre chose qu'un touriste égaré.

Mais une fois à l'intérieur, j'avais sans doute espéré que la ville me sauverait, car comment expliquer ma terrible déception devant les toiles accrochées au mur? Oncle William avait toujours eu cette ouverture d'esprit qui attirait les gens à lui. Et tout cela, par contraste, n'était que nullités minimalistes – entièrement blanches, malgré des disruptions qui apparaissaient quand on approchait, giclures couleur albâtre et empâtements laiteux au pinceau. On pouvait se laisser aller à imaginer qu'une figure s'efforçait d'émerger de tout ce blanc, mais aucune n'apparaissait jamais. La seule chose présentant un peu d'intérêt, c'était leur forme.

Je contemplais un polygone à huit côtés, blanc sur blanc, embrouillé par un sentiment de perte, quand une voix s'éleva juste derrière mon épaule.

— Vous savez ce que c'est, bien sûr?

Augenblick portait une chemise aveuglante et sans faux plis, d'imposantes lunettes à la mode, et il avait le crâne rasé qu'il inclinait tel un phrénologue prenant la mesure du mien.

— Un fantôme dans une tempête de neige. Je ne sais pas. Je donne ma langue au chat.

— C'est un panneau stop.

Le doigt tendu, touchant presque le bas du tableau, il en traça les huit côtés.

— Il l'a volé sur son poteau. L'a couvert de peinture blanche. Bien sûr, la plupart des gens ne se souviennent pas qu'il a été autre chose qu'un photographe (était-ce une moue de dégoût?) mais même ainsi vous avez une idée de la vision de votre oncle. Pardonnez-moi, vous êtes bien le neveu? Quand j'ai reçu votre réponse, j'ai supposé que vous viendriez avec votre mère.

— Je crois que Maman n'approuve pas que vous vendiez des œuvres qu'il n'a jamais montrées.

— Vous êtes donc son ambassadeur.

Je l'ai arrêté d'un geste de la main. Je ne savais pas trop ce que j'étais.

— Quoi qu'il en soit, nous avons des affaires à clarifier. Voulez-vous bien me suivre?

La question était purement rhétorique; il s'éloignait déjà sur le sol en ciment.

Son bureau, derrière un mur blanc, était aussi dépouillé que le reste de la galerie. Une dalle servant de table, une machine à espresso, un ordinateur portable si fin qu'on le voyait à peine. J'ai pris le fauteuil qu'il m'indiqua d'un hochement de tête, mais Augenblick est resté debout. Il me semblait entendre émaner de lui un bourdonnement imperceptible.

— C'est vraiment troublant.

— Pardon?

— Ce portrait tout craché, c'est bien l'expression, je crois. Du vin?

Je ne bois pas, lui ai-je dit, avec cette gêne que j'éprouvais chaque fois qu'on me rappelait que j'avais un corps, que je ressemblais à quelque chose.

— Il n'est pas très bon de toute façon. C'est une chose à savoir: plus le vin est de mauvaise qualité, plus vite les pique-assiettes vont aux autres vernissages. Mais vous ne refuserez pas un petit café.

Il se tourna pour s'activer sur la machine derrière lui. Il y eut un coup, un raclement, un gargouillement. C'est alors qu'il m'a raconté cette histoire de miroir. Mon oncle, en définitive, avait été comme ces arbres qui poussent autour d'une enceinte. Quand on défonce l'enceinte, que devient l'arbre? Et puis, comme par enchantement, il s'est retourné pour poser devant moi, dans une tasse blanche sur une soucoupe blanche, et avec une cuillère miniature, une décoction noire nappée d'un cercle parfait de mousse caramel. Il m'est apparu que c'était exactement ce dont j'avais eu besoin depuis ma descente d'avion pour secouer cette impression étrange de vies parallèles.

— Bien sûr, nous devons parler de son travail. Les testaments peuvent se révéler compliqués, et quand il s'agit d'œuvres d'art, on se retrouve avec plusieurs exécuteurs.

— Vous devez comprendre que tout ça est encore difficile pour Maman. Elle n'avait pas d'autre frère et sœur.

— Vous aussi, vous le pleurez.

J'ai cherché mon reflet dans la petite cuillère.

— Je ne dirais pas que nous étions proches, pas exactement. Je ne suis pas beaucoup revenu depuis mes dix-huit ans et Oncle William ne voyageait presque pas.

— Eh bien, votre oncle pouvait se montrer… difficile. Il était prolifique une fois lancé, et il avait du mal à faire le tri dans ses idées. C'était vrai de nombreux artistes à cette époque, mais travailler avec lui représentait un défi particulier. Quand j'en ai pris la mesure, le diptyque Evidence m'a frappé par son ambition. Mais il y avait aussi sa musique qui, pour moi, n'en était pas. Et puis quelque chose l'a convaincu de se servir d'un appareil photo, nous avions déjà eu quelques disputes, et j'ai dû lui répéter: « Non, William, ce n'est pas de l'art. Ton talent s'accompagne de certaines responsabilités… » Alors il a trouvé un autre galeriste pour les photos. J'ai conservé les droits de vente exclusifs pour ses œuvres sur toile… mais à ma connaissance, il n'en a commencé qu'une seule après 1977. Son testament établissait la même distinction pour les expositions et les ventes posthumes. Mais le mois dernier, en rangeant l'appartement de William, mon assistante a trouvé quelque chose dont je ne sais que faire. Voulez-vous m'excusez un instant ?

Comment étais-je censé réagir ? J'avais bu son espresso et il me paraissait clair qu'il n'attendait de toute façon jamais de réponse.

Il a disparu derrière un autre mur ou une autre cloison et il est revenu avec une boîte, le genre de boîte qui renferme des rames de papier. Sur le couvercle quelqu'un avait écrit Evidence III au marqueur noir, et j'ai ressenti le même vide dans l'estomac que devant le coup de pinceau d'Oncle William.

— C'est ce à quoi travaillait votre oncle à partir d'octobre 2001 et jusqu'à la fin. Il y avait une lettre sur la boîte. Je crois qu'il désirait que son contenu soit rendu public d'une manière ou d'une autre. À ses yeux, c'était son legs à la postérité.

J'ai pris la boîte sur la plaque de marbre qui nous séparait. Elle était lourde. Je n'aurais pas su dire quel âge avait le ruban adhésif ni si on y avait touché.

— Pourquoi ne pas exposer ça aussi? Vous avez une galerie entière à votre disposition.

— Tout d'abord, William – puis-je vous appeler William? –, Evidence III demeure inachevé. Ensuite, ce n'est pas le genre de matériel que l'on expose. Il est de nature documentaire. Ou peut-être conceptuelle. Ce qui signifie, techniquement, qu'il appartient à la part de la succession qui ne revient ni à Mme Boone ni à moi.

— Bon, je vais le rapporter à Maman alors.

— Ah, mais c'est plus compliqué que cela, William. Cette lettre dont j'ai parlé... elle stipule, en termes très clairs, que la boîte et toute décision à prendre quant à son contenu doivent vous revenir.

J'ai atterri à L.A. l'après-midi suivant en ayant gagné trois heures en vol, et je suis arrivé chez moi avant que Julia soit rentrée de son travail ou ma fille de l'école. Depuis le taxi arrêté devant le trottoir, notre maison semblait à la fois exactement telle que je l'avais laissée et totalement changée. Avant de réfléchir à ce que je faisais, j'ai laissé mes valises devant la porte et j'ai porté la boîte dans la pool house, où je l'ai glissée au milieu du bric-à-brac qu'on accumule au fil des années. Ma fille, au dîner, m'a interrogé sur mon voyage, mais je me suis limité aux généralités. Quand il s'agissait de ma famille à New York, je me limitais toujours aux généralités. Sauf que plus tard, quand je me suis endormi, je me suis retrouvé une fois de plus là, dans ces rues de cauchemar, désertes comme après une épidémie ou une catastrophe. Et la nuit d'après, et celle d'après, pendant des mois.

Cette fois le rêve se rapportait d'une certaine façon à la boîte. Comme si ça avait été le cas depuis le début. Il m'arrivait, une fois tout le monde endormi et pour éviter d'aller me coucher, d'aller dans la pool house. J'allumais la lumière et je la regardais. Evidence III. Je songeais à ôter le ruban adhésif et à plonger dedans, ce cadeau ou cette malédiction destinés à me ramener à cette époque à laquelle nous avions travaillé si durement à échapper. Je songeais à boire. Je songeais à jeter tout ce bazar dans la piscine. Mais pour finir, je rentrais toujours dans la maison, parce que, à dire vrai, il m'était plus facile d'affronter le rêve.

Et puis, il y a une semaine, après une nuit où je m'étais réveillé pleurant de terreur, où j'avais dû descendre furtivement dans la buanderie en faisant fonctionner le séchoir pour couvrir mes sanglots, je me suis rendormi peu après le lever du soleil, et Julia a éteint mon réveil. Quand je me suis levé, je n'ai pas entendu les bruits réconfortants des préparatifs du matin pour l'école, rien que les gouttes de pluie frappant le rebord de fenêtre, et quelque chose clochait dans la lumière. Je suis descendu et j'ai trouvé Julia, à la table du petit déjeuner, occupée à coller sur le carreau un drapeau en nylon bleu avec une colombe. Je me suis vaguement rappelé, à travers le brouillard visqueux du cauchemar qui me collait encore au cerveau, une conversation à propos d'une réunion d'activistes pour la paix de sa paroisse. Et aussi que le pays s'engageait dans une nouvelle guerre.
    — J'ai dit que tu étais malade.
    — Pourquoi as-tu fait ça ?
    — Parce que tu es malade, chéri.
Nous nous sommes assis à la table et nous avons déjeuné ensemble. Quand avions-nous fait cela pour la dernière fois ? Je devais être à la fac de droit. Elle devait être enceinte. J'ai avalé une bouchée de mon sandwich. Je me suis excusé pour le bruit que j'avais pu faire la nuit. Je lui ai dit que les cauchemars étaient revenus. Il s'est passé une minute.
    — Tu vas dire que je devrais essayer de voir un analyste.
    — Je ne vois pas ce que tu as contre l'analyse.
Je n'ai rien contre l'analyse, par ailleurs ; c'est formidable pour les autres. C'est juste que, à mes yeux, l'entreprise procède des mêmes prémices qui provoquent les problèmes qu'elle cherche à soigner. Pour vous autres, ce que je suis, essentiellement, c'est un circuit fermé, composé d'un ego, d'une identité et d'impératifs biologiques. Que je ne le sois pas est peut-être une fiction, mais si je ne peux imaginer un point de référence plus vaste que moi, moralement parlant, alors à quoi bon ? Ce drapeau à la fenêtre – se résume-t-il aussi à un ego, une identité et un self ?
    — Disons que j'ai un blocage.
    — Tu crois que parler à un professionnel te rendra vulnérable.
    — Est-ce le genre d'éclairage puissant que je peux attendre d'une thérapie ?

— Arrête. Arrête. Tout l'intérêt est de libérer ta parole, Will. Tu redoutes tellement que quelqu'un te dise que ton problème est sans issue, tu sais, mais ça se résume à quelqu'un qui te pose des questions.

— Quelles questions ?

— Par exemple, qui es-tu exactement dans ce rêve ? Es-tu encore un enfant ?

Pour être honnête, réfléchir à ça m'a perturbé. Le reflet de la piscine vasouillait au plafond de notre cuisine.

— Je te l'ai déjà dit, c'est plus tard, quand j'étais au collège.

— Et quelle est la différence, comme tu l'entends ?

— Comme j'entends quoi ?

— Entre un enfant et un collégien. La majorité des gens considère ce dernier comme un enfant.

— Pas dans ma famille, non.

Et je me suis retrouvé à lui raconter quelque chose dont j'avais inconsciemment gardé le souvenir : en 77, en plein blackout, quand j'avais douze ans et Cate six, mon père nous avait laissés tout seuls dans les rues de Manhattan.

— Bon Dieu, ton père...

— Non, c'était juste un de ces trucs, tu sais, une erreur de communication à propos de qui devait aller nous chercher au centre de loisirs. Il n'empêche que ça reste pour moi la nuit la plus longue de ma vie. À partir de là, j'ai su que je saurais me débrouiller tout seul.

— Je ne peux pas croire que tu ne me l'aies jamais raconté.

— Pourquoi ?

— Tu as été abandonné, Will. Tu devais être terrifié. Ça te dit quelque chose ?

— Ça ressemble au rêve, ai-je reconnu. Mais ce que j'ai ressenti maintenant, en déterrant tout ça ? Le contraire de ce que je ressens quand je le fais. À un moment à cette époque, quand le blackout a eu lieu, tout semblait sur le point de se transformer en quelque chose d'autre. Et maintenant, je n'imagine pas d'autre vie que celle-ci.

— Peut-être sous les voiles y a-t-il un miroir. Peut-être as-tu peur de regarder dans le miroir et de voir ton père.

J'ai su alors que j'en avais trop dit. Que je l'avais blessée.

— Ce n'est pas ce que j'ai voulu dire, Julia. Je ne sais pas ce que j'ai voulu dire. Je t'aime. J'aime Agnes. J'aime posséder, tu sais, un coin de verdure derrière la maison et de bons avocats en toutes saisons. Non, ce qui me terrifie, c'est où sont les limites. J'ai presque quarante ans.

— Moi aussi, je suis terrifiée. Parce que je t'aime, Will, mais je ne sais pas combien de temps encore nous pourrons tenir comme ça, toi et moi. Quoi qu'il y ait là-bas, tu dois l'affronter.

Et me voici donc, remplissant page sur page, apparemment sans pouvoir m'arrêter. Je commence à penser que je suis désormais coincé à l'intérieur du rêve. Ou que je deviens fou. Je pense sans cesse, en conduisant, en cuisinant, au bureau, en préparant mes dossiers, à une ville couverte d'un voile, dissimulant quelque chose. Je reviens toujours à la nuit du blackout et je cherche à élucider ce qui, exactement, avait changé là-bas, dans le noir.

Et puis, il y a cette dernière chose que Bruno Augenblick m'a montrée avant que je quitte la galerie ce soir-là. Étant donné le poids de Evidence III, il avait tenu à appeler une voiture pour me reconduire à l'hôtel, et du fait de quelque obscure courtoisie continentale, il m'avait accompagné dans la rue. Il y faisait plus frais. Nous avons attendu dans le crépuscule automnal, en écoutant l'écho des klaxons sur les façades, en regardant les entailles des phares plus loin sur l'avenue, tandis que derrière nous, le petit spectacle continuait. Finalement, pour dire quelque chose, je lui ai avoué qu'il y avait encore des détails qui m'échappaient. Le titre, par exemple : « Evidence » de quoi ?

— Et si ces panneaux sur le mur sont Evidence I et que cette boîte est Evidence III, où est passée Evidence II ?

Là-dessus, il a eu son sourire clinique, lumineux mais sans chaleur, et a fait un geste en direction de quelque chose au bout de la rue. Au début, je ne savais pas ce qu'il m'indiquait — et puis je l'ai vu : ce qui était accroché au poteau stop placé à l'intersection n'était pas un panneau stop, mais une toile imparfaitement octogonale et d'un rouge seulement approximatif. Je me suis approché. Juste au-dessus et à droite du « O » il y avait un halo de soleil bleu et, en bas à gauche, la presque totalité de la surface était tachetée d'ombres de feuilles. Ce que je veux dire, c'est que ce qui paraissait être un panneau stop ordinaire au premier coup d'œil était en réalité une toile. La regarder de face, au crépuscule, c'était la regarder par en dessous, de jour. C'est ce qu'on appelle impressionnisme, je crois. On voyait les passages du pinceau, la main de l'artiste, l'homme mort qui l'avait signée: Billy III. Une entaille semblait s'être ouverte dans l'espace objectif, ou dans l'espace subjectif, ou dans un troisième espace, et pendant une seconde, tandis que je restais là à regarder, cette qualité factice s'est répandue jusqu'à englober le signal de danger placé en face sur un puits d'ascenseur – tout aussi faux, ou vrai – et un peu plus loin le panneau orange à côté d'une bouche de métro. Mon oncle n'avait pas voulu faire disparaître la ville; il avait voulu la réimaginer. Échanger l'intérieur de sa tête avec ce qu'il y avait dehors. Qui savait, en réalité, devant combien d'autres exemples de Evidence II j'étais passé en venant ici sans les remarquer? Qui pouvait affirmer, à cette distance de l'horizon dont les découpes avaient été retouchées, qu'il n'avait pas glissé des gratte-ciel en carton au milieu des autres, construits en acier? Qui savait dans quelle ville même je me trouvais? On était en 2003. On était en 1974. On était en 1961. J'ai voulu interroger Augenblick sur l'étendue de tout cela, lui demander jusqu'où se déployait Evidence II, mais quand je me suis retourné, il avait disparu.

LE FRÈRE DÉMON

(12 AU 13 JUILLET 1977)

*Le réveil imminent se tient prêt, comme le cheval de bois grec,
dans la Troie des rêves…*

Walter Benjamin,
Les Passages parisiens

71

L E CENTRE DE LOISIRS QUE REGAN AVAIT CHOISI se trouvait tout là-haut, 82ᵉ Rue Est. C'était l'hiver, le nombre de places diminuait vite et il lui avait paru important d'établir pour les enfants une certaine continuité avec leur ancien quartier. Mais ce choix n'obéissait à aucune logique. Elle n'avait pas pensé aux quarante minutes de métro nécessaires pour les accompagner, puis aux quinze supplémentaires pour regagner son bureau dans le Building Hamilton-Sweeney. À l'âge de Will, elle prenait le métro toute seule, mais aujourd'hui autant rendre vos enfants toxicomanes et leur donner un revolver chargé. S'ils n'étaient pas lavés, habillés et sustentés à 7 h 50, le plus sûr consistait à les mettre dans un taxi. On était maintenant le 13 juillet, à 8 h 23, deuxième jour de canicule. Elle regarda Will pêcher un Cheerio de la pointe de sa cuillère.

— Tu ne pourrais pas te dépêcher un peu, chéri ?

Sa bouche forma une trompette de chérubin et aspira le Cheerio. Le haussement d'épaules qui suivit, voilà ce qui lui restait sur le cœur. Autrefois, ils communiquaient par télépathie ; il apparaissait sans qu'elle l'ait entendu approcher, comme s'il sentait monter la tension et ne trouvait pas d'autre moyen de la calmer. Oui, c'était sûrement son étrange façon de lire en vous comme dans un livre ouvert qui donnait à Keith une furieuse envie de l'envoyer en pension. Mais elle n'avait même pas pu se résoudre à l'envoyer en colonie de vacances et il semblait maintenant chercher à la punir. Au cours des vingt-quatre heures précédant les week-ends chez son père, la moindre suggestion de sa part le hérissait. Il préférerait ne pas, semblait dire le haussement d'épaules.

Et puis Cate déboula des toilettes qui, dans le nouvel appartement, du fait de quelque inadvertance architecturale, étaient adjacentes à la cuisine.

— Je peux avoir des Cheerios?

— Tu as eu des œufs, chérie, il n'y a pas un quart d'heure. As-tu craqué une allumette?

Elle hocha la tête et Regan prit le parti de réserver ses commentaires sur les socquettes dépareillées et le nid de cheveux qui semblait avoir été aspiré dans une égreneuse à coton.

— Va prendre ton sac, chérie.

Aucun doute, les moniteurs ne manqueraient pas de la regarder en pensant : *Parent négligent*, mais tout ça, c'était une pénitence. Et d'ailleurs, on n'avait pas le temps. Dans soixante-quatre minutes, Andrew West viendrait dans son bureau pour revoir la déclaration qu'ils avaient rédigée. À 13 h 30, ils prendraient l'ascenseur pour se rendre dans la salle de presse du quarantième étage récemment rénovée pour informer la forêt de micros que son père plaiderait non coupable des charges de fraude fiscale et de délit d'initié. De toute façon, le procureur s'apprêtait à signer un accord d'immunité avec un deuxième témoin, et ensuite Papa n'aurait plus aucune chance de négocier un plaider coupable, sans parler du fait qu'il perdrait le pouvoir symbolique de le refuser.

Tout ce qui devait arriver arriverait aujourd'hui.

Soixante-trois minutes.

Elle se força à ne rien dire, sachant qu'autrement Will rétrograderait encore, entre un ralentissement délibéré et un temps géologique. Elle essayait de retrouver leur ancienne entente. *Allez, chéri*. Bien sûr, étant donné qu'il était de sexe masculin, l'exaspération était juste une autre façon de l'aimer. Le col rousselé de son tee-shirt. Les taches de rousseur sur l'arête de son nez légèrement retroussé. Ses cheveux longs, probablement sales, retombant sans grâce dans ses yeux.

— William Hamilton-Sweeney Lamplighter, il te reste exactement dix secondes pour finir ton petit déjeuner.

— Peux pas.

— Pardon?

Il leva les mains, comme pour montrer qu'il n'était pas armé.

— J'ai trop mangé.

— Alors, *andiamo*, maintenant.

Elle fit semblant de ne pas voir qu'il laissait son bol pour qu'elle le lave plus tard.

Ils étaient devant la porte, Regan avait un bras dans la veste de son tailleur, quand elle remarqua qu'il manquait quelque chose.

— Où sont tes affaires pour la nuit, Will ?

— Oups !

— Tu ne les as pas préparées ?

— Tu ne me l'as pas dit.

— Je ne t'ai pas dit de mettre ton pantalon, mais tu l'as bien fait tout seul.

De nouveau, le *haussement d'épaules*, qui s'écrivait maintenant en italique dans son esprit. Sa montre indiquait huit heures trente-quatre, et elle eut le sentiment que, si elle ajoutait un seul mot, il saurait qu'il avait gagné. Elle s'agenouilla et boutonna le polo de sa fille. À une époque, c'était Cate qui traînait les pieds et Will qui était consciencieux.

— Chérie, dis-moi que ton père a des vêtements de rechange pour vous.

Cate sourit et se libéra en se tortillant. Apparemment, une de ses dents était tombée.

— On a la télé dans nos chambres maintenant.

— C'est vrai. Il nous laisse regarder tout ce qu'on veut, dit Will.

— Nom de Dieu, Will, si tu ne le fais pas, je le fais moi-même et je choisirai des vêtements qui te feront le regretter. Ne m'oblige pas à compter jusqu'à trois.

Il ne lui était jamais venu à l'esprit que, peut-être, ce n'était pas contre elle qu'il se rebellait. Que peut-être, secrètement, il ne voulait vraiment pas y aller.

Que faire des enfants pendant l'été était une question à laquelle elle n'avait guère réfléchi jusqu'à cette *annus horribilis*. Même en travaillant à temps plein pour la société, elle bénéficiait de congés payés et les longs week-ends au bord du lac Winnipesaukee se succédaient entre Memorial Day et Labor Day, où mari et enfants pataugeaient dans l'eau, où les journées s'écoulaient avec la nonchalance des voiliers au-delà de la ligne bleue des bouées.

À présent, ça lui paraissait une escroquerie que le centre ne les accueille que de neuf heures à quinze heures, et que tout dépassement horaire soit payant. Elle avait appelé à l'avance pour informer les moniteurs qu'aujourd'hui Keith viendrait chercher les enfants. Il devait les emmener à un match des Mets puis les garder tout le week-end, et s'ils allaient lui manquer, comme ils lui manquaient toujours, il y avait désormais une part d'elle-même, et c'était sans doute un progrès, qui pensait: Voyons un peu comment il se débrouille, *lui*, avec tout ça, les douches interminables de Will, les cauchemars de Cate qui la réveillait à minuit et se plantait dans le couloir en demandant de sa voix la plus déchirante: *Est-ce que je peux dormir avec toi cette nuit?* comme si elle ne savait pas déjà que ce serait oui. Seul problème, pour Keith il n'y aurait pas de quoi se mettre martel en tête. C'était un homme qui n'avait pas intégré la relation de cause à effet. En retard pour le centre? Pas bien grave. Chaparder un pot entier de vaseline? Ah! les garçons à l'adolescence!

Non, le vrai problème, c'est qu'il lui manquait. Son rire, l'équilibre qu'il lui apportait; elle regrettait souvent de ne pas être celle qui laissait glisser les choses, et quand Cate appelait depuis le couloir, elle devait d'abord s'assurer que son propre visage était sec, parce que toutes lumières éteintes, hormis le rai d'éclairage public qui s'insinuait entre les rideaux, elle se repassait le film de leur vie de famille, cherchant le moment exact où le sol s'était dérobé. *Grimpe, ma puce*, disait-elle.

Quand elle pensait à mettre Andrew West dans son lit, Andrew à la peau sans pores, à la coupe de mannequin pour cheveux, elle n'éprouvait pas cette avidité qu'elle aurait aimé ressentir, mais plutôt un amour maternel et indulgent. Les enfants ne savaient encore rien de lui pour plusieurs raisons, d'abord parce que Will risquait de voir en lui un rival. Ensuite parce qu'il y avait là un fond de vérité. Andrew n'avait que vingt-huit ans. Elle retardait toujours le moment de coucher avec lui. Mais c'était décidé, ce soir, quand ils auraient fini, elle le laisserait lui faire tout ce qu'il voudrait. Elle espérait que, en prenant le lait, Will n'avait pas remarqué le gigot et la bouteille de chardonnay dans le réfrigérateur. Ou, puisque seuls les enfants la reliaient désormais à son mari, peut-être avait-elle espéré qu'il les remarque.

Une fois sur Henry Street alors qu'ils jouaient au Premier qui Voit le Taxi, Regan s'aperçut qu'elle n'avait pas de quoi payer tout le trajet jusqu'à Uptown. Will n'avait pas d'argent non plus – il avait dépensé tout son argent de poche dans ces satanées cartes de magiciens –, elle avait donc le choix entre arriver en retard à son rendez-vous avec Andrew ou les envoyer seuls dans le métro. Une brume rosée, mélange d'humidité, de gaz d'échappement et de cendres des ghettos, flottait au-dessus des câbles du pont. Il y avait des nappes d'oiseaux, immobiles et blancs. La météo annonçait des records de chaleur et sa blouse commençait déjà à lui coller à la peau. Elle examina Will: c'était encore un garçon sérieux, un garçon intelligent et courageux, et les seuls passagers du métro à cette heure seraient des banlieusards. Elle se lança dans une formation accélérée sur la nécessité d'éviter les inconnus, mais Will l'interrompit :

— Maman, on prend tout le temps le métro tout seuls quand on est chez Papa.

— Je vais faire comme si je n'avais rien entendu, dit-elle, pour qu'il comprenne qu'elle n'avait aucun moyen de savoir s'il bluffait.

Quand elle voulut les suivre à l'intérieur de la station pour s'assurer qu'ils prenaient le bon train, Will grogna. Elle lui donna un baiser sur la tête avant qu'il ne puisse l'esquiver, un autre à Cate puis les regarda disparaître sous terre. Mais pourquoi, quelques secondes plus tard, les suivait-elle à distance respectueuse ? Comme le tourniquet ne la laissait pas passer sans payer, elle resta là à regarder ses enfants attendre sur le quai, entourés d'autres enfants plus âgés flirtant sous l'emprise d'une furie hormonale, des Caribéennes en souliers d'infirmière et de gens affalés sur les bancs qui semblaient déjà soûls. D'une main, Will tenait son sac jaune décoré sur le côté de l'écusson de son école, une petite fleur de tee-shirt coincée dans la fermeture Éclair comme une plante sauvage dans un trottoir. De l'autre, il tenait celle de sa sœur.

Regan regrettait, et ce n'était pas la première fois, de ne pas être une autre, capable de faire confiance à ces enfants parfaitement dégourdis, et donc de ne pas les suivre jusqu'en bas, comme pour sauter par-dessus le tourniquet à la dernière minute, les soulever dans ses bras et faire en sorte qu'ils ne vieillissent plus. Elle les regarda monter dans la rame et s'asseoir en lui faisant face au milieu des graffitis entropiques qui couvraient désormais entièrement les vitres, sans pouvoir détourner la tête. Cate l'aperçut et agita la main avant la fermeture des portes, mais Will regarda le vide devant lui, pareil à n'importe quel adulte sachant où il va – un peu comme William, l'oncle qu'il ne connaissait pas. Entre eux, de fait, il y avait assez de place pour un autre enfant. Elle sut alors, au moment où le métro s'ébranla, que tous ces gosses en train de s'éloigner seraient l'image qu'elle aurait dans la tête au moment de parler devant les caméras de l'avenir de la société qui était sa famille, et plus tard en regardant son jeune collègue et amant potentiel se démener avec le tire-bouchon, et enfin dans le noir quand il commencerait à ronfler, renvoyant Regan à sa solitude, celle qui semble être le lot de chacun.

72

S I ON LANCE UNE BANANE CONTRE UN MUR, il existe une infime possibilité qu'elle traverse le mur. Du moins, c'est ce qu'avait pensé Jenny
Nguyen, treize heures auparavant, accrochée à la sangle d'un autobus qui
remontait Uptown. C'était quelque chose qu'elle avait entendu ce matin
à la radio. Le « Dr » Zig Zigler fulminait à propos des émeutes, ou de leur
inexistence, et bien que l'expérience eût appris à Jenny la futilité de toute
désobéissance civile, son étrange exemple de probabilité basse (pourquoi
lancer une banane contre un mur?) semblait évoquer de manière éloquente
ses chances d'échapper à la solitude. À son dernier rendez-vous obtenu
par le service téléphonique, celui dont elle revenait, elle avait rencontré un
homme robuste, aux cheveux roussâtres, aussi impatient qu'un setter irlandais, auprès de qui, par contraste, elle s'était sentie coincée et en plein syn-
drome prémenstruel. Toute l'affaire, entre le moment où on les avait installés
et celui où ils avaient partagé l'addition, s'était déroulée en moins d'une
heure. À présent, les surfaces dorées des immeubles et des voitures glissaient
sur son reflet dans la vitre. Elle ne pensait pas être *totalement* repoussante
– elle s'était rasé les jambes; son nouveau déodorant tenait le coup malgré
les trente-deux degrés – et si seulement elle pouvait éviter d'exprimer toutes
ces foutues *opinions*… Mais à quoi bon se perdre en conjectures? Ce que
faisait la Jenny dans la vitrine, c'était rapporter un sac rempli de demandes
de bourse dans son appartement sans climatisation pour commander du
chinois, travailler encore une heure et, peut-être, avant de dormir, s'autoriser

à lire quelques pages du manuscrit de son voisin mort, puis se réveiller et tout recommencer. D'un côté, on ne pouvait compter sur rien ; de l'autre, jour après jour, il y avait de moins en moins d'espoir de changement.

Peut-être était-ce une bonne chose, car tous les jours depuis deux mois et demi, depuis la dernière fois où quelque chose *avait* réellement changé, elle ressentait le choc du deuil aussitôt qu'elle posait le pied dans son immeuble, une sorte de rayonnement gamma scintillant à travers les parois métalliques séparant sa boîte aux lettres de celle de Richard, et traversant ce qu'elle considérait toujours comme sa porte. Elle n'avait pas encore remarqué que, vague de chaleur ou pas, le couloir en haut était plus chaud qu'il n'aurait dû. L'arôme de kérosène, elle l'attribua aux plats exotiques cuisinés dans l'appartement 2J. Elle eut pourtant une légère hésitation en introduisant la clé dans la serrure poisseuse de sa porte et en ouvrant – une seconde au cours de laquelle l'appartement resta une boîte noire. Un/Zéro. Y aller/Ne pas y aller. Se mouiller/Ne pas se mouiller.

Et puis elle fonça bille en tête, ses mains volant à ses narines. On avait laissé une fenêtre ouverte d'où soufflait un courant d'air plaquant partout les papiers carbonisés. Les lampes étaient masquées par la fumée. Les tiroirs, béants, formaient des angles impossibles. Des fragments de vêtements et de papier mouillés collaient aux surfaces comme des confettis aux pare-brise après la pluie. Les cartons qu'elle avait soigneusement rangés dans le coin – des cartons et des cartons remplis des papiers de Richard ! – avaient été brûlés puis imbibés d'eau, semblait-il. Claggart, réfugié dans un coin du canapé-lit, paraissait indemne hormis ses yeux un peu chassieux. Elle allait l'appeler lorsqu'elle se souvint qu'un incendiaire pouvait encore se terrer dans l'appartement et l'écouter respirer.

Saisissant le chien, elle se précipita dans le couloir et descendit en courant, quatre à quatre, les marches de l'escalier de secours. C'était pour cela qu'on l'avait installé. Mais quelles étaient les probabilités qu'il remplît un jour sa fonction ? Encore une fois, tout dépendait si vous étiez pour ou contre, la banane ou le mur.

Les flics, quand ils arrivèrent enfin, pensèrent à un cambriolage. Elle tenta de leur expliquer qu'il ne manquait rien. Et puis, pourquoi tout incendier ? Le plus grand des policiers souleva le rideau à la fenêtre, examina l'échafaudage.

— En général, ce qu'ils cherchent, c'est une télé.

Elle n'avait pas de télé, expliqua-t-elle.

— Et où y aurait une télé, avec tous ces cartons ?

M. Feratovic se tenait dans l'embrasure de la porte, les bras croisés, répandant son napalm de désapprobation sur tout ce qu'il rencontrait. C'est lui qui avait voulu, malgré l'opposition de Jenny, faire intervenir la police, et à présent elle comprenait pourquoi.

— Vous gardez tout ça, ça peut provoquer un incendie. Inspecteur, vous êtes d'accord, il y a un risque d'incendie ici.

— Inspecteur, dit-elle, vous reconnaîtrez que cet échafaudage, dehors, est un appel au cambriolage ?

— Des junkies à la recherche d'argent facile, reprit le grand policier, comme s'il n'avait pas entendu. Quand ils n'obtiennent pas ce qu'ils cherchent, ils saccagent tout.

Jenny lui demanda s'il allait prendre des empreintes, il se contenta de rire.

Plus tard, M. Feratovic monta des ventilateurs pour aider à chasser la fumée. Il avait vu pire, dit-il. Demain matin, elle ne sentirait plus rien. Mais cette nuit-là, elle n'eut pas le courage de dormir les fenêtres ouvertes. À l'idée que quelqu'un était entré, avait foulé son tapis, respiré son air... elle se sentait toute retournée. Il y avait des centaines d'effractions tous les jours dans cette ville, à en croire le plus petit des deux flics – et si les cambrioleurs revenaient ? Bon, au moins le manuscrit de Richard était intact ; en dépliant le canapé, elle l'avait trouvé par terre, en dessous, où il avait dû glisser la nuit dernière.

Elle décida d'allumer une lampe. Elle avait shampouiné Claggart pour chasser l'odeur de fumée et il était encore mouillé, mais elle l'installa près d'elle sur le matelas invertébré, et posa un verre de vin sur l'accoudoir, tel un fétiche destiné à éloigner d'autres turbulences. Elle ouvrit à la page marquée par des photos dont elle s'était servie pour retrouver la page 21, où elle avait arrêté sa lecture de « Les Artificiers ». Le vin, pensa-t-elle, l'aiderait à s'endormir au bout de quelques minutes, de quelques pages de plus. Plusieurs heures plus tard, cependant, elle serait encore assise à relire, le cœur battant, convaincue que l'effraction n'avait pas été une probabilité basse. Quelqu'un avait voulu détruire le contenu de ces pages – et peut-être davantage. Au matin, elle allait devoir agir. Ou était-ce déjà le matin ? C'est seulement en voulant regarder son réveil qu'elle vit qu'il manquait quelque chose, en fin de compte.

73

APRÈS SON RETOUR D'ALTANA, Mercer n'avait pas attendu longtemps pour que sa vie recommence à se lézarder. Les filles de Wenceslas-Mockingbird – des filles bien, vraiment, à la froideur aussi superficielle qu'un givre matinal – ne cessaient de lui jeter des regards de commisération. Et puis un jour, dans le miroir des toilettes des professeurs, il avait vu pourquoi. L'insomnie lui avait laissé de lourdes valises sous les yeux. Par endroits, sa barbe avait échappé au rasoir. C'était le troisième jour de suite qu'il portait la même chemise et le pull chasuble qu'il mettait pour cacher le tissu froissé était lui-même froissé. Ayant tamponné ses aisselles avec des serviettes en papier, il avait regagné le hall. L'air était imprégné de cette immobilité jaunâtre et moite qui régnait toujours quelques minutes avant la dernière sonnerie, comme s'il se préparait à voler en éclats. Non loin, des voix conjuguaient à l'unisson le verbe *vouloir**. De la loge du concierge lui parvint une odeur de brûlé. La porte n'était pas fermée à clé, et quand il l'ouvrit, deux filles en tenues de hockey qui se tenaient à la fenêtre pivotèrent aussitôt. Avaient-elles la permission d'être ici? M. Curtis savait-il où elles se trouvaient? Et cette odeur?

— Quelle odeur? demanda l'une d'elles, tandis que sa complice, n'en pouvant plus, crachait un nuage de fumée brun-bleu. M. G., soyez cool, s'il vous plaît. On est à deux mois du diplôme.

Il tendit la main. Il devait avoir l'air légèrement perturbé; elles avaient fait disparaître la preuve par la fenêtre, mais elles semblaient effrayées, comme s'il n'était pas un professeur d'anglais, mais le Tueur de Socquettes en personne.

— Où est le reste?

Dans son vestiaire, avoua sa complice. Il s'entendit proposer un arrangement. Elles avaient jusqu'à quinze heures pour lui remettre l'herbe qu'il se chargerait de faire disparaître. En échange de la promesse de ne plus recommencer, il ne dirait rien.

Il avait probablement eu l'intention de la détruire, mais la quantité que ces filles de riches avaient apportée l'avait stupéfié : un sac, gros comme sa tête, qu'il aurait été dommage de gâcher. Au début, il en avait prélevé un peu le soir, comme soporifique, mais il n'avait pas tardé à en prendre aussi le matin. (L'incinération était après tout une forme de destruction parmi d'autres, non?) Sa pédagogie connut quelques dérèglements. Il sentait le regard de ses élèves, en première heure, fixé sur le pan de chemise qui dépassait de sa ceinture tandis qu'il expliquait au tableau une subtilité de *Portrait de l'artiste*. La cause FORMELLE d'une chose – il écrivit le mot en grosses lettres majuscules – est ce qui la rend définissable. (*Pourquoi William l'avait-il quitté? Parce que William ne vivait plus avec lui.*) Et la cause FINALE, selon ARISTOTE, c'est le moteur non mû. ὅ οὐ κινούμενον κινεῖ. «*Alias* Dieu.» À cet instant précis, le Dr Runcible était apparu derrière la porte de la classe. Il avait dû se réjouir de voir un honnête *wunderkind* afro-américain enseigner le grec à ces jeunes Caucasiennes. Ce que Runcible n'entendait pas, derrière la vitre gravée, c'était Mercer en train d'expliquer que les deux premières causes étaient de la daube typiquement aristotélicienne. Plus essentielle, et nullement le fait du hasard, presque impossible à isoler, était la cause EFFICIENTE – le *x* qui entraînait le *y*. Ou bien le bon docteur avait-il entendu, en fait? Car il passait la tête pour demander à Mercer de venir dans son bureau après la classe. Mercer sentait ce qui se préparait, mais comme de très loin. Une année entière de leçons encombrait le tableau à hauteur des yeux, traces nuageuses d'éponge et, en dessous, entrelacs de craie indistincts pareils aux trajectoires des électrons. Un jour, William et lui avaient couru à toute vitesse l'un vers l'autre; le lendemain, ils étaient renvoyés à leur solitude. Mais pourquoi? Pourquoi *y*?

In camera, Runcible s'était dispensé des futilités. Il avait reçu une plainte.

— Deux de vos élèves, lors d'une audition devant la commission d'évaluation, ont déclaré avoir négocié avec vous un arrangement en nature, quand vous avez découvert leur intention de fournir en marijuana toute la classe de terminale. Témoignage qui semble s'accorder à votre comportement récent.

Voulez-vous tenter de me donner une explication ? Car, pour vous parler franchement, je ne sais qu'en penser.

Le compte rendu n'était pas tout à fait exact, mais Mercer ne voyait pas comment il *pouvait* expliquer. Ou prétendre n'avoir pas été prévenu.

— Ce que vous faites sur votre temps libre est une chose, Mercer. Mais je crois que vous ne saisissez pas la gravité de votre collusion. La déontologie me lie les mains. C'est dans votre contrat. Je ne peux pas demander au conseil de le renouveler à l'automne à moins de circonstances atténuantes que vous souhaiteriez me préciser.

— Je n'ai pas l'intention de tout mettre sur le dos de deux lycéennes, si c'est cela que vous voulez dire.

Le Dr Runcible soupira.

— J'apprécie que vous obéissiez à votre propre code, Mercer. Achab aussi, mais lui auriez-vous confié votre fille ? Je peux faire en sorte que vous conserviez votre salaire jusqu'après les examens, à condition de vous ressaisir et de garder le silence. Et à titre personnel…

Mais Mercer avait décidé de ne pas écouter le titre personnel, car le mal était déjà fait. Non seulement il vivait de nouveau seul, mais en plus il n'avait plus de travail. Il lui restait 247 dollars sur son compte en banque. Dans le loft, la Selectric était débranchée, un feuillet blanc glissé à l'intérieur. On pouvait considérer les choses sous tous les angles – matériel, émotionnel, esthétique – son temps passé à New York n'avait débouché sur rien, et une fois ses économies tombées à zéro, ce serait Greater Ogeechee, je reviens au pays !

Et donc tous les jours, depuis la fin des cours, la seule chose qu'il attendait vraiment, c'était le moment où il montait sur le toit de son immeuble. Le soir avait sa préférence. Se caler dans une chaise pliante, lire toujours les deux mêmes pages de *Feuilles d'herbe*, se défoncer, se morfondre. Et à la tombée de la nuit, les incendies de l'été commençaient à flamboyer à l'horizon, des feux de l'enfer qui le distrayaient de la médiocrité pathétique de son existence. Mais au début du mois de juillet, Bullet s'était mis à organiser en bas ces fêtes dingues et la nuit du 12, sans raison particulière sinon qu'on était mardi, les Angels étaient montés sur le toit. Mercer avait décidé de reporter son ascension jusqu'au matin, quand il pourrait disposer de l'endroit pour lui tout seul.

Et il venait de monter. Pas encore midi et c'était le Götterdämmerung là-haut, les chaises trop chaudes pour s'y asseoir, le O en fer géant de l'enseigne Knickerbocker plus ou moins fondu au-dessus. Il posa son livre. Aspira une bouffée. Regarda les pigeons picorer des capsules de canettes enchâssées dans le papier goudronné. L'un d'eux se dandina vers lui, clignant des yeux en morse, secouant la tête d'avant en arrière, tel un Égyptien minuscule, avant de l'écraser contre le toit. Bien sûr il ne s'attarda guère sur sa misérable stupidité, car il avait ses propres problèmes, tout aussi insolubles, contre lesquels se cogner la tête.

Le hululement d'une sirène quelque part dans l'infini réseau des rues l'attira au bord du toit. La vue donnait le vertige : des poubelles, chacune comme l'œil d'un cyclone six étages plus bas, un réverbère dont la base éventrée laissait échapper des spaghettis de câbles colorés, un électricien sautant d'une camionnette et pénétrant dans l'immeuble d'en face... et oui, le premier panache de fumée de la journée, là-bas, au nord du parc. L'été dernier, avec William, il avait été plus facile d'imaginer ces estompes noires comme autant de volutes badigeonnées sur le ciel. Mais dès lors qu'Harlem aussi succombait aux incendies, il avait plus de peine à oublier que ceux-ci concernaient de vraies gens et que, par-delà le spectacle de la ville en feu, il y avait une étagère d'albums, des coussins sur un canapé, ou, par malheur, un enfant. Peut-être la sirène était-elle celle d'un camion de pompiers ? Mercer n'en voyait nulle part, mais tel un opiniâtre saint Bernard de la métaphysique, il ne parvenait pas à se débarrasser de l'idée qu'il existait une réalité objective quelque part, à l'extérieur de sa tête.

Il fit un pas de plus vers le bord, aspira une longue bouffée, jeta le joint et ouvrit les bras comme le Jésus de Rio de Janeiro. Ce qu'il fallait, c'était un gramophone avec une trompe de la taille d'une cloche d'église, la diva Leontyne Price dans la grande aria de l'acte III de *Madame Butterfly*. Non, ce qu'il fallait, en fait, c'était que la ville, que n'importe qui, voie comme on souffrait. Bien sûr, New York étant ce qu'elle était, on lui aurait simplement conseillé de laisser pisser. N'était-ce pas ce que l'oiseau avait tenté de lui dire ? Était-il possible que le mois écoulé fût une sorte de châtiment qu'on lui infligeait pour avoir osé un jour prétendre que quelque chose avait un sens ? Et d'ailleurs, que venaient foutre ces électriciens dans un quartier où les réverbères ne marchaient plus depuis l'administration Nixon ?

Ce furent les battements d'ailes qui vinrent découper des rubans dans ses rêveries. Obéissant à un signal qui lui avait échappé, les pigeons s'envolèrent. Ils étaient maintenant des centaines, semblait-il, un tumulte qui éclatait, brassant l'air autour de la tête de Mercer. Il voulut les disperser, mais il finit par dériver dans un espace vide, toussant et criant à la fois. Dans le maelström de plumes, il ne savait plus s'il avait tourné à cent quatre-vingts ou trois cent soixante degrés, et son corps, saisi de panique, dut décider que la seule manière d'éviter une chute de trente mètres était de tomber à plat ventre sur le papier goudronné, car c'est ainsi qu'il se retrouva, face contre terre.

Il fallut plusieurs respirations pour que le monde recouvre sa solidité. Une douleur se faisait sentir à la base de sa paume, entaillée par une capsule de bouteille. À quelques dizaines de centimètres, ses lunettes gisaient, ancrées dans des cartouches de lumière. Quand il les rechaussa, il reconnut Eartha K. juchée au-dessus d'une porte, agitant la queue avec dédain. Et en dessous, la silhouette qui avait effrayé les oiseaux : cette Vietnamienne distante, rencontrée lors du bicentenaire.

— Jenny Nguyen ? Est-ce que vous vous rendez compte que vous avez failli me faire tuer ?

— J'ai frappé et frappé à votre porte. Quand j'ai tourné la poignée, le chat s'est échappé.

— Vous allez au moins m'aider à la redescendre ? Je ne voudrais pas qu'elle tombe du toit.

Pour Jenny, « aider » semblait signifier regarder d'un air sceptique Mercer faire semblant d'avoir quelque chose de délicieux dans sa main ensanglantée. Eartha plissa les yeux à son approche – ils savaient tous les deux que le chat était la créature supérieure – mais elle se laissa emporter dans le sanctuaire du loft. Là, Mercer mouilla une serviette et nettoya les particules qui adhéraient à ses mains, tamponna son visage moite. Dans la glace au-dessus du lavabo, sa peau apparaissait plus foncée que l'autre jour dans les toilettes des professeurs, mais peut-être était-ce tout ce soleil. Entre les favoris qui lui descendaient dans le cou et les lunettes maintenant tordues, il aurait pu être le Allen Ginsberg noir. Jenny s'éclaircit la voix derrière lui.

— Mercer, je dois parler à votre petit ami. Savez-vous quand il va revenir ?

— Bruno ne vous l'a pas dit ?

— Bruno ne me dit rien. Et ce n'est pas comme ça que ça se passe entre nous.

— William et moi, c'est fini. Il a déménagé il y a quatre mois.

— Il n'est pas revenu depuis ? Merde.

Quand il se retourna, il la vit en train d'examiner l'autoportrait de William.

— Il doit pourtant bien être quelque part.

— Ce serait logique. Mais je n'en sais pas plus que vous.

— Vous n'avez pas la moindre idée ?

Comme elle se dirigeait vers le futon, perdue dans une détresse toute personnelle, son regard cessa de le voir. Et de sentir combien elle était affectée par la nouvelle de la rupture, il se dit qu'il ne la détestait pas autant qu'il le pensait.

— Ça ira, asseyez-vous.

Il ne s'était pas aperçu jusqu'alors qu'elle tenait un classeur.

— C'est à propos d'un tableau ?

Elle leva la tête.

— Non, mais il est vital que je le retrouve.

— Vous n'allez pas me dire pourquoi ?

— Vous allez me prendre pour une folle.

— Qui vous dit que ce n'est pas déjà le cas ?

Elle se leva et se dirigea vers la fenêtre, mais quelque chose l'arrêta à mi-chemin. Et elle se mit à parler très vite, tournée vers la vitre :

— Mercer, écoutez-moi. William s'est mis dans un sale pétrin. Il me manque encore des éléments, mais il est suivi.

— Comment le savez-vous ? Et comment ça, il est suivi ? interrogea-t-il tout en se rappelant le jour de Noël et les hématomes inexpliqués de William.

— On l'espionne, on le traque. J'étais venue le prévenir. J'ai pensé qu'il saurait peut-être d'où vient le danger. Peut-être des mêmes enfoirés qui ont tout cassé chez moi, en espérant mettre la main sur ce manuscrit. Si ça continue, ils vont finir par se balader avec des crans d'arrêt.

— Laissez-moi regarder.

Elle serra le classeur sur sa poitrine.

— Ce n'est pas le moment, Mercer. Il faut nous éloigner d'ici.

— Vous savez quoi ? Laissez tomber, je crois vraiment que vous êtes folle.

— Il faudrait peut-être le dire à votre ami, là-bas.

Elle fit signe à Mercer d'approcher. Sur le toit d'en face, il y avait un Noir en combinaison de travail, l'électricien qu'il avait vu tout à l'heure. Il cherchait peut-être un boîtier de raccordement, mais quelque chose clochait dans ses cheveux, d'un vert acide éclatant. Et qu'est-ce qui étincelait dans sa main ?

— Non, ne vous montrez pas, dit Jenny.

Et au moment où elle le tirait sur le côté, l'homme sembla pivoter en direction de la fenêtre.

— Je crois qu'il m'a vu, chuchota Mercer.

— Maintenant demandez-vous pourquoi vous chuchotez.

Eh bien, parce que cet électricien dégageait quelque chose d'indéniablement malfaisant. Ce petit visage sombre et sans expression. Mais il pouvait s'agir d'un effet secondaire de la marijuana. De grâce, Cause Finale, songea Mercer. Que ce jour finisse et je laisse tomber, je le jure. Et il eut la vision fugitive d'un cimetière, avec Regan regardant derrière des vitres teintées la personne qui était restée là à tergiverser, alors que William, quelque part, avait besoin de lui.

— C'est peut-être des mecs de la drogue.

— Des mecs de la drogue ?

— Des dealers qui n'ont pas été payés. Ou des gens qui viennent chercher l'argent. Vous savez que c'est un junkie, n'est-ce pas ?

— Comme je l'ai dit, je ne sais pas grand-chose de William, ou le nom qu'il se donne en ce moment, au-delà du fait qu'il mène une double vie sous le nom de Billy Three-Sticks – et du contenu de ce classeur. Maintenant, est-ce qu'on peut sortir de l'immeuble autrement que par la porte principale ?

— Pourquoi ?

— Mercer, s'il a déménagé il y a quatre mois et qu'ils continuent à surveiller, c'est de toute évidence que vous êtes mêlé à tout ça, vous aussi.

Il se disait qu'il pourrait opposer toutes sortes d'arguments à cette logique onirique, mais à quoi bon ? Jenny Nguyen irait dans un autre coin du loft déterrer quelque objet dont il ne voulait pas savoir qu'il s'y trouvait depuis toujours : une charge de plastic, un terrier à rats, une tête en décomposition. Il la conduisit au monte-charge.

Dans le sous-sol, il régnait plus de fraîcheur et d'ombre et, sous les lampes éparses, une odeur légère de menthe. Les quelques caisses du temps de Knickerbocker alternaient avec les affaires de locataires enfuis ou expulsés, le tout formant un labyrinthe au milieu duquel, au loin, une radio babillait. Mercer eut conscience de l'idée inquiétante qu'il pût y avoir un autre électricien, mais il s'agissait plus vraisemblablement d'un des Angels, dans les vapes sur une palette. Les portes métalliques qui donnaient sur la rue étaient brûlantes, elles résistèrent une seconde, puis quelque chose se débloqua et la longue lame de lumière s'élargit en un fragment de monde. Ici, sur le côté nord de l'immeuble, la rue était déserte, ses entrepôts scellés comme des tombes.

— On prend vers l'est, décida-t-elle.

Mais sans magasins pour leur servir d'abris, sans rues de traverse, rien ne les protégerait contre quiconque aurait voulu leur nuire. Comme Mercer hésitait, juste au coin de la 10e Rue, Jenny lui dit de ne pas se retourner.

— Continuez à marcher. Encore un pâté de maisons et on commencera à voir des taxis.

Tout à coup, une forme floue déboula dans l'avenue derrière eux. Elle se figea sur place.

— Merde. C'était leur camionnette ?

— Comment ça pourrait être leur camionnette? Le mec est toujours sur le toit.

Mais, dix minutes auparavant, il ne croyait pas non plus qu'ils étaient sur le toit, songea-t-il, en même temps que des pneus crissaient et que la camionnette qu'il avait vue d'en haut faisait marche arrière à toute vitesse. Était-ce son imagination ou l'éclat du soleil sur du métal derrière la vitre à l'instant où le véhicule tourna dans la rue?

— Venez, dit-il en lui attrapant le bras.

Ils coururent jusqu'à l'intersection suivante, et Jenny, avec ses petites jambes, dut lutter pour se maintenir à sa hauteur. Il ne regardait pas en arrière, mais il entendait le bruit du moteur de plus en plus fort. Soudain, les feux ayant libéré la circulation perpendiculaire sur la 9e Avenue, elle saisit la poignée d'un taxi et il grimpa à côté d'elle en ordonnant au chauffeur de rouler. Il pria pour que la camionnette soit bloquée au rouge, et fut exaucé assez longtemps pour qu'ils puissent foncer vers le sud, sans poursuite, sans balle traversant le pare-brise arrière. Si Jenny, sur le siège à côté de lui, n'avait pas elle aussi vu la camionnette, il aurait pensé que tout ça n'avait été qu'un rêve. Au bout d'une dizaine de rues, ils s'arrêtèrent à un feu. Dans le rétroviseur, le chauffeur était impavide. Encore un de ces couples.

— On va quelque part en particulier?

— Le commissariat le plus proche, c'est quoi, 34e Rue? demanda Mercer à Jenny qui serra plus étroitement son classeur.

— Hum, hum, pas question. Assez de flics comme ça. Et d'ailleurs ce ne sont pas des mecs de la drogue, comme vous dites. Les mecs de la drogue ne se baladent pas déguisés à bord d'une camionnette.

— Alors c'était quoi?

Jenny jeta un coup d'œil en arrière. Une seconde, elle eut l'air de partager son égarement.

— Je ne voudrais pas tirer de conclusions hâtives, Mercer, mais je commence à penser que si je connaissais la réponse, nous aurions des ennuis autrement plus sérieux.

74

PARLER D'UN ANCIEN CLIENT ne constituait pas seulement un manquement à son obligation de confidentialité, mais aussi, pensait Keith, un
manquement à la loyauté, et pourtant il était là, dans un bureau climatisé
situé à un étage élevé de la tour nord du Trade Center, évitant du mieux
qu'il pouvait de regarder le document posé à l'envers sur la table entre
les mains de l'avocat du gouvernement, ou les mains elles-mêmes, pâles
champignons qui n'avaient jamais connu la lumière du travail honnête. Ce
document devait lui garantir l'immunité contre toute poursuite, mais, pour
Keith, la loyauté signifiait encore quelque chose. Et si, en posant les yeux sur
ses propres mains, des mains qui avaient manié des ballons, des marteaux,
des volants, il avait découvert qu'elles aussi étaient devenues pâles à force
d'inactivité, il n'aurait pas été capable d'aller jusqu'au bout.

Heureusement, son côté de la table offrait peu de prétextes à se servir de
ses mains. Il y avait un verre d'eau, maintenant à température ambiante. Il y
avait un stylo-bille. Il avait dû laisser sa mallette à l'entrée ce matin, comme
si lui était mis en examen, et il se dit qu'il allait sans doute devoir s'y habituer. Personne ne faisait confiance à un homme qui retourne sa veste. Mais
il ne s'agissait là que d'une autre forme de marché : information contre
sécurité. Il assurait l'avenir de Will et celui de Cate, aussi solidement que
l'aurait désiré leur grand-père (contre qui on avait déclaré à Keith que les
charges ne faisaient pas un pli, « même sans votre témoignage »), et pourtant il se sentait indécis. On l'avait fait asseoir face à la baie vitrée, comme

pour dire : Tout ça peut être à vous, il n'y a plus qu'à signer, mais ce que Keith voyait là-bas, au-delà des bâtiments ordonnés comme des crudités sur un plateau, c'étaient des types comme lui, des types avec qui il était allé à l'école, maniant des fers à souder, des scalpels, les boules de billard noires des leviers de vitesse à l'intérieur des grues, sondant la résistance que la ville opposerait à leurs boulets de démolition. Son tempérament d'Irlandais lui dictait de s'emparer du document et de le rouler en boule, de prendre le risque, d'être un homme. Trader, pensa-t-il. Traître. Il devait y avoir un autre moyen.

L'adjoint du procureur fédéral qui l'avait courtisé toutes ces dernières semaines s'était volatilisé, le laissant seul avec ce docteur en droit au crâne clairsemé et quasiment sans sourcils, qui s'exprimait en murmurant comme si la moindre de ses paroles n'était pas déjà confidentielle. Chaque fois qu'il montrait son empressement à l'égard d'une question d'importance, l'accord d'immunité avançait de quelques centimètres sur la table ; chaque fois que Keith ne donnait pas de réponse satisfaisante, le document reculait. En dépit d'objections répétées, il avait insisté pour venir signer sans son propre avocat, à la fois parce qu'il ne pouvait pas se payer un autre conseil que Tadelis jusqu'à sa déposition officielle et parce qu'il ne supportait pas l'idée de passer pour coupable. À présent, interrogé de nouveau sur ses affaires avec Hamilton-Sweeney *père** – « juste pour passer en revue ce que vous nous donnez » – il tentait de gagner du temps. Il rappela sa première rencontre avec le personnage, les chaises de salle à manger à haut dossier, les portraits à l'huile des ancêtres.

— C'est la première fois que je voyais du *consommé**. Je n'ai pas cessé de chercher la viande cachée au fond. Mais le Vieux Bill ne m'a jamais fait sentir que je n'avais pas ma place à sa table. Une fois qu'on a un peu fendu l'armure, c'est un homme bien. Mal compris, certainement. Comme souvent avec les gens bien.

Mais qui avait eu l'idée de placer le «Vieux Bill» en position longue sur les obligations municipales ?

Cette question n'avait-elle pas été résolue avec le témoignage de quelqu'un d'autre ? demanda Keith.

Les doigts de l'avocat dessinèrent un pont au-dessus du document, un geste qui évoquait curieusement un montreur de marionnettes. Keith préférait le patron.

— Vous remarquez que nous revenons sans cesse à cette question des obligations.

— Peut-être pourriez-vous m'expliquer de nouveau ce qui est reproché à Bill. C'est un marché très peu réglementé.

On ne pouvait pas mettre en cause Keith en l'absence d'un avocat, si ?

— Le principe est la valeur d'échange, monsieur Lamplighter. Dans le sens où l'information est convertible en valeur. En information non accessible à tout le monde sur le marché.

Intéressante, la façon qu'avaient ces types du gouvernement d'éviter l'emploi du mot *argent*.

— Je sais que c'est difficile de s'y faire, mais acheter des obligations n'a rien à voir avec jouer aux courses. En 72, 73, les obligations municipales offrent une garantie solide.

— Mais à l'hiver 75, je ne vous l'apprends pas, la ville était en faillite. La dette – selon votre propre portefeuille à ce moment-là ainsi que nous avons pu l'établir – approchait une valeur nulle. Vous parvenez pourtant à la revendre à votre beau-père à hauteur de quatre-vingts pour cent de son estimation, à intégrer la différence dans vos pertes, et trois mois plus tard, après le plan de renflouage, elle est revendue à son prix de départ augmenté des intérêts.

— Sur une position aussi longue, c'était tout de même un énorme haircut.

— Si ce n'était pas le cas, monsieur Lamplighter, vous seriez vous-même en train de préparer votre procès. Ce qui, incidemment, peut encore se faire. Nous parlons des douze pour cent engrangés par Hamilton-Sweeney grâce à la transaction. Neuf cent mille dollars. Et, selon nos sources, votre beau-père disposait de l'information sur l'annonce imminente du plan de renflouage.

Ou Amory Gould, plus vraisemblablement, pour qui l'information était presque une fin en soi – mais l'information qu'Amory détenait sur Keith (toutes ces enveloppes, pleines de Dieu savait quoi) l'empêchait de le *dire* sans courir le risque d'être impliqué davantage. Et c'était bien la signature de Bill, quoiqu'un peu tremblante, qui apparaissait sur la copie carbone du mémo qu'on lui avait montrée. Les souvenirs des cartes de vœux sur lesquelles il l'avait vue réveillèrent des souvenirs de Regan, qui hier au téléphone avait laissé entendre de manière assez peu subtile qu'elle avait un rendez-vous…, puis des enfants qu'il emmenait ce soir à un match des Mets. En matière de souffrance, c'était un long glissement associatif, sauf que cette fois il s'acheva sur une inspiration.

— Hé, vous n'avez pas faim ?

L'avocat cligna des yeux, sans comprendre. C'était comme s'il existait un mur invisible, pensa Keith, et que, pour le franchir, il fallait tourner le dos à toute vie animale, à tout désir de la chair. Dans le futur bien réglé que préparaient les bureaucrates fédéraux, les Amory Gould, les Rohatyn et la Commission trilatérale, les gens seraient aussi désincarnés que les chiffres, disparaissant dans l'inconnu. Mais n'était-ce pas précisément ce comportement animal, l'acquisition et la dépense, qui, dès le départ, avait permis cette ascension phénoménale des chiffres ?

— Vous n'avez pas faim. Un petit creux. Besoin de manger. Il est plus que temps de déjeuner. Si vous voulez continuer à pointer pendant que je vais manger un bout, je ne le dirai à personne.

Il se leva et se dirigea vers la porte. L'avocat, peut-être trop surpris par l'insolence de Keith, ne remarqua pas qu'il partait avec le stylo du gouvernement. Keith n'aurait même pas su dire pourquoi ; c'était de la camelote et, dès qu'il fut dans la rue, il s'en débarrassa.

En bas, le mercure avait encore grimpé de huit degrés. Un vendeur de hot-dogs, assis sur l'attelage de sa remorque, juste sous l'ombre de la tour nord, suait à grosses gouttes. Des pigeons, une ou deux mouettes, et une autre espèce que Keith reconnaissait à peine se disputaient les miettes d'un petit pain qu'il leur jetait. Keith n'avait rien d'un franciscain, il voyait un geste narcissique dans le fait de nourrir les oiseaux qui nous survivraient. Mais à quoi bon interrompre cette réunion pour un simple hot-dog ? Il décida de faire à pied le long chemin jusqu'à ce bar à sandwichs dans le Village. À défaut d'autre chose, il gagnerait du temps.

Il prit vers le nord en coupant par Chinatown, dont la puanteur, l'été, était la ville elle-même, son essor et sa décomposition. Des femmes poussant des chariots et des hommes maigres passaient en se hâtant. Des gens lui fourraient des objets sous le nez, parapluies, valises, canard entier, sémaphores frénétiques du commerce dont il n'avait pas besoin de parler la langue pour les comprendre. Et puis, devant l'un de ces magasins qui vendaient tout cela plus des bijoux et de l'électronique, le torrent ralentit. Des gens s'étaient arrêtés pour regarder une télévision dans une vitrine. Il descendit du trottoir et marcha le long du caniveau, mais la cataracte s'était élargie jusque-là. Arrivé vers Canal Street, il ne pouvait plus bouger.

L'intersection suivante avait été vidée de ses voitures et des centaines de personnes défilaient dans la rue, des milliers peut-être. Des obsèques, se dit-il, comme à La Nouvelle-Orléans, ou une de ces marches en l'honneur d'un saint cireux que les Italiens entreprenaient un week-end sur deux. Mais cette foule était trop décontractée pour être religieuse. Les hommes portaient des jeans, des tee-shirts sans manches, ou des chemises de travail avec des badges syndicaux. Les femmes avaient la peau très bronzée, les cheveux relevés en chignons hauts. Les fameuses ethnies blanches, le retour du refoulé, mais contre quoi des gens comme eux manifestaient-ils? Une honte obscure monta en lui tandis qu'il tendait le cou pour lire les pancartes éparpillées. TOUS DINGUES. ÇA SUFFIT. REPRENEZ LA POMME.

Au même instant quelque chose d'extraordinaire eut lieu. De la foule émergea le vieil homme du Nouvel An, Isidor, celui qui poussait son chariot de supermarché. Il marchait maintenant à un rythme normal. Ou plutôt tout autour de lui ralentissait. À moins de dix mètres, sans changer son allure, il se tourna et, avec une étrange langueur sous-marine, pointa le doigt directement sur le torse de Keith.

Même une fois que l'homme se fut éloigné, Keith le sentit là, brûlant. (*Deja allah lit.* C'est bien ce qu'il avait dit?) Tout se détachait nettement en éclats et en ombres, les géométries solides des façades d'immeubles couvertes de suie et des grilles de métro, des nuées discrètes de quels étaient ces oiseaux qui volaient vers le sud avant de changer d'avis, ailes battantes tantôt claires tantôt noires comme le tableau des départs à Grand Central. Le flot des voitures, libre enfin de circuler, se lança vers le tunnel où s'enfonçait Canal Street. Il eût été si simple de le suivre. Enjamber la barrière métallique le long de la passerelle. Descendre dans la fraîcheur souterraine. Les taches des feux de stop salissant le carrelage souillé. Quand il serait parvenu sur le continent, le soleil commencerait à glisser vers l'horizon, le guiderait dans les échangeurs à quatre niveaux et les innombrables stations-service du New Jersey jusque là où la terre devenait plus large et plus douce, là où on pouvait manger quand on avait faim, baiser quand on était excité, se reposer quand vos souliers vous faisaient mal aux pieds. Quarante heures et un billet d'autocar plus tard, il quitterait l'obscurité d'une chambre de motel d'Oklahoma City pour pénétrer dans l'air suave des prairies, ayant échappé à sa propre vie.

Mais tout ça supposait que l'homme était une créature rationnelle, et Keith ne savait plus très bien quelle part de lui, rationnelle ou animale, menait la danse. L'idée même de parts résultait peut-être d'une rationalisation. Il commençait plutôt à se sentir le jouet d'une assemblée de gens totalement dissemblables – Keith à dix-sept ans, Keith à vingt-cinq –, chacun appelant à grands cris un dernier Keith, un Keith authentique, qui viendrait à l'ultime seconde les sauver.

C'est-à-dire maintenant, sans doute.

C'est-à-dire lui.

Déjala ir? Pourquoi ne parlait-il pas mieux espagnol?

Dans la plus proche cabine téléphonique qu'il put trouver, il composa le numéro du bureau du procureur. Il laissa un message à la réceptionniste.

(Le sous-assistant était finalement parti déjeuner.) Il acceptait d'affronter toutes les conséquences, mais il ne reviendrait pas aujourd'hui. La mallette, ils pouvaient la garder, elle ne contenait rien de toute façon. Le marché ne tient plus. Ils seraient contactés par son avocat dès qu'il en aurait un. Il raccrocha et, répondant à l'appel des esprits, courut en direction de la rue que la manifestation venait d'emprunter.

75

DOWNTOWN, UN DE CES EMBOUTEILLAGES CAUCHEMARDESQUES étran-glait les rues de SoHo, et Jenny et Mercer durent descendre du taxi pour continuer à pied. Elle n'avait pourtant pas l'intention de renoncer à sa mission, la mission de Richard. À sa grande surprise, Mercer lui avait fait observer que si quelqu'un savait où chercher William, c'était sans doute l'homme pour qui elle travaillait. Mais maintenant, devant la Galerie Bruno Augenblick, ils continuaient à batailler, cette fois pour décider qui devait entrer. Bruno le détestait, répétait Mercer. Jenny, en suggérant qu'il était para-noïaque, ne reçut pas un bon accueil.

— Désolé, dit-il, mais quand une putain – pardon –, mais quand en gros une putain d'inconnue pénètre dans votre immeuble et que tout à coup vous jouez dans *French Connection*, il y a de quoi vous rendre un tantinet paranoïaque.

D'un autre côté, ce matin, Jenny s'était fait porter pâle et était censée être au lit en ce moment même à soigner une grippe intestinale. Elle se retrouva donc à attendre à l'autre bout du pâté de maisons pendant que Mercer entrait se procurer les renseignements qu'il pouvait.

Elle s'était imaginé que ce serait l'affaire de deux ou trois minutes, mais l'attente durait. Que racontait-il à Bruno? Elle était allée voir s'il y avait moyen de les épier quand la porte s'ouvrit brusquement, l'obligeant à se cacher derrière une benne à ordures. C'était Mercer, il semblait assommé. Bruno apparut derrière lui en lui tendant des clés.

— Mercer, un taxi coûterait une fortune, la station de métro la plus proche est une expédition et il faut déplacer la voiture pour le nettoyage de rue. C'est l'orange, juste au coin. Veillez seulement à la ramener quand vous aurez fini.

Jenny attendit que Bruno soit parti pour émerger de sa cachette. Mercer regardait autour de lui comme un fou.

— Arrêtez d'*apparaître et de disparaître* comme ça! J'ai cru que les types dans la camionnette étaient venus vous kidnapper.

— Je ne veux pas que Bruno me prenne pour une menteuse. En plus j'avais raison, vous voyez? Vous ne pouvez pas dire qu'il vous déteste, il vous a donné ses clés.

— C'est de la pitié, pas de l'affection.

Mercer raconta ce qu'il avait appris: après la rupture, William s'était installé chez Bruno pendant un certain temps.

— C'est tellement évident, quand on y réfléchit. Bien sûr qu'il allait courir le retrouver. Mais Bruno refuse apparemment d'être complice d'un suicide, aussi graduel soit-il, alors il semble qu'il ait viré William.

Et maintenant Jenny se sentait vraiment un peu malade. Voilà donc ce qui attendait son patron le soir quand il rentrait chez lui.

— Est-ce qu'il a dit où est allé William ensuite?

— Il possède un atelier dans le Bronx. Je n'y ai jamais mis les pieds, mais Bruno m'a indiqué une adresse dans la 161e Rue.

— Donnez-les-moi, ça vaut mieux, dit-elle en voulant prendre les clés.

— Je sais conduire.

— Vous plaisantez? Cette chose est le bébé de Bruno. Si vous éraflez un pare-chocs, il ne s'en remettra pas. Et d'ailleurs (elle lui remit le classeur avec le manuscrit de Richard) ça vous donnera le temps de lire.

La voiture n'était pas une de ces merveilles de mécanique allemande, mais une AMC Gremlin orange; l'amour que lui portait Bruno, comme celui qu'il portait à presque toute chose, avait sans doute commencé avec ironie. Mais en manœuvrant pour la libérer des embouteillages sur Houston Street et rejoindre la West Side Highway, Jenny comprit qu'ironie et sincérité pouvaient cohabiter. Au loin, sur l'Hudson aux eaux marbrées de marron, les bateaux flottaient, encalminés et innocents. Ou comme encalminés. Comme innocents.

Il leur fallut près d'une heure pour quitter Manhattan et, à ce moment-là, les pages avaient regagné leur classeur. Mercer se passa une main sur le visage.

— C'est incroyable. Vous savez que c'est moi qui l'ai trouvée, hein?

Et, voyant l'expression de Jenny:

— La petite Cicciaro, la fille. Dans la neige, cette nuit-là. Je venais de quitter la fête des Hamilton-Sweeney.

— Et comment le saurais-je, Mercer?

— Et s'il croit que c'est moi qui l'ai tuée?

— L'article dit très clairement que c'est Billy Three-Sticks qu'ils recherchent.

— Il n'empêche, je ne vois toujours pas comment vous avez pu mettre la main sur ce papier.

— Richard, le reporter qui l'a écrit… c'est mon voisin. Ou plutôt, c'était. Il est mort au mois d'avril, s'entendit-elle dire inutilement. Ce qui me rend dingue, c'est qu'il n'ait pas fait le lien entre Billy Three-Sticks et William Hamilton-Sweeney.

— Ce genre d'aveuglement n'est pas si rare que ça, hasarda Mercer. C'est seulement lors de ce dîner, l'été dernier… Mais attendez une minute, tout le temps que Bruno et lui déblatéraient sur le pouvoir des multinationales et blablabla, je vous voyais vous mordre la langue, comme s'il n'existait rien de pire qu'un capitaliste qui a la haine du capitalisme. Vous appartenez plutôt à ceux qui veulent le pouvoir pour le peuple, n'est-ce pas? Et tout à coup, vous êtes prête à vous mouiller pour William Hamilton-Sweeney III?

Elle soupira. Ils se trouvaient à présent plus au nord qu'elle n'était jamais allée depuis son époque de militante. Ils avaient emprunté des voies de sortie, ils avaient tourné autour de ronds-points et, en roulant en zigzags, ils s'étaient retrouvés au milieu des cages à lapins des tours du Bronx. Des unités de confinement, voilà ce que c'était en réalité. Des entrepôts. Des prisons, entre lesquelles tremblait l'air captif. Klaxons, cris, radios portatives montaient à l'assaut des trottoirs. Puis vinrent les pâtés de maisons presque entièrement brûlés. Mais il y avait pourtant des gens, ceux qui transportaient des sacs de courses, ceux qui poussaient des poussettes, en majorité des gens à la peau marron ou noire, qui attendaient les autobus brinquebalant sur le long V de la rue. Et si ce désir que Jenny éprouvait était seulement une sorte de mal du pays pour l'endroit où elle se trouvait déjà sans le savoir? Si cet autre monde, d'une certaine façon, se trouvait déjà *dans* celui-ci?

Sauf qu'un monde unique et transcendant n'aurait pas trois différentes 161e Rues Est. Celle qu'ils cherchaient restait introuvable. Toutes les rues étaient à sens unique, mais dans le mauvais sens. Il manquait la moitié des panneaux et ceux qui restaient n'avaient aucun sens. À quel moment la 163e Rue devenait-elle la 162e? Comment se pouvait-il que la 169e se croise *elle-même*?

Il leur fallut plus d'une heure pour localiser l'immeuble dont la porte indiquait, sous un bout de plastique moisi collé près du chambranle, *B.T. Sticks,*

Artiste. Au-dessus on venait de placarder un avis de démolition. Pendant un moment, Mercer sembla paralysé, mais quand Jenny voulut presser le bouton correspondant, il l'arrêta et poussa les boutons supérieur et inférieur. La porte s'ouvrit et ils pénétrèrent dans la lumière pisseuse d'une cage d'escalier.

Plus on montait, plus il devenait difficile de ne pas sentir l'odeur : nourriture pourrie, graisse animale rendue âcre par la chaleur. Derrière et en dessous, des portes s'entrebâillaient de la largeur des chaînes et se refermaient. Des petites enveloppes de papier craquaient sous les pieds. Elle sentit que Mercer était de nouveau tiraillé par l'envie de rebrousser chemin, avant même qu'il ait frappé à la porte de la mansarde. Pas de réponse.

— On dirait que William n'est pas là, dit-il.

— Si on regardait à l'intérieur ?

Jenny avait remarqué qu'une épingle tordue pendait à la serrure. Elle poussa, la porte s'ouvrit en grand, beaucoup plus qu'elle ne l'avait prémédité. Mercer l'arrêta au rebond.

— Je n'aime pas ça, dit-il en risquant un œil.

C'était une pièce d'un seul tenant, étonnamment vaste, remplie à craquer de vieux miroirs et de meubles cassés, de feuilles de journal tordues et couvertes de peinture sèche. Rien ne suggérait que quelqu'un habitait là, à moins de prendre en compte un paquet de bonbons Necco à moitié vide. Pas de sac de couchage. Pas d'objets de toilette. Et apparemment aucun attirail de drogué.

C'est alors que Mercer appuya sur un interrupteur et Jenny en oublia presque la raison de sa venue. Les murs, hauts de trois à quatre mètres, étaient couverts de panneaux, de ceux qu'on voyait sur les quais du métro ou scotchés aux vitres blindées des bodegas. Quelque chose clochait un peu, mais il fallut une seconde à Jenny pour comprendre quoi : l'échelle. Une pancarte de parking était trop large de trente centimètres. Un panneau stop était faussé, les angles réduits en longueur. Une affiche d'Oncle Sam recrutant pour l'armée la dépassait en hauteur et n'avait qu'un œil. Des carreaux de métro apparaissaient dans un morceau d'affiche qu'un môme aurait pu arracher, mais c'était un trompe-l'œil ; et tout cela, quand on s'approchait, se révélait être des peintures à l'huile. Comme si William Hamilton-Sweeney, bien que n'ayant à sa connaissance jamais vendu un seul tableau, avait voulu recréer le visage de la ville entière, ici même dans son grenier. Elle ne pouvait pas dire si c'était bon, pas exactement, mais nul n'aurait dit qu'il n'y avait pas d'ambition.

— Aidez-moi à soulever celui-là.

Elle indiqua une toile couchée à plat, face contre terre, sous des membres de mannequins. C'était un travail en cours, un à-plat bleu presque monolithique, mais elle souffla sur la poussière et put voir d'autres couleurs, des noirs et des orange et des verts qui surgissaient de l'intérieur, comme des étincelles. La peinture n'était pas tout à fait sèche. Elle allait en faire la remarque lorsqu'une voix leur parvint depuis la porte :

— J'vous avais pourtant dit de pas revenir, vous autres.

La vieille femme se tenait debout en chemise de nuit, aussi noire et trapue qu'une borne d'incendie, si une borne d'incendie pouvait tenir une batte de baseball.

— J'ai app'lé la police. J'vous conseille de laisser ses affaires tranquilles à ce pauv'garçon.

Jenny, mains en l'air, essaya de la raisonner – ils étaient des amis du pauvre garçon – mais Mercer l'interrompit :

— Vous avez raison, on ne devrait pas être là.

— Très bien.

La vieille se retira derrière sa porte. Jenny sentait que l'immeuble tout entier les écoutait tandis qu'ils redescendaient, et Mercer aussi sans doute, car il attendit de se retrouver dans le hall d'entrée avant de se lamenter. Elle n'avait pas entendu ? D'autres étaient déjà venus, peut-être les électriciens.

— Ça y est, conclut-il. Tout est perdu. C'est foutu.

Durant ce fol après-midi, il avait presque réussi à lui inspirer de l'affection, mais ce défaitisme l'irritait. Et l'irritation était probablement mutuelle, pensa-t-elle en sortant de sa poche ce qu'elle avait ramassé sous la toile.

— J'ai trouvé ça par terre.

Une ordonnance, sur un feuillet avec un liséré bleu ordinaire. Sur le haut, il y avait le tampon du dispensaire. NEPTUNE AVENUE.

76

LE REGISTRE DES VISITES, un simple feuillet fixé par une pince à un classeur et posé sur le comptoir de l'infirmière, comportait des cases pour
votre nom, votre heure d'arrivée et toutes ces empreintes de l'ordre social
qu'un vrai punk préférerait mourir que de laisser. Mais l'infirmière de service
le regardait bizarrement, aussi Charlie s'abaissa à griffonner quelque chose
à l'emplacement destiné à son nom et une deuxième fois dans l'espace où
vous deviez dire à qui vous veniez rendre visite. Une fois l'infirmière hors de
vue, Charlie prit à gauche dans le couloir et se dirigea vers là où il pensait
trouver Sam. Pour vérifier les noms, il tira les fiches glissées dans une boîte à
côté des portes. Celle marquée *Cicciaro* était entrebâillée. Comme les autres,
elle était assez large, pensa-t-il, pour permettre le passage d'un brancard. Ou
d'un cercueil, avant de dire à son cerveau de fermer sa gueule, parce que
combien de mois son cerveau venait-il de lui coûter ?

Le lit côté porte était vide, elle devait donc occuper celui côté fenêtre. Il
attendit une minute en tripotant le rideau d'isolement qu'on avait tiré entre
eux. Pour finir, il l'ouvrit, mais ce qu'il vit lui fit aussitôt regretter son geste.
La lumière fluorescente reflétée sur tous les meubles peints en vert dentifrice
semblait former des flaques plus sombres dans les creux de la peau de Sam.
Son cou, dépassant de la chemise d'hôpital, n'était plus que peau tendue
sur les muscles, comme le papier sur les bâtonnets en bois des lampes japo-
naises. Ses cheveux avaient retrouvé leur longueur du Nouvel An, mais il y
avait cette plaque chauve à l'endroit d'où ils avaient retiré les balles. Le plus

triste, c'était le vase et ses pauvres fleurs qui devaient avoir été apportées par son père. Non, en fait, le plus triste, c'était le sparadrap qui recouvrait l'endroit où l'aiguille pénétrait le dos de sa main. Cette pudeur. La main, et toutes ces terminaisons nerveuses, transpercée. Oh, Sam. Comment as-tu pu te retrouver nue dans ce lit ?

Charlie pensait être venu jusqu'ici, enfin, pour poser la question. Mais cette douleur de chair et de sang rendait la réponse inutile. Cela ne comptait plus.

Il éteignit les lumières et grimpa, avec précaution, sur le bord du lit laissé libre par son corps. Il avait jeté la combinaison imprégnée de l'odeur de fumée dehors, dans une poubelle. Le tee-shirt remonté sur le torse, il sentit combien elle restait chaude sous sa blouse, il pressa son ventre sur sa hanche en se souvenant de la fois où elle s'était allongée la tête sur ses genoux. Ce n'était pas sale de faire ça, de lui montrer comme il voulait être tout contre elle. Au bout d'un moment, pourtant, la position devenant inconfortable, il s'installa sur l'autre lit, d'où, si elle avait été consciente, il lui aurait tenu la main. Son visage, dessiné de profil contre la fenêtre éclairée, était paisible. Mais c'était aussi ce qu'on disait des morts.

Une immense fatigue l'envahit. Il avait passé la nuit dernière terré sur les marches d'une église, derrière un bout de contreplaqué pour seule protection contre les rôdeurs. Chaque fois que des phares l'éclairaient, il sentait ses doigts serrer plus fort le cran d'arrêt qu'il se souvenait d'avoir glissé dans la poche de la combinaison. Et, entre deux passages, il avait eu avec lui-même ce débat qu'il avait maintenant. D'une part, Nicky voyait juste, Charlie avait une foi imparfaite en la cause, son vêtement n'était pas d'une blancheur éblouissante, sinon pourquoi toute cette panique ? D'autre part, c'étaient des choses qui arrivaient : au moment de quitter la maison, vous remarquiez des traces de morve sur votre sweat-shirt, datant de l'hiver dernier, et vous ne saviez plus si vous l'aviez porté depuis. Et en plus, il se rappelait que dans la Bible nul prophète n'était parfait. Jérémie était un glandeur notoire, Jonas avait essentiellement tourné casaque et pris ses jambes à son cou. Et le Post-Humanisme se révélait terriblement humain. Il n'y avait qu'à voir où il s'était retrouvé : dans l'appartement d'un inconnu, les yeux brûlants, prenant de l'eau dans l'évier pour la jeter sur le feu que Nicky avait allumé par terre. Sale, bassement matériel, tout ce truc puant. Au moins, il avait réussi à sauver le chien.

Dehors les arbres soupiraient et des nuages fins filaient ; dans un vase, l'ombre d'une fleur dansa d'est en ouest sur la table roulante en plastique. Personne ne vint apporter à Sam son déjeuner, parce qu'elle ne pouvait pas manger. Il s'imaginait parfois lui parler et elle lui répondait. Parfois, sans s'en rendre compte, il fredonnait. Parfois, il fermait les yeux, mais sans prier. Peut-être sombra-t-il un peu dans le sommeil, car quand une voix d'homme résonna dans le couloir, il lui fallut une seconde pour bien entendre. *Je passe la voir une minute*, disait-elle…

Oh, merde! Comment allait-il expliquer sa présence ici? Charlie savait très bien s'infiltrer en douce mais, comme menteur, il était nul à chier. La voix et une autre voix, l'infirmière ou une doctoresse, étaient juste derrière la porte. Il lui restait quelques secondes pour tirer le rideau d'isolement autour du lit. Par habitude enfantine, il se cacha la tête sous la couverture. Puis il entendit des pas. Puis ce fut la plainte du métal sur le sol quand on tira une chaise pour l'installer près du lit de Sam. Puis la chaise, à quelques dizaines de centimètres, qui craquait sous le poids de quelqu'un. Puis rien.

Ce ne pouvait pas être M. Cicciaro; il connaissait sa voix pour l'avoir entendue au téléphone, et les chuchotements qui lui parvenaient avaient un accent plus cultivé. Non, Charlie comprit soudain – car *la connaissance vint des visions et des rêves* – que la personne avec laquelle il était pris au piège devait être l'auteur des coups de feu. Revenu sur les lieux du crime. Ou auprès du corps, ce qui était pareil. Derrière la porte fermée, des machines bipaient, des roues crissaient, des cartes glissaient dans la pointeuse. Devait-il se précipiter au poste des infirmières et donner l'alarme? Dieu, ce qu'il étouffait là-dedans! À travers la couverture, aux endroits usés, la lumière avait une couleur menaçante, verte. Il essaya de ne pas penser aux souffrances de tous ceux qui avaient, avant lui, occupé ce lit, et qui tombaient sur lui, comme une neige, dans ces enfers. Il essaya de ne pas imaginer que Sam ressentait la même chose depuis les cent quatre-vingt-douze jours que cet homme l'avait mise là, en vain: c'était comme d'être enterré vivant. Il chercha son inhalateur dans sa poche, mais trouva le cran d'arrêt à la place. Quelques pièces s'échappèrent en crépitant sur le lit puis sur le sol et, pour faire bonne mesure, roulèrent un peu partout pour s'échouer avec un bruit mat. Le silence qui suivit fut de ceux qui transmettent vraiment la densité de l'écoute: son écoute, la vôtre, la minceur de l'étoffe qui vous sépare. Et la dernière pensée consciente du Prophète Charlie Weisbarger, avant que le tueur tire le rideau, fut: rien à foutre de l'inhalateur. Il allait devoir sortir la lame.

77

P ARVENIR À CONEY ISLAND prit encore plusieurs siècles. Le pont de
Triboro à l'heure de pointe était une catastrophe de proportions apocalyptiques, tout comme la voie express Brooklyn-Queens à toute heure
du jour ou de la nuit. (Et de toute façon, le temps ne ralentissait-il pas à
mesure qu'on approchait de ce qu'on désirait?) Quelque part, près du pont
Verrazano, le moteur à deux temps de la Gremlin commença à geindre. Sur
le siège passager, Mercer regarda l'aiguille de la jauge d'essence flirter avec
le zéro. Puis une succession d'oriflammes aux couleurs primaires flottant
comme des cerfs-volants apparurent devant un alignement de devantures
mortes, au-delà desquelles s'étalaient les mouettes et la mer.

Ils s'arrêtèrent dans un parking pratiquement désert. Il entendit le moteur
rendre l'âme. Sur le trottoir d'en face, ils découvrirent l'endroit qu'ils étaient
venus chercher, un amas de parpaings lépreux avec une porte blindée inex-
pugnable et d'épais grillages aux fenêtres. Un homme pansu en pantalon de
treillis dormait sur les marches. En pleine chaleur, à côté de lui, un chien qui
n'avait plus que la peau sur les os. L'enseigne du centre de santé était à peine
lisible. *Méthadone*, pensa Mercer. Une drogue qui sert à se sevrer d'autres
drogues. William, qui ne s'était pas donné la peine d'arrêter l'héroïne pour
lui, l'avait fait pour Bruno. Mais pourquoi aussi loin de tout?

Il descendit et s'assit sur le capot. Il était chauffé à blanc, mais merde! Il se
sentait comme une marionnette abandonnée, ou un immeuble qui s'effondre

sur lui-même, étage après étage. Jenny se posa à côté de lui, trop légère pour agir sur la suspension.

— Et maintenant ?

— Comment ça, et maintenant ? Visiblement, ils sont fermés.

— On pourrait voir si une fenêtre est ouverte.

— Je suis sûr qu'on pourrait, mais à quoi bon ? Il n'est pas à l'intérieur. Tout ce que nous pouvons faire, c'est attendre qu'il vienne chercher sa dose.

— Vous croyez vraiment que nous avons le temps ?

Jusque-là, Mercer avait eu du mal à la regarder dans les yeux.

— Moi aussi, j'ai lu l'article, Jenny. J'ai vu le type sur le toit. Mais William n'est pas dans son atelier, il n'est pas à SoHo, il n'est pas ici. Et puis, nous ferons quoi si nous le localisons les premiers ? L'enfermer en sécurité dans une tour, quelque part ?

Elle passa le pouce le long du bord du classeur sur ses genoux.

— J'ai juste l'impression que nous devons le prévenir.

— Vous êtes pratiquement des étrangers l'un pour l'autre, Jenny, vous l'avez dit vous-même. Personne n'est altruiste à ce point.

— J'essaie d'être responsable. C'est un choix que j'ai fait.

Mais elle éludait la question.

— Parfois on ne vous laisse pas le choix, dit-il.

— Quand avez-vous été en position de ne pas avoir le choix, Mercer ? OK, l'homme que vous aimez est toxicomane. Ne devez-vous pas quand même choisir ?

Bon, au temps pour les sous-entendus, songea Mercer. Il posa les bras sur ses genoux et pencha la tête au-dessus d'eux. Il y eut une pause, un silence au cours duquel il sentit que Jenny luttait contre quelque chose.

— Mercer, ce n'est pas seulement parce qu'on a forcé mon appartement. Est-ce que vous savez comme c'est rare d'avoir vraiment la possibilité de sauver quelqu'un ? Vous ne pouvez pas gâcher ça... Croyez-moi. C'est peut-être notre seule chance de rédemption, mais vous devez cesser de douter. Il faut vous autoriser à penser.

Ce à quoi pensait Mercer, c'était que dans les chromes du pare-chocs, avec sa barbe ridicule, il avait l'air de quelqu'un qu'on avait entièrement retourné – malléable au toucher, mais avec une carapace dure à la place des chairs emprisonnant le vide. Il entendait le ploc des balles que des batteurs frappaient dans leurs cages d'entraînement et une voix traînante dans un mégaphone : *Elles sont là, elles sont vicieuses, des filles en vrai !*, et un orgue spectral qui lui rappelait quelque chose de son enfance, mais il ne savait plus quoi.

— Vous n'êtes pas quelqu'un de mauvais, ajouta doucement Jenny, comme si elle pouvait l'entendre.

— Vous savez, les gens me disent toujours ça.

Quand il leva la tête, le soleil lui parut impossiblement proche. Proche comme dans un récit de science-fiction. Il n'aurait pas été surpris que là-haut, derrière cette brume de chaleur jaune, il y ait deux ou trois lunes, et des étoiles du soir s'éclipsant l'une l'autre. Mais même à l'intérieur de ce cosmos étrange et neuf, ne restait-il pas quelque chose de l'ancien ?

— Il y a peut-être une autre option, dit-il. Seulement je devine que ça ne va pas vous plaire.

78

PULASKI N'AVAIT PAS SUBI DE BLESSURES GRAVES lors de son accident de
la semaine précédente. Ou de sa *chute*, comme il l'avait raconté dans
la voiture au cours du long trajet de retour à sa sortie des urgences. Rien
qu'un hématome profond à la cuisse et, plaisanta-t-il, quelques écorchures
à son orgueil. Cela n'avait pas amusé Sherri. De retour à Port Richmond,
elle s'était tordu les mains sur le volant personnalisé en regardant fixement
à travers le pare-brise les plaques perforées sur le mur du garage. Savait-il
quel effet cela faisait de recevoir ce genre d'appel ? Avait-il la moindre idée
de ce qui lui avait traversé l'esprit, pendant les quelques secondes d'attente avant que les infirmières lui passent la communication ? Inutile de le
lui dire, bien sûr. Ou de lui rappeler que, avec son handicap, il aurait pu
demander une retraite anticipée depuis des années. Que ses supérieurs, au
1, Police Plaza, avaient tout fait pour qu'il échoue ; qu'il n'y avait probablement eu aucune raison de perquisitionner la maison sur la 3ᵉ Rue Est,
ou même d'imaginer que les Fédéraux avaient lâché l'affaire. Impossible
qu'ils connaissent la ville mieux que lui, et le petit rouquin qu'il avait
poursuivi sur la 2ᵉ Avenue aurait facilement pu être un loup solitaire, ou
né du besoin de Pulaski de croire… Comme une minute s'écoula sans que
Sherri dise rien, il comprit que c'était son tour de parler. Il suggéra qu'ils
appellent pour voir si la maison de New Paltz était encore à vendre. C'est
alors qu'elle fondit en larmes.

— Larry, pour l'amour du ciel. Je ne veux pas que tu fasses cela juste parce que j'en ai envie. Je veux que tu aies envie de le faire.

Il lui détacha les mains du volant et les prit dans ses serres affreuses.

— Oui, j'ai envie de le faire, dit-il.

Maintenant qu'il avait déposé son dossier, il se surprenait même à le croire. Pulaski n'avait pas eu conscience de l'ampleur des dégâts que vingt-cinq ans de travail pouvaient imprimer sur un corps, ni de l'effet réparateur qu'aurait la tâche de mettre en cartons le contenu d'un bureau. Au fond, tous les dossiers qu'il emportait. Ensuite, les boîtes en veloutine dans lesquelles il rangeait ses stylos spéciaux, démontés, et sa pipe en bois. Ensuite les photos. D'autres accrochaient les photos de leurs enfants ; Pulaski exhibait Sherri, le pape Paul VI et sa mère défunte. La dernière dizaine de cartons étaient réservée aux livres. Il s'était, au cours des années, constitué une bibliothèque assez fournie, grâce à un abonnement qu'il avait oublié d'annuler. La série Histoire publiée par Time-Life. C'étaient les dos identiques et colorés par thème qui avaient d'abord attiré son attention dans l'offre d'essai trouvée au dos d'un *TV Guide*. Il avait alors décidé de remplir les étagères dépeuplées de la bibliothèque héritée du Commissaire Adjoint précédent. Il fallait des livres, ne fût-ce que pour rappeler à vos subordonnés, les seuls qui verraient l'intérieur de votre bureau, que vous en saviez plus qu'eux. Mais au fil des années, il s'était découvert un vrai plaisir à les lire. Être flic à cette époque avancée de l'histoire supposait, par définition, être nostalgique ; au-delà de la grande baie vitrée derrière lui, les rues bourdonnaient, anarchiques ; et pourtant chaque matin, en prenant possession de son insigne et de son arme, il jurait de défendre des lois instaurées pour la plupart avant sa naissance. Et même alors qu'il aurait dû les entasser au fond d'un carton, il se surprit à céder à l'envie d'ouvrir ces livres une dernière fois, comme pour dire adieu à des amis de jeunesse. *L'Empire moghol. Les païens des îles Britanniques.* Peut-être était-il simplement fatigué.

À présent, le bourdonnement derrière la fenêtre ouverte lui apparaissait plutôt comme une clameur. Il se servit du bord de sa table pour faire pivoter son fauteuil. La vue n'avait pas changé – des châteaux d'eau et les entretoises du pont – mais quand il tendit la tête vers la droite, il vit, en dessous, une colonne de gens minuscules s'écouler sur l'esplanade réservée aux piétons. Les têtes semblaient se lever vers la fenêtre de Pulaski. La distance rendait leurs slogans inaudibles, il ne pouvait donc pas bien entendre leurs revendications. Depuis maintenant des semaines, le « Dr » Zig Zigler exhortait ses auditeurs à reprendre leur ville, en vain – jusqu'à aujourd'hui. Et de la reprendre à qui? Au chaos? Ça le faisait rire. La manifestation elle-même était une forme de chaos. Et de toute façon, ça ne pouvait plus l'atteindre. Ou tout cela n'était-il, comme il l'avait un jour imaginé, que la partie émergée d'un ordre plus profond? Car au moment où Larry Pulaski s'apprêtait à fermer la fenêtre et à finir ses cartons, le téléphone se mit à sonner.

79

E LLE AVAIT TROIS ANS de plus, mais à l'époque où les souvenirs fragmen-
taires de William s'étaient condensés dans la personne unique et continue qu'il avait devant lui – c'est-à-dire, lors du contrecoup après la mort de
leur mère –, il avait décrété que Regan avait besoin de sa protection. Dans le
parc où Doonie les emmenait l'après-midi, il repoussait les autres garçons,
quel que soit le jeu : Gendarmes et Voleurs, Cow-boys et Indiens, Peter Pan.
Un psy aurait eu des choses à dire là-dessus. La possibilité, par exemple, que
la femme là-bas, dans la salle de presse du quarantième étage éclairée pour
les caméras, avait en fait été *sa* protectrice. Mais William considérait la psychanalyse au mieux comme une collection d'intuitions qu'on pouvait avoir
soi-même, au pire comme des conneries débiles de hippies. Voilà pourquoi
la tentative de Mercer de lui trouver de l'aide de ce côté-là, à la fin, lui avait
paru une telle menace, se souvenait-il, quand un flash près de son coude
lui évita d'avoir à se souvenir d'autre chose. Ils étaient parvenus au moment
de la conférence de presse où les journalistes posaient leurs questions et, si
la déclaration préparée par Regan avait été parfaitement claire, l'étiquette
exigeait que les reporters fassent semblant d'être les dépositaires d'une
nouvelle particulièrement grave. Un Ken blond aux cheveux mi-longs (Papa
faisait-il entorse à ses principes ?) désigna quelqu'un dans la foule, le tumulte
se dissipa et l'un des journalistes répéta sa question. Les caméras pivotèrent.
Reprirent leur position. William connaissait des boutiques de prêteurs sur
gage où une caméra de télévision pouvait rapporter plusieurs centaines de

dollars. Mais non, ce qui l'intéressait, psychologiquement parlant, c'était cette impression de continuité, l'opération de l'esprit lui affirmant qu'il s'agissait de la même Regan qu'il connaissait quand il avait huit ans ; s'il ne lui était rien arrivé, la Regan qu'il avait perdue serait celle qui était perchée jadis sur les rochers noirs du parc, tous ses futurs possibles à l'intérieur.

Les muscles de son bras commençaient à picoter à force de rester en l'air, ou peut-être était-ce un dernier spasme de manque, quand le type finit par lui donner la parole.

— Oui. Freddy Engels. *Daily Worker*, dit William.

Il ne fit aucun effort pour consulter un carnet imaginaire. Il croisa simplement les bras et s'appuya contre le mur.

— Mes lecteurs veulent savoir combien la société mère a déjà dépensé pour préparer la défense et si cela entraînera une réduction de la voilure dans les différentes filiales.

Regan plissa les yeux pour les protéger de la lumière. Il était sûr qu'elle reconnaissait sa voix, bien qu'elle fût rauque à force d'avoir vomi. Les frères et sœurs savaient ce genre de choses. Par le passé, il y avait eu des mois où il la sentait de loin se tourmenter pour lui. Des années où il avait su qu'elle mourait intérieurement. Elle couvrit le micro d'une main et chuchota quelque chose à l'homme, comme un membre de la mafia auditionné en vertu de la loi RICO. L'homme se pencha en avant.

— Je crois que nous en resterons là pour la séance de questions.

Un autre tumulte s'éleva pour la forme, puis ce fut une explosion de flashes et, protégé par toute cette lumière crue, William sortit attendre dans le couloir.

Le Building Hamilton-Sweeney, malgré sa hauteur, datait de l'ère obscure d'avant la climatisation, et les améliorations apportées à cette partie de l'étage paraissaient inachevées. Son arrière-grand-père, de toute évidence, souscrivait à l'idée que le marbre avait des propriétés rafraîchissantes, mais un jour comme aujourd'hui, une de ces journées de juillet où il fait chaud à crever, où les bouches d'incendie explosent, où l'électricité pète, le marbre semblait au contraire piéger la chaleur et tout ce que pouvaient faire les ventilateurs, c'était la brasser. Devant une fenêtre ouverte, sur une plate-forme de laveur de carreaux, un couple d'oiseaux faisait de son mieux pour éviter tout mouvement inutile, mais quand William s'approcha pour voir à quelle espèce ils appartenaient, ils s'envolèrent comme s'ils savaient mieux que lui ce qui se cachait dans son cœur. En piquant au-dessus des parcs et des rues, Madison, Park, Lex, ils parvenaient à produire une beauté improbable. Mais autour d'eux s'élevaient des gratte-ciel qui n'existaient pas quand il était enfant, des milliers de gens supplémentaires entassés dans des boîtes et plus loin, au-delà, deux tours qui vacillaient dans la brume. Il semblait impossible que des mortels les aient bâties. Là-haut, les hommes devaient se réduire à des moucherons qui se cognaient contre les cieux bouchés. Ou plutôt, pensait William, les tours avaient été taillées d'un seul bloc dans le granite et, quelque part dans le Vermont, deux trous jumeaux plongeaient à des centaines de mètres dans le soubassement rocheux.

C'est alors que sa sœur dit derrière lui :

— Tu as un sacré culot. Et tu n'as pas le droit de fumer ici.

Elle voulut lui arracher sa cigarette, mais il s'écarta à temps. Les journalistes quittaient la salle de presse et leur flot se répandait, brisant le silence. Elle attendit qu'ils soient passés.

— Franchement, William, on dirait que tu viens d'apprendre à marcher sur tes deux jambes, continua-t-elle, quand ils furent partis. Et tu as une tête de zombie. Mais tu sais quoi ?

Elle leva les mains.

— Je ne me laisse plus entraîner là-dedans, après ton grand numéro de renoncement. J'ai du travail.

— Tu as honte de moi.

— Ne fais pas comme si tu n'étais pas venu par pure provocation.

Tu aimes ça, voulut-il lui rappeler. *Tu m'aimes, moi.* Mais elle était déjà presque parvenue devant l'ascenseur et il se demanda encore s'il souffrait d'un problème de mémoire. Il la regardait, il voyait toujours la princesse Lys Tigré reconnaissante envers son sauveur, mais il semblait que son refus de grandir ait maintenant cessé d'être un atout.

— Je suis désolé, dit-il.

— Des clous ! Tu n'as jamais été désolé. C'est bien le problème.

— De tout.

Elle se tourna pour scruter son visage, en se demandant ce que « tout » pouvait bien signifier. Il se le demandait lui-même. Il arrivait que ça sorte tout seul.

— Que veux-tu, William ? Tu ne serais pas là si tu ne voulais pas quelque chose.

Touché, pensa-t-il, tandis que les portes de l'ascenseur s'ouvraient sur une grosse femme en chemise à carreaux chargée d'une plante verte. William aurait préféré attendre une autre cabine, mais comme Regan se glissait déjà à côté d'elle, il se plaça de l'autre côté. L'acier brossé lui renvoyait son reflet. Regan disait vrai. Il n'était pas Valentino. Il avait maigri et il y avait de petites entailles rouges aux endroits où ses lèvres étaient gercées. Il n'était pas rasé. Et il ne sentait pas la rose, non plus.

L'esplanade au pied de l'immeuble grouillait d'humanité, des femmes mangeant d'une seule main des sandwichs achetés à des vendeurs ambulants, tandis que des meutes de jeunes hommes en bras de chemise les mataient.

— Tu serais d'accord pour un déjeuner tardif ? C'est parfait. Tu m'invites, nous pourrons parler.

— Si tu voulais parler, William, tu aurais dû le faire il y a quatre mois. La situation est devenue un peu chaotique, ici. Ou n'as-tu pas écouté la conférence de presse ?

— Pas nécessairement déjeuner.

Il scruta la foule pour s'assurer qu'il n'était pas suivi et ajouta :

— On peut prendre un café plutôt. C'est toi qui paies.

— Je n'ai pas le temps pour ce genre de choses. J'ai une vie, tu sais. J'ai un rendez-vous pour le dîner.

— Ravi pour toi. J'ai toujours eu des doutes sur ce comment-s'appelle-t-il ?

Il connaissait le nom de Keith, bien sûr ; mais c'était plus fort que lui. Comme elle faisait mine de s'éloigner, la honte le submergea après coup. Voilà ce qu'il était censé être devenu à la trentaine. Un de ces janissaires du monde des affaires. Au lieu de quoi, il avait passé pratiquement tout le printemps défoncé dans son atelier, entouré de ce que la plupart des gens appelleraient des ordures. Aujourd'hui encore, clean depuis trois semaines et demie, il continuait à ramasser tous les panneaux de signalisation municipaux qu'il pouvait glisser sous son lit au centre de réhabilitation, et les rapportait dans le Bronx. Persister dans un projet qui, on le sait, semble fou : cela faisait-il de vous un fou, ou le contraire ?

Juste à ce moment-là, la femme qui se trouvait dans l'ascenseur trotta jusqu'à une poubelle déjà débordante d'ordures et posa sa plante verte au milieu.

— Hé, fit William en bondissant au milieu de l'esplanade, naviguant entre les secrétaires et les banquiers. Hé, qu'est-ce que vous faites ?

— Elle est en train de mourir, dit-elle.

— Ce n'est pas une raison pour la jeter !

La femme le regarda avec le plus grand mépris. Il préparait quelque chose d'injurieux à dire quand sa sœur le rattrapa.

— Tu as perdu la tête ?

Ç'avait été la question de Mercer, également, mais Regan avait ce don de le faire douter de lui-même. Il se serait presque excusé auprès de la grosse femme si elle n'avait pas déjà fondu dans cette chaleur vitreuse.

— C'est de l'argent, n'est-ce pas? dit Regan. Si tu veux de l'argent, demande de l'argent. Épargne-moi tout ça.

On imagine toujours que ce qui vous saute aux yeux saute également aux yeux des autres et vice versa, mais pour la première fois de leur vie, elle allait l'obliger à mettre les points sur les *i*.

— Si tu veux le savoir, Regan, je suis venu te demander ton aide.

Il sortit alors la plante de la poubelle et, avec une dignité profonde et accablée, marcha vers l'ouest. Il ne s'arrêta pas pour voir si elle l'avait suivi. Il ne s'arrêta, en fait, qu'une fois arrivé devant un banc sous les sycomores desséchés derrière la bibliothèque de la 42e Rue.

— Quinze minutes, dit-elle en ôtant sa montre et en la posant entre lui et la plante. C'est tout ce que je t'accorde.

— Je ne comprends pas pourquoi tu es tellement en colère.

— Que veux-tu que je dise? Oh, Dieu merci, mon frère a finalement décidé qu'il était prêt à me recevoir? La vie n'est pas faite ainsi, William. Tu ne peux pas disparaître comme ça pendant je ne sais combien d'années et puis faire claquer tes souliers de rubis pour tout effacer.

— Maintenant tu comprends ce que j'ai ressenti quand je t'ai trouvée chez moi ce soir-là.

— Ce n'est pas moi qui suis partie!

Elle faisait vraiment semblant de ne rien comprendre, pensa-t-il. Elle avait toujours deviné, quand il arrivait à un dîner de famille, s'il était soûl ou défoncé, et elle avait deviné même avant lui qu'il était pédé. Alors comment ne voyait-elle pas quel enfer il vivait?

— Écoute, je ne pensais pas ce que j'ai dit à propos de Keith. Je suis désolé que vous ayez des problèmes.

Il jouait avec un morceau de croûte de peinture sous un ongle, tirant dessus, pensant à des aiguilles pénétrant ses orteils.

— Peut-être sommes-nous fondamentalement destinés à être malheureux.

— Je ne vois pas l'utilité de cette vision des choses, William. C'est immature.

Il sentait sa langue gonfler dans sa bouche, et dans ses doigts le désir violent de ce bien-être exquis qu'il ne ressentirait plus jamais.

— Je veux dire, regarde cette famille, tu vas divorcer, j'ai trente-trois ans et, en gros, ma vie est finie... Alors je me pose des questions, c'est tout.

— Est-ce ce que nous méritons?

— Seigneur! Ce n'est pas ce que je veux dire. Ce serait plutôt le contraire. Je veux dire que, quels que soient nos mérites, le lieu où nous fuyons, notre destin reste collé à nos semelles.

Elle avait les yeux brillants, mais pour une raison mystérieuse, il ne parvenait pas à tendre le bras et la toucher. C'était comme si les gestes les plus simples étaient au-dessus de ses forces.

— Hé, cesse de t'apitoyer sur mon sort une seconde, d'accord?

— Ce n'est pas sur ton sort que je m'apitoie, crétin. As-tu jamais réfléchi à la douleur de Papa s'il t'arrivait quelque chose? À la mienne?

Tout le monde devait mourir un jour, répondit-il. Et Papa serait soulagé.

De toute évidence, William ne comprenait rien. *Rien.*

— Eh bien, je suis content que tu dises ça. Justement, j'ai besoin de ton aide parce que quelqu'un veut me tuer.

Elle renifla. Sourit un peu malgré elle:

— Oui, tu provoques toujours ce genre de réaction chez les gens.

— Je parle sérieusement.

Et il entreprit de tout lui raconter, du moins tout ce qu'il savait.

Depuis ces coups de panique nocturne dans les rues au fin fond de Brooklyn, et l'unique filature vérifiable à Times Square, le harceleur de William occupait une position à la frontière entre sa vie éveillée et son monde onirique qui, étant donné la quantité de came qu'absorbait William à l'époque, étaient difficiles à discerner. Il se réduisait à une silhouette anormalement grande dans sa vision périphérique, à une ombre en mouvement, et il aurait juré que le Spectre – il avait pris ce nom dans une vieille bande dessinée – l'avait retrouvé. Parfois il se retournait et ne voyait qu'un arbre aux ramures bruissantes, ou une tache d'ombre en forme de visage sur le pare-brise d'une voiture en stationnement. Et ensuite, un ami ou un voisin (dans la mesure où il en avait encore) lui disait qu'un gars présentant une carte de presse était venu, et l'avait demandé par son nom. Ou plutôt son surnom.

Un soir, à la fin du mois d'avril, au bout d'une ou deux semaines de ce manège, il était monté dans un train à moitié vide à Union Square pour remonter vers le nord, quand il avait aperçu le Spectre, en train de regarder par les portes entre les rames. Ou peut-être un autre Spectre, portant lui aussi manteau et chapeau. Quoi qu'il en soit, cette fois, il était bien réel. Comment William le savait-il? La taille, d'abord: cette tête si haute qu'elle arrêtait la lumière. Et la barbe broussailleuse, poivre et sel, qui dissimulait sa bouche. Le plus effrayant, c'étaient ses yeux, derrière la vitre sale. Ils étaient trop intelligents pour que ce Spectre soit des Stups, contrairement à ce que William avait pensé. Un peu vitreux pourtant, altérés. Opaques. Comme s'ils avaient déjà percé le revers de la toile. Et il avait alors compris que cet homme était venu pour l'envoyer de ce côté-là. Pour le tuer. Une cloche tinta. Les portes du métro s'ouvrirent, l'une d'entre elles du moins, l'autre battant étant coincé. La came qu'il avait essayée Downtown s'était transformée en plomb dans ses veines. Il aurait pu rester là, assis, à se laisser consumer et il était en quelque sorte enclin à le faire, mais sous tout ce poids mort, il devait rester en lui quelque chose de vivant et, quand cette chose parla, elle le fit avec la voix de Mercer : *Cours !* Comme la porte communicante s'ouvrait avec fracas, il bondit et se glissa dans l'espace étroit qui le remit sur le quai. Surtout ne pas se retourner.

Il longea les voies noircies par la suie, monta quelques marches, puis s'engagea à gauche, dans un couloir recouvert d'affiches de cinéma. C'était une de ces heures bizarres où, dans tout le réseau, les foules habituelles ayant disparu, il ne restait plus que l'étrangeté des macules de chewing-gum et des couloirs qui semblaient interminables. Impossible de dire si c'était l'écho de ses pas qui faisait rentrer les rats dans leurs trous ou la vue de ce Spectre, derrière, telle une lune malfaisante. Et ses doigts se refermaient sur le métal de la porte de sortie, qui s'entrouvrit en gémissant... et s'arrêta net. D'épaisses chaînes bloquaient l'ouverture. L'écho de ses pas résonnait tout autour de lui.

Il se retourna, prêt à se défendre. Le Spectre, qui avait fait la moitié du chemin le long du tunnel où vacillaient les ombres, tendait ses longs bras devant lui, comme on ferait avec un blaireau terré dans son trou. Surtout si on cherchait à amadouer le blaireau juste le temps nécessaire à l'étrangler. Sur le côté, William aperçut une autre porte de sortie, celle-là heureusement dépourvue de chaînes. Non loin, dans un autre tunnel, un train qui s'acheminait vers Downtown freinait puissamment, prêt à s'immobiliser le long du quai. Il se creusa la cervelle pour se souvenir du plan de la station, mais son cerveau était un morceau de fromage rongé par les rats. Ou par la came, la came qui promettait de remplir les trous. Il détala, poussa le tourniquet et grimpa les marches trois par trois. Au niveau de la rue, il traversa sans regarder ; une voiture fit une embardée, des klaxons hurlèrent, quelqu'un le traita de connard, et il parvint enfin de l'autre côté de la 8e Avenue. Descendit les marches en direction de Downtown, fouilla dans sa poche, pitié, un jeton. C'est alors qu'il entendit le halètement d'un train arrêté à un niveau en dessous. Il courut dans le couloir, une crampe lui poignardant les côtes. Il manqua glisser sur les marches, mais réussit à grimper dans la dernière rame, où deux Satmars chapeautés de noir le regardèrent d'un œil sceptique. Pourvu que les portes obéissent à sa volonté. Pitié pitié pitié. Et avec un bing ! elles se fermèrent. S'ouvrirent. Se fermèrent.

Le Spectre était parvenu sur le quai, plus élancé maintenant que dans son souvenir – William voyait son Fedora informe dans la vitre arrière du train – mais il rétrécissait et rétrécissait, et les ténèbres du tunnel finirent par l'engloutir.

C'était un train express, racontait William, et, trop terrifié pour descendre, il y était resté jusqu'au terminus. Il avait passé la nuit dans un *diner* d'Ozone Park, dans le Queens, à boire café sur café, en regardant le soleil se lever sur les vieilles usine textiles. Mercer avait eu raison. Il ne savait pas vivre. Mais comment avait-il pu, un jour, se convaincre qu'il voulait autre chose? Qu'il n'avait pas peur de mourir?

Il n'avait pas eu l'intention d'entrer dans tous ces détails avec Regan, ou de lui dire à quel point la cure de désintoxication était douloureuse – il aurait eu le sentiment de vouloir l'impressionner – mais une fois lancé, il fut incapable de s'arrêter.

— C'est vrai. La demande dépasse l'offre. Il faut quatre tests de pisse positifs à la suite pour bénéficier du programme de substitution à la méthadone de la 14e Rue, comme pour bien prouver que vous avez un problème. Mais je craignais, au bout du troisième ou quatrième jour, de ne plus vouloir arrêter. C'est pourquoi j'ai fini par aller à Coney Island. J'ai remis mon portefeuille et mes clés, ils m'ont enfermé une semaine dans une pièce aux murs capitonnés de caoutchouc, le temps de trouver la bonne dose. J'aurais dû être reconnaissant après, je le sais, mais ce que je ressentais, c'était un chagrin incommensurable. La première fois qu'ils m'ont laissé sortir sans surveillance, j'ai marché jusqu'à la plage, je me suis couché dans le sable et j'ai pleuré. Je ne sais pas si j'ai cessé depuis.

Il leva les yeux, le visage de Regan avait perdu toutes ses couleurs. Elle avait vingt ans de nouveau.

— Mais ces gens qui veulent te tuer, William…?

— J'y arrive, dit-il. J'ai arrêté la méthadone en juin et depuis j'habite dans ce centre de réhabilitation à Sheepshead Bay. Mais je continue à aller dans mon atelier du Bronx, pour déposer des trucs qui pourraient me servir si je recommence un jour à peindre. Et puis, hier soir, je découvre cet avis de démolition sur la porte. Et je comprends tout de suite que, durant toute cette période où j'éprouvais cette tension, cette impression d'être poursuivi, on rasait tout le quartier autour de moi. Déclaré Zone Insalubre.

Regan fronça les sourcils, comme un juge à qui on présente un indice.

— Tu ne vois pas que tout est lié? Le projet Liberty Heights, cet incendie du mois d'avril, la mise en accusation de Papa, le tueur. Et je crois savoir comment mettre un terme à tout ça. Mais c'est là que j'ai besoin de ton aide.

Regan eut alors cette voix qu'elle avait toujours:

— William, je ne vois pas comment je *peux* t'aider.

— Si, bien sûr, dit-il. Tu peux m'aider à voir Papa.

80

DEPUIS CETTE PREMIÈRE FOIS EN JANVIER, à l'insu de tous et même presque à son propre insu, Keith Lamplighter était retourné au moins une fois par mois s'asseoir sur cette chaise en plastique au chevet du lit d'hôpital. Il y allait le matin, avant de se rendre à son travail, pour éviter qu'on ne le repère ; son habitude de signer sous un faux nom montrait bien à quel point tout ça était une mauvaise idée. Ne pas venir, cependant, n'était même pas envisageable. Non qu'il espérât encore que Samantha se réveillerait, ni même qu'il se sentît encore proche d'elle, mais elle était placée sous sa responsabilité et, d'une façon mystérieuse, ces veilles solitaires atteignaient en lui quelque chose qui échappait à l'église : cette chose même que le vieux fou au chariot de supermarché avait touché de son doigt d'ectoplasme.

Maintenant, penché en avant et les mains croisées, il s'efforça de percer à jour la transformation qu'il avait senti se produire en lui après cette rencontre – comme une porte dérobée s'ouvrant dans un rêve. *Déjala ir :* Va vers elle ? Ou Va *loin* d'elle ? Devait-il d'abord faire ses adieux à Samantha avant de regagner Regan ? *Dites-moi simplement ce que je dois faire*, pensa-t-il. Non, attendez. Peut-être le problème était-il là, juste là. Car du plus loin qu'il s'en souvînt, sa première pensée avait toujours été pour lui-même. Il allait essayer de céder la première place à quelqu'un d'autre et voir ce qu'il en découlerait. Il plissait les yeux, sondant en lui la chose encore mal définie. *Montrez-moi comment aider*, pensait-il, ou murmurait-il – *faites de moi l'instrument de votre volonté* –, quand lui parvint ce bruit de pièces s'éparpillant par terre derrière le rideau d'isolement, où le lit, à chaque visite précédente, était vide.

Il craignit que la nouvelle patiente dans la chambre de Samantha ne fût victime d'une sorte de crise là derrière, mais la seule urgence qu'il découvrit en tirant le rideau fut un adolescent acnéique en habits de ville qui se dégageait des draps à coups de bottes de combat, en brandissant une sorte d'ustensile.

— Hé, fit Keith.

Le môme n'avait pas l'air méchant; sous ses boutons et la coiffure maison, il y avait des traits où les sentiments se lisaient comme sur un panneau publicitaire. En l'occurrence, la panique. Il roula du lit, agita la chose qu'il avait à la main comme pour repousser des démons, et courut vers la porte. Keith, qui n'avait jamais perdu ses réflexes de blocage, lui coupa la route. Ses talents de lutteur étaient un peu moins prononcés et, quand il s'empara d'un bras, envoyant valser l'instrument par terre, il parvint seulement à empêcher le môme d'aller le ramasser.

— Hé, du calme! Il n'y a pas le feu!

— Quoi? Quel feu?

Le môme ne le regardait pas dans les yeux.

— Qu'y a-t-il de si pressé?

— Si vous ne me lâchez pas, j'appelle la sécurité.

Le môme réussit à lui échapper, mais Keith ramassa l'objet par terre avant lui. C'était un couteau à cran d'arrêt, toujours dans son étui, noir avec un bouton argenté.

— Je n'ai rien à craindre de la sécurité. Ce n'est pas moi qui me promène avec un couteau.

Le petit pâlit.

— C'est de l'autodéfense. Je suis un ami de la patiente.

— Ah oui? Moi aussi.

— Alors comment se fait-il que j'aie jamais entendu parler de vous?

— Une connaissance, c'est le terme plus exact.

Au tour de Keith de ne plus savoir où se mettre.

— Tu sais quoi? J'allais chercher à manger, pourquoi ne continuerais-tu pas ta visite? J'insiste.

Le fait de garder l'arme du môme facilitait la négociation. Il fit barrage de son corps devant la porte jusqu'au moment où le garçon se laissa tomber sur la chaise en plastique réservée aux visiteurs, au chevet du lit de Samantha. Mais quelque chose clochait – et pas seulement ce qui se passa quand il actionna le bouton du cran d'arrêt. En gardant un œil sur la chambre pour s'assurer que le petit ne partait pas, Keith s'éloigna vers le poste des infirmières, temporairement désert, et décrocha le téléphone. Il n'avait aucune raison, vraiment, de garder sur lui cette vieille carte de visite que le reporter lui avait donnée au mois de février – s'en servir eût signifié reconnaître le rôle qu'il avait joué dans la vie de Samantha. Mais peut-être attendait-il seulement le bon moment pour se livrer. Pour l'instant, il composait le numéro imprimé en priant que quelqu'un décroche, afin de pouvoir informer le **COMMISSAIRE ADJOINT LAWRENCE J. PULASKI**, ou qu'importe ce qu'il était, qu'il y avait quelqu'un ici qu'il serait particulièrement intéressé de rencontrer…

81

L E TYPE AU TÉLÉPHONE insista pour donner son nom, mais il avait du mal à l'entendre, avec toutes ces cloches et ces sifflets, et ces tambours de guerre à l'extérieur. Même si Pulaski pouvait fermer la fenêtre, ces bruits semblaient le lui interdire. Il fit pivoter son fauteuil dans le rectangle de soleil brûlant. Posa un pouce sur une paupière, un index sur l'autre. Lamplighter. Lamplighter ?

— Est-ce que je vous connais ?

Probablement pas, admit son interlocuteur, mais il se trouvait en ce moment même aux soins intensifs de l'hôpital Beth Israel, où il avait appréhendé quelqu'un qui pourrait l'intéresser. Et, boum, ça y était, Beth Israel. Ça n'allait pas être le chiffon rouge qu'on agite pour faire diversion, la révélation de la diseuse de bonne aventure, la camionnette suspecte aperçue à des kilomètres d'un lieu de crime. En outre :

— Appréhendé, vous avez dit ?

Enfin, pas exactement, concéda l'interlocuteur, mais il se trouvait *juste devant* la chambre de la fille Cicciaro, là où il était tombé sur un jeune en planque.

Il y eut, en dessous, un cri électrique, aigu, comme du métal contre l'ardoise. Pulaski reconnut (non sans une certaine satisfaction quand en pensant au Premier Adjoint) un mégaphone. Les manifestants avaient un mégaphone. Maintenant ils allaient pouvoir exprimer leurs revendications. La foule, en colère, semblait tout entière retenir sa respiration.

— Un jeune?

— Un adolescent. Un garçon.

Pulaski pressa encore un peu plus les doigts.

— Vous pouvez me le décrire, s'il vous plaît?

L'homme au téléphone voyait comme un homme, sans véritable attention aux détails, mais chaque relance – taille? poids? couleur? – produisit d'autres précisions, jusqu'au moment où, sous les paupières de Pulaski, les ellipses d'une couleur indescriptible prirent la forme d'un visage crasseux dans un cadre de fer forgé. Une tête aux cheveux roux qu'il avait vue la semaine dernière sur la 2ᵉ Avenue.

— Ce gosse a décidément quelque chose de louche, conclut l'interlocuteur. Il avait un genre de couteau sur lui.

Ce qui est louche, pensa Pulsaki, c'est que vous ayez ma ligne directe, mais tout cela allait trop vite pour faire intervenir un protocole qui, dans une ou deux semaines, ne s'appliquerait plus de toute façon.

— Très bien. J'envoie quelqu'un pour emmener le gosse et on va l'interroger. Pendant ce temps, veillez à ce qu'il reste là où il est, d'accord? Achetez-lui un Coca, appelez les gardiens, ce que vous voudrez. Mais, monsieur Lamplighter – Lamplighter? Faites attention à vous.

Des vagues de percussions déferlaient de nouveau sur l'esplanade en dessous, et dans la seconde avant d'ouvrir les yeux, Pulaski ressentit l'étrange sérénité qui doit être celle du pêcheur aspiré par la mer. Il décrocha le téléphone de nouveau et demanda à la standardiste de lui passer le Commissariat Treize. Après quoi, il commanda un véhicule de patrouille pour aller chercher le gosse sur le champ, ainsi que l'homme qui avait appelé. Puis il baissa la tête vers le bureau. *Qu'est-ce que tu fais?* aurait demandé Sherri. Il se laissait glisser une nouvelle fois dans une sorte d'image miroir, voilà. Identique à sa vie réelle, en tous points, mais inversée, et dépourvue d'une dimension cruciale. Ou de deux, peut-être, car à peine son front toucha-t-il le buvard que l'interphone explosa dans son oreille.

— Inspecteur? Vous avez des visiteurs.

— Faites-les entrer.

Il reprit contenance et, fixant la porte, attendit de voir apparaître le garçon de l'église. Au lieu de quoi, il vit arriver un Noir qu'il mit une seconde à reconnaître. Et, derrière, dans l'obscurité où l'ampoule avait grillé, une fille asiatique, de petite taille. Une jeune femme, était-il supposé dire.

— C'est dingue, ce qui se passe dehors, dit Mercer Goodman. J'espère qu'on ne vous dérange pas. Mais vous avez dit, au Nouvel An, que s'il me venait quelque chose…

Comme à d'autres moments de stupéfaction, l'instinct de Pulaski le sauva.

— Ne vous inquiétez pas, dit-il en leur faisant signe d'entrer. Et excusez le désordre.

Il lui semblait que le jeune Goodman n'était pas du genre à prendre les devants, mais bon, cela faisait des mois maintenant. La fille, qui naviguait entre les cartons ouverts, avait l'air moins sûre d'elle. Jolie, cependant, de cette manière tranquillement androgyne de celles de sa génération. Carré court, jean, chemise d'homme Oxford blanche boutonnée jusqu'aux poignets, un classeur sous le bras – c'était *elle* qui était venue à Goodman, semblait-il. Il fut un temps où Pulaski aurait accueilli avec joie toute nouvelle piste. Il se demandait à présent si, ayant déjà dévié une fois de son programme de la journée, il pouvait se le permettre.

— Asseyez-vous, je vous en prie.

Il se serait levé pour les aider à apporter des chaises, mais il ressentit le besoin de ne pas montrer son infirmité à la fille.

— J'ai plein d'affaires sur les bras, comme vous le voyez, mais qui est votre amie ici présente ?

— Jenny Nguyen. Nous pensons que vous avez une relation commune. (Il attendit.) Richard Groskoph ?

Voilà bien le *dernier* nom que Pulaski avait envie d'entendre ! Parlez-lui de Cicciaro, parlez-lui encore du gosse… Non, du calme. Du sang-froid.

— Étiez-vous des collègues ?

Au débotté, à cause des vêtements.

— Des voisins, répondit-elle doucement. J'ai hérité de son chien, et de quelques papiers.

Très proches comme voisins, alors. Pulaski sortit une cancerette desséchée de son tiroir central et tapota le filtre sur la table. Il y avait longtemps qu'il fumait la pipe, mais les cigarettes étaient bien pratiques pour coller au personnage ou instaurer un climat de confiance. Ou pour marquer un temps d'arrêt, réfléchir à une stratégie.

— J'ai connu Richard quand il était un reporter sur la brèche, et même alors on voyait tout de suite qu'il réussirait. À un moment, vous étiez en train de choisir des morceaux sur le juke-box, et celui d'après vous vous retrouviez à lui parler de votre poisson rouge mort quand vous aviez treize ans. Il était passé maître en l'art d'obtenir des confidences.

Il s'adressait à Goodman, surtout pour mieux cerner la fille. Quand elle fut un peu attendrie, il se tourna vers elle :

— Je ne peux pas vous dire à quel point j'ai été triste d'apprendre ce qui est arrivé.

Trop tôt; elle fut instantanément sur ses gardes.

— Il ne s'agit pas d'une visite de condoléances.

— Nous sommes ici parce que nous avons besoin de votre aide, dit Goodman. Il était en train d'écrire quelque chose sur la fille du parc au Nouvel An…

Bien sûr, se dit Pulaski, *ils* ont besoin de *son* aide.

— … et il a fini par collaborer avec l'aspirant romancier qui l'a trouvée là, je présume? Après avoir juré de ne pas se mêler de ces coups de feu?

Ce qui l'enrageait, c'était la présomption de ces scribouillards, comme si le monde n'était pas rempli de vraies gens, avec du travail à faire, des rendez-vous à honorer, des épouses à apaiser, rien que des choses bassement matérielles.

— J'espère que vous m'apportez le nom du tueur, car si tout ce que vous faites, c'est reprendre le flambeau de Groskoph, je crains que nous ne soyons en train de perdre notre temps. Une affaire non élucidée n'est pas un sujet sur lequel j'ai toute latitude de parler. Et Richard le savait.

— Ça ne vous intéresse donc pas de regarder le brouillon de l'article?

La fille brandit le classeur qu'elle tenait.

— Et vous avez déjà sûrement entendu parler du petit ami de Mercer.

— Colocataire, la corrigea Goodman, en prenant un air peiné.

Elle fit comme si de rien n'était et posa le classeur au bord du bureau, mettant Pulaski presque au défi de ne pas le prendre.

— Le bruit court que votre victime fréquentait un groupe de gens dangereux.

— Cette piste-là a déjà été explorée. Les Post-Machin-chose. Dites-moi quelque chose que j'ignore.

— Et si je vous disais que ce sont les mêmes qui, maintenant, en ont après le petit ami de Mercer? Pardon. Colocataire. William. Il a déménagé en mars, après une dispute, et il a disparu depuis.

Ce fut Mercer, cette fois, qui se dispensa de la corriger.

— Je sais, ça m'a paru dingue, à moi aussi, dit-il, mais depuis, je les ai vus. Des hommes déguisés en électriciens qui épiaient notre appartement. Ou un homme, au moins.

— Qu'est-ce qui vous dit que ce prétendu groupe dangereux n'a pas déjà mis la main sur votre colocataire?

— C'était ce matin. Je les ai vus de mes propres yeux.

La liasse de papiers devant Pulaski semblait trembler. Il eut de nouveau la vision fugitive d'un réseau souterrain, mais inversé. Une construction tout en hauteur comme un arbre décoré de guirlandes de lumière, chatoyantes, changeantes et, au milieu, une tache aveugle – l'objet ou le concept qui faisait tenir le visible ensemble. Mais il était plus probable que ce soient les piétinements des manifestants qui faisaient trembler l'immeuble. Quoi qu'il en soit, ces deux-là avaient l'air de drogués. Quel rapport pouvait-il bien y avoir entre le petit ami, colocataire, William Wilcox ou allez savoir qui (les notes qu'il avait prises de son interrogatoire de Goodman se trouvaient dans l'un de ces cartons) et Samantha Cicciaro ? Dans la rue en bas, quelqu'un explorait le répertoire du mégaphone, ses sons incorporés, ses cris et des grognements rauques.

— Mademoiselle Nguyen, monsieur Goodman. Si vous m'aviez apporté cela avant la mi-juillet...

Et tout à coup, l'intérieur et l'extérieur commencèrent à se chevaucher, comme si la cacophonie ne régnait pas dans la rue, mais dans le couloir devant sa porte.

— Ce n'est qu'au milieu du mois de juillet qu'on pénètre chez moi pour mettre le feu à mon appartement. Est-ce que je vous l'ai dit ? Ils devaient chercher l'article, ou peut-être les 'zines.

— Qu'est-ce qu'un 'zine ? Écoutez, je regrette que vous ayez subi ce que vous avez subi, mais vous êtes au bureau des homicides, les amis. Si cela peut vous faire du bien, laissez-moi ça, je demanderai à quelqu'un du bureau des cambriolages de suivre...

Elle fut plus rapide que lui, et récupéra le classeur.

— Pas question.

— C'est ainsi que fonctionne le système. Vous prenez un numéro, vous attendez votre tour.

— J'ai l'impression qu'il y a des New-Yorkais en colère, dehors, qui commencent à douter que le système fonctionne.

Un bloc d'acier, celle-là. Un autre jour, il l'aurait admirée.

— Vous savez retrouver les gens, n'est-ce pas ? dit-elle. Alors vous allez nous aider à retrouver William. Nous allons faire en sorte que personne d'autre ne se fasse tuer.

Mais lui aussi était un bloc d'acier, bien qu'un peu tordu.

— Est-ce que vous vous entendez ? Déguisés ? Mettre la main sur des gens. Et qui a été tué ? La fille Cicciaro est toujours en vie.

— Vous ne comprenez donc pas ? Richard, c'est votre réponse. Il est clair qu'il...

Elle s'interrompit, car l'espace d'une seconde, sous sa colère, Pulaski put reconnaître son désespoir, son besoin violent de croire. Et peut-être même put le comprendre. Et si lui aussi se trompait sur toute la ligne ?

— J'ai peut-être quelques minutes. Je vais jeter un coup d'œil à cet article avant mon prochain rendez-vous, ça vous va ?

Elle desserra les doigts sur le classeur. Il se radossa et l'ouvrit, faisant comme s'il était seul. La première chose qui le frappa fut l'absence de fautes de frappe. Il avait oublié à quel point Richard était un écrivain-né déjà à l'époque où il publiait sa chronique hebdomadaire. À quel point il était lucide, sûr de lui. Peut-être un peu trop. Et pourtant, Pulaski se sentit conforté et déçu aussi ; pendant plus d'une dizaine de pages, « Les Artificiers » auraient pu être un de ces ouvrages de Time-Life divaguant sur la pyrotechnie, la Chine, Marco Polo… Où ces deux-là étaient-ils allés chercher la conspiration meurtrière ? Et comment avait-il failli tomber dans le panneau ? Il avait donc tellement besoin d'évasion ?

Quelqu'un toussait. Il leva la tête. Le bruit avait donc fini par entrer dans l'immeuble, car, à la porte, il vit un policier en uniforme, l'air perplexe.

— Inspecteur, j'ai ces personnes que vous avez demandées ?

Juste derrière, se tenait un homme en complet. Et à sa gauche, les yeux fixés tristement sur ses menottes, le gosse dont Pulaski avait presque oublié les cheveux roux et quoi encore…

— Voulez-vous que je les emmène dans la salle d'interrogatoire ?

Pulaski referma le classeur.

— Non, ici ce sera parfait.

Le policier fit asseoir son prisonnier, avec rudesse, sur l'unique chaise disponible. Mais sans laisser à Pulaski le temps de trouver un moyen courtois de dire aux deux autres d'aller au diable, le garçon leva la tête et devint livide.

— Hé, qu'est-ce que vous foutez là, *vous* ?

82

ET SOUDAIN, ILS ÉTAIENT TOUS EN CERCLE AUTOUR DE LUI, en force, comme les gars à l'école, et il ne pouvait plus respirer et il s'attendait presque à ce qu'ils commencent à frapper du poing dans leurs paumes en répétant *Bagarre! Bagarre!* sauf qu'il ne savait plus qui allait se bagarrer. Il y avait ce connard de menteur en costume, cet enfoiré, que Charlie aurait bien aimé se payer, quitte à se prendre un cocard, et il y avait le flic qui était venu les cueillir tous les deux à l'hôpital et les avait conduits ici. Il y avait ce petit bernard-l'ermite de flic en civil. Il y avait le petit ami de Billy Three-Sticks et à côté de lui, la dame qui semblait ne pas savoir où elle en était. Et puis, le bernard-l'ermite parvint à avancer vers lui et le macaron doublé de cuir à sa taille se retrouva dans la figure de Charlie.

— Que fait *qui* ici, mon garçon ?

Merde. Ça lui avait échappé. Charlie était encore sous pression à cause de la foule qu'ils avaient traversée en bas, et parce qu'il avait essayé de s'esquiver une fois dans le hall d'entrée (d'où les menottes). Maintenant il s'agissait de penser vite. Expliquer qu'il voulait parler du mec noir – ça ferait de lui un voyeur. Et admettre qu'il avait reconnu la dame asiatique parce qu'il avait vu sa photo hier dans l'appartement lui vaudrait une complicité d'incendie criminel. Non, s'il y avait une réponse à même de lui éviter la maison de correction, c'était le crustacé, avec qui il s'était retrouvé face à face la semaine dernière, dans l'East Village.

— Vous, dit Charlie. Je parle de vous.

— On est dans mon bureau. Il est normal que je sois là.

Avant que Charlie ait pu répondre à ça, l'homme se levait pour prendre l'objet qu'on lui tendait, la lame repliée dans son étui.

— Cadeau de votre informateur, lui dit le flic. Dit qu'il l'a pris au garçon. Ça peut vous intéresser.

Charlie s'efforça de rester impassible, mais d'avoir les mains derrière le dos rendait difficile de se tenir droit, et lui imposait une parodie de difformité. Si cela se transformait en vraie crise d'asthme, il était cuit. Il entendit le sous-fifre s'éclaircir la gorge.

— Euh… commissaire ? Le dispatching veut mettre tous les hommes en uniforme sur le coup pour contrôler la foule. Dois-je demander qu'on vous envoie deux gars de la Crim' ?

Son supérieur déclina :

— Je crois qu'au vu des circonstances je vais pouvoir traiter cette affaire ici.

— OK, commissaire.

Un de parti sur les cinq. Pourquoi, dans ce cas, Charlie ne se sentait-il pas vingt pour cent plus à l'aise ? Parce que le bernard-l'ermite se penchait de nouveau. Son visage, qui lui avait semblé simplement vieux, était à présent tout en ravines et canyons.

— Écoute, mon garçon. Tu sais qui je suis ?

— Bien sûr.

Ce fut le moment que la voix de Charlie choisit pour craquer ; on aurait dit qu'il pleurnichait.

— Vous êtes un poulet.

Le sourire du flic ne vacilla pas.

— Et donc tu es quoi, toi ?

— Mort de peur, de toute évidence, dit la dame quelque part derrière lui. Pour l'amour du ciel, laissez-le respirer un peu ! Et les menottes, elles sont vraiment nécessaires ?

Charlie voulut protester qu'il n'avait jamais eu moins peur de sa vie, mais à son grand soulagement, les trois hommes s'éloignèrent, autant que possible dans le peu d'espace disponible. Le bureau, à moitié rempli, n'était pas plus grand qu'un banc de pénalité.

— Dans la voiture il a déclaré s'appeler Daniel, dit le Connard.

— C'est pas vrai, mentit Charlie, pour le contrarier. Je m'appelle Charlie.

— D'accord, mais qui es-tu, toi, Charlie ? Ton nom ne nous dit pas grand-chose. Par exemple, je m'appelle Larry Pulaski, mais je suis aussi Commissaire Adjoint au NYPD. Autrement dit, je suis ici pour résoudre des crimes.

— Peut-être, mais on est en Amérique. Je ne suis pas obligé de vous dire quoi que ce soit.

Le Connard avait semblé nerveux, tout à l'heure, il avait un œil sur la fenêtre et la manifestation dehors, mais là il se ressaisit.

— À propos, inspecteur Pulaski, vous avez omis de dire au téléphone que vous comptiez me traîner jusqu'ici.

— C'est une formalité. Je suis sûr que ce ne sera pas long.

Pulaski semblait considérer que l'homme créait une diversion. Mais n'aurait-il pas dû se donner la peine, ne fût-ce que pour les besoins de l'enquête, de demander ce qui avait conduit ce Connard au chevet de Sam, pour commencer? Charlie aurait posé la question lui-même, mais il ne croyait pas utile de s'aliéner même ses ennemis.

— C'est peut-être une formalité, commissaire, mais je devais aller chercher mes enfants au centre de loisirs à quinze heures trente. Ils vont penser qu'il m'est arrivé quelque chose.

— Ce doit être le cas. Il était plus de seize heures quand vous m'avez appelé de l'hôpital.

L'homme rougit, mais ne se laissa pas démonter:

— J'ai perdu la notion du temps. Est-ce un délit passible d'arrestation?

— Personne ne parle d'arrestation.

— Bien. Parce que vous avez mon nom. Je serai plus qu'heureux de répondre à toutes vos questions plus tard, mais pour l'instant, je vais aller chercher mes enfants. La petite a six ans.

Charlie s'efforça de former un faisceau de pensée. *Dites non. Mettez-lui un peu la pression, à lui aussi.* Mais Pulaski lui demanda simplement où il pouvait le joindre. L'homme fouilla dans sa veste, sortit une carte. Sous le regard du Noir et de la dame asiatique, Pulaski l'examina.

— Attendez-vous à ce qu'on vous appelle demain. Jusque-là, je ne peux pas vous retenir.

Incroyable! Si Charlie avait une carte de visite, est-ce qu'on l'enverrait promener sans plus de questions? Non, parce qu'il serait incapable de la prendre; il avait toujours les mains attachées dans le dos.

Pulaski tapota son bureau avec la carte, songeur.

— Il faut peut-être que je fasse les présentations. Charlie, voici Mlle Nguyen…

— Pourriez-vous au moins lui apporter de l'eau ou quelque chose?

— … et M. Goodman, qui a trouvé la fille le soir du Nouvel An.

Il a *quoi*? Charlie ne put s'empêcher de se lever d'un bond. Mais il ne parvenait pas à relier entre eux ce Noir fatigué, à peine sorti de l'adolescence, et la forme penchée à côté de Sam dans la neige, qui attendait les flics. Et quand il se tourna vers le bureau, Pulaski s'appuyait dessus avec l'air de savoir tout ce qui était arrivé à Charlie depuis. Il posa une main sur le classeur à côté de lui. Un dossier sur le PPH? Étrangement, il trouvait cela apaisant. Ce que Nicky préparait depuis des mois allait enfin être révélé au Prophète Charlie. Et personne ne pourrait rien lui reprocher.

— Maintenant que tu sais tout, dit Pulaski, j'ai besoin de te poser quelques questions, Charlie. À commencer par Samantha Cicciaro. Tu la connaissais, n'est-ce pas?

Parler franchement, pour une fois, ne pouvait pas lui faire perdre la face :

— C'était ma meilleure amie.

Et savait-il qui avait tiré sur elle? interrogea Pulaski.

Ça devait être encore pour le faire paniquer. Il n'empêche, la réponse était non.

— Très bien, on renverse la vapeur. Regarde bien ces deux personnes.

Pouvait-il affirmer n'avoir jamais vu Mlle Ngyuen ou M. Goodman?

— Et le nom Richard Groskoph te dit-il quelque chose?

Le Noir l'interrompit :

— Est-ce qu'on va bientôt en revenir à William?

Mais c'étaient les mauvaises questions! Rien sur Liberty Heights, rien sur la collision des deux sept, le Post-Humanisme, la petite maison au fond de la cour. L'inspecteur Pulaski, si autoritaire cinq minutes auparavant, ne semblait même pas être sur la bonne affaire!

— Écoutez, je l'ai dit à l'autre type, je rendais simplement visite à mon amie à l'hôpital et je n'ai rien à ajouter. Si vous me gardez, il paraît que vous devez avoir une raison. Alors…

— Que penses-tu de possession d'arme prohibée? Ce serait une bonne raison? questionna Pulaski, dont l'omniscience, c'était maintenant clair, se limitait à trouver comment torturer Charlie.

— C'est du bidon. Vous ne feriez pas ça si j'étais un connard de riche. N'ai-je pas droit à un avocat?

Pulaski soupesa l'étui dans sa paume.

— Sais-tu qu'il est interdit de dissimuler une lame de plus de sept centimètres dans l'État de New York?

— C'est du bluff.

— Vous voyez, c'est bien ce dont je parle (la femme s'était interposée de nouveau), partout, les gens sont armés de couteaux.

— Où est passé mon mètre?…

Or quand Pulaski appuya sur le bouton, à voir tous les visages stupéfaits, on aurait dit que le couteau lui avait coupé un doigt. Ce qui jaillit n'était pas une lame mais un peigne en plastique noir, de trop mauvaise qualité pour servir à quelque chose. Et à ce moment-là, Charlie sentit que tout ça dépassait plus que jamais son entendement. C'était presque à égalité avec la découverte de Sam ou avec l'enterrement de Papa. Et s'il avait eu réellement besoin de la lame pour arrêter quelqu'un, pas un crétin en costume, mais quelqu'un qui aurait été vraiment capable de... Mais allez, jusqu'à quel point peux-tu t'aveugler ? La personne qu'il avait eu besoin d'arrêter depuis le début, c'était Nicky. Il s'était dit que la violence du PPH n'était qu'un moyen, mais ce peigne, dans son inanité même, semblait donner tout son relief à la question des *fins*. Et si, mettons, les fantasmes de Nicky menaient en un lieu si dangereux qu'il ne faisait même pas confiance à ses alliés les plus proches pour l'accompagner jusque-là ? Et si, sur le dernier point au moins, il avait raison ?

Charlie se tourna vers la dame.

— Est-ce que je peux juste dire que je suis désolé ?

— Désolé pour quoi ?

— C'est votre appartement dans lequel nous sommes entrés hier, je le sais. J'ai vu votre photo sur le réfrigérateur.

— Espèce de petit con !

Elle s'adressa alors à Pulaski :

— Je vous l'avais dit. Je savais que ce n'était pas un simple cambriolage.

— Exact, dit Pulaski. Comme vous saviez que ça, c'était un couteau.

Charlie fit comme s'il n'avait pas entendu.

— Ce n'est pas moi qui ai eu l'idée de mettre le feu, ni rien.

— Mais en fait, continua-t-elle, ce n'est pas tout à fait vrai. Vous avez bien pris quelque chose.

— Je n'ai rien pris, madame. J'ai sauvé votre chien. Le feu, c'était Nicky.

Elle pencha la tête sur le côté.

— *Alias* Iggy, n'est-ce pas ? Le manuscrit emploie les deux noms. « NC » signifie Nicky ?

— Euh, oui, je crois. Nicky Chaos.

— Wouah ! dit-elle en levant la main. Une minute. Captain Chaos, le prétendu artiste ?

Une autre bourde fatale – était-il devenu officiellement une balance ?

— Jenny, vous parlez de quelqu'un qui jouait dans le groupe de William, dit le Noir. Pourquoi diable serait-il mêlé à un coup monté visant à assassiner un membre de son groupe ?

Assassiner un membre de son groupe? La dame s'approcha et saisit un accoudoir. S'agenouilla devant Charlie. Elle portait une montre digitale bon marché et elle était très, très jolie, encore que fatiguée.

— Ça devient sérieux, Charlie. Je comprends que tu sois anéanti par ce qui arrive à ton amie...

C'était un piège; il avait lu le «Courrier des lecteurs» de *Penthouse*, il savait ce qu'elle faisait. Elle se débrouillerait pour se retrouver seule avec lui, elle lui dirait qu'elle était terriblement triste pour lui et attirée par lui, et elle lui proposerait de sucer son pénis s'il faisait ce qu'il fallait. Et le pire, c'est qu'il lui dirait probablement tout ce qu'il savait. Ce qui, néanmoins, se résumait à trois fois rien. Il se leva et se dirigea en boitillant vers la fenêtre. Personne ne l'arrêta. En bas, ça pullulait de fourmis réactionnaires. La rivière, au-delà, mourait avec le soleil. Un flamboiement rouge sur les câbles du pont menaçait de lui rappeler des souvenirs, mais il avait le vertige, et trop peur pour penser.

Pulaski, perplexe, feuilletait le classeur posé sur son bureau, mais le Noir l'interrompit:

— Non, non, il faut commencer après les images. Le truc sur Billy Three-Sticks n'arrive qu'à la fin.

Pulaski tourna de nouveau les pages, le regard plus rapide que les doigts, et puis il s'arrêta sur l'une des dernières.

— Bon, là, je suis complètement perdu.

Tout comme Charlie – perdu, tombant de sommeil, en colère et terriblement honteux. Mais Pulaski, semblait-il, parlait du passage couché sous son index:

— Les initiales «NC» peuvent certainement nous entraîner dans de nombreuses directions, on peut penser à Nervous Charlie, à Non Crédible, mais qui est ce Frère Démon? Un Hamilton-Sweeney?

— *William* est un Hamilton-Sweeney, dit le Noir.

L'éclairage baissa d'intensité, brièvement, mais nul ne remarqua rien. Pas même Charlie qui se prenait les pieds dans tous ces fils emmêlés. Il avait maintenant des images à l'esprit. Des sourcils manquants, des doigts blessés, des réveils volés. Il sentait cette odeur chimique présente depuis le début. Bordel de merde, ce qu'il pouvait être lent à la détente.

— Non, s'entendit-il corriger. Le Frère Démon, c'est l'arme de Nicky. Le Frère Démon, c'est une bombe.

Il y eut un silence. Un autre papillotement de lumière. En provenance du Noir, un gémissement. Pulaski prit la parole:

— Bel effort, mon garçon, mais tu ne m'en feras pas gober une miette. Si vous étiez décidés à tuer l'ami de M. Goodman, vous l'auriez abattu. Ou, selon Mlle Nguyen, poignardé.

Impossible de savoir si la dame avait entendu, ou quelle avait été sa réaction.

— Charlie, tu dois bien le comprendre, ce que tu nous dis est difficile à croire. Captain Chaos a une bombe ?

Il fit de son mieux :

— La, euh... l'explosion était prévue le 7/7, je crois, mais je ne sais pas pourquoi elle a été reportée d'une semaine.

— Tout ça est très bien. Mais tu parles d'une semaine comme dans « je t'appelle la semaine prochaine » ou d'une semaine comme sept jours ?

— J'en sais rien.

— Vous voyez bien, dit Pulaski. Un complot meurtrier, une menace à la bombe, et il ne peut même pas donner de date.

La dame fit la sourde oreille.

— Parce que sept jours après le 7/7 serait le 14/7. C'est-à-dire demain.

— Ou dans quelques heures, dit le Noir.

— Bon, très bien, minuit, dit Jenny Nguyen. On peut encore alerter la cavalerie, Charlie, si tu nous dis où ils vont la mettre.

Il posa les yeux sur chacun des visages. Sur celui, dubitatif, de Pulaski. Et il se demanda alors si son propre visage avait l'air convaincu. C'était une calamité de se retrouver coincé ici. Parce que franchement, il n'en avait pas la moindre idée.

83

REGAN ÉTAIT PASSÉE TANT DE FOIS devant les immenses tableaux et leurs à-plats de couleur, ici ou dans le Building Hamilton-Sweeney, qu'ils étaient devenus une partie de son mobilier mental. Mais, et cela en disait long sur son frère (ou du moins sur ce qu'elle comprenait de lui), de toutes les choses auxquelles il avait renoncé depuis de longues années dans ce geste d'orgueil autant que de loyauté, le sacrifice le plus difficile, c'étaient les deux Rothko. Parvenue au milieu du hall, elle vit qu'il restait en arrière pour les contempler.

— Tu viens ?

— Juste une seconde.

Elle s'arrêta devant une petite fenêtre orientée à l'ouest. Le soleil était bas, gigantesque, comme s'il était venu engloutir le New Jersey. Pas étonnant qu'il fasse si chaud.

— William !

— Je suis là !

Comme elle se tournait pour vérifier, leurs voix délogèrent une femme couleur de noix d'un couloir adjacent. Regan ne la reconnaissait pas et elle ne semblait pas la reconnaître non plus. Mais rien de nouveau là-dedans ; Felicia avait du mal à retenir son personnel. Quand elle lui eut expliqué qu'ils venaient voir Papa, la femme eut l'air perplexe.

— Papa ?

— Mon père.

— M. Ham ?

Après d'autres négociations, la femme les précéda au premier étage et dans un long couloir. Ici aussi toute vie semblait éteinte, mais depuis la porte du fond parvenaient des filets de voix. Surprise, Regan reconnut la sienne parmi d'autres. Un énorme poste de télévision en bois avait été installé au milieu de la bibliothèque défeuillée et la prise connectée au mur au moyen d'une rallonge. L'appareil retransmettait la conférence de presse de ce matin. Derrière le poste, en bermuda, son père était assis dans le fauteuil destiné aux visiteurs devant le bureau. Des varicosités violettes couraient sur ses jambes à la peau blanc bleuté. Un pied chaussé d'un mocassin en toile. L'autre nu. Une odeur d'après-rasage infusée de gin. Mais quelle heure était-il ? Les informations devaient maintenant être terminées.

— Papa, que se passe-t-il ?

— Regan ? J'étais justement en train de te regarder.

Il tapota l'accoudoir comme si elle était encore assez petite pour pouvoir grimper dessus.

— Tu t'es très bien débrouillée, ma chérie. Ces connards sont restés sans voix.

Elle s'agenouilla sur le tapis devant lui et lui prit les mains en essayant de se rappeler la dernière fois qu'elle l'avait entendu jurer.

— Où est tout le monde ? Où est ta femme ? Tu ne dois pas boire avec tes médicaments, tu le sais bien.

Quelque part derrière ces questions, elle avait conscience que William traînait encore et qu'elle avait un peu de temps pour préparer Papa à sa réapparition. Ou était-ce William, plutôt, qu'elle devait préparer. Combien pouvait-on changer, fût-ce en l'espace de deux mois…

— Tu comprends ce que nous avons fait aujourd'hui, n'est-ce pas ?

— Oh, oui, dit-il. Amory vient de tout m'expliquer.

Son regard n'avait pas quitté la télévision. Commençait-il, pour couronner le tout, à avoir des hallucinations ?

— Amory n'est pas là, Papa.

Il battit des paupières une fois ou deux, comme s'il sortait d'un rêve, puis il se tourna pour regarder le bureau et le fauteuil, vides à l'exception d'un magnétoscope que Regan pensait avoir vu dans le bureau de production où étaient montées les publicités pour le café El Bandito. Il y eut un bref sautillement dans l'image.

— Il est peut-être allé chercher mes bagages. Felicia est descendue ouvrir la maison d'été hier, dès que nous avons reçu le dernier courrier de nos avocats. J'y passerai les prochaines semaines avant que l'État nous propose une meilleure offre, c'est une bonne idée, tu ne crois pas ?

— Où ?

— Block Island.

— C'est ce qu'on t'a dit ? Qu'il y aurait une meilleure offre ?

— Mais, Regan, tu dois venir aussi. Toi, Cate et…

— Will, dit-elle, mais il était de nouveau absorbé par la télévision.

Les baies vitrées étaient ouvertes pour laisser entrer l'air du dehors. En s'approchant du balcon, elle s'attendit à moitié à voir l'imago lilliputienne de son frère, dix-sept étages en dessous, regagner en courant Columbus Avenue après avoir changé d'avis à la dernière minute. Loin vers le nord, les derniers avions ou les premières étoiles scintillaient à quelques centimètres au-dessus de l'horizon. La vue n'eût guère été différente depuis son salon de Brooklyn, où elle aurait dû, à cette minute, apporter un plateau de fromages tandis qu'Andrew West décollait la capsule en aluminium sur le col d'une bouteille de vin. Quelque part un téléphone sonna. S'arrêta. Si cela devait s'éterniser, il lui faudrait l'appeler pour annuler. Et puis elle tendit l'oreille, à l'affût d'un bruit venu du fin fond de l'appartement et plongeant dans le gouffre d'elle-même, où tout était immobile.

— Papa ?

Comment lui annoncer. Comment faire éclater l'annonce. Comment laisser une chose éclater.

— Je ne suis pas venue seule.

— Tu as amené Keith ? Ah, mais j'ai deux mots à dire à ce jeune homme.

Elle regrettait que le gin, dont elle sentait l'odeur, ne soit pas vraiment à portée de main.

— Papa, s'il te plaît…

Mais il y eut un tumulte à l'intérieur de l'appartement, assez bruyant pour couvrir le son de la télévision.

— Reste là, dit-elle. Je vais voir ce qui se passe.

Elle sortit par les portes côté est et se retrouva sur la galerie intérieure qui longeait sur trois côtés le hall de réception. Sans les centaines de gens qu'il était censé accueillir, il semblait abandonné. Mais l'un des bars installés pour le Nouvel An s'y trouvait toujours, et elle vit qu'Amory se tenait derrière, vêtu d'une chemise au col ouvert. Ou plutôt qu'il tournait autour, un verre à whisky à la main. Face à lui, tournant autour elle aussi, une silhouette crasseuse brandissait un tisonnier. Amory leva les yeux.

— Ma chère ! Quel sens du timing ! Nous allions justement boire un verre !

S'il cherchait à créer une diversion, c'était raté.

— Tu es le diable, putain ! dit la silhouette, très distinctement.

Mais ce qui vint ensuite fut perdu, car Papa était apparu à son côté pour demander qui était cet homme en bas.

— C'est Amory, dit-elle en rougissant. Tu avais raison.

— Non, le clochard.

— C'est ce que j'essaie de te dire. C'est William, Papa. En bas, il y a ton fils.

84

D'ABORD LE MÔME LÂCHAIT QU'IL Y AVAIT UNE BOMBE pour ensuite déclarer ne pas savoir où elle se trouvait. Mais comment, pensa Jenny, pouvait-il ne pas savoir alors que ce moment était celui qu'elle attendait depuis toujours ? Était-ce même possible d'inventer un truc pareil, avec un tel sens de l'improvisation ? Et puis le policier, qui avait dû voir son expression, prit la posture salomonique. Il aurait été bon de pouvoir localiser l'objet présumé, dit-il – le meilleur moyen de montrer que l'histoire était montée de toutes pièces –, mais Charlie avait foiré ; dès l'instant où vous prononciez le mot bombe, vous mettiez la police dans l'obligation de vérifier toutes les pistes que vous lui aviez données. Et le garçon en avait déjà donné beau-coup. En bas, avec la dispersion de la manifestation, il y aurait largement assez d'hommes à redéployer dans l'East Village, où Charlie avait été aperçu la semaine dernière.

— S'il y a quelque chose à retourner, on le retournera. J'enverrai une phalange entière présenter un mandat de perquisition de cette baraque et emmener ceux qu'on dénichera.

— Qu'est-ce qui vous dit qu'ils vont vous parler ? demanda le garçon.

Pulaski semblait bienveillant, dans la mesure où peuvent l'être des flics, mais elle sentit un imperceptible glissement vers un autre masque social.

— Charlie, tous mes collègues ne feront pas preuve d'autant de patience que moi aujourd'hui.

— Bien dit, marmonna Mercer, abattu.

Eh bien, si ce pauvre homme n'insistait pas, Jenny le ferait; sa propre patience était depuis longtemps épuisée.

— Je suis ravie que vous preniez au moins quelque chose au sérieux, dit-elle à l'inspecteur. Mais que fait-on pour William Hamilton-Sweeney?

— Qui est William Hamilton-Sweeney? intervint le garçon.

— William Hamilton-Sweeney est Billy Three-Sticks.

— *Oy.*

Sa tête retomba.

— Voilà qui explique votre présence à la soirée, dit le commissaire à Mercer. Mais votre ami est une affaire distincte. Le môme affabule.

— C'est faux. Il y a une bombe là-bas. Pourquoi vous ne m'écoutez pas?

J'essaie, pensa Jenny. *Tu ne me donnes rien.* Et pourtant, le garçon dégageait une aura impérieuse qu'elle semblait être seule à percevoir. À voix haute, elle dit:

— On n'est pas capables de faire deux choses à la fois? William est toujours introuvable.

— Je vais passer le message à la cellule dédiée aux disparitions (Pulaski continuait ostensiblement à s'adresser à Mercer) mais je ne dirais pas qu'ils sont connus pour agir vite. C'est une ville immense. En admettant que votre William ne soit pas simplement en vacances. Le côté positif, c'est que dans l'hypothèse improbable où un tueur serait à ses trousses, il ne serait pas davantage capable de le trouver. Avez-vous essayé la famille, à Central Park Ouest? Je suis sûr que notre standard peut fournir un numéro.

— William haïssait sa famille, dit Mercer. Avec raison.

Les lumières merdoyèrent une seconde.

— Ça me rappelle un vieux cliché qu'on nous répétait à l'académie. Quand vous enquêtez sur une femme, cherchez qui l'aimait; si c'est un homme, la haine fonctionne aussi bien. Et qui serait le plus inquiet si William Hamilton-Sweeney disparaissait? Mettons le drame de côté; mon expérience suggère que la personne qui surveillait son ancien appartement travaille pour la famille. Elle a certainement des renseignements plus récents sur ses allées et venues.

— Dans ce cas, pourquoi *vous* n'appelez pas les Hamilton-Sweeney? dit Jenny. C'est vous, l'inspecteur.

— C'était moi. Ma retraite prend effet dans les semaines qui viennent. Concentrer tous les moyens sur cette autre affaire la fout déjà mal. Si je me retrouve mêlé aux histoires des ultra-riches, ils me garderont ici indéfiniment, à titre de punition. Tenez, j'ai une ligne.

Après un échange avec le standard, il tendit le combiné à Mercer. Charlie ne faisait plus que gémir de frustration. Mercer attendait d'être mis en relation.

— Personne ne décroche.

— Essayez peut-être plus tard. Pour l'instant, je dois commencer mon enquête avec Charlie, alors si vous voulez bien débarrasser le plancher.

— Nous avons toujours la voiture, dit Jenny à Mercer, se surprenant elle-même. Je pourrais vous conduire là-haut pour parler aux Hamilton-Sweeney.

— Parfait, dit Pulaski – mais cela sonnait comme : *Faites ce que vous voulez.*

Et comme Mercer passait dans le couloir, elle se rappela que le classeur était resté sur le bureau.

— Vous n'aurez pas besoin de nous ?

— Si j'ai des questions, quand j'aurai fait une lecture plus complète, je sais où habite Mercer. Mais déjà, c'était une folie de vous laisser dans la même pièce avec le môme. À moins qu'il n'y ait quelque chose d'autre…

Jenny s'attarda sur le seuil. Le garçon esseulé leva les yeux vers elle avant de replonger plus profondément en lui-même.

— Mademoiselle Nguyen ? dit le flic.

— Oh, laissez tomber, dit-elle, car tant que Pulaski mettait en branle toute la puissance de sa charge, qui se souciait de savoir s'il était convaincu de la menace ?

Le raisonnement lui parut tenir tandis qu'elle suivait Mercer jusqu'à l'ascenseur, et (après réflexion) dans l'escalier, et vraiment jusqu'au moment où Mercer et elle quittèrent le bâtiment. Mais alors ses craintes se réveillèrent, redoublèrent, s'agglutinèrent : la manifestation. Loin de s'être dispersée, elle s'étendait jusqu'à occuper tous les espaces disponibles. C'était comme ce truc de Kafka qu'elle avait lu à la fac, un courtisan solitaire à qui est confié un message du roi à l'agonie, un empire trop peuplé pour le traverser. Le cordon principal entraînait la masse derrière lui, poussait en direction des policiers alignés devant les portes, emportait Jenny au loin. Elle pensa avec culpabilité à son propre message, abandonné dans ce bureau, et à la petite couture entre les deux moitiés de l'article – merde, elle aurait dû s'en souvenir plus tôt – mais elle se trouvait déjà au milieu de la place et il devenait de plus en plus difficile de revenir en arrière. Et en vérité le problème n'était pas vraiment là. Le problème, c'était que, sans récepteur, un message n'existait pas. Pulaski n'était pas idiot, il verrait les chevauchements avec l'histoire du garçon même si elle n'attirait pas son attention dessus, mais il les ferait entrer dans une réalité qui se présentait encore sous forme de paquets allusifs. Enfin, qui savait si, cinq étages plus haut, ces boîtes avaient encore un sens. Il y avait eu un vol, puis des coups de feu, voilà qui était clair. Mais ce qu'elle avait vu dans le classeur, ce qui l'avait terrifiée en premier lieu, c'est ce qu'il ne pouvait pas saisir dans toute son ampleur : une dislocation de l'univers, si vaste qu'elle reliait Samantha Cicciaro à William Hamilton-Sweeney. Une fracture si étendue qu'elle avait déjà englouti trois vies. Et laquelle de ces images témoignait-elle de la réalité qui l'entourait à présent, ce réveil, ce barnum humain, cet océan de chair qui mobiliserait encore les renforts de Pulaski jusqu'à onze heures du soir, ou même plus tard ? Le tourbillon s'était arrêté net alors qu'il lui restait à traverser la moitié de la place, ainsi que les rues au-delà d'une arche qui perçait un bâtiment. Les faits étaient là : là-bas, quelque part, il y avait la poudre volée, en quantité indéterminée, prête, en explosant, à laisser un cratère aux proportions de cette folie. Et elle serait coincée ici, à attendre. Elle voyait des gens près de l'arche placer des haut-parleurs sur des estrades, mais que restait-il encore à réclamer ? Et puis, comme en réponse, vinrent un glapissement et un écho, et une voix qu'elle avait presque oubliée, une litanie obsessionnelle :

— mais quand vas-tu te secouer, New York ? Que dois-je faire pour t'ouvrir les yeux ? Je sais, ça ne sert à rien de hurler dans un théâtre comble, mais vraiment, où est le feu ? L'heure avance, les espoirs sont faibles, le patient est un mort en sursis... et pour nous sortir de ça, il n'y a que vous. Vous, les auditeurs de toujours, vous les fans de longue date, vous les fiottes – vous allez sortir par milliers, par dizaines de milliers et aller à la source même de la maladie. Vous devez dire : « Ceci est ma ville. Ma ville, bordel de merde ! » Et vous allez agir pour la reprendre.

85

AU CINQUIÈME ÉTAGE, Pulaski guida le garçon dans un couloir et traversa avec lui un espace de bureau paysager. Les béquilles rendaient la manœuvre délicate, ainsi que le classeur roulé dans sa poche, mais les menottes attachées dans le dos du petit lui facilitaient la tâche. Ses collègues, comme d'habitude, semblaient ne rien remarquer. Ils tapaient à la machine, assis dans leurs box, en bras de chemise, ou s'agglutinaient aux fenêtres pour essayer de cerner ce qui se passait sur l'esplanade dans le soir qui tombait. Eh bien, parfait. Il ne tarderait pas à avoir besoin d'eux, quand il en enverrait six ou sept 3ᵉ Rue Est qui s'en taperont le cul de Pulaski et de son chant du cygne, de ses dernières prolongations. Ils n'avaient jamais compris qu'on n'était jamais trop minutieux. Mais pour l'instant, Charlie et lui allaient parler à cœur ouvert, et il allait avoir recours au genre de pression dont nul, pas même Pulaski lui-même, ne le croyait plus capable. D'instinct, il continuait à croire que ce boniment sur les méchants et les explosions ne servait qu'à détourner l'attention. Quant à ce qui concernait Pulaski – à propos de Samantha Cicciaro –, il avait encore l'impression qu'on le prenait pour un con.

— Vous n'allez rien dire ? demanda le môme tandis que les portes de l'ascenseur se refermaient. Ou alors, j'ai compris. Vous essayez de m'avoir par le silence.

— Non, dit Pulaski. Je réfléchis à ce que je vais faire de toi.

— De moi ? Je vous le dis, mes amis ont une bombe. Il pourrait y avoir des victimes.

— On ne peut rien faire à présent qui ne sera fait avec plus d'efficacité dès que la foule sera dispersée.

Les portes s'ouvrirent sur le sous-sol en béton baptisé Détention provisoire. Il le fit passer de force devant le téléphone où un autre flic montait ordinairement la garde, et devant les cellules à barreaux où les interpellés faisaient leur cirque. Deux d'entre eux s'attirèrent l'estime de Pulaski en faisant des bruits de succion en direction du gosse.

— Tu as déjà vu l'intérieur d'une prison, Charlie ?

Pulaski le poussa dans une cellule vide éloignée des autres, le fit asseoir sur un banc en béton et alla fermer la porte. On sentait les pulsations de la foule, là-haut sur l'esplanade, mais seulement à travers les parpaings et Dieu savait quelle épaisseur de schiste. Pulaski s'était toujours senti rassuré ici. Même les lumières étaient en cage.

— Reste assis et mets-toi dans l'ambiance pendant que je relis ça.

Le môme, de ses mains menottées, tenta d'extraire quelque chose d'une poche, mais l'objet roula loin de lui. Un inhalateur d'albuterol. Pulaski s'en désintéressa, s'installa à son tour sur un autre banc et sortit le manuscrit qu'il ouvrit à la page à laquelle étaient agrafées les photos, comme un marque-page, au milieu. D'accord, il reconnaissait le passage qui avait pu mettre à cran Mlle Nguyen déjà portée à croire aux bouffonneries du môme. Mais décidément quelqu'un là-haut ne voulait pas le laisser finir, car les lampes ne cessaient de s'éteindre, et la lecture lui donnait la migraine. La journée tout entière lui donnait la migraine. Et maintenant il était en retard pour le dîner. Mais laissons tomber. Il savait ce qu'il cherchait. Il s'accroupit péniblement pour ramasser l'inhalateur et le tint à quelques centimètres du garçon, comme une carotte devant un âne.

— Charlie, qui a tiré sur Samantha ?

— Vous m'avez déjà posé la question. Vous ne m'écoutez pas quand je vous parle de la bombe, mais dès il s'agit de Samantha, je dois tout savoir ?

— Tu es le chaînon manquant. 3e Rue Est, la fille...

Il compta sur ses doigts en forme de serres.

— Si je pouvais te placer dans la scène de crime, je dirais que c'est toi qui as tiré sur elle.

Le visage du garçon s'enflamma.

— Retirez ça !

— Tu as entendu parler de Guillaume d'Ockham ? Il ne possédait qu'un seul outil, mais il était unique en son genre. Et je vais te dire ce qu'il dit. Il dit que tu habites seul dans cette maison. Il dit que Captain Chaos n'existe pas.

Ou bien que Captain Chaos, c'est toi. Tout nous ramène à toi, petit. À toi et à toi seul.

— Et si quelqu'un voulait que tout se ramène à moi, vous y avez pensé, à ça?

Dans leurs cages, les lumières commencèrent à papilloter plus vite. Allumées éteintes allumées. Éteintes plusieurs secondes – allumées de nouveau. C'était vraiment dingue.

— Tu crois réellement à tous ces trucs, hein, Charlie?

— Merde, si ça se trouve, y en a un qui vient me faire la peau.

86

À VRAI DIRE, William avait oublié les Rothko. Et même s'il ne les avait pas oubliés, il aurait imaginé (espéré?) que les événements douloureux auxquels ils étaient associés auraient poussé Papa à les vendre, ou à les enfouir sous un drap, quelque part dans les entrailles du Building Hamilton-Sweeney. Mais le bleu fut la première chose qu'il vit en sortant de l'ascenseur. De quoi lui faire tourner les talons et courir Downtown s'il ne s'était pas souvenu d'autre chose : se tenir devant cette peinture, c'était comme apprendre à voir pour la première fois. Des à-plats bleus s'épanchant dans des rectangles qui se chevauchent, identiques en masse, distincts en nuances. Stase et mouvement, la pureté de la chose simplement vue – exactement ce à quoi il aspirait quand il posait son pinceau mouillé sur la toile, il y avait si longtemps. Il croyait y être encore. Ou même bien avant, la veille du mariage de Papa, quand le temps tout entier s'ouvrait devant lui comme un champ à l'infini.

Son esprit traversait encore ces espaces perceptuels de couleur tandis que son corps suivait sa sœur dans l'escalier puis dans un long couloir. Sur la gauche, des portes étaient des flaques de gris inerte, tandis que, sur la droite, elles dessinaient des rhombes de lumière. Dans la chambre où il avait dormi un été, les lits d'invités étaient faits, comme gainés par des corsets. Il ressortit dans le couloir où Regan l'avait de nouveau semé. Il n'avait jamais su s'orienter dans cette maison. Mais il n'éprouvait aucune inquiétude ; il poussa une porte, puis une autre, descendit un escalier, certain d'en trouver un autre qui le ramènerait dans l'autre aile. Et ce fut là, en traversant une salle de réception déserte que la lumière, en faiblissant, rendait lunaire, qu'il aperçut les valises, au nombre de trois, alignées près du bar. Un enfant, le dos tourné, fouillait dans le placard en dessous.

Sauf qu'il ne s'agissait pas d'un enfant. C'était le Frère Démon. Il n'avait pas changé en quinze ans, remarqua William, quand il se leva et se retourna. Ni les vêtements, ni le visage, ni les cheveux prématurément blancs et William, qui commençait lui-même à avoir quelques mèches grises, fut troublé de constater qu'ils avaient plutôt pour effet de le rajeunir.

— Que fais-tu ici? demanda William.

Il y eut un éclat dans le regard, mais nul autre signe de reconnaissance.

— J'habite ici. Et *toi*, que fais-tu ici?

C'était la sollicitude de l'adulte envers un bambin: *Que fais*-tuuu *ici*? Et William sentit cette miraculeuse limpidité s'écrouler. Il n'aurait pas dû venir.

— Tu ne te souviens vraiment pas de moi?

— William?

Amory prit des lunettes dans sa poche de poitrine, les chaussa, se pencha en avant.

— Mais il faut prévenir! Malheureusement, je m'apprête à partir pour Block Island avec ton père. Je manque déjà une réunion, mais j'imagine que nous avons juste le temps de nous rafraîchir, toi et moi. C'est très gentil à toi de passer, après toutes ces années.

Il se retira à l'autre bout du bar, s'accroupit de nouveau et des bouteilles apparurent soudain sur le comptoir.

— Qu'est-ce qui te fait plaisir? Il y a du scotch, du gin bien sûr, du rhum haïtien…

Dans les bras de William, les muscles étrangleurs s'étaient contractés.

— Je ne bois plus. Et je ne suis pas venu te voir.

— Non, bien évidemment. En ce qui concerne ton père, une visite aurait été bienvenue il y a quelques mois, mais à présent nous veillons à le préserver de toute agitation.

Amory marqua une pause, comme si une pensée lui traversait l'esprit.

— Mais j'imagine que Regan ne t'a pas parlé de son état de santé? Je suppose qu'elle est ici, elle aussi.

Il ouvrit l'un des flacons de whisky. La bouteille tremblait-elle? Ce fut ce tell imperceptible, ou son imitation, qui entraîna William à trop présumer de son jeu.

— Et les Spectres, Amory? Tu en as parlé à Papa?

L'autre homme leva les yeux, sincèrement étonné.

— Les Spectres?

— Ces barbouzes que tu as envoyés pour t'assurer que je reste pour de bon à l'écart des affaires de la famille?

— Vraiment, William. Pour qui me prends-tu?

Ayant remis les lunettes dans sa poche, Amory tendit sa main libre vers le tisonnier qui avait mystérieusement remplacé la plante verte dans celle de William. William sentit l'objet lui glisser des doigts. L'espace d'une seconde, le visage en face de lui commença à changer. Puis le tisonnier ne bougea plus et un bruit lui fit lever la tête vers la galerie. William se tourna, vit Regan debout à l'étage et, à côté d'elle, leur père éclairé par le dernier losange rouge du soleil. Curieusement, dans le flot de représentations, de griefs et d'illusions qui le charriait, William avait perdu de vue la question de savoir ce qu'il allait ressentir en revoyant Papa. Mais, bordel, à quoi pouvait-on s'attendre, sinon à ce mélange de colère et d'impuissance, à ce retour à l'enfance? Tout ce qui était irrémédiable mis à nu en une fraction de seconde, tandis qu'Amory Gould, ce putain de diable en personne, s'élançait dans l'escalier et parvenait sur la galerie sans renverser une seule goutte de son verre.

William ne put que le suivre, traînant derrière lui le tisonnier. Peut-être paraissait-il, lui aussi, plus effrayant qu'il ne se sentait l'être, car quand il atteignit la dernière marche, Regan demanda ce qu'il faisait et son père se tourna vers elle:

— Dis à ton frère que cela doit cesser.

Amory avait pris le bras de Papa et le tournait vers les fenêtres qui pâlissaient.

— Nous devons vraiment nous dépêcher, Bill, si nous voulons attraper le dernier ferry.

Mais Regan le fit tourner dans l'autre sens.

— Non, Papa. William doit te parler.

Elle était donc de son côté, de nouveau. Encore.

Papa aussi avait dû le sentir, car il hésitait entre les deux. Amory changea de tactique:

— Pourquoi, dans ce cas, ne pas nous installer tous dans la bibliothèque et discuter de ça entre gens de bonne compagnie?

— Je crois que William aimerait un tête-à-tête.

William acquiesça, se laissant piloter par elle, mais déjà Papa franchissait les portes vitrées avec Amory et se dirigeait vers le bureau.

— Ce que ton frère a à me dire, il peut le dire devant son oncle.

— Arrête de dire ça! Il n'est pas mon oncle. Tu ne vois pas ce que ce petit enculé a fait à notre famille?

La personnalité de Papa semblait se déliter, emportée par une marée descendante, son visage ridé flottant au-dessus du bureau, ou peut-être était-ce la maladie à laquelle Regan avait fait allusion dans la voiture. Mais si Papa ne s'asseyait pas, William non plus. C'est alors que, rassemblant toutes ses forces, le flot remonta.

— Tout cela est absurde, chérie, dit Papa à Regan. Amory n'a fait que du bien à notre famille. C'est ton frère qui nous a abandonnés.

— On m'a dégagé, Papa. C'est la méthode des Gould. D'abord Regan s'est fait remettre à sa place…

— Il a fait son choix, Regan, et je l'ai respecté.

Papa avait haussé le ton. Les gens haussaient toujours le ton en présence de William. Mais peut-être fallait-il s'inquiéter de la respiration de son père, de son souffle presque haletant. Pendant ce temps, Amory restait près de la fenêtre, et regardait le crépuscule s'étendre sur la ville.

— … et maintenant c'est toi qu'ils vont dégager, Papa. J'ai assisté à cette conférence de presse aujourd'hui. Tu seras déclaré coupable et contraint de céder le contrôle de la société. Crois-tu que ce soit un hasard? Pose-toi la question, qui reste-t-il pour prendre les rênes?

— Ton frère aurait pu les prendre, Regan. Et son fils, et le fils de son fils.

Fils. William était quasi certain que Regan avait parlé de son propre fils. Était-ce lui, sur la photo posée sur le bureau? Un petit garçon et une fille plus petite, et lui-même l'oncle – mais son élan le poussait à continuer.

— Papa, as-tu seulement pris le temps de te demander si tu avais fait quelque chose d'illégal?

À la différence de sa sœur, il était certain que son père n'avait rien à se reprocher.

— Regan, as-tu cherché à savoir? Alors, Papa, *oui*? As-tu violé la loi?

La grande tête hocha lentement, ses traits s'estompant de nouveau. Ou feignant de s'estomper.

— Je ne… je ne me souviens pas.

— Mais quelqu'un l'a fait, n'est-ce pas? Si tu menais ne serait-ce qu'un début d'enquête, tu finirais par remonter à une certaine personne, même toi tu dois pouvoir comprendre ça. La même personne qui aura tout mis en œuvre pour qu'une enquête interne ne soit jamais lancée. Je dis cela en tant que spectateur qui connaît les joueurs.

Amory, qui jusque-là semblait ne s'intéresser à rien de plus sérieux qu'au croissant de lune dans son verre, se retourna.

— Oui, un spectateur, je ne l'aurais pas mieux exprimé. Maintenant, si tu en as terminé avec ces enfantillages, William… Mais tu n'en auras jamais terminé, n'est-ce pas ? Tu auras toujours dix-sept ans. C'est très charmant dans les chansons, mais dans la réalité c'est simplement affligeant. Bill, je ne peux vraiment plus supporter toutes ces insinuations. Je descends. Votre voiture attend. Cela dit, je peux aussi bien honorer mon rendez-vous et vous retrouver demain matin.

Papa semblait hésitant.

— Non, écoute, Papa. Il y a des hommes qui essaient de me tuer. Ils mesurent dans les deux mètres. Et juste au moment où le projet Hamilton-Sweeney est lancé dans le Bronx et que tu es mis en accusation, il y en a un qui réussit presque à me sauter dessus. Il ne peut pas s'agir d'une coïncidence, tu vois ce que je veux dire ? Cet homme, là, ton beau-frère, doit s'assurer que l'ex-futur héritier disparaisse s'il veut faire un putsch.

Amory pouffa.

— Balivernes. La drogue, sans aucun doute. Et n'a-t-il pas déjà joué la même comédie ? William, ton père a assez perdu de temps avec toi.

— Un putsch, dit Papa.

Il plissa les yeux, s'efforçant de retrouver ses repères.

— Ce sont des accusations graves.

— Je dirais fantaisistes, Bill. Des rêveries d'opium.

— Je ne me drogue plus, Papa. Je cherche du mieux que je peux à comprendre ce qu'est ma vie.

Il entendit la fêlure dans sa voix, s'en voulut ; passa outre.

— Si je t'ai abandonné aux Gould, d'accord, j'en assume la responsabilité. Et peut-être y a-t-il une raison pour laquelle je ne parviens pas encore à reconstituer le puzzle. Mais tu n'as certainement pas besoin de moi pour comprendre que tu es en danger. Tu l'as vu toi-même. Et moi aussi. Ton fils. Si tu me renvoies, tu ne me reverras plus.

— Oh, de grâce, dit Amory qui semblait pourtant pressé de s'en aller. Je ne peux pas être un tel monstre à tes yeux.

— Ou tu peux l'empêcher de nuire.

Papa, d'un seul coup, devint un très, très vieil homme dont les paupières papillotaient dans la lumière. Dont les yeux bleus changeaient comme ce tableau, tantôt confus, tantôt limpides. Comme si quiconque avait le choix. C'étaient aussi les yeux de William. Depuis combien de temps ces deux-là ne s'étaient-ils pas regardés ainsi ? Et William se rappela, ou son père se rappela, ou le souvenir peut-être remonta quelque part entre eux, un ciel impressionniste, bleu, secoué au rythme du landau, avec, à l'intérieur, une odeur de savon à raser et une tache couleur pêche où se détachaient les deux mêmes ronds bleus, tandis qu'une voix de baryton, profonde et claire, chantait :

> *Le Roi de Siam*
> *C'est tout ce que je suis*
> *C'est tout ce que je suis, et c'est pour la vie.*

C'est alors que la fenêtre devant laquelle Amory se tenait émit un son mat, comme si un ballon perdu l'avait heurtée. Papa se tourna vers le bruit, s'efforçant de redevenir l'homme qu'il était, revenant à lui. Tout le reste était silencieux.

— Peut-être devrions-nous reporter notre voyage d'un jour ou deux, Amory, le temps d'y voir plus clair.

Le visage de Regan eut à peine le temps d'exprimer son soulagement, et celui du Frère Démon son effroi – certainement une sorte de première –, avant que la pièce et la fenêtre et les immeubles éclairés en face disparaissent. Quelque part, une voiture crissa. Du verre se brisa. Mais tout autour, la ville plongea dans les ténèbres ; le monde qu'ils avaient toujours connu, d'un seul coup, s'évanouit.

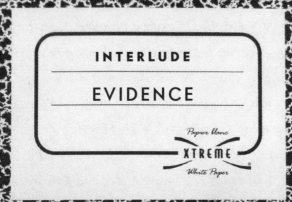

INTERLUDE

EVIDENCE

Papier blanc
XTREME
White Paper

Trottoir Fermé Emprunter l'Autre Côté. Fournisseurs des Meilleures Qualités de Viandes. Stationnement et Arrêt interdits. Interdiction de faire demi-tour. Don't Walk. Voie Réservée aux Autobus. Service terminé. Service terminé. Walk. Emprunter le Passage piéton. Emprunter l'Itinéraire déneigé. Zone Rouge. Début de Zone de Salage. Verser le Pop-corn ici. Nouveau, Plats réchauffés! Suivez ce Camion jusqu'au Foie Haché le plus Exquis de New York. Un Goût Sans Équivalent. Service en Terrasse Attendre Toutes les 20 Minutes, avec le Sourire. Ni la Neige ni la Pluie ni la Chaleur ni la Nuit n'empêchent ces Messagers d'accomplir leurs Tournées. Graissage Express. Massage Discret. Bouche d'Incendie Double. Une Exquise Fraîcheur. L'effet Aaaah! Interdit aux Mineurs non Accompagnés. Nous Sommes Heureux de Vous Servir... D'Autres Fleurs à l'Intérieur. Pas de Gestes Sexuels Inappropriés. Ne Pas Entrer dans les Toilettes Avant d'Avoir Payé sa Nourriture Merci. Lisez la Bible la Parole de Dieu Quotidienne. Tentez le Jackpot Aujourd'hui 08 Millions. Voulez-Vous Savoir Comment Vous Protéger des POUX??????? Entrez et Demandez CONSEIL. Maison de l'Orthodontie. Maison de la Montre. La Blanchisserie. Dernière Machine 20.00. Plus que 3 Jours! Dernière Chance! Soyez Prêt Repentez-Vous. Le Moment Approche. La Fin est Accomplie. Les Hommes Sages le Cherchent Encore. Oncle Sam a besoin de vous... en ESPÈCES! L'ARGENT vous BRÛLE LES DOIGTS, MALCHANCE, RETOUR D'AFFECTION, FIN DES MAUX NATURELS ou GUÉRISON D'ÉTRANGES MALADIES? Si vous cherchez la femme infaillible pour faire le nécessaire ou si vous VOULEZ OBTENIR DES AIDES FINANCIÈRES, ou LA PAIX, L'AMOUR, et LA PROSPÉRITÉ, une FEMME LE FERA POUR VOUS EN UN RIEN DE

TEMPS. ELLE VOUS DIT TOUT, INUTILE D'OUVRIR LA BOUCHE. ELLE apporte la DÉLIVRANCE et le CONTRÔLE sur toutes vos affaires. Don't Walk. Attendre derrière la ligne jaune. Ne Pas Déposer d'Ordures dans le Couloir, Ça Pue et Ça Attire les Cafards. Les Rats Cherchent leur Résidence d'Hiver. Ne pas Nourrir les Pigeons. Demi-tour Interdit Nouveau. Affichage Interdit. Strictement Interdit de se Garer. Walk Don't Walk. Danger de Collision, Ne Pas Traverser les Voies. Interdit de Klaxonner Sauf Danger. Attendre l'Arrêt de la Plate-forme. Tout Contrevenant à ce Panneau sera Sectionné. Tous les Visiteurs Doivent Être Annoncés. Nous vous informons que les toilettes sont réservées EXCLUSIVEMENT aux Clients et au personnel. Il est INTERDIT d'y FAIRE AUTRE CHOSE. En cas d'activité suspecte, nous vous demanderons de quitter les lieux et de ne plus utiliser les toilettes. Service Terminé. Ordures. Pas de Radio. En Dérangement. En Panne. 12' 6"... Inacceptable! Si Votre Chien Vous Appartient, Ce Qui Sort de Votre Chien Vous Appartient Aussi. La Crème de la Crème de la Crème Glacée. Hôtel Avantgarde. Pompes Funèbres Guido. Crémation, Conseils. Fermeture Pour Cause D'Un Cendie Mineur. Ne Pas Traverser. Tro chaud – tro froid – tro sec – tro humide – ou juste inconfortable? CETTE PORTE OUVRE SUR NULLE PART. Attention: Guettez les Étoiles.

TROIS FORMES DE DÉSESPOIR

(1960-1977)

Un disciple s'adressa à un maître zen et lui dit :
— Dans quel état d'esprit dois-je me former afin de trouver la
vérité ?
Le maître répondit :
— L'esprit n'existe pas, tu ne peux donc le mettre dans aucun
état. La vérité n'existe pas, tu ne peux donc pas t'y former.
— S'il n'existe ni esprit à former, ni vérité à trouver, dit le dis-
ciple, pourquoi ces moines se rassemblent-ils devant toi tous
les jours pour étudier ?
— Mais je n'ai pas le moindre espace ici, répondit le maître,
comment les moines pourraient-ils se rassembler ? Je n'ai pas
de langue, comment pourrais-je enseigner ?
— Oh, pourquoi mentez-vous ainsi ? demanda le disciple.
— Si je n'ai pas de langue pour parler aux autres, comment
puis-je te mentir ? demanda le maître.
Le disciple dit tristement :
— Je ne peux pas vous suivre. Je ne peux pas vous comprendre.
— Moi-même je ne peux pas comprendre, dit le maître.

Kōan zen

87

ILS ATTENDIRENT LA « **JOURNÉE DES FONDATEURS** » pour informer William Hamilton-Sweeney qu'il n'était pas invité à revenir en terminale. Il était assis dans un bureau, sa cravate au fond de sa poche et son sac contenant toutes ses affaires posé sur le tapis à côté de lui. Le recteur, une éminence grise au visage de pierre tombale, semblait attendre une réaction, et puisqu'il eût été grossier de ne pas lui en offrir une, William s'efforça d'adopter, lui aussi, un visage grave. *Pas invité à revenir* était, naturellement, un euphémisme pour *viré*. À ce stade, il avait tout entendu : *lacunes, absences prolongées, esprit rebelle...* Son nom de famille, avec ce qu'il sous-entendait de largesses, nourrissait dans chaque nouvelle école l'illusion que celle-ci réussirait là où les autres avaient échoué. Quelques mois d'inspection négative dans la chambre, de bagarres avec des condisciples et d'état d'ébriété dans la chapelle finissaient pourtant par réviser les espoirs à la baisse. La goutte d'eau avait été une absence non autorisée. À l'aube, il s'était fait surprendre en train d'essayer de regagner sa chambre au retour de la fête d'adieu de Bruno Augenblick. Ayant parcouru en chancelant les derniers six kilomètres depuis Boston, il avait été trop fatigué pour fournir la moindre excuse ou pour expliquer sa possession d'une flasque en argent gravée à des initiales qui n'étaient pas les siennes. Il n'avait pas davantage l'intention de se défendre maintenant, malgré la possibilité, évoquée à demi-mot par le recteur, que cela pourrait entraîner une condamnation plus légère. Au même moment, Arthur Trumbull, l'ami de Papa, roulant à fond de train vers le nord, venait chercher William pour ce qu'il pensait être de simples vacances d'été; si celui-ci daignait laisser ne fût-ce qu'une petite marge de manœuvre, Trumbull pourrait obtenir sa réadmission. Mais en vérité, William n'avait pas l'intention de repartir pour la Nouvelle-Angleterre à l'automne. Il observa ce qu'il considérait une période de silence convenable, comme s'il évaluait ses options. La lumière qui parvenait des terrains de sport du campus allumait des feux ambrés dans les bouteilles alignées sur le buffet. Il attrapa la flasque qui servait de pièce à conviction et offrit sa main au recteur médusé :

— Eh bien, Charlie, personne ne pourra dire que vous n'avez pas fait tout ce que vous pouviez pour moi.

Déjà, la limousine noire avec chauffeur remontait silencieusement la longue allée pour le ramener à New York.

Ainsi commença l'été 1960. Regan se promenait toujours en Italie et Papa semblait à peine remarquer le retour de William. Le rachat par la société de son plus gros concurrent avait entraîné un surcroît de travail et, après ses longues journées au bureau, il allait souvent dîner dans le nouveau penthouse de Felicia, de l'autre côté du parc. À en juger par certains silences des domestiques, William comprenait que son père y dormait peut-être aussi, mais rien ne le prouvait; quand il descendait le matin, Papa était toujours à sa place habituelle à la table du petit déjeuner. Ce qui ne signifiait pas que Felicia se dispensait d'empiéter sur ce moment, le seul qu'ils passaient ensemble. Elle arrivait en général au milieu du repas, non pour manger (elle ne mangeait jamais) mais pour rebattre les oreilles de Papa des préparatifs du mariage tandis qu'il se retirait derrière son *Times*. William essayait de l'effrayer et de s'en débarrasser avec des regards mauvais mais, de toute évidence, rien n'effrayait Felicia Gould.

C'est vers la mi-juillet qu'il livra sa dernière bataille. Regan devait rentrer d'Italie ce jour-là et William était décidé à éloigner Felicia au moins un après-midi. Il se présenta au petit déjeuner vêtu d'un kimono à peine attaché – il l'avait trouvé Downtown dans une friperie – et d'un slip à la blancheur éclatante. Il s'assit un peu loin de la table, croisant et décroisant les jambes, montrant ses cuisses de façon lascive. Ce vieux numéro avait toujours eu son petit succès quand il voulait choquer un de ses condisciples. (*Tapette ?* Il allait leur en montrer de la *tapette*.) Mais tout ce qu'il obtint fut un regard de Papa par-dessus les pages économie, un regard d'ornithologue devant un oiseau moyennement intéressant.

— Ce qu'il te faut, c'est un bon costume.

William avait déjà entendu ce discours – les vertus de l'élégance étant en gros l'un des six sujets que Papa parvenait à aborder avec lui – mais le souvenir que celui-ci évoquait à tous les deux, c'était le costume noir taille garçonnet, toujours accroché dans la penderie, les lis morts depuis longtemps qu'il avait mis dans sa poche au lieu de les lancer, et Papa avait fini par laisser tomber. Maintenant qu'il était clair que la première grande poussée de croissance de William, un an auparavant, serait la dernière – il ne dépasserait pas le mètre soixante-dix –, Papa devait avoir jugé que c'était le bon moment pour une nouvelle tentative. Ou bien était-ce une comédie destinée à sa promise ?

— Je te donnerai le numéro de mon tailleur. Tu pourrais y aller cet après-midi.

— Quel besoin ai-je d'un costume ? répliqua William. Je n'ai pas besoin de costume.

Papa lança en direction de Felicia un regard éloquent.

— Et il conviendrait de te faire faire un smoking, tant que nous y sommes. Il t'en faudra un pour le mariage.

Ah. On y venait. William ayant terminé sa première, on commençait à voir le bout des Fiançailles les Plus Longues de l'Histoire.

— Cet après-midi je suis occupé.

— J'imagine bien, dit Papa en commençant à replier son journal comme il le faisait toujours – de façon méticuleuse, pour que rien n'indique qu'il l'avait lu.

— Tu as oublié ? Regan atterrit à Idlewild à une heure.

— C'est vrai ? frémit Felicia. Bill, chéri, pourquoi ne pas me l'avoir dit ? Tu devrais prendre ton après-midi. Nous pourrions tous aller chercher Regan…

C'est alors que, comme s'il suffisait de prononcer son nom pour que celui-ci ait des pouvoirs magiques, la voix de Regan leur parvint depuis le hall. Sans même laisser le temps à William de repousser sa chaise, Papa se précipita vers la porte.

Regan avait toujours été sa préférée et William soupçonnait depuis longtemps Felicia d'en être jalouse. Si elle pouvait seulement en donner la preuve, en replaçant nerveusement un couvert en argent ou en lançant une de ses plaisanteries qui ne faisaient rire personne, William aurait senti s'équilibrer la jalousie omnidirectionnelle qu'il éprouvait lui-même. Au lieu de quoi, elle pencha son visage. Les seuls défauts visibles étaient les petites lézardes dans son fond de teint, autour de sa bouche. (Il se rappelait au moins ça, chez sa mère : sourire n'entraînait jamais de tels risques.)

— Ce que ton père essayait de te dire, William, c'est que nous avons enfin arrêté une date. Ce sera au mois de juin prochain, dès que tu auras eu ton diplôme.

Justement, voulut-il dire, il n'obtiendrait pas son diplôme. Mais ce qu'il avait pu marmonner fut aussitôt oublié à l'instant où Papa entra avec Regan.

Elle regarda autour d'elle, hésitante derrière ses lunettes noires.

— Nous avons atterri plus tôt. J'ai pris un taxi.

William la trouva tout de suite plus maigre que dans son souvenir et plus relâchée, comme un ballon dégonflé, mais peut-être était-ce son cardigan. Pourtant, quand il l'étreignit, il sentit cette odeur innocente – sels de bain, fleurs blanches et quelque chose d'autre qu'il ne parvenait pas à définir. Il posa la tête dans le creux où ses cheveux légèrement humides rejoignaient son épaule, tandis que Papa allait chercher l'appareil photo.

— Enlève tes lunettes, chérie, pour qu'on voie tes yeux.

Ils étaient injectés de sang, mais n'était-ce pas toujours ainsi après un vol de nuit ?

Ayant empêché le majordome de monter ses bagages, elle sortit des cadeaux. Pour Papa, une mallette, un peu à *la mode** pour son goût, mais d'un cuir de la douceur du caramel. Felicia poussa des *ooh* et des *aah* tandis qu'elle passait de main en main. Pour William, il y avait une guitare espagnole et un livre sur Michel-Ange, lourd, relié en tissu. Il fut déçu que les reproductions ne soient pas en couleurs (et remarqua que l'étiquette du prix était, bizarrement, en dollars américains), mais il le garda sur les genoux jusqu'à la fin du petit déjeuner, incitant Felicia à lui recommander de ne pas le tacher avec du café. Pour finir, vint le tour de Felicia.

— Pour moi ? Il ne fallait pas, dit-elle en saisissant d'une main avide le petit paquet posé sur la table.

Elle faisait partie de ces gens qui prennent le temps de dénouer les rubans, et glissent le doigt sous le papier pour ne pas le déchirer. Dans une boîte oblongue apparut un tube marqué *Italia* sur le côté.

— Un stylo, dit-elle.

En d'autres termes le cadeau le plus minable qu'on puisse imaginer, vidé de l'intention qui compte.

— Je l'ai pris au duty-free, dit Regan.

Et, en silence, William se réjouit ; tout n'était pas perdu ! Là-dessus sa sœur s'excusa ; elle devait défaire ses bagages.

Regan, ce week-end-là, se rallia une nouvelle fois à la résistance en annonçant à Papa qu'elle ne viendrait pas le rejoindre à Block Island où il avait prévu de passer le mois d'août avec les Gould.

— Mais quand pourrons-nous te voir, chérie ? Tu reviens à peine et tu reprends la fac après Labor Day.

— Il me semblait te l'avoir écrit.

— Tu m'as écrit quoi?

— Je ne t'en ai pas parlé? Le stage auquel j'ai postulé commence lundi. C'est dans un petit théâtre dans le Village.

Là, Felicia, qui retouchait son rouge à lèvres dans le miroir du hall, pivota sur ses talons.

— Mais que penses-tu faire là-bas?

— Ce qu'on me dira de faire, Felicia, c'est exactement la fonction d'un « stage ».

Regan se tourna vers Papa.

— Je ne peux plus annuler; des gens m'ont fourni des recommandations.

Papa se contenta de répéter le mot *stage*. En tant qu'alibi, c'était de premier ordre: ses connotations, responsabilité, volonté d'aller de l'avant, étaient calculées pour brouiller les pistes. *Eh bien, tu sais, nous t'avions réservé un siège dans le premier vol spatial habité, mais je suppose que si tu as un* stage...

D'un autre côté, cela menaçait de faire voler en éclats les projets de William. Amory Gould était parti la semaine précédente ouvrir la maison et il les y attendait. Autrement dit, si Regan ne changeait pas d'avis, ils se retrouveraient tous les quatre, le père, le fils et les deux Goules. Il s'entendit lâcher:

— Je reste aussi.

— Et que proposes-tu de faire tout seul tout l'été?

— Je ne sais pas, Papa. Marcher. Réfléchir. Vivre comme un être humain.

— C'est grotesque. J'ai donné leur congé aux domestiques. Qui vous fera la cuisine, qui lavera votre linge?

Mais Regan avait déjà pris fait et cause pour William.

— Papa, il a dix-sept ans. Il peut laver son linge.

— Bill, dit Felicia, en posant la main sur son bras. Si tu es inquiet, les enfants peuvent s'installer à Central Park Ouest. Un galop d'essai pour l'année prochaine, quand nous réunirons nos foyers. De toute façon, le nouvel appartement est trop grand pour rester vide un mois entier.

Regan semblait dubitative.

— Qui d'autre y aura-t-il?

— Rien que ma bonne, Lizaveta. Je dirais qu'elle fait aussi bien la cuisine que votre Doonie.

Papa était coincé, il le savait, mais il essaya une dernière fois; si on ne le connaissait pas, on aurait pu croire qu'il *désirait* avoir son fils auprès de lui.

— Regan, je comprends, mais si William persiste à ne rien faire d'utile, autant que ce soit au bord de la mer.

— Mais peut-être que je ne ferai pas rien, dit William. Peut-être vais-je suivre l'exemple de Grande Sœur. Chercher un genre de… Quel était le mot déjà ? « Stage. »

Changer d'appartement pour un mois était déjà assez bizarre – pourquoi la bonne ne viendrait-elle pas simplement travailler à Sutton Place ? – mais l'arrangement entre Regan et Lizaveta l'était encore plus : elle pouvait disposer de ses journées, Regan veillerait à remplir le réfrigérateur, et toutes les deux feraient en sorte que cela ne parvienne pas aux oreilles de Felicia. C'est ainsi que, tout le mois d'août, les enfants Hamilton-Sweeney se retrouvèrent naufragés dans cet énorme penthouse de l'autre côté du parc, comme des animaux au sommet du mont Ararat.

Le fait d'être à deux n'émoussait guère la sensation d'esseulement. En fait, William et Regan se voyaient moins souvent que lui et Papa. Le stage commençait à neuf heures, et quand il sortait de son lit, elle était déjà partie. Elle n'était souvent pas rentrée à l'heure du dîner, et semblait suivre un régime bizarre qu'elle avait dû rapporter d'Europe. Et quand elle rentrait, elle s'installait dans la grande bibliothèque du premier étage ou dans la chambre d'amis adjacente, où elle dormait. Le seul moment où elle se débrouillait pour être là, c'était le samedi après-midi quand Papa téléphonait. « Oh, tout va bien », disait-elle. Sinon, son message était clair. Elle avait encouragé William à fuir Block Island pour son bien à lui et, maintenant, elle voulait qu'on la laisse tranquille.

Au début, William passa les heures vides à regarder des feuilletons. Il était devenu un fan de *As the World Turns*. Mais dans cet appartement si vaste qu'il s'y sentait perdu (payé, il n'en doutait pas, avec l'argent de Papa), il avait l'impression de sombrer dans une forme de décadence, et pas la bonne. Il avait toujours eu l'intuition que sa famille était simplement à l'aise, comme leurs voisins de Sutton Place. L'argent était stupide, mais il n'était pas *mauvais*. Ici, au contraire, les résidents des étages inférieurs, aussi fortunés fussent-ils, restaient invisibles, comme si leur existence se plaçait à un autre niveau que celle des vrais riches. D'autres fêlures apparaissaient d'ailleurs partout où il regardait. Le journal télévisé qui suivait *Haine et Passion* montrait des images de soulèvements communistes en Indochine. De jeunes Noirs en cravates attaqués dans des restaurants. Ou des autocars entiers de manifestants en route vers le sud. Il pensait à Doonie, contrainte à une retraite prématurée. Où se trouvait-elle à présent ? Toujours dans la bicoque d'un quartier de ces banlieues lointaines où elle lui avait appris à conduire ? Sûrement pas dans un appartement comme celui-ci avec ses hectares de tapis persans.

Il commença à fréquenter les piscines publiques au cours des heures chaudes avant le crépuscule, rien que pour se sentir relié à la vie des autres – pour s'affranchir, d'une certaine façon, des carcans de classe. Celle qu'il préférait, c'était la piscine de la 145ᵉ Rue, là où allaient les Noirs. Au début, ils regardèrent, méfiants, son maillot de bain trop lâche, son corps chétif, le gros roman qu'il feignait de lire pour masquer sa nervosité. Mais il y régnait une atmosphère de vivre et laisser vivre, et au bout de trois jours, William était devenu une réalité acceptable. Il posait le livre contre sa poitrine d'un blanc crayeux et, derrière le bouclier de la couverture, il admirait les corps luisants de ces hommes étendus sur le béton à quelques mètres de lui.

Un soir, après avoir rincé l'eau chlorée, il monta voir Regan dans la bibliothèque. La pièce était déserte et les fenêtres étouffaient les derniers bruits de l'heure de pointe au sud. Le soleil entrait à flots, empourprant les reliures des vieux livres de Maman. On avait dû les transporter jusqu'ici récemment, comme tout le reste le serait un jour. Les bibliothèques n'avaient jamais attiré William. Leur immensité rendait insignifiant le petit tas de livres dont une vie pouvait venir à bout, et les étagères constituaient de fragiles remparts contre la lente brûlure de l'acide, la grande bombe H de la mortalité. Il prit la poignée d'une porte-fenêtre et sortit sur un balcon. Dans le balcon voisin, à peut-être cinq mètres de distance, les genoux repliés contre la poitrine, Regan était assise, en salopette, une cigarette au bout du bras. Elle lui fit penser à la *Pietà* du livre de Michel-Ange – le visage de la désespérance dont la profondeur le déroutait au point qu'il voyait dans la sienne un abreuvoir pour les oiseaux. Pire : il ignorait pourquoi.

— Hé.

— Hé toi-même.

Sa façon d'adopter instantanément une telle désinvolture l'irritait un peu.

— C'est un truc européen, la cigarette ? *Un'affectazzione ?*

Elle laissa flotter devant sa bouche ouverte un nuage de fumée. L'aspira aussitôt par les narines.

— Si tu essaies d'en avoir une, oublie tout de suite.

— Comme si tu ne savais pas que je fume depuis des années. J'arrive.

Quand ils furent côte à côte sur le balcon, le silence l'emporta, si on ne comptait pas la circulation en dessous. Il voulait lui dire qu'elle pouvait lui confier ce qui la rongeait, mais cela lui parut brusquement impossible. Tout ce qu'il put faire fut de poser un bras autour d'elle. Cette fois encore, ses cheveux dégageaient cette odeur qu'il ne parvenait pas à définir. C'était sans doute un nouveau shampooing. Italien.

— Hé. Je peux te poser une question? Quand tu es rentrée de l'aéroport l'autre jour, tu avais encore les cheveux humides. Comment as-tu fait pour les laver avant d'arriver?

— Est-ce que j'ai l'air d'humeur à parler?

Elle avait dû percevoir la sécheresse de sa voix parce que, au bout d'une minute, comme pour se faire pardonner, elle lui offrit de tirer sur sa cigarette. Mais il sut en la prenant que l'été s'achèverait sans qu'ils aboutissent à une plus grande compréhension mutuelle. Elle reprendrait le chemin de Poughkeepsie et on l'enverrait encore dans une autre école grâce à l'intercession d'Oncle Artie. En résumé, il ne devait rien attendre des autres. Pour faire son chemin, pour se donner une raison d'être, il lui faudrait s'en remettre à lui-même.

Sortir en cachette une fois Regan couchée était facile comme tout : il suffisait de traverser le hall d'entrée, devant le portier qui n'ouvrait jamais la bouche. William allait régulièrement dans les bars depuis l'âge de quinze ans, mais toujours sous couvert de la fougue de la jeunesse. À présent, il était sous l'emprise d'une forme de colère noire. Alors qu'il avait toujours aimé les bistrots d'étudiants, les clubs de jazz où on entrait sans payer ou le mythique Cedar Tavern où il espérait apercevoir De Kooning, il se mit à consulter la carte des lieux de drague et des bars pour célibataires qu'il dressait lui-même, presque inconsciemment, depuis des années. Il savait depuis toujours qu'il était homosexuel – il ne cherchait pas à le cacher et s'en était parfois même servi comme d'une arme contre ceux qui voulaient le culpabiliser. Mais le qualificatif était resté largement théorique jusqu'à son avant-dernier lycée où, avec ce garçon superbe quoique désorienté de Westport, Connecticut, il avait eu sa première réelle expérience physique. Le garçon s'était révélé plutôt impatient de collaborer tandis qu'ils s'exploraient mutuellement dans une réserve derrière l'auditorium, mais William promenait déjà une réputation épouvantable et le garçon l'avait ensuite évité. Il ne pouvait pas l'affirmer, mais une plainte des parents avait peut-être entraîné ce renvoi-là. Quoi qu'il en soit, cela faisait des mois qu'il vivait comme un moine. Il était maintenant prêt à aller plus loin.

L'art de la drague se jouait surtout avec les yeux. Il suffisait d'ordinaire d'un enchaînement de regards. Vous sentiez qu'on vous regardait et à la seconde où vous regardiez il regardait ailleurs... et ensuite quand il sentait que vous regardiez toujours et qu'il vous regardait, vous regardiez la surface du Manhattan que vous aviez commandé en vous disant que c'était ce que buvaient les adultes, et vous aviez posé vos jalons. William sentait alors ses jambes trembler sous la table ; plus tard, lui et son sujet se retrouvaient dehors, dans des voitures dont le moteur tournait déjà. S'il voulait bien l'avouer, l'excitation venait en partie du danger. Mais ses conquêtes se révélaient la plupart du temps désespérément convenables : des hommes timides, mariés, venant du New Jersey, et dont le plus grand fantasme était une branlette mutuelle en compagnie d'un adolescent. Il finissait sous la West Side Highway le regard perdu vers le néant de l'Hudson, et à l'instant où il jouissait les doigts blafards disparaissaient sous lui et il sentait alors, étrangement, que sa solitude connaissait une trêve, que sa vie prenait une dimension plus large, plus lumineuse, plus vaste. Et puis l'humidité et le froid le saisissaient et il se sentait plus seul que jamais.

Quand le risque commença à lui paraître insuffisant dans les bars, il passa au parc. Il achetait de la Benzédrine à des camés, en mettait dans le café à emporter qu'il buvait, et allait attendre sous son lampadaire favori. Là, dans l'obscurité sous les arbres, son répertoire s'élargissait. Dans le parc, il venait autant d'hommes jeunes que de vieux, de Blancs que de Noirs, et il découvrit qu'il désirait surtout ces derniers. Il voulait être brusqué, qu'ils le punissent de quelque chose. De désirer cela, peut-être. Il s'étonna plus tard de n'avoir rien récolté de pire qu'une légère inflammation. En septembre 1960, quand il se présenta à sa nouvelle et dernière école, il emportait avec lui plus d'expérience, plus de savoir-faire dans la manière d'obtenir des autres ce qu'il voulait qu'après peut-être une dizaine de stages.

L'inconvénient, c'était que, de nouveau loin de New York, il ne constituait plus un obstacle au mariage. Il obtint en effet son diplôme et, au début de l'été suivant, un an après que la question avait été soulevée pour la première fois, William se retrouva dans le salon d'essayage d'un tailleur juif racorni dont la posture en point d'interrogation semblait lui éviter d'avoir à se pencher pour prendre les mesures. Papa avait insisté pour y emmener William en personne, comme pour accomplir quelque rite de passage, ajuster l'armure que revêtirait un autre Hamilton-Sweeney dans les champs de bataille de la grande bourgeoisie. Depuis la cabine, William l'entendait parler dans le magasin.

— Il nous faudra également deux costumes, monsieur Moritz, en plus du smoking. William passe un entretien pour Yale.

C'était ridicule ; il était un Hamilton-Sweeney. Mais si M. Moritz remarqua quelque chose, il n'en laissa rien paraître. Une atmosphère de club régnait dans sa boutique, à la fois raffinée et confinée. Aucune femme n'y était entrée depuis l'époque des Borgia. La porte, ouverte à cause de cette chaleur inhabituelle, renvoyait à l'intérieur une odeur de cigare et de cuir.

— Et il nous faudrait le smoking pour vendredi, si cela vous est possible. Il a accepté d'être mon témoin.

Le William du miroir était nu, hormis un caleçon et un maillot de corps décoloré aux aisselles. Il le portait la veille, dans les buissons près du Ramble. Quelques brisures de feuilles s'y accrochaient encore. Les branches lui avaient égratigné les jambes. Il essaya de se rappeler si son père avait vu ces jambes depuis qu'elles s'étaient couvertes de poils – il se demanda s'il reconnaîtrait même ce corps comme celui de son fils, ou comment il réagirait s'il savait ce que d'autres hommes lui faisaient dans le parc, dans le noir.

— Tu es prêt, William ?

Il enfila le pantalon du smoking et la chemise pour cacher ce corps offensant. Son père, qui ne semblait pas remarquer comme le vêtement flottait quand William se dandina sur le parquet, hocha la tête pour marquer son approbation. William faillit taper sur la main de M. Moritz qui déroulait son mètre spasmodique jusqu'à son entrejambe. Dehors, passaient les capitaines d'industrie, insensibles à l'atmosphère joyeuse.

— Mon assistante vous le portera elle-même, dit le tailleur en enroulant son mètre avec une précision machinale. Les filles ne résistent pas à un homme en habit de soirée.

— C'est ce que je ne cesse de lui répéter, dit Papa, tandis que William, silencieux et fervent, croisait les doigts pour que le jour du mariage il fasse encore plus chaud qu'aujourd'hui.

Comme promis, le smoking arriva le vendredi. À le voir, il ne lui parut guère différent du déguisement lâche qui l'avait englouti dans la boutique du tailleur, mais quand il l'essaya, il tombait parfaitement. Il ajusta le gilet gris perle, se regarda dans le miroir de la penderie. Il était pas mal. Et – autant l'admettre – sexy. Ce qui semblait de bon augure ; le fiancé de Regan, qu'il avait rencontré au mois d'avril, assisterait au dîner de répétition et, si William n'avait pas tout à fait l'intention de le séduire (ses fiançailles, lui avait-il semblé, avaient tiré Regan de la torpeur dans laquelle elle baignait l'été dernier), il pensait vraiment que Keith Lamplighter était l'homme le plus séduisant qu'il ait jamais vu. Un seul regard admiratif suffirait, et le lui décocher était précisément le petit projet dont il avait besoin pour se distraire de ce fiasco matrimonial.

Il s'était entièrement retourné pour se voir de dos quand il entendit un gémissement à l'intérieur de la penderie. Il alla l'inspecter. Derrière les vêtements suspendus, il y avait un espace à hauteur de taille où Regan et lui jouaient quand ils étaient petits. Plus récemment, il avait été bien pratique pour cacher des bouteilles. C'est dedans qu'il la trouva, dans la même position que l'été dernier sur le balcon : en boule, le front sur les genoux. Prudemment, pour ne pas abîmer son pantalon neuf, il s'y glissa à côté d'elle. Faisait-elle une crise d'angoisse ? Quand il voulut lui prendre les mains, elle les coinça sous elle et serra encore plus les jambes. Elle semblait chercher à replier tout ce qui dépassait d'elle, à devenir un œuf blanc inerte. Il lui demanda si elle voulait un verre. Pour seule réponse, lui parvint le rire des invités quelque part dans la maison.

— Parce que, moi, j'en ai bien besoin !

Il fouilla dans la valise où il cachait son alcool et en sortit la petite flasque en argent volée lors de la fête de Bruno, en souvenir. Le bourbon était fort. Sans replacer le bouchon, il tendit la bouteille à Regan. L'odeur, au moins, pourrait lui redonner un coup de fouet.

— Un peu tard maintenant pour craquer à cause de ce mariage, si tu veux mon avis.

Elle détourna la tête, comme si elle craignait qu'il ne voie son visage.

— Je t'emmerde.

C'était une première. Mais ne lui avait-il pas lancé la même chose des dizaines de fois ?

— Je sais, Regan, que ce que tu veux dire en réalité, c'est que tu m'adores, alors je te pardonne. Mais vas-tu m'expliquer ce qui ne va pas, ou te contenter de passer tes nerfs sur moi ?

— Comment pourrais-je te le dire, répondit-elle, s'adressant peut-être à elle-même, alors que je ne l'ai même pas dit à Keith ?

— Pas dit quoi à Keith ?

Elle se tourna vers lui, l'examina dans la pénombre de la penderie. Elle avait les joues marbrées et rougies, mais étonnamment sèches.

— Tu dois promettre que cela restera entre nous. Promets.

Et là, blottie sous les vêtements suspendus, elle lui révéla qu'elle n'était pas vraiment allée en Italie.

— Je le savais ! Pas étonnant que tu ne m'aies pas laissé t'emprunter ta voiture.

— Non, écoute, s'il te plaît. C'est à cause de quelque chose qui est arrivé en troisième année de fac. Un malentendu avec un garçon. J'étais… enceinte…

— Nom de Dieu ! Quoi ?

— Et il a fallu que je parte pour régler ça.

— Tu as eu un bébé ?

Tout ça était bizarre.

— Où est-il ?

— William, je t'en prie. Il n'y a pas eu de bébé.

Il retomba contre le mur. Et maintenant, dit-elle, le garçon en question est invité au mariage et il a réquisitionné une chambre d'amis. L'héritier unique de la société que celle de Papa avait absorbée. Il était venu à Block Island une ou deux fois, l'été avant la fusion. Ensuite, il avait été nommé au conseil d'administration.

— *Ce type-là ?* Il traîne une réputation, Regan. Il était plusieurs classes avant moi à Exeter. Ou peut-être à Choate. Tu aurais dû m'en parler avant de le mettre dans ton lit.

Elle finit par prendre la flasque.

— Je viens de le voir en bas parler boutique avec Amory. Je ne supporte pas l'idée qu'il me voie ici, William.

— Pourquoi ? Le mec a refusé de payer ? Ou bien a-t-il fait le con après ?

William dressa l'inventaire mental des armes à sa portée : couteaux à viande, presse-papiers, le vieux fusil de chasse de son arrière-grand-père accroché au mur de la salle à manger.

— Je jure, s'il t'a manqué d'égards d'une manière ou d'une autre…

— William, il avait disparu bien avant que j'aie mon premier retard de règles…

— Regan, s'il te plaît, épargne-moi ça.

— Il ne sait rien, voilà. Et maintenant que Keith m'a demandée en mariage, ça doit rester notre secret.

Elle garda un long silence.

— Mais j'ai peur que quelqu'un d'autre ne le sache. Celui qui nous a présentés.

Il comprit tout de suite.

— Amory. Cet enfoiré. Attends, qu'il sache quoi exactement ?

— Difficile à dire. J'y ai beaucoup réfléchi depuis mon retour. La façon dont il me regarde. Et s'il savait que j'ai été enceinte ? Puis plus. De façon illégale.

Un autre silence.

— Tu ne crois pas qu'il le dirait ? Ou qu'il essaierait de s'en servir ?

— En tout cas, moi, je n'aimerais pas le savoir aussi proche de *mes* secrets. Demande-toi comment il a pu réussir cette fusion. Sans parler de la fusion Papa-Felicia, ou de cette bouillie pour chat qu'il a voulu servir à ton petit ami pour le ferrer. Ce type est un vrai manipulateur.

Regan donnait l'impression de commencer à entrevoir quelque chose de nouveau et de nauséabond. Mais il était monté sur ses grands chevaux et il ne pouvait pas s'arrêter.

— Pourquoi des gens comme Amory gardent-ils des secrets, sinon pour s'en servir ? Il pourrait être en train de cafter au type en ce moment même et, à eux deux, ça fera deux sièges au conseil. Pense au pouvoir qu'ils auraient sur Papa. La seule manière d'être sûre qu'ils ne s'en serviront pas un jour ou l'autre, c'est d'aller le dire la première.

— William, non ! Qu'est-ce que Keith penserait de moi ?

Elle libéra ses mains et se mit à lisser sa jupe.

— J'ai besoin de deux minutes pour me ressaisir.

Ils étaient cependant frère et sœur – ils avaient pratiquement guerroyé ensemble – et son boulot c'était de la protéger une nouvelle fois.

— Tu ne me l'aurais pas raconté si tu n'avais pas l'intention de faire quelque chose.

— Tu as promis, lui rappela-t-elle.

— Tu veux vraiment passer ta vie entière à cacher la vérité ?

— Je ne sais plus ce que je veux.

— Le désir de ne pas en parler à Keith, je comprends, mais si tu soupçonnes qu'Amory le sait, tu dois le dire à Papa. Regan, regarde-moi. Tu peux lui faire confiance, c'est notre père. Nous devrions aller le voir.

— Oui, tu as sans doute raison.

Elle passa les paumes sur ses joues et ajouta :

— D'accord. D'accord. Tu as raison.

Comparée à la chaleur étouffante qui régnait au début de la semaine, c'était une journée incroyablement belle, avec un ciel léger et doux au-dessus de la voiture décapotée de Regan. Et autre chose avait pris fin avec la chaleur, une sorte d'ordre dont ils étaient prisonniers et qui les marquait de son sceau. William se sentait excité, au bord du délire. Il n'était pas trop tard. Les choses pouvaient encore changer. Au quarantième étage du Building Hamilton-Sweeney, ils passèrent en courant devant la secrétaire et trouvèrent Papa seul dans son bureau, comme si c'était un jour comme un autre et non la veille de son remariage. Le masque à oxygène dans lequel il dictait tomba dès qu'il les vit.

— Quelle agréable surprise.

— Tu dois annuler le mariage.

— William..., dit Regan.

Elle n'avait pas prévu qu'il irait si loin ni si vite. Lui non plus sans doute, pas tout à fait. Mais c'était sans importance ; le torrent surgissait, ils étaient sûrs qu'Amory dissimulait à Papa un secret préjudiciable, un scandale potentiel... sauf que l'effet de William ne pouvait pas être à la hauteur, car il ne pouvait pas divulguer le secret, n'est-ce pas ? – et c'était sa sœur à présent qui restait muette. Mais pourquoi au juste ne l'avait-elle pas dit au gars qui l'avait engrossée ? Un coup de téléphone aurait fait l'affaire. Le circuit des pensionnats était rempli d'histoires similaires, et on se débrouillait pour que les choses soient réglées en toute discrétion. Elle ne l'aidait vraiment pas à éclaircir tout ça.

— Allez, dis-lui ce que tu m'as raconté, Regan. Sur Amory et sa doublure au conseil d'administration. Sur ta grossesse.

Quand il se tourna, elle était rouge comme jamais – et malgré ou à cause de ça, il ne put s'empêcher de repenser à ces rumeurs de vestiaires à propos de son amant. Il avait du mal à s'en souvenir, peut-être était-il ivre quand il les avait entendues, mais n'y avait-il pas une histoire concernant une roulure de Nantucket dont la famille avait reçu de l'argent après qu'il... Oh.

— Oh, Regan.

Était-il possible que le mal qu'elle dissimulait, la violation dont Amory risquait de se servir, soit plus grave ?

Fallait-il alors se lancer à fond ? Ou battre en retraite ?

— Papa, tu dois m'écouter maintenant. Amory s'est servi de ta fille...

— Tu en as dit assez pour aujourd'hui, William, coupa-t-il.

— La grossesse, désolé, il va vous falloir vous en remettre tous les deux. Mais Amory. Cet enfoiré d'Amory...

— Il semble que ta sœur et moi ayons des choses à nous dire, reprit-il, d'une voix juste un peu moins cassante.

William tenta d'en appeler à Regan, mais quand elle posa les yeux sur lui, il fut incapable de soutenir son regard.

— Seuls, dit Papa.

L'instant d'après, William attendait à la réception.

S'ensuivit la plus longue demi-heure de son existence. Il resta assis sous le regard corrosif de la secrétaire à laquelle il n'avait pas daigné s'adresser cinq minutes auparavant. Il essaya de saisir ce qui se disait derrière la porte, mais n'entendit que le murmure d'un dictaphone qu'on rembobinait et le mordant des touches d'une machine à écrire, comme un banc de piranhas réduisant une vache à l'état de squelette. Sur le mur d'en face était suspendu l'autre Rothko : un immense champ de couleur, brun rouille et rouge aortique et blanc comme la partie blanche d'une canne à sucre. Son pendant, bleu sur bleu, était apparu sur le mur du penthouse de Felicia au début des vacances de Noël, quand d'autres caisses étaient arrivées en provenance de Sutton Place. William n'avait pas compris pourquoi jusqu'au moment où ils étaient sortis de l'ascenseur. *Bordel de merde !* C'était parti tout seul. Et puis : *Où est le piège ?* « Quel piège ? Regan me dit que tu es un passionné de peinture, alors j'ai pensé : voilà une façon de créer une ambiance plus familiale quand nous aurons tous déménagé. J'en ai acheté un autre pour le bureau. Il te plaît ? Je n'ai pas pu me résoudre à prendre un de ces tableaux plein de coulures. » William avait eu envie de répondre qu'il le détestait, mais il en fut incapable, de la même façon qu'il était incapable de dire à présent qu'il avait changé d'avis, qu'il avait été faible, qu'il n'avait jamais voulu être le témoin de Papa. Tout cela, se rappela-t-il, étant secondaire comparé à ce qu'elle révélait là-bas. La couleur semblait palpiter sous la pression de son regard, le rouge pleurant sur les bords, coulant sur lui-même telle une fontaine. Et puis la porte s'ouvrit. Regan se dirigea avec précaution vers le bureau où Papa était encore assis. William avait quatre ans à nouveau, il était sommé de répondre de ce qu'il avait cassé, un vase, un miroir.

— Mon fils.

Le visage de Papa avait perdu toute sa couleur. Sa voix tremblait.

— Je sais que tu t'opposes à ce mariage. J'ai essayé, de bien des façons, de me rapprocher de toi. J'ai échoué. Mais te servir du malheur de ta sœur pour couvrir de boue le frère de Felicia est simplement inacceptable.

La suite – que sa mère aurait eu honte de lui – demeura un non-dit, comme toujours. Parmi les choses dont William ne parvenait plus à se souvenir, il y avait la raison pour laquelle il avait toujours voulu ça.

Debout près de la fenêtre, Regan ne pouvait se retourner et le regarder. C'était elle maintenant qui se conduisait comme une lâche, qui ne disait pas tout… il le savait. Il le savait, bordel.

— Je suppose qu'elle t'a raconté au moins comment la grossesse s'est terminée. Et, Papa, les Gould ont dû voir depuis le début à quel point elle était désespérée et ils n'ont rien dit pour ne pas saborder la fusion…

— William, interrompit Regan, je n'ai jamais dit que Felicia…

— Les détails sont-ils si importants ? J'essaie de t'expliquer qu'ils font peur à ta fille. Tu préfères continuer à ne rien entendre. Et elle jouera ton jeu, si tu le veux. C'est ce que nous faisons toujours, nous, les Hamilton-Sweeney.

— Cela ne regarde que Regan et moi, lui dit son père.

— Mais je me suis porté garant de toi. J'ai pensé que tu saurais réparer les dégâts.

— Tu es de toute évidence à moitié ivre, William, et rien ne t'autorise à me dicter ma conduite. J'ai cessé de vouloir te dicter la tienne. Tu peux venir au dîner ce soir sobre et présentable, ou tu peux t'en dispenser. Le choix t'appartient.

— Regan ?

Si en effet elle gardait un secret, il lui restait encore une chance ici de s'ouvrir totalement, de se mettre du côté de sa famille et ainsi de les sauver tous. Mais Regan les rejoindrait plus tard, dit Papa, avec la voiture. Ils n'en avaient pas terminé.

Ce fut tout. Quand William la revit, au cours du dîner de répétition, l'héritier rival avait été débarqué du conseil d'administration et Regan nommée à sa place. Tel fut du moins le bruit qui courut dans le restaurant loué à Central Park, auquel William arriva, présentable, certes, mais très éméché, la flasque dans la poche. Les dîners de répétition n'étaient-ils pas réservés aux membres de la famille ? La moitié de New York semblait avoir été invitée, descendant des sièges arrière de limousines, formant une cohue à l'entrée, comme s'il s'agissait d'une de ces atroces journées à la plage organisées par Felicia. Il essaya d'apercevoir Amory Gould, ou d'identifier le protégé, mais sans succès et sans succès. Et il n'avait pas non plus la moindre idée de ce qu'il pouvait faire à l'un comme à l'autre. Une fois sa flasque vidée, il s'assit au bar, de plus en plus ivre, jusqu'à ce que le mal qu'ils avaient fait à sa sœur se mue en certitude. Incroyable, les choses allaient continuer ainsi, exactement comme avant. Ou pas, car Regan avait été achetée. Elle était devenue l'une d'entre *eux*.

Quand le repas commença, il découvrit qu'on l'avait assis en Sibérie. On avait dû lui retirer la place qui était la sienne au mariage. Sa sœur, à la table d'honneur, refusait de se tourner de son côté. Son beau, son stupide petit ami ne cessait de lui caresser les mains. Mais William n'avait pas l'intention d'aller s'excuser. S'il y avait eu trahison, il en était maintenant la victime.

Au dessert, il se sentait flotter dans le bourgogne, enfermé dans une bulle rubescente. Au moins, il avait pris une décision. Les bruits ondoyaient autour de lui mais il ne pouvait les saisir d'où il était et rien non plus ne pouvait l'atteindre, hormis le tintement des dents de sa fourchette contre le verre qu'on venait de remplir. Et cela recommença, pressant, insistant comme l'argent, jusqu'à ce que la salle entière fasse silence. Papa regarda de son côté. Pas Regan. Un micro avait été placé près de la table d'honneur, à l'endroit où il avait été prévu qu'il prononce son discours, mais William pouvait se faire entendre sans amplification sonore.

— Il est d'usage en de telles occasions de dire quelques mots du futur marié, s'entendit-il commencer, impressionné par sa propre éloquence. Mais maintenant, je suis un peu perdu. Cette histoire de témoin va à l'encontre de l'ordre naturel. Car que peut vraiment dire un fils de son père ?

Un rire nerveux fusa. S'il essayait d'en localiser la source, tout lui échapperait.

— Son vieux. Son paternel. Le patriarche sans qui rien n'est possible.

William surprit le regard perplexe de Keith Lamplighter. Près de lui, Regan examinait ses mains. Il s'efforça de se concentrer sur le verre qu'il tenait dans les siennes, où se reflétait la lueur rouge indiquant la sortie, derrière le bar.

— Vous pensez qu'il s'agit d'une figure de style, mais vous n'auriez pas eu le même avis si vous nous aviez vus à la mort de ma mère.

Son bras, qu'il tenait à une centaine de degrés de la verticale, commençait à se tétaniser.

— Vous nous auriez vus alors, vous auriez pensé que cela nous détruirait. Ou tout du moins que notre sens de la dignité exigerait que nous ne cherchions pas à combler le vide qu'elle laissait. Mais rien n'est impossible pour mon père. Un père a le devoir de montrer à son fils ce que signifie être un homme, et ce devoir, Papa, quelles que soient nos différences, tu l'as parfaitement accompli.

Au tour de William de rire. Sa voix prenait des sonorités sibilantes qui lui rappelaient certaines nuits dans le Village, quand il s'activait du poignet.

— C'est sans doute pourquoi je n'ai pas embrassé la virilité, ce sur quoi nombre d'entre vous, j'en suis sûr, n'ont pas manqué de caqueter. Je voulais simplement vous rappeler que les apparences ne sont pas tout. Je ne suis pas seulement ce que vous pensez, d'accord ? Et d'autres choses sont à l'œuvre chez mon père aussi, dans la société, et chez Felicia et Amory Gould. La seule vérité que moi ou quiconque pourrait dire, c'est que vous tous, vous êtes faits pour vous entendre. Et donc, mesdamemesyeux, ceux que les Gould ont unis qu'aucun homme ne les sépare. Allez, ne soyez pas timides. Cul sec.

Et là-dessus, William III, le dernier des Hamilton-Sweeney, porta son verre à ses lèvres, sachant qu'à peine la dernière gorgée de vin disparue dans son gosier, il foncerait vers la sortie et l'inconnu qui l'attendait au-delà.

88

MAMAN S'ÉTAIT BARRÉE AVEC LE PROFESSEUR DE YOGA un jeudi matin ensoleillé du printemps 1971, alors que Sam était chez les sœurs et Papa dans le Queens pour les essais de mise à feu de cette semaine-là, encore que le moment ait été choisi moins par calcul que pour profiter de l'occasion. De toute manière, le témoignage documentaire était insignifiant. Le message qu'elle avait laissé à côté de l'évier de la cuisine se résumait à deux lignes. Juste assez pour ne pas laisser croire qu'elle avait été kidnappée, avait répondu Papa quand Sam lui avait demandé ce qu'il disait. Plus tard, en ouvrant les placards, elle avait constaté que Maman n'avait même pas emporté de vêtements de rechange. Papa en avait déduit qu'elle reviendrait peut-être. Mais Sam, plus observatrice, pensait le contraire. Maman souhaitait garder le moins de liens possibles avec Long Island, avec ce mauvais virage qu'elle avait pris. Elle en reçut la confirmation au mois d'août, sous la forme d'une lettre portant un cachet de l'Idaho. Elle avait écrit le nom de Sam sur l'enveloppe, en lettres anglaises, pour que Papa ne sache pas qui l'avait envoyée. La longueur de la lettre fut un autre sujet d'étonnement, mais elle exprimait l'essentiel dès la première page. Consciente du chagrin qu'elle avait provoqué, disait Maman, elle avait attendu pour écrire, et puis elle avait vu les photos du feu d'artifice du 4 Juillet dans *Life*, ces foules joyeuses sur le pont de Brooklyn admirant le chef-d'œuvre de Papa, et elle s'était sentie obligée d'expliquer à Sam que *tout le monde* avait droit au bonheur – pas seulement des gens qui ne faisaient pas partie des meubles. Et ensuite, pianissimo :

ne peux pas t'obliger… ne dis pas que tu ne peux pas venir avec moi… Et après? Cultiver des patates? Se faire appeler Saffron, circuler comme une maladie vénérienne? Tout le monde savait ce qui se passait dans les communautés. Même celles qui s'abonnaient à *Life*. Ce dont Sam ne prit jamais connaissance, ce fut le contenu des pages 2 à 5, car avant le retour de Papa, elle avait mis le feu à la missive. Elle l'avait retournée avec des pinces prises dans l'atelier dans un petit bol en métal jusqu'à ce que les flammes aient dévoré tous les coins, pour qu'elle ne soit pas tentée de l'arracher à son sort.

Ce n'est pas une chose facile de brûler la mère qu'on a dans le cœur, mais Sam finit également par découvrir les bons outils pour ça. Cigarettes, photo, musique. Maman avait fait son choix, elle était partie en quête d'un idéal sans aspérités, et grand bien lui fasse. Au moment du bicentenaire, Sam pensait sincèrement qu'elle ne pensait plus à sa mère.

Et puis, les dernières semaines de cette année-là, elle s'aperçut qu'elle ne pensait plus à rien d'autre. Comme s'il n'y *avait* presque rien d'autre. Comme si le postulat selon lequel toute unité plus grande que le moi pouvait être maintenue à distance d'une autre – que le moi *lui-même* était incorruptible – s'était écroulé. Sa vie dans l'île, sa vie dans la ville : l'ensemble formait maintenant un composé chimique, et ce que touchaient ses yeux ses mains ses lèvres menaçait toujours de se transformer en souvenir explosif.

L'élément le plus propre à déclencher cette détonation, c'était Papa, ce qu'elle trouvait d'autant plus étrange qu'il était rarement là. Le lendemain de l'effraction à Willets Point, il n'était rentré qu'à neuf heures du soir. Puis, en mangeant les plats froids qu'il avait apportés, elle avait été forcée de l'écouter, bouillonnant de colère, reparler des kilos de poudre, du Ranger fantôme filant vers Flushing. Il avait fini par se convaincre que ce vol, comme celui du mois de novembre, relevait de l'espionnage industriel. Mais il se refusait obstinément à appeler les flics.

— Les somnifères qu'ils ont donnés aux chiens ont failli en tuer un, Sammy. Mais écoute-moi bien, je vais leur montrer de quoi je suis capable.

Elle avait failli cracher que *leur* l'incluait *elle*, mais il n'aurait même pas compris. C'était elle maintenant qui se changeait en Maman. Elle se demandait comment une femme aussi sentimentale avait pu quitter son père, mais il fallait croire que l'amour authentiquement inconditionnel vous étouffait, dans le sens où il faisait fi de qui vous étiez vraiment.

Et puis, le matin, quand il fut parti, elle redevint elle-même. Redevint, presque, celle qui à douze ou treize ans essayait de se construire une vie. Elle sortit sa machine à écrire, son X-Acto et son pot de colle, et les divers éléments qui devaient composer le numéro 4 de *Land of a Thousand Dances*.

Mais quand elle détacha les photos prises à l'automne pour établir un choix, les dizaines de photos qu'elle avait accrochées à son mur sur une corde à linge, elles se muèrent aussi en souvenirs. Leur sens tout empêtré dans un tas de photos de famille qu'elle avait enfouies dans le jardin quand elle avait quatorze ans, parce qu'elles faisaient partie des choses – de beaucoup de choses – qu'elle n'avait pu se résoudre à brûler. Elle ne se rappelait pas les avoir examinées auparavant, mais comment, autrement, auraient-elles marqué le fond de ses yeux de leurs empreintes corrosives ? Sa mère en pantalon roulé sur la plage dans un crépuscule bariolé, tenant une guimauve au bout d'un baton et riant – était-ce possible ? – de quelque chose que son père disait. Ou en deux-pièces devant une bouche d'incendie ouverte quelque part dans le Queens, à peine plus âgée que celle qui était alors la toute petite fille courant dans les flaques derrière elle.

Et puis Flower Hill : elle avait sans aucun doute été ce qu'il y avait de plus incandescent dans ces rues. Sam se demanda si l'incandescence était un trait génétique ; si le regard étrange que les gens d'ici portaient sur elle ne datait pas d'avant sa conduite délinquante, sa nouvelle coupe insolente, son tatouage. L'après-midi, quand elle allait chercher des cigarettes, elle voyait bouger les stores chez les voisines. Il leur arrivait aussi de faire comme si de rien n'était. Une fois, cet automne, elle avait vu passer le break de la famille Weisbarger, conduit par la femme à qui elle avait parlé au téléphone. Impossible de savoir si Mme Weisbarger avait intentionnellement refusé de tourner la tête ou pas. Et comme tout aurait été plus facile, songea Sam, si elle avait pu alors répondre à l'amour de Charlie, plutôt que juste l'aimer comme une sœur aînée ou une cousine chic. Sa mère s'était peut-être aussi vue sous cet angle : un personnage entraîné dans l'engrenage infernal de la mythologie grecque. Posséder ce pouvoir involontaire sur tous les garçons qu'on rencontrait (Charlie, Keith, Sol, Brad Shapinsky) et, en l'exerçant, les voir se dissoudre dans le néant.

Et puis il y avait Nicky Chaos. Le premier commandement du punk, inscrit à la bombe Krylon sur le mur au-dessus de *Vite et fort* et de *Crève, raclure hippie*, était : *Tu ne balanceras pas tes amis.* Nicky, elle le savait, comptait sur elle pour s'en souvenir. Il était possible que le vol de ce tas de poudre ne soit que sa dernière trouvaille pour tester sa loyauté. Mais la loyauté, comme toute valeur théorique – la liberté, la justice, la beauté –, se retournait en pratique contre elle-même. Elle était une punk, mais elle était aussi une Cicciaro. La différence, c'était que les Post-Humanistes se montraient plus vigilants que Papa. Pour ce qu'elle en savait, la camionnette de Sol était de nouveau de sortie, tournant au ralenti dans le cul-de-sac devant, en train de surveiller les rideaux en batik de sa chambre. Si, derrière, elle se sentait déchirée, le cul rebelle en butte aux cornes d'un dilemme, il fallait empêcher ses amis de le soupçonner.

Noël était tombé un samedi. Le mardi, elle appela le Phalanstère. Nicky préférait ne pas utiliser le téléphone, comme si quelqu'un risquait d'écouter la conversation. Et voilà qu'elle l'entendait choisir des mots douceur vanille.

— J'espérais que tu appellerais plus tôt.

Pourquoi est-ce que tu as fait ça? voulait-elle lui demander. *Pourquoi prendre le risque d'un deuxième vol, d'un délit? Juste pour me punir parce que je n'ai apporté que trois grammes à Thanksgiving?*

— Oui, non, fit-elle, tout aussi prudente. J'ai juste eu des emmerdes familiales, il a fallu que je m'en occupe.

— Je comprends. Mais les emmerdes familiales ne vont pas, tu vois, tout changer, si?

— Ne fais pas le crétin. En fait, je pensais passer demain. J'ai oublié mon appareil au sous-sol la dernière fois qu'on a traîné ensemble, je crois…

Attention, les écoutes : c'était le code pour baiser.

— … enfin, je ne l'ai pas retrouvé dans mon sac. Je vais en avoir besoin si je photographie Ex Post Facto au Nouvel An.

— C'est Ex Nihilo maintenant. Billy refuse de continuer. Mais tu prendras les photos. Et le moment venu, tu prendras aussi le Frère Démon.

Ce code-là lui échappait.

— Un vrai spectacle, tu verras. En attendant, on est là, si tu veux, tu sais, qu'on traîne encore ensemble, continua-t-il.

Elle pensa à cette lueur minérale qu'il avait dans les yeux ces derniers temps, comme si la coke les avait réduits à de pures pupilles. En un sens, l'ampleur des dégâts que projetait Nicky devenait une question purement académique. Avec la quantité de poudre désormais stockée dans la petite maison derrière, il faudrait être un expert pour ne pas laisser des morts. Sans compter ce qu'il lui avait fait, à *elle*.

— Allez, Samantha, ne me laisse pas tomber.

— Promis, dit-elle, et elle raccrocha.

Mais pour qu'elle soit franche avec lui, il fallait qu'il soit franc avec elle. Tout chez lui était-il mensonge, ou demi-mensonge? La réponse dormait maintenant dans son appareil et pouvait de toute manière, comme avec le départ de Maman, se lire de multiples façons.

Nicky n'était pas entièrement mauvais, bien sûr. Il avait souffert dans son enfance et c'était une des premières personnes qui avaient compris en quoi

Brass Tactics avait changé sa vie. (Les paroles, disait-il, avaient lourdement influencé sa propre pensée.) Mais à présent, quand elle réécoutait ce disque à la recherche d'idées, d'espoir, il lui semblait contaminé par l'association de la provocation et de la violence. Tout ce qu'elle entendait désormais, derrière la rage et les fanfaronnades de Billy Three-Sticks, c'était le désespoir auquel il cherchait, de façon audible, à échapper.

Ce qui lui restait toujours – ce qui ne vous trahirait jamais, avait dit Charlie un jour – c'était Patti. Car *Horses*, même dans ce qu'il avait de plus noir, ne parlait pas de fuite, ou pas seulement. Oui, la vie était un tissu de douleurs, ainsi que Patti le chantait sur le tourne-disque. Et la vie était faite de trous : en regardant les bouts de papier qui jonchaient sa moquette, Sam ne pouvait qu'acquiescer. Mais il y avait aussi la guerrière, la prêtresse, la catholique, *like a misplaced Joan of Arc.* Ou ça : *And the Angel looks down at him and says : Oh, pretty boy, can't you show me nothing but surrender ?*

Deux jours avant la séance de prises de vue, Samantha avait rêvé de Patti Smith. Elle-même se trouvait quelque part dans une chambre plongée dans le noir. Elle ne voyait pas et ne pouvait pas toucher les murs – incapable de bouger – mais la pièce lui semblait petite. Et il y avait une fenêtre pas loin, elle avait l'impression d'un paysage de montagnes, d'océans et de minuscules humains pagayant dans leurs canoës, vaquant simplement à leurs affaires, si seulement elle pouvait les voir. Et là, Patti était apparue au-dessus d'elle dans un placenta bleu électrique de faible puissance pour lui dire que le moment allait venir pour elle de faire son choix.

— *Quel choix ?* questionna Sam.

— *Celui de les sauver eux*, expliqua Patti – tous ces petits êtres pagayant et pagayant – *ou de te sauver toi.*

En d'autres termes, Sam pouvait s'élever dans le noir, ou descendre dans le paysage, mais il fallait faire vite car elle ne serait bientôt plus autorisée à tergiverser.

Sam sentit que tout ça, c'était bidon. Et même arbitraire. Et puis, qu'est-ce que cela voulait dire : *tergiverser ?* Ou même : *sauver ?*

Certes, concéda Patti d'une voix qui ressemblait à s'y méprendre à celle de la mère de Sam. *Mais nous en sommes là. Il faut choisir même en disposant d'une information imparfaite. Si cela peut te consoler, je te dirai aussi que le temps n'existe que dans ta tête.*

Si je comprends bien, c'est moi ou eux ? C'est tout ce que tu es revenue me dire ?

Ce que je te dis, chérie, c'est que toi, personnellement, tu ne peux deman-der de dispense que pour l'un ou l'autre. Et le moment viendra, pour ainsi dire, où il te faudra choisir.

Et cette dispense, que selon toi je vais obtenir...

Que tu demandes.

D'accord. Tu dis que si je m'en sers pour quelqu'un d'autre, je ne serai pas là pour voir ce qui se passe ?

Si tu pars, dit Patti, *tout ce que je peux vraiment te dire, c'est que tu seras très, très près des gens. Tu essaieras d'être dans la vie, et tu pourras l'être, mais le moment passera. Autrement dit, le temps n'existe pas dans ta tête, pas exactement – j'ai dit cela surtout parce que je voulais que ce soit vrai – mais il est synonyme de vie. Au-delà de l'une ou de l'autre. Au-delà de tout ce à quoi tu t'accrocheras.*

Sam réfléchit.

Mais je ne vais pas la regretter ? La vie ?

Oh, oui. D'une voix douce. *Très certainement.*

Je ne comprends pas. Pourquoi moi ?

Parce que c'est la merde, Samantha. Il arrive que les gens se retrouvent coincés entre les deux, et il y a ceux qui ont de la chance et ceux qui n'en ont pas. C'est pourquoi ça s'appelle une maladie. Ça s'appellera, plutôt. Tu pourras choisir, l'un ou l'autre. Mais aussi, il le faudra.

Toi, tu as eu le choix ?

Je n'aurais pas eu la force de te laisser.

Mais tu m'as laissée. Ou était-ce une question ? *Une minute, tu ne devrais pas être quelque part à l'ouest, Maman ?*

Maman ? C'est ce que tu veux que je sois ?

Soit Sam ne suivait pas, soit elle ne le voulait pas.

Alors, quand on est parti, les gens qu'on aime savent toujours qu'on est près d'eux ?

Non, chérie. Toi seulement, en étant près d'eux, tu peux le savoir. C'est l'un des Paradoxes.

Mais je sais que tu es là en ce moment.

C'est un rêve, Samantha.

Maman ? (Patti ?)

Il est rare qu'on sente notre présence, cela arrive surtout en rêve.

Sam se réveilla, on était mercredi, son oreiller était humide et elle était seule. Papa était reparti travailler, s'il était jamais rentré, et derrière sa fenêtre s'étalait un autre jour gris. Tous les jours sur cette Île étaient mornes et poisseux comme à présent, de la crème glacée grise fondue. Pourtant, en tirant les rideaux, Sam se sentit étrangement joyeuse, parce qu'elle voyait là-bas ce qu'elle n'avait jamais pu voir auparavant : le fantôme de son moi farouche arpentant ces rues depuis tant d'années, refusant de capituler, de s'incliner, de succomber. À un moment, elle avait bien failli céder, à Noël, quand dans l'entrée, encore malade en pensant à ce vol, elle avait trouvé dans le panier le 'zine retourné par la poste. C'était ce soir-là qu'elle avait appelé Keith chez lui et qu'il avait raccroché, furieux. Mais aujourd'hui, elle était sûre que, comme son père, il serait à son travail. C'est là, si elle appelait tout de suite, qu'elle pourrait lui parler : le seul véritable adulte de sa vie et l'homme doué du caractère le plus persuasif qu'elle connaissait. C'était sûrement ça, le choix dont parlait Patti ou allez savoir qui, *car celui qui saisit les possibilités sait toutes les possibilités.* Keith se sentirait trop coupable pour ne pas accepter de la rencontrer au Nouvel An, si elle utilisait la bonne tactique. (Car il *était* coupable, à sa manière, d'avoir apporté ces enveloppes, celles dont il ne s'était pas donné la peine de regarder le contenu.) Et là, au Vault, elle lui expliquerait la situation, elle lui ferait enfin connaître le PPH et Keith, qui serait capable de vendre des jumelles à un aveugle, parlerait au nom de Sam. La poudre serait rapportée à Willets Points, sous couvert d'anonymat, pas de questions, et il n'y aurait plus de feux dans le Bronx. Aucun feu, nulle part. Il devait manquer une pièce dans son raisonnement, une autre possibilité, et son cerveau avait dû le saisir, parce que, en décrochant le téléphone, au lieu de composer directement le numéro de Lamplighter Capital Associates, ses doigts formèrent un numéro différent et, miracle, ce fut Charlie Weisbarger en personne, et non sa mère, qui décrocha. Avant même qu'elle ait pu dire qu'elle voulait le voir de toute urgence, qu'elle allait avoir besoin de son aide pour sauver la ville, il l'accueillit par cette formule merveilleusement effrontée qu'elle n'avait pas entendue depuis l'été :

— Un autre jour au paradis, qui demandez-vous ?

89

SON PLAN ÉTAIT SIMPLE. Surtout après un verre ou deux pour noyer toute contestation. Ouvrir le congélateur. Sortir le seau en plastique placé au fond. Le renverser, tordre les côtés comme pour un bac à glaçons ordinaire. Le bloc translucide se brisa au contact du sol, laissant apparaître un sac en plastique à demi enfoui dans la glace déchiquetée. Étape suivante pour Richard, prendre le métro. Ayant enfin terminé son article, il allait porter les fanzines à son ami Pulaski. Mais voilà qu'intervenait un autre ami, Contretemps. Pulaski n'était pas à son bureau, où Pulaski se trouvait toujours, mais chez lui à Staten Island, expliqua sa secrétaire. Richard aurait pu envoyer le paquet par la poste, mais les fanzines exerçaient encore sur lui une certaine emprise et exigeaient d'être remis entre des mains familières. En outre, la dépression post-partum guérissait toujours mieux quand il sortait et s'activait un peu. Et donc, légère modification à son plan : placer le sac en plastique dans un cartable et le fixer au porte-bagages du vélo. Peut-être en compagnie de cette bouteille, là.

Malgré la vague de froid de cette fin avril, Richard pédala jusqu'au quai des ferrys à Bowling Green en luttant contre le vent. Cependant, une fois parvenu de l'autre côté, il ne se sentit pas encore prêt à céder les 'zines. Il arrivait parfois qu'on ne soit pas encore la personne qu'on devait être pour faire le travail qu'on devait faire. Et alors, en ce qui le concernait, la meilleure stratégie consistait à se rendre dans un cimetière voisin et à passer un après-midi à marcher parmi les tombes. Il n'était pas loin, en fait, de celui dans lequel il avait ses habitudes avant de quitter New York.

C'était un vieil endroit, les premières dates sur les pierres remontaient aux années 1700, et les chênes qui l'entouraient n'avaient pas encore été abattus pour laisser la place à un centre commercial. Les enterrements ayant cessé des décennies avant qu'il commence à venir, il n'avait le plus souvent que les morts pour compagnie. Evelyn Steward. Edward Woodmere. Hibernia Ott. Ces noms de gens civilisés apaisaient sa peur de n'avoir été que peu de chose. Au milieu d'eux, au milieu des anges irréductibles et des fleurs sauvages qui poussaient dans le sol, Richard pouvait une nouvelle fois être un homme parmi tant d'autres.

C'était aussi ce qu'il avait recherché en Écosse, se rappela-t-il en déambulant : l'anonymat, l'isolement. Mais vouloir recouvrer cette discipline au cours du mois écoulé depuis la fuite dans la presse équivalait à bâtir un abri en plein cœur de l'ouragan. Veillées aux chandelles, retour sur l'événement tous les jours à dix heures, un éventuel tueur en série possiblement en fuite, tout ce sturm et ce drang, ces hypothèses, et Richard seul était en possession des éléments du puzzle. Enfin, Richard et Zig Zigler. Quel imbécile il avait été de juger absurdes les récriminations sans fin que Zig lançait dès le matin avec le même bagout qu'à la table de poker. Et pourtant, quel résultat Zig avait-il obtenu ? Son verbiage maniaque à propos de la fille mourante et de la Ville Juste n'avait jamais mûri en exigences spécifiques. Comme si les exigences spécifiques étaient des reliques d'un autre âge. Ou comme si, songeait Richard, le monde n'était pas allé de l'avant – comme si le voile du présent avait été arraché et qu'il se retrouvait dans les fiefs déserts vieux de trois mille ans où on honorait les morts en déchirant ses vêtements et en poussant un hurlement. Ivory St James. Pierre Motell. Il passait une main sur les bords des pierres tombales luisantes de pluie. Il pleuvait depuis une heure et la bruine se transformait en saucée. *Épouse bien-aimée. Repos éternel. Tous les sentiers de la gloire.* Quand une vrille de lierre mouillé recouvrait une inscription, il l'arrachait. Et il reprenait une autre lampée de whisky.

Non, c'était une forme d'aveuglement d'avoir catalogué Zig d'obsessionel quand Zig en réalité avait eu raison, la dernière fois. Qui était plus obsessionnel que Richard ? Ça pouvait vous permettre de voir plus clair que les autres, ou pas du tout. Il avait conservé le souvenir physique de l'excitation ressentie, en mars dernier, en apercevant « SG » sur ce quai de chargement. De l'impression qu'il avait eue, au moment où il avait vu le maillot entre les revers de son manteau, que quelque chose était sur le point de se briser et qu'il avait voulu garder ça pour lui-même. Il se demandait si c'était à cause de cela, et non de sa déontologie professionnelle, qu'il ne parlait pas d'elle dans la seconde moitié de ce qu'il avait décidé d'appeler « Les Artificiers ». Mais là, la pluie tombait à seaux. Le thermomètre chutait. Il reprit sa bouteille.

C'était en pensant à Carmine qu'il se sentait le plus coupable. Sa dernière rétractation s'expliquait en grande partie par les coups de feu, de toute évidence, et pourtant il ne pouvait s'agir d'une coïncidence. Richard frappe à votre porte un beau jour, émissaire du vaste monde, et dès lors votre existence tranquille et stable vole en éclats. Père. Mari. Et Richard s'était pourtant convaincu que l'histoire qu'il essayait de développer pouvait éloigner ses propres démons. *Ce papier va me sauver la vie*, s'était-il répété jusqu'à ce dernier rebondissement, avant-hier. Depuis, tout s'était arrêté. Les fanzines ne fournissaient plus aucune réponse. SG avait disparu. Carmine ne rappelait pas. Richard ne saurait jamais qui avait appuyé sur la détente le soir du Nouvel An, ni ce que le Frère Démon avait à voir avec tout ça. Il ne restait dans sa tête que ces vagues idées qu'il avait ou n'avait pas réussi à transmuer en création ; ses doutes profonds sur l'importance que tout cela revêtait ; et la dernière chanson qu'il avait écoutée ce matin sur le Wurlitzer avant de sortir. L'eau s'était infiltrée dans la couture de sa chaussure et il sentit que sa chaussette gauche était mouillée. S'il ne se mettait pas à l'abri, il ne tarderait pas à subir le même sort. En sifflotant, et d'un pas mal assuré, il se mit à grimper la colline.

Le mausolée du cimetière, une simple arche un peu allongée, n'était pas aussi majestueux que son nom l'indiquait. Une folie, aurait-on pu le qualifier, dans un contexte moins mortel. Un passage le traversait au milieu, juste assez haut pour que Richard puisse s'y tenir debout. Le ciel était passé au graphite numéro 3, et quand il vida les dernières gouttes de whisky, le ciel libéra une pluie sauvage. En s'enfonçant dans le passage, il vit les traces d'autres âmes venues d'autres jours. Bouteilles vides, une boîte de Pringles, l'inévitable emballage de préservatif. Il eut alors envie d'uriner. Les corps ici se trouvaient dans les murs, non sous la terre ; et pourtant, il eût été sacrilège d'arroser ce sol. Mais parviendrait-il, sous la pluie, jusqu'à ce bouquet de chênes ? Il se rappela un groupe de rock avec lequel il avait tourné pour écrire un papier, et ramassa une bouteille. Quand il eut fini de pisser dedans, il tendit les mains sous la pluie pour les rincer. *Allez, Richard*, pensa-t-il. *Rentre, vieux.*

C'est en baissant les mains qu'il aperçut le punk. Il se tenait au milieu des tombes, à peut-être cent cinquante mètres, un garçon musclé, tatoué, avec des petites lunettes à la Trotski. Et il n'était pas assez habillé, ses cheveux coupés en brosse dégoulinaient, mais il ne semblait guère vouloir se mettre au sec. Ou dissimuler sa présence. Richard ne le reconnaissait pas, mais lui reconnaissait Richard. Il avait ce regard impudent, menaçant. (N'était-ce pas ce que Richard voulait? Vivre l'histoire de l'intérieur?) Quand il fit mine de sortir par l'autre bout de la folie, le punk se déplaça lui aussi, comme s'ils avaient échangé un signal. Et peu importait désormais d'où partaient les signaux, de qui ces divers hoplites recevaient leurs ordres. Des deux dernières personnes à avoir attiré leur attention, l'une avait reçu des balles et l'autre avait disparu.

Richard tourna les talons, voulut courir, mais il sentit ses pieds alourdis par l'alcool et le sol mouillé. Il n'était pas en forme. Au sommet d'une montée, à bout de souffle, il se pencha derrière une pierre tombale. Il regarda derrière lui. Le garçon le poursuivait, implacable, se détachant de pierre en pierre sans montrer aucune hâte. Richard glissa au sol et se plaqua contre la tombe. Les brouettes des gardiens avaient toutes disparu. Ils avaient dû partir quand il avait commencé à pleuvoir, autrement dit il était seul, au milieu d'un immense espace vide, sans personne pour témoigner de sa santé mentale. À moins de compter le punk. Et quand Richard risqua de nouveau un œil, il ne vit rien que des tombes. Il pouvait se cacher derrière n'importe laquelle. C'est alors qu'une main lui toucha l'épaule.

Un homme à la peau foncée, à peu près du même âge que lui, armé d'une pelle. De la terre sur ses bottes. Il portait un imperméable en plastique transparent, la capuche rabattue sur son chapeau.

— Tout va bien, monsieur?

— Vous n'avez pas remarqué…

Mais Richard, le souffle court, se rendait compte de l'état dans lequel il était.

— Oui, ça va.

Il accepta la main qui l'aida à se remettre debout. Droit devant, au pied de la colline, il aperçut un parking boueux, une cabine téléphonique. Quelque chose le frappa.

— Un peu mouillé pour creuser, non?

— C'est mieux que gelé. Ça doit descendre jusqu'à moins un cette nuit.

— Je vous laisse, dans ce cas.

Richard s'éloigna, trop gêné pour tourner la tête. Parvenu dans la vallée, il resta ancré à la cabine téléphonique. Si le punk revenait se montrer, il appellerait les flics, peut-être même Pulaksi, mais pendant plus de dix minutes, le seul signe de mouvement fut ce petit point sur la crête, préservé de la pluie et solitaire, qui se penchait et se redressait au-dessus d'un trou. Un fossoyeur qui creusait une fosse. Et pourtant Richard n'irait pas récupérer son vélo, de l'autre côté du mausolée. Pas aujourd'hui. Le plus sûr était d'appeler un taxi.

Quand celui-ci arriva, Richard tremblait de froid. Lui non plus n'était pas assez couvert, et l'alcool avait cessé de le réchauffer. Même à l'intérieur de la voiture, il ne parvenait pas à se sentir au sec. Ils approchèrent du ferry au début de l'heure de pointe. Donna Summer à la radio. Entre les entrepôts et les stations de lavage-auto se profilaient les tours de Battery aux sommets engloutis par des couronnes de brouillard neigeux. Il regarda derrière lui pour s'assurer qu'on ne les suivait pas.

— Ça va, vieux ? dit le chauffeur.

Pourquoi tout le monde lui posait-il la même question ? Le chauffeur s'éclaircit la gorge :

— Si vous vomissez dans mon taxi, vous payez le nettoyage.

Il y avait, Dieu merci, un magasin de spiritueux près de l'embarcadère, et il lui parut prudent de se procurer deux mignonnettes tout en guettant, derrière la vitrine, l'apparition de cette coupe en brosse et de ces lunettes. À vingt-neuf minutes passées l'heure, il fonça en direction de la passerelle. La grille se referma derrière lui, les moteurs rugirent en dessous et c'est quand il voulut glisser les bouteilles dans les poches intérieures de son manteau que la mémoire lui revint : les 'zines. Bordel, les 'zines. Il ne les avait pas sortis du cartable. La série n'était même pas complète – il manquait toujours le numéro 3. Et il savait bien pourtant, en congelant les deux autres, que Pulaski, qui aurait pu y comprendre quelque chose, ignorait jusqu'à leur existence ? À présent, ils ne serviraient à personne, attachés à une bicyclette Schwinn sur Staten Island. Ou plutôt entre les mains du punk qui l'avait poursuivi – et qui de toute évidence était venu pour les voler. Bordel de merde, Richard. Cette unique chose, cette simple chose concrète que tu aurais pu faire pour protéger Billy, pour aider Sam. Comme avec l'écriture, tu avais foiré.

Une fois le bateau en mouvement, la lumière autour de lui était devenue blafarde. Personne, parmi ceux qui se pelotonnaient sur les bancs, n'allait croiser son regard et lui dire que tout s'arrangerait. Ils lui faisaient penser à ces tableaux de foules médiévales. Partout, la Mort Blanche. Et il y avait autre chose qu'il était temps pour lui d'admettre : Samantha Cicciaro allait mourir. Peut-être commencerait-elle par reprendre conscience, peut-être pas, peut-être dans cinquante ans, mais article ou pas, elle finirait par mourir et Richard aussi. Alors, pour parler cosmiquement, que fuyait-il donc ? Quand il était acolyte à la Première Église Épiscopale de Tulsa, et qu'il attendait le moment de sonner la cloche de la consubstantiation, il se représentait la mort sous la forme de ces bibliothèques tournantes qui, dans les bandes dessinées, donnaient accès à des couloirs secrets. On se couche, les bras croisés sur la poitrine, les yeux fermés, et quand on les ouvre, on est dans une vie nouvelle et sans limites. Shazam! La réalité était tout autre, bien sûr, mais si les savants savaient, et qu'il n'y avait rien après la mort – *rien* –, comment allait-il pouvoir se représenter ça? Du noir? Du vide? C'étaient aussi des métaphores, aussi chimériques à leur manière qu'un cercueil à double fond. Un véritable rien était sans précédent ici-bas. Et pourtant il le sentait, juste derrière les autres passagers, le rien qui ne pouvait se traduire en mots. Et c'était peut-être en cela que son écriture avait échoué. Il avait voulu écrire sur la perte, sur les choses que nous aimons en naissant et que nous perdons. Mais si ce sur quoi il avait écrit n'était pas issu du néant mais né de la page, sa perte était davantage comme la perte d'une manche bien coupée que, mettons, celle du bras à l'intérieur. C'est de cette réalité-là que, pour le meilleur ou pour le pire, Richard avait toujours eu besoin. Avait-il sincèrement cru qu'en rendant Samantha assez vivante sur la page, il parviendrait à échanger une vie pour l'autre, à libérer la Sam captive de son lit de métal?

C'est alors qu'il vit le punk de nouveau, tuant le temps derrière un poteau. Et, cette fois, Richard allait vomir. Tandis que les moteurs agitaient les eaux du port, il s'esquiva sur le pont. La neige absurde d'avril était maintenant assez épaisse pour former un écran à quelques mètres à tribord et elle avait chassé tous ceux qui avaient pu s'y trouver. Pourtant il ne sentait pas le froid. Derrière lui, la porte fut trop longue à se refermer. Le punk était passé, mais il restait dans l'ombre. Qu'attendaient ces Post-Humanistes pour s'en prendre à lui? Le petit garde-corps théorique qu'on avait soudé là par mesure de sécurité était glissant à cause de la neige. Il l'enjamba sans difficulté, et se retrouva sur un bord enfoncé de soixante à quatre-vingt-dix centimètres. Il lui parut plausible de pouvoir en tirer un avantage. Après tout, il était plus grand. Une fois le combat engagé, il lui suffirait de déplacer son assaillant sur cette petite distance. Ou peut-être cherchait-il à gagner du temps. Il ne se passait rien. Derrière les fenêtres, les gens regardaient des journaux ou le sol. Le garçon tatoué n'était plus visible. Il ne voyait pas non plus les oiseaux qui d'ordinaire suivaient le sillage du bateau. Il n'y avait que Samantha, qui l'observait, non loin, du bon côté du garde-corps. D'une seconde à l'autre le punk prendrait sa place; pour l'instant, elle était comme dans la photo qu'il avait, celle qu'elle avait agrafée dans le numéro 3, cheveux teints en noir, chapeau; à quoi pensait-il quand il avait enlevé la photo? Elle avait le visage las, triste, et silencieux. Ou était-ce sa voisine Jenny Nguyen qui lui reprochait la peine que Richard lui ferait s'il tombait? Il revit son bureau tel qu'il l'avait laissé ce matin. Au milieu du désordre signé Groskoph, il y avait une liasse bien nette, trente-neuf feuillets de papier en 120 g. Si ce combat s'achevait par sa chute par-dessus bord, ils dessineraient une radiographie de sa tête. Jenny pourrait les lire et comprendre pourquoi il était comme il était, et ils pourraient avoir un futur. Mais tout cela était une illusion, une autre forme de vœu pieux littéraire et de toute façon, là-dedans, il y avait un paradoxe. Elle aurait presque pu être son enfant. À supposer que ce soit une fille. Comme il l'avait toujours fait. *Laisse-moi tranquille*, pensa-t-il. *Ne te mets pas en travers de ce qui est destiné à arriver.* Comme toujours, bien sûr, il hésitait. Ne jamais être confronté à ta descendance. Ne jamais toucher les cheveux de soie noire de Jenny. Ne jamais plus sentir la chaleur monter du corps d'une femme, ou des trottoirs, l'été. Les trottoirs qu'il arpentait en courant au retour du temple les bras écartés, la bouche imitant les saccades de Spitfire, comme celles qui en sortaient maintenant quand il n'en pouvait plus. Ce qui était le cas, il tanguait dangereusement avec les mouvements du bateau, et tous ces conflits et ces indécisions qui explosaient dans sa tête. Le punk ne venait toujours pas, mais à présent une voix rappelant celle du « Dr » Zig se glissait partout : Rien à foutre. Rien à foutre des taxis et des voisins et des ploutocrates et des travailleurs sociaux et de Capote et du comité du Pulitzer et du contrôle des loyers qui vous tient comme un piège à doigts chinois. Rien à foutre de lutter contre ça depuis si longtemps. Rien à foutre, Richard. Rien à foutre rien à foutre rien à foutre. Le bateau heurta une autre vague et il sentit une incitation ancienne – la promesse qu'il serait dispensé de toute décision finale. Une réponse, ou son absence. C'est juste l'alcool, dit quelque chose en lui. Allonge-toi, plutôt, et dors un peu. Il n'y a personne, dehors, avec toi. Il n'y a même pas de neige. Mais les mains accrochées au garde-corps auraient pu appartenir à quelqu'un d'autre. Le bandeau de fenêtres éclairées sur le côté du bateau était un ruban qui flottait dans les eaux noires. Il se tenait maintenant sur le bord même du bord, il se dépliait pour permettre à quelqu'un de lire la fin de sa propre histoire. Qu'était-il arrivé, qu'arrivait-il ? N'y avait-il donc personne d'autre que lui pour le blesser ou l'aider ? Existait-il même encore une différence ? Mais c'était New York. Toutes ces vies soigneusement emballées. Et l'espace d'un instant, juste avant la vague suivante, juste avant que Richard Groskoph lâche le garde-corps, cette ville qu'il aimait et haïssait s'ouvrit devant lui sur l'horizon, de nouveau toute à lui, de telle sorte que, contrairement à ce que quiconque aurait pu penser, il était loin de se sentir seul à l'instant où il commença à tomber.

LES ARTIFICIERS, PARTIE 2

refoule
esprit
à se m
le riv
signifi
fille d
agress
la têt
Mais
chose
abasc
de le
enti
les

Mais brusquement, tout allait par deux. Deux
minuits, deux Cicciaro, deux balles, deux ateliers…
deux charges pour chaque projectile explosant dans
le ciel et, techniquement parlant, deux amorces.
C'était un mystère face auquel je me retrouverais
de façon répétée au cours de ces mois où la fille de
Carmine gisait sur son lit d'hôpital, et qui rendrait
plus difficiles mes efforts pour comprendre comment
elle en était arrivée là: le moindre élément en
rapport avec elle semblait imbriqué dans un autre,
écliptique.

Vers la fin de ce mois de janvier, par exemple,
j'aurais entre les mains une série complète
des fanzines évoqués par le père de Samantha, <u>Land of a</u>
<u>Thousand Dances</u>. Loin d'être une allusion à la soul
du Sud, comme je l'avais d'abord pensé, ce titre se
révéla un hommage à la chanteuse de rock Patti Smith.
À l'intérieur, les essais, les critiques et les petits
fragments diaristiques reflétaient la quête d'une

disciple à la recherche d'une vie assez riche pour la
nourrir -- une quête seulement suggérée, jusque-là,
par l'audacieuse coupe de cheveux de Samantha et par
ces photos sur le mur de sa chambre.

Elle avait commencé à travailler sur le fanzine en
terminale, dans son école privée en ville. Au moment
du numéro 2, elle s'était acoquinée à un groupe de
jeunes dans les marges de la nouvelle sous-culture
en train d'émerger. Le «punk rock» lui offrait une
perspective pour se comprendre elle-même et pour
comprendre le monde. La vision se compliquait, comme
c'est souvent le cas avec les visions, de nuances
de sexe, de classe, d'idéologie et de posture, mais
lentement, par à-coups, Samantha avait fini par se
livrer au tumulte de «Downtown». Pendant que son
père et moi étions assis dans un jardin de Flower
Hill à débattre de ses études, il y avait de fortes
chances que la fille soit en train de fumer de l'herbe
et d'écouter des disques quelque part dans l'East
Village. Durant la période entre Thanksgiving et
Noël de l'année 1976, il semble même qu'elle se soit
installée dans un squat là-bas.

Le fanzine n'indiquait aucun numéro ou nom de
rue; pourtant, la première chose que je fis cet
hiver-là, après avoir appris l'existence de ce squat,
fut d'essayer de le trouver. Le lendemain de son
anniversaire, je passai la journée à parcourir tous
les blocs entre Houston et la 14e Rue, depuis Lafayette
jusqu'aux lotissements sociaux le long de la rivière.
Comme la maison dans laquelle elle avait grandi,
celle que je cherchais possédait une dépendance à
l'arrière. Il y avait aussi, apparemment, un passage
large de trente centimètres entre elle et la maison
voisine. C'était le genre de détails dans lesquels se
logeait la beauté, aux yeux de Samantha -- parcmètres
guillotinés, boîtes aux lettres psoriasiques, voitures
auxquelles manquaient vitres et roues, le fait que
derrière le visage quadrillé que New York offrait

au monde, rien ne filait vraiment droit -- mais il
était difficile de former un jugement esthétique quand
il faisait au maximum moins huit dans la journée.
J'espérais plutôt que le passage me servirait de
repère, mais il s'avéra qu'il y avait partout des
passages comme celui-là. Bizarrement, je ne l'avais
jamais remarqué. Dans les boutiques où j'entrais me
réchauffer, aucun de ceux auprès de qui j'évoquais
le squat ne parlait anglais, ni même ne comprenait
ma question. À la tombée de la nuit, je renonçai et
rentrai chez moi.

Ce qui ne veut pas dire qu'au cours des semaines
suivantes je ne tentai pas d'aller plus loin. Je
commençai par téléphoner à tous ceux qui auraient pu
se souvenir de la fille de l'artificier. Un jour, un
ancien professeur de maths la décrivait comme une
de ces filles maussades toujours au dernier rang; le
lendemain, un professeur de photo de NYU me disait
combien il avait été déçu de voir cette «artiste
prometteuse» sécher ses cours. À Flower Hill,
j'enquêtai sans succès sur «C», un garçon dont elle
racontait qu'elle était devenue l'amie l'été avant son
entrée à la fac. (J'avais d'abord entendu parler de
lui au mois d'août, quand j'avais demandé à Cicciaro
si elle sortait avec quelqu'un. «Mon Dieu, j'espère
bien que non, avait-il répondu. Il y a ce garçon
qui est venu la chercher une ou deux fois dans un
break Buick, mais il ressemblait à un de ces petits
avortons qu'on voyait dans les vieilles publicités de
Charles Atlas, qui se faisaient jeter du sable dans la
figure. ») Puis je passai des heures dans l'East Village
à la recherche de ses autres «droogs», principalement
identifiés eux aussi par des initiales. Samantha ne
s'entendait pas toujours bien avec ses amis de la
scène; ceux-ci avaient un versant destructeur, à en
croire le numéro 3, qui l'attirait et la rebutait à la
fois. Mais à force d'observer leur habitat naturel, en
me souvenant de ce qu'elle avait écrit, en accostant

à St Mark's Place des punks qui m'envoyaient paître,
je finis par éprouver moi-même une sorte d'affection
exaspérée pour ces personnages qu'elle décrivait,
SG et DT et NC, parfois appelé «Iggy». Quand on me
demandait pourquoi je les cherchais, je jouais avec
la vérité; le nom de Samantha n'était pas encore
paru dans la presse et je détestais porter atteinte à
l'objectivité d'une source. Pourtant, en dépit de mes
scrupules, ou peut-être à cause d'eux, je commençais à
me rendre compte que j'en savais moins que le jour du
nouvel an. Il y avait deux Samantha Cicciaro. Et si je
pouvais espérer obtenir des réponses -- non pas savoir
qui lui avait tiré dessus, car pour moi, c'était une
agression qui avait mal tourné, mais ce que signifiait
perdre Sam --, alors ces réponses, cette autre vie, ce
deuxième moi, semblait les contenir.

Bien sûr, la signature d'un bon fanzine, c'est
sa capacité à créer chez le lecteur, fût-il le
plus étranger à son contenu, le sentiment d'être
investi dans la culture qu'il décrit. C'est une
leçon que nombre d'écrivains mettent une vie entière
à apprendre: ce qui rend les choses intéressantes
pour nous, c'est aussi l'intérêt que leur portent
les autres. Et ce qui intéressait Samantha plus que
l'école, ses amis ou sa nouvelle maison punk rock en
ville, c'était la musique. Pour elle, Patti Smith,
Joey Ramone et Lou Reed n'étaient pas des voix dans
sa stéréo; ils étaient des saints intercesseurs. Et,
flottant légèrement au-dessus d'eux dans les marges
du fanzine, car plus accessible (ou plus clairement
vulnérable), il y avait un homme appelé Billy Three-
Sticks, chanteur de la première mouture du groupe punk
Ex Post Facto.
    Quant à l'histoire du groupe, je dégotai peu de
choses: le punk rock de 1974 était, même trois ans
plus tard, une sorte de colonie perdue et Billy
Three-Sticks un pionnier disparu dans la nature. Je

réussis à mettre la main sur le seul album qu'il avait enregistré et à l'écouter, mais si j'eus l'impression bizarre de l'avoir déjà entendu, je trouvai la musique dissonante et les paroles indéchiffrables, malgré toute leur émotion. «Kunneqtiqut/What the fuck/Connect the dots/Jumbled up/On a tilt/Around a bend/Alone, Atlantic/Antic end.» Je ne parvins pas davantage à percer le mystère de ce surnom, Three-Sticks. Chez le disquaire où je l'avais acheté, je pus cependant obtenir une adresse. Je me rendis sur place.

L'ancienne fabrique que je découvris à Hell's Kitchen était si éloignée des descriptions du fanzine que je me demandai ce que j'avais espéré dénicher là. Je cherchais une approche quand la chance se présenta. Ou plutôt deux. Avant que j'aie pu traverser la rue pour chercher une sonnette, un homme brun, de petite taille, en blouson de cuir, sortit du bâtiment. C'était Billy Three-Sticks. Il se dirigea, tête baissée, vers la bouche du métro de la 8e Avenue. Peut-être était-ce simplement le froid qui le faisait rentrer en lui-même, mais il paraissait tellement énigmatique que je ne pus m'empêcher de le suivre. Et puis, à moins d'un pâté de maisons de la bouche du métro, je remarquai un deuxième homme, un Noir, vêtu d'une sorte de combinaison de dépanneur, qui traversait la rue, sur les talons de Billy Three-Sticks. Absorbé par sa proie, il ne semblait pas me voir. Quand je m'attachai de nouveau aux pas de Three-Sticks, celui-ci était descendu dans le métro. L'homme en combinaison descendit à son tour, et je ne vis plus qu'un bonnet remonté sur la nuque d'où s'échappait un peu de vert. Ce n'était pas du tout un dépanneur, mais un «punk» -- peut-être même un ami de Samantha. Et dans ce cas, ces «droogs» n'étaient pas seulement les gentils paumés de Land of a Thousand Dances, mais également autre chose qui expliquait sa présence ici: des fouineurs, des guetteurs, des espions.

Je me rendis plusieurs fois encore à l'ancienne
fabrique, mais l'homme vert du premier jour était
toujours là avant moi, occupé à guetter. Ou un
skinhead demeuré à l'air mauvais vêtu de la même
combinaison. Ou une fille en fourrure sale traînant
sur un quai de chargement. Ou rien que le pare-brise
aveuglant d'une de ces petites camionnettes blanches
couvertes de grafûtis qui semblaient devenues aussi
omniprésentes que les pigeons. Three-Sticks lui-même
apparaissait rarement et se cantonnait à un circuit
limité, voire obsessionnel: de l'entrée au métro puis
à l'entrée, avec çà et là un détour en direction d'un
guichet de paris hippiques, ou de l'Automat de Times
Square.

Quant à moi, j'étais maintenant à des années-lumière
du puzzle dont j'avais entrepris de réunir les pièces.
Mais je savais reconnaître une bonne histoire. L'idole
de Samantha s'était visiblement attiré des ennuis.
Samantha aussi? Je rentrais le soir, je buvais un
verre avec une voisine, je ne racontais rien du drame
dont je voyais l'éclosion. Pourtant, le lendemain,
quand je quittais ma table pour aller sur le terrain,
mes pas me ramenaient toujours à Hell's Kitchen. Je
m'imaginais me glissant à l'intérieur de l'immeuble
derrière un autre résident et faisant du porte-à-
porte. Ou -- parce que les résidents semblaient tous
être des Angels qui n'auraient fait de moi qu'une
bouchée -- pressant tous les boutons de sonnette.
Une fois que j'aurais averti Billy Three-Sticks qu'on
le surveillait, la gratitude le déciderait à me
parler. Il pourrait peut-être me conduire jusqu'à la
maison où Samantha avait habité avant les coups de
feu, ou du moins me raconter ses souvenirs de jeune
punk. Mais les guetteurs étaient toujours là, et quand
ils ûnirent par disparaître et que je pus approcher
des sonnettes, un jeudi matin du mois de mars, le
visage tatoué d'un Angel apparut à une fenêtre en

hauteur, quelques secondes après que j'eus appuyé sur un bouton. J'expliquai que je cherchais Billy Three-Sticks et j'eus la confirmation que ce que je savais déjà (ne fût-ce que par l'absence de témoins) était vrai: je ne le trouverais plus ici.

— Vous dites qu'il s'est évanoui dans la nature? criai-je.

Et puis, enhardi par la solidité de la brique épaisse et l'escalier de secours qui nous séparaient:

— C'est votre voisin. Ça ne vous préoccupe pas?

L'homme me suggéra, sans se départir de sa bonne humeur, de me mêler de mes affaires. Il était sept heures du matin. Il y avait des gens qui dormaient.

Avec le recul, c'eût été probablement le moment de prévenir la vraie police. Mais de quoi disposais-je qu'ils ne risquaient pas de saboter? Non seulement je ne revis plus la camionnette blanche à Hell's Kitchen, mais Billy Three-Sticks, mon passafuoco, mon passage vers Samantha, avait disparu lui aussi. On était en mars. Un mois d'enquête aboutissait à un cul-de-sac, alors que j'aurais dû aller à Long Island tenir compagnie à Carmine, ou du moins terminer mon interview. Et maintenant je ne pouvais faire ni l'un ni l'autre.

Ce que je veux dire, c'est: depuis que Billy Three-Sticks s'était volatilisé, toute l'énergie qui me portait cet hiver-là était retombée. Je sombrai dans l'une des pires pannes d'une carrière qui en comptait bon nombre. Je me levais à l'heure du déjeuner et, au lieu d'aller mener mes enquêtes de terrain ou de m'asseoir pour écrire, je me servais un verre. À mon grand étonnement, je redécouvrais qu'on pouvait boire beaucoup plus à partir du moment où on acceptait de commencer pendant la journée et que l'ivresse changeait de caractère. Autrefois, j'avais ressenti la justesse de la vieille expression «être un peu "gaz"»: cette effervescence, cet éclatement

de l'enveloppe du moi. Maintenant, dans la lumière
blafarde de fin d'après-midi en hiver, mon appartement
était un Alaska. De derrière les murs parvenait une
infinité de sons, le bip bip des camions en marche
arrière, le grincement et la plainte d'une benne
à ordures, et plus près, à l'intérieur, le soupir
du moteur de l'ascenseur, les fréquences fantômes
du talkie-walkie du gardien, les bruits, réels ou
imaginaires, de ma voisine, ma compagne de beuverie
de naguère, faisant claquer les portes des placards
chez elle. Et pourtant, au fond de moi, d'où aurait dû
jaillir ma propre voix, régnait un silence si profond
qu'il en devenait un pur possible. Et derrière,
comme le tain du miroir: la mort. Même une phrase
comme «dans le coma sur un lit d'hôpital» paraissait
sentimentale.

Je ne quittais l'appartement que pour aller acheter
tous les journaux que je pouvais trouver -- une
habitude, ou un vice, du temps où je travaillais
au World-Telegram. À présent, New York ne comptait
plus que trois quotidiens et j'aurais pu prendre
des abonnements, mais c'eût été passer à côté de
l'essentiel. L'essentiel n'était pas de lire, mais
d'acheter. De pressentir, en cherchant une pièce, que
quelque chose d'important avait pu se produire depuis
votre dernière lecture. De cette façon, vous pouviez
repousser le vide angoissant au centre de votre tête,
l'impression qu'il n'y avait jamais rien de nouveau
sous le soleil et que nous étions de ce fait tous
condamnés à notre sort.

Et c'est ainsi que, après plus d'un mois de cuite, je
découvris la photo de Sam Cicciaro en une du New York
Post. Elle ne ressemblait guère à ce qu'elle était
dans la vraie vie. D'abord, elle portait une robe aux
épaules dénudées. Elle avait les cheveux soigneusement
tressés et laqués, la tête penchée, souriant la bouche
entrouverte comme si le photographe qui faisait les
portraits pour l'annuaire du lycée avait dit quelque

chose de drôle. Je clignai des yeux, mais elle était
toujours là. Je me versai un autre verre. Toujours là.
Doublé, me répétai-je. Je me suis fait doubler.

Une heure plus tard, je composais le numéro de mon
vieux pote Larry Pulaski du NYPD, devenu commissaire.
Derrière la standardiste qui avait répondu, je m'en
souviens, j'entendais des sonneries continues, de
vraies machines à sous. Toutes les lampes du standard
devaient s'être allumées pour obtenir des détails.

— Je me demandais si tu allais m'appeler, dit
Pulaski, quand on finit par me le passer. Mais tu
aurais dû le faire sur ma ligne directe.

— J'ai le _Post_ ouvert devant moi, lui dis-je. Tu veux
le _Post_ ou le _Daily News_? Parce que son nom est dans
les deux.

— On dirait que tu as bu.

— Comment as-tu pu le révéler, Larry? Carmine est
là-bas tout seul. À ta place, je craindrais qu'il ne
confonde un journaliste avec un rôdeur et que tu te
retrouves avec une nouvelle affaire de coups de feu
sur les bras.

— Je vais te dire ce qui m'inquiète le plus,
Richard, si tu veux le savoir. Tu perds ton sens de
l'objectivité.

Jusqu'où pouvait aller mon objectivité? Nous
parlions de la une du f‌‌u _Post_. C'était peut-
être juste de la friture sur la ligne, mais j'aurais
juré entendre le cliquetis d'un coupe-ongles, le
dieu sourcilleux à l'autre bout du fil se faisait une
manucure.

— Richard, crois-tu que j'apprécie la présence de
fouinards sur mes scènes de crime? Crois-tu que je
sois ravi d'entendre ton mec à la radio exigeant ma
tête sur un plateau?

Un silence laissa presque croire qu'il attendait une
réponse.

— Tu me jures que tu n'as rien à voir avec ça?

– Il y a eu une fuite, c'est ce que j'essaie de te
dire. En haut lieu, probablement.

– Pourquoi quelqu'un aurait-il fait fuiter l'info?

– J'aimerais bien le savoir moi-même, mais en gros,
le département est vaste, ce sont des trucs qui
arrivent et pour l'instant je dois éteindre un tas
d'autres incendies. Je fais le boulot pour lequel on
me paie. Je te suggère d'arrêter de boire et d'en
faire autant.

Le lendemain au réveil, je me sentis vaguement
coupable. Je m'étais montré injuste envers quelqu'un,
mais je ne savais plus comment. Je voyais un V, creusé
comme après un choc, sur les mini-stores près du
canapé sur lequel je m'étais endormi.

Sur ma table basse, il y avait un croissant de
poussière. Et mon chien, qui semblait ne plus pouvoir
se retenir, allait et venait devant la porte qu'il
frappait d'un coup de queue à chaque passage. Quand je
descendis dans la rue, les arbres étaient en feuilles.
Le printemps. La vie. Un souvenir remonta. Quelque
chose comme «pas d'impasses»? De toute manière,
Pulaski avait raison: j'avais un travail à faire.

En ce qui concernait l'affaire des coups de feu,
je disposais, à ma connaissance, de deux pistes. La
première, bien que le lien demeurât obscur, était
toujours Billy Three-Sticks. Je n'avais eu aucun
succès à son lieu de résidence, mais j'avais abandonné
trop vite. Je commençai donc à le chercher dans
d'autres repaires du coin. Tout ce que je voyais,
de temps à autre, c'étaient les jeunes hommes qui
le surveillaient. Ils étaient de retour. Et quand
je repérai le plus grand, à présent déguisé sous un
manteau et une barbe ridicule, affalé dans une alcôve
de l'Automat, se servant d'un cran d'arrêt de dix
centimètres pour découper le bandage purulent qui
lui enveloppait la main, mon enquête commença à me
donner un sentiment d'urgence. Je l'élargis à d'autres

guichets de paris, d'autres Automats, à Chelsea, à des
pâtés de maisons de l'Upper West Side. Je passai des
journées entières à marcher, à m'arrêter, à me cacher
derrière des kiosques à journaux, implorant la ville
de mettre Billy sur mon chemin.

Chez moi, je passais de nombreux coups de fil. Le
nom «Samantha Cicciaro» semblait avoir été divulgué
simultanément à tous les journaux et toutes les
chaînes d'informations; impossible de dire qui l'avait
eu avant les autres. Mais quand le World-Telegram
avait fermé, mes collègues s'étaient retrouvés
éparpillés à travers le firmament des médias, et je
les appelai tous en leur demandant de me désigner
une source. La plupart refusaient -- certains avec
véhémence -- mais je parvins à en joindre un qui me
rendit service. Il ne pouvait pas donner de noms, me
dit-il. Mais il avait le pressentiment que l'histoire
des coups de feu dans le parc avait été calculée pour
empêcher autre chose de faire la une des journaux.
Et à sa connaissance, l'ami qui l'avait révélée
bénéficiait de contacts haut placés dans le Building
Hamilton-Sweeney.

Ce nom mit aussitôt des cloches en branle. Car le
principal concurrent de Carmine Cicciaro, je le savais,
était une filiale en propriété exclusive de la société
Hamilton-Sweeney. Quand il avait laissé entendre au
nouvel an que ce concurrent était mêlé à la disparition
de trois grammes de polverone dans son atelier, je ne
l'avais pas pris au sérieux: sa théorie imputait trop
d'implication personnelle à ce qu'il appelait autrement
«l'argent». (Dans la mesure où j'y avais un peu
réfléchi depuis, j'en avais conclu que Samantha elle-
même avait probablement chipé les trois grammes dans
un geste de rébellion, ou de dépit, ou pour en faire
l'offrande à ses amis pyromanes.) Je savais également,
pour avoir un peu écouté la radio, que la société
Hamilton-Sweeney avait des démêlés avec la justice,
mais je m'étais convaincu -- la banque d'affaires

dynastique ayant muté en un conglomérat dans les
années 60 -- que le concurrent de Carmine était un bras
séparé qui, s'il voulait diriger l'ensemble, devait
être à la tête d'une cabale bureaucratique trop anonyme
pour se soucier d'«envoyer un message» à un artificier
solitaire. Mais non, à la lecture du journal, je vis
qu'il y avait bien un M. Hamilton-Sweeney, actuellement
inculpé, dans le fauteuil présidentiel. Était-ce trop
tordu de penser qu'il saurait quelque chose de cette
fuite? De cette effraction?

Quelques jours s'écoulèrent. Je laissai ma nouvelle
piste de côté tout en poursuivant mes recherches sur
l'affaire Hamilton-Sweeney. Et puis, il y a deux jours,
tandis que je rentrais en métro dans le Village, le
miracle s'est produit. Par la porte qui séparait ma
voiture de la suivante, j'ai aperçu un blouson de cuir
élimé. Billy Three-Sticks. Comme si du seul fait de
ne plus penser à lui je l'avais fait apparaître. Mais
il avait dû me voir, lui aussi, et me reconnaître, car
quand j'ai franchi la porte, il a foncé sur le quai
et grimpé l'escalier. Je lui ai crié d'attendre, je
l'ai suivi dans un couloir. La grille au bout avait
été fermée pour la nuit. Enfin, nous allions pouvoir
nous parler. Nous pouvions encore nous sauver l'un
l'autre. Je lui ai touché l'épaule, d'un geste presque
paternel, il s'est retourné, mais ce garçon maigre,
qui sur la pochette de son disque paraissait à peine
vingt ans, était si pâle qu'il semblait déjà mort.
Une grille latérale était encore ouverte, il s'y
engouffra, monta les marches, et avant que je n'aie pu
le rattraper pour lui expliquer que je le croyais en
danger, il était dans le train en direction du sud et
les portes se refermaient derrière lui.

Je n'avais d'autre choix que de poursuivre l'angle
Hamilton-Sweeney. Le lendemain matin, donc, j'ai
examiné une nouvelle fois la photo dans le journal.
J'ai pris une douche. Choisi une chemise presque propre

en me disant que quelques plis ici et là me donneraient l'air moins menaçant. J'ai mis une cravate. Plié un feuillet A4 en huit, l'ai glissé dans ma poche de poitrine, j'ai décroché mon vieux Fedora et j'ai pris la direction du Building Hamilton-Sweeney où j'allais essayer d'obtenir un rendez-vous au débotté avec William Hamilton-Sweeney II. Mieux valait, parfois, ne pas laisser à un sujet potentiel le temps de trop réfléchir. Quand les médias lui tendent un porte-voix, la première réaction d'un chef de clan, fût-il le plus inaccessible, est de s'en emparer.

Au lieu de me diriger vers le trentième étage, le groom grassouillet auquel je tendis une vieille carte de presse me demanda de m'asseoir pendant que son directeur appelait le service des relations publiques. Quelques minutes plus tard, un ascenseur cracha un homme de petite taille qui ne ressemblait en rien à aucun attaché de presse, ni au P-DG portraituré dans le Times. Ses cheveux parfaitement blancs donnaient une impression fausse; quand il s'approcha, je constatai qu'il ne devait guère dépasser la cinquantaine. Quoi qu'il en soit, il n'avait ni rides ni surpoids. L'homme, pour sa part, menait rondement les choses.

– Monsieur Groskoph, je suppose.

Je sentis alors une main dans mon dos me pousser dehors vers une place très fréquentée. J'avais quelques questions, lui dis-je quand nous y fûmes parvenus. Mais il proposa plutôt de m'en poser une:

– Monsieur Groskoph, à combien estimez-vous votre valeur?

– Je vous demande pardon? répondis-je, ou quelque chose dans ce goût-là.

– Je vous invite à vous imaginer forcé de liquider tout ce que vous possédez, aujourd'hui. Quel capital pensez-vous pouvoir réunir? À combien estimez-vous votre valeur?

En me parlant, il regardait toujours en direction de la rue, mais je me sentais un peu secoué. Mieux valait, me dis-je, ne pas faire de détours et admettre que je n'en savais rien.

— Vous comprenez, j'ai l'œil sur vous depuis quelque temps. Vous enquêtez sur certains de nos contrats.

Il semblait dégager quelque chose de glacial, mais peut-être avais-je seulement la gueule de bois.

— La société protège farouchement son intimité. Il fut un temps où tous les Américains agissaient ainsi. Aujourd'hui, en ouvrant un magazine, je peux voir l'ancienne Mme Kennedy en maillot de bain. C'est son choix, naturellement, mais les Hamitlton-Sweeney n'ont pas l'intention de marcher sur ses pas.

— En maillot de bain? Et ça vous ennuierait de me donner votre nom?

— Je vois que vous n'avez pas fini d'enquêter. Moi oui. Depuis que vous avez appelé City Hall l'été dernier, je me suis fait un devoir de lire pratiquement tout ce que vous avez écrit, monsieur Groskoph. Ou plutôt, publié. Et puis-je vous dire que je suis impressionné? L'article sur le programme Apollo, en particulier. Je me suis dit: voilà un homme d'une intelligence remarquable, il finira un jour ou l'autre par voir qu'il fait fausse route. Pour être franc, je suis étonné d'en arriver là, mais il me faut vous le dire, les yeux dans les yeux: le moment est venu.

— Pardonnez-moi? Le moment de quoi?

— Le moment de mettre un terme à vos investigations.

— Nous sommes dans un pays libre.

— Certes. Un pays dont le code civil protège le citoyen du harcèlement, de la diffamation et d'autres atteintes à sa liberté. Il est difficile de statuer sur ces affaires, naturellement, et elles sont coûteuses. Comme les reconnaissances en paternité. Comme l'estimation d'une pension alimentaire, à verser à sa compagne ou son enfant.

Ce qu'il disait, c'est qu'il savait tout de l'enfant que j'avais eu plus tôt dans les années 70 en Floride avec une hôtesse de l'air dont je m'étais séparé en

mauvais termes. Elle devait avoir trois ans. L'enfant,
je veux dire. Je ne pensais sans doute toujours pas
que cet homme s'abaisserait à pénétrer dans l'atelier
de Carmine pour y voler trois pauvres grammes de
poudre, même pour lui envoyer un message; c'était en
dessous de lui. Mais à cet instant, je n'aurais rien
considéré comme étant au-delà de lui.

– Financièrement, cette famille est depuis longtemps
préparée à de telles éventualités. Ce que j'essaie de
déterminer, c'est si vous l'êtes, vous.

– Je crains qu'il n'y ait un malentendu.

– Au contraire; on ne peut pas être plus clair.
L'histoire, quelle qu'elle soit, qui vous a pour
ainsi dire conduit à notre porte, s'achève ce matin.
Ici même. Maintenant, permettez-moi de m'occuper
d'affaires plus pressantes.

Il fit mine de s'en aller.

– Mais qui dois-je citer, pour information?
lançai-je, assez fort pour attirer l'attention
d'autres gens sur la place.

Il ne se retourna pas. Déjà les parois en verre
aveuglantes du hall l'engloutissaient et une boîte
en métal le remontait au ciel. Le groom, transpirant
dans son uniforme, avait dû lire quelque chose sur mon
visage tandis que j'approchais de la corde de velours
placée près des ascenseurs, car il m'arrêta avec une
sorte de haussement d'épaules découragé:

– Ce n'est pas pour rien qu'on l'appelle le Frère
Démon.

Et comme je tentais d'obtenir un vrai nom, il me
répondit qu'un bon reporter devait sûrement pouvoir se
le procurer. Et maintenant, il était temps de partir.

À l'intérieur de la couverture du troisième et
dernier numéro de son fanzine, ou du moins dans
l'exemplaire que je possède, Samantha Cicciaro
avait agrafé une photo d'elle en première année
de fac, nouvelle venue dans la ville. Le fanzine

lui-même a malheureusement disparu au milieu de mes
papiers, mais la photo avait dû tomber auparavant,
car je l'ai trouvée par terre au mois de février
-- et ce soir, étant resté trop longtemps assis à
la même place, tentant de saisir un langage que le
temps n'aurait pas compromis, je l'ai placée sur le
bureau devant moi. Là, sur le terre-plein de Houston
Street, le soleil est si intense qu'il est difficile
de distinguer les détails de son visage levé vers
le ciel. Ce serait plus difficile encore, je le sais
par expérience, si j'éteignais les lumières dans
l'appartement. Alors, dans la lueur changeante du
jukebox, elle deviendrait ma collègue, ma complice, ma
fille perdue, ma meilleure amie. Mais imaginons que je
puisse vraiment la connaître. Imaginons que je puisse
trouver les mots exacts pour traduire les images que
je vois dans mon esprit: la chaise longue rouillée
dans laquelle elle était assise le dernier jour de
1976, se préparant à tout ce que l'année aurait à lui
offrir. Les hirondelles qu'un coup de vent déviait
au-dessus du jardin où sa mère accrochait la corde
à linge. La cigarette secrète qu'elle éteignait sur
les briques de la cour. La fille elle-même, resserrant
autour d'elle son manteau d'hiver informe. Et où
cela s'arrêterait-il? Combien de colonnes de texte
faudrait-il pour l'emmener de là à la petite station
de métro municipale, au train, à Central Park? Je
pourrais remplir un livre entier avec cette seule
journée -- découvrir qui avait tiré sur elle --
sans rendre justice aux quiddités de la vie humaine
et encore moins révéler ce qu'elles signifient. Un
miracle, un univers, ai-je entendu un rabbin dire un
jour. N'importe lequel d'entre nous, parmi les huit
millions. Les milliards.

Non, cet homme, qui que ce soit, avait raison.
Je n'atteindrai jamais la fin de son histoire. Je
ne saurai jamais qui avait voulu la meurtrir, elle
ou Billy Three-Sticks. Il ne me sera plus donné

d'approcher l'un ou l'autre, ni de trouver la seconde
maison, ni l'autre, plus petite, derrière elle, ni
cette ou ces atroces vérités, sur lesquelles, j'en
suis sûr maintenant, Samantha ou sa jumelle fantôme
sont tombées. Il y a trop de tout. Trop de moi, même.
Je m'étais donné la tâche d'écrire un portrait en
mesure de refléter l'énigme qu'il cherchait à résoudre:
comment, à partir de boîtes grandes comme des
percolateurs à café et remplies de matière inerte, des
motifs aux couleurs étincelantes peuvent se répandre
dans le ciel. Je m'étais imaginé inventant à partir de
pièces modestes une explosion singulière. Au lieu de
quoi, je découvre que j'ai tenté de travailler en sens
inverse, de reconstituer, à partir d'une dispersion
aléatoire d'éléments, une bombe unique. Une bombe
impossible, en réalité, dans la mesure où il n'existe
rien de tel qu'une phrase parfaite, ou qu'un langage
intime, et dans la mesure où le temps ne se déplace
que dans une seule direction.

J'ajouterai simplement que je suis retourné une
fois dans cette maison dans le comté de Nassau afin
de revoir Carmine Cicciaro. C'était au début du
mois d'avril, des semaines après le début de mon
effondrement. Combien de fois, au cours du mois
précédent, avais-je imaginé un retour triomphal,
avec un manuscrit dactylographié qui effacerait
instantanément mon égarement et ma désaffection. Oui,
oui, je t'ai négligé mais regarde ce que j'ai trouvé!
Mais je n'avais à lui offrir que deux confessions:
d'abord, que j'avais volé les fanzines dans la chambre
de sa fille au mois de janvier, et ensuite que, dans
ma brouillasse matinale, j'avais oublié de sortir de
l'endroit où je les avais placés en lieu sûr les deux
numéros restants -- que je m'étais aperçu à mi-chemin
de Flower Hill que je venais les mains vides.
J'ai vu Carmine Cicciaro assis dehors, dans le patio
de derrière, presque comme si on était encore au mois

d'août. Mais il n'était plus cette masse immobile qui,
un jour, m'avait presque chassé de chez lui. Sur les
briques entre ses chaussures, il y avait une canette
de bière et, sans évoquer ma longue absence, il a
plongé la main dans la glacière et en a sorti une pour
moi. Nous avons trinqué par habitude avant de retomber
dans le silence, chacun dans nos fauteuils de jardin
aussi sales l'un que l'autre, les yeux dirigés vers
l'autoroute, perdus dans nos pensées respectives. Et
tout à coup, il a demandé:

– Je t'ai jamais dit comment les Chinois appellent
leurs bombes?

J'ai secoué la tête, non.

– Ils regardent le ciel, et ils inventent une
histoire à propos de ce qu'ils voient quand la bombe
explose. Une connerie totale, mais ils ont ces noms
magnifiques. Enfant Répandant des Fleurs, Grenouille
D'or Frappant un Gong… j'ai toujours adoré celui-là.

Comment nous auraient-ils appelés, me suis-je
demandé. Je ne savais pas quoi dire.

Quand il a repris la parole, c'était pour m'annoncer
qu'il fermait ses hangars et qu'il vendait sa maison.
Il avait presque remboursé son prêt et il allait sous-
louer un appartement en ville, plus près de l'hôpital.
J'ai alors pris une décision, si ce n'était pas déjà
fait. À quoi bon avouer que j'avais trahi sa confiance?
Ajouter la déloyauté à sa tristesse?

J'ai donc vidé ma bière rapidement, et je me suis
levé, sûr que, si je restais, il me faudrait en boire
une autre. Carmine a écrasé sa canette et l'a lancée
au pied de la colline, vers son atelier. Une chaîne
rouillée, passée dans le trou laissé par la poignée,
fermait la porte de façon impressionnante. Les turbines
étaient arrêtées pour de bon. Il abandonnait même
l'atelier. Car la leçon que Carmine Cicciaro avait
tirée de tout cela, et moi aussi me semble-t-il, ne
regardait pas seulement la troublante multiplicité de
toutes choses, mais aussi leur non moins troublante

intégration. Aucun art, fût-il le Grand Art américain,
ne pourra jamais vous placer au-dessus des ruptures,
des cataclysmes de l'existence ordinaire, ni vous en
protéger. Et pourtant, en me tournant pour lui serrer
la main et lui dire au revoir, j'étais incapable de me
débarrasser du souvenir des sensations que j'éprouvais
quand j'attendais les feux du 4 Juillet, sur le pré
humide de Tulsa où j'ai grandi. Quand, dans le kiosque
à musique, les membres du quartet vocal s'échauffaient,
et que leurs vestes à rayures devenaient des taches
rose bonbon dans la chaleur. Quand je m'allongeais sur
une couverture, légèrement à l'écart de mes cousins,
pour rêver. À un moment donné, les Rutabaga Brothers et
les Lemon Sisters nous réveillaient, nous obligeaient à
nous lever, entonnaient avec nous un chant patriotique
et cela commençait: signaux lumineux montant dans
le ciel, deux, trois, dix, cent. Je ne faisais alors
aucune association avec le bruit d'un tir de mortier,
avec les cascades de couleurs qui remontaient pour
rencontrer leurs semblables à la surface du fleuve gonflé
et boueux. Je n'avais qu'un désir, encore, encore,
encore. Je me demandais à chaque salve, transporté et
avide, si celle-ci était la dernière? Celle-ci? Mais
peut-être est-ce là ce qui, en fin de compte, rend
cet art particulier plus proche de la vie que ses
rivaux qui lui ressemblent davantage -- ce que j'avais
soupçonné à l'été 1976, en regardant le bicentenaire
à la télévision à cinq mille kilomètres de distance:
chaque spectacle pyrotechnique est totalement limité
dans le temps. Une singularité. Ni passé ni futur.
Hormis l'artificier lui-même, nul ne sait jamais que le
bouquet final est le bouquet final jusqu'au moment où il
s'achève. Et à ce moment-là, où qu'on soit, on n'aura
jamais vraiment été ailleurs.

LIVRE VII

DANS LE NOIR

(13 JUILLET 1977-∞)

Nous écoutons le souffle, errant dans les ténèbres,
*   Dont frissonne l'obscurité ;*
Et, par moments, perdus dans les nuits insondables,
Nous voyons s'éclairer de lueurs formidables
*   La vitre de l'éternité.*

Victor Hugo,
Les Contemplations

In the dark,
It's just you and I.
Not a sound –
There's not one sigh.
Just the beat of my poor heart
In the dark.

Lil Green,
« In the Dark »

90

À L'INSTANT OÙ LE BLACKOUT se produit, « Dr » Zig Zigler contemple un couple de grues du Canada qui a réussi à pénétrer dans la ligne CC du métro. Ou il se peut que ce soient des spatules. Peu importe, c'est fascinant, cet air de vieux sages qu'elles ont avec ce grand bec. Et de toute évidence, une certaine intelligence, peut-être la seule forme existante, a été mise en œuvre pour négocier quais et tourniquets, et pour monter dans la dernière voiture de la rame. Elles ont embarqué à la station de la 34ᵉ Rue et depuis, comme tous les vrais New-Yorkais, elles s'occupent de leurs affaires, perchées à l'extrémité d'un banc en plastique éraflé, ébouriffant leurs ailes de temps à autre, comme on déplie un journal. Les autres passagers conservent la même distance de dix mètres qu'en présence de clochards, et donc Zig est le seul à leur prêter attention, mais ça lui va, il est habitué. Depuis des semaines il remarque des choses qu'il vaudrait sans doute mieux, pour sa santé mentale, ne pas voir. Des paons sur des passages pour piétons. Un grand héron bleu, un jour, perché sur le clocher de Grace Church sur Broadway. C'était peut-être l'effet de la Dexedrine, mais il *aime* cette idée que les murs séparant la nature et la culture s'effondrent, que les animaux s'emparent du zoo : ce sera parfait, se dit-il, pour l'émission de demain. S'il y a une émission demain. Si à ce moment-là la

FCC[1] ne lui a pas retiré sa carte et si les animaux en question n'ont pas saccagé les studios de WLRC… et c'est là que le monde plonge dans le noir et que les freins hurlent et que son cul glisse dans le vide.

L'obscurité persiste même après l'arrêt du train. Il y a des odeurs et des bruits, mais rien pour les assembler. L'absence de bruit de moteur n'est jamais bon signe. *Meeerde*, dit une voix, mais personne ne semble blessé ou paniqué – du moins personne sauf « Dr » Zig lui-même. Quand il entend le bruissement des oiseaux, ce petit crépitement de bec ou de griffes, il se demande si eux aussi vont s'en prendre à lui, parce que franchement, cette année, ça n'a pas arrêté : la fille victime des coups de feu dans le parc, cette histoire avec son vieil ennemi. Et pour finir, la rébellion de son auditoire de base, qui n'est pas, semble-t-il, constitué d'habitués avertis, prisant son ironie exhibitionniste, mais de ces membres de la Majorité-Pas-Si-Silencieuse qui, tous les jours, faisait exploser le standard de la libre antenne. Il les sent, en ce moment même, massés là-bas, décidés à ramener New York à une année 1954 imaginaire. Quelqu'un pouvait-il imaginer le cœur sanglant que cachait toute cette bile ? 1954 avait été atroce ! On l'avait mal compris ! Mais ça aussi, probablement, doit être l'effet de la drogue.

Lentement, afin de ne pas provoquer les oiseaux, il tâtonne pour attraper la barre accrochée au plafond, et avance dans le noir. Il sent le fourreau de chaleur qui enserre chaque usager pendu à la sangle invisible. Quand il parvient à l'avant de la voiture, il nage dans une sueur d'amphétamines. Autour de lui des conversations se déclenchent ou se poursuivent, d'abord à voix basse, puis plus fort, des voix noires et hispaniques dans ce quartier de la ville. Quelqu'un veut ouvrir les fenêtres ; la merde d'oiseau, voilà ce que ça sent.

Quelqu'un d'autre dit non, il faut garder le peu d'air conditionné qui reste.

¿A quién le importa ? Ça arrive tout le temps, on va repartir bientôt, de toute façon.

Où sont les contrôleurs ? Pourquoi ils ne font rien ?

Meeerde. Ces connards sont même pas capables de faire un sandwich au jambon.

Le temps a son propre rythme là-dessous. Mais il doit quand même être près de dix heures. Pour être prêt à trois heures pile – l'une des joies de la radio destinée à ceux qui sont encore chez eux – Zigler aurait dû être couché depuis longtemps, mais il n'a pas passé une bonne nuit de sommeil depuis le mois de mai, depuis la nouvelle à propos de Richard. Quiconque a

---

1. Federal Communications Commission, agence gouvernementale, créée en 1934, qui contrôle le contenu des émissions diffusées.

écouté *Gestalt Therapy* ne fût-ce que dix minutes (et même son producteur, Nordlinger, qui, après la musique d'ouverture, met en général son casque et attend la fin en lisant des magazines pornos) a dû comprendre que « Dr » Zig a l'intention de se dégommer un de ces jours, d'appuyer son propos. Et voilà que l'ancien Nominé au Prix National des Magazines lui brûle la politesse, une fois de plus. Les pilules amaigrissantes, c'était le secret de Zigler pour venir à bout de quatre heures d'antenne, mais ces derniers temps il en prend dès la sortie du studio à la fin de l'émission et quand il va dans les bars de nuit au sud de Times Square où on peut se soûler avant midi. Parfois, en début de soirée, arrive un moment où les amphétamines ne font plus effet et il sent alors que son compteur tourne, mais son déficit de sommeil est déjà tellement au-delà de tout ce qu'il pourra rattraper qu'il se dit pourquoi pas une autre pilule, pourquoi pas un autre verre, car qu'est-ce qu'une heure de plus au bar comparée à un million d'heures ? Qu'est-ce qu'une petite gueule de bois comparée à l'éternité de la tombe ?

Quelqu'un fait craquer une allumette, des visages surgissent dans le noir et, faiblement, à l'extrémité déserte de la voiture, des plumes. Quand l'obscurité revient, Zigler sent une odeur de tabac. Il aurait dû en profiter pour regarder sa montre. Il doit y avoir une limite naturelle à la durée pendant laquelle on peut rester ainsi, à l'intérieur d'un suppositoire en aluminium noir logé dans le trou du cul de la terre. Par exemple, combien de temps la chaleur corporelle peut-elle s'emmagasiner avant que les gens commencent à tourner de l'œil ? Et combien de temps avant que quelqu'un commence à vraiment flipper ?

Il déboutonne un bouton, décolle le tissu de sa chemise. L'air refuse de bouger. Et puis, par le carreau d'une des portes communicantes, il voit un de ces poissons sans yeux des profondeurs, aux dents effilées, une lumière plus brillante qui approche. Zigler s'écarte à l'instant où la porte s'ouvre et où entre une lampe de poche, accompagnée d'une bouffée d'air humide et froid soufflée par le tunnel. Des formes étranges jouent sur les murs et les vitres. L'une d'entre elles se découpe devant la lumière. C'est le Chinois de tout à l'heure qui vendait des piles dans un sac-poubelle. À l'intérieur, il devait aussi y avoir des briquets, ou bien est-ce un autre sac qu'il présente d'un côté et de l'autre. Dès qu'il a vendu un briquet, il passe à la personne suivante. Quand Zigler sort son portefeuille, le Chinois secoue la tête. Pendant ce temps, de derrière la lampe de poche, une grosse voix à l'accent des îles annonce qu'on ne devrait pas être trop loin (*dewait pas êtwe two* loin) de la 110ᵉ Rue. La tension baisse curieusement. « En étant pru-DENTS, on peut sortir par la première rame et remonter les voies jusqu'à la sta-SSION. » La lampe de poche tournoie et touche la porte de la rame voisine, les corps s'ébranlent derrière. « Les femmes d'abord, sauf s'il y a des bébés. » *Je suis un bébé*, a envie de dire Zigler – *Moi d'abord !* – mais si quelqu'un reconnaît sa voix, cela se terminera inévitablement par des coups à cause d'une connerie qu'il a dite à l'antenne. C'est pourquoi chaque fois qu'il prend le métro pour rentrer, il a peur d'ouvrir la bouche. Le vœu de silence du roi de la provoc. Et si l'électricité se rétablit ? dit quelqu'un. « Et si elle ne se rétablit pas ? gronde le Jamaïcain. Ça fait quarante minutes qu'on est là-dedans. » Le choix semble fait. Les gens allument leurs Bic, avancent dans le sens de la marche. Mais « Dr » Zig Zigler, pour des raisons qu'il aurait lui-même du mal à formuler, joue des coudes à reculons, vers les grues à l'arrière de la voiture. Peut-être vont-elles l'attaquer, le plaquer au sol, arracher son foie ravagé, et alors ? Au moins, ce sera une fin que Richard Groskoph ne pourra pas lui voler. Son idée, pense-t-il, c'est d'ouvrir la porte arrière, pour le cas où les oiseaux voudraient s'échapper. Mais quand il arrive là, quand il réussit à allumer son briquet neuf, il semble qu'ils se soient complètement évaporés.

1, POLICE PLAZA – 21 H 27

— Vous voyez ?

— Je vois quoi, Charlie ? Je ne vois rien de rien. Laisse-moi voir si j'ai des allumettes.

— C'est un vieux truc. Tu coupes le disjoncteur, ou tu dévisses toutes les ampoules avant que la personne rentre…

— C'est la Con Edison, mon garçon. Huit millions de personnes qui font fonctionner l'air conditionné sur un réseau vieux de quatre-vingt-trois ans.

— Et quand ils rentrent, boum ! Vous avez vu *Le Parrain II* ?

— Regarde autour de toi, Charlie. Ou peut-être qu'il n'y a pas assez de lumière, mais tu es assis dans l'endroit le plus sûr de New York. C'est exactement là où tu voudrais te trouver si quelqu'un essayait de t'éliminer. Ce que personne ne cherche à faire. Et si tu acceptais seulement de coopérer un peu avec moi sur les coups de feu qui ont touché Samantha, je peux te promettre de veiller sur toi à plus long terme. Aïe !

— Vous ne laissez jamais tomber, hein ? C'est une fixation.

— Les lumières vont se rallumer tôt ou tard. La vie réelle reprendra ses droits.

— Combien de fois dois-je vous dire que ce n'est pas moi qui ai tiré sur elle ?

— D'accord. À ta guise. Disons, à titre d'exemple, que ton ami invisible, M. Chaos…

— Ce n'est pas Nicky non plus. Il ne le ferait pas. Avec n'importe qui d'autre, je sais, une bombe serait un argument, mais pas avec Sam.

— Encore la bombe, Charlie! Tu dois le savoir, la seule chose que j'ai vue qui ait le moindre lien avec ton histoire, c'est un détail de l'article de Richard, un peu de poudre qui a disparu de Flower Hill.

Une autre flamme meurt. L'air sent le soufre.

— Je suppose que si elle était au courant du vol, la fille risquait gros.

— Nous y voilà.

— Mais le risque ne viendrait que de ton coupable fantôme, petit, que tu viens de rayer de la liste. De toute façon, trois grammes, ça tient dans un dé à coudre. Certainement pas de quoi tuer ton William à coup sûr, même en t'accordant un plan plus vaste.

Billy Three-Sticks non plus n'était pas en danger tant qu'il restait éloigné de son oncle, avait dit D.T. Et à l'intérieur de Charlie, maintenant, un dé à coudre commence à se vider : une petite fourmilière de poudre, une minuscule et vaine déception. Mais alors pourquoi Nicky avait-il passé des mois à se creuser la cervelle avec des circuits électriques et des réveils? Quelque chose en lui se brise. Un sanglot, voire une toux convulsive.

— Je ne suis pas fou, d'accord?

— Personne n'a dit que tu l'étais.

— Et je ne suis pas un criminel. Je suis une personne loyale. Si on est gentil avec moi, je suis loyal.

— Charlie, j'essaie d'être gentil. Tu ne vois pas que je suis assis, là, en train de me brûler les doigts pour que tu voies bien que personne ne vient te chercher?

— Mais non, ce n'est pas vrai, je suis ce qu'il y a de pire. Un cafard. Vous entendez? Des pas… Ils viennent me donner ce que je mérite.

— Ce sont des corps dans l'autre cellule, ils sont agités, et franchement, petit, mieux vaut taper sur les parpaings que se taper dessus. Tiens, tu vois ça?

— Non.

— C'est ma dernière allumette, alors regarde bien. C'est Thaddée. Je le porte autour du cou depuis bien longtemps avant ta naissance. Autrement dit, j'ai eu des années pour réfléchir à ça. La justice ne signifie pas écraser quelqu'un parce qu'il a mal fait. Parfois, cela signifie lui donner une chance de se racheter. J'essaie de te donner… Oh, pour l'amour du…

— Vous pouvez répéter?

— Je vais avoir besoin de pommade.

— Non, l'autre. Sur la justice. Oh, merde. Oh, putain de merde. Je vois maintenant.

Parce que, laisse tomber D.T.; ce que Nicky avait dit la semaine dernière, dans cette maison vidée de tout, même de ses maigres objets de valeur, c'était que *tout le monde* l'avait bien cherché. Charlie avait pensé qu'il s'agissait encore d'une figure de rhétorique – *À la fin, personne n'en réchappe* – mais si ce n'était pas le cas, ça résolvait le mystère du déroulement des opérations : pendant que les autres Post-Humanistes couraient vers leur destin, Nicky *resterait dans la lumière*.

— Voilà pourquoi ils veulent se servir d'une bombe et pas d'un couteau. Pourquoi ils volent de la poudre... Des victimes en nombre, d'un seul coup.

— Bon sang. L'un de nous deux fait une fixation, je te l'accorde, Charlie. Mais tout ce pédalage t'entraîne trop loin. Quelques grammes, c'est ce que dit l'article. Pas de quoi faire exploser une poupée.

Seulement Charlie n'est plus là; il creuse plus loin dans le noir, il repense à Mme Kotzwinkle et à l'importance des chiffres. Il entend des voix à travers le sol.

— Combien de poudre faudrait-il pour tuer trois personnes à la fois, et peut-être détruire une maison? Des kilos?

— Charlie, ce n'est pas drôle. Avec un kilo de ce truc, tu souffles un pâté de maisons.

— Et cela suffit à remplir un sac de sport?

Pour la première fois, Pulaski semble inquiet.

— Là, tu parles de tout un quartier.

— J'ai vu, de mes yeux vu le sac des Rangers aller dans la petite maison derrière. Merde. J'ai même aidé à préparer le terrain, assécher le sol, faire de la place pour les ventilateurs. Et hier, quand Nicky est parti, il allait porter une invitation à l'oncle de William. Pour demain. Ou ce soir. Opération Frère Démon. Le sac de sport est rempli de poudre noire, des kilos.

— Mobile, toujours, Charlie. Indique-moi un mobile pour tout ça.

— Parce qu'il était amoureux de Sam. Vous disiez vous-même que l'amour est le meilleur mobile. Ils étaient amoureux, elle s'est fait tirer dessus et Nicky croit que c'est la faute des Hamilton-Sweeney, mais aussi la sienne, parce qu'il était mêlé à eux. Il la baisait, d'accord?

— Ce n'est pas la même chose.

Pourtant, Charlie savait que se faire sauter, c'est ce qu'il aurait fait aussi s'il l'avait aimée vraiment, ou s'il avait sérieusement songé à expier.

— Peut-être pas, qu'est-ce que j'en sais. Mais je vous le dis, c'est son idée de la justice maintenant… que tout le monde crève. Ce mec, ce Frère Démon, va venir à la 3e Rue Est et il va trouver le moyen d'attirer Billy Three-Sticks là-bas aussi. Dès qu'ils seront tous les trois dans la maison, Nicky va les expédier en enfer. Et vous n'avez toujours pas envoyé ces flics.

— Je n'ai pas de flics à envoyer, Charlie. Pas en plein blackout. Pas pour une histoire de ce genre, sans la moindre preuve.

— Je suis votre preuve. Pourquoi vous ne voulez pas m'écouter ? Il faut que vous m'écoutiez.

De nouveau, ce bruit de coups. Comme un géant à la porte d'une forteresse. Et puis :

— Bon sang, mon garçon. J'aurais vraiment voulu que tu me racontes tout ça avant que la lumière s'éteigne.

DOWNTOWN & PLEIN NORD – VERS 20 H 00

La première chose que fait Keith en quittant le commissariat, c'est de chercher une cabine téléphonique. Il sait que personne au centre de loisirs ne répondra ; les heures de début et de fin de la garderie, jusque-là si difficiles à mémoriser, sont maintenant marquées au néon sur son lobe frontal. Mais n'ayant pas de réponse, il prend quand même un taxi en direction de l'école, au cas où les enfants attendraient devant la porte… ce qu'ils ne font pas, car depuis quand les choses se déroulent-elles aussi facilement que Keith le voudrait ? Il réussit cependant, en donnant des coups répétés, à faire venir quelqu'un qui ouvre la porte. Les lampadaires se sont allumés et un sifflet brillant se balance dans le crépuscule. Son propriétaire est un homme-enfant en short de gymnastique dont chaque phrase se termine en question. Peut-être y a-t-il une explication toute simple ? Peut-être Will et Cate ont-ils décidé de rentrer à pied ? Ayant vu que Papa avait deux heures de retard ? Ou d'aller chez leur grand-père, comme la dernière fois ? Le sang-froid dont Keith s'enorgueillit commence à l'abandonner. La colère qui l'inonde n'est pas encore altérée par la peur. Il évoque la responsabilité. Il emploie peut-être même l'expression « faute professionnelle ». Mais quand l'homme-enfant lui propose de l'accompagner chez le directeur adjoint, Keith comprend qu'il a perdu la partie. Non, oui, il réagit de façon excessive ; ils sont certainement déjà rentrés à la maison. Qu'il se convainc de regagner à son tour, sans mêler Regan à tout ça.

Mais la maison – ou plutôt l'appartement – est aussi déserte qu'une crypte. Sa messagerie ne contient aucun message. Un coup de fil machinal, chez elle, reste aussi sans réponse. Il a la vision soudaine d'une ville entière avec des téléphones inutiles, des combinés suspendus à des cordes tels des pendus dans des maisons vides. Bien sûr, si les enfants ont essayé d'appeler ici au cours des douze dernières heures, ils n'auront pas obtenu de réponse non plus. Où irait-il, *lui*, s'il était Will ? Ce qu'il y a derrière ce visage silencieux a toujours été un mystère. Mais Will est le fils de sa mère, rationnel avant tout, et comme il n'y a personne chez Regan, la chose logique, aux yeux de Keith, serait en effet qu'ils soient allés attendre chez leur grand-père, où ils sont sûrs au moins que des domestiques leur ouvriront la porte et qui habite infiniment plus près, à moins d'un kilomètre du centre de loisirs en coupant par le parc. Oui, ils attendent chez Bill et Felicia, ou bien ils sont en route, auquel cas il peut encore les prendre de vitesse avant que tout cela ne parvienne aux oreilles de sa future ex-femme.

Et donc, à la tombée de la nuit, sur Center Drive, il marche d'un bon pas malgré ses mocassins, cherchant à apercevoir les enfants. Des boules de lumière brillent dans les ombres. Les sycomores ont cette couleur vert doré aux endroits où les feuilles absorbent la lumière. D'autres feuilles, déjà sèches au milieu de l'été, craquent sous les pieds. Des joggeurs passent dans une grisaille de sueur, se moquant de ce balourd qui marche à toute allure en tenue de ville. Au cours des années, il a lui-même assez souvent couru autour du Reservoir, mais surtout pour être le genre d'homme qui court autour du Reservoir. Réflexion faite, un certain nombre de choses dans sa vie opéraient selon le même principe. Peut-être est-ce pourquoi les gens le trouvent creux. Ou pourquoi, si c'est un mot trop fort, les gens lui trouvent moins… de *dimension* qu'à eux-mêmes. Y compris Regan. Will assurément. Comme si, n'ayant pas développé pleinement ce troisième élément, après le moi et le ça, il avait en gros besoin d'être un peu guidé pour ne pas s'attirer des ennuis. Et cette impression d'être considéré comme un adolescent n'expliquerait-elle pas pourquoi il agit comme tel ? Il y avait eu un moment avant la séparation où il avait plongé si profondément à l'intérieur de lui-même qu'il avait presque perdu tout contact avec le monde adulte.

Et là, comme pour suggérer qu'il n'était jamais remonté, les tours d'habitation illuminées vers lesquelles il se dirigeait, le Dakota et le San Remo, s'éteignent, comme la route et tous ces sycomores dorés. Parfait. Une panne d'électricité. Il n'y voit rien. Craignant de se fouler une cheville dans un nid-de-poule, il s'arrête, il croise les mains sur la tête et prend de grandes inspirations inégales, en attendant que la lumière se rallume.

Elle ne se rallume pas.

Et ne se rallume pas.

Et tandis que les secondes s'égrènent il sent qu'un trou s'ouvre à l'intérieur de lui, qu'une ampoule noire brûle le film lumineux de la vie. Ses enfants sont là, dehors, quelque part. Disons même qu'ils l'ont devancé, qu'ils traversent le parc. On peut se faire attaquer ici, dans le noir. Les a-t-il avertis du danger? Peut-être pas, peut-être est-ce un sujet qu'il a préféré éviter? Peut-être a-t-il perdu la trace de Will et de Cate depuis longtemps, et les a-t-il échangés contre des symboles de la taille d'un fils et d'une fille, comme les oreillers que les enfants glissent sous les draps avant de se faufiler dehors, la nuit.

C'est pourtant étrange de voir comment, quand les circonstances s'y prêtent, ce caractère creux peut se révéler un atout. Car au lieu de tomber à genoux ici même sur l'asphalte – *Ma fille! Mon fils!* –, Keith prend une décision. Il ôte sa veste et se remet à courir. Mais à courir *pour de bon* cette fois, au diable les nids-de-poule, en criant leurs noms en direction des têtes d'épingle des phares qu'il distingue sur ce qu'il espère être Central Park Ouest. «Will! Cate!» Il doit passer pour un fou; les oiseaux alarmés bondissent comme des puces dans les cercles de lumière, tourbillonnent sur la lune. Mais qui s'intéresse à lui? On dirait que, au lieu de devenir aussi profond que sa culpabilité, Keith Lamplighter est maintenant plus superficiel encore qu'il ne le soupçonnait. Pas plus profond que la douleur dans son genou sensible. Pas plus épais que ses semelles en feu.

UPPER WEST SIDE – 21 H 28

La première règle, dans la gestion de crise, est de franchir le cap des trois secondes initiales. Une fois de l'autre côté – quand vous disposez d'une histoire à laquelle accrocher des éléments –, vous oublierez ce que vous avez pu ressentir au cours des premiers moments où votre plus grande terreur, c'était le futur. Et donc, quand le penthouse plonge dans le noir, Regan commence à compter. Et à trois, elle sait que la ville tout entière n'a plus de courant; autrement la pollution lumineuse parerait d'argent les rideaux de la bibliothèque.

Son frère, c'est un euphémisme, n'est pas du genre à opter pour l'immobilisme. Ce qu'il ressent à un moment donné, c'est ce qu'il ressent déjà et ressentira toujours. Il a donc aussitôt couru vers le balcon, imaginant que le coup sourd qu'il a entendu dehors et l'obscurité qui a suivi sont d'autres éléments de la conspiration universelle contre lui. Et même quand il crie derrière la porte ouverte, sa voix tremble un peu, comme s'il ne croyait pas tout à fait ce qu'il voit. Ou ne voit pas, comme ce doit être le cas.

— Que se passe…

C'est Papa, la voix un peu affaiblie, derrière Regan et à sa gauche. Elle se tourne, tend les bras dans le rien. Elle trouve un corps : une épaule. Une main, fraîche dans la chaleur. Elle la prend dans la sienne, cherche une chaise vers laquelle elle pourrait le guider.

— Tout va bien, Papa. C'est une panne d'électricité. Tu te souviens de celle de 1965 ? Ils vont rétablir le courant dans quelques heures, tout au plus.

Une sirène solitaire.

— Il n'y a personne dehors, crie de nouveau William.

— On le sait qu'il n'y a personne dehors, William. L'univers ne tourne pas autour de toi. Tu peux entrer et venir m'aider ?

À Papa, assis, elle dit de ne pas s'inquiéter, elle va trouver de la lumière. Elle est encore parfaitement aveugle, mais elle croit se rappeler un candélabre sur le mur côté nord.

— Amory, je suppose qu'il reste des bougies ?

Dès qu'elle lâche la main de son père, celui-ci recommence à marmonner, comme un transistor mal réglé (*Qu'est-ce qui se passe ?*), et elle doit raconter.

— Suis le son de ma voix, Papa. Je marche à tâtons, je fais très attention à ne pas renverser quelque chose…

En fait, ce qu'elle touche dans le noir tombe aussitôt par terre avec un bruit sourd. Elle a dû heurter une étagère de livres. Mais elle poursuit son chemin et parvient au vieux et solide buffet provenant de la maison qu'avait son arrière-grand-père à Greenwich, en des temps immémoriaux.

— Bon, il semble que les chandeliers soient vides, je regarde maintenant dans les tiroirs. Amory, William, l'un d'entre vous aurait-il la *gentillesse* d'aller aider Papa ?

Le tiroir central ne contient que quelques papiers, mais dans celui de droite, il y a des chandelles aux mèches intactes. Elle repère son sac. Sans trop savoir pourquoi, elle a gardé le briquet de son coiffeur. La roue ne produit que des étincelles. Un… deux… Elle passe le doigt sur le bout du briquet, sent une peluche dans le trou d'où devrait jaillir la flamme, elle la sort, essaie de nouveau. Enfin : du feu. Approché de la bougie, il jette un éclat suffisant pour lui faire plisser les yeux. Elle se tourne, voit Papa toujours sur sa chaise et, juste devant les portes-fenêtres, William, qui ne fait pas un geste pour s'approcher de lui. Elle allume une autre bougie à la flamme de la première, les enfonce dans le chandelier, le tient à bout de bras, mais plus rien n'indique que quelqu'un d'autre ait jamais été là.

— Où est-il allé, Regan ? exige de savoir William. Où est Amory ?

La lumière éclaire à peine les murs du fond.

— Il cherche des lampes de poche ?

— En route pour Penn Station plutôt. Ce putain de Frère Démon.

— Qu'irait-il faire à Penn Station ?

— Réveille-toi, Regan. Attendre que le courant soit rétabli. Pour fuir, évidemment.

— Pour fuir ? Qui ? Nous ? Et si c'est le cas, on fait quoi ?

— Je vais le rattraper, voilà quoi.

— Dans quel but, procéder à une arrestation ?

— Tu lui facilites toujours la tâche, tu as remarqué ?

Il est assez près pour arracher une bougie à son chandelier – assez près pour qu'elle sache qu'il sera inutile de le raisonner.

— Il est temps que quelqu'un l'empêche de s'en tirer comme ça.

Elle lui aurait demandé comment il osait lui parler ainsi, et peut-être aussi d'où il sortait ce mot, « facilite », qu'elle croyait une exclusivité du Dr Altschul, s'il n'avait déjà atteint la porte.

— Papa…, dit-elle comme si son père était encore un personnage à qui elle pouvait faire appel, l'idole au visage grave de sa jeunesse.

Mais la flamme des bougies a entamé cette solidité ; c'est un vieil homme égaré. Et William III, le frère qu'elle croyait avoir ramené en lieu sûr, n'est plus qu'une lueur dans le noir, au-delà du seuil.

SUR LA ROUTE – 21 H 58

Au moment prévu pour le rendez-vous, ils seront à Chicago, avait promis Nicky. Ou du moins à South Bend. Et avant que le NYPD se lance à leurs trousses – avant même que les flics aient réuni assez d'éléments pour savoir qu'ils étaient plusieurs, ils seraient planqués au pays de la feuille d'érable, dans le Manitoba. Tellement loin de ce qu'ils avaient fait, pensait D. Tremens, que ce sera comme si rien n'était jamais arrivé. Mais la malédiction qui s'abattait sur eux ces derniers mois n'allait pas se dissiper juste parce que Nicky en avait décidé ainsi. Il semblerait plutôt que Murphy ou Gumperson, ou allez savoir qui menait la danse galactique ce soir, déployait des sommets d'ingéniosité rien que pour baiser le PPH.

La camionnette, par exemple. La première fois que D.T. l'avait vue, il avait fait une blague à propos des nœuds de fils électriques et d'élastiques, et Nicky avait dit : Non, ce qui les tenait ensemble c'était, à elle seule, la force historique mondiale la plus considérable, la volonté humaine. Il avait dû pêcher ça dans un livre quelque part ; il en avait des tonnes, remplis de ces vocables aux sonorités impressionnantes qui vous donnaient envie de le suivre, même sans savoir exactement ce qu'ils signifiaient. Contrehégémonique. Périclinal. Même sans savoir si *lui* savait ce qu'ils signifiaient. Mais ces livres sont maintenant dans des cartons de vingt-cinq kilos qui cahotent dangereusement à chaque nid-de-poule et empêchent la camionnette de dépasser la vitesse maximum de soixante-quinze kilomètres à l'heure. Et puis, au moment où elle semble vouloir la franchir, ils sont obligés de s'arrêter parce que Sol doit vomir. Le long de Canal Street en pleine heure de pointe. À une station-service à la sortie du Holland Tunnel. (Ne parlez pas à D.T. du Holland Tunnel.) Et une heure plus tard, les voilà dans le parking d'un centre commercial à... Ils sont où, bordel?

— Parsippany.

La réponse s'échappe de la vitre ouverte de la camionnette et flotte sur l'asphalte désert. Puis Nicky se remet à siffler « Right Back Where We Started From[1] » sur une fausse tonalité. Et il avait bien choisi son moment, un joint à la main, sa carte étalée sur le tableau de bord, sous la lumière des réverbères, et avec ce petit réveil à piles trouvé Dieu sait où. C'est D.T. qui doit aider Sol à aller jusqu'à la pelouse où les insectes mal nourris du New Jersey grésillaient comme les pensées dans sa tête. Parce que voilà ce qui se passe: le Prophète Charlie s'est défilé (égal à lui-même), et Sewer Girl, quand il a fallu partir, est restée introuvable. Pour finir, ils ne sont plus que tous les trois, le trio d'origine, les vrais Post-Humanistes. Ce qui aurait été parfait, au début. Trois, pas besoin d'être plus nombreux pour changer le monde. Regardez les bolcheviques, ou The Jimi Hendrix Experience. Mais non, ça fait chier de se casser les couilles à Manhattan au coucher du soleil, rien que parce que Nicky a une course de dernière minute à faire avec la camionnette. Et ça fait chier d'être obligé de supporter l'odeur de pus séché sur la combinaison de son ami infecté en l'aidant à se mettre à genoux parce qu'il n'est plus capable de les trouver tout seul. Et ça fait vraiment chier de se dire que d'ici au Canada, si on arrive un jour, il y aura une série d'arrêts au moins tous les soixante kilomètres où des témoins risqueront de les voir, un Noir aux cheveux verts traînant un autre garçon avec une seule main gantée et se tenant l'estomac, jusque là-bas, où vous voyez cette flaque rose, monsieur l'agent.

En fait, c'est des conneries. En toute honnêteté, les doutes qui assaillent maintenant D.T. remontent à la nuit dernière, quand Nicky l'a emmené jusqu'à la cloison de parpaing séparant le garage et lui a montré pour la première fois

---

1. « Revenus au point de départ », album et chanson de Maxine Nightingale, sortis aux États-Unis en 1976.

ce qu'il y avait derrière. Il suffisait de voir la taille de l'engin, la bosse toute gonflée, pour deviner quelle forme de souffrance il allait provoquer. Il avait essayé de se montrer impressionné, en se demandant si Sewer Girl l'avait vu elle aussi – si c'était le facteur décisif. Elle avait un comportement bizarre depuis le mois de mai. La façon de voir de D.T. à l'époque, c'était que vous faisiez ce que vous aviez à faire, et selon eux Nicky n'en était pas dispensé. Mais cette obsession du Frère Démon les entraînait bien au-delà de la stratégie, de la culture, de la révolution et même de la vengeance, et il était difficile de dire à quel moment Nicky avait franchi la ligne, ou quand cela finirait. D.T. était resté réveillé bien après minuit à se repasser toutes les actions clandestines qu'ils avaient menées depuis la disparition de Billy. Et tôt ce matin, pendant que Sol gémissait dans le salon et que Nicky était derrière à souder les piles à la sûreté intégrée, D.T. avait pris la camionnette sous prétexte de vidanger l'huile et était allé dans le Bronx. Il ne savait pas ce qui, hormis une montagne d'héroïne, pourrait attirer de nouveau Billy Three-Sticks dans le Village. Pourtant D.T. voulait lui conseiller de rester le plus loin possible Uptown au cours des prochaines vingt-quatre heures. Et l'atelier étant toujours désert et abandonné, il était repassé par Hell's Kitchen. Billy ne retournerait probablement plus jamais là-bas, mais le souvenir de ce nounours black, le petit ami, semblait évoquer quelque chose à D.T. Placez plus de deux personnes dans la même pièce, vous obtenez une montagne d'oppression, certes. Mais seul, presque tout le monde sentait comme une botte lui écraser la gorge. Ce qui expliqua sans doute la réaction du petit ami devant son choix manifestement aberrant d'observer d'abord les lieux aux jumelles, plutôt que d'aller directement frapper à la porte du loft. Et maintenant, il ne peut plus en avertir aucun, il est coincé ici avec les miasmes de vomi dans le nez, le corps pesant qu'il lui faut remonter dans la camionnette – dans la mesure où quiconque pouvait soulever Sol – et, hé, depuis quand les étoiles étaient-elles si brillantes? Il pivote vers l'est, ou ce qui devrait être l'est, et le ciel au-dessus du centre commercial fermé est exactement aussi noir et aussi éclairé que n'importe quelle autre étendue de ciel. C'est comme si la face brillante de la planète avait disparu sans laisser de traces. Un univers également vide dans toutes les directions.

Il n'en parle pas à Nicky alors qu'ils brinquebalent vers l'autoroute. Ce qu'il lui dit, c'est que du sang commence à se mélanger au vomi.

C'est bon signe, dit Nicky, médicalement parlant.

— Comme avec un rhume et que tu commences à cracher des trucs foncés. C'est un progrès.

— Sauf si ce qui ronge ta main brûlée n'est pas loin de la gangrène, fait observer D.T. Dans ce cas, c'est plutôt inquiétant, comme genre de signe.

À la lumière d'une barrière de péage, il ôte le gant que Sol ne le laissait pas toucher auparavant. Les tissus autour des doigts brûlés sont presque noirs et l'œdème remonte jusqu'à l'épaule. C'était le rôle de Sewer Girl de jouer les Florence Nightingale. Seulement voilà, à la fin, elle baisait Nicky depuis des mois. Peut-être était-ce pour elle la trahison de trop. Ou peut-être avait-elle découvert qu'elle aussi n'était qu'une consolation dans une plus longue chaîne de consolations. Sewer Girl désirait Nicky ; Nicky désirait Sam ; Sam désirait l'Amoureux que Nicky n'avait pas rencontré mais qu'il détestait de toute façon ; et Sol, même après l'arrivée de Sam, n'avait jamais cessé d'aimer Sewer Girl. C'était *son* .32 qu'on avait chipé dans la camionnette cette nuit-là – mais cette éventualité n'était jamais apparue à Sol, et l'arme avait retrouvé sa place sous le siège passager avant que le dernier pot à feu ait brûlé dans le Vault. L'amour, c'est l'angle mort de tout le monde. Ou l'amour et la peur. C'est comme s'ils avaient tous sous-estimé le pouvoir du pur sentiment de foutre en l'air le système le plus parfait. Et à mesure qu'ils s'enfoncent à l'intérieur de l'Amérique, même Nicky semble deviner qu'il n'a plus la même capacité à conserver la cohésion du PPH par la force de sa volonté. Il a préparé deux ou trois joints pour l'aider à redescendre du speed.

— Hé, Nicky ? dit D.T. finalement. Est-ce qu'on devrait encore pouvoir voir les lumières de la ville, ici ?

— Qu'est-ce que j'en sais, bordel ?

— Tu es le seul à avoir une carte.

Nicky rallume la radio et se met à parcourir les stations fantômes en quête d'informations. Bien sûr, il n'est plus possible de savoir s'il frime. Peut-être a-t-il déjà obtenu les réponses qu'il cherche, et c'est pourquoi il est tellement sûr que son dispositif va exploser – ou a déjà explosé. La pire crainte de D.T., c'est que celui-ci soit encore plus grand qu'il ne le soupçonnait, plus grand que Billy et plus grand que l'oncle. Oh, mec, ça fait vraiment chier d'avoir ce tic-tac dans la tête et de savoir que tu ne peux plus rien y faire. Pourtant, il n'est pas certain qu'il irait mieux s'ils se trouvaient plus près de ce qu'ils pourraient faire pour l'arrêter. Et à un moment pareil, D.T. aurait-il vraiment tort de lâcher la main qu'il tient et de prendre une taffe ? D'ouvrir une autre bière, et encore une autre ? Car pour le plus dur du noyau dur, savoir que vous venez de détruire des vies, c'est un sacré poids sur ce qu'un humaniste attardé appellerait la conscience.

Ou même, en fait, savoir que vous n'en avez détruit qu'une seule.

LIVRE VII

DOWNTOWN – 22 H 01

Dans son esprit, Mercer est déjà à des kilomètres au nord, hésitant devant un penthouse obscur, quand il se rend compte qu'ils ont raté un virage et qu'il est de retour dans la mélasse électrique de Centre Street. Les phares immobiles font écran aux panneaux de rues.

— Est-ce qu'on n'aurait pas plus vite fait en prenant à gauche ? À partir de Hudson, ça mène droit Uptown.

Jenny semble fléchir, mais ce n'est peut-être qu'une impression.

— Vous avez choisi le bon moment pour nous emmerder avec les directions, Mercer.

Et puis elle s'excuse. Il y a quelque chose qu'elle regrette de ne pas avoir eu le cran de lui dire cinq pâtés de maisons, ou quinze minutes, auparavant, peu importait – quand il y avait encore du courant.

— Même s'ils rétablissent l'électricité, je ne peux pas vous conduire jusque chez les Hamilton-Sweeney. J'ai pris une décision. J'ai un rendez-vous avec l'East Village.

Il attend une explication, mais rien ne vient.

— Vous allez me traîner dans tous les quartiers paumés de cette ville, c'est ça ?

— Je ne traîne personne. Je vous dépose où vous voulez. Mais j'ai eu tout le temps de réfléchir. Je sais où trouver Captain Chaos, je me souviens à quelle adresse j'ai envoyé le chèque quand Bruno a vendu ce tableau. Et vous avez entendu ce qu'a dit le môme.

En toute honnêteté, Mercer avait tenté de laisser la coupure d'électricité lui ôter cela de l'esprit. Mais il aurait dû savoir qu'elle n'allait pas lui rendre les choses faciles.

— Charlie en était arrivé au point où il aurait dit n'importe quoi. Il a des ennuis avec la police, et il a visiblement des problèmes avec la vérité.

Une obstruction à Foley Square – une altercation entre deux types en maillots de corps blancs – les oblige à prendre à gauche de toute façon, constate-t-il, soulagé.

— Nous avons bien lu le même article, non ? « NC » ? La poudre ?

— Les hommes de ma famille sont tous dans l'armée, Jenny. Je peux vous le dire, trois grammes de poudre ne mènent pas loin, à moins de disposer d'un vieux tromblon.

C'était une remarque qui relevait davantage de l'hypothèse que de l'ironie, et elle paraît renoncer. En réalité, elle revient en force :

— Vous n'avez jamais fait de faute de frappe? Ou lu quelque chose présenté de manière inexacte? Nous savons que le père de la fille fabrique des feux d'artifice, nous savons qu'il a eu des problèmes de sécurité et maintenant on nous dit qu'il y a une bombe. Est-ce si difficile de croire que Nicky Chaos est en possession de la quantité d'explosif dont il a besoin pour tuer votre petit ami, pardon, votre colocataire?

Il lisse des plis sur sa chemise, pour ne pas perdre contenance.

— Pourriez-vous juste vous arrêter au coin? Je vais voir si les bus roulent.

— Ce que je veux dire, Mercer, c'est à quoi bon tâtonner dans le noir, quand on peut aller droit à la source du danger?

— Les flics sont là pour ça, dit-il en ouvrant la portière et en posant les pieds sur le trottoir.

Mais à peine est-il debout qu'il comprend que son raisonnement ne tient pas. Car là où tout à l'heure la manifestation bloquait la circulation, il y a maintenant les lumières bleues des Furies qui écartent tout sur leur passage. Les policiers quittent le bâtiment, se répandent dans Lower Manhattan et se déploient pour faire Dieu sait quoi. Protéger les banques, empêcher les meurtres dans les tunnels, occuper le terrain pour créer un déni de responsabilité. Il commence à penser comme Jenny Nguyen. Pourtant, ce qu'a dit le commissaire, qu'une phalange est en route pour vérifier l'histoire du garçon, lui semble tout à fait farfelu. Laquelle histoire, s'il repense aux « Artificiers », est moins improbable qu'il n'y paraît.

— Que faites-vous? dit-il quand il entend un bip derrière lui.

— C'est une alarme. Je la règle sur minuit.

— Jenny, ils ne vont pas laisser tomber cette histoire de bombe rien que parce qu'il y a une coupure d'électricité. Pulaski fera ce qu'il faut. Il sera sur place bien avant minuit.

— Pourquoi en êtes-vous si sûr?

— Il faut le connaître.

La véritable raison, la gentillesse dont Pulaski a fait preuve avec lui au Nouvel An, est encore plus troublante. Il a néanmoins l'impression qu'il cherche à se convaincre lui-même.

— Admettons que vous ayez raison, que les flics sont là-bas, nous pouvons nous garer à côté et regarder la présentation publique du suspect. Mais peut-être qu'ils n'y sont pas. Et s'il y a une bombe…

— Une bombe, c'est bien la raison pour laquelle j'insiste, ce n'est pas une bonne idée.

Nicky Chaos peut bien se faire exploser, Mercer s'en fout, et il peut encore convaincre Jenny de ne pas tenter de l'arrêter. Au point où on en était maintenant, toute autre victime ne relevait plus de la compétence de Mercer. Mais comment qualifier quelqu'un qui remet en question même ses remises en question ? Car avant de pouvoir formuler les mots, Mercer remonte dans la voiture et referme la portière. William est celui que « NC » poursuivait, cela signifie donc que William aussi finira par se retrouver là-bas. Et si c'est le cas, quel choix reste-t-il à Mercer ? S'il aime assez William, il faut qu'il empêche ça. Il faut qu'il y aille.

Mais à présent des groupes de manifestants, des voitures en rade après l'heure de pointe, des véhicules de police, des piétons sans but défini et le blackout lui-même les poussent vers l'ouest, toujours vers l'ouest jusqu'au moment où la moitié de la ville les sépare de leur destination. Avec l'idée de s'enfoncer dans les bas quartiers, Jenny fonce vers la berge où les voitures roulent encore. Les feux de circulation ne fonctionnent pas. Des lampadaires éteints défilent à toute vitesse derrière les vitres. L'eau est une série de flaques de lune. Elle veut couper par la 14e Rue et faire demi-tour, lui explique-t-elle, quand les pavés du Meatpacking commencent à rouer de coups la suspension de la Gremlin. Ils devaient rouler à quatre-vingt-dix dans une zone à quarante. Penchée en avant en ombre chinoise, scrutant les ténèbres, elle-même ressemble à un gremlin.

— Je voudrais vous poser une question, dit-il. Avez-vous déjà rencontré Nicky Chaos ?

— Je lui ai seulement parlé au téléphone. Mais je connais ce genre de garçon.

— Et nous allons foncer là-bas, armés de notre immense pouvoir de persuasion, en espérant qu'il changera d'avis ? Si les choses tournent mal, avez-vous seulement un moyen de vous défendre ?

— L'inspiration vient aux esprits préparés, dit-elle.

Et il est en train de lui expliquer qu'elle allait devoir jouer les hommes de main, que lui ne s'intéressait qu'à William, quand il aperçoit une énorme flaque sur les pavés. Cela n'a pas de sens, pense-t-il, d'ouvrir une bouche d'incendie ici dans ce quartier inhabité de la ville – et soudain c'est une trombe d'eau qui laboure le pare-brise, il a un sentiment de flottement, un grand blam ! freine son élan pendant qu'autre chose vient lui écraser la nuque. Son esprit, qui continue à aller de l'avant, n'a que le temps d'envoyer une sorte de prière d'amant maladroite. Et pour Mercer Goodman, le noir, alors, prend une nuance plus noire encore.

UPPER WEST SIDE – 22 H 10

Il aperçoit la silhouette étonnée derrière les fusées éclairantes juste avant de s'écraser contre elle : William Hamilton-Sweeney. Pendant toutes les années écoulées depuis la dernière fois que Keith l'avait vu, il avait encore maigri, mais gardé ces traits aristocratiques. Son bras, quand Keith le saisit, a une consistance collante. De la cire en train de figer. Justement lui.

— Hé, tu viens de là-haut ? Mes enfants sont là ?

William est lent à répondre, comme s'il se débarrassait d'une vision. Il transpire plus abondamment que Keith. À côté, le portier aligne d'autres fusées éclairantes sur le trottoir. La fumée s'enroule en volutes comme le sang dans une seringue. Des ombres se tiennent à distances mesurées, tout le monde, semble-t-il, obéissant aux mêmes injonctions de sortir dans la nuit. Mais dans l'espace derrière ses épaules que William fixe du regard (*Il est passé où, bordel ?*), il n'y a que des oiseaux.

— C'est Keith, ton beau-frère. Est-ce qu'ils sont là-haut ? Tu les as vus ?

William revient à lui.

— Pas d'enfants, mais Regan, oui.

C'est la pire des réponses possibles.

— Comment se fait-il que tu sois là, Keith ? Elle a dit que vous étiez séparés.

Les effets de la course se font sentir. Keith est transpercé par un point de côté, il respire à petites saccades ; il s'efforce en même temps de garder une voix calme. Regan avait si longtemps espéré le retour de son frère. S'il fait fuir William une nouvelle fois, elle ne le reprendra jamais.

— C'est une longue histoire. Il vaut mieux que je lui raconte moi-même.

William se rapproche pour scruter son visage. Il est difficile de distinguer quelque chose dans la pénombre rose des fusées, mais Keith est mal à l'aise. La dernière fois que leurs regards se sont rencontrés, c'était au milieu du discours de témoin par lequel William s'immolait, et l'espace d'une seconde, Keith avait ressenti que le garçon était attiré par lui. De son côté, la force de l'amour de Regan pour le jeune homme. Tout ce qu'elle aimait, Keith ne pouvait s'empêcher de l'aimer à son tour. C'était pour elle qu'il avait poursuivi William dans un couloir quand celui-ci avait quitté la salle du banquet. Il avait presque réussi à l'attraper par l'épaule. Et puis, faisant un pas de côté, William s'était glissé par une porte de secours et avait disparu pour les deux décennies suivantes. Une demi-vie auparavant mais, quoi, à seulement cinq cents mètres d'ici ? Comme si même alors ils couraient en direction de ce moment. D'accord, dit enfin William ; le téléphone marche même quand l'électricité est coupée, il va l'appeler.

Dans le hall obscur, Keith s'effondre dans l'un de ces quasi-trônes dans lesquels personne ne s'assoit sans doute jamais, pendant que William, penché par-dessus le bureau du portier, compose un numéro. À l'autre bout de la ligne il semble rencontrer une certaine résistance. « Dis-lui que c'est à propos des enfants », dit Keith. Alors William raccroche et s'assoit, attendant lui aussi, pendant que le portier, il s'appelle Miguel, rentre à l'intérieur. Parler de baseball comme autrefois serait manquer de sérieux. Tout ce que chacun parvient à faire, c'est regarder les ombres derrière les grandes portes vitrées. C'est comme de se trouver à la cour de Louis XVI, en attendant que le palais s'écroule et que quelqu'un vienne les emmener et les traîner jusqu'au tombereau. Il reste du temps pour faire marche arrière, se rappelle Keith, mais non ; une porte s'est ouverte. La lampe de poche de Regan glisse du visage de William au sien. Finissons-en, pense-t-il, et le voilà qui explique que les enfants ont disparu.

Le silence qui suit dure une seconde, la lampe éclaire un miroir mural, multipliant la lumière par deux.

— Tu les as *perdus*, Keith ?

Elle semble dire qu'il l'a fait exprès, alors qu'il est seulement arrivé un peu en retard pour les chercher. Un regard en direction de William lui vaut un haussement d'épaules compatissant.

— Là-dedans ? Tu les as perdus.

Elle se tourne vers Miguel et demande :

— La voiture attend-elle toujours devant ?

— Elle est déjà partie, mademoiselle. Votre oncle, il vient la prendre quand je mets les fusées.

— Cet enfoiré ! explose William. Qu'est-ce que je te disais ?

Mais Regan a déjà repris contenance. Elle ordonne à son frère de monter pendant qu'elle appelle un taxi.

— C'est important, William. L'un d'entre nous doit rester. Dans son état, on ne peut pas laisser Papa tout seul.

L'ancien William l'aurait envoyée se faire foutre, et de fait, il y a un moment de flottement pendant qu'elle resserre la tête de la lampe, l'éteint et la lui tend.

— Ce sont mes enfants. Ton neveu et ta nièce. Je t'en prie.

Il y avait chez elle cette dignité sans faille, cette clarté sans faille qui lui permettaient de se dépasser, et quelque chose en William devait avoir changé, car il obéit, il prend la lampe de poche et disparaît. Elle est parvenue à mi-chemin de la porte quand Keith comprend que, s'il se tait, il va être laissé pour compte. Tout ce qu'il réussit à dire, c'est :

— Comment vas-tu trouver un taxi ?

Elle ne répond pas, mais elle ne lui interdit pas non plus de la suivre dehors.

Bien sûr, les voitures roulent pare-chocs contre pare-chocs, pas un seul taxi n'est libre. Et puis un rugissement monte à plusieurs pâtés de maisons de distance, assez puissant pour ébranler les immeubles. Difficile de savoir d'où il vient ; il semble provenir de toutes les directions à la fois. Keith essaie de le suivre, pourtant, et au bout de quelques secondes passées à faire comme si elle n'avait rien entendu, Regan s'approche derrière lui. Voyant des formes sombres ramper droit devant, il court vers le coin de la rue. Ce sont des motos, qui défilent dans Columbus telle une armée d'envahisseurs. Elles se comptent par centaines. Elles obligent les voitures à rouler sur une seule file. Tout en haut de l'avenue, il voit les signaux allumés des taxis qui se sont prestement placés dans leur sillage, comme ils le font parfois avec une ambulance. Interdit, naturellement, mais les lois auxquelles tout le monde obéissait semblent être suspendues. Ce qui, malgré tout, donne à Keith une forme d'espoir. Il se jette dans l'intervalle entre les motos qui s'espacent et les taxis qui approchent, mettant plus ou moins ces derniers au défi de le heurter. Le premier qui s'arrête, il saute dedans et, avant que Regan ait pu ouvrir la bouche, il explique au chauffeur qu'il a deux billets de cinquante dans la poche, lui dit de les emmener où la dame désire aller – et de foncer.

HELL'S KITCHEN – 22 H 27

Les Angels du West Side n'ont nul besoin de l'ombre d'un Vincent Black Shadow circulant pleins phares dans les nuages, ou d'une Ligue des Justiciers de bazar pour se réunir. Ils se disent, quand tout s'éteint, qu'il va forcément y avoir de l'action, et donc, de tout Manhattan, ils convergent vers la baraque de leur Leader Maximo. Leurs faisceaux sont des tubes solides qui naviguent autour des voitures immobilisées, quand la chaussée rétrécit, ils foncent comme dans un colossal jeu de poule mouillée. (Faire partie du Club, c'est aussi ne jamais laisser croire que vous pensez à des choses comme l'assurance collision. Les casques sont une affectation. Vous chevauchez votre engin comme si la mort n'existait pas.) Et chez le Leader Maximo, comme annoncé, il semble que la fête de la nuit dernière n'ait jamais pris fin. Les machines sont en ligne, nichées dehors, où les motards se passent des bouteilles de Rheingold. À en juger par le bruit, ils sont déjà deux ou plus à forniquer sur le quai de chargement. Une cuillère tordue bloque la serrure de la porte du rez-de-chaussée. La chaîne qui ferme la cage à l'intérieur est comme d'habitude ouverte, et on ne la distingue que grâce au phare de la Harley garée dans l'entrée et qui ronronne au pied de l'escalier, tournée vers la sortie, comme si, au moment voulu, le Leader allait descendre, tel le Dernier Mahdi, et s'en emparer. Son moteur répand des gaz dans tous les coins de la vieille fabrique désaffectée de pastilles à la menthe, mais qui se plaint ? On ne sait même pas qui, en dehors du Leader Maximo, habite ici – et, encore une fois, les Angels ne voient pas les choses sous cet angle.

L'appartement du sixième étage est grand ouvert, baigné de lune, mais si le Leader est là, dans le noir, personne ne sait où le trouver. Il a toujours été, malgré sa jovialité menaçante, une sorte d'énigme. Par exemple : Est-il blanc ou est-il noir ? (Peut-être à moitié maori, avec ces tatouages sur le visage ?) Et : comment a-t-il réussi à vivre si longtemps sans meubles, sans téléphone, avec (quelqu'un s'en souvient, du temps où les lumières étaient allumées) un réfrigérateur sans porte ? Sous les ombres géantes qui vont et viennent, craquent les épaves de la nuit dernière. Des bouteilles roulent dans la cage d'escalier, font silence, et au bout de deux secondes, explosent cinq étages plus bas, où une nana répète en hurlant : *Fils de pute !*

Cependant, l'action proprement dite se déroule sur le toit. Là, après l'ascension à l'aveugle de la cage d'escalier, il y a assez de lumière pour faire la fête – une énorme lune, d'improbables étoiles, un feu allumé dans une brouette et de petits reflets de phares qui bordent les gouttières en aluminium rongées – encore que le manque de visibilité plus l'alcool plus le toit constituent une équation à l'équilibre inconnu. Des Angels à divers degrés d'ébriété jouent à faire tourner un couteau dans la main, gardent des mégots allumés entre les doigts pour tester leur endurance, se disputent au sujet de l'origine du blackout puis se pressent le long du mur côté nord pour regarder brûler un entrepôt à dix pâtés de maisons de là. Deux Filles du Rhin, blondes, se sont dépoitraillées et dansent, leurs seins blancs sous la lune, sur une chanson de ce nouveau groupe, Chic, qui passe en boucle à la radio. De la musique de tapette, marmonne quelqu'un, mais personne ne lui prête attention.

Sur la poubelle retournée, près du feu, les bouteilles d'alcool ne tardent pas à disparaître. Des émissaires chancelants sont envoyés au rez-de-chaussée pour en grappiller d'autres. Ils ne dépassent pas le coin de la rue, la morne bodega dont les étagères en contreplaqué ne semblent jamais rien offrir en plus de trois exemplaires. Trois rouleaux de papier toilette un pli ; trois boîtes poussiéreuses de haricots noirs hors d'âge ; trois briques sous vide de café El Bandito ; trois boîtes de poudre anticafards. Tout ça, c'est juste une façade ;

depuis des années, ce qui fait tourner la boutique, c'est de procurer leurs bières au Leader et à son clan. Mais à ce moment précis, elle est silencieuse derrière le rideau de fer que les Angels martèlent du poing. Jusqu'à ce que quelqu'un ait une brillante idée.

Dans la fabrique de bonbons, un moteur gronde. Une bécane vrombit dans la rue comme une guêpe gonflée de venin. Elle semble sur le point d'enfoncer le rideau de fer, mais s'arrête à la dernière seconde et le motard recule jusqu'à ce que le pneu arrière touche presque la bodega. Quelqu'un propose la chaîne dont il est paré, et en une minute la moto est attachée à la grille métallique. Ils ont l'esprit d'entreprise, les Angels ! Donnez-leur des licences de courtage à la place des motos, vous obtiendrez des millionnaires. Un rugissement, une accélération et, avec un cri qu'on peut entendre dans toute la 10e Avenue, la plaque de métal se plie et s'arrache comme les ailes d'une phalène épinglée, puis fait jaillir des étincelles dans la rue où le motard la traîne.

Il est allé faire un tour d'honneur quand un Portoricain au visage familier bondit de la voiture qui vient de s'arrêter en crissant. Les Angels s'écartent sur un demi-cercle, le long d'un périmètre qu'un fusil balaie. Dans un anglais aigu et ésotérique, l'homme qui le brandit leur crie qu'ils viennent de lui coûter mille dollars de réparations et, grosso modo, de foutre le camp, putain.

Il y a un moment où ils pourraient en venir aux coups et/ou aux blessures. Le Portoricain a scellé son sort, ou les Angels, selon qui est responsable. Ou peut-être n'y a-t-il aucun responsable ; c'est cette ville, après tout, qui a provoqué leur collision. Mais s'il y a une chose qu'un Angel peut respecter, c'est l'individu qui défend sa pomme. Ils reculent, en espérant que sa connaissance incertaine de la langue l'empêchera de répandre la rumeur de leur indulgence. Ils repartent, moteurs grondants, en quête de provisions.

Le propriétaire de la bodega, pendant ce temps, pénètre dans son magasin, ferme la porte derrière lui, s'assoit sur un tabouret dans le noir, et pleure. Le fusil, il s'y accroche comme à un petit chien – trop tard, mais qui sait ? Il pourrait y avoir d'autres vandales. Quant à ces Angels : il ne leur fera plus jamais confiance. *Nunca jamás.* Sur le trottoir d'en face, ils continuent à venir de tous les quartiers, des Angels et des Angels, tous dirigés, tels des missiles guidés par la chaleur, vers le West Side en flammes. Et sur le toit, les vestales aux seins nus n'ont pas cessé de se trémousser – *Aaaah... Freak out !* – en attendant que le L. Maximo, leur Wotan à la peau écrue, enfourche sa moto et ramasse les morts.

91

Q UANT À JENNY, ELLE NE SAIT PAS TRÈS BIEN ce qu'elle attend dans le noir avec, devant elle, cette arythmie liquide en train de battre contre le pare-brise cassé. Ni même très bien, en fait, si elle attend. Cette dernière collision avait dû se produire contre la bouche d'incendie. La ceinture l'a sauvée au moment où elle a été propulsée en avant, mais le choc de recul a été violent et a déréglé sa perception du temps. Dix minutes ont pu s'écouler, ou une seule. Et puis elle entend une voix, comme un signal pirate s'insi-nuant dans sa fréquence. *Réveille-toi.* Elle se tourne, étonnée de ne ressentir qu'une légère douleur dans le cou. Un rougeoiement au coin d'une rue des-sine l'ombre affalée sur le siège passager.

— Ça va ? demande-t-elle.

Pendant un moment, elle ne reçoit pas de réponse.

Puis Mercer lève la main et la pose sur sa nuque, comme s'il était surpris de la trouver là.

— J'ai perdu connaissance une minute, dit-il lentement.

Ou ce qui paraît lentement.

— Rien de cassé, si c'est ce que vous voulez savoir. Mais une sacrée bosse. Vous avez quoi derrière, des démonte-pneus ?

— Des raquettes de squash, avoue-t-elle. Celles de Bruno.

Peut-être est-il trop sonné pour digérer tout ça.

— Et vous ? Tout va bien ?

— Vous voulez dire en dehors du fait que je viens peut-être de perdre mon travail ?

— Voilà pourquoi on n'organise pas de courses sur des pavés en plein blackout. Jenny, à quoi pensiez-vous ?

— Je pensais, plutôt logiquement, il me semble en tout cas, que peut-être nous devions faire vite. Et ensuite, je ne sais pas. Avec l'eau, je n'ai rien vu. Et si on passait à autre chose ?

Mercer, qui ne peut ouvrir sa portière, doit enjamber le siège du conducteur. Il a pourtant l'impression que c'est son côté à elle qui a subi le plus gros de l'accident. L'eau de la bouche d'incendie contre laquelle la voiture s'est écrasée monte tout droit, gerbe argentée jaillissant vers le néant avant de retomber avec force. Une petite flamme sur le pneu avant vacille et s'éteint. Les myriades de gouttes qui volent dans la lumière des phares donnent l'impression que c'est la peinture qui brûle. Et en dessous, le capot en accordéon. Non, Bruno ne voudra plus jamais lui adresser la parole. Ses chaussures et ses vêtements déjà à moitié trempés, elle s'éloigne de l'eau. Et c'est là qu'elle aperçoit la forme recroquevillée au bord du trottoir, tel un jeune arbre abattu par le pare-chocs. Le premier impact. Oh.

Mercer, qui est déjà à côté du corps, a des gestes bizarres de nouveau, il cherche à savoir s'il y a du sang, comprend-elle.

— S'il vous plaît, dites-moi qu'il respire.

La personne qu'elle a heurtée est de grande taille, élégante, svelte avec son col ouvert. Son visage, inerte dans la pénombre, semble crispé par l'inquiétude. Ou est-ce la douleur ? La main de Mercer bouge dans la lumière des phares. De l'eau, c'est tout.

— Physiquement, il est intact, mais il n'a aucune réaction.

— Il faut appeler une ambulance.

— Comment ? Il n'y a pas une seule cabine ici avec un combiné.

Elle va le conduire elle-même aux urgences, dit-elle, s'il tient dans la Gremlin.

— Pas question !

Les clés sont restées sur le contact, mais avant de les mettre dans sa poche, il constate que le moteur ne démarre pas. Les bougies sont peut-être mouillées, dit-il, mais la seule manière de s'en assurer, c'est d'attendre de voir si elles sèchent. Et l'East Village ? Dans une heure, il sera minuit. Ont-ils vraiment le temps ?

C'est bien sa veine, pense-t-elle, de se retrouver sans médecin dans ce quartier désert. Ou presque désert, parce qu'elle voit de nouveau des flammes qui s'élancent au carrefour, et elle sent l'odeur d'essence.

— Bon, d'accord. Merde. Restez là une seconde. Je reviens.

Elle coupe entre les phares et le feu, et prend une rue de traverse qui dessine un coude en direction de la rivière. Elle scrute l'obscurité ; ce quartier, autrefois un port actif, lui paraît un terrain de chasse de bandits. Des herbes humides, à hauteur de taille, poussent dans des trous au milieu des trottoirs. Il n'y a pas un seul piéton, hormis celui que, dans sa hâte de sauver des vies, elle vient peut-être de tuer. Et que cherche-t-elle, exactement ? Un secouriste en fin de service ? Des antalgiques en vrac ? Une gentille vieille dame qui l'inviterait à téléphoner de chez elle ? Chaque idée lui semble plus stupide que la précédente, mais Jenny a manifestement toujours besoin de croire qu'une main invisible est à l'œuvre pour clôturer les comptes. D'un instant à l'autre, ce présent merdique va exploser, et son véritable avenir lui être rendu, celui où elle donne un sens à sa vie ou à celle de Groskoph. Ou peut-être lui revient-il de le faire exploser. De retourner en arrière. Mais revoilà l'essence. Les chiens qui aboient. Le verre qui vole en éclats. Plus que la droiture morale, ou la charité, c'est la peur qui l'aiguillonne. Et là, une autre collision l'envoie cul par-dessus tête au milieu des herbes. Elle ressent une douleur vive à l'endroit où elle est tombée, mais ça ne compte pas, car au-dessus d'elle, rétro-éclairé par les étoiles, elle aperçoit ce qui l'a fait trébucher, un chariot de supermarché abandonné.

Naturellement, toute solution contient le germe d'un autre problème. Dans ce cas précis, il y a le bruit que fait le chariot dans la rue. Elle préférerait ne pas attirer l'attention, mais près de l'endroit où elle a laissé Mercer, des pavés affleurent dans l'asphalte tonsuré. Et quand les roues s'y cognent, c'est comme si elle tapait comme une sourde à coups de pied-de-biche sur une plaque de métal. Mais merde. Elle prend sa respiration et fonce, en poussant le chariot jusque dans le carrefour où point une lumière.

— Vite, aidez-moi à le mettre dedans.

— Un chariot de supermarché ?

— C'est tout ce que j'ai trouvé.

— On ne doit pas toucher à un corps comme ça.

— Mercer, j'ai pu faire une reconnaissance. Le pouvoir pour le peuple mis à part, j'aimerais *vraiment* ne pas me trouver là quand ces torches que vous voyez là-bas arriveront.

Elle renverse le chariot sur le flanc. Il n'existe aucun moyen d'y faire entrer un corps adulte avec douceur, et il faut leurs forces réunies – en bloquant les roues avec leurs pieds et en tirant sur la poignée – pour le remettre d'aplomb. Elle regrette de ne pas disposer d'un bout de carton ou d'un vieux tee-shirt pour protéger la colonne vertébrale du gars, mais s'il a une hémorragie interne, ça ne changera rien pour lui. Il s'ensuit une brève dispute pour savoir s'il faut prendre la direction de l'hôpital le plus proche ou continuer vers l'East Side, puis une dispute plus brève encore pour savoir s'il faut emporter les deux raquettes de squash. Ce qu'elle en dit, c'est qu'elle se sentirait plus en sécurité avec ; lui, ayant vu de quoi elle est capable dépourvue d'arme, se sentirait plus en sécurité sans. Les torches sont maintenant toutes proches, et elle le laisse gagner cette fois encore.

— Allez, on pousse.

Le poids supplémentaire aurait dû rendre le foutu chariot plus silencieux, mais il amplifie le bruit, au contraire. Elle laisse une place à Mercer sur la poignée et ensemble ils trouvent une vitesse entre le trot et le galop.

— Arrêtez de gémir, dit-elle. Vous allez nous trahir.

Mais il ne l'entend sûrement pas avec le vacarme qui approche, les cliquetis de chaînes, le souffle sec d'autres flammes. Il n'attend pas de savoir s'il s'agit de pillards, de révolutionnaires ou de citoyens qui veulent juste savoir où est passé leur courant.

— Poussez ! crie-t-elle.

Et quand la poignée fait un bond en avant, elle manque lâcher prise. Elle n'aurait pas cru ça de Mercer Goodman. Quoi qu'il en soit, ceux qui viennent semer la terreur dans la rue doivent être pétrifiés par l'étrange missile qu'est ce chariot, ou le duo plus étrange encore qui traîne derrière, parce que, juste avant l'inévitable collision, le bruit baisse, les flammes s'écartent et Mercer et Jenny, et le corps devant eux, parviennent à passer, sains et saufs.

UPPER EAST SIDE – 22 H 49

Ils veillent à ne pas se bousculer en montant l'escalier et dans les couloirs, quand ils s'avancent devant des portes que les voisins ont verrouillées, redoutant les violences dans les rues en bas – à moins que ces mêmes voisins ne soient sortis se joindre à la tourmente. D'une façon ou d'une autre, le mot d'ordre est à l'évacuation. L'homme cherche ses clés, mais la femme a déjà sorti les siennes. (Que peut signifier le fait qu'elle les ait gardées ?) Ensuite elle éclaire la porte de sa lampe de poche, ainsi que l'entrée qu'il regrette de n'avoir pas préparée pour son arrivée. Ce qu'il aurait sûrement voulu faire, c'était lui donner l'impression d'être capable de vivre sans elle. Dans l'état actuel des choses, le faisceau critique semble toucher tous les trucs restés exactement dans le même état depuis qu'elle est partie. L'Arlequin encadré. Les galets de Nouvelle-Angleterre dans la coupe. La rangée de chaussures près de la porte, auxquelles il ajoute maintenant ses mocassins. D'un autre côté, n'avoir rien changé signifie que le matériel d'urgence se trouve à l'endroit où elle l'a toujours rangé, sur l'étagère du bas du placard de l'entrée. À peine s'en souvient-il qu'elle lui donne une lampe de poche. Elle pousse un bouton et un deuxième faisceau court se perdre dans le sien par terre.

— Will ? appelle-t-elle. Cate ?

Pas de réponse.

— Je t'ai dit qu'ils n'étaient pas là.

— Et maintenant je sais que c'est vrai.

Les faisceaux se séparent. Elle s'enfonce à l'intérieur de l'appartement ; il court vers la cuisine. Rien n'indique que quiconque a touché au réfrigérateur, qui est à température ambiante, depuis ce matin, et il n'y a pas de message sur la porte. Quand il fait demi-tour en direction de leur – sa – chambre, la pièce est illuminée. Regan est assise sur le grand lit en crin, elle lui tourne le dos, et il y a un carnet d'adresses posé à côté d'elle. Il hésite à troubler les pensées qu'elle peut avoir, quand il aperçoit le téléphone collé à son oreille.

— Les services d'urgence sont tout le temps occupés.

— Crois-tu que les enfants aient pu rentrer à Brooklyn ?

— Je viens d'appeler chez moi, et chez les Otani. Pas de réponse. Et tu as déjà téléphoné, n'est-ce pas ? Tu as dit que tu avais essayé partout. Ils n'avaient pas d'argent pour le métro.

— Ils auraient pu en emprunter.

— Et ensuite aller n'importe où. Ils ont pu aller voir le match sans toi.

— J'ai les billets dans la poche.

— Ils n'auraient pas de mal à en avoir, Keith. Ce sont les Mets.

Elle ne se retourne pas, et sa lampe non plus ne bouge pas sur le couvre-lit couleur moutarde où elle l'a posée, mais autour d'eux les choses deviennent plus claires.

— Nom de Dieu, tu étais où ?

— Retenu au bureau.

C'est le même genre de salades qui lui a servi pour Samantha, mais dire à Regan qu'il a déjà eu affaire aux flics aujourd'hui risque de soulever des questions auxquelles il n'a pas envie de répondre. Et puis, elle ne semble rien remarquer. Elle déboutonne sa blouse.

— Bon, je ne repars pas dans le noir avec ce tailleur, ça reviendrait à exhiber une cible dans le dos. Où est le survêtement de sport? Et William a-t-il des baskets ici?

Il l'éclaire tandis qu'elle enlève des boucles d'oreilles en argent, les pose sur le lit et se penche pour ôter des talons à peine portés. Elle était habillée pour séduire la personne avec qui elle devait passer la nuit. Gêné de découvrir tout ce qu'il a pu glaner, il va vers la penderie et lance le survêtement qui décrit un arc dans le noir. Il prend ensuite son short de jogging. Il pose la lampe entre eux sur le lit, retire sa ceinture, son pantalon. Quand il ôte sa chemise, leurs regards se croisent. Son nombril marque une fine césure entre sa culotte et son soutien-gorge en dentelle; il est en slip. Ils sont, pense-t-il, comme des enfants qui jouent à Action ou Vérité – et puis, considérant la gravité de la situation, il a de nouveau honte.

— Quoi? dit-il. Tu iras moins vite si je me change aussi?

Elle fait la sourde oreille et enfile son pantalon de survêtement.

— Mais que proposes-tu exactement?

— Si je n'arrive pas à joindre les flics au téléphone, je vais y aller à pied.

— Et si ce n'est pas possible?

— Je remuerai ciel et terre moi-même.

Elle dit sûrement ça pour le rembarrer, mais il voit une possibilité de réaffirmer son rôle de mari qu'il est techniquement encore.

— Dans ce cas, dit-il, donne-moi une minute pour retrouver mes baskets, moi aussi, parce que tu as raison, les choses pourraient tourner très mal dehors, et il n'est pas question que je te laisse te balader toute seule là-dedans.

UPPER EAST SIDE – PLUS TÔT

Cet été-là, près d'un après-midi sur deux, Will et Cate restent à la garderie pendant que Maman, au bureau, travaille dur pour sauver Grand-Père et que Papa fait ce que Papa fait. Mais aujourd'hui ils sont spécialement conduits à l'autre bout du centre, à la cafétéria d'où les normaux sont autorisés à partir. En l'absence des dames de la cantine et des cliquetis métalliques des plateaux, certaines choses se remarquent. Cette solitude, par exemple, a une odeur de gerbe de chocolat au lait. Will sent tout cela avec une acuité extrême, il est l'un des plus vieux ici et bien trop orgueilleux pour fraterniser avec ceux du cours moyen. Sa sœur en est donc réduite à pratiquer toute seule son jeu de ficelle qu'elle a appris en travaux manuels. «Arrête», dit-il chaque fois que son coude bouscule ouvrez les guillemets accidentellement fermez les guillemets le sien. Et puis le Conseiller Adjoint vient chercher un autre enfant ou groupe d'enfants dont les parents ou la nounou sont arrivés, ponctuels.

Il y a d'abord quelque chose comme quarante enfants. Puis il y en a vingt-huit. Puis quinze. Puis cinq. Puis il y a juste lui et Cate, et ils doivent quitter la cafétéria, récidivistes sans conditionnelle. Sur le seuil de la salle de garderie, le C.A. demande si Will est sûr que son père sait qu'il vient le chercher ce soir. Sûr, Will est sûr. Il a bien entendu Maman le dire au téléphone de la cuisine hier soir, quand il faisait semblant de ne pas écouter, n'est-ce pas? Elle a demandé à Papa de le répéter au moins deux fois – elle avait « des projets pour la soirée », et de ne pas arriver en retard. Mais parfois, avec Papa, répéter ne suffit pas à lui rappeler ses responsabilités.

À six heures et demie, les enfants de la garderie sont conduits dehors dans la fournaise de l'heure de pointe, et ils attendent sur les marches qu'on vienne les chercher, ce qui permet au gardien de commencer à nettoyer à l'intérieur. Le ciel, comme d'habitude, est ardent. Plus loin vers le nord, le smog fait l'ascension de l'air. Et toujours pas de Papa. Will voit déjà où cela va mener: coups de téléphone, honte, les projets de Maman qui tombent à l'eau. (Peut-être est-ce ce que souhaite Papa.) Mais pourquoi ne peuvent-ils pas partir sous leur propre responsabilité? Il a presque treize ans, pour l'amour du ciel. Quand le C.A. va aux toilettes, Will s'approche d'un Moniteur Stagiaire mal peigné et lui indique une silhouette au bout de la rue: « Je crois que c'est lui. C'est notre père. » Et quand Cate ouvre la bouche pour le contredire, il la pince, fort. Son cri semble distraire le M.S. qui ne regarde pas trop longtemps l'homme en question. C'est une bonne chose, car Will distingue maintenant un châle de prière et une kippa. Il entraîne sa sœur, qui se frotte le bras, en bas des marches.

Il faut juste quinze minutes pour marcher jusqu'à l'ancien appartement, mais à entendre Cate se plaindre de ses pieds, on dirait qu'il en faut quinze mille. Il est un peu hésitant à l'idée d'arriver comme ça, sans prévenir, mais, de la rue, on devine qu'il n'y a personne. Les lumières restent éteintes, pourtant il commence à faire nuit. Peut-être Papa les a-t-il complètement oubliés; il est allé au match tout seul. Et Will a laissé sa clé chez Maman. Il pourrait toujours demander au portier de lui ouvrir, mais cela voudrait dire absoudre Papa alors qu'il mérite un châtiment. Il décide au contraire de rentrer à Brooklyn à pied. S'ils parcourent en moyenne un pâté de maisons par minute, ils peuvent être devant le pont à huit heures. Ou d'accord, huit heures et demie. Est-ce si difficile?

Mais ce qu'il n'a pas prévu, c'est que Cate doit s'arrêter tous les cinq pâtés de maisons pour faire pipi, boire à une fontaine ou se faire acheter un bagel avec le dernier *quarter* de Will. À la 42e Rue, elle veut traverser pour aller s'asseoir sur les marches de la bibliothèque, et se frotter les pieds pendant vingt minutes. Elle a toujours aimé savoir que le nom de leur grand-père est gravé à l'intérieur, sur un mur au deuxième étage, comme des initiales brodées à des sous-vêtements. Il lui vient à l'esprit de transformer pour elle la marche en jeu, en lui dressant la carte de tous les lieux significatifs devant lesquels ils passeront. Mais à mesure que la nuit tombe, il craint d'avoir pris la mauvaise décision. Il ne s'est jamais trouvé dans ces rues ; les gens regardent sur le seuil des portes, avec quelles intentions, il n'en sait rien. Cate et lui sont allés trop loin pour faire demi-tour, mais ne semblent pas près d'atteindre Brooklyn, et il n'a plus d'argent même pour téléphoner. Le seul fait d'imaginer Papa en train d'aller et venir comme un fou devant les portes fermées du centre de loisirs lui donne l'énergie de continuer – de savoir que justice est faite.

Parce que Will avait soupçonné ce qui se passait bien avant d'en avoir confirmation. Maintenant il se demande si c'est pour ça qu'il était revenu à la maison ce jour-là, quand il avait fait l'école buissonnière l'automne dernier, avant la séparation. Il s'était mis au lit pour lire et il s'était endormi. Les bruits qui l'avaient réveillé venaient du salon, on aurait dit qu'on torturait quelqu'un. Mais même les enfants savent faire la différence entre le plaisir et la douleur ; si c'était la douleur, pourquoi Will bandait-il ? Il était allé jusqu'à la porte sur la pointe des pieds, se reprochant d'avoir envie d'en entendre davantage, mais peut-être était-ce Maman avec Papa, et il n'y avait pas de problème, même si c'était dégueulasse. Une lame de parquet avait craqué et il s'était figé. Ce qui lui était parvenu ensuite, c'était la voix de son père. Qui qu'elle soit, il semblait furieux contre la femme qui était là. Et quelle réaction aurait-il s'il surprenait son fils en train de l'espionner ? Will s'était réfugié dans son placard, il avait grimpé dans le panier à linge sale, et s'était glissé sous une pile de vieux draps. Il avait attendu là, manquant étouffer, jusqu'à ce qu'ils soient partis. Et dix minutes de plus, pour s'assurer qu'ils ne revenaient pas.

Maintenant les immeubles se penchent sur eux comme des femmes ivres et couvertes de bijoux dans les fêtes. Tenant la main de Cate, il la conduit devant des salons de manucure éclairés, des teinturiers, des boulangeries juives, et tous les deux ou trois pâtés de maisons il lui répète qu'ils n'en ont plus que pour deux ou trois pâtés de maisons. Elle a encore envie de faire pipi, dit-elle. Et elle est fatiguée. Il accroche le sac à dos trop rempli de sa sœur à son épaule où il cogne contre son sac de sport. Les panneaux de rues diminuent vers les numéros simples et il commence à penser qu'ils vont arriver au pont. Mais quelque part sous la 14ᵉ Rue, on sent comme un souffle, et autour d'eux, tout s'éteint hormis les phares des voitures.

Il lui faut une minute entière, paralysé au milieu d'un trottoir de Downtown, pour comprendre ce qui se passe. À en juger par le silence soudain, les voitures immobilisées dans les rues, Will n'est pas le seul à avoir peur. Il sent la présence des gens autour de lui et derrière lui, chacun d'eux désormais une menace potentielle. Les sirènes, hululantes, peignent de lointains secteurs en bleu.

— Ça va, dit-il à Cate la voix tremblante. C'est un plomb qui a sauté quelque part.

— Je veux retourner à la bibliothèque.

— On y était il y a une heure et demie, Cate.

— Oui, mais j'ai vraiment *envie*.

Il se rappelle avoir aperçu un parking un peu plus loin et il lui explique qu'elle doit faire pipi entre des voitures. Il surveille et, quand elle a fini, il lui dit qu'elle est un vrai mensch et il lui presse la main en lui expliquant ce que cela signifie. Ils reprennent leur marche. Ils se dirigent sûrement vers le sud, car il voit des lumières clignotantes au sommet du Trade Center. Mais plus ils avancent, plus les buildings se dressent en hauteur, jusqu'à ce que les lumières clignotantes deviennent invisibles. Ils sont à l'est, trop à l'est, dans l'East Village. Là, les phares rôdent tels des requins dans des carrefours non signalés, éclairant des scènes de rues effrayantes : poubelles, genoux, bouches d'incendie vomissant des gerbes d'eau absurdes. Dans une rue, un homme surgit de l'obscurité, une télévision juchée sur son épaule. Dans une autre, la musique hurle à fond. Derrière la grille en fer forgé d'un parc, des Noirs aux torses miroitants de sueur se tortillent sur une musique disco. Il empêche Cate de regarder, mais il cède à l'envie de se retourner sur le spectacle derrière la grille. Quand il le fait, il voit un homme debout, seulement vêtu d'un chapeau de cow-boy et d'un cache-sexe, qui les suit des yeux.

Will a peur. Il prend à droite au bout de la grille, puis encore à droite. Il navigue au jugé, il essaie de ne pas dévier vers le chaos grandissant ni vers les poches de lumière où ils auraient l'air de gazelles séparées de leur troupeau. Quinze minutes plus tard, quand il essaie de redresser la barre en tournant encore deux fois à gauche, le quadrillage s'est rompu. Il commence à se sentir comme l'un de ses avatars de Eldritch Realm, le Sorcier Gris, condamné à errer seul dans le dédale obscur d'une civilisation autrefois puissante. Ou pas même seul, en réalité. Car quand il se retourne de nouveau, il aperçoit l'homme en cache-sexe et chapeau noir à moins d'un pâté de maisons derrière eux.

UNE AUTRE MÈRE

À Long Island, Ramona Weisbarger tend le cou vers son poste de télévision où, toutes les cinq minutes, la rédaction met tout son zèle à montrer des images de la Ville. Vitrines cassées, voitures incendiées, gangs d'ethnies menaçantes perchés sur des perrons dans le noir. Tous les arrondissements sont plongés dans l'obscurité, répète le présentateur quand il réapparaît. *Et comment tournent vos caméras?* veut savoir Ramona, mais Morris Gold a déjà dans l'idée qu'il doit y avoir des générateurs. Ensuite, il va dans la cuisine, un peu de mauvaise humeur, préparer un autre sachet de thé glacé « pour le cas où ils reprennent la retransmission du match ». Elle fait de son mieux, depuis maintenant une heure et demie, pour ne pas lui ôter l'illusion qu'elle s'intéresse aux Yankees. Mais elle refuse de se lever pour l'aider parce que ça recommence, la Ville réapparaît sur l'écran et elle sait, par un effet de Perception Extra-Sensorielle maternelle, que son Charlie est dedans, là-bas.

Morris l'a sermonnée ces deux derniers mois – ce n'est pas sa faute, il faut que ça lui serve de leçon, à ce garçon. Encore que « sermonner » ne soit pas le mot juste, sa méthode consiste plutôt à, comment ça s'appelle... celle où on pose les questions. *N'est-il pas vrai que... Ne pensait-elle pas...* En général, elle répond comme une femme intelligente, plutôt que comme la créature bourrelée de culpabilité qu'elle est devenue. Et une part d'elle-même sait qu'il a raison. Charlie est presque adulte et c'est vraiment lui qui a pris le parti de fuguer. Pour dissimuler le chagrin qu'elle ne devrait donc pas ressentir, elle a essayé de faire face. Elle a, après ces premières semaines sidérées et inconsolables, passé davantage de temps à essayer de s'habituer au nouvel état des choses. Ou simplement essayé de ne pas penser (elle le constate maintenant) à l'absence au cœur de celui-ci. Elle a fait visiter des maisons, est allée deux fois plus souvent chez le coiffeur, a assisté, avec un sourire forcé, aux anniversaires auxquels les jumeaux étaient invités, a fait renouveler l'ordonnance de Valium que le docteur lui avait donnée à l'époque, aux premiers signes de la maladie cardiaque de David. Elle a même commencé, sans que ni l'un ni l'autre formulent les choses clairement, à laisser Morris Gold dormir certains soirs quand il venait dîner. Une famille d'écureuils est morte dans les conduites de son climatiseur au cours du long week-end du 4 Juillet, et avec le niveau élevé d'humidité qui règne tous les jours, il semble qu'il y ait une liste d'attente pour les réparateurs. Ils s'installent tous les deux sur le canapé devant le climatiseur et regardent les matchs retransmis dans d'autres fuseaux horaires, mais elle ne fait pas la différence entre les Points Produits et les Taux d'Intérêt Effectif.

Ce soir, il n'en va pas ainsi.

Morris revient avec un verre dont la condensation coule en traînées transparentes quand il lui donne un coup de cuillère. Il ne sait pas quelle quantité de sucre y mettre, il ne parvient jamais vraiment au point de saturation, mais elle accepte le thé et le laisse faire quand il lui prend les pieds pour les placer sur ses genoux. Newsplatoon sur Channel 5 annonce que les pillages se sont étendus à Brownsville, Harlem, Washington Heights et au Lower East Side. Les autorités sont sur le pont, explique le journaliste sur place, et espèrent un rétablissement du courant demain dans la matinée. L'homme, un Noir élégant en cravate et coupe-vent, debout dans une zone de lumière vive incongrue, se tient devant le quartier général de la Con Ed. Derrière lui, des gens qui semblent être des manifestants se baissent pour monter dans des voitures de police. Attention à la tête ! pense-t-elle. Mais qui peut affirmer que le journaliste ne se trouve pas sur un plateau quelque part et que les jeunes maigres comme des haricots que l'on fait défiler menottés sous les projecteurs ne sont pas de simples effets spéciaux ?

— Où se trouve Brownsville, déjà, exactement ?

Sa carte mentale de la Ville, comme la Ville elle-même, s'est un peu effritée au fil des années depuis que David et elle ont déménagé ici, à la recherche d'un vrai jardin où le bébé pourrait s'ébattre ; mais elle a encore du mal à imaginer comment quelque chose « s'étend » de Hell's Kitchen à Harlem tout en évitant le Upper West Side. Morris lui masse un pied et se dit convaincu que ça se passe quelque part à Brooklyn, et pourquoi ? Comme s'il ne savait pas pourquoi. Il y a des livres dans la bibliothèque à propos de ces jeunes qui se droguent et ne vont plus à l'école. Elle sait qu'ils se recrutent à l'intérieur de la ville, dans les quartiers les plus pauvres, oubliés de D. ; qu'ils finissent toxicomanes, prostitués, ou les deux. Elle se dit alors qu'elle s'est montrée trop dure avec Charlie, tandis que là-dessus Morris serait passé au mode interrogatif : *N'est-il pas possible que ce soit seulement un trait des années 70 ?* Elle ne lui a jamais avoué avoir voté pour Jimmy Carter, auquel il reproche d'encourager une *culture de permissivité*, et elle se demande maintenant s'il n'a pas raison, si ce Président n'est pas un poil trop falot. Il n'empêche que Morris ne sait pas masser les pieds, et elle a parfois envie de le provoquer pour qu'il se mette à crier.

Les images cèdent la place au présentateur, et aussitôt aux publicités – même dans cette situation d'urgence civile, il faut vendre du beurre de cacahuètes – et quand un pot de beurre de cacahuètes Jif tout en jambes se met à danser sur l'écran, elle entend des rires dans l'entrée. Elle appelle les jumeaux, et deux paires de pieds galopent dans l'escalier. Ils s'arrêtent en haut. Elle les appelle de nouveau :

— Abe, Izz. Qu'est-ce que j'ai dit ? Retournez vous coucher.

La musique du beurre de cacahuètes prend le dessus tandis qu'ils font leur conciliabule dans cette déconcertante langue sans mots qui leur est propre. Puis :

— On n'arrive pas à dormir. Est-ce qu'Oncle Gold peut nous lire une histoire ?

Non, Oncle Gold ne peut pas, a-t-elle commencé à dire, mais Morris a déjà posé les mains sur les genoux pour s'aider à se lever.

— Ne t'inquiète pas, je vais les endormir, ces moutards.

Tandis qu'il s'éloigne, elle sent également s'éloigner le passé ; à sa place, il aurait dû y avoir David dont les enfants font maintenant semblant de se souvenir. Charlie a été le seul d'entre eux à manifester son deuil. Mais qu'était-elle censée faire ? Le laisser se soûler, détruire le break, aller et venir à sa guise ? Il n'y avait qu'à voir ce qui était arrivé à la fille, dans le journal ! Elle qui était du quartier. Ramona veut encore croire qu'avant que Charlie ait ce genre de problèmes, qu'il se pique ou vende ce corps d'albatros qu'elle… Elle ne peut terminer sa pensée. Et elle comprend aussitôt qu'elle n'est, assurément, pas la seule personne à retenir sa respiration ce soir pour celui ou celle qu'elle aime le plus au monde. Que ce sera peut-être la révélation de la nuit : celui qui compte vraiment, c'est celui qu'on a le plus désespérément besoin de voir. Parfois, le matin, quand le journal atterrit sur les marches (plus facile de renouveler l'abonnement de David que d'expliquer au téléphone au représentant de *Newsday* pourquoi elle souhaite l'annuler), elle sort de la chaleur du sommeil convaincue que, cette fois, ce sera lui. Elle descendra en chemise de nuit, elle ouvrira la porte et elle trouvera son fils sur le perron en pierre, si grand – même avec le dos voûté – et elle le sentira trembler en le prenant dans ses bras. Chaque amoureuse est une mère. Chaque parent est un bercail. Et elle s'est efforcée d'être cela pour lui dès l'instant où, à l'orphelinat, on lui a présenté ce paquet de langes en forme de haricot. Son visage rouge et contracté par les pleurs, son cuir chevelu si ridé sous le fin duvet cuivré qu'elle avait craint qu'il ne reste ainsi. Elle portait un crucifix, malgré les protestations de David, pour convaincre la Mère supérieure qu'ils étaient de bons catholiques. Elle commençait à se demander dans quoi elle s'était fourrée, quand la femme l'avait déposé dans ses bras. Et maintenant Ramona se rapproche de son moi diurne, et le journal n'est plus qu'un souvenir de journal. Elle ne laissera pas se reproduire cette sensation de vide qu'elle avait eue ce matin où elle était allée jusqu'à descendre ouvrir la porte sur un empire de pelouses imprégnées de rosée où des oiseaux piquaient pour attraper des graines, où il n'y avait pas âme qui vive. Elle va plutôt se poser sur le canapé, pense-t-elle, et veiller, consacrer toute la force de sa volonté à éloigner le mal de ces jeunes hommes farouches lâchés dans tous les coins misérables de cette ville. Ou de son propre fils, son Charlie. Où est-il ?

UPPER EAST SIDE – 23 H 11

Le blackout a peut-être semé la rébellion partout ailleurs, mais depuis une heure ou deux Lexington Avenue s'est adaptée en douceur. Certains cafés ont même sorti sur le trottoir des tables éclairées à la bougie, installant des loges depuis lesquelles observer les frasques de la nuit. Quand un jeune Hispanique heurte de son vélo trop petit l'une de ces tables, le couple installé là l'aide à se relever, à se nettoyer et lui offrent la grappa. Keith s'arrête pour demander si quelqu'un a vu passer une fille et un garçon ; elle a six ans, le garçon en a douze, plutôt l'air d'en avoir dix. Mais Regan n'attend pas la réponse, car elle l'a déjà entendue de dix façons différentes sur autant de pâtés de maisons. (*Non, Désolé, Nada.*) Mieux vaut essayer de deviner où va surgir le prochain véhicule de police. Elle en aperçoit de temps à autre, toujours à cent mètres devant elle, dans une rue perpendiculaire. Quand une sirène lance de nouveau son cri de guerre, elle se rend compte que son calcul était faux ; les lumières filent d'est en ouest derrière elle, de l'autre côté de la brasserie.

— Pourquoi ne lui as-tu pas fait signe ? supplie-t-elle en rejoignant Keith.

— Tu ne m'as pas vu en train de faire des bonds le bras levé ?

— Comment est-ce que j'aurais vu quelque chose ?

— Le problème, c'est que nous sommes dans la mauvaise partie de la ville.

— Je ne sais pas où tu vas chercher ça.

— Pense comme un flic, une seconde, Regan. Ton budget vient de perdre quinze pour cent. Et tout à coup, c'est la panne d'électricité et tu dois empêcher la ville entière de perdre la boule. Où vas-tu concentrer tes forces ? Pas dans le Upper East Side.

— Il y a des choses à voler ici.

— Oui, et des gens pour les protéger. Des portiers, des vigiles, tous ces maîtres d'hôtel… C'est dans les quartiers plus chauds que les flics auront le sentiment qu'on a besoin d'eux.

— Depuis quand es-tu un expert, Keith? Mais peu importe. C'est plutôt comme notre fils qu'il faut penser. Et si tu réfléchis une seconde, tu verras qu'il voudra aller là où il y a du monde, parce que c'est là qu'il se sentira le plus en sécurité.

— Tu crois que je ne pense pas à lui? Je te l'ai dit, je suis prêt à me jeter dans la zone de combat. Mais il faut savoir si on cherche les enfants ou la police.

— Pourquoi ne pas nous séparer? Un les flics, l'autre les enfants.

— Je te l'ai déjà dit, c'est non.

Elle aurait dû manifester son désaccord à l'appartement – il ne peut plus décider de ces choses *pour* elle –, mais en vérité, sa résolution est en train de chanceler. Et voilà qu'un sifflet de police fait entendre un cri strident au milieu de l'intersection suivante, et avant que son cerveau ne puisse mettre de l'ordre dans ses sentiments, les tennis de Will la poussent en avant.

Seulement, ce n'est pas un sifflet de police; c'est une fille en patins à roulettes qui dirige la circulation. Les phares qui passent derrière elle rendent transparente sa robe légère. Elle ne porte rien en dessous, et Regan n'a nul besoin de regarder pour savoir que Keith en restera bouche bée. Allez, pense-t-elle. Il s'agit d'une *enfant*. Bien sûr, dans leur ancienne chambre à coucher, quand ils s'étaient changés tout à l'heure, lui-même avait eu l'air d'un enfant, mais elle n'avait pu s'empêcher de désirer qu'il s'approche et pose les mains sur elle. On peut tenir quelqu'un responsable de ce qu'il fait mais pas de ce qu'il est, et Keith est ceci: l'appel, le désir, l'aspiration à la lumière affranchie de toute morale. Mais une minute – ces feux de position un peu plus bas dans l'avenue… serait-ce un véhicule banalisé?

À son approche, le conducteur glisse un peu plus bas dans son siège. Lui aussi, apparemment, matait la fille en patins à roulettes: un grand type, vêtu, ainsi que le révèle sa lampe de poche, d'une chemise hawaïenne. Mais il y a bien une sirène sur le tableau de bord, une boule de neige assombrie. Elle doit répéter « Excusez-moi » à trois reprises avant qu'il réponde.

— Madame, baissez votre lumière.

— Monsieur l'agent…

— Inspecteur.

— J'ai besoin de votre aide.

— Vous ne voyez pas que je travaille?

Non, mais quand il se décide enfin à descendre de voiture, Keith les a rattrapés.

— Nos enfants ont disparu, crache-t-il. Tous les deux. Nous pensons qu'ils sont dans les environs.

L'inspecteur sort un paquet de cigarettes de sa poche de poitrine, le tapote sur la carrosserie, en extrait une cigarette.

— Vous avez signalé les personnes disparues ?

— Pardon ?

— C'est ce que vous devez faire, déposer un signalement.

— Ce que je dois faire, c'est retrouver mes enfants, bordel.

L'inspecteur baisse son briquet dont la flamme n'a pas touché le tabac, et le mesure du regard. Intérieurement, Regan a aussi envie de jurer, mais l'étalage d'émotion de Keith aggrave les choses.

— Chéri…

— Non, vraiment. Auprès de qui suis-je censé déposer un signalement ? Vous êtes le premier policier que je vois en une heure, si vous êtes bien policier. Et quand étais-je censé le faire ? Ils n'ont disparu que depuis deux heures.

— Alors comment savez-vous qu'ils ont disparu ? Ils sont probablement en train de manger une pizza.

— Au milieu de ce foutoir ?

Le mot flotte, nauséeux, tandis que trois lampes s'abaissent.

— S'il vous plaît. Vous avez bien une radio. Pouvez-vous demander à vos collègues s'ils les ont vus ?

L'inspecteur pointe son doigt en direction de l'intersection.

— Vous voyez ça ? Toutes ces voitures et tous ces conducteurs ?

Quand Regan se retourne pour regarder, c'est en partie pour ne pas voir Keith recevoir la monnaie de sa pièce, et en partie pour qu'aucun des deux hommes ne constate l'ampleur de la terreur qui s'empare d'elle. Elle s'était fiée au principe que cet organisme, sa ville, est essentiellement bienveillant, mais il révèle son chaos insondable, son penchant pour l'abîme.

— C'est le problème avec les gens comme vous, dit l'inspecteur.

— Qu'est-ce que vous insinuez ?

— Avec votre vin rosé et vos vêtements spéciaux pour faire du footing. Vous croyez que vos problèmes sont plus réels que ceux des autres. Mais en ce moment même, il y a des milliers d'autres New-Yorkais qui veulent rentrer chez eux.

— Et vous, vous restez dans votre voiture à jouer au billard de poche ?

— Ça vous dirait d'aller Downtown, mec ? C'est ça que vous voulez ?

— S'il vous plaît, monsieur l'agent. Mon mari ne sait pas ce qu'il dit.

L'inspecteur se radoucit. Les phares d'une voiture éclairent ses lunettes qui semblent teintées, presque bleues.

— Écoutez. Le mieux que je puisse vous conseiller, c'est, si vos enfants ne sont pas revenus demain matin, de vous rendre au commissariat de votre quartier et de remplir un formulaire. Pour l'instant, nous sommes débordés. Maintenant, si vous voulez bien m'excuser…

Et il remonte dans sa voiture sans signe particulier et démarre.

— Eh bien, ça n'a pas marché comme prévu, dit sèchement Keith tandis que la voiture s'engage dans la rue.

— Pas à partir du moment où tu es venu prendre les choses en mains !

— Tu ne m'en as pas empêché.

— À quoi bon te parler, Keith ? Tu ne m'écoutes jamais.

— Ce n'est pas juste, et tu le sais.

— J'ai dit : on se sépare. Tu n'as rien voulu entendre.

— Parce que je me soucie de ta sécurité, dit-il, avec son flegme exaspérant. Et dire qu'elle avait failli lui pardonner !

— Tout est toujours si simple, pour toi, n'est-ce pas ? Tout ce qui arrive arrive. Qui peut en être tenu pour responsable ?

— Mais pourquoi on se dispute, là, Regan ?

— Tu ne peux pas t'excuser, n'est-ce pas ? Pourquoi est-ce si difficile de simplement reconnaître que tu t'es trompé ?

— Je n'ai jamais compris où cela était censé nous mener.

Plutôt que de lui faire l'honneur d'une réponse, elle recommence à marcher, s'éloigne de l'intersection. Elle sent le regard de Keith dans son dos, entre ses omoplates, sur sa nuque. L'expression *avoir des yeux derrière la tête* ne rend pas justice à l'intensité physique qui joue dans la connaissance si profonde qu'elle a de cet homme – sa façon de penser, de se tenir, la manière dont son cœur bat haut dans sa poitrine. Et dans le fait d'être connue de la même façon. Elle tente de se convaincre qu'il s'agit seulement d'un tour que lui jouent les ombres ; il n'a aucune idée de ce qu'il y a en toi ! Mais comment donc sait-elle déjà qu'il ne la suivra pas ici, dans ces lieux plus obscurs ? Et pourquoi est-ce une telle souffrance de le voir abandonner aussi facilement et la laisser partir, comme ça ?

UN AUTRE PÈRE

C'est vrai, ça bouchonnait souvent quand il allait voir comment se passait tel événement municipal, telle soirée d'ouverture dans un stade d'amateurs, telle fête de Casimir Pulaski dans la Petite Pologne du New Jersey. Des petits spectacles comme ceux-là, il les confiait à Rizzo. Pourtant, Carmine

Cicciaro Jr pouvait quand même prendre le volant juste avant la première mise à feu, pour observer les effets qu'il obtenait. Il y avait des endroits, dans l'arrière-pays, si avides de distractions que des embouteillages se créaient à plusieurs kilomètres à la ronde – les gens s'arrêtaient tout simplement sur le bas-côté pour regarder le déchaînement de lumières. Et quand Carmine ne pouvait plus conduire, il sortait et continuait à pied, il se glissait parmi les spectateurs, étudiait les visages, seule âme à ne pas regarder le ciel.

Ce soir, il n'en va pas ainsi.

À peine deux heures auparavant, il se trouvait à l'atelier pour aider le plus jeune Zambelli, venu de New Castle charger un camion de deux grands mortiers Cicciaro et signer les papiers pour le reste. Il fermait quand tout est devenu noir. D'abord soulagé que le travail à faire ait été fait, il avait pensé à Sammy. Son respirateur. Et si le téléphone était toujours à sa place dans le Hangar 8, impossible de joindre quiconque dans ce foutu hôpital. Et donc il se trouve maintenant sur une rampe d'accès au Queensboro Bridge où les klaxons ont commencé à retentir au moment exact où il était devenu évident que ça ne servait à rien, car il n'y avait plus nulle part où aller pour personne. D'autres conducteurs se penchent à la vitre pour essayer de comprendre le mystère au-delà de la rivière, où les montagnes blanches de Midtown s'élevaient toujours auparavant. Au bout de dix minutes supplémentaires de culpabilité renouvelée, Carmine prend une décision. Il abandonne le camion. Il remonte à pied une bretelle de sortie et suit les étincelles bleues que les véhicules de police allument entre les entretoises du pont à un kilomètre et demi de distance.

Ce n'est qu'une fois parvenu au niveau du sol qu'il a une pensée pour sa propre sécurité. Ces jours-ci, quand vous roulez sous un viaduc, vous verrouillez vos portières même en plein jour. Et loin des automobiles sur l'autoroute, l'air se remplit maintenant d'une odeur de fumée, l'obscurité se répand dans une immense plaine de bitume. Pas de cabines téléphoniques, juste des ombres chinoises autour de feux allumés par intervalles sur les trottoirs. Courant de l'un à l'autre. Deux personnes en train de renifler quelque chose à l'arrière d'un... – est-ce une vieille charrette? – lèvent la tête pour voir ce que fait ce vieil idiot. Ou peut-être se l'imagine-t-il; ces derniers mois, on aurait dit qu'il était ramené aux premiers jours de son cocufiage, que tout le monde, partout, le fixait des yeux. C'est lui. Le mari. Le père.

Mais *porca miseria*, ce que la nuit peut faire au temps. Au lieu d'une séquence parfaitement programmée, on dirait plutôt un vaste cafouillis. Car maintenant, secouant la tête et gardant son quant-à-soi, il progresse en direction du prochain agglomérat de voitures, il sent remonter de plus loin encore le souvenir de son paternel qui l'emmenait ici même dans cette partie du boulevard quand il avait besoin de tôle ondulée pour les hangars, ou de bobines de centaines de mètres de câble. Le monde entier, pour Carmine, se résumait alors au Lower East Side, à des appartements de trois pièces alignés blocs après blocs et suturés par le linge séchant sur des cordes. Après la mort de son grand-père, ils avaient pris un pensionnaire dans l'appartement du bas, réduisant l'espace de Carmine, le forçant à rentrer toujours plus en lui-même. (Et était-ce ce que Samantha avait trouvé avec son magazine, une porte de sortie?) Mais son père apparaissait sans crier gare, interrompait sa solitude pour l'emmener de l'autre côté de la rivière et il entendait les vendeurs s'écrier: Carmine Cicciaro! Et lui, ça doit être le petit Carmine... Ils avaient depuis élargi la route qui compte maintenant huit voies. Les façades sont changées, pas seulement à cause du blackout, mais aussi à cause des silhouettes massives qui les ponctuent aux endroits où elles ne devraient pas, et des vides béants aux endroits où elles devraient. Ici s'élevait la Quincaillerie Rafetto, avec son million de petits tiroirs de vis différentielles. Et là-bas, l'hôtel qui louait des chambres à l'heure, leurs fenêtres pleines de filles peu avenantes qui étaient, il s'en rend compte maintenant, des prostituées, les choses ne changent donc pas tant que ça finalement. L'obscurité desserre le masque, c'est tout. Affûte le regard de l'esprit. Rend, dans le souvenir, la couleur d'un crayon ou la trace d'un rouge cireux sur un mur de plâtre fissuré aussi éclatantes que ce feu arrière à quelques mètres de là.

Mais elle rapproche aussi l'avenir, sous la forme d'un pont qui se dessine en noir plus profond contre la nuit. Et tandis que Carmine remonte sa pente, un abîme intérieur le ramène à ce qui l'a conduit jusqu'ici – l'impression qu'il a dû provoquer le courroux d'une puissance à laquelle il ne peut ni croire tout à fait ni cesser de s'agripper. C'était la raison pour laquelle il n'avait jamais parlé au reporter de ces marches nocturnes le long des bas-côtés des autoroutes bleues, où il communiait avec son art. Ç'aurait été comme un sacrilège. On n'était pas censé devenir son propre spectateur, pas plus qu'on était censé assister à ses propres obsèques, ou essayer d'éclipser Dieu. Et à présent Richard, le pauvre bougre, était parti, Sammy pourrait bien s'en aller, Dieu n'a jamais répondu à ses appels, et Carmine est là sur ce pont, les étoiles qu'il a oublié avoir oubliées tombent entre les poutrelles, faisant papilloter les voitures allumées. Son dos commence à le faire souffrir – le travail n'est pas tendre avec lui. À cause de l'absence des gratte-ciel à l'horizon il doute de jamais parvenir où il veut aller et, derrière lui, l'endroit d'où il vient pourrait aussi bien avoir disparu. Il ne sait pas si à son retour, s'il y retourne, son camion ne sera pas réduit à un squelette calciné dépouillé de ses enjoliveurs. Ou si, sur l'autre rive, il n'y aura pas une rangée de policiers à cheval prêts à refouler tous les arrivants. Si, une fois la dernière voiture autour de lui rentrée à Long Island, ils ne feront pas sauter les ponts, emmenant Manhattan au large pour des funérailles en mer, selon la tradition viking. Mais derrière les flammes, ainsi que Carmine se le rappelle, tout sera de toute manière déjà mort. Tout hormis sa fille. Alors il continue à se traîner sur ce pont entre des mondes possibles, sur cette ruine branlante de lumière, essayant de se convaincre que parvenir de l'autre côté aura peut-être une importance cruciale.

EAST VILLAGE – 23 H 13

Heureux les pauvres en esprit, se souvient Charlie, tandis que, derrière la fenêtre, un ivrogne armé d'une machette gambade au milieu de Bowery. Plus loin, au coin de la 3e Est, le feu brûle un futon dont on voit les coutures. Des gens font cercle autour, ils tiennent ce qui ressemble à des morceaux de viande empalés sur des antennes de voiture. Le commissaire est obligé de faire hululer sa sirène rien que pour les obliger à s'écarter et même alors ils se contentent de jeter des regards fixes dans le tourbillon de lumière bleue. Comment le leur reprocher? Ce à quoi servent les véhicules de police, ici, c'est à maintenir les masses enchaînées, et le fait de se trouver à l'intérieur – lui-même enchaîné, plus ou moins, sur le siège arrière – désigne Charlie comme un traître à sa classe. Et puis quelque chose de charnu, un hot-dog ou pourquoi pas un godemiché, s'écrase contre la vitre près de sa tête et il a un sursaut d'empathie pour l'infirme, avec son levier spécial sur le volant et son frein qu'il actionne à la main. *Heureux les artisans de paix...*

— Qu'est-ce que tu dis?

Rien, dit Charlie. Rien.

Devant le Phalanstère, qui adopte son visage le plus impassible dans le noir, on enlève les menottes.

— Sans rancune, d'accord? dit le commissaire en empochant la clé. Les menottes font partie de la procédure et je désobéis déjà à une dizaine de règles de sécurité. Mais je suis désolé pour le désagrément.

Charlie déteste passer pour une chiffe, mais il ne peut s'empêcher de se frotter les poignets en suivant le sentier éclairé par la lampe titubante de Pulaski. Après avoir posé l'oreille contre la porte une minute, Pulaski fait le tour jusqu'à la fenêtre d'un sous-sol. Il tâte le contreplaqué.

— Tu sens ça? Il y a du jeu.

Comme dans la résolution de Charlie. Tout ce que ses muscles lui crient, dans ces moments cruciaux, c'est *Cours*. Et s'il détalait de nouveau, cette fois la forme penchée, entravée par les feux allumés ici et là, ne pourrait pas l'arrêter.

Au lieu de quoi, il tire sur le contreplaqué. Les clous crissent et gémissent. Ces échardes vont lui en faire baver demain. Il doit emprunter à Pulaski le bout de sa béquille pour arracher ce qui reste de bois, et laisser une trouée dans les ombres.

— Pourquoi je ne peux pas avoir une lampe moi aussi?

Mais il en a déjà été question, il n'y en a qu'une seule et le commissaire n'a pas l'intention de la laisser à Charlie.

— Tu comprends bien que tout ça, ce n'est que par courtoisie, hein? Je n'ai toujours pas dit que je croyais un mot de ton histoire.

Il éclaire le rebord de la fenêtre, comme une main tremblante s'assure qu'il n'y a ni éclats de bois, ni éclats de verre, ni clous restés en place.

— Je suppose que tu connais les lieux. Tu vas directement à la porte, tu m'ouvres et on fera le tour ensemble, on verra ce qu'on verra.

Mais les choses ne devaient pas se passer de cette manière. Le commissaire devait transmettre les accusations de Charlie aux Unités d'Élite qui convergeraient avec leurs M16 et leurs hélicoptères, ils sortiraient le sac de sport, et ensuite Nick et Sol, si Sol était encore là, pendant que Charlie observerait les opérations, à bonne distance où ils ne pourraient pas deviner qui les avait balancés, et ensuite… Et ensuite Sam vivrait. Il comprend que le côté totalement invraisemblable de son histoire, ajouté au blackout, a nécessité un changement de programme, mais il ne s'attendait pas à être celui qui entrerait, tout seul, au moment qui semblait l'heure H moins zéro.

— Et si quelqu'un monte la garde?

— Je ne voudrais pas te faire de la peine, mais ça n'arrivera pas. C'est mort là-dedans.

Charlie a vu de ses propres yeux que le sous-sol dans lequel on le force à pénétrer n'a aucun meuble, mais quand il atterrit sur les mains, sa mémoire lui semble incertaine, et ce petit carré de lune atrocement loin. Il tend l'oreille; le commissaire a raison: ce blackout, c'est un silence de mort. Ce qui ne signifie pas que quelqu'un ou quelque chose ne soit pas en planque. En fait, une planque silencieuse, c'est peut-être exactement ce qui est prévu. Il préférerait que cette putain de lampe éclaire jusqu'en bas, mais il a peur même de chuchoter par-dessus son épaule. En plus, qui dit que le commissaire est toujours là-haut? Qui dit que Sol Grungy n'a pas déjà bondi de sa cachette, pour se jeter sur Pulaski, l'étouffer et le traîner jusqu'à l'arrière de la camionnette ? Les gens peuvent se révéler capables de tout, ce qui ne laisse que deux options raisonnables : parier sur ce qu'ils ont de pire, ou sur la confiance. À ce stade, il semble à quatre-vingt-dix-neuf pour cent probable qu'il n'existe rien qui mérite la confiance. Que Charlie a compromis sa seule chance d'avoir un sentiment d'appartenance à cause de quelque idiotie fumeuse sur le caractère sacré de la vie. Même ces Béatitudes qu'il fredonne pour se calmer sont de la propagande, comme Nicky l'a dit dès le début. De la propagande avec assez de trous pour justifier les désirs de chacun. S'il y a eu péché, c'est aussi celui de Charlie. Mais il ne peut pas se contenter de rester là, comme un appât sur l'hameçon, alors il prend une bouffée de son inhalateur et trouve les escaliers, les murs tapissés de feuilles d'aluminium, le hall d'entrée. Quand il ouvre la porte – Dieu merci – le commissaire est de l'autre côté, ou du moins sa lampe qui tournoie et aveugle Charlie.

— Par ici, c'est là qu'ils doivent être.

Les marches de derrière ralentissent le commissaire, tout comme le sol accidenté dans lequel se découpe l'ombre de Charlie, les vieux cadres de vélos, tétanisés, en embuscade dans l'herbe haute. Des chats sauvages miaulent de désir ou de rage. Quelqu'un appelle d'un immeuble invisible pour leur dire qu'ils n'ont pas intérêt à violer sa propriété, ou sinon elle appelle la police.

— Ça va, madame, siffle Pulaski. Nous sommes la police.

Mais il a pris son revolver. Ce n'est pas exactement une approche furtive.

Devant le petit garage, la lumière ne révèle que l'aluminium aux fenêtres, la couche de poussière, l'obscurité. Un cadenas luisant, tout neuf, gît par terre près de la porte. Il y autre chose qui manque, mais Charlie ne parvient pas à poser le doigt dessus. Pulaski réunit le revolver et la lampe, pousse la porte et crie « Pas un geste ! », et le faisceau qui balaie les lieux éclaire... que dalle. Le mur de parpaing a été démoli et supprimé. Même la moquette a disparu. Il ne reste qu'un tas de cordes de guitare et une grosse caisse marquée *Nihilo*.

Pulaski tape sur la grosse caisse. Elle est vide.

— C'est ça ? C'est ça, ton grand complot ?

Il n'est jamais passé par la tête de Charlie que Nicky ne serait pas là – que même ces dernières épiphanies étaient peut-être sujettes à caution, pense-t-il, désespéré, en balayant du regard tous les endroits où pourrait se dissimuler une bombe. Que Nicky est trop narcissique pour se supprimer. Peut-être, plutôt que de sombrer avec le navire, a-t-il planqué sa poudre dans un lieu plus sûr avant de se casser. Reste-t-il assez de minutes pour fouiller toute la maison ?

— Non, non, laissez-moi un peu de temps.

Il le précède dans l'escalier de derrière puis monte, étage par étage, et attend chaque fois la lente et pénible ascension du commissaire qui ne lâche pas la lampe. Les intérieurs qu'elle balaie semblent distordus, comme avec un corps réduit à son squelette. Lames de parquet souillées, briques émiettées… C'est comme si Charlie avait entièrement rêvé ce qu'il a vécu ici. Comme si c'était lui, cloué dans un lit avec une perfusion de morphine. Il n'y a pas un seul endroit où dissimuler un sac. Il aurait au moins voulu avoir ce paquet de photos pour prouver au commissaire qu'il n'est pas fou, qu'il existe vraiment un PPH, mais tout ce qu'ils trouvent est dans le grenier, et se résume à ce qu'il a laissé hier en pensant s'absenter une heure, le sac de couchage, ses vêtements en tas, et l'appareil photo de Sam sans pellicule à l'intérieur. Il voit ses mains prendre la bandoulière. Il la passe sur son cou et son épaule, lutte contre une sensation d'étouffement. Les fenêtres sont fermées, c'est un sauna là-dedans. La cheminée est murée. Mais il se rappelle qu'il y a un niveau au-dessus.

Il est à mi-hauteur sur l'échelle qui monte sur le toit quand le commissaire dit :

— Où vas-tu comme ça ? Je ne peux pas grimper.

— Attendez ici. Mais je vais avoir besoin de la lampe.

— Charlie, j'en ai assez vu pour la nuit. J'étais curieux. J'ai joué. J'ai perdu.

— Je vous en supplie… Vous avez dit que vous m'accordiez une chance. Je vous ai fait confiance.

Il se passe peut-être encore un peu de temps. Et puis, à la surprise de Charlie, Pulaski lui donne la lampe.

Charlie a déjà enjambé le dernier barreau quand le vertige le saisit. Il est obligé de se mettre à quatre pattes, comme un bébé. De là où il se tient, la lampe ne rencontre rien de solide sinon un pigeonnier dévasté. À travers les planches et le grillage, se glisse la lumière humaine de la rue – voitures, feux, et d'autres lampes – et au-delà, ce qui fait bander Nicky : le quartier financier, tout entier effacé. Ou presque tout entier ; des lumières rouges clignotent au sommet de deux tours spectrales, car même en plein blackout, il faut envoyer des signaux aux avions. En se tournant en direction de Midtown, il distingue à peine l'Empire State, colonne noire se détachant sur les étoiles, et l'aiguille du Chrysler Building. Et puis quelque chose luit entre les deux. Un rhombe doré qui s'évase et rougeoie.

— Dis-moi ce que tu vois là-haut, crie une voix sous la trappe derrière lui.

— Rien, doit-il avouer. Je ne vois rien.

— Rien, ça n'existe pas, petit. Dis-moi ce que tu vois.

Charlie lève son faisceau léger, comme s'il pouvait atteindre jusqu'à Uptown. Il se souvient d'une exposition que son père l'avait emmené voir au Muséum d'histoire naturelle. On poussait un bouton, une lumière s'allumait sur le haut d'un immeuble ; huit secondes plus tard, elle atteignait la lune. Autour du lointain gratte-ciel au toit doré, il croit voir un nuage de fumée – c'est ce qui provoque ce chatoiement, gris sur or – mais le nuage ne se comporte pas comme une fumée. Au lieu de flotter ou de s'élever, il balaie le ciel d'avant en arrière comme un voile. Merde. Ce qui manque dans le garage derrière et maintenant sur le toit, ce sont les oiseaux de Sol. Et les voilà, tournant autour de la tour à un kilomètre d'ici, comme les singes volants d'Oz, ou les oiseaux du Ciel qui tentent désespérément de lui dire quelque chose.

— Je vois cette tour avec ses lumières rouges allumées, dit-il. Celle avec la pagode dorée au sommet.

— Tu veux parler du Building Hamilton-Sweeney.

Et pendant une seconde, Charlie a un pressentiment nouveau de ce qui se joue ce soir. Qu'est-ce qu'on disait, déjà, au temps où il n'y avait pas de gratte-ciel ? Plus on monte haut, plus on s'approche de… oh, mon Dieu.

92

APRÈS LA DERNIÈRE COUPURE DE COURANT, en 1965, huit des neuf principaux centres médicaux de Manhattan avaient lourdement investi dans la modernisation de leur groupe électrogène. Devinez lequel ne l'a pas fait. Exact : Beth Israel, aujourd'hui, ne peut compter que sur une unique, antique, anachronique machine diesel reléguée dans une annexe de la chaufferie. Le plan d'urgence déposé auprès de la municipalité prévoit un appel téléphonique de la Con Ed en cas de coupure de courant, de façon que le circuit principal puisse être commuté, mais ce soir aucun appel téléphonique ne vient et la totalité de la tour est momentanément frappée de cécité. Un gardien doit alors prendre sur lui de braver les cercles de l'enfer que sont les sous-sols d'un hôpital urbain et de trouver la dérivation manuelle – car la lumière revient dans les étages supérieurs, accompagnée d'un grondement qu'on n'entendait pas avant. Les fenêtres tremblent dans leurs cadres. Les boîtes individuelles de fruits au sirop tressautent sur les plateaux inclinés. Bien qu'atténué par les revêtements de sol et les souliers aux semelles épaisses, le grondement atteint jusqu'aux infirmières qui vont et viennent en couinant le long des murs peints en rose chirurgical.

Le mercredi soir est généralement le soir le plus calme de la semaine et, à cet instant, les médecins terminent leur dîner à Westchester. Comme avec les flics, beaucoup seront rappelés en ville au cours des prochaines heures.

Ils formeront de petits caillots agonistiques dans les salles d'attente et chercheront à établir les différentes responsabilités, mais ce sont les infirmières, en fin de compte, qui sont les pacemakers de ce cœur atteint d'un court-circuit. Leur premier travail consiste à rendre visite à chacun des neuf cent trente-sept lits et à vérifier que son équipement est de nouveau alimenté. C'est une tâche colossale, mais ces mêmes femmes robustes d'Europe de l'Est ou des Caraïbes qui peuvent vous rendre la vie infernale si elles sentent que vous prenez ce ton avec elles connaissent le protocole par cœur. Elles vérifient les fonctions vitales, changent les perfusions de glucose et ventilent les patients dont le masque à oxygène s'est détraqué lors du rétablissement du courant. Elles parcourent les couloirs avec une hâte qui pourrait paraître majestueuse, comme les pompiers au déclenchement d'une alerte.

Il est doublement difficile, de ce fait, de comprendre pourquoi il faut des heures avant que quelqu'un entre dans la chambre 817B. Ou triplement, car les infirmières du huitième étage – Magdalena et Fantine, Mary et Mary Pat – éprouvent une tendresse quasi maternelle pour son occupante qui, à cent quatre-vingt-treize jours, est la plus ancienne. Elles ont fermé la fenêtre quand les soirées étaient fraîches et que son père l'avait laissée ouverte, elles l'ont ouverte le matin quand il y avait quelque chose qu'elle aurait théoriquement aimé voir. Elles l'ont lavée avec des éponges dorées, le genre d'éponges que les maris emploient pour laver le break familial le week-end. Elles l'ont changée et essuyée et, techniquement parlant, nourrie également. Fantine et Mary Pat lui ont chanté des chansons, les autres ne chantent pas. Mais toutes lui ont caressé la main ou la joue en disant *Salut là-dedans* et *Au revoir, à bientôt* et *Repose-toi bien, Belle au Bois Dormant*. C'est Fantine qui lui a donné ce surnom. Et peut-être, à la réflexion, est-ce la raison pour laquelle il lui a fallu si longtemps : plus une chose est proche – plus elle fait partie de nous – plus il est facile de la perdre de vue.

Il est plus de minuit quand Fantine finit par entrer en poussant le nouveau pied à perfusion et elle n'a pas fait entendre trois couinements à l'intérieur de la chambre qu'un poignard lui transperce le cœur. Elle ne pourrait pas dire ce qu'elle voit en premier : le respirateur inerte dans le coin, ou la montagne de chair dorée penchée au-dessus du lit. Une chemise d'hôpital s'ouvre dans le dos, découvrant des serres ou des ailes couleur d'encre qui montent des vertèbres vers le cou et le crâne. Ce doit être l'homme qui a tiré sur elle, comprend Fantine – le Tueur de Socquettes, revenu finir le travail. Ses mains persistent dans leurs gestes d'étranglement alors qu'il se tourne pour voir la source du cri. Les tatouages lui couvrent la moitié du visage ; elle n'a jamais rien vu de pareil. À son oreille pend un minuscule poignard. Et puis, tel un prédateur trop puissant pour prêter attention à une bouchée comme elle, il retourne à sa tâche.

Au mois de janvier, ce petit béquillard appartenant aux forces de police avait réuni l'ensemble des infirmières lors du changement d'équipe et leur avait demandé de surveiller la Belle au Bois Dormant de très près. Comme si, juste à cause de sa peau blanche, elle avait plus de valeur que les autres patients. Les journaux ne divulguaient pas son nom, mais ils en faisaient déjà l'exemple de ce qui allait de travers dans cette ville, alors qu'à East Flatbush, quand on rentrait à pied de la gare tard le soir, on entendait souvent des coups de feu sans que ça intéresse personne. Un philanthrope anonyme ne tarderait pas à annoncer qu'il prenait à sa charge les factures d'hôpital de la fille. Mais cela datait de bien avant que celle-ci signifie quelque chose de spécial pour elle, et maintenant Fantine voit toute l'étendue de son échec. On a dit qu'il y avait eu du remue-ménage plus tôt dans la journée ; elle aurait dû être plus attentive. Elle serre plus fort le pied à perfusion, comme un harpon. Elle s'efforce de ne pas penser à ce que les mains de l'homme pourraient lui faire. Mais elles remuent de nouveau et il y a un bruit qu'elle reconnaît, une brique de lait vide qu'on écrase. Elle voit le sac bleu d'un insufflateur manuel. Et l'homme dit, exactement comme s'ils se connaissaient :

— Vous venez prendre le relais, ou quoi ? Mes bras n'en peuvent plus.

Ses manières décontractées lui donnent le feu vert pour voler à travers la pièce comme elle en était incapable quelques instants auparavant. Mais pour qui se prend-il ? Que fait-il ici ? Il n'est pas… Elle cherche un mot fort.

— Vous n'êtes pas compétent !

— Eh bien, l'un de nous deux ferait bien d'actionner ce truc, ma petite, car ce respirateur est au point mort depuis des heures.

Quand il lui présente le ballon, un réflexe lui fait souffleter la main et le ballon bleu source de vie tombe par terre. Toute autre pensée s'efface de son esprit devant l'horreur quand le moniteur cardiaque émet une plainte. Elle se met à quatre pattes. Puis elle se relève, place le masque en plastique transparent sur le nez et la bouche de la fille, et pompe furieusement. Au bout de quelques respirations, elle donne à l'intrus l'ordre de poser le pouce sur le poignet de la fille.

— Maintenant comptez, bon sang ! dit-elle en s'y remettant. N'arrêtez que lorsque je le dis.

Elle a sa poitrine à vingt centimètres de ses épaules immenses, il a les bras qui explosent tels des jambons de concours dans les manches de sa chemise trop serrée. Au milieu des tatouages, il y a une croix gammée qu'elle feint de ne pas voir. Au bout de quinze secondes, elle calcule un rythme cardiaque

de quarante-quatre battements par minute, ce qu'indique aussi l'électrocar-
diogramme. Il arrête d'émettre des bip. L'air pénètre, ressort, embrume le
plastique. Dans le corps de verre du respirateur, elle se voit, l'air renfrogné.

— Les heures de visite sont terminées, vous savez. TER-MI-nées.

— Je ne suis pas un visiteur. Je suis un patient.

— Ah bon?

— Je suppose que cette tunique que vous me faites porter signifie que
je peux me promener dans les couloirs si j'en ai envie. Et il se trouve que
Samantha, ici, est une vieille amie. Vous avez de la chance que je sois monté
la voir, sinon je n'aurais pas entendu ce moniteur cardiaque se mettre à hurler à la mort quand le courant est revenu.

Elle ne peut le regarder en face.

— Il aurait fallu appeler une infirmière.

— Vous voyez un téléphone quelque part?

— Il y a un bouton d'appel. Nous avons une formation spéciale. Avez-
vous une formation?

— Sans blague, pas la peine d'avoir un diplôme pour se rendre compte
que Sam ne respirait pas. J'ai vu ce truc près de l'évier et depuis je suis assis
là, je n'ai pas arrêté de lui en envoyer dans sa jolie figure.

Fantine le regarde pour voir quel genre de polisson est ce diable, mais
l'encre noire qui s'enroule de biais autour de sa bouche et l'un de ses yeux
rend difficile de dire si on peut douter de sa sincérité.

— Ces tatouages, c'est mauvais pour vous, vous savez.

— C'est ce que me répétait ma mère, que Dieu ait son âme.

— L'encre va dans le sang, ça peut provoquer une hépatite.

— Je ne suis plus de ce monde pour longtemps, ma belle. Cancer de la
roupette.

Sans réfléchir, il masse le devant de sa chemise et fait la grimace.

— Demain, c'est le coup de ciseau. Peut-être la gauche aussi, juste au cas
où. Mais vous ne le dites à personne, n'est-ce pas? Parce que je devrais vous
tuer. Ou quitter la ville, l'un ou l'autre.

Elle l'examine.

— Mais bon, en quoi ça vous regarde, hein? Ça ne relève pas de votre
compétence, c'est pareil qu'ici, pour moi. Je devrais être sage et redescendre
me taper mon baryum.

— Non, s'entend-elle dire, surprise. Vous restez. Vous devez rester.

Ici, dans la 817B, ce flot de lumière au-dessus d'une ville obscure, elle
se fait l'effet d'un mollusque délogé de sa coquille. Une vie grise frémit.
Un autre échange de regards, une autre collision de peau et de peau et cet

homme grossier et scintillant connaîtra tout ce qu'elle trimballe en s'efforçant de le cacher au monde et à elle-même. Ce qu'elle a ressenti quand elle a planté le couteau de boucher dans son premier mari la nuit où il l'avait tellement battue. Ce qu'elle a ressenti tous les jours après, sachant ce qu'elle avait fait. *Réveille-toi*, dit une voix quelque part, très nette. Et elle essaie. Elle essaie.

— Il faut voir s'il y a eu des dégâts. Il faut que quelqu'un actionne la pompe pendant que je vais chercher le médecin.

Bien sûr, Bullet pourrait y aller, lui, mais elle lui montre la bonne technique, où poser le pouce afin de ne pas fatiguer les muscles du poignet. Une fois sur le seuil, et seulement alors, elle se laisse aller à regarder vraiment ce motard colossal, cet octavon avec ses tatouages et sa longue chaîne en guise de boucle d'oreille. Elle veut lui conseiller de l'ôter avant de se soumettre aux examens, mais les mots se dérobent devant la métamorphose qui se produit sous ses yeux. La délicatesse impensable de ses gestes quand il vérifie l'adhérence du masque. Sa gravité quand il surveille l'aiguille, un peu lente, des secondes sur l'horloge au mur avant de presser de nouveau.

MIDTOWN – PAS VRAIMENT 21 H 27

— Vingt minutes et après on arrête tout, dit le commissaire en refermant la portière de Charlie derrière lui.

Mais comment savoir maintenant ce que signifie « vingt minutes » ? L'horloge sur la banque en face est bloquée à 21 h 27. À l'intérieur de la voiture, dont la radio est de nouveau en panne, la sirène tournoie, muette. Des rubans de couleur bleue balaient, sur le trottoir, les ordures qui n'ont pas été ramassées. Autrement rien ne trouble le noir jusqu'au moment où, à quelques mètres à peine du hall, Charlie voit un éclat rouge dans le ciel. Et les voilà, à une hauteur de trois terrains de football : ces oiseaux qu'il a aperçus tout à l'heure, à des kilomètres, depuis le toit de la maison. C'est comme si le temps lui-même était en suspens. Et ce n'est pas ainsi qu'un mystère est censé finir, pense-t-il. Mais s'il avait raison ? Toutes ces tonnes de pierre qui s'écroulent et ne laissent qu'un cratère, vaste comme un stade, en plein Midtown ? Tous ces gens dans les immeubles voisins tués sous les décombres ou par le feu ? Il croit presque entendre l'air là-haut sonner l'alarme. Au sol, le commissaire est arrêté par les portes-tambour qui sont fermées, ce que n'importe quel idiot aurait pu lui dire. Il découvre son insigne, fait grincer le métal contre le verre. Le faisceau de sa lampe ne pénètre pas loin. « Police ! » Charlie s'agite, regarde autour de lui, une autre bouffée d'inhalateur. Il règne dans ces pâtés de maisons un silence inquiétant, sans autobus, sans quais de chargement motorisés, ni même un seul avion dans les airs. Puis il y a des bruits de pas, des semelles sur un sol dur et un œil de lumière qui répond de l'intérieur.

Quand la porte s'ouvre, le porteur de lumière est un type gras avec une moustache merdique. Des pellicules sur sa tenue en velours. Ces costumes, autrefois, semblaient si élégants à Charlie quand il venait pour son détartrage annuel. Il se revoit, debout près des ascenseurs, essayant de ne pas céder à la panique, Maman lui serrant le bras. Maintenant, c'est Pulaski qui serre et marmonne à Charlie de la fermer. Et puis quelque chose craque quand le commissaire se redresse de toute sa hauteur.

— Nous devons inspecter les lieux.

Jamais ils ne se seraient permis ça en plein jour.

— Vous êtes quoi, des journalistes ?

— Le NYPD.

Le commissaire fait reculer l'insigne qu'une main cherche à saisir.

— Et l'appareil photo ?

L'homme indique Charlie.

— Mon partenaire est infiltré…

— Nous devons fouiller le quarantième étage, dit Charlie.

Il faut du cran, vu le regard assassin de Pulaski, mais il vient de se rappeler autre chose : le panneau en cuivre, avec quelques lignes au-dessus de Dr DeMoto, *Société Hamilton-Sweeney, Suite 4000.* C'est, pense-t-il, comme si rien ne disparaissait jamais – comme si les échardes se cachaient quelque part à l'intérieur, en attendant d'être réunies. Il aurait trouvé cela réconfortant, s'il avait eu le temps d'y réfléchir, mais le gros type s'obstine à leur barrer la route.

— Je vais devoir appeler le gérant de l'immeuble.

— Je crains que nous n'ayons pas le temps, dit Pulaski.

— Alors *je* crains que vous ne soyez obligé de me montrer un mandat.

La conduite à tenir avec ces fonctionnaires municipaux consiste à les garder à distance, autrement, une fois qu'ils ont établi leur position, ils la défendent jusqu'à la mort. Mais l'inspecteur dégrafe quelque chose près de son aisselle, et dirige sa lampe dessus. Ses paroles restent courtoises, mais leur timbre se fait plus dur.

— Il me semble que les circonstances sont exceptionnelles. Nos machines à écrire sont toutes électriques au commissariat. Sans parler de la difficulté à joindre un juge à… quelle heure est-il, minuit moins le quart ? Alors disons que dans un esprit de coopération civique vous nous montrez à moi et à mon partenaire la façon la plus rapide de monter au dernier étage. Non, je veux dire nous y conduire physiquement. Et pour votre patron, soyez sans crainte. Le moment venu, je lui dirai à quel point il peut compter sur vous.

Un gratte-ciel, en fin de compte, ressemble beaucoup à une personne. Il y a la façade extérieure, avec tous ses ornements imposants et, soudain, la fragilité : en l'occurrence, un panneau en érable derrière le bureau du vigile. Il s'ouvre dès que celui-ci le touche. Les deux lampes furètent autour de plaques de béton nues, de cendriers et de cartes à jouer éparpillées, d'un seau de chewing-gums mâchés pendant le service. Une cage d'escalier monte dans une obscurité qui pourrait ne jamais finir. Les poumons de Charlie se bloquent de nouveau.

— Votre ascenseur n'est pas relié à un groupe électrogène ?

— Mon vieux, s'il y avait un groupe, est-ce que je ferais le malin avec ma lampe de poche ?

C'est un argument solide, mais comment expliquer alors ce voyant lumineux là-haut ? Enfin, à moins qu'il ne s'agisse du signal que Charlie attend depuis des mois et qui l'invite à commencer son ascension.

HÔPITAL BETH ISRAEL – VERS 23 H 50

Peut-être auraient-ils dû aller à St. Vincent. L'homme dans le chariot est tellement plus lourd qu'elle ne croyait et les rues perpendiculaires sont tellement plus longues. Ils viennent juste de traverser l'un des deux quartiers de la ville spécialisés dans l'électricité ; elle avait trouvé merveilleux, autrefois, qu'il pût exister de quoi constituer un quartier (assez de fleurs, assez de magasins de mode, assez de diamantaires). Mais ce soir il n'y a pas d'électricité dans le quartier de l'électricité, rien que du noir, des formes aux contours vaguement hominiens se déplaçant isolément ou par paires, et puis, venant derrière, les sirènes, les bruits de casse, l'odeur des flammes. Plus Mercer et elle poussaient vite, plus le trottoir secouait le chariot au point qu'on aurait pu croire que le corps, à l'intérieur, remuait. Il y avait eu des arrêts périodiques, aussi, pour les chamailleries. Mais à présent c'est l'accalmie, les arbres, le bruissement des feuilles plus tout à fait invisibles dans leurs bacs – et au-dessus, la masse de l'hôpital, ses fenêtres superposées et vivement éclairées, seule véritable lumière en vue.

Ce qui l'effare, c'est la file d'attente. Elle semble s'étirer jusque dans la 2e Avenue. Des hommes en uniforme gardent les portes d'accès des ambulances. Des auxiliaires médicaux armés de planchettes à pinces.

— Je reviens, dit-elle à Mercer, et elle va leur parler.

Elle passe devant des fauteuils roulants, des bras en écharpe, des ventres comprimés, un homme qui vomit dans un buisson, un autre qui semble avoir reçu un coup de matraque sur la tête. Les infirmiers, en revanche, sont frais et impassibles. Ils pourraient être jumeaux. *Où étiez-vous il y a une heure*, a-t-elle envie de demander. *Et maintenant, avec tous ces gens… ?* Elle se dit que les urgences doivent être en sous-effectif – une supposition que les infirmiers confirment. Toutes les salles d'examen, toutes les civières, tous les sièges sont occupés. À moins de souffrir d'un mal en haut de la liste de triage, vous pouvez rester ici jusqu'à l'aube.

— Ce n'est pas moi, dit-elle. C'est un des types avec moi. Il a été heurté par une voiture. Depuis, il est inconscient.

— Avez-vous assisté à la collision ?

Comment dire ?

— Façon de parler.

— Il saigne ?

— Pas que je sache, mais…

— Tant qu'il respire, il va mieux que les autres à l'intérieur. Nous allons envoyer quelqu'un pour l'examiner, mais faudra sûrement qu'il attende.

En revenant sur ses pas, elle imagine une campagne visant à remplacer toutes les équipes civiles d'intervention par des appelés, comme avec les jurés. Enfin, pas les pompiers. Montrez-lui un pompier, Jenny posera la main sur le cœur et vous chantera *La Bannière étoilée*. Mais à l'instant où elle veut expliquer à Mercer pourquoi il va leur falloir rester un peu, on entend un petit bip électronique.

— Qu'est-ce que c'est ?

Biiip.

— C'est votre montre, non ?

C'est une accusation. Elle la lui donne. Sa langue lui colle au palais.

— Le petit bouton sur le côté. Minuit ne signifie pas nécessairement quelque chose, Mercer. Nous l'aurions entendue si une bombe avait explosé dans l'East Village, non ?

— Je ne sais plus. Je ne sais plus ce qu'on aurait entendu.

— L'heure était une hypothèse, rappelez-vous, et quelqu'un a pu arriver avant et la neutraliser. Vous ne disiez pas que…

— Mais la cible, elle, n'était pas une hypothèse ! Nous savions depuis le début que William était en danger. Et pourtant nous sommes là, avec ce type.

— Attendez, écoutez. Ce sont des sirènes ?

Encore une fois, si elle n'avait pas eu la certitude que c'était impossible, elle aurait dit que l'homme dans le chariot avait remué.

— Non, désolée, toujours la même. Tant qu'on n'assiste pas à un exode en masse des ambulances qui sont là…

Une autre sirène lance sa plainte. Un autre silence. Cinq secondes. Dix.

— C'est grotesque, dit-il, toute cette expédition. Je m'en vais.

— Mercer, on ne peut laisser ce type souffrir. Attendez au moins qu'un médecin vienne.

— Je vous interdis de faire comme si j'étais indifférent à la souffrance. Ce que je dis, c'est que je vais aller chercher William. Il faut que je sache, d'une façon ou d'une autre.

— Je n'y suis pour rien, dit-elle, déjà consciente qu'il a raison.

Ça paraît tellement égoïste.

— Mais je suppose que ce n'est pas votre problème. Je sais, vous avez besoin de savoir. Alors, soyez prudent, d'accord?

Mercer est presque parvenu au coin quand elle remarque que le type blanc dans le chariot s'assoit et le regarde partir.

— Vous êtes réveillé!

Le temps pour elle de se retourner pour voir la réaction de Mercer, et il est déjà passé de l'autre côté de la lumière.

— Qui êtes-vous? questionne le type. Je vous connais?

— Bon sang… et vous parlez! Vous êtes à l'hôpital.

Peut-être vaut-il mieux qu'il ne se rappelle pas pourquoi.

— Vous avez eu un accident, une voiture. Regardez. Combien de doigts?

— J'y vois fichtrement rien. Qu'avez-vous fait à la lumière?

— C'est une panne d'électricité. Attendez, ne bougez pas, vous ne devez pas bouger.

Mais il est déjà debout et il est si grand dans ce chariot que les autres, dans la file, se tournent et le regardent, bouche bée. Il semble surpris par le nombre – à la façon dont le serait un spectre en découvrant qu'il existe, finalement, une vie après la mort. Ce qui est le cas, en un sens, pense Jenny, juste au moment où il bondit sur le sol et tombe. Se relève et marche dans la rue. Il est plein de grâce en l'air, mais pas autant sur pied. Quand il s'écroule de nouveau, à un demi-bloc vers le sud, elle le suit à quelques mètres. De plus loin, les gens observent, médusés.

— Hé, hé, dit-elle en lui prenant le bras. Vous connaissez l'expression « le triomphe de l'espoir sur l'expérience »? Une voiture vous est pratiquement passée dessus. Il faut vous faire examiner.

Dans les phares d'une automobile, il semble plus jeune qu'auparavant, avec une bouche aussi sensible que celle d'un enfant. Elle fait la moue tandis qu'il se concentre. Jenny entend presque le moteur de son cerveau se mettre en marche, et puis le bruit se révèle être celui de quelqu'un qui essaie de faire démarrer un autre moteur ayant calé au bout de la rue. Ayein yein yein.

— Je dois rentrer chez moi.

Il a un léger accent, comme Mercer. *Ran*-trer. Si je ne peux pas physiquement le forcer à retourner aux urgences, pense-t-elle, je peux au moins tenter de le convaincre, mais une autre voix s'élève encore – ou pas exactement une voix, une idée plutôt, qui a pénétré dans sa tête. Comment sait-elle qu'elle ne lui appartient pas ? Car c'est *Laisse tomber*, et Jenny n'a jamais rien fait de tel de toute sa vie.

— Et comment allez-vous vous y prendre ? Vous ne pouvez pas marcher sans aide, visiblement.

Il essaie de prouver qu'il va y arriver, mais son genou cède au bout de quelques mètres.

— Bordel !

Elle attend qu'il lui demande son aide, elle le laisse hésiter là une minute. Doit-elle tout faire elle-même ? Et puis elle soupire, elle prend son bras et le passe autour de son cou. Ce sera beaucoup plus tard dans la nuit, du moins lui semblera-t-il, qu'elle pensera à lui demander où ils vont.

UPPER WEST SIDE – UN PEU PLUS TÔT

En son for intérieur, William Hamilton-Sweeney croyait depuis toujours que, s'il lui arrivait un jour de dire à son père le fond de sa pensée, le monde se consumerait aussitôt. Au contraire, il ne se passe précisément rien. Les murs de la bibliothèque ne s'écroulent pas, il n'y a pas même de variation perceptible dans la respiration de Papa. Il continue.

— C'est vrai. Je suis sûr que Regan a donné un million de raisons pour expliquer pourquoi je ne suis pas revenu, elle est capable de tout justifier rationnellement, mais la vérité, Papa, est aussi simple que cela : tu es un enfoiré. Et si je reste assis ici – je n'ai accepté que pour lui rendre service, soit dit en passant – je ne veux pas que ni toi ni moi cédions à la tentation de faire semblant de ne pas savoir ce que l'autre a dans le cœur.

Une dizaine de petites perles de feu étincellent derrière le divan où son père s'est perché. À moins que le mot exact ne soit canapé. Les domestiques semblent avoir quitté le navire avant Amory (en supposant qu'il ne les ait pas fait buter, eux aussi), et Papa s'est donc lui-même installé de cette façon, les coudes posés sur de luxueux coussins à la manière d'un juge de l'Ancien Testament. Mais aucune bougie n'étant allumée de ce côté-ci de la pièce, la grimace qu'a provoquée l'insulte de William demeure à peine perceptible.

— Ce serait pourtant bien dans la tradition des Hamilton-Sweeney, n'est-ce pas? J'aurais dû deviner que tu resterais là sans dire un mot.

Et en un sens, la réprobation silencieuse est pire qu'une éruption. William se dirige vers les tiroirs sur le mur côté nord, ostensiblement pour chercher d'autres bougies, mais en réalité pour attendre un nouvel élan de courage, de candeur, ou de quoi que ce soit. C'est comme si une force immense et insondable, cette puissance supérieure à laquelle il s'adresse depuis quelques semaines, l'avait ramené à l'endroit où tout a commencé, et maintenant il a grand besoin qu'elle lui dise quoi faire. Il penche la tête, il essaie de s'absorber dans le dos des livres. *Amende honorable*, c'est l'expression qu'emploie Bill W.[1] dans le Gros Livre. Peut-être devrait-il se servir de son propre silence pour arracher à Papa les amendes honorables qu'il désire, mais tout ce qu'il obtient, c'est le raclement de gorge de Papa, ce tic chondral exaspérant au plus haut point.

— L'ironie, c'est que toutes ces années je n'étais qu'à deux ou trois kilomètres. Amory ne te l'a pas dit non plus, n'est-ce pas? Mais crois-moi, je suis sûr qu'il se tenait au courant. Les drogues, tout. Tu aurais pu me retrouver sans aucune difficulté, mais à quoi bon? Je te rendais service en n'étant pas là pour te rappeler des choses que nous savions tous les deux. C'était comme si nous vivions dans deux villes différentes. Toi, là-haut, dans ton confort marmoréen, moi, en bas, me suicidant à petit feu.

Selon Bill W., parler de vos comportements les plus honteux, présenter leur côté sordide soulagera vos angoisses. Mais en pratique, tant qu'il se limitera à hem-hemer la possibilité qu'ils vaillent la peine qu'on les entende, c'est Bill H.-S. qui a l'avantage. Et il le sait, ils le savent tous les deux.

— La première chose, c'est que je suis homosexuel, Papa. Ou quelle était l'expression que tu employais quand Liberace passait à la télévision? Un excentrique. Je sais que ce n'est pas une surprise, mais pour ton information : je suis attiré par les hommes. J'ai des relations sexuelles avec eux, s'entend dire William. Et puisque je joue cartes sur table, j'ai fini par trouver quelqu'un dont j'aurais pu tomber amoureux. Tu veux deviner ce qui s'est passé ensuite? J'ai tout fait foirer, voilà. J'ai menti. J'ai dissimulé. J'ai été froid et orgueilleux et centré sur moi-même. Toutes ces merdes que je me traîne à

---

1. Bill W. (William Griffith Wilson) est le cofondateur des Alcooliques Anonymes.

cause de toi, dont je n'ai pas pu me détacher parce que je ne savais plus où elles s'arrêtaient et où commençait le reste de moi. Je m'y suis cramponné comme un naufragé qui ne sait pas qu'il peut nager.

Il sent maintenant une vague de chaud contre sa nuque, comme si quelqu'un avait apporté une torche dans la pièce, mais il se retourne, il ne voit que d'autres ténèbres. Il n'y a que lui et le visage insondable devant lui, une lutte de volontés. D'un Will contre un autre Will, pense-t-il. Il retombe dans le silence, qu'il parvient à garder incroyablement longtemps, des minutes entières peut-être. Mais chaque élan finit tôt ou tard par devenir insupportable.

— As-tu remarqué que tu ne m'as plus touché, Papa, après la mort de Maman ? Comme si j'avais attrapé une maladie. Tu ne manquais pas d'occasions de, je ne sais pas, m'ébouriffer les cheveux, me prendre dans tes bras, me donner un coup de poing même, mais tout ce que j'ai jamais eu, c'est une poignée de main. Je croyais me souvenir qu'on m'avait serré l'épaule à l'enterrement, mais c'était Oncle Artie. Tout ça, j'en suis sûr, donne l'impression que ce sont des enfantillages, mais à l'époque, je te voyais encore comme un dieu dont les grandes mains pouvaient me sauver, si seulement je pouvais faire en sorte qu'elles me touchent.

Il ne reste qu'une seule bougie dans le tiroir de droite et une pochette d'allumettes dont il se sert pour allumer une cigarette. Il plisse les yeux pour les protéger de la fumée.

— L'une des choses que j'ai pu comprendre en désintoxication, c'est que je me suis toujours placé en position d'être sauvé. Regan était en général celle qui enfourchait son cheval blanc, mais un jour je me suis dit : si je me débrouillais pour que le problème la dépasse, tu serais obligé d'intervenir. Mais tu n'as même pas été capable de faire ça pour Regan, n'est-ce pas ?

Ce qu'il n'est pas capable de faire, lui, s'étant rapproché à deux mètres, c'est de regarder Papa dans les yeux. Il y a une odeur aigre-douce, ammoniaquée, mais il n'y prête pas attention.

— Je crois que ce jour-là, soit dit en passant, tu savais que j'avais raison, malgré ce que Regan a décidé de taire. Le jour où nous sommes venus te voir, avant le dîner de répétition. Tu avais toujours cette faculté de percevoir les choses, quand il s'agissait d'elle. Et tu n'es pas idiot. Ta fille s'est retrouvée enceinte, sans solution, et entièrement seule.

Il avait eu une demi-vie pour réfléchir à ce qu'eût été une décision juste.

— Tu aurais pu au moins annuler la fusion, sinon ton mariage. Tu aurais dû exiger la tête de ce type, et celle d'Amory. Ne te berce pas d'illusions en croyant que garder Regan près de toi, la nommer directrice ou je ne sais quoi, revenait au même que de lui donner ce dont elle avait besoin. Ce qui lui est arrivé était pour elle une telle souffrance qu'elle se faisait vomir. Tu le savais? Je ne l'ai pas vue pendant quinze ans, et pourtant je le savais. Tu aimes te considérer comme un homme de devoir, mais quand l'un de tes enfants s'enfonce les doigts dans la gorge et que l'autre emploie son héritage à se piquer les veines… il y a de quoi se poser des questions. Et maintenant Amory prépare ta chute, à ce que je vois. Et aussi ma disparition. Et quelle est ta première réaction quand je viens te le dire? Tu le défends.

Et pourtant, plus William est proche d'obtenir justice, plus il se sent mal. Il y a cette « maladie » à laquelle les gens ne cessent de faire allusion; peut-être Papa ne se souvient-il plus de rien. Peut-être, en fait, la douleur provoquée par la fuite de William a-t-elle été à l'origine de son déclin. Auquel cas, qui, en réalité, doit réparation à qui? Et qui est cette conscience imper-sonnelle énorme, là-bas, au-delà des marges, qui observe, qui exige, qui désapprouve? Peut-être n'est-ce nul autre que lui-même. Peut-être *là-bas* se trouve-t-il là-dedans.

— Je vais te dire autre chose. Il y a cette image qui me revient sans cesse où je me tiens sur la rive d'un fleuve immense. En levant les yeux, je peux, de l'autre côté, voir un autre moi, un moi meilleur, main dans la main avec Mercer – c'est son nom, mon ex – et tous les deux me regardent gesticuler ici, ils me regardent depuis la vie que je suis censé avoir eue. Quand est-il devenu impossible d'aller d'ici à là-bas? Quand ce pont a-t-il été brûlé? Jusqu'à ce soir, j'aurais répondu que c'était la veille de ton mariage, avec Regan, le discours et tout ça, mais maintenant je pense que c'est maintenant. Parce que, nous voilà, pour la première fois depuis des années, je suis en train de te dire que tu ne m'as jamais touché, alors que ta main est juste là, à un mètre, et ne parvient toujours pas à se tendre au-dessus de ce qui nous sépare et te toucher. Me toucher.

Il reste assis un moment à réfléchir à ce que son lapsus implique, comme un homme se passe la langue sur une molaire qui bouge. Le temps a encore sur lui cet effet curieux, il perd le sens de la durée. Et l'espace aussi : les murs obscurcis semblent avoir glissé sur des rails, comme un décor dans les coulisses, les laissant seuls à l'intérieur du cercle où la lumière vacille. Il doit bien exister *un* moyen de blesser Papa. De lui faire ressentir la cruauté des manœuvres d'Amory Gould. Mais il a fallu plusieurs années à William pour en démêler les complexités, et seulement une fois écartée la croyance qu'Amory exploitait des ressources échappant à sa compréhension de la nature humaine. Les années que Papa ne vivrait pas. Ou dont il serait privé. Autrement dit, Amory n'a pas eu à manœuvrer, pas vraiment. Et quelque part

William devait toujours être ce garçon de dix-sept ans, qui se jette au milieu des rails de son destin, parce qu'il sent qu'enfin il y est parvenu, à ce moment crucial, à ce moment qu'il faut dévoiler. (De même qu'ailleurs il se détourne parce que regarder lui est intolérable.) Encore un effort, William. Fais le lien. Attrape le couteau et frappe.

— C'était un viol, Papa. Elle est tombée enceinte après un viol. Le fils de celui avec qui tu as fusionné. Un viol que je venais dénoncer dans ton bureau ce jour-là, à un moment où je ne pensais qu'à foutre en l'air un mariage. Nous avions tort tous les deux, en fin de compte – et si j'avais réussi à démasquer l'usurpateur, il y a de cela une ou deux décennies, que serait-il arrivé ? Il pouvait se passer n'importe quoi entre Regan et son protégé, Amory disposerait toujours de ficelles à tirer. Mais il ne tirait pas mes ficelles quand je me suis dressé contre toi, insensible, en utilisant la souffrance de Regan à mes propres fins égoïstes. Je me suis convaincu que, si tu refusais de voir un problème, il disparaîtrait. Papa, je sais que tu comprends. Je sais que tu me comprends.

En vérité, pourtant, il ne sait rien de tel. Car lorsque enfin, cédant à une impulsion, il veut prendre la main de son père, ce qui émane de celui-ci n'est ni un mot d'excuse, ni une condamnation, c'est un ronflement. Papa dort déjà depuis un moment, sans parler de l'odeur. Ce qui signifie (pense William – et ça le tue) qu'il s'en sortira impunément.

EAST VILLAGE – 0 H 12

En minable Orphée, Mercer a résisté à l'envie de se retourner et de regarder l'hôpital une dernière fois. Même si le chariot pèse plus lourd qu'on ne croit, même si l'homme à l'intérieur est paralysé, Jenny se débrouillera, il le sait ; en dehors de sa propre Mama, il ne connaît personne d'aussi têtu. Et puis, quelle leçon a-t-il tirée de cette journée, sinon que tout ce qu'il peut faire pour les autres se réduit à très peu de chose ? Si William est mort, il est mort.

Il se passe pourtant quelque chose d'étrange à mesure qu'il dérive vers le sud et l'est : rien. Ou plutôt, tout. Il existe plus d'une façon de sortir du temps, semble-t-il, et il est à présent échoué entre deux mondes, l'un où une bombe a explosé, l'autre dans lequel elle n'a pas explosé, du moins pas ici. À en juger par ce qui se dresse autour de lui, William vit encore. Mais dans la mesure où il ne signifie que moins d'irrévocable et plus de migraine, Mercer ne sait plus vraiment si c'est le monde dans lequel il veut être. S'il a vraiment assez aimé William.

885

Dans la poche de poitrine de sa chemise se trouve le dernier joint de sa réserve. Il ne parvient toujours pas à croire qu'à New York on puisse marcher dans la rue en fumant ce truc à la vue de tous, mais maintenant il se dit : et merde ! De toute façon il est invisible. Il l'allume. Tousse. Inhale de nouveau. Il n'est pas déçu. Là où d'ordinaire la montée provoque des digressions de pensée qui l'éloignent avec beaucoup de soin du moment présent, celle-ci le ramène des rives du futur. Une façade sur la 14ᵉ Rue a produit un trou par lequel entrent et sortent d'autres trous chargés de provisions gratuites. Alarmes et sirènes hurlent sur des tonalités concurrentes, mais personne n'y prête attention jusqu'au moment où les flics leur tombent dessus.

Il continue à marcher, il passe devant des lampes de poche et des ciga-rettes en suspens, en restant le plus près possible de la chaussée. C'est à peine s'il reconnaît les trottoirs qu'il parcourait à l'époque où il vivait chez Carlos, pas seulement à cause du blackout, mais parce qu'une grande partie de ce qu'il voyait alors, il ne s'avouait pas qu'il le voyait. Les garçons aux jeans moulants en patins à roulettes, les prostitués par deux ou par trois, avec leurs regards aguicheurs. Tous, comme William, étaient prêts à payer d'une dose de danger leur quête du plaisir, ou vice versa. Un cyclomoteur passe en vrombissant et son phare éclaire les barreaux d'une grille en fer forgé. Le mot qui lui vient, *spectral*, ne qualifie peut-être pas vraiment l'impression qu'il a. L'impression qu'il a, c'est : d'être un flipper humain. Et puis une voix rocailleuse, surgie de l'obscurité, lance :

— Hé, toi.

C'est-à-dire moi, pense-t-il. C'est-à-dire lui.

Il est parvenu, autant qu'il puisse en juger, à l'entrée nord de Tompkins Square Park, où il avait un jour entendu jouer Ex Post Facto. Il s'étonne de n'avoir pas pensé à chercher William ici avant ce soir ; l'endroit (il avait ensuite feint de ne pas le savoir) est connu pour la drague, la drogue et pire encore. Dans les ombres denses, derrière la grille, montent des claquements de peau contre peau suivis de rires et des pas rapides étouffés par les arbres. De la musique quelque part. La voix reprend :

— Oui, toi. Il t'en reste encore ?

— Encore de quoi ?

— Il a dit : « Encore de quoi. »

Mercer ne sait pas si cette réplique lui est destinée ou si elle est destinée à un tiers, également invisible.

— De ce que tu fumes, Majesté.

Il hésite :

— Et comment je sais que t'es pas flic ?

Là-dessus, le rire se ramifie en ce qui se confirme être plus d'une seule voix. Elles sont déjà à demi défoncées. Le joint de Mercer dessine un arc de néon quand il tend le bras, moins par souci de camaraderie que dans l'espoir de les satisfaire et de clore cette conversation. Le joint rougeoie, grésille, et il distingue à peine un regard liquide dans un visage que sa mère qualifierait d'«ivoire». Et puis, comme celui du chat du Cheshire, il disparaît. Au lieu de lui revenir, le joint s'éloigne un peu plus, pour être fumé par un autre homme, ou, à en juger par la voix, un garçon. Le visage de Mercer s'échauffe, mais pourquoi cette gêne? Mama n'est pas là pour le voir, pas plus qu'elle ne le verrait si elle était là.

— Juste pour que vous le sachiez, je n'ai pas d'argent, prononce sa bouche, parce qu'une part de lui, rationnelle, continue à penser que cela mérite d'être dit.

Mais ses interlocuteurs semblent s'en foutre.

— La fin est proche, frère. On essaie juste de s'amuser.

Oh, oh. Maintenant va-t'en, pense Mercer. Le problème, c'est qu'il a une certaine affection pour ce joint. Et donc, comme si un narcotique plus puissant avait été mélangé à la drogue, il suit dans le sentier les voix et le bourgeon orange qui s'éloigne. Il y a un chemin en coude, qui, lorsqu'il le prend, débouche sur plus de lumière, un millier de plumes qui s'accrochent aux branches. Et puis la végétation s'éclaircit et il reconnaît des corps musclés, poilus, certains torse nu. La musique bat en rythme dans un ghetto-blaster coincé dans la fourche d'un arbre. Une boule disco exfoliée pend au milieu des branches et un homme seulement vêtu de chaps en cuir et d'une casquette de contrôleur de train dirige sa lampe de poche dessus, c'est de là que provient la lumière. Enfin, de là et d'une poubelle enflammée, nauséabonde. À la périphérie du feu, des hommes s'étreignent en dansant. Mercer cligne des yeux pour voir s'ils vont disparaître.

— Tu veux une bière ou quelque chose? demande le garçon qui tient le joint.

Sa chemise découvre son torse luisant comme du cuivre fondu.

— Pourquoi pas.

Mercer espère que la diversion va lui permettre de partir. Mais il s'en découvre incapable, même après que le garçon a disparu dans le noir derrière un banc.

En attendant, il s'efforce de ne pas paraître mal à l'aise, de ne croiser les regards ni trop longtemps ni trop brièvement – il s'efforce, en quelque sorte, de ne pas voir les corps qui se fondent ensemble dans les buissons, la plupart noirs comme le sien, les roses éclatants des langues et des paumes. À ne pas voir, il s'est beaucoup entraîné. Il y avait un chemin dallé entre la cuisine de Mama et son potager. Un jour de printemps, les pluies abondantes avaient décollé les plaques et on pouvait voir autour de chacune un petit vide noir parfait pour y glisser un canif. Il avait eu l'idée d'en soulever une et lorsqu'il l'avait dégagée – un bruit mouillé de succion – il avait trouvé le verso fourmillant de petits insectes aux dos luisants qui s'agitaient dans une couche de boue noire. L'une de ses pires angoisses est que sous la maçonnerie de sa conscience grouille un carnaval d'appétits tout aussi archaïques, c'est pourquoi depuis l'instant où il avait franchi Port Authority, il patrouillait aux frontières de ses pensées, tassait soigneusement le sol, veillait à ce que tout soit net, sec et en ordre. Et peut-être (l'idée lui traverse l'esprit), ce faisant, s'était-il coupé lui-même de ce qui pouvait nourrir son art. Ou bien cela explose-t-il ?

— Je t'a apporté ça.

Le garçon est revenu. Une bouteille de bière, dont l'étiquette mouillée se décolle, se glisse dans la main de Mercer.

— Je t'ai.

— Hein ?

— L'auxiliaire.

Le garçon regarde son profil léché par les flammes, les yeux écarquillés. Mercer se demande si William pensait à lui en ces termes : un garçon. *Je ne bois pas*, a-t-il envie de dire maintenant, comme il l'avait dit alors, mais que ferait Walt Whitman ? À coup sûr, le Vieux Walt aurait assumé le fardeau, payé le prix. En portant la bouteille à ses lèvres, il manque se casser une dent.

— Il faut que tu… Donne, laisse-moi…

Le garçon fait quelque chose – il se sert de sa bouteille pour décapsuler celle de Mercer. Mercer réitère son geste de boire une lampée, avec plus de prudence. Le contenu pourrait aussi bien être de la pisse de cheval vieillie en fût de hêtre, mais au cours des dernières vingt-quatre heures, on l'a poursuivi, interrogé et presque précipité à travers un pare-brise, tout ça sans manger ; on peut lui pardonner d'avoir la bouche sèche.

— Tu as quel âge ?

— *Toi*, tu as quel âge ? rétorque le garçon.

— Tu ne m'as pas répondu. Vingt-cinq.

— Dix-neuf, dit le garçon, ce qui, Mercer n'étant pas né de la dernière pluie, signifie probablement qu'il a le même âge que ses élèves, quinze, seize ans. Enfin, ses anciennes élèves.

— Et c'est ici que tu passes ton temps, à dix-neuf ans ?

— Tu veux dire, avec mes amis ? Et pourquoi pas ? Je ne suis pas du genre de ceux qui font du lèche-vitrines et doivent rentrer au placard tous les soirs.

— Pardon. Je n'ai pas beaucoup d'expérience sur ce qu'on est censé faire.

— On peut danser pour commencer. Tu aimes danser ?

Plus maintenant, pense Mercer, quand le garçon le pousse dans le tourbillon des corps. Entre deux taudis derrière les arbres, la lune pourrait être claire et ses contours délimités, mais la fumée grasse qui monte de la poubelle fait écran. *You can dance…*, répète la radio, mais il ne parvient au mieux qu'à passer d'un pied sur l'autre au rythme des girations expressives du garçon. Plus ils se rapprochent des flammes plus la chaleur est intense, et le garçon défait encore un autre bouton de sa chemise. Le torse dionysien avance vers lui. Mercer reprend plusieurs gorgées de bière, tentant de lui faire barrage avec le coude, mais le garçon s'y connaît en séduction, il réussit à s'insinuer et, alors que le cœur de Mercer se contracte, le bas de son corps s'approche suffisamment pour que des mains se posent sur ses épaules, pour qu'un doigt caresse les cheveux dans sa nuque. Il ferme les yeux, on pourrait y percevoir un geste d'abandon. Le problème, peut-être, est qu'il ne voit *pas* clair. Qu'il n'a jamais vu clair.

C'est alors qu'une lumière bleue palpite à l'intérieur de ses paupières. Il a l'impression que sa source provient de quelque chose qu'il préfère ignorer, mais à mesure que grandit le bruit dans le monde extérieur, il ne peut s'empêcher d'ouvrir les yeux. Derrière les épaules de cet inconnu, des phares aveuglants balaient un sentier qui pénètre dans le parc, lui ôtant tout l'aspect enchevêtré et secret que Mercer avait imaginé. Une autre pulsation bleue. *Le parc est fermé*, dit une voix dans un haut-parleur. Puis ce qui ressemble à *Mangez pas de mush'*. À la périphérie du cercle, quelques hommes plongent dans les buissons, mais la plupart campent sur leurs positions, figés dans la lumière de la Fine Fleur des Polices. Et parmi eux, à une dizaine de mètres, il remarque pour la première fois une femme seule : est-elle aussi de la police ? Il lui paraît toutefois improbable qu'il puisse croiser le chemin des représentants de la loi tant de fois en un seul jour. Mais si ce n'était pas la police et que sa quête de William n'avait été qu'une autre projection ? Si c'était *lui* en réalité qu'elles voulaient depuis le début, ces puissances sous leurs masques divers ?

SUR LA ROUTE – ?

Pour ce qui était du Frère Démon – ou Goule, ou quelle que fût la manière dont il se nommait dans sa vie secrète – les choses s'étaient déroulées plutôt simplement. L'homme se voulait un maître de la magie noire, mais en fin de compte l'extorsion était fonction de la force de votre matériel. Et le matériel qu'il avait sur Amory Gould aurait fait pleurer un ange. Depuis le début, il avait soigneusement conservé les archives de leur association ; ce qu'il avait envoyé hier représentait, comme il l'avait précisé dans la lettre d'accompagnement, « un avant-goût ». Mais il ne savait plus comment il avait également pu espérer attirer Billy Three-Sticks au sommet de l'immeuble de la famille. Et ne se rappelait d'ailleurs plus pourquoi. Vu sous certains angles, cela paraissait carrément ingrat. Dans les quartiers dévastés de Boston, à treize, quatorze ans, son grand rêve avait été de se loger une balle dans la tête, d'en finir avec sa misérable existence – une misère qui, quand il était arrivé en première année de fac, ne se distinguait plus d'aucune autre. *Brass Tactics* lui avait indiqué la porte de sortie. De la fac, mais aussi de son moi informe et sans pouvoir, de cette réalité brute contre laquelle il se cognait la tête. Tu ne peux pas changer les choses ? Fais de l'art. Alors, oui, il y avait eu un moment où, pour protéger Billy, il se serait jeté au feu. Mais son éducation ne devait pas être terminée, car maintenant il est en cavale, et il ne sait même pas depuis combien de temps ; les piles volées de son réveil ont rendu l'âme quelque part près de la cluse du Delaware. Il cherchait l'heure à la radio, en fait, quand il a entendu ce petit flash à propos d'une coupure de courant. Ce qui expliquait la disparition des lumières de la ville – et semblait confirmer son triomphe. Mais d'autres montagnes avaient bousillé le signal. Il avait roulé d'avance une dizaine de joints pour calmer l'effet des pilules, et il les a fumés depuis pour patienter jusqu'à l'heure H. Il n'en reste qu'un seul et il sent l'insurrection monter à l'arrière de la camionnette. Ce qu'il leur faut, peut-être, c'est souffler un peu, au moins jusqu'au matin où ils pourront redevenir opérationnels, des phalanges indisciplinées formant un poing serré. Et tiens, voilà justement une aire de repos.

Il quitte l'autoroute et s'engage sur une bretelle qui coupe à travers des arbres. Voit une étendue de gravier déserte, des tables de pique-nique sous un réverbère solitaire. Le petit bâtiment des toilettes est fermé pour la nuit mais, devant, le distributeur automatique est encore éclairé, invitant quiconque n'a aucun égard pour la propriété mais l'estomac dans les talons à venir briser la vitre. D'abord, il ne peut s'empêcher de rallumer la radio et de chercher d'autres nouvelles en provenance de Manhattan. Ici, on ne capte que des prêcheurs évangélistes, du rock and roll classique et des publicités à n'en plus finir – et tandis que l'effet analgésique de l'herbe se dissipe, il sent qu'il a un trou dans le ventre. Ou un trou dans le trou qu'il a sorti de ce bâtiment. Il est sûr qu'il disparaîtra dès qu'il aura l'assurance d'avoir enfin accompli quelque chose – une explosion au cœur de la civilisation. Donner c'est donner, reprendre c'est volé, disaient les mômes. Les antiacides forment une couche apaisante. Crystal Blue Persuasion, hey, hey. Avec nous, rien de plus facile que d'acheter un camion ou une camionnette neufs ou d'occasion. Mais il est trop fébrile pour rester sur la même longueur d'onde, le bouton n'arrête pas de tourner. Et au milieu d'un flot d'informations sorties de tout contexte, la brûlure du joint entre ses doigts le réveille et il se rend compte qu'il est tout seul. Il ouvre la portière. La laisse ouverte, pour que les haut-parleurs continuent à lui farcir la tête d'inepties dans lesquelles peut-être attend la pépite qu'il attend. La chose qu'il a faite: pour se venger de la Zone Insalubre, de Sam, du merdier absolu qu'est sa vie. Il descend rejoindre ses amis.

Il fait frais ici, il y a une odeur de lilas ou quelque chose. Assez d'étoiles pour voir que D.T. a allongé Sol par terre. Et, à Nicky, les étoiles lui ont toujours filé les jetons, donné l'impression qu'il était un minable.

— Je dis qu'on peut camper. Et repartir dans quelques heures, une fois qu'on a une idée de l'état des lieux là-bas.

Il se rend compte qu'il formule les choses de façon un peu confuse, mais il ne voit pas très bien en quoi. C'est comme quand il était petit, cette année-là au Guatemala, et que son père lui avait brisé la mâchoire parce qu'il était revenu de la coopérative militaire avec du *jamón* au lieu de *jabón*.

D. Tremens lève la tête pendant que Sol vomit.

— Accroche-toi, dit-il avec une telle douceur qu'on dirait qu'il s'entraîne. Je sais que tu as entendu cette histoire de blackout.

Le signal n'était donc pas mort assez vite, en fin de compte. Peut-être cela explique-t-il les chuchotements. D.T. aussi le sent: cette impression que le destin est accompli.

— Oui, mais on s'en fout, D.T. Si c'est l'émeute dans la ville, ça nous rapproche de là où on veut aller.

— Tu ne te demandes pas si quelque chose a dérapé, là-bas?

— Je te dis, quelque chose a marché… le *Weltgeist* en action.

— La journaliste n'a pas parlé de bombe. On a largement dépassé minuit.

C'est vrai, il y a quelques détails qu'il n'a pu se résoudre à régler avec beaucoup de précision. (Que croyait Sewer Girl, qu'il était un monstre?) Mais c'était bien pourquoi il fallait compartimenter au départ. D.T., par exemple, était dans le noir, il ne savait rien du lieu ni de l'heure réelle où tout devait sombrer. Minuit eût été plus symbolique, idéalement au premier coup du 7/7, s'il avait réussi à retrouver Billy, mais tout système, s'il ne veut pas s'écrouler sous ses propres contradictions, a besoin d'un peu d'aléatoire. Un clinamen. Il peut arriver qu'un système génère le sien propre.

— D.T., t'es un génie. Tu as encore une montre ? Je pourrais t'embrasser. Il est déjà 2 h 30 ?

— Nicky, je m'en remets au fait qu'on est au milieu de la Pennsylvanie. Vous avez cassé tout ce qui donne l'heure pour faire marcher votre truc, tu te rappelles ?

Merde.

— Mais bon, disons qu'il est 2 h 30, 2 h 45, 4 heures du matin, qu'est-ce que cela change ? Tu ne vois pas que Sol a besoin d'un médecin ?

Sol ne parle pas, mais il lève au ciel des yeux suppliants, comme un chiot qui vous prend pour son maître rien que parce que vous lui avez donné un coup de pied ou deux. Peut-être D.T. a-t-il raison depuis le début, peut-être devraient-ils s'appuyer sur trois mille ans de pensée occidentale et faire de la place pour un camarade sur le tapis mité de la camionnette. Mais il aurait quelques volumes intéressants à partager avec quiconque s'imagine que l'Histoire est constituée de mille petites gentillesses.

— Ouais, un petit somme et on repart. T'en dis quoi, Sol ? Ça te va ?

Il faut quelques secondes à Sol pour lever son pouce intact. Faiblement, il fait signe que c'est OK.

— Tu vois ? Sol comprend l'envergure de ce que nous avons accompli. Il faut reprendre la route, ça fait partie de… Une minute. Silence.

— Il n'y a que toi qui parles, Nicky. Il n'y a que toi qui parles.

Sauf qu'il est déjà accroupi près de la portière côté conducteur pour mieux entendre un flash d'informations. La bombe ? Non, ce qu'il entend de nouveau c'est toujours : coupure de courant. La Côte Est subit la plus grande coupure de courant de l'histoire. Seulement cette fois il y a une explication, la foudre a frappé Westchester, par deux fois, bizarre coïncidence. Et maintenant, ça lui revient, cet autre flash de pure stochastique. L'orange de ce bateau. Le blanc. Ces petites bouteilles. Non qu'il ne faille pas éliminer une menace, mais il avait compris en observant le reporter assis, perdu dans ses pensées, derrière un pilier qu'il n'en était pas vraiment un. Rien qu'un autre ivrogne, comme D.T. Un autre raté, comme S.G. Un artiste avorté, un pauvre rêveur, et qui s'effraie trop facilement. Il n'avait pas voulu que le type meure – il n'avait même pas le troisième fanzine. Mais sur le pont, voilà ce grand corps qui passe par-dessus bord. Et quand il avait regardé dans les eaux noires tumultueuses, il lui avait de nouveau semblé qu'il n'y avait pas de dehors, pas de fin au vide. Le monde était le monde, perpendiculaire à toute tentative de créer ou de produire autre chose que la ruine. Et Billy, avait-il alors pensé, pouvait aller se faire foutre avec ses rêves différents. Avec sa façon de rester là à contempler ses chaussures et de remplir l'espace qu'il occupait. C'est à ce moment-là qu'il avait compris qu'il devait repartir à la poursuite de Billy, pour le forcer à entrer en scène, lui aussi. C'est-à-dire, simultanément, à l'instant où les choses avaient commencé à lui échapper. Comme elles sont en train d'échapper à son attention maintenant, car juste au moment où la voix dit: *au bip sonore, il sera exactement...* Sol vomit de nouveau, bruyamment, sur le gravier. Et aussi vite qu'il est apparu, le signal se brouille. *Merde.* C'était une syllabe unique, non? *Deux* heures? Ou est-il déjà trois heures?

— L'un de vous a entendu quelque chose?

Il attend que quelqu'un se reconcentre sur le vrai problème, mais D.T. s'accroupit et Sol vomit, et cela suffit à lui rappeler qu'il y a peut-être bien une connivence entre eux. D.T. n'est pas aussi stupide qu'il en a l'air, et sans doute pas aussi défoncé non plus. Peut-être a-t-il convaincu Sol qu'ils ont été trahis et proposé à la hâte un plan B. Peut-être celui de retrouver Sewer Girl, où qu'elle ait pu s'enfuir. Sol sera trop malade pour continuer, et ils essaieront de piquer la camionnette, en le laissant là comme un animal, dans le noir.

— Tu sais, les cognes ne vont pas être plus indulgents parce que tu quittes le navire après coup.

— Qui parle de quitter le navire? dit D.T. C'est bien ce que je te dis, mec. On est solidaires. Il faut emmener Sol se faire soigner.

— Sol vient avec moi. N'est-ce pas, Sol?

Mais Sol feint d'être évanoui. Que se passe-t-il ici? Pourquoi est-ce que tout s'effondre toujours?

— Tu peux continuer, Nicky, si c'est vraiment ce que tu veux. Mais laisse-nous la camionnette au moins.

La voilà, s'il en était besoin: la preuve qu'ils trament quelque chose. Il regarde vers la clairière. Là, entre le kiosque et le petit ruisseau qui babille dans son lit, il y a une cabine téléphonique, sur pied, dont la lampe a grillé, a été cassée ou n'existe tout simplement pas. Il perçoit maintenant avec ses facultés mentales supérieures que D.T. lui a menti lors du dernier arrêt vomi en lui disant ne plus avoir un sou. La première chose qu'ils feront après l'avoir largué, c'est appeler les flics. Combien de temps pourra-t-il survivre ici, dans les bois, en cas de chasse à l'homme? Réponse: pas longtemps, parce qu'il a la ville dans le sang.

— Je vous emmerde. C'est ma camionnette.

Il le sait, il parle sérieusement. Si l'Opération Frère Démon a échoué, l'Econoline et les livres à l'intérieur sont tout ce qui lui reste pour témoigner de son existence et il n'a pas l'intention de s'en séparer, même si la camionnette, à bien des égards, appartient à Sol. Et avant que sa pensée ne prenne définitivement forme, il se déplace pour barrer toute tentative d'approche.

— Allez, Nicky. Tu n'es pas en état de conduire de toute façon. Pourquoi tu ne me donnes pas les clés ?

— Tu ne les auras pas, répète-t-il. Elles sont à moi.

— Non, mais tu t'entends ?

Il manque tomber dans le panneau. Mais, comme l'a dit quelqu'un, l'esprit de suite est un farfadet qu'il faut empêcher de vous faire trébucher, si vous souhaitez réaliser au moins une chose dans ce bas monde. Et depuis combien de temps Nicky Chaos leur explique-t-il qu'il ne faut pas être aussi crédules ? Même en pleine mutinerie, ils demandent encore la permission. Quand tout se résume, il le leur a répété, à la puissance de la volonté. Vite, avant qu'ils ne devinent la manœuvre, il s'assoit au volant et ferme la portière, il cherche le contact, cette obscurité plus profonde dans l'obscurité. Des paumes de zombies frappent les vitres, s'aplatissent pâles contre le verre. Quelqu'un crie au-dessus des parasites. Et puis le speed l'emporte sur l'herbe, le moteur démarre et il fait des tête-à-queue sur le gravier, laissant derrière lui ses anciens vassaux, D.T. et le pauvre Sol Grungy à la triste figure. Et enfin, un long panache de poussière qui grossit sous la lumière de la lune.

LITTLE ITALY – ??

Leur progression entravée ne va sûrement pas mettre le monde à feu et à sang mais, par à-coups, elle se libère ainsi que la mémoire du type. Mike, il s'appelle. Âge ? Vingt-sept. Non, vingt-huit. Originaire de Virginie occidentale. Et à Bay Ridge depuis quelques années. Quand elle lui demande pourquoi ils se dirigent vers Chinatown dans ce cas, il bafouille. Il a dû trouver un nouvel appartement dans un délai très court, explique-t-il, et il a un budget serré. Son travail – il gagne sa vie en relisant des rapports gouvernementaux, qu'il condense en rapports un peu plus courts – rapporte peu. Ce soir, il rentrait à pied, pour économiser un jeton de métro. Mais il y a pire, il a des cousins forains. Bon, il peut continuer tout seul, il ne ressent aucune douleur… Et pourtant, pense Jenny, Mike a quelque chose de douloureux, un air de chien battu en tout cas. Et de temps à autre, il s'arrête, plisse un peu les yeux, scrute l'obscurité là où il cherche son visage.

Ils sont parvenus dans les rues les plus anciennes et les plus étroites de la ville, quand ils tombent sur un pâté de maisons nettement plus louche. Une petite troupe composée de plusieurs dizaines de jeunes hommes en tee-shirt sans manches, une sorte d'assemblée de Chevaliers de Colomb, s'est réunie au coin de la rue, éclairée par des voitures qui tournent au ralenti. Son premier réflexe est de couper vers l'est, d'établir une zone de sécurité, mais le chaos est déjà en train de s'organiser en cordon. À New York, dans les moments de stupéfaction, de fureur ou de terreur, il y a ce besoin étrange de faire la queue, qu'elle doit ressentir en cet instant, elle aussi. Elle s'approche et voit qu'on sort d'une vitrine quelque chose qui passe de main en main. Le début d'un pillage bien orchestré? Ou bien, leurs réfrigérateurs ne fonctionnant plus, les propriétaires de cette boulangerie ont-ils décidé de profiter de la coupure de courant pour se faire de la publicité? Quoi qu'il en soit, en l'espace d'une minute, un apprenti mafioso lui donne une assiette en papier. Puis une autre. Dedans transpirent de grosses parts de cheese-cake jaune pâle. Des gémissements de plaisir s'élèvent au-dessus des klaxons.

— Je n'en reviens pas!

Elle se retourne vers Mike qui s'est appuyé contre un parcmètre.

— Tenez, mangez. Les calories nous feront du bien à tous les deux.

Le cheese-cake est à l'italienne, préparé avec de la ricotta ou peut-être du mascarpone, il est aussi bon que dans les souvenirs que Jenny garde d'autres occasions, mais aussi plus compliqué, comme l'est souvent le présent; à mesure qu'elle le savoure, son goût sucré cède le pas à l'onctuosité. Sans fourchette, elle doit manger avec les doigts. Et tandis que la garniture opulente lui tapisse le palais, l'inconnu à côté d'elle semble se souvenir, lui aussi.

— Ma petite amie préparait quelque chose qui ressemblait à ça. Mais c'était ouzbek, ajoute-t-il comme si le goût le ramenait au passé.

Il en prend une dernière bouchée, cherche une poubelle.

— Des petites crêpes, fourrées au fromage sucré. Après une nuit à danser à l'Odyssey, à deux heures du matin, on rentrait à la maison, on les sortait du réfrigérateur et on les mangeait sans attendre.

Il reprend leur marche, ne comptant plus que sur ses propres forces.

— Maintenant, bam! C'est ma vie, je suis de nouveau tout seul. Je ne m'étais jamais imaginé habitant en solitaire dans un sous-sol à Manhattan, mais il faut croire que tout dans cette ville est différent de ce que j'avais imaginé.

Il se tourne vers elle:

— Pardon de vous ennuyer avec ça. Toujours la même rengaine.

Non, a-t-elle envie de dire, continuez. Mais d'un peu plus loin leur parvient une longue plainte, une détonation, une explosion de bleu et de rouge.

— Encore des lumières! crie un enfant au bout de ce qui devrait être Broome Street ou Grand Street.

Un vieil homme se penche et approche une allumette d'un monticule d'ombre devant lui. Du sommet jaillissent dix mille étincelles, une chute d'eau inversée, qui éclairent les paliers inférieurs des escaliers de secours avant de succomber à l'entropie et à la nuit. Réducteur mais vrai : quelle que soit l'heure, les bonimenteurs de Chinatown boniment, les joueurs de mah-jong mah-jonguent, les poissons paressent dans les aquariums derrière les vitrines des restaurants de poissons. Et les grandes occasions, en remontant jusqu'aux Tang, réclament des feux d'artifice. Un sursaut de mémoire. Ou est-ce qu'elle se rappelle soudain cet autre homme qui l'observe de nouveau en s'efforçant de transpercer l'obscurité ?

— Quoi ?

— Rien, dit-il. C'est juste que… on est arrivés.

Tandis que la lumière retombe en pétillant, il indique un panneau de rue dont elle ignorait l'existence. Ou une ruelle – l'asphalte s'étalant jusqu'au pied des immeubles.

Il s'enfonce dans les ombres en traînant la jambe, et elle lui emboîte le pas. Pour des gens comme son père, qui ont une vision distanciée, la surpopulation semble le problème principal de la vie urbaine, mais en réalité c'est plutôt la dépopulation. Deux rues plus loin, des foules grouillent sous des fusées éclatantes, mais ici, il n'y a aucune lumière et tous les magasins ont baissé leurs rideaux. Elle doit s'assurer qu'il est en sécurité. Des clés s'entrechoquent, puis s'arrêtent devant une porte.

— Je suppose que nos routes se séparent ici.

— Je voudrais au moins être sûre que vous êtes bien rentré, dit-elle au bout d'un moment.

— Mais vous ne pouvez pas rester comme ça dans la rue. N'importe quel fou peut passer par là.

Elle sait qu'ils se connaissent à peine, mais si l'histoire récente est un guide, c'est Mike qui ne devrait pas être rassuré.

— On dirait que je vais être obligée de venir avec vous alors.

— Ce n'est pas génial chez moi.

— J'apprécie la franchise, dit-elle en le suivant dans un couloir où il fait deux degrés de plus que dans la rue.

On dirait qu'on élève du bétail là-dedans. De deux ou trois étages au-dessus leur parvient la voix d'un vieux qui chante en chinois mais, sans lune ni étoiles, elle ne voit rien. Ce n'est manifestement pas un problème pour Mike, qui trouve sa main et la pose sur une rampe inclinée vers le bas. Attention. Les marches sont étroites.

Après en avoir descendu environ une dizaine, ils émergent dans une pièce éclairée seulement par la veilleuse d'un chauffe-eau. Autant qu'elle puisse le deviner, il s'agit d'un studio ordinaire de célibataire. Il y a une petite étagère de livres, un minifrigo. Le long d'un mur, une kitchenette.

— Je vous apporte un verre d'eau, propose-t-elle.

Mais Mike s'est déjà allongé sur son matelas, avec un gémissement qui grandit peut-être depuis des années. Incapable de trouver où il range ses verres, elle prend un torchon. Elle le mouille dans l'évier et vient s'agenouiller pour l'appliquer sur son front. Il lui attrape le poignet. Sa main est maintenant assurée. L'espace d'une seconde, elle a peur. Il dit :

— Vous n'êtes pas obligée de continuer, Jenny.

— Oh, arrêtez.

— Ce que je veux dire, c'est que le chariot, c'était déjà au-delà de tout.

— Je vous devais bien ça.

Mais elle se mord la lèvre. Il s'accroche toujours à sa main libre, où ira-t-elle s'il la relâche ? Est-elle censée parcourir une quarantaine de rues dans le noir ? Et pourquoi cette crainte ? Cela ne pourrait pas être plus risqué que ce qu'elle fait en ce moment.

— Parce que je suis responsable. Mike, c'est moi qui vous ai renversé.

La main retombe.

— Quoi ? Vous disiez que c'était un accident…

— C'était un accident.

— J'aurais pu mourir. Merde. Je pensais bien que c'était suspect.

— Vous n'avez rien, vous l'avez dit vous-même. Vous êtes juste un peu secoué. Et si vous réfléchissez, vous verrez que je n'ai pas menti. J'ai juste… éludé.

— Vous vous êtes introduite ici sous un faux prétexte, voilà ce que vous avez fait. Comment espérez-vous expliquer cela ?

Elle réprime un mouvement d'humeur. Replie le torchon pour changer de côté, mais il s'est redressé et ne la laisse pas le replacer sur son front.

— Écoutez. Vous me racontiez que c'était long depuis les Appalaches jusqu'ici. Alors imaginez ce que c'est de grandir dans la banlieue de L.A. entre un père qui dessine des avions et une mère qui parle à peine anglais. Toute ma vie, j'ai cherché à échapper à mon déterminisme. Connaissez-vous le concept d'utopie ?

— Vous changez de sujet.

— Non, j'essaie d'expliquer. J'ai passé mon adolescence à fumer des joints et le début de la vingtaine à vouloir créer un monde meilleur. Après cela, j'ai dû réduire mes ambitions à la taille d'une ville. Et plus tard encore, à presque rien. Mais j'étais, je crois, dans ma tête, tellement emballée par l'idée de *faire* quelque chose pour les gens que j'ai fini par ne plus remarquer ceux que j'avais sous les yeux. Il se trouve que vous êtes l'un d'entre eux.

— Jenny, est-ce que vous vous êtes fait examiner? Parce que ce que vous dites n'a aucun sens.

Eh bien, certainement, car donner un sens à ce qu'elle disait nécessitait qu'elle en déballe davantage: Mercer et William, Pulaski et Charlie et, au-delà, ces nuits où elle allait chez Richard, où il débarrassait ses piles de papiers et lui faisait de la place sur le canapé pour qu'elle puisse s'étendre. Toujours plus à déballer. Elle pousse un soupir.

— Je suppose que vous n'avez pas lu les *Upanishad*?

— Je ne suis pas fétichiste de l'Asie, si c'est ce que vous croyez. Je vois que vous êtes…

— Américaine. Mes parents sont vietnamiens.

— J'allais dire une pseudo-intellectuelle, ou une redresseuse de torts. Mais je ne vois pas le rapport avec le fait que vous m'avez renversé avec votre voiture et que vous vous êtes ensuite immiscée chez moi.

Quelque chose tourne dans son cerveau.

— Je ne le vois peut-être pas moi-même.

Pendant un autre moment, il reste allongé sur le matelas, en silence.

— Vous restez sur votre version de la nuit, et moi je vais devoir rester sur la mienne, c'est ce que vous voulez dire.

— Non, ce n'est pas ce que je veux dire. Ce que je veux dire, c'est: qu'importe par où je commence, ou comment je tourne les choses, nous n'avons aucun moyen de régler la question de la culpabilité. Il vaut donc mieux parfois se fier à son intuition, à savoir que vous n'êtes ni plus ni moins réel, libre et déboussolé que n'importe qui. C'est vrai, nous sommes ici dans cet appartement, vous avec vos hématomes et moi avec votre impression que je dois souffrir d'un traumatisme crânien, mais au moins vous êtes vivant. Est-ce que ce que je dis a un sens à présent?

Elle tend la main vers son visage, son visage triste, pâle et égaré. Et alors, peut-être égarée elle-même, elle se penche et l'embrasse à pleine bouche.

MIDTOWN – 02 H 19

C'est exactement cette tentation de se montrer sous son meilleur jour contre laquelle son orthopédiste l'a mis en garde. Le môme devant, le gardien entre les deux, et lui, Pulaski, qui les suit en grimaçant, à l'intérieur d'un cylindre noir et sans fin, de plus en plus chaud à mesure qu'il s'essouffle. En fait, son pied s'obstine à ne pas atteindre la marche suivante et cogne stupidement le rebord. S'il avait pris le temps de réfléchir, il aurait emporté des cacahuètes pour se donner de l'énergie. Et de l'eau. Et une autre lampe de poche ; au début de leur ascension, Charlie avait demandé à réquisitionner celle du gardien, mais Pulsaki, se sentant coupable d'avoir rudoyé le type, avait dit non, que ce ne serait pas bien. Maintenant, si le petit regardait derrière lui, il ne verrait que deux faisceaux blancs, et pas ce que Pulaski faisait subir à son pauvre corps.

Il ne parlait même pas de sa retraite. Dans la voiture, sur le trajet pour venir jusqu'ici, le radio-téléphone n'avait cessé d'émettre des appels enjoignant quiconque n'était pas de service à se présenter au commissariat le plus proche. À ce stade, Pulaski aurait pu plaider coupable pour quelques libertés prises avec la procédure, mais là il s'agissait de négligence professionnelle grave. Ou même, ayant montré son revolver en bas, d'un délit de classe D. Et pour quoi ? Pour un scenario si tordu qu'il ne serait pas crédible au cinéma, sans parler des Affaires internes. Comment gober cette histoire de bombe, après tout, si Charlie s'arrête régulièrement après quelques marches pour sucer son inhalateur ? Et voilà que ça recommence, cet écho imbécile. Ils forment un beau couple, l'infirme et l'asthmatique. Et comme ils reprennent leur ascension, Charlie se colle au mur, loin de la rampe – il fait de l'acrophobie, pour couronner le tout.

Mais pour sa défense : il faut mesurer les risques. Un seul kilo de poudre placé dans un étage élevé peut à lui seul provoquer l'effondrement de toute la structure sur les rues environnantes dont le développement, au cours des années fastes, a été ultra-rapide. Cendres, poussières, gravats, incendies. Il a pourtant du mal à imaginer une bombe posée aussi haut. Il n'empêche, son premier geste après avoir sorti le môme de cellule avait été d'appeler Sherri pour l'avertir qu'il serait en retard. Non, il ne pouvait pas expliquer, chérie, pas maintenant – mais il n'avait pas eu de réponse. Et tandis qu'il écoutait sonner, sonner, il avait compris qu'elle avait fini par le faire. Qu'elle était allée chez sa sœur à Philadeplhie. Qu'elle l'avait quitté. Elle, sa seule famille, un jeton de plus à ajouter à la pile chancelante sur cette table de malheur.

Et à présent ses mains se resserrent sur la rampe et le hissent à la force des muscles durcis par des années de natation dans sa piscine. Le gardien souffle sur un palier, haletant, mais Pulaski le pousse en avant. Et quand Charlie profite d'une nouvelle pause une demi-douzaine d'étages plus haut pour arracher au gardien sa lampe qui vacille déjà, Pulaski le laisse faire. Marre maintenant des Affaires internes. Ce muscle surmené, esprit ou cœur, ne s'est jamais senti aussi libre depuis des années. Et cela, au moins, la Sherri qui le connaissait l'aurait approuvé. Il traverse les murs épais de la cage d'escalier et passe au-dessus des huit millions d'histoires, du port et des décharges et la voit où elle doit être maintenant, deux phares fonçant vers le sud sur le Jersey Turnpike. *Reviens*, pense-t-il. *Je vais changer.* Enfin, s'il ne finit pas en prison. Ou mort. Quand, devant, la lampe mal acquise de Charlie commence à rendre l'âme, même le noir n'a plus d'importance. Larry Pulaski porte sa propre lumière. Il sent qu'elle émane de ses pores, qu'elle lui permet de lire le numéro sur la porte à laquelle le gardien est appuyé, la respiration sifflante : **40**.

— Reculez, dit-il, et, dégainant son arme il pousse le battant.

Il ne sait plus ce qu'il s'attendait à découvrir, mais pas cela : un panneau d'affichage avec quelques messages, un ventilateur électrique inerte et un étrange bourdonnement, comme un bruit de moteur. Il n'en trouve la source nulle part et, pour le reste, le hall paraît désert.

— Où sommes-nous ?

— Chais pas, parvient à dire le gardien entre deux halètements. J'ai accompagné des journalistes ici dans la journée. Mais en dehors de conférences de presse, je ne crois pas que cet étage ait servi depuis 1975. Les cadres ont tous déménagé au trentième pour qu'on puisse commencer les travaux de rénovation.

— Vous n'auriez pas pu le dire dix étages plus tôt ?

— Vous aviez un revolver.

Le bourdonnement enfle et, quand Pulaski se tourne, sa lampe éclaire une fenêtre qui devrait être fermée mais qui est entrouverte comme une porte. Une forme échappe aux rayons de lumière renvoyés par la vitre et vole au ras du sol dans le hall. Elle est énorme et noire, comme trempée dans le goudron. Et au moment où tous les trois se baissent, une voix inconnue, féminine, flûtée, monte des ombres. « Oh ! » La lampe tourne en rond, va et vient. Quand elle se pose, c'est sur une fille en maillot des Rangers, accroupie derrière la porte du palier.

EAST VILLAGE – VERS 02 H 00

… et ce que vous ressentez à ce moment-là, c'est…

Le désespoir. Le désespoir absolu.

Dont vous suggérez qu'il est en lien avec le sens tragique qui jusque-là, disiez-vous, vous faisait défaut.

C'est cela dont nous parlons ?

Oui.

Désolé, pense Mercer, mais je crois avoir perdu le fil.

Plusieurs années se sont écoulées, et ne se sont pas écoulées. Il est dos contre un transformateur dans un parc de l'East Village, où il se couvre les yeux pour se protéger des ondes bleues des lumières de la police. Il est aussi, simultanément, dans une pièce moquettée de rouge quelque part, assis sur un fauteuil de réalisateur installé en face du fauteuil de réalisateur de l'homme qui pose les questions. En son absence, le journaliste imaginaire a encore changé – c'est à présent un petit homme aux cheveux bruns, aux tempes grisonnantes, la posture fermée, une petite radio dans sa poche de poitrine. Seul le visage (et bien sûr le statut ontologique de tout ça, du sentiment de compassion et de sagesse immenses que Mercer éprouve pour lui-même, avec le recul) demeure obscur.

Vous disiez...

Et là le phare blanc d'un véhicule de police transperce la nuit. Il balaie les inconnus déshabillés à des degrés divers qui traînent ici pour voir ce qui va se passer, tandis que flottent des bouts de papier calcinés venant d'on ne sait où, d'une finesse de paraffine. Pendant ce temps, le journaliste imaginaire consulte ses notes. Il semble avoir conservé la trace de toutes les pensées éparses jamais conçues par Mercer. Il doit y avoir une dizaine de carnets entassés sur ses genoux en velours côtelé. Une voix amplifiée derrière la lumière dit quelque chose qui inclut le mot « dispersion ». À cause du journaliste, Mercer n'entend pas très bien. Il a choisi, avouons-le, un drôle de moment pour revenir.

Vous disiez que, selon vous, le travail du poète consistait – vous avez employé le mot « principalement » – à trouver ce qui se prête à l'éloge, mais que l'éloge devait avoir un socle, une assise sur laquelle s'appuyer. Et vous dites ici que ce socle doit être, je cite, « l'expérience personnelle de l'écrasante probabilité qu'il n'y ait rien du tout ». Autrement dit le sens tragique. Alors que ce que vous aviez se résumait à « une manière adolescente de s'apitoyer sur soi-même ».

J'ai dit ça ?

Je peux vous indiquer la date, si vous voulez. C'était à la fin du mois d'octobre 1977.

Mais nous ne sommes qu'au mois de juillet.

Hmm...

Le journaliste se retire dans un brouillard d'archiviste. Pourtant, se demande Mercer, l'a-t-il à présent, ce sens tragique ? Quand il regarde la foule qui se disperse, la solitude qu'il ressent est-elle vraiment une aberration ou est-ce la norme ? Sauf que la foule a cessé de se disperser. En fait, l'un des spectateurs avance vers le véhicule de police : la femme seule, celle qu'il croyait déguisée. Elle a une posture farouche, résolue, comme un cow-boy en celluloïd, mais si elle cache quelque chose, il ne saurait dire quoi ; cette bière lui est montée directement à la tête.

— Mains en l'air ! Mains en l'air ! lance le véhicule de police.

Et maintenant sur le capot luisant on peut discerner un reflet, avec en arrière-plan les flammes liquides de la poubelle. Grande en chair et en os, elle semble incroyablement petite quand son image est redoublée dans la lumière, la bleue, l'orange. Elle se baisse et soulève sa minijupe. Ou plutôt il se baisse. Mercer voit la suite avec un temps d'avance sur le déroulement des événements.

Quand le premier jet d'urine atteint le capot de la voiture, et avec tout le respect dû au moteur, à ABBA et au murmure des hommes autour de lui, il n'y a plus d'autre bruit. C'est une véritable cataracte. Mercer voit l'expression exacte sur le visage de sa mère à l'instant où la brigade des mœurs l'appelle pour lui dire que son fils a été ramassé dans une rafle. Obscénité sur la voie publique, possession de substance illicite, entrave... Non, pas ce fils-là ; le bon fils. Mais il ne peut s'empêcher d'admirer le spectacle. Le travesti secoue patiemment les dernières gouttes devant le pare-brise noir sans visage. Et puis, de quelque part sous les arbres quelqu'un lance une bouteille sur la voiture de flic. Elle rate sa cible et se brise sur le sentier, mais la suivante frappe en plein dans le mille et casse un phare. Et il faut saluer l'homme en minijupe. Même quand les sirènes hululent, même quand le mégaphone se remet à grésiller, il/elle tient tête. Une volée de bouteilles provoque tout autour des pétarades effervescentes.

C'est alors que la voiture de police part en marche arrière, moteur gémissant, lumières rabat-joie tournoyantes. Les gens la saluent d'un doigt d'honneur et, quand elle disparaît, lancent des hourras. Et tandis qu'ils remplissent le vide laissé par les flics, les applaudissements ne retombent pas, mais se répandent, rythmiques, enflant à mesure que reviennent ceux qui avaient fui dans les buissons. Quelqu'un grimpe sur un banc, lève ses mains nouées en signe de victoire comme Mohamed Ali, et le rugissement qui s'élève doit s'entendre sur plusieurs pâtés de maisons.

— Ils ont cru que les vieilles règles s'imposaient, mais ils se sont foutus dedans, hein ?

Des voix en réponse poussent des cris inintelligibles. Mercer ne sait plus laquelle est la sienne – seulement que celle qui maintenant exhorte la foule n'est pas celle du travesti, dont il a perdu la trace. Il y a quelque chose à propos de pouvoir. Quelque chose à propos d'appartenance. Et finalement :

— Cette nuit, on va reprendre la ville.

Déjà une formation s'écoule vers les grilles du parc, comme si d'autres flics pouvaient être là en embuscade. Ou formation n'est pas le mot exact, il s'agit plus d'une force naturelle, d'une pression jaillissant d'une source souterraine. Le type a raison : maintenant les rues leur appartiennent, si ce n'était pas déjà le cas. Et ça ne s'arrête plus aux folles de l'East Village ; Mercer voit des punk rockeurs, crânes tondus, des Latinas du quartier, et même quelques vieux clochards crasseux qui se joignent aux autres, en hurlant à la mort.

Mais au coin de Houston Street, ils se trouvent en présence d'un hurlement pareil et contraire au leur, dirigé dans le sens opposé. C'est cette manifestation pour la loi et l'ordre qui a commencé un peu plus tôt dans la journée, et elle est dix fois plus grande. Bougies et lampes de poche, tee-shirts arrosés d'essence enroulés au bout de manches à balai flottent tels des petits bateaux sur un océan de ténèbres. Ou un seul énorme navire, un Vaisseau Fantôme, qui, sans but, hante Downtown depuis quelques heures déjà, dans l'attente d'une collision. Là, dans la foule compacte de Houston, elle se produit. D'un bout du boulevard, ou de l'autre, le cri est lancé. *PRENEZ-LA !* Difficile de dire de quelle moitié de la foule il provient, car l'autre le répète, en écho plus qu'en réponse. *PRENEZ-LA ! PRENEZ-LA !* Mercer n'est pas soûl au point de ne pas remarquer que rien ne précise qui doit reprendre et à qui. Mais peut-être est-ce un bien, car à la cinquième ou sixième itération, *mirabile dictu,* les foules opposées ont fusionné. Il est devenu impossible dans l'obscurité de distinguer les vagabonds hippies de la petite-bourgeoisie – ou dans quelle catégorie il tomberait lui-même. C'est comme si les deux moitiés étaient enfin sur une même ligne, et, à l'exemple de toutes les intelligences collectives, en quête de restauration.

93

CE QU'IL Y A, c'est qu'elle n'avait jamais eu de mauvaises intentions. Elle est une bonne personne, vous devez la croire – c'est ces trucs qu'elle avait voulu dire ce jour-là à ce journaliste. Elle se rappelle les mots qui remplissaient sa bouche comme des boules de gomme qu'elle ne parvenait pas à mâcher assez vite : *Prenez une bonne personne, ajoutez l'enfance, puis la puberté...* Oui, d'accord, c'est un appel à la compassion, classique, on pourrait dire la même chose de ceux qui massacrent à coups de hache, mais déjà, dès ce premier hiver où elle avait débarqué à New York en stop, où elle avait rencontré Sol et où ils avaient vécu à l'arrière de la camionnette, elle n'aurait pas fait de mal à une mouche, littéralement. Même les petites fourmis stupides qu'elle voyait ramper sur ses épaules, au lieu de les écraser, elle les prenait dans ses mains et elle les jetait par la vitre arrière, parce que la vie est la vie ; c'est sa mère qui le lui avait appris. Plus tard, elle et Sam s'étaient rapprochées à cause de cette histoire de mères hippies déglinguées. Elles avaient leurs quartiers chez Lenora's, buvaient cafés sur cafés jusqu'à ce que la serveuse les chasse et jouaient à Qui Dit Mieux. Sewer Girl gagnait toujours, bien sûr, mais qui comptait les points ? Chaque Post-Humaniste avait au moins un parent dingue – du moins jusqu'à l'arrivée du Prophète Charlie qui, lui, avait un père mort. Un parent dingue, Sewer Girl le savait par expérience, entraînait deux réactions, rébellion ou identification. Sa mère brûlait du désir d'être en bons termes avec l'univers, quel que soit le sens qu'elle donnait à cela telle ou telle semaine, et elle s'y appliquait. Donc Sewer Girl était une bonne personne, essentiellement.

Et franchement Sol, qui pouvait se montrer hargneux, en était une lui aussi. Pourtant, misère, ce qu'ils étaient pauvres cet hiver-là, l'hiver 1974. Ils devaient se glisser à l'intérieur du Vault par la fenêtre des toilettes ou, parfois, le Hells Angel qui surveillait les portes les laissait passer gratuitement en échange d'un petit service et ils faisaient les videurs pendant une demi-heure. Ils restaient jusqu'à ce que les lumières se rallument, qu'apparaissent les nettoyeurs qui balayaient et que Bullet lance sa formule habituelle : Vous n'êtes pas obligés de rentrer chez vous, mais vous ne pouvez pas rester là. (Permettant ainsi à quiconque l'avait entendue de se dispenser d'un semestre d'étude de *Être et Temps*, dira plus tard Nicky.) En dehors du fait que la musique leur fournissait une raison de se lever le matin, l'intérieur du club était moite et vivant, l'alternative, c'était la camionnette où, pour avoir chaud, ils devaient enfiler tous les vêtements qu'ils possédaient et se pelotonner sous une bâche. Parfois, elle entendait des gens fureter à l'extérieur, malgré la feuille de papier collée à la vitre disant **pas de fric, pas de radio**. Sol restait réveillé des heures pour la protéger dans ses bras, sa pétoire à côté de lui. Personne n'avait jamais tenté d'entrer, ce qui était une chance, pensait-elle, car Sol était tout à fait capable d'appuyer sur la détente. (Elle ne savait pas encore que tout le monde en est capable.) Et le matin, ils devaient tout nettoyer parce que le patron de Sol l'aurait viré s'il découvrait qu'ils dormaient dans la camionnette. Les affaires n'allaient pas fort, toute la ville tombait en ruine à la une des journaux, saisie par le gel comme si le soleil avait épuisé toute sa chaleur. Et même si Sol avait été payé à l'heure plutôt qu'à la vitre, il n'y aurait pas eu assez pour un appartement à eux et il refusait de retourner vivre chez sa mère dans sa cité. Mme Greenberg était horrible. Polonaise d'origine, jalouse et mauvaise quand elle était soûle. Nul ne savait où était parti M. Greenberg. Alors il y avait tout ça, comme circonstances atténuantes. Pauvres comme Job, et obligés de vivre d'expédients dans ce froid glacé de science-fiction du temps d'avant le Post-Humanisme – dont le souvenir maintenant a quelque chose de presque doux.

Et il fallait ajouter autre chose : Nicky Chaos et la dette qu'elle avait envers lui. Lui seul avait remarqué à quel point elle et Sol étaient pâles, qu'il leur fallait vingt minutes, une fois entrés dans le club, pour cesser de trembler, et il les avait recueillis dans sa maison. D'accord, ce n'était pas exactement une maison – il squattait, hein ? – mais au moins il s'arrangeait pour laisser le chauffage, lui ou quelqu'un d'autre. À cette époque, Nicky n'évoquait jamais aucun bienfaiteur. Il racontait plutôt ces histoires à propos du déjà légendaire Ex Post Facto, ses yeux luisaient, et ses dents blanches parfaitement imparfaites, et tout le désespoir de S.G. se dissipait. C'était comme si un bout de la légende tombait déjà en poussière, saupoudrant d'or les cheveux hérissés de Nicky. Et quand il a commencé à évoquer l'idée de devenir membre du groupe, gnoqué tout le matos d'atelier que Sol avait pris au Groupe Scolaire 130 (Sewer Girl elle-même avait laissé tomber à quinze ans parce que sa mère affirmait qu'elle subissait un lavage de cerveau) et qu'il l'avait assigné à la console dans le garage derrière la maison, Sol avait commencé à se tenir un peu plus droit, comme si on lui avait rendu sa fierté.

Pour l'une de ces raisons, ou pour toutes, Sewer Girl adhérait automatiquement à ce que disait Nicky, et il avait adopté une approche très dure : selon lui, l'impératif quasi kantien des hippies de faire le bien sans en donner une définition claire entraînait une forme de paralysie morale. Exemple, si un train fonçait à toute vitesse et menaçait de tuer deux personnes, que tu pouvais actionner un levier et l'aiguiller sur une autre voie pour qu'il n'en tue qu'une seule ? Ou, autre exemple, mettons que les chiffres sont plus élevés. Un million, contre deux cent mille ? Et si le train était le système soutenu par l'humanisme libéral ? Et si c'était le levier ? Si la paralysie morale était toute sa fin et sa *raison*, un attrape-couillon, un jeu de dupes ? Le système dissimulait ses menaces dans des compartiments bien isolés. Si on te cachait la possibilité d'agir, tu pouvais être coupable sans avoir jamais été responsable, ou responsable sans avoir jamais été libre, ou libre seulement dans le sens où tu n'affrontais pas ta propre culpabilité. Au fil des mois, ces mots – culpabilité, responsabilité, liberté – avaient fini par constituer l'air que Sewer Girl respirait. Mais il ne lui était jamais venu à l'idée qu'agir signifiait autre chose qu'allumer des feux ici ou là. Elle aimait juste écouter Nicky parler. Elle l'aurait écouté dire n'importe quoi.

Après que Nicky et Sam s'étaient liés, et seulement alors, elle avait commencé à douter d'être une si bonne personne, en fin de compte. Parce que, franchement, elle était blême. À le regarder prendre son amie à part pour débattre en privé de la théorie et de la pratique du Post-Humanisme, elle avait eu l'intuition que *Sam n'était pas vraiment son amie*, et c'est ainsi qu'elle avait ouvert les yeux sur ses vrais sentiments à l'égard de Nicky. Pourtant, elle aurait dû le voir venir. C'était comme sa décision de s'enfuir à New York alors que Maman, dingue comme elle était, leur assurait malgré tout le gîte et le couvert et que, toute seule, Sewer Girl avait manifestement peu de chances de s'en sortir. Placer l'échec assuré avant la sécurité, était-ce un acte de rébellion ou d'identification ? Difficile à dire, car sa mère n'était pas une personne unique. La moitié du temps, elle se baladait avec son petit balai de sorcière ; l'autre moitié du temps, elle attendait l'arrivée des Martiens. Quoi qu'il en soit, elle voulait que les yeux noirs de Nicky brûlent pour elle de temps à autre. Cette première grosse explosion dans le Bronx, l'automne dernier, le fait qu'ils pouvaient laisser des victimes… cela ne l'avait dissuadée en rien. Au contraire, son désir physique augmentait à mesure que le risque lui paraissait réel. Elle voulait les piquants de cheveux de Nicky entre ses cuisses tout le temps. Elle voulait étaler son sperme sur sa peau comme un onguent en mesure de la transfigurer. À son réveil, une fois la couche craquelée, elle sortirait puissante, d'une pièce, et pure. Mais désormais quand ils baisaient, il semblait toujours ailleurs. Et quand elle s'était aperçue, à la faveur de la disparition de l'Amoureux, que Nicky baisait aussi Sam, c'était comme si on lui avait arraché le cœur, comme si on l'avait éventrée et dépecée, comme si une lame s'était enfoncée dans sa peau douce et blanche et s'était retournée là-dedans jusqu'à ce que presque plus rien ne reste de la personne qu'elle croyait être. Comme ça s'était passé pour Sol, elle le savait (mais, aurait dit Nicky, *mutatis mutandis*. Dès que Sam était venue assister aux concerts, Sol avait eu pour elle des yeux de loup de dessin animé). Ce qui ne signifiait pas qu'il n'y avait plus d'amour entre les deux S.G. Il se forme toujours un lien entre des gens qui ont dû s'appuyer l'un sur l'autre pour survivre, et Sol était fondamentalement loyal, dans le sens où il ne lâchait jamais rien. En fait, elle l'avait compris, le nœud de son attachement à Nicky se situait là, dans cette loyauté non pas idéologique mais instinctive. Et à sa manière mal dégrossie, Sol la sentait tiraillée. Il lui avait demandé plusieurs fois, dans le noir, au lit – ou plus exactement par terre – si ça allait, à quoi elle répondait oui, bien sûr, quelle question ? Mais il régnait maintenant dans la maison une atmosphère d'insécurité, comme si chacun, déjà, braquait une arme sur tous les autres.

C'est dans ce climat que Sol était revenu le jour de Noël avec son maillot des Rangers et le sac de sport renflé. Il avait l'habitude de voler tout ce qui n'était pas fixé à quelque chose, mais même sans ce piètre déguisement, elle aurait compris, à voir comment Nicky le cuisinait, qu'il s'agissait d'un vol prémédité. Et de la même façon, elle avait deviné le secret dissimulé dans le sac longtemps avant que Sol crache le morceau. Comme moyen de retourner la situation après l'action menée dans la Zone Insalubre, c'était brillant, mais le projet reposait aussi sur l'hypothèse que Sam ne les balancerait pas – sur une loyauté qui, Nicky aurait pu le voir dans les fanzines, n'existait pas. Et comme de juste, Sam avait disparu des écrans radar. Certes, c'étaient les fêtes, mais cela ressemblait à une confirmation et Sewer Girl ne pouvait se plaindre à Nicky : quand il s'agissait de Sam, impossible de lui faire entendre raison. Parmi les Post-Humanistes, D.T. avait toujours semblé le plus ambivalent – quand il disait « révolution », on entendait presque les guillemets paniqués – mais c'est à lui en fin de compte qu'elle était allée confier ses craintes et, à sa grande surprise, il les partageait. Ils avaient tous les deux vu Sam prendre des photos au début du mois de décembre, quand ils lançaient leurs raids, armés de bombes. Entre le contenu de son appareil photo et ce qu'ils venaient de rafler chez son père, elle avait probablement de quoi les faire boucler un bon bout de temps. Ou du moins Nicky et Sol.

Et donc, le soir du Nouvel An, quand le Prophète Charlie avait laissé échapper qu'il devait retrouver sa meilleure amie Sam Cicciaro Uptown, elle avait croisé le regard de D.T. dans le sous-sol crasseux du Vault. Il avait fait semblant d'être trop ivre pour remonter sur scène, il n'y aurait donc plus que la batterie, une basse et une poignée de pots à feu pour couvrir l'horrible secret d'Ex Nihilo – à savoir que Nicky n'avait absolument pas l'oreille musicale – mais le groupe était déjà presque une question secondaire.

Elle se souvient d'être passée devant une soirée Hamilton-Sweeney au bout d'une rue de l'Upper West. Juste au coin, imprimé dans la neige accumulée, un réseau de pas, comme si quantité de personnes s'étaient croisées. Ou comme si une seule personne n'avait cessé d'aller et venir, sans pouvoir se décider à entrer. Et puis, ça avait été au tour de S.G. et de D.T. d'hésiter, ils avaient fait quelques allers et retours jusqu'au parc, au cas où, et une fois revenus dans la rue, la première prophétie du Prophète s'était révélée exacte. Sam était là, assise sur un banc. Attendant quelqu'un qui devait être invité à la fête – sinon quel besoin de remonter si loin Uptown ? Et qui savait ce que Sam s'apprêtait à révéler ? Qui savait ce que quiconque préparait désormais ?

C'était D.T. qui avait eu l'idée de prendre le revolver dans la camionnette, au cas où ils auraient besoin de prouver à Sam qu'ils ne plaisantaient pas. Mais là-bas, dans le parc, les punks avaient fini par se refiler l'arme comme dans un film muet pendant que Sam leur disait d'arrêter de déconner, qu'ils étaient ridicules. « Je veux dire, pour nous tous, les décisions sont déjà prises, n'est-ce pas ? » On entendait là un écho de Nicky, de leurs petits conciliabules chuchotés au sous-sol, mais à qui elle faisait dire le contraire de ce qu'il pensait. Et à cette seconde, quelque chose aussi avait changé chez Sewer Girl. Le revolver s'était retrouvé dans ses mains, pendant que celles de Sam voletaient devant elle comme des oiseaux dans la lumière de la lune.

— Du calme, disait-elle, je suis toujours ton amie.

Le coup avait dû partir tout seul, elle croyait que le cran de sûreté était mis – voilà le genre de choses que Sewer Girl se dirait plus tard mais, en réalité,

Sam avait toujours représenté une menace. Elle s'appropriait tout, alors que S.G. n'avait pratiquement rien – sauf, contrairement à ce que tout le monde semblait croire, de la détermination. À revendre. Alors, savait-elle ce qui se passerait quand elle aurait appuyé sur la détente? Peut-être, depuis le début, voulait-elle connaître la réponse? Et voilà son amie tombée dans la neige, avec son sang qui jaillissait, poussant un râle comme si elle était en train de mourir. Il y avait juste assez de lumière pour voir D.T. prendre le revolver, l'approcher de l'oreille de Sam et, en détournant la tête, tirer le second coup de feu. C'était parce que le premier avait été un boulot de merde, dirait-il, et il fallait parfois être cruel pour être charitable. Pour finir, D.T. avait fait un boulot de merde lui aussi, mais ils ne le savaient pas au moment où ils avaient détalé en direction du métro, comptant sur la neige pour recouvrir leurs traces. Pour autant qu'entre elle et les tunnels en dessous il n'y ait que de l'herbe, du ciment, un peu de terre. Mais Sewer Girl commençait déjà à comprendre dans quelle substance véritable elle avait imprimé sa marque. Cette ville n'était-elle pas la somme de chaque petit égoïsme, de chaque ignorance, de chaque acte de paresse, de défiance et de malveillance jamais commis par chacun de ceux qui y vivaient, ainsi que de tout ce qu'elle avait aimé, elle?

Et tout cela, elle avait été à un cheveu de le raconter à ce reporter sur le quai de chargement. Quelque chose dans son visage, sous la barbe, disait qu'il en connaissait un rayon sur la survie. Elle avait baissé les yeux sur le papier gras qu'elle tournait et retournait dans ses mains. Voulu lui décrire cet instant proche de la joie quand le revolver avait sursauté, qu'elle avait su qu'il était trop tard pour revenir en arrière. Il était possible encore maintenant, pour elle, de ne pas croire vraiment que… Mais quand elle avait ouvert la bouche, ça avait été pour trouver une raison de s'en aller.

Ce besoin de se confesser ressurgirait tout au long de ce qui viendrait par la suite. Quand le reporter avait été retrouvé mort, elle sut au fond d'elle-même que le coup venait de Nicky. Elle avait donc maintenant à répondre de deux vies, deux vies pas très heureuses, semblait-il, mais tout de même. Et sa poudre noire détruirait bientôt ce qui restait, alors que rien de ce qui avait entraîné Nicky jusque-là n'en valait le prix. Mais la nuit de la collision des deux sept, quelque chose, de nouveau, avait changé. Le Prophète Charlie, pensait-elle, avait vu ce qui se passait dans sa tête. Elle était montée au grenier dans l'intention de lui faire perdre sa virginité, à titre de compensation, après quoi elle lui aurait aussi ouvert les yeux, et ensemble ils auraient peut-être pu agir, arrêter le Frère Démon. Ou les Frères.

Peut-être avait-elle encore le pouvoir de tout arrêter, même seule. C'est pourquoi elle était venue cet après-midi dans le Building Hamilton-Sweeney. Mais, contrairement à ce qu'indiquait le plan, il n'y avait pas de bureaux au 40ᵉ étage, rien que cette vaste salle de presse. Une fois que les journalistes avaient eu plié bagage, elle s'était laissé enfermer et avait fouillé partout. Elle croyait sans cesse entendre un tic-tac, sans réussir à trouver l'endroit où Nicky avait caché la bombe. Pour finir, elle s'était résignée à son destin – mourir ici, là-haut, toute seule. Elle avait alors éteint les lumières pour attendre, couchée dans l'obscurité, ce qu'elle méritait amplement. Responsabilité, culpabilité et liberté se percutant. Désastre, honte, régénération. Elle ne s'était pas aperçue que le reste du monde, lui aussi, était plongé dans le noir, jusqu'au moment où les voix l'avaient réveillée et attirée dans le couloir. Et maintenant, à l'instant où, de nouveau, le faisceau de lumière s'éloigne d'elle, elle voit Charlie Weisbarger debout au bord d'une fenêtre ouverte, les mains accrochées au châssis. L'infirme qui tient la lampe charge droit vers lui, ou plutôt titube, en hurlant *Non*. Mais il est peu probable que Charlie l'entende au milieu du cyclone provoqué par peut-être dix mille mouettes ou pigeons qui tourbillonnent dehors. Ou qu'il voie quelque chose, car il a les yeux étroitement serrés, comme s'il était en ligne directe avec le cosmos. Comme si réellement il était un prophète en chair et en os, sur le point de franchir le pas qui changera toutes leurs vies à jamais.

« ICI » – 02 H 30

Non loin, des détonations explosent comme des murs dont elle est le vide au centre. Ou des vagues qui se fracassent contre la forme neuve qu'elle essaie d'être, dans la ville qu'elle aspire à devenir. C'est l'ébranlement des autres, de dizaines de milliers de clochers qui s'effritent dans la mer. Comme une radio devenue impossible à régler. Comme si quelque chose dans le cœur se brisait. Seulement tout se brise toujours, et les fracas peuvent aussi célébrer : verres écrasés sous le pied ou jetés dans des cheminées, tintements concentriques de cuillères sur des tables en verre, suivis d'éclats de rire. Alors respire, Jenny. Rassemble ces feuilles dans l'armoire du moi et cherche un ordre. Que crois-tu en ce moment ? Tu crois que cette obscurité bouillante est un sous-sol. Tu crois que le corps en dessous de toi sait des choses que tu ne sais pas. Retrouve à tâtons dans le noir ce visage moite et presse-le contre le tien encore. Elle est trop fatiguée à cette heure impie pour savoir ce qu'elle fait, mais une langue aussi est un langage, même quand elle a le goût de n'avoir pas mangé, d'un chewing-gum qui perd son parfum. *Tu étais évanoui,* dit-elle en reprenant sa respiration, *je jure...*

Et peut-il avoir la certitude qu'elle ne dit pas la vérité? Il est possible qu'il n'ait même jamais été là. Il y avait ce tout premier jour dans cette chambre où il ne voulait plus bouger. Où il ne bougeait plus, voulant atteindre la température du minifrigo vide, de la vodka qui brûle alors qu'après tout elle ne fait que son travail. Mais comment expliquer cette autre personne qui s'insinue à l'intérieur? Cage thoracique contre cage thoracique, seins petits et doux, bouche sur sa bouche? Comment est-il possible d'avoir aussi mal partout et de ne pas l'empêcher d'attraper sa ceinture? Il ressent ce qu'une cage en s'ouvrant ressent. Il est comme un tigre décharné et captif, qu'importe le prix à payer pour le tigre chaque fois qu'il est vu. Et le désir monte, comme une poussée, comme une faim de la pousser indolemment contre le premier mur venu. Le tigre apprivoisé peut porter une colombe entre ses dents sans briser aucune plume. Ou est-il encore celui qui est porté? Il ne peut avoir aucune certitude, hormis le corps dans le noir, son odeur, sa petite langue, son souffle chaud contre son oreille. Il a peur d'être encore par terre, mais trouver le bouton de son jean, c'est se coucher dans la chaleur fluide sous la main faite pour elle, au plus près de ce feu plus profond. C'est retourner à l'obscurité première des bois noirs et touffus dans lesquels il se perdait, au brouillard dans lequel on s'égare et se trouve. Sa respiration, comme la mer dans un coquillage, cherche-la. Cherche ce qui est caché. Cherche le point où le dehors pénètre en secret et en secret pénètre-le.

C'est vrai, je t'ai cru mort. J'ai pensé: je le regarde mourir.

Une seconde, sa culotte blanche brûle comme une bougie dans le noir. Sa tête se redresse vers le plafond où la lumière des phares se diffuse par la fenêtre basse, blancheur triangulaire à la gorge. Elle est simultanément une autre femme en dessous. Et puis ils se rejoignent de nouveau. Elle sent le frottement du matelas sur ses genoux, mais aussi, bizarrement contre son dos, quand l'un déplace l'autre sur le lit. Ils sont comme l'échelle qui se grimpe elle-même. Comme des enfants qui se croisent sur une balançoire, volant toujours plus haut. Il y a en toi une puissance encore inexprimée. Peut-être inexprimable. Et c'est pourquoi, parfois, baisé est le mot le plus beau de la langue. Une douleur blanche irradie d'une épaule mordue et une nuée de points lumineux s'élève, effaçant ce qu'ils ont vu qui ne peut avoir de fin... Et alors, encore une fois, elle n'est plus qu'elle-même. Libre de faire tout le bruit qu'elle veut.

EAST VILLAGE – 02 H 30

Un bruit sec, comme une ampoule qui éclate, tire Mercer de ses médita-tions. Un parcmètre à sa droite vient d'être décapité. Au coin de l'Avenue A, des hommes équipés de minces lampes de poche crient : « Non ! Pas par là ! Par là ! » Il les entend à peine au-dessus des cris de ralliement (*Prenez-la ! Prenez-la !*), mais quand la foule entière déferle à l'ouest, il est emporté.

Des feux jaillissent des poubelles cabossées le long de Houston Street. Un peu plus loin, il voit une cabine téléphonique renversée devant l'entrée d'une rue adjacente, sans doute pour bloquer les flics, et puis une barricade de chevalets. Des raclements métalliques s'entendent de temps à autre au milieu des cris. Au coin de Broadway, il y a un magasin de sport Modell's dont la grande grille ne va pas résister longtemps à la horde d'adolescents qui montent à l'assaut. Un rugissement s'élève quand elle s'écrase par terre et un deuxième quand une vitrine tombe comme un rideau lourd. Un homme élancé, en tee-shirt couvert de pois blancs, se jette dans la lumière des flammes. Il court sur la pointe des pieds, une panthère bondissant d'un arbre à l'autre, et brandit une batte Louisville Slugger. Puis viennent des mail-lets de croquet et des raquettes de tennis. Quelqu'un fourre quelque chose dans la main de Mercer et, quand il l'approche de ses yeux, il voit une batte d'entraînement.

À côté de lui, un homme de son âge se dispute avec une femme en fichu.

— S'il te plaît, dit-elle. Et si quelqu'un rentre dans l'appartement ?

— Fous-moi la paix, répond l'homme. J'attends ça depuis des années. Tu sais où est le revolver, tu tiendras le siège.

Non loin, un Blanc barbu explique à qui veut l'entendre la théorie de l'his-toire de Hegel, tout en faisant tournoyer un club de golf, fracassant les vitres des voitures en stationnement avec la même minutie qu'un joaillier avec son petit marteau. Une voix de garçon demande s'il reste des clubs de golf.

— Casse-toi, petit, dit le type. On fait la révolution, pas du shopping.

Le feu engendre le feu et l'escalade l'escalade. Quand la masse parvient à LaGuardia Place, elle cible les cafétérias et les kiosques à journaux. Quelques éléments isolés se détachent pour s'en prendre aux boîtes aux lettres. Une faction est parvenue à allumer les phares d'un taxi et soulève le véhicule comme la lampe de poche la plus grande de la planète. La lumière balaie Washington Square, noyé de monde. De grands rouleaux de papier toilette éjaculent entre les sycomores noirs. Des peintures à la bombe – *Fascistes dehors ! Ma ville à la vie à la mort !* – fleurissent de façon incohérente sur l'arc de triomphe. Quant aux vrais fascistes, c'est-à-dire les flics, ils apparaissent par endroits à la périphérie, mais seulement lumières éteintes, avec l'ordre de ne pas bouger.

Un peu plus tôt, Mercer les avait vus tenter de protéger ce supermarché obscur sur la 14e Rue. Pendant que les patrons appelaient des renforts, que des chefs tergiversaient en parlant stratégie, des femmes sortaient en poussant des chariots remplis de boîtes de Similac et de Pampers. Des gens rigolaient ou sifflaient au pied des immeubles. D'autres revendaient des piles trois dollars pièce. D'autres encore s'en prenaient aux profiteurs, doigts pointés sous les nez. Le gardien de nuit, assistant au pillage, criait: «Oh, la racaille, les sauvages, les enfoirés!» Les véhicules de police allaient et venaient, mais Mercer avait déjà perçu ce qu'il y avait de futile à vouloir restaurer l'ordre; quelque chose dans cet ordre lui-même était profondément déréglé.

Il imprime à la batte un mouvement de balancier expérimental – le bruit qu'elle fait en fendant l'air est brutal. Des alarmes résonnent sur University Place et des tambours commencent à battre, à moins que ce ne soit son cœur. Des foules s'engouffrent dans des bureaux administratifs et ressortent avec des machines à écrire et des liasses de papiers qui volent. Mercer se retrouve portant un fauteuil de bureau ergonomique comme un trophée, jusqu'à ce que ses bras se fatiguent au bout d'un ou deux pâtés de maisons. Devant lui, c'est Union Square. Un parc à seringues, ainsi qu'il a été baptisé; peut-être William est-il *là*? Mais non. Plus de ça maintenant. Comme pour souligner sa pensée, il serre la batte et en frappe un parcmètre. La tête reste en place mais la petite vitre en forme de haricot se casse et crache des pièces dans la rue. Une acclamation monte des hommes qui l'entourent. Ils sont tous devenus blancs – skinheads, on dirait – mais peut-être que lui aussi. Le monde physique ne cesse de se dissoudre dans les ténèbres, et il semble à Mercer que se désintègrent avec lui les derniers lambeaux de conscience qui lui restent de son identité. Il n'y a plus de journaliste imaginaire pour lui demander ce qu'il ressent, mais s'il y avait encore un Mercer pour répondre, il pourrait le qualifier de soulagement, de la manière dont au camp d'entraînement C.L. avait ressenti du soulagement la première fois qu'il avait sauté d'un avion. Comme si, simultanément, il regardait d'une hauteur extraordinaire et s'abandonnait à la pesanteur.

Mais renoncer au moi est-il vraiment possible? Car, ici, face à la petite avant-garde dans laquelle il se trouve, surgit un quelque chose dans le rien: un édifice de pierre de Haute Église anglicane désacralisé luisant sous la lune. Il n'a pas besoin de lire l'inscription gravée sur le linteau pour savoir ce qu'elle dit. Car il sent que le bâtiment le ramène à son corps, le tire vers le passé, prononce son jugement ; c'est le lycée de filles Wenceslas-Mockingbird.

UPPER WEST SIDE – PLUS TÔT

À la lueur du truc porte-bougie à branches que tient William, les paupières fermées de son père sont comme le verre d'une fenêtre ancienne, fines vers le haut et plus épaisses à mesure qu'elles subissent l'effet de la pesanteur. Le corps lourd, toujours si comme il faut, est dans une posture inconfortable, un genou entièrement tourné d'un côté. Feindre le sommeil est une arme excellente contre les frondes et les flèches de la responsabilité. Comme un enfant de quatre ans qui se couvre les oreilles et répète sans arrêt *Je n'entends pas*. Mais jusqu'où fait-il semblant ? Le pantalon de Papa est plus foncé à l'entrejambe et le velours du divan est mouillé. William porte ses doigts à son nez. Ouaip. De la pisse. Eh bien, qu'il aille se faire foutre. Qu'*il* aille se faire foutre ! Que les domestiques s'en occupent. Mais il n'y a pas de domestiques. Il rapproche les bougies et n'obtient pas de réaction du père endormi. Il fait étouffant là-haut. William claque des doigts devant une oreille puis l'autre. Ce n'est que lorsqu'il saisit le bras décharné de Papa que les vieilles fenêtres s'entrebâillent.

— William, c'est toi ?

Comme si la dernière heure et demie – la décennie et demie, bordel de merde – n'avait pas eu lieu. Il n'a rien entendu.

Le téléphone marche ; il pourrait appeler le médecin, s'il trouvait un numéro, mais une part de lui s'accroche à l'idée que Papa fait semblant. N'empêche, il lui faut beaucoup de force pour le soulever et alors les paupières vacillent de nouveau, les yeux bleus cèdent à la panique dans l'obscurité.

— William ?

Il soupire.

— Allez, mon vieux. On va dans ta chambre.

Bien sûr, il n'a aucune idée de l'endroit où se trouve ladite chambre, mais à certains moments la démarche de Papa devient fluide et William sent qu'il est guidé, ils descendent quelques marches, en remontent d'autres, ils parcourent un couloir en direction d'une chambre qui possède tout le charme d'un centre de congrès. Le lit semble n'avoir jamais servi ; peut-être Felicia et lui changent-ils de chambre tous les soirs, comme de riches Bédouins. Il arrête Papa devant le miroir au-dessus d'une commode, lui ordonne de se déshabiller, se détourne. Projetées par les voitures qui circulent encore en dessous, des lames de lumière traversent les rideaux blancs et montent vers le plafond. Dans la rue cascadent des éclats de rire juvéniles. Cette carapace opulente est aussi fine qu'une coquille d'œuf – il a au moins appris ça. Mais quand on est à l'intérieur, elle vous écrase. Et il se sent perdre tout pouvoir. Le pouvoir, par ex., de ne pas regarder le pantalon en tas autour de ses chevilles, les bras agités de spasmes, la façon dont son père est obsédé par son bouton de col, alors même qu'il est évident que personne n'y fait attention. Il s'imaginait toujours que la tête de son père tomberait comme celle d'une épouse de Barbe-Bleue s'il desserrait seulement sa cravate. Il n'est plus à présent qu'un vieil homme pathétique, avec une touffe de poils qui dépasse du col de son maillot de corps et cette tache humide au bord de l'ourlet. William pose le truc porte-bougie et va l'aider à recouvrer son équilibre.

— Non, Papa, non, ne t'assois pas sur le lit, tu vas…

— C'est toi, William?

Il prend des serviettes dans la salle de bains et fait de son mieux pour éponger l'urine sur le couvre-lit. Il en étale d'autres et fait asseoir Papa dessus. C'est terrible ce qui arrive au corps d'un homme. Cela arrivera à William un jour aussi, sauf qu'au rythme où il va il ne vivra sans doute pas aussi longtemps, alors qu'on ne dise pas que les choses n'ont pas leur bon côté. Il s'agenouille pour délacer les chaussures, pour passer le pantalon sur les pieds, il l'aide à ôter le maillot. Il enveloppe d'une serviette les épaules de Papa et l'envoie dans la salle de bains avec un slip propre pris dans la commode. Il laisse la porte ouverte dans l'espoir que la bougie éclairera assez pour que Papa puisse finir de se déshabiller sans tomber et se casser la hanche. En tout cas, William n'a pas l'intention de lui changer son slip mouillé de pisse. Il a déjà déshabillé des hommes, des tas, mais il y a des choses auxquelles même lui ne s'abaissera pas.

Comme les bruits de brossage commencent, il allume une cigarette à la flamme d'une bougie. Ces petits cylindres de mort, ces petites béquilles, ces mèches: utiles pour traverser toutes sortes de situations que vous n'avez pas envie de traverser. C'est pourquoi elles ont tant de succès dans le centre de désintoxication. Chaque fois qu'il inhale, un ballon de chaleur gonfle dans la pièce immaculée. Mais il fait déjà mille degrés là-dedans. Il secoue un peu de cendre sur la moquette, Felicia peut aller se faire foutre, et s'approche du rideau pour respirer.

Que ce genre d'endroit soit pour elle tellement désirable s'explique aisément. La hauteur permet de tout voir. Il n'y a pas de balcon dans cette chambre, mais en se penchant par la fenêtre il voit jusqu'aux franges rougeâtres au nord du parc, Harlem et le Bronx en flammes dans la nuit. C'est là qu'il devrait être : dans son atelier, derrière trois verrous de sûreté, avec le feu qui vient, sans radio ni téléphone sous son vrai nom pour que quiconque puisse le prévenir qu'il est sur le point d'être incinéré.

En se tournant, il voit Papa en sous-vêtements propres, debout près du lit, semblant hésiter sur l'usage qu'il peut en faire.

— Oh, pour l'amour du ciel !

William va l'aider à se glisser entre les draps d'un nombre de fils totalement extravagant. Le vieil homme semble attendre une suite à la cérémonie, mais que doit-il faire ? Se pencher et lui baiser le front, comme si Papa était vraiment un enfant ? Il ne voit même plus son visage. Dans ses rêves, ce lit est toujours un lit de mort. « Je ne te déteste pas, tu sais », voilà ce qu'il dit. La réplique de Papa devrait être : « Je suis désolé. » Mais là, l'espace d'une seconde, William se voit comme son père doit le voir, éclairé à contre-jour par les bougies et les rideaux, et, comprend-il, ce que Papa penserait serait plutôt : « Pourquoi me détesterais-tu ? » Les mêmes éternelles conneries père-fils, comme si rien d'autre au monde n'existait – ni sœurs, ni amants, ni mères. Et de fait ce qui suit, c'est de nouveau ce bruit, cette reniflade. Disons qu'il ronfle.

Un peu plus tard seulement, quand William a soufflé toutes les bougies sauf une pour retrouver le chemin de la bibliothèque, un croassement lui parvient dans les ombres.

— Il y a quelque chose pour toi sur la commode.

L'a-t-il imaginé ? William tend l'oreille, mais le ronflement a repris, le monde est revenu à son état d'avant et il ne trouve sur la commode que le petit coffret en bois de rose dans lequel Papa mettait sous clé ses boutons de manchettes et boutons de col. Il n'est pas fermé, et à l'intérieur il y a une enveloppe avec son nom entier calligraphié d'une écriture cursive, scolaire. Le papier semble très vieux, jauni par le temps, et il peut tout juste deviner l'ombre qu'elle recèle. Ce qu'il commence à se dire, c'est qu'il y a une ombre à l'intérieur de tout. Peut-être vaut-il mieux ne pas regarder de trop près. Il sait pourtant déjà que, quel qu'il soit, il va probablement rester éveillé à lire ce document jusqu'à l'aube, à la lumière des bougies. À condition bien sûr que l'aube se lève.

BETH ISRAEL – 02 H 35

Au moment où l'inconnu arrive, le respirateur est réparé, encore qu'il y ait un couinement anxieux au milieu de chaque pression quand le soufflet gratte le verre. Ou il se peut que l'anxiété soit celle de Bullet. Toujours assis près de la porte, il sent que l'heure avance, avec une acuité réservée aux agonisants. Tout comme ce mec mal rasé sur le seuil, lui semble-t-il. Bullet, c'est une impression inhabituelle, doute qu'il l'emporterait sur ce type, s'il fallait en venir aux mains. Mais une sorte de reconnaissance s'établit entre eux – du moins Bullet reconnaît qu'il doit être le père de Sammy, et le père décide de considérer qu'il ne se passe rien d'anormal. Bullet se hisse sur ses pieds avec un grognement.

— Elle est tout à vous, chef.

Il serait physiquement impossible, même avec cette porte très large, pour l'homme tatoué de se glisser devant Carmine sans l'obliger à céder du terrain. Il ne doit pas peser moins de cent quarante kilos et Carmine, qui n'est pas en reste, en a pris cinq ou dix au cours des six derniers mois, avec toutes les cochonneries qu'il mange. Mais il a déjà mis des heures à se frayer un chemin jusqu'ici, il n'est pas près de reculer.

Et Carmine, s'étant posé à son tour dans le fauteuil encore tiède, ne se lèvera pas une seule fois pour se servir des distributeurs qui ronronnent près de la salle d'attente. Ici, il peut rester assis de longues périodes sans penser à grand-chose. Telles sont les choses auxquelles il ne pense pas : son corps se jetant entre sa fille et le revolver, au lieu de charger une barge de feux d'artifice dans un trou perdu du New Jersey. Les canettes de Schlitz vides qui l'entourent quelques heures plus tard quand la sonnerie l'a tiré de son lit. L'homme qui lui a subtilisé sa femme, et ce visage aussi jeune et démoniaque que celui de Dick Clark, qui lui était revenu juste avant qu'il décroche le téléphone, à quatre heures du matin du premier jour de la nouvelle année. Son traître de yoga, avait-il cru entendre la première fois qu'elle l'avait évoqué. Mais bon, il ne l'entendait qu'à moitié depuis des années, trop occupé qu'il était à réclamer de l'espace… et même quand elle était partie il n'en avait pas eu assez. Les rondeurs de l'enfance disparues, Sammy était le portrait de sa mère, jusqu'à cette façon imperceptible dont ses lèvres dessinaient une moue au repos. *Tu as fait le mieux pour elle*, avait dit le journaliste. *Beaucoup sacrifié pour son éducation.* Mais qu'en savait Richard, à la fin ? Que dalle. Carmine non plus n'avait jamais été avec sa fille qu'à demi présent, et il voit que tout est sa faute – ou le verrait, s'il y pensait, ce qu'il ne fait pas. Et elle ? Pas s'il faut en croire les médecins.

En voilà un justement qui ressemble à Jawaharlal Nehru jeune.

— Voyons, dit-il en consultant les documents qu'il tient. Ah. Cicciaro.

Sa façon de prononcer chaque syllabe, claire et sèche, montre que sa bonhomie est feinte. Carmine a furieusement envie de lui faire avaler ses papiers. Au lieu de quoi, il pose les questions qu'il pose toujours quand il rencontre un nouveau médecin, comme si cela pouvait changer les réponses. Combien de temps cela va-t-il durer ?

L'état vé-gé-ta-tif ? demande Nehru. Il y a une absence de langage corporel, pas de tête grattée ou détournée comme Carmine en a pris l'habitude. Il existe des cas, des cas mi-ra-cu-leux, où le patient se réveille, mais les statistiques sont très défavorables. Et Carmine n'est pas cro-y-ant, n'est-ce pas ? Non, c'est bien ce qu'il pensait. Elle pourrait continuer ainsi pendant des années, physiologiquement, mais sans ces machines elle serait déjà morte. « Je suis désolé », dit l'homme ensuite, comme si une personne différente et profondément attristée avait pris le contrôle de son larynx, mais quand il veut lui toucher le bras, Carmine n'imagine qu'une seule chose, le jeter par terre au milieu de ces machines à roulettes et le fouetter avec son stéthoscope jusqu'à ce qu'il ait besoin d'une machine pour l'aider, *lui*, à respirer.

Sammy ne souffre pas, bien sûr – cela, Nehru en est certain. La grimace que Carmine croit voir de temps à autre n'est qu'une association de réflexes musculaires et du désir que son cerveau éprouve de leur donner du sens. Les médecins le rassurent tout le temps : elle ne ressent ni le chaud ni le froid, ni colère ni indulgence, et certainement aucune douleur. Et depuis des mois, maintenant, au lieu de pleurer l'âme, il s'efforce de voir ce qu'elle est, un vaisseau, une coquille. La gelée minérale luisante dont les infirmières lui enduisent les narines, le baume qu'il lui passe sur les lèvres, les gerçures qu'il ne parvient pas à prévenir. La déshydratation représente un danger. Les escarres représentent un danger. La perte de poids : un danger constant. Il défait les draps au moins une fois à chacune de ses visites pour examiner ses jambes, là où cela se verrait vraiment. Chaque fois, il imagine qu'elle se serait maintenue grâce aux médecins (qui viennent maintenant la voir toutes les dix minutes, c'est réglé comme du papier à musique, parce que apparemment il y a eu un incident un peu plus tôt avec le respirateur). Et chaque fois, au contraire, il trouve qu'il y a de moins en moins d'elle. Il regarde de nouveau. Avec le duvet qui a repoussé, ses jambes pourraient être les jambes d'un garçon maigre. Les chevilles comme des crayons. Ils peuvent dire ce qu'ils veulent, elle souffre, et ce sont les péchés du père, ses péchés contre l'idée même de paternité, qu'elle paie.

Tout ce qu'il aurait à faire, ce serait leur demander de débrancher les machines, et nul ne le lui reprocherait; c'est cela, comprend-il enfin, que Nehru est trop novice pour laisser entendre. C'est ce qu'on lui laisse plus ou moins entendre depuis le mois de janvier. Elle ne va jamais se rétablir. Mais Carmine sait qu'il se le reprocherait. Qu'il vivrait le restant de ses jours à lancer des étincelles, comme si on l'avait plongé dans la polverone et l'arsenic blanc avant de l'enflammer.

Nehru, de retour avec un collègue, feint de ne plus voir Carmine. Le collègue fronce les sourcils en examinant les tuyaux du respirateur. Nehru dessine de petites marques sur sa fiche et parle de la durée au cours de laquelle la machine est restée en panne, de l'éventualité d'autres lésions cérébrales. Carmine n'entend pas bien, car un cri s'élève sous la fenêtre. Trois temps : *Da da DAH.* C'est la marche de protestation dont il avait entendu parler ce matin sur « Dr » Zig. Elle n'a rien perdu de sa force, mais quand il se lève pour voir, tout est noir dehors, hormis une lumière qui clignote au sommet d'un immeuble de bureaux à sept cents mètres de là, comme un œil qui le regarde – qui regarde au fond de son cœur. Qui regarderait même si chacun admettait que d'une certaine façon, avec la coupure de courant, la technologie qui la maintient en vie a également été mise en échec. Erreur mécanique, un de ces trucs, son heure, la volonté divine, ne souffre plus. Pour le mieux. L'homme est-il assez fort, telle est la vraie question. Assez fort pour regarder sa propre fille suffoquer comme un poisson au bout de l'hameçon sans détourner la tête. Parce que si tel est le cas, il ne quittera pas la chambre avant que ce soit terminé.

Non ! crie la foule dehors, tandis que les médecins ressortent. *Ne fais pas ça*, ou peut-être *Ne te retourne pas.* Dans son esprit, se sacrifier signifiait toujours donner sa propre vie. Non. Cela signifie sacrifier celle de Sam. Et il veut souffrir, plus qu'il n'a jamais souffert, plus qu'elle ne souffre, s'anéantir à force de souffrir. Il veut en finir avec la poudre noire qui le brûle de l'extérieur mais ne parvient jamais à le consumer jusqu'à l'âme, qui continuera à hurler pour les siècles des siècles. Ces autres pères ont été assez forts. Abraham. Jehovah. Et maintenant Carmine Cicciaro qui tend la main vers le masque.

LES QUATRE VISIONS DE CHARLIE WEISBARGER

La première vision, prologue des suivantes, est l'étroitesse de toutes les visions antérieures – le fait qu'elles ne sont jamais allées beaucoup plus loin que les limites du crâne de Charlie. Autrement dit, ce n'étaient sans doute pas des visions du tout. Ou du moins, pas comme celle-là. Car c'est le monde extérieur qui se transforme maintenant. Ce qui ressemblait à une fenêtre devient une porte.

La deuxième est un bruit. Une voix. Tu dois décider si tu veux franchir le pas, dit-elle. Te réveiller. Mais il y a un problème : les oiseaux bloquent la porte et il ne voit donc pas clairement ce qu'il y a au-delà. Les autres étant distraits par la présence de Sewer Girl (comme il avait pu l'être, dans des circonstances différentes), il ferme les yeux et grimpe sur le rebord de la fenêtre. La lanière de l'appareil photo force le passage de l'air dans ses poumons. Un poing d'acier lui serre le cœur. Il n'a pas besoin de regarder pour savoir à quelle distance se trouve la rue en bas, et ces oiseaux ont l'air en pétard. Ils vrombissent juste devant la fenêtre comme une machine de guerre et le vent épais qu'ils soulèvent lui souffle partout dans les cheveux. Mais il ne peut se résoudre à ouvrir les yeux. Ou peut-être est-ce inutile. Peut-être cela le détournerait-il de la vision suivante, celle qui maintenant se déplie à l'intérieur.

Celle-ci met en scène un futur, ou des futurs. Il flotte au-dessus de Midtown, le gratte-ciel de bureaux en dessous est une ruine antique, comme tout ce qui se trouve dans un rayon de plusieurs pâtés de maisons. Plus loin, derrière les murs intacts du Financial District, il y a le port. Les eaux sont d'abord calmes, étincelantes, mais voilà qu'elles s'agitent sous la pression de quelque chose venant du nord et de l'ouest. Ce que voit Charlie quand il tourne la tête, du haut de ce qui fut jadis le Building Hamilton-Sweeney, est incroyablement rapide et brillant, même à trente kilomètres d'ici, une paire de petits soleils, des éclats dorés dans le bleu. Ils laissent trop peu de temps pour que quoi que ce soit puisse les arrêter – juste assez pour qu'il comprenne que le 14 Juillet n'était qu'un avant-goût, que le KGB, l'OLP ou d'autres lettres seraient accusées, et frappées, qu'elles frapperaient en retour et seraient frappées en retour jusqu'au moment ultime où tout ce qu'il a jamais connu sera consumé. À quoi ressemble la fin du monde ? Sa mère, à la fenêtre de sa cuisine, regarde le ciel devenir blanc comme une ampoule. Ses frères, endormis, changés en cendres ou en air. Tout ce qu'il n'a pas aimé comme il aurait dû, tout ce qu'à chaque seconde il a oublié de choisir, car manifestement ceci est notre seule existence : la ligne des gratte-ciel, les ponts, les gazons de Long Island et la pierre en granit sur laquelle le nom de son père devait traverser les siècles à venir, tous morts. Dans ce futur, Sam aussi est morte.

Et il passe ces dernières secondes tout seul, en compagnie de ce qu'il sait. Et dans l'autre – celui qu'il choisit s'il franchit le pas?

La dernière des quatre visions de Charlie Weisbarger est une étincelle qui lui indique où il s'est trompé. Il cherchait une manière de changer ce qui est, mais elle ne viendra jamais du dehors. C'était dans le Gramsci que Nicky lui avait donné, et dans le Marx, et même dans sa Bible quelque part. « Personne n'a jamais vu Dieu. » Le seul changement possible se trouve depuis toujours en lui, où les limites entre l'indication et l'invocation sont désespérément troubles. Il attendait une indication, un doigt tendu, mais Dieu est plutôt la signification du doigt tendu – une chose dont la réalité dépend de celui qui observe. Agis comme s'il n'existait rien de plus grand que toi-même, ni justice, ni pitié, ni communauté, ni rien, et rien de cela n'existera. Ou tu peux essayer de le faire exister. Il y a des Paradoxes qui pourraient t'engloutir jusqu'au trognon, et c'est ce qui se passe pendant une seconde, mais il sent de nouveau la lampe qui crée cette grotte rose à l'intérieur de ses paupières et il entend le bout en caoutchouc de la béquille du commissaire frapper le sol, une fois, deux fois, venant à son secours, et en ouvrant les yeux il distingue à peine derrière le point aveugle de la lampe le gros garde et Sewer Girl. *Non! Ce n'est pas l'heure!* Mais l'heure n'est que le langage de Dieu. C'est ce qu'il leur dirait, mais il ne voudrait pas que ses dernières paroles soient des conneries et il n'est plus temps de décider si c'est le cas. Il n'est même plus temps, en réalité, d'avoir peur, et Charlie se tourne pour faire face au dehors, les plumes lui caressent le visage, il prend une dernière inspiration et se précipite dedans, dans les ailes et les bras qui sont aussi le vide.

MIDTOWN – 02 H 20

Pendant un certain temps, Keith ralentit sans cesse pour parler aux passants, assez fort pour que Regan l'entende et sache qu'il est toujours derrière elle, qu'elle n'a pas réussi à lui faire baisser les bras. À un moment donné, pourtant, il finit par ne plus se donner cette peine. Il sait depuis le début que personne, dehors dans ce noir, n'aura remarqué deux jeunes enfants. C'est probablement tout aussi inefficace que ce qu'il faisait il y a maintenant une éternité, avant que les lumières s'éteignent: mettre ses mains en porte-voix et crier leurs noms: «Will! Cate!» À un demi-pâté de maisons devant, près d'une cataracte de feux de stop, Regan se fige. Keith attire l'attention. Mais c'est précisément le but, et elle ne tarde pas à s'y mettre à son tour. « Will ! Cate ! »

Ils forment une étrange équipe, elle devant, lui derrière, séparés par la rue. Ils pourraient être des étrangers l'un pour l'autre, s'il n'y avait cette manière dont leurs voix se rapprochent et s'écartent dans la chaleur empuantie par les ordures. (*Will, Cate. Willcate. Couic. Quête !*) Les voitures se traînent mais ne klaxonnent pas et, parfois, permettent d'y voir un peu. Il s'aperçoit, par exemple, qu'ils se trouvent maintenant à moins d'un bloc du Lickety Splitz Gentleman's Club au coin de la 53ᵉ Rue et de la 3ᵉ Avenue. Si elle tourne à gauche, elle les entraînera à l'endroit exact où il s'était arrêté dans la neige le soir du Nouvel An et où il avait décidé de ne pas rejoindre sa maîtresse Downtown. Il fut un temps, il aurait voulu s'arrêter, faire une génuflexion, mais comme Regan fonce tout droit, il se contente de balancer les noms de ses enfants contre les escaliers de secours et les poubelles.

Pendant une heure, ils zigzaguent du sud au nord, d'est en ouest, devant des lieux de plus en plus improbables. Devant la plaza du Plaza éponyme, devant l'entrée des services de Surveillance, Reconnaissance et Observation, les sépulcres blanchis de l'ONU. Il n'avait jamais pensé que l'un avait le moindre lien avec l'autre, mais dans le noir, ils sont étonnamment proches. Peut-être l'immensité de Manhattan n'est-elle qu'une forme d'artifice comptable dont on se sert pour justifier son insignifiance, son impuissance, le fait que personne ne répond quand on appelle. Une impression de gêne commence à poindre quand Regan plonge dans la caverne de Grand Central, plus noire encore que la nuit dehors. « Will ! Cate ! » Il n'a jamais entendu un silence tel que celui qui répond. Le plafond a disparu, mais la lumière des étoiles qui transperce les fenêtres voûtées de chaque côté du hall révèle des formes, blotties tels des vautours sous les panneaux des départs. Ou ce sont peut-être des voyous qui ont remarqué leur présence. Ils s'agitent, prêts à bloquer les issues, mais il recommence : « Will ! Cate ! » Il découvre qu'il n'est d'enfer dans lequel il ne la suivrait pas…

Et ils ressortent de nouveau à l'air libre et chaud. Ils passent devant une masse d'ombre qu'il reconnaît, la bibliothèque, et le parc derrière, où les étudiants achètent de l'héroïne. On entend un bruit de collision sur la 6ᵉ Avenue ; une voiture a enfoncé une vitrine. Des flics courent dans le tourbillon disco rouge et bleu, mais ils semblent préoccupés par le véhicule immobilisé moitié dedans, moitié dehors, sur les éclats de verre, et Regan passe son chemin. Si sa mémoire est bonne, le pâté de maisons suivant devrait être un écueil d'invites électriques, de peep-shows, de cinémas pornos, mais le blackout a tout effacé et, sans la promesse de la chair, les piétons se font rares. Un peu plus loin, pourtant, leur flot s'épaissit. Il parvient à distinguer des visages. Et brusquement, entre les récifs noirs des immeubles de bureaux : la lumière.

La lumière ne s'éteint jamais à Times Square, certes, mais les marquises devraient déverser une incandescence couleur crème anglaise. Au lieu de quoi, la lumière est blanche et d'une intensité minérale, et à l'endroit où la 42ᵉ Rue débouche dans Broadway il s'aperçoit qu'elle ruisselle de deux immenses disques réflecteurs suspendus à des grues plusieurs étages au-dessus du sol. En bas, grouillent des masses de gens en folie, des dizaines de milliers, qui se sont répandus dans les rues où circulent normalement les voitures. Des îlots de circulation percent des trouées par intervalles et sur chacun se dresse une plate-forme, drapée de rouge, surmontée d'une cage de cirque à l'ancienne. L'une abrite une panthère éclairée. Une autre, un aigle impérial perché sur une branche. Plus près de lui et de Regan, à une dizaine de mètres, il y a un ours noir à collerette, qui doit bien mesurer trois mètres de haut, même assis sur son tabouret. Au cours de ses années en ville, Keith est tombé sur un nombre suffisant de tournages pour être capable d'en reconnaître un, mais celui-ci est à l'échelle de Cecil B. DeMille, ou de cette version soviétique de *Guerre et Paix*. Et puis où sont les caméras ? Et est-ce que les gens autour sont des gens ou des comédiens payés pour jouer des gens ? Y en a-t-il parmi *eux* qui aient vu son fils ?

Il est sur le point de poser la question quand un long accord résonne du haut du centre de recrutement de l'armée. Il ne l'avait pas remarqué, mais un chœur au complet est disposé là-haut, en robes grises dont il ne voit que les épaules. Un chef d'orchestre en smoking gesticule le dos tourné. Comme à son signal, le reste de la place fait silence et se fige, hormis un sac en plastique qui claque sur un courant d'air ascendant. Keith pourrait crier et toute la place l'entendrait sûrement, mais il perçoit l'ordre impératif de garder le silence. Regan aussi, sans doute, car même elle a cessé de crier.

Le chant qui s'élève à présent est lent et lugubre, dans une langue qui n'est pas la leur. Du russe, d'après lui, à en juger par les voix profondes de contre-basses. Les bâtiments renvoient le son vers le ciel et l'altèrent, en brouillent les contours. Keith se demande si quelque part, dans l'arbre généalogique Lamplighter, il y a eu des Slaves, parce qu'elle l'appelle, cette élégie, si c'est une élégie. Un requiem. Il a envie, brusquement, d'être au bord d'un immense précipice, surplombant quelque chose de gigantesque – comme quand il mettait son album *Les Plus Beaux Morceaux de Cornemuses et Tambours Écossais* pour s'octroyer quelques minutes de réflexion à la fin de la journée, débarrassé des enfants courant dans les coins de l'appartement en se couvrant les oreilles. Il se plantait alors devant la fenêtre, avec dans le cœur la même lumière que celle qui traversait le scotch dans son verre. En bas, dans la rue, les gens pressés se hâtaient de rentrer. Sa vie personnelle lui avait semblé une chemise rétrécie au lavage… mais il apprécierait maintenant cette forme d'entrave. Pourquoi lui fallait-il toujours courir d'un lieu où il n'était jamais à un autre où il ne serait jamais ? Que faudrait-il faire pour qu'il soit simplement à l'endroit où il est ? Il désire, presque, être son propre fantôme, projetant son ombre sur le petit monde dans lequel les autres se meuvent. Et il désire Regan auprès de lui – là où elle est, à quelques mètres à peine. Elle ne cherche pas à cacher les larmes qui coulent sur son visage éclairé par les projecteurs. Elle est plantée là, dans une note qui les place hors du temps. Et le chéri qu'elle lui refuse depuis si longtemps lui est donné : Keith entend, pense-t-il, ce qui est en elle. *Chéri*, pense-t-elle. *J'ai peur.*

Il veut lui dire de ne pas avoir peur, mais il est clair qu'il n'est pas capable de lui dissimuler sa propre peur.

Où ont-ils pu aller ? Que va-t-il arriver maintenant ?

Je ne sais pas, pense-t-il. *Qui sait ? Mais je dois croire, Regan, qu'ils vont s'en sortir. Nous allons les retrouver.*

Si seulement j'étais assez forte pour croire, pense-t-elle.

C'est déconcertant, et il ne sait pas vraiment pourquoi, jusqu'au moment où il sait. *Mais tu l'es*, pense-t-il. *Tu es la personne la plus forte que je connaisse. Toi seule as été assez forte pour m'amener jusque-là.*

T'amener jusqu'où ?

Cela l'oblige à bien réfléchir. Elle a besoin qu'il réfléchisse bien. Et s'il parvient à réfléchir aussi bien sans qu'elle l'entende, parviendra-t-il à l'atteindre ? *À ça, Regan. À une vie sans armure.*

Puis, brutalement, la note se termine, et quelqu'un crie « Coupez ! » Le chant est terminé, les cercles de lumière planétaires se replient au-dessus des têtes et les ombres passent au-dessus de leurs visages. L'ours, abattu, pousse un grognement dans l'obscurité qui retombe comme pour dire : *je le savais bien.* Et puis Times Square, ce monument dément, disparaît, ce qui suffit presque à briser le cœur de Keith. Il ne trouve pas sa main.

— Je suis désolé, c'est tout ce qu'il parvient à dire. Je suis tellement, tellement désolé.

— Non, c'est moi qui t'ai entraîné là-dedans, dit Regan quelque part.

— Je veux dire pour tout ça. Toujours.

Mais à voix haute, cela paraît un peu arrogant. Et puis les mains de Regan s'accrochent aux siennes.

— Nous pouvons parler de ça plus tard, Keith, mais cela ne va pas nous aider à retrouver les enfants.

C'est, ensemble, la vieille Regan et la nouvelle, directe, responsable, longanime – celle qui ne se dévoile que dans les situations les plus extrêmes. Ce qui est sans doute vrai de tout le monde. Il regrette vraiment de ne pas voir son visage.

— Le mieux que nous puissions faire maintenant, c'est de retourner chez Papa et d'y rester. D'être une cible fixe. Prendre quelques heures de repos, y voir plus clair, et s'ils ne sont pas revenus à l'aube, recommencer à donner des coups de fil. Mais plus de pensée magique, d'accord ?

Elle lui presse la main, une fois, avec quelle proportion de maternel et de conjugal, difficile à dire. Et elle commence à l'entraîner loin des figurants qui s'éveillent à présent, comme au sortir d'un songe. La ville entière semble s'étirer, soupirer. Il entend pendant un moment un battement d'ailes, un vol d'oiseaux qui passe au-dessus des têtes tels des démiurges incompétents, incapables maintenant de retisser le monde. C'est comme si l'ordre païen s'écroulait, cédait la place à ce qui doit advenir. Mais c'est probablement ce qu'elle veut dire par pensée magique.

GREENWICH VILLAGE – 03 H 22

Il était une fois une vision de Mercer Goodman. C'était au cours des premiers mois où il s'était installé avec William, quand le sexe l'envoûtait au point qu'il lui fallait des heures, après, pour trouver le sommeil. Étendu, les yeux grands ouverts, il imaginait une ville où les gens pourraient communiquer leurs désirs, leurs déceptions et leurs rêves, et ainsi aller au-delà de l'illusion d'être inconnus et inconnaissables, tandis qu'au passage des autobus, l'autoportrait inachevé s'illuminait puis s'éteignait. Mais plus tard, Mercer avait commencé à se demander si ce sentiment d'illusion n'était pas en lui-même une illusion. Car il y avait tant de choses chez William qu'il ne comprendrait jamais. Et il y avait son propre travail, le manuscrit dont il ne parlait pas. L'une des raisons pour lesquelles il avait commencé à éviter le sujet était l'opposition croissante entre le monde et le roman tel qu'il l'imaginait. Dans sa tête, le livre ne cessait de grandir en longueur et en complexité, presque comme s'il s'était donné comme mission de supplanter la vie réelle, plutôt que de l'évoquer. Mais comment un livre restituerait-il les proportions de la vie ? Un tel livre devrait consacrer 30 pages à chaque heure passée à vivre (car tel était le nombre de pages que Mercer lisait en une heure, avant la marijuana) – autrement dit 800 pages par jour. Multipliées par 365, cela donnait environ 280 000 pages par an : disons

3 millions de pages tous les dix ans, ou 24 millions au cours d'une existence de durée moyenne. Un livre de 24 millions de pages, alors que Mercer avait eu besoin de quatre mois pour rédiger ses 40 pages – et combien imparfaites ! À ce rythme, il lui faudrait 2,4 millions de mois pour finir. 2 500 vies, entièrement consumées par l'écriture. Ou les vies de 2 500 écrivains. C'était probablement le nombre – 2 500 – de bons écrivains ayant jamais vécu, depuis Homère. Et, à l'évidence, il n'était pas Homère. Même pas Erica Jong. Il n'écrivait que pour de mauvaises raisons, pour la postérité, pour *The Paris Review*, pour la couverture de *Time* (le sommet de la culture pour les autres Goodman) – pour tout sauf pour la liberté qu'il avait un jour trouvée dans l'encre et le papier.

D'où la première des nombreuses résolutions de mettre de côté sa ville rêvée et les folles ambitions qui l'avaient conduit vers le nord.

Mais tout revient, n'est-ce pas ? Les anciens désirs, les anciennes peurs et les anciennes illusions, comme un labyrinthe dont vous ne trouverez jamais la sortie – non pas à cause de son tracé, mais à cause de qui vous êtes. Tout ce temps, il s'était cru libre alors qu'il était en réalité enchaîné à son destin, ou à son contraire, à la force qui le ramène à son Waterloo. Une flamme vacille derrière l'une des hautes fenêtres de l'école. Quelqu'un avec une vie à lui dont Mercer ne sait rien de plus que ce que quiconque peut en savoir de lui. Ou que ce qu'il sait de lui-même. Ou du quatuor de skinheads qui avancent maintenant derrière lui. Il est même possible qu'ils ne soient pas du tout des skinheads, mais des Marines en permission, ou des types souffrant d'alopécie – sous la lune on ne distingue rien que des crânes rasés. Il se prépare tandis qu'ils parviennent au pied des marches. L'un frotte un briquet qui produit une étincelle mais pas de flamme. Et puis, chez Mercer, cette impression de retour se retourne entièrement, comme son impression d'opacité. Comme ces crânes, semble-t-il, et l'espace d'une minute ils sont des consciences nues, tremblant de leurs présences mutuelles. Pédé, pensent-ils. Plouc. Bamboula. Mais là encore c'est une illusion ; ils n'en ont pas après lui.

L'un demande :

— C'est une batte d'entraînement ?

Un autre s'esclaffe :

— Dégage, l'ami. On a un travail à faire.

Celui qui parle tient un parpaing. Non, un bidon d'essence. Oh. Ils veulent... Et ils doivent penser qu'il... Mais la condescendance, le mépris libèrent en lui quelque chose que la haine ouverte aurait simplement endurci.

— Qu'est-ce que ce bâtiment vous a fait, s'entend-il demander. C'est seulement une école.

— Tu rigoles ? Où crois-tu que la classe dirigeante trouve l'idée qu'ils valent mieux que nous ?

— Je veux dire, à vous, personnellement.

— Ça n'a rien de personnel. Mais ça devrait l'être pour toi. Tu crois qu'ils vous laissent entrer, vous autres ?

— Eh bien, justement, la direction fait de sérieux efforts dans ce sens. J'ai travaillé là pendant un moment...

— Allez, frère, sors la tête de ton cul. Regarde autour de toi. Cette ville de merde n'est qu'une gigantesque usine à inégalités. Ils peuvent t'acheter avec un petit quelque chose que tu as peur de perdre, un salaire ou une télévision en couleurs, mais tu ne parviendras jamais là où ils sont. Pendant ce temps, ton frère pourrit dans une cellule quelque part. Ta sœur verse de l'eau sur les céréales des enfants parce qu'elle n'a pas de quoi acheter du lait. Tu tiens vraiment à ce que je te présente tout le topo, au beau milieu d'une émeute ? Pour faire court, tu t'accroches à quelque chose qui ne t'aimera jamais en retour.

Voilà un diagnostic étrangement érudit, mais le problème n'est pas là. Le problème, c'est qu'il est presque en tout point exact. Car qu'est-ce que Wenceslas-Mockingbird, sinon une arme destinée à défendre l'ordre existant ? Un ordre à la fois injuste et trompeur. Et tant que ce monde restera ce qu'il est, il restera ce pauvre vieux Mercer. Alors il s'écarte, et la bande d'émeutiers revient s'acharner à faire tomber les portes. Pandémonium général. Des hordes affluent de partout et pénètrent dans les couloirs et les salles, jettent de l'essence, incendient les boiseries en noyer, les peintures à l'huile et les volumes reliés en cuir de la bibliothèque. Et puis se dirigent vers City Hall, Wall Street, l'Empire State et le Building Hamilton-Sweeney. Quand le soleil se lèvera, dans quelques heures, il éclairera une ville où ne restera plus aucune trace du passé.

Sauf que ça ne se passe pas ainsi. Mercer ne s'écarte pas, mais lève de nouveau la tête vers la fenêtre éclairée. Peut-être est-ce ce vieux Dr Runcible, jamais sorti du placard, en train de communier avec Matthew Arnold à la lueur des bougies. Ou bien simplement un gardien. Il n'empêche, au milieu des fossilisations merdiques de toute la sagesse des Lumières, il y a la personne humaine. Une âme qu'on ne pourrait sauver sans d'abord détruire son corps, mais qu'on ne peut assurément pas sauver si on le détruit. Tout ça est absurde, pense-t-il – est-il vraiment en train de défendre l'école privée ? Mercer, pourtant, a perdu des mois à charmer l'oiseau dans son nid, et quand l'homme tente de le pousser, il pousse à son tour.

Et il tombe. Il s'écroule sur le ciment et les skinheads le plaquent au sol. Il lance les poings et il sent le contact – non pas comme au cinéma, avec quelque chose qui craque, mais avec quelque chose d'immatériel, comme dans les rêves. Ça fait du bien. Autant de bien, bizarrement, que de recevoir un droit dans le nez.

Et tandis qu'il donne et reçoit les coups de poings, encore et encore, c'est comme s'il était l'autre homme, en lutte contre lui-même, goûtant la saveur de son propre sang. Tout autour, maintenant, les poings volent, comme si la violence s'alimentait de la foule. Et un à la mâchoire pour tout ce qui est noble et précieux et propice aux rêves, et un à l'oreille pour toute la souffrance à laquelle ces rêves consentent. Il sait qu'il est à demi étourdi, qu'il se détache du cuivre dans sa bouche et de la douleur partout sur son visage. Des présages de pavés produisent un souffle près de sa tête, mais les camarades du type ont sûrement eux aussi du mal à savoir qui a le dessus. Pourtant, d'un instant à l'autre... Les étoiles qui brillent entre les corps pâlissent.

C'est alors qu'un bruit déchire la nuit en deux, on pourrait croire qu'une boule de bowling vient de renverser les quilles. Une canette s'écrase sur l'asphalte, une batte roule, des pas s'éparpillent et une voix, rêveusement familière, commande aux skinheads de venir ramasser leur ami étendu gémissant à un mètre de là sur le trottoir. Quand Mercer tourne la tête, on emporte le corps. Il pense d'abord qu'ils ont réussi à tuer quelqu'un ce soir – mais le revolver en question a tiré en l'air comme pour un signal de départ. Non, ce qui a amoché le skinhead, ce sont les poings de Mercer. Le petit revolver, à peine distinct, glisse dans le sac qui apparaît. Le sac glisse à son tour. Les émeutiers au beau milieu de la rue reprennent leur marche, s'ils se sont jamais arrêtés, et semblent ne pas remarquer qu'il s'est passé quelque chose ici. Difficile à dire dans quel futur il se retrouve à présent.

Une flamme crépite et prend vie loin au-dessus de sa tête et encore au-dessus, dans la fumée, flotte la tête de Venus de Nylon. Elle est maintenant assise sur les marches de l'école, genoux élégamment croisés, et l'observe d'un œil détaché. Pas un cheveu de sa perruque n'est défait.

— On dirait que tu as vu un fantôme.

Mercer se met en position assise, entoure ses cuisses de ses bras. Il a mal partout. Surtout au nez, qui semble cassé. Sa voix, quand il parle, est congestionnée.

— Mince, c'était toi. Tu as été extraordinaire.

— Si je gagnais cinq cents chaque fois qu'un homme me dit ça, je pourrais prendre ma retraite sur l'île d'Aruba.

Quelque chose lui revient à l'esprit :

— Non, attends, tu étais dans le parc, toi aussi, n'est-ce pas ?

— Là, tu émets une hypothèse.

— Je ne te savais pas capable de ça.

Est-ce une sorte de déesse ? Un diable ? Une hallucination ? Le visage qui apparaît quand le bout incandescent l'éclaire de nouveau est triste et, en quelque sorte, derrière le rouge à lèvres et le fard à joues, infiniment vieux.

— On ne croit jamais l'être, Mercer, jusqu'au moment où on est poussé à bout.

Il crache un peu de sang sur le trottoir.

— Ce soir, sans doute, on m'a poussé à bout.

— C'est drôle, dit-elle. Parce que j'aurais juré que tu étais un petit bébé. J'espère bien qu'ils ne t'ont pas enlevé ça. Même s'ils m'ont l'air d'avoir pris tout le reste.

— C'est si affreux ?

Il n'obtient pas de réponse et il suppose qu'elle ne le voit pas mieux qu'il ne la voit, maintenant que la flamme s'est éteinte. Il se met debout.

— Mais si tu es là, où est William ?

— J'étais censée le chercher ? Les groupes n'ont jamais été son truc, si tu te souviens.

Bien sûr qu'il se souvient, pense Mercer, et il se penche pour ramasser ses lunettes foulées aux pieds et prendre dans sa main la pierre qui a failli lui écraser la tête. Cela ne doit pas être non plus le truc de Venus, parce qu'à peine s'est-il redressé, qu'elle est déjà debout – elle le domine de toute sa hauteur – et nettoie le fond de sa microminijupe.

— Il faut que je rentre. Shoshonna est un peu malade.

— Attends, dit-il. Je dois le retrouver. J'ai quelque chose à lui dire.

— Tu vois ? Un vrai bébé. Ce n'est pas une qualité déplaisante, si tu sais comment la porter.

— Mais tu étais son amie. Dis-moi où le chercher.

— Demande-toi simplement où tu irais, toi, si tu pensais que tu vivais ta dernière nuit sur terre.

Sans se retourner, elle fait un petit geste d'adieu, *Ta*. Ces longues jambes s'éloignent en clac-claquant des talons vers Union Square et elle n'est plus qu'un léger parfum de tabac. Il doit peut-être commencer à faire jour, parce que la pierre dans ses mains se révèle être une brique. Il la pose debout au milieu des marches blanches – le Dr Runcible pourra buter dedans au matin, et savoir au moins à quel point elle avait frôlé la vitre, ou se poser la question – et il redescend sur le trottoir. Comme la multitude siffle en un million de langues autour de lui, telle une poêle à frire sous l'eau froide, Mercer

Goodman s'éloigne en boitillant vers le nord, en direction de ce qui est maintenant, ou a été un jour, chez lui.

BROOKLYN HEIGHTS - 02 H 35

Quand le taxi les dépose, l'air dans l'appartement est noir et lourd, et il y fait un million de degrés parce qu'il n'y a pas d'électricité pour le rafraîchir. Will allume quelques bougies et commence à ouvrir les fenêtres. En bas, Brooklyn est assoupi. Cate, aussi, a sommeil. Ses ripatons surtout sont tellement fatigués qu'elle ne sait comment elle y serait arrivée si l'homme en sous-vêtements et chapeau noir ne les avait pas abordés en leur demandant où ils espéraient aller. Mais d'un autre côté, peut-être ne les aurait-il pas abordés du tout si elle n'avait pas été aussi fatiguée. Will n'avait pas arrêté de râler et de lui dire de se *grouiller*, mais elle était prête à se coucher par terre en plein milieu du trottoir. Maintenant elle est sur le grand canapé en cuir tout neuf qui lui colle aux bras et aux jambes. Elle entend dans la cuisine son frère ouvrir le réfrigérateur, cogner quelque chose en verre contre autre chose en verre. Et il apparaît au-dessus d'elle dans l'obscurité, une boisson à la main. C'est juste son mot préféré. Bois son.

— Allez, ma grande, c'est l'heure de se brosser les dents.

— Et pas toi ?

— Quelqu'un doit attendre Maman.

— Tu promets qu'elle va rentrer à la maison ?

— Bien sûr qu'elle va rentrer à la maison. Elle n'avait simplement pas prévu qu'on serait là, c'est tout.

Il a une drôle de voix et son haleine a la même odeur que celle de Mme Santos.

— C'est sa seule soirée sans les morveux.

— Tu vas te faire disputer.

— Quoi, ça ?

Il regarde la boisson comme si quelqu'un d'autre l'avait placée dans sa main.

— Tout le réfrigérateur est en train de pourrir, de toute façon. Autant se servir. Allez, viens. Je te laisse dormir dans le grand lit.

Tout le monde sait que, depuis le déménagement, le lit de Maman est l'endroit préféré de Cate pour dormir. Ce qu'il a de mieux, ce n'est pas tellement qu'il est grand, c'est qu'il y a deux fenêtres dans la chambre. Elles dessinent des rectangles dorés sur les deux autres murs, les lampadaires et les phares des voitures dans la rue, et les lumières des autres immeubles et des immeubles de l'autre côté de l'eau, et quand Cate se réveille au milieu de la nuit, il y fait assez clair pour qu'elle puisse voir son bras et être sûre qu'elle existe vraiment. Ce qu'elle préfère, c'est quand il pleut et que les gouttes brillent comme des bijoux à coller. Mais pas ce soir. Ce soir, il n'y a pas de Maman et pas de lumière. Et vous savez comme c'est parfois difficile de s'endormir quand quelqu'un vous réveille en sursaut juste au moment où vous allez le faire, sombrer ? Eh bien, elle a ça. Will a laissé la porte entrebâillée. Elle l'entend attendre. C'est ce bruit – juste quand elle pense que peut-être il s'est endormi comme Mme S. et qu'elle peut se lever – d'une autre boisson versée dans un verre, ces petits crépitements que font les bulles d'air des glaçons.

Il y a beaucoup de bêtises qu'on ne doit pas faire et que fait Will. Il aime les accumuler et, quand tout le monde a oublié, il en révèle une, comme un oncle qui fait des choses avec les bras et la voix et donc vous oubliez que la pièce de vingt-cinq cents que vous lui avez donnée n'est pas dans sa main gauche, mais dans l'autre, celle qui glisse dans sa poche. Voua la ! Pas de pièce ! Le public préféré de Will, c'est Maman. Il dit *Voua la ! Papa nous laisse prendre le métro tout seuls !* Ou *Voua la ! Papa nous a acheté chacun une télévision, pour nos chambres !* Ça va, Cate a ses propres secrets. Par exemple, Maman est encore amoureuse de Papa. C'est pourquoi Maman est tellement en colère contre lui à cause de trucs comme ça. Ou par exemple, toutes les bêtises dont elle connaît l'avantage qu'il y a à faire semblant de ne pas les connaître.

Ce qu'il y a de moins bien, avec les lumières éteintes, c'est qu'il n'y a rien à regarder. C'est pourquoi elle se lève et va jusqu'au coin où les fenêtres se rejoignent. D'abord, tout ce qu'elle voit, ce sont deux clignotements roses au sommet des tours de l'autre côté de l'eau. Mais petit à petit, elle voit les étoiles et d'autres tours de hauteurs et de formes différentes serrées comme des petits enfants autour des jambes des adultes, et l'imperceptible lueur change l'eau en eau, elle bouge. Est-ce que le ciel s'éclaircit ? Sont-ils partis si longtemps ? Ou bien est-ce que ses yeux s'adaptent à l'obscurité ?

Et puis elle voit que le rebord de la fenêtre n'est pas en pierre mais plein d'oiseaux couleur pierre. Elle sursaute tellement qu'elle ne pourra peut-être pas se rendormir. Et en bas, le petit parc où ils attendent Papa, les deux arbres : ce ne sont pas des feuilles, ce sont des oiseaux. Il doit y en avoir un millier dehors. Même en reculant d'un pas dans le noir, elle sait que, s'ils sont venus pour elle, il ne sert à rien de résister.

Quand elle retrouve le courage de regarder, ils sont encore plus nombreux qu'elle ne croyait. Et à présent, des renforts descendent du ciel, comme sur des fils, ils tombent dans des espaces sur le devant et le toit des maisons, trouvant de la place là où il n'y en avait pas. Les immeubles ressemblent à des visages, mobiles, vivants, et il en vient toutes sortes de sortes, des pigeons, mais aussi des moineaux des étourneaux des faucons et là, juste devant la fenêtre, ce qu'elle reconnaît à la lumière de la lune comme étant une perruche bleue. Des chouettes plongent sur les agrès et de grandes colonies de mouettes se posent, comme de la mousse, sur le port, et de minuscules corbeaux, de la taille d'un point, volent dans la pulsation de lumière rose au loin. Il y en a trop pour qu'ils soient là rien que pour elle, elle comprend ça maintenant. Elle pense qu'ils ne lui veulent ni mal ni bien, sauf peut-être la perruche, avec son cou rotatif, qui la regarde tout le temps comme pour lui conseiller de se taire. Ce qu'elle fait. Est-ce que quelqu'un d'autre est réveillé et voit ça ? Et elle ? Il doit y avoir autant d'oiseaux ici que d'habitants dans sa ville et ils sont tous *assemblés*, dans l'attente que quelqu'un ou quelque chose apparaisse sur ce terrain de jeux, qui est en quelque sorte le centre. Et puis un grand vieil aigle impérial aux plumes pleines de suie, borgne, et dont les ailes ont cinq mètres d'envergure, se pose sur le toboggan, tourne la tête à deux cent soixante-dix degrés. Elle l'imagine lançant ses ordres : *Frères et sœurs !* Ou leur dire qu'ils peuvent partir, qu'ils ont fait leur travail.

C'est alors qu'elle se rappelle l'oiseau qu'ils avaient trouvé l'hiver dernier, là-bas, elle, sa mère, Will et Ken, l'ami de Will. Oh, pense-t-elle. Il a fallu aux autres tout ce temps pour repérer l'endroit où il était tombé. Sont-ils furieux parce qu'elle a emporté le corps ? Elle décide que non. Ils sont juste venus pour – comment disait Maman, quand ils sont allés à l'enterrement de la Maman de Papa, et que Papa avait crié, à Cate et à des cousins, d'arrêter leur touche-pipi, au Siège des Vétérans des Forces Armées où se déroulait le repas ? Rendre leurs derniers devoirs. Au matin, quand la lumière viendra la réveiller, les oiseaux se seront dispersés et personne ne la croira si elle leur raconte. Et de toute façon, étant à moitié Hamilton-Sweeney, elle ne dira rien.

94

LES ANNÉES S'ÉCOULANT, se divisant en décennies, les impressions
qu'avait eues William au cours du grand blackout de 1977 finiraient par
se brouiller. Sa sœur lui parlant sévèrement au moment de la disparition
des lumières – cela, il s'en souvenait. Il se souvenait aussi que ce qu'elle
avait dit l'avait blessé. Mais les mots eux-mêmes resteraient inaccessibles,
comme plus généralement le passé, sur lequel il avait appris à ne pas se
pencher.

Et puis un matin, il s'était retrouvé dans les bureaux d'une société de
courtage au 7, World Trade, en train de surveiller l'accrochage de quelques
portraits photographiés au cours des années de peste. Tout ce qui venait des
années 80, tout ce qui faisait Downtown, avait acquis une sorte de cachet
contestataire, en particulier chez ceux qui étaient responsables de la destruction de Downtown. Des clients, c'était le terme technique. Sa devise avait
été *Non serviam*, mais les fournitures photographiques n'étaient pas bon
marché ces derniers temps, et (différents passifs ayant cannibalisé l'héritage
de Papa) le loyer non plus. Et puis, tous ceux qui auraient pu l'accuser de se
renier l'avaient fait avant lui ou étaient morts. Et Raphaël n'avait-il pas pour
commanditaires les Médicis? Son propre père n'avait-il pas financé les frais
d'analyse des enfants de Rothko?

933

— Un peu plus bas, dit-il à l'accrocheur d'œuvres, un ectomorphe aux yeux bleus, qui, sorti de Bennington depuis deux ans, se faisait soixante-cinq dollars de l'heure.

William délogea un carré amer de Nicorette de son sarcophage à fond d'aluminium. Puis, s'étant surpris à attendre l'apparition du bas du dos qui se découvrait dès que la chemise du jeune homme se soulevait, il se mit à genoux pour ouvrir la dernière caisse.

Parvenu à un certain âge, vous pouvez revoir de vieilles œuvres sans ressentir grand-chose. Il avait dû regarder ces images un millier de fois, en feuillets détachables, en agrandissements et dans des magazines : d'anciens amants, d'anciens amis, dont la plupart n'étaient plus en vie, lui jetaient des regards noirs sur les épreuves gélatino-argentiques. Ou d'accord, peut-être était-ce inexact de prétendre qu'il ne ressentait pas *quelque* chose, mais c'étaient des sensations engourdies, comme quand on se fait soigner les dents. On sent la pression, pas la douleur. Et naturellement, même alors, il avait maintenu une part de lui-même à distance de ces visages devant l'objectif.

C'était cette qualité de retrait, ou de « maturité » qui avait fini par lui valoir l'estime du monde de l'art au bout de la longue succession de désastres personnels et professionnels qu'avaient été les années 70. Même avant qu'*Artforum* le qualifie de photographe-né, il avait monté une chambre noire et jeté tous ses pinceaux aux poils raidis dans des sacs en plastique avant de les poser sur le trottoir pour la collecte des ordures du mardi. Mercer aurait protesté, mais à ce moment-là, Mercer était quelque part en Europe. Et peut-être était-ce la raison pour laquelle ce dernier tableau, inachevé, n'avait jamais fonctionné : sans Mercer, il n'y avait plus personne à New York pour croire à l'Art avec un grand A. William lui-même perdait sa capacité de penser en peintre, mais il fit une dernière tentative – ce devait être au cours de l'été 1981 –, travaillant de mémoire, laissant passer l'occasion qu'il appréciait d'ordinaire d'engager un modèle pour poser devant lui, se déshabiller, ou plus selon les signaux qui passaient entre eux. Il commença cette fois avec du journal cimenté à la toile. Il le peignit en noir, mais pas trop, pour qu'on puisse lire les publicités. Il y agrafa un bout de chemise blanche triangulaire, décentré, à l'aide de grosses agrafes visibles. Il avait toujours aimé cet effet rauschenbergien consistant à utiliser un objet réel pour approcher une représentation, plutôt que le contraire. Que ce tissu devienne le corps, le torse dont il dessinait la forme, surgissant de l'espace négatif. Mais quand il en vint à la matière proprement picturale, le visage, il ne parvint pas tout à fait à le traduire, parce que l'obscurité était si obscure cette nuit-là, en dépit de la férocité de son désir de voir. Il se sentit comme Whistler, peinant sur les feux d'artifice proto-expressionnistes abstraits, dans *Nocturne en noir et or*, que John Ruskin, son prétendu ami, avait comparés à « un pot de peinture jeté à la figure du public ». Qui avait besoin de ce genre de contrariété ? Pourtant, à présent, il semblait à William, égaré au milieu des chuchotements et des cliquetis du capital fictif, que quelque chose s'était perdu là-bas. Son accoutumance, certes, mais également autre chose, autre chose qui avait sans doute été précieux.

— Ça vous plaît comme ça ? demanda l'accrocheur d'art, alors que le nom qu'il cherchait frémissait près de la racine de sa langue rendue insensible par le chewing-gum.

Les vraies cigarettes avaient connu le destin de la viande rouge et du sexe anonyme au début de l'année 1987, juste avant sa grande exposition personnelle sur la Côte Ouest. Oh, il s'était montré plus prudent avec le sexe plusieurs années auparavant, alors qu'il refusait de faire le test ; il ne voulait rien transmettre, mais ne voulait pas non plus confirmation de ce qui était en lui. La plate-forme politique de William, dans la mesure où il en avait une, pouvait se résumer à un antimortisme, parce que l'autre option possible, le socialisme, était difficile et exigeait le partage, alors que la mort était si manifestement stupide que l'opposition était ouverte à tous. Des amis, toujours plus nombreux, s'y ralliaient. Et se faisaient étendre. Et William, entre sa deuxième frénésie d'héroïne et la grande ivresse des saunas en 1979, aurait dû se faire étendre lui aussi, mais quelque chose d'étrange s'était produit une fois le diagnostic posé. On lui avait donné un traitement, il avait connu des hauts et des bas, mais il vivait. Il vivait. C'était comme dans une salle d'attente où on n'appelle jamais votre nom. Jusqu'à ce matin où, sous la douche, il avait vu sur sa poitrine la lésion qui signifiait que les médicaments actuels ne faisaient plus effet. D'autres médicaments avaient cessé de faire effet auparavant, mais il savait déjà que c'était différent. Une semaine s'écoulerait avant qu'il aille voir son médecin, moins par peur que par faiblesse. Que l'on plaçât la *fin** du *siècle** en 1999 ou en 2000, ou qu'on en restât au calendrier julien, William y avait survécu. Il n'avait jamais espéré voir le printemps de l'année 2001.

— Ça vous plaît ? répéta le garçon.

Quoi ? s'apprêta-t-il à répondre quand il comprit qu'il s'agissait de l'alignement.

— Oui, dit-il, je pense que ça ira.

Et le temps, loin de manquer, tombait en poussière. Une part de lui tapait dans la main de l'accrocheur d'art, l'accompagnait vers l'ascenseur et

935

proposait de l'inviter, lui et son petit ami, à déjeuner chez Balthazar. Une part de lui se trouvait à trente mille pieds au-dessus de l'Amérique, dans l'avion qui le ramenait de L.A., où il n'avait dit à personne ce que le test avait fini par révéler. Mais une part importante, il le comprenait, se trouvait encore à Central Park Ouest, une demi-heure après le début du blackout de 1977, clignant des yeux devant la silhouette tourmentée qui surgissait de la nuit. Dans quelques secondes, il allait se rendre compte qu'il la connaissait bien, mais à cet instant précis le visage de Keith ressemblait à ceux qu'on ne voit qu'en rêve. Et mettons que Regan ait eu raison – mettons que les quatre réunions par semaine ne lui avaient pas enfoncé dans le crâne que lui, William Hamilton-Sweeney III, n'était pas le centre du monde –, il aurait pu imaginer une seconde que cette pièce de coton blanc de chez Brooks Brothers était un messager qu'on lui envoyait en propre. Un fantôme terrible ou un ange venu apporter un surcroît de vie.

MIDTOWN – 03 H 25

Quand l'adrénaline commence à s'épuiser, et seulement alors, Pulaski découvre que cela se résumait à ça depuis le début : l'adrénaline, qui avait fait grimper quarante étages à son corps tordu, l'adrénaline qui l'avait précipité dans un dernier sprint vers la fenêtre, et l'adrénaline – enfin, l'adrénaline et le gardien et la fille au maillot des Rangers – qui l'avait aidé à redescendre jusqu'à sa voiture quand tout avait été terminé. Que cette nuit ne l'ait *pas* miraculeusement guéri est évident avant même qu'il réussisse à glisser la clé dans le démarreur. Les spasmes dans sa jambe empirent chaque seconde. Tout comme une tension intérieure. Du poste du gardien, il avait appelé son vieux pote au bureau du procureur en lui demandant d'alerter le FBI sur ce qui se passait au quarantième étage. Il paraissait plus sain, bien qu'à rebours des années d'intransigeance juridictionnelle, de ne pas envoyer quelqu'un de son département débarquer en posant toutes les questions de procédure qui vous font virer sans indemnités. Et si c'est ainsi qu'il était décidé à la jouer, avait prévenu B. (pas très content d'être réveillé par le téléphone à trois heures du matin), il fallait absolument qu'il s'éloigne autant que possible de là où il se trouvait. Mais le simple fait de fouiller dans sa poche pour chercher de l'aspirine épuise toutes les forces de Pulaski.

Fort heureusement, il a largement assez d'entraînement avec les capsules de sécurité. La demi-douzaine de comprimés qui tombent dans sa main est poussiéreuse, peut-être périmée, mais il les avale tels quels, ferme les yeux et fait de son mieux pour oublier les flocons sur sa langue. S'il a provoqué des dégâts irréversibles à ses jambes, Sherri ne le lui pardonnera jamais. Diable, elle ne lui pardonnerait jamais de toute façon. Il essaie de se masser mais il ne sait pas s'y prendre comme elle. La douleur à présent se répand comme un froid glacial et pulse dans chaque cuisse.

Mais graduellement, l'aspirine commence à le réchauffer et il entend un bruit étouffé sur le siège passager. N'importe quelle autre nuit, un suspect aurait pu bramer « Tiptoe Through the Tulips » quatre octaves au-dessus du *do* sans décontenancer Pulaski, mais ce bruit particulier est de ceux qui vous font dresser les cheveux sur la nuque. D'abord, il a presque oublié qu'il y a deux autres corps dont il ne sait pas quoi faire. Ensuite, l'un d'eux – le garçon – est en train de pleurer. Et voici un secret à propos de Pulaski : situation critique, dernières manches, risques du métier, il est votre M. October, votre homme, mais à l'échelle plus intime à laquelle la vie est généralement vécue, il n'a aucune idée de ce qu'il fait. Pas plus que la fille au maillot, visiblement, muette sur le siège arrière. Tout ce qu'il trouve à faire, c'est proposer une cigarette au garçon.

On l'entend ravaler salive, morve et larmes :

— Hein ?

Pulaski se concentre sur la lumière rouge qui continue à palpiter au sommet du Building Hamilton-Sweeney, juste au-dessus du bord supérieur du pare-brise. Ce n'est pas sa douleur.

— J'ai toujours un paquet dans la boîte à gants en cas d'urgence. Ça pourrait être le cas, fouille là-dedans si tu veux.

Le garçon marmonne quelque chose à propos de son asthme, mais qu'est-ce que Pulaski est censé faire d'autre pour lui ? Tendre la main dans l'espace immense qui les sépare, au-dessus du similicuir, dans l'air qui sent le désodorisant sapin de Noël, et prendre la sienne ? On lui collerait un procès. Si on ne lui en a pas déjà collé un.

— Bon, j'en prends une, dit-il. Je suis plutôt pipe. Madame supporte parce qu'elle aime l'odeur. Ça lui rappelle son grand-père. Mais si je sens la cigarette, je dors sur le canapé. Celles-là, c'est pour les témoins. Tu serais étonné de voir comment les gens se détendent.

Le paquet date du Nouvel An et peut-être le temps a-t-il concentré le goût, ou bien est-ce parce qu'il n'a pas fumé de cigarette depuis longtemps, parce que la dernière fois qu'il a ressenti ça, il était lui-même un petit garçon qui fumait en cachette derrière le garage à Passaic. Elle produit tout l'effet dont l'aspirine est incapable. Ses jambes flottent. Sa tête remonte comme un panier à homard jusqu'au quarantième étage, où il revoit le moment critique où il a foiré. Où son corps l'a lâché. Où le garçon s'était jeté par la fenêtre. Où s'étant remis debout, lui, Pulaski, avait chassé ces oiseaux (ou bien avaient-ils déjà commencé à s'éloigner?) et pu distinguer le scintillement des voitures, très loin en dessous. Il avait frappé sa lampe de poche pour la faire repartir. Et – doux Jésus – ce scintillement s'était révélé provenir des planches bancales d'une plate-forme de laveur de vitres, à moins de quatre mètres sous la fenêtre. Le garçon gisait sur le dos, comme une silhouette dessinée à la craie, les yeux fermés. Il ne pouvait pas avoir prévu qu'il y aurait cette plate-forme pour le rattraper, tout de même? Il faisait bien trop noir, sans parler des oiseaux. Mais dans chaque main il tenait un réveil. Et à côté de lui, à quarante centimètres environ de son point de chute, il y avait un sac de sport dont les fermetures à glissière laissaient échapper des fils électriques.

La balise répand de nouveau une tache rouge sur le bord supérieur du pare-brise. Cela tient de la supplique.

— Je sais ce que c'est, Charlie, d'essayer de tout garder en soi.

La fille à l'arrière l'interrompt :

— Est-ce qu'il a l'air de vouloir en parler? Je ne suis pas sûre qu'il ait envie d'en parler.

Pulaski n'a plus, on dirait, ce pouvoir de persuasion qui lui permettait d'obtenir n'importe quoi de n'importe qui. Il a cette image brève où ses supérieurs le relèvent de ses fonctions comme ils ont été relevés par leurs supérieurs, en remontant la chaîne. Pourtant il se sent arrimé par quelque chose. Quand il prend conscience que d'autres véhiculent se déplacent dans le noir, il ne peut s'empêcher de prendre ses jumelles dans la poche latérale.

En appelant B., il s'était attendu à voir arriver des agents fédéraux en costumes bon marché et véhicules noirs. Or des rues adjacentes surgissent de simples camionnettes blanches, une demi-douzaine, pas de sirènes, pas de gyrophares – rien que des moteurs poussés au maximum. Ils s'arrêtent devant le Building Hamilton-Sweeney, en formation parfaite, nez dirigé vers le trottoir, pleins phares sur l'esplanade. Un type blond bondit de la deuxième camionnette et semble, l'espace d'une seconde, tourner la tête vers Pulaski. Il se penche au-dessus de son talkie-walkie. Des hommes en combinaisons courent devant les phares. Ils enfilent des cagoules – tous sauf le blond au talkie-walkie. Armés de fines lampes de poche, faisant luire leurs ceintures porte-outils, ils disparaissent derrière la paroi de verre, ne laissant que les véhicules et quelques cônes de signalisation orange. Aux yeux d'un simple spectateur, il pourrait s'agir d'une urgence technique.

— Qui sont ces *types*? dit la fille à l'arrière.

— Je crois qu'on n'est pas censés savoir.

— Pour ce que ça change, dit finalement Charlie.

Une membrane rouge le recouvre. Devient noire.

— Elle n'y est pas arrivé.

Qui n'est pas arrivé à quoi? veut demander Pulaski. Mais il se rappelle comment était le garçon quand ils l'avaient remonté. Ils avaient passé un nœud autour de ses aisselles pour le hisser jusqu'à la fenêtre, sans cesser de l'encourager – *ne regarde pas en bas, tout va bien* – mais à quoi bon; il n'avait pas ouvert les yeux avant de se retrouver à l'intérieur. C'était comme s'il avait vu là-bas quelque chose qui l'avait changé. Quelque chose qu'il craignait de laisser échapper en battant des paupières.

Pulaski tente encore de démêler les ramifications, quand on cogne sur le toit. Une lumière blanche surgit derrière la vitre à moitié ouverte, alors qu'il n'a vu personne approcher.

— Je peux savoir ce que vous faites là?

— NYPD.

Pulaski veut prendre son insigne mais s'aperçoit qu'il l'a glissé dans la mauvaise poche. Le voilà.

— Ça vous ennuierait de braquer ce truc ailleurs que dans mes yeux?

L'orbe blanc flotte un moment avant de se détourner vers la rue. Un homme d'allure athlétique se penche pour regarder par la vitre. Il est jeune – trop jeune, un peu comme ces gens qui font peur tant ils font bien leur travail – et sent le déodorant à plein nez. Sa combinaison, ouverte jusqu'au nombril, laisse voir une cravate, comme s'il allait, après ça, reprendre le cours d'une autre vie. Même dans cette mauvaise lumière, la chevelure qui retombe sur le col de la chemise brille d'un éclat prodigieux. Pourquoi Pulaski est-il surpris, il ne saurait le dire.

— Je vois votre badge, parfait, rester assis dans une voiture est peut-être du travail pour vous. Mais quelle est leur excuse à eux?

Pulaski grince des dents, quand la fille à l'arrière répond:

— Qui, d'après vous, a donné l'alerte, tête de lard? Sans *lui*, vous ne seriez pas là.

— Ah, vous êtes le fameux Commissaire Adjoint Larry Pulaski.

— Et je place ces deux-là en détention, dit-il. Mais mon nom n'est pas censé être cité dans cette affaire.

— L'information a sa manière de nous parvenir. Par exemple, que vous avez pris votre retraite anticipée. Je pensais venir vous féliciter pendant que mon équipe bouclait son travail. Mais je vois que vous n'êtes pas à la retraite. On pourrait savoir pourquoi, Larry?

Bonne question.

— Alors, mettez-vous à la retraite ! Il est quatre heures du matin. Oubliez que tout ça est arrivé et vous ne serez plus obligé de me revoir. Car, croyez-moi, ça risque d'être très mauvais pour vos plans d'avenir.

Les combinaisons ne ressortaient pas déjà ? – Pulaski venait à peine de finir sa cigarette – mais les voilà, bien trop nombreuses pour loger dans trois camionnettes, se répartissant l'espace comme des équipes de secours, à moins que ce ne soit le ballot qu'elles transportent, de la taille d'un enfant, qui lui inspire cette idée. Le sac de sport. Un chœur d'église a commencé à s'élever quelque part dans la nuit, à moins qu'il n'imagine cela également.

— Ça vaut doublement pour vous deux, mauvaises graines. Je ne suis pas censé dire ça, mais Oncle Sam a un petit contrat extérieur avec certains gouvernements étrangers. Vous savez ce qu'ils font aux prisonniers, ces types-là ? Si vous ne voulez pas passer le reste de votre vie normale à l'apprendre, n'oubliez pas : il ne s'est rien passé ici. Compris ? Veillez à ce qu'ils comprennent, inspecteur. Tout ça, c'est qu'un mauvais rêve.

Il n'attend pas de réponse. Un autre coup sur le toit et il a disparu, ce jeune homme dont Pulaski est maintenant certain qu'il exécute des ordres d'une ampleur bien au-delà de son propre grade. Ce qui doit signifier – il essaie de se régler sur le chœur spectral, le fond lointain de sa douleur –, ce qui doit signifier que la chose a bien failli avoir lieu. Il voit encore les deux réveils identiques, les aiguilles arrêtées à 2.26 alors que celles de la banque là-bas indiquent 9.27. Il est probable qu'il ne pourra jamais appréhender les heures écoulées entre les deux.

Mais ce n'est plus la peine, les premières camionnettes repartent. Il ne croit plus que les réponses existent. Il va s'en aller et oublier que tout ça est arrivé. Ce n'est jamais arrivé.

— Comme je disais, Charlie (il s'efforce de reprendre là où il s'était arrêté), je sais ce que c'est. Ce qu'il faut que tu fasses, c'est prendre les choses les unes après les autres. D'abord dormir. Rentrer chez toi, prendre une douche chaude et dormir.

— Vous ne nous emmenez pas ? dit la fille, qui semble déçue.

— Tout ce que vous avez à dire, ma belle, je vais être franc, je n'ai pas envie de l'entendre. Le type avait raison. Il vaut mieux que personne ne sache quel rôle vous avez joué là-dedans.

— Il vaut mieux que personne ne sache quel rôle *vous* avez joué, vous voulez dire, marmonne Charlie. C'est vous qui avez pointé votre arme sur le gardien.

— C'est ton joker, petit. Ne cherche pas trop à savoir.

Le chœur décroît. Il est surpris par la réalité du moteur quand il tourne la clé dans le contact.

— Vous voulez que je prenne le volant ? demande la fille en ajoutant : Vos jambes.

— Ça ira.

Il démarre, serre les dents et appuie sur l'accélérateur.

— Dites-moi simplement où je peux vous conduire, tous les deux. Vous devez bien rentrer quelque part ?

— Justement, commence-t-elle quand le garçon l'interrompt :

— Oui, dit-il.

Justement, il y a un endroit où il veut qu'on le dépose.

UPPER WEST SIDE – 04 H 27

D'abord, dans le bouillard de ce qui pourrait être l'aube, ou une humidité plus épaisse, la forme sur le banc devant l'immeuble de Papa ressemble à un sac d'ordures, ou à un tas de hardes ou à l'un de ces millions de rebuts dont cette ville a la spécialité. Continue à marcher, se dit Regan, parce que venir en aide à quelqu'un d'autre est une histoire pour cœurs sensibles. Il n'y a plus que l'urgence, la nécessité de répondre à ses propres besoins. En témoigne son mari, déjà au milieu de Central Park Ouest. Mais c'est presque l'endroit exact où stationnaient ces ambulances le soir du Nouvel An. Et il se peut qu'en ce moment même, de l'autre côté de l'îlot de circulation, quelqu'un croise deux enfants qui ont l'air perdus et se demande s'il doit ou pas intervenir. De toute façon, la forme sur le banc présente assez de traits humains pour la faire remonter sur le trottoir.

— Regan, qu'est-ce que tu fous ? dit Keith derrière elle, mais elle lui enjoint de monter et d'aller voir Papa et William.

— J'arrive dans une minute.

Il s'arrête.

— S'il te plaît.

Elle attend, depuis le début de la nuit, le signe qu'il reconnaît son indépendance... et là, à sa grande surprise, il le lui donne. S'en va. Elle s'accroupit près du banc. La forme est humaine, effectivement, roulée en chien de fusil comme un poivrot du métro, mais elle ne sent que le tabac et la sueur. D'instinct, elle veut le toucher, mais elle manque de courage.

— Hé !

Quand il lève la tête, elle sent son cœur défaillir. Ce n'est qu'un enfant, lui aussi. Cheveux grossièrement coupés, peau claire, le visage tout en creux. Un appareil photo en bandoulière.

— Hé! répète-t-elle, plus doucement cette fois. Tu es perdu?

— Vous permettez, dit-il. J'essaie de me concentrer un peu. C'est le karma. Forcément.

— Mon père habite juste en face. Pourquoi ne viens-tu pas te mettre en sécurité, au moins jusqu'à ce que le courant soit rétabli?

Sans un mot de plus, le garçon se lève et, tout raide, se dirige vers les ombres à l'entrée du parc; elle ne fait qu'aggraver les choses.

— Nous avons tout ce qu'il te faut, lui crie-t-elle. De quoi manger, une douche...

Il s'arrête:

— Et une radio? À piles?

— Je suis sûre qu'on peut te trouver une radio. L'important, c'est que tu ne restes pas dehors dans le noir, c'est dangereux. Viens. Je peux t'aider.

Elle le laisse la précéder dans le hall d'entrée. Miguel, l'air hagard, se lève, mais elle hoche la tête: tout va bien. Le garçon atteint l'escalier le premier et commence à grimper avec la lassitude de quelqu'un de beaucoup plus vieux. Elle a toujours l'espoir que Will et Cate auront trouvé le chemin du penthouse, mais quand elle y parvient, tout est silencieux. Un lointain remorqueur lance le bruit le plus solitaire au monde. Les hommes doivent être en haut. Le garçon, lui, s'est arrêté pour étudier le Rothko. Pour Regan, il fait partie des meubles, un de ceux devant lesquels on passe sans les voir, mais comme elle marque une pause derrière lui, pour lui montrer qu'elle ne le poussera pas plus loin qu'il ne veut aller, il devient un tout autre tableau. Elle découvre que le bleu en son cœur est un violet meurtri, à moins que ce ne soit le résultat des millions de bougies que William a allumées. En tout cas, la chaleur ne peut pas lui être bénéfique. Ni bénéfique au garçon dont la respiration est irrégulière.

— Ça n'a pas l'air d'aller. Je t'apporte de l'eau.

— C'est juste de l'asthme, dit-il. J'ai dû perdre mon inhalateur quelque part.

— Un peu d'eau n'a jamais tué personne. La cuisine est par là.

Elle ne se rappelle plus la dernière fois où la maison était sans domestiques. Elle doit faire le tour des placards rien que pour trouver les verres et, quand elle ouvre le robinet, rien ne coule. Ils sont au dix-septième étage et il n'y a pas d'électricité pour pomper l'eau. Elle sent les yeux du garçon fixés sur son dos. Dans le réfrigérateur sans lumière, elle trouve une carafe, y plonge un doigt pour goûter.

— De la citronnade, ça ira ? Elle est tiède.

— Oui, très bien, dit-il.

Il a le visage tout rouge.

— Pourquoi faites-vous ça ? ajoute-t-il.

— Je ne sais pas, avoue-t-elle.

Mais elle a cette impression de le connaître déjà. Elle devrait lui demander son nom. Au lieu de quoi, elle se sert un petit verre du Grand Marnier qu'elle a découvert en fouillant dans les placards. C'est sucré et écœurant mais, l'aspect positif, c'est que la liqueur lui monte aussitôt à la tête. Le garçon pose son appareil photo sur le plan de travail. Ils restent assis, une minute ou deux, dans un silence embarrassé. Et puis elle lui demande ce qu'il pensait faire en bas, dans la rue – «sans vouloir être indiscrète». Il ne répond pas, elle reprend une gorgée.

— Enfin, je suis sûre que tu as tes raisons. Comme la plupart des gens. Mais tu ne dors pas dehors, n'est-ce pas ? Parce qu'il y a des agressions. Les rues sont dangereuses.

Elle est troublée par son regard, alors elle se tourne et commence à fermer les portes des placards restés ouverts.

— Je sais de quoi je parle. Nos enfants se sont perdus ce soir en rentrant du centre de loisirs et, en les cherchant, nous avons dû marcher des kilomètres, mon mari et moi. Mais je continue à croire qu'ils sont allés dans un endroit sûr.

Il y a un petit bureau où la cuisinière peut s'asseoir et rédiger les menus ; sur la huche au-dessus sont posés des cadres et parmi eux l'un des millions de tirages de cette photo prise au bord du lac Winnipesaukee. Elle la présente au garçon.

— Les voilà.

Il a cette peau blanche qui devient rose à la moindre émotion.

— Attendez. *Lui*, c'est votre mari ?

— Ex-mari. Enfin presque. On est séparés. Il devait aller les chercher.

Et là, une chose incroyable se produit : le garçon tend la main vers son verre de Grand Marnier et, l'espace d'une seconde, leurs doigts se frôlent. Quand elle retire sa main, il verse le reste de liqueur dans sa citronnade. Le descend. Ferme les yeux et ne dit rien pendant une minute.

— On devrait tous rentrer à la maison, dit-il enfin.

— Pardon ?

— Vous n'êtes pas chez vous, c'est bien ce que vous avez dit ? Un enfant voudra toujours rentrer chez lui.

— Ça va ? Tu es un peu pâle.

Ils s'observent pendant une minute. Bien sûr, pense-t-elle, elle le connaît. Il a perdu quelqu'un, lui aussi. Ils sont pareils, tous les deux.

— Vous pouvez me montrer le téléphone ?

Le téléphone se trouve dans une petite pièce tapissée de velours sous l'escalier. Le garçon referme soigneusement derrière lui les portes repliables en verre et, par discrétion, elle se dirige vers une porte éloignée. À travers les galaxies de flammes reflétées par le verre, elle voit ses épaules voûtées, son visage tourné vers le mur. *Je suis dans la maison de ce mec riche*, dit-il peut-être dans le combiné. *Viens avec le chatterton et les flingues.* Mais elle a la certitude qu'il s'adresse à un parent. À qui il demande, pense-t-elle, de venir le chercher.

— À votre tour, dit-il une minute plus tard en émergeant, plus ébouriffé qu'auparavant.

— Quoi ?

— Vos enfants. Appelez la maison. N'arrêtez pas d'appeler.

Elle est sur le point d'expliquer à ce garçon toutes les raisons pour lesquelles appeler un appartement vide défie toute logique. Mais qu'y a-t-il d'autre à faire, vraiment, sinon prendre le téléphone et se glisser devant lui dans la cabine ? L'intérieur sent maintenant comme l'odeur des chaussettes de sport de Will. Elle est juste en train de refermer les portes quand il lui reparle de la radio.

— À piles. Vous avez promis.

— Il y a une salle de sport un peu plus loin dans ce couloir. Je crois que tu en trouveras une là-bas.

Le garçon disparaît et Regan se propulse à travers les petits trous de l'écouteur. Chaque sonnerie est un caillou jeté dans l'eau noire. Des cercles de plomb, neuf ou dix, dont les ondes s'étendent sans rien toucher de solide. Mais après, chose incroyable, Will est là, et il ne dit pas allô mais :

— Maman ? C'est toi ?

Sa voix lui parvient un peu floue, comme si des explosions lui avaient brouillé l'ouïe. Et pourtant, il est une bouffée d'oxygène : l'air ne pourrait pas être assez plein de lui.

— Will, chéri, où es-tu ? Mon Dieu.

— Euh… tu m'as appelé, tu te souviens ?

Mais elle a appelé tant d'endroits ce soir qu'elle ne sait plus où elle appelle en ce moment.

944

— Le nouvel appartement. Le grand immeuble? Beaucoup d'eau? Ça te rappelle quelque chose?

— Je veux dire, où étiez-vous toute la nuit? Ta sœur va bien? Ça me rend malade, on vous a cherchés…

— Cate s'est endormie dans ton lit. (*Chai endormie.*) Tout va bien. Mince, si tu veux râler, râle contre la personne dont c'est la faute.

— Vous ne bougez plus, dit-elle, étonnée de sa propre fermeté.

— Il est comme quatre heures du matin, Maman, où est-ce qu'on irait?

— Arrête. Ça suffit. Je quitte l'appartement de Grand-Père tout de suite.

— Que fais-tu chez Grand-Père? Il va bien?

— Tout va bien, mais je ne sais pas combien de temps il faudra à votre père pour nous trouver un taxi.

— Papa est là?

— Bien sûr, Papa est là.

Une fois, elle a entendu quelqu'un comparer une orbite spatiale à une chute libre sans fin. Le silence de Will est un peu de cet ordre, et elle chute dans l'univers à l'intérieur de sa petite capsule de verre. Mais elle s'accroche soudain à quelque chose de solide: Keith. Depuis le début, il était furieux contre Keith.

— Chéri?

— Je ne vois pas pourquoi il a besoin de venir. C'est quand même lui qui nous a posé un lapin.

— Will. Ton père vous aime plus que tout.

Ce silence, encore, tandis qu'elle comprend que c'est vrai.

— Nous vous aimons tous les deux. Sois un peu humain, s'il te plaît.

— Très bien. Mais si je dors quand vous arrivez, ne me réveillez pas. Ça a été une nuit horrible.

Il raccroche, et pour une fois, elle remercie les excès de Felicia Gould, le fantasme d'élégance auquel elle soumet tout le monde autour d'elle, car la porte peut rester fermée aussi longtemps que Regan en éprouve le besoin. Elle ignore pourquoi elle redoute encore à ce point que les autres l'entendent pleurer, sinon que le soleil va se lever à un moment ou à un autre, et que le monde du passé, qui ne voyait pas d'un bon œil l'étalage des émotions nues, va se tourner vers le monde du futur comme au trapèze volant l'acrobate lâche une barre pour attraper la suivante, ou une dormeuse se souvient d'elle-même en quittant le sommeil.

Quand elle retrouve Keith, il descend l'un des escaliers circulaires qui desservent l'étage. Il commence à lui raconter que son père ronfle comme un sonneur et que William est en train de lire, quand elle lance dans l'espace vide qu'elle a fini par les retrouver.

— À Brooklyn. Dans le nouvel appartement.

Il s'assoit sur place, quelques marches au-dessus du sol.

— J'ai dit à Will que nous venons tous les deux. J'ai pensé que tu aurais envie de les voir.

Les yeux de Keith sont placés exactement au même niveau que les siens, seulement séparés par la rambarde ajourée. Oui, il a envie de les voir, dit-il. Énormément.

Ce qui signifie laisser le fugueur de Regan attendre qu'on vienne le chercher. William peut s'occuper de lui, veiller à ce qu'il ne vole pas l'argenterie, mais elle sent qu'elle doit au moins lui annoncer qu'ils partent. Ce qu'elle tient à faire toute seule, dit-elle, déterminée, pour une raison mystérieuse, à ce que lui et Keith ne se croisent pas. Si son mari a des objections, il ne les soulève pas. (Est-ce ainsi que les choses seront désormais? Et est-ce bien ou mal?)

Un peu plus tôt, elle avait cru que William la taquinait en feignant d'être perdu dans le penthouse, mais la pénombre a changé l'aspect des couloirs latéraux et pendant un moment elle-même ne sait plus où elle est. Et puis une radio gazouille droit devant elle, et après deux placards et une cave à cigares, elle trouve la salle de sport. La bougie éclaire un appareil de musculation, un tapis roulant et non pas une balance, mais deux. Leurs ombres projetées aux murs ressemblent à des outils de mortification des chairs. Il y a un moment où elle a presque pitié de Felicia. Et puis elle aperçoit le garçon. Il est sur un tapis de lutte, les jambes repliées sous sa poitrine et la tête posée à côté de la radio, comme ces chauffeurs de taxi musulmans qu'on voit sortir du coffre, à l'heure de la prière, des cartons plats. C'est ce qu'il faisait sur le banc dehors, comprend-elle: envoyer ses requêtes en direction de La Mecque ou allez savoir où.

Maintenant, il est soit absorbé par la logorrhée de la radio – il attend qu'elle lui dise quelque chose – soit endormi. Les petites crêtes des vertèbres pointent sous son tee-shirt le long de son dos. Chaud et humide, mais pas fiévreux. Sa main, posée là, lui paraît être la main de quelqu'un d'autre. Le souvenir d'une main.

Et tout à coup vingt ans ont passé, et tout cela ne signifie plus rien. Elle s'éveille d'une sieste, une fin d'après-midi de printemps, des morceaux d'elle, épars, accourent de tous les coins d'une chambre ensoleillée pour se rassembler dans la personne qu'elle est à présent. Cette douleur dans sa main gauche, c'est l'arthrose. Le vrombissement qu'elle avait en rêve attribué à un avion se révèle être l'aspirateur de la femme de ménage, dans l'entrée. Derrière une fenêtre ouverte, les oiseaux jasent et les autobus soupirent, mais même une fois ces différentes choses dites avec une certaine autorité, elle reste allongée, un oreiller mouillé de sueur sur la tête. Personne, de toute manière, ne l'oblige à se lever. Cate travaille de longues heures dans une société Downtown, et Regan la voit plutôt ces jours-ci comme une invitée des brunchs du dimanche. Keith passe son après-midi à Rye; retraité, il s'est converti au golf et à la politique républicaine (ce qui revient au même). Et Will... Will est un répondeur sur une autre côte – et ici et là, quand elle parvient à lui parler à une heure assez décalée pour qu'il soit obligé de décrocher, une voix, réticente, pixellisée par les satellites. Pourtant, Regan n'échangerait pour rien au monde la vie qu'elle a eue. Elle a retrouvé son frère et il semble qu'il puisse tenir bon encore un peu. Et l'acte II de son mariage s'est déroulé nettement mieux que l'acte I. L'implosion de la société n'a pas seulement placé Keith et elle sur un pied d'égalité, elle lui a aussi donné la liberté de décider ce qu'elle voulait faire. Ainsi qu'il l'y a exhortée à maintes reprises, elle a envoyé des curriculum vitae et été engagée l'année suivante comme directrice de la communication à l'hôpital pédiatrique St. Mary, à Bayside, dans le Queens. Produire de l'argent à partir de l'argent ne l'avait jamais comblée; ce travail, oui. Plus important, elle a appris à vivre avec elle-même, chose qui, elle le sait maintenant, ouvre la possibilité d'apprendre à vivre avec les autres. Parfois, en début de soirée, elle lève les yeux de son magazine et voit Keith, dans le fauteuil placé à la diagonale du sien, qui la regarde. « Quoi ? », demande-t-elle, et il répond : « Rien », mais avec une forme d'émerveillement. On peut construire une vie sur ça : deux personnes qui connaissent les failles l'une de l'autre et choisissent néanmoins de rester assis ensemble, en chaussettes, sous la lampe, à lire des magazines en essayant de pas penser trop loin au-delà de la journée qui s'achève, ou de celle qui vient. À la frontière du sommeil, et seulement en ce lieu, se surprendra-t-elle parfois à fouiller le sol de passages envahis par la végétation, en quête du lieu précis où sa vie a bifurqué. Et ce à quoi elle parvient, le plus souvent, c'est à ce fantasme qu'elle avait eu autrefois d'avoir retrouvé son fils ou sa fille perdus, comme si cette nuit tout entière avait été une machine à la Rube Goldberg destinée à lui montrer que ce qu'elle veut n'est pas ce qu'elle avait cru.

Sous sa main, le garçon est immobile. Pendant quelques secondes, les choses peuvent prendre deux tournures. Tant qu'elle garde les yeux fermés, il n'est pas impossible qu'elle dise quelque chose et que ce qui adviendra ensuite deviendra son avenir, et ce présent son rêve. Mais elle croit maintenant ou se souvient de croire qu'elle doit choisir : soit le chemin qu'elle n'a pas pris dix-sept ans auparavant, soit le chemin qui la conduit à ses enfants réels, plutôt qu'à ses enfants imaginaires. Et ce garçon a sa propre vie, comme elle. C'était une erreur de croire le contraire.

Elle laisse sa main sur son dos quelques secondes de plus. Essaie de mémoriser les lignes pâles du cuir chevelu qui se ramifient dans ses cheveux. Elle s'accroche à cette sensation jusqu'à ce que la sensation prenne la taille exacte de son corps, et puis elle retire sa main. Elle est réveillée depuis vingt-trois heures. Ses yeux sont secs. Dehors, le ciel s'éclaircit, ou pas. Le personnel de jour ne tardera pas à arriver. Sous la main inerte du garçon, elle glisse un message. *Fais comme chez toi. William (frère) est là-haut, peut te préparer à manger. Je suis à ce numéro si tu as besoin de quelque chose.* Mais elle sait déjà qu'il n'appellera pas. Elle ne le reverra jamais plus. Et après un dernier regard, elle se prépare à retourner à la réalité, poursuivie par le babil de ce dingue à la radio, comme une voix sortie d'un rêve.

DERNIÈRE TRANSMISSION

— Alors on est tous là, les mains sur les épaules. Votre serviteur se retrouve dans la file entre une femme en truc arabe sur ses cheveux et un hassid qui semble craindre que je le pelote en douce. Le tunnel ? Plus chaud que ce que j'aurais cru au fond d'un tunnel. Les flammes à peine à la hauteur des graffitis et cet étrange résidu marron que laissent les trains, qui tapisse aussi l'intérieur d'un canon de revolver. Ça a une odeur bien particulière, voyez-vous, un mélange de champignon, de sueur et de métal. Vous l'avez déjà sentie en pensant que c'était autre chose. Je commence juste à me demander si on nous conduit dans une embuscade quand le mur à gauche devient un vide noir peuplé d'échos. Le quai. Le type derrière lâche mon épaule. Toutes ces petites lumières qui s'éparpillent. On est juste redevenus des gens qui rentrent chez eux après le travail. Ensuite, je monte et je passe par une sortie ouverte, remettant en place ma vieille bobine. Parce que là-haut, en surface, on est dans les limbes. Des immeubles entiers noirs comme dans le train. Et au niveau du sol, manifestement, des allures de Jugement dernier. Je vous épargne mon témoignage de citoyen ordinaire ; vous venez d'en vivre une version personnelle. Mais je dirai seulement que, maintes heures et rues plus loin, quand je vois une lumière aux fenêtres du studio de WLRC – New York, ne laisse personne te dire que Zig ne fait pas passer tes intérêts en premier –, je pense aussitôt : cambriolage. Ensuite, il me revient que la station possède un générateur. Et à quatre heures quarante-cinq du matin, les rues en dessous de Canal Street sont devenues une ville fantôme au point que j'entends déjà la musique par la fenêtre : boum boum boum. Et encore en haut de l'escalier.

« Allez regarder une galette de disco, un jour que l'électricité sera revenue. Chaque face ressemble à un single, mais étirée sur trente centimètres, parce que ne parlons pas de malheur quand il y a des guerres et que des gosses meurent de faim en Érythrée, rien ne doit pouvoir vous empêcher de secouer secouer votre cul. Cette face-là en est déjà à la moitié, et un autre disque est prêt sur la platine à côté, pour que le basculement puisse se faire en continu. La cabine est déserte, mais il y a une cigarette qui se consume dans un cendrier. Je me dis que Wolfman Jerry, notre gars de la tranche minuit-quatre heures, doit être dans les parages. Moi, je vais m'asseoir et attendre l'arrivée de Nordlinger qui me dira si je suis blacklisté pour avoir fomenté des troubles ou si j'ai encore le droit de passer à l'antenne.

« Pour tuer le temps, je regarde un peu le courrier qui s'empile toujours dans la station. Des galettes de promo, oui, mais aussi des photos publicitaires et des autographes, l'autopromotion sans fin. Peut-être qu'un dingue parmi vous là-bas a envoyé des photos topless, me dis-je, ou au moins une menace de mort – *quelque* chose. Mais chaque fois que je jette un coup d'œil pour voir combien de temps il reste sur le disque, l'espace gravé entre l'aiguille et l'étiquette tournante rétrécit. Cinq centimètres, deux centimètres et demi. Vous serez choqué d'apprendre, filles et garçons, que ça rend le « Dr » Zig anxieux. Cette station émet sans interruption depuis 1923, mais il va falloir que quelqu'un vienne vite changer de disque, autrement ce sera le silence, ces irritantes pertussions de l'aiguille sur le sillon. Et là ça devient sérieux, on est à un centimètre du centre, un demi-centimètre, quelqu'un a écrit « Fondus rapides » sur la pochette, le pouls va s'éteindre d'un instant à l'autre, alors au tout dernier moment possible je me penche et je lance le fader. N'importe quel couillon peut faire ça, soit dit en passant, ploup, tu fais glisser un bouton, pleep, tu lances le commutateur et c'est reparti pour sept minutes quarante de vie. Ce qui ne veut pas dire que le disco ne soit pas encore et toujours à chier. Laissez-moi juste avaler ça.

« Ah, nettement mieux. De quoi est-ce que je parlais ? D'accomplissement, voilà de quoi je parlais. Le sentiment que j'en ai eu a duré aussi longtemps que l'effet d'une cigarette une fois éteinte. À peu près aussi longtemps que le sentiment de bien-être postcoïtal, avant que les questions recommencent à mousser dans le crâne. C'était bon pour elle ? Bon pour moi ? Qui s'en va le premier ? Quand est-ce trop tôt ? Parce que ma façon de voir ce qui s'est passé a changé : il n'y a absolument personne dans le studio. Pas de Wolfman Jerry, pas de Nordlinger. C'est-à-dire que je suis seul aux commandes. C'est beaucoup de pression, voilà ce que je dis, et il n'y a pas des masses d'endroits aussi angoissants qu'une station de radio vide avec le micro aussi brûlant et les moniteurs à plein volume, parce que tu n'entends rien que ta voix. Comme si par exemple le Tueur de Socquettes ou le Fils de Sam se glissaient derrière moi à la minute où je vous parle, et que je ne les entendais pas. Vous pouvez, à force de parler, vous convaincre d'avoir trop peur pour vous retourner...

« Mais attendez. Qui a mis ce disque, en fait ? À qui appartient ce mégot de cigarette ? Je commence à me demander – ne ris pas, toi la ville des lignes de la main et des Jésus de tableaux de bord – à me demander si l'endroit est hanté. Je vous ai parlé de mon pote qui s'est foutu à l'eau il y a quelques mois, n'est-ce pas ? Et je vous ai dit qu'il était venu me voir ? Quatre ans de silence, et voilà qu'il est devant ma porte, ivre, avec une photo et des questions à propos d'une fuite dans la presse. Peut-être ai-je même pris un certain plaisir à dire : Là, tu dépasses les bornes, vieux, j'ai rien pour toi. Non, j'étais sûr de vous en avoir parlé. Ces pilules me bouffent le cerveau. Quoi qu'il en soit, j'ai maintenant cette drôle d'impression qu'il est là dans le studio avec moi. Ou quelqu'un. D'une seconde à l'autre, il va surgir devant moi, ou luire, je ne sais pas ce que font les fantômes parce que j'ai toujours été persuadé qu'ils représentent le moyen d'éviter le face-à-face avec soi-même – mais alors pourquoi, filles et garçons, suis-je autant terrifié ? Peut-être parce que je viens de parcourir neuf kilomètres dans le noir, dans une ville qui veut ma mort ?

« Ou peut-être parce que, arrêtons de nous voiler la face, le « Dr » Zig a toujours eu peur de son ombre. Oui, je ne voudrais pas vous décevoir, vous les aspirants animateurs parmi les auditeurs, mais ce studio n'est qu'une palissade, une barrière de verre qui protège du spectacle atroce des autres. Et c'est en se mêlant des affaires des autres que cet ami à moi s'est mis dans la merde. Et je le sens à quelques centimètres, prêt à poser la main sur moi, à me chuchoter à l'oreille que, bon, si les choses sont exactement aussi désespérées que tu le dis, Zig, qu'est-ce que tu attends pour avoir le courage de tes opinions, pour appuyer sur la détente – et vous savez quoi ? Je ne suis plus du tout prêt à entendre ça. Alors je me réfugie dans le salon de WLRC, qui se résume en fait à un placard et un divan. Il me reste encore quelques minutes avant le début de l'émission pour me ressaisir, concocter le message que je vais t'adresser ce matin, New York, lorsque tout à coup : la chasse d'eau. Oh, Zig, me dis-je. Espèce de – pardonnez-moi l'expression – connard névrosé.

Tout le temps où tu te croyais seul, il y avait un collègue aux chiottes. Ou quelque mécréant venu de la rue.

« Quoi ? Vous vous attendiez vraiment à une histoire de fantôme ? J'ai beau être lâche, je suis aussi quelqu'un de pragmatique. Je vais frapper à la porte, en acier et à noyau creux, je ne sais pas pourquoi, mais quand on y pense, les W-C ont l'une des deux fenêtres que compte tout le studio, alors je ne suis peut-être pas le seul à craindre les cambriolages. Ce qui explique les anneaux où accrocher un cadenas de mon côté de la porte. Rappelez-vous, je viens de marcher à travers quinze de mes propres émeutes et j'ai été trop atterré pour y participer. Mais j'en ai terminé avec la lâcheté. Il va falloir changer le disque dans ce que mon instinct infaillible me dit trois minutes et demie, et d'une manière ou d'une autre, je veux avoir réglé cette affaire avant de rentrer dans ce studio, c'est-à-dire celui depuis lequel vous m'entendez. Alors je prends une profonde inspiration.

« Viens m'aider, New York, si tu es encore là. Épaule contre épaule. Épaule contre acier. Écoute moi encore ce boucan. Pousse.

« Il me faut quelques secondes pour comprendre ce qui se passe de l'autre côté. La fenêtre, celle que j'ai vue de l'extérieur, est ouverte. Du papier toilette partout, imbibé d'eau. Et là, en train de se débattre par terre, un pigeon à bout de nerfs. Il s'est englué sur un de ces pièges à colle dont on se sert pour attraper les rats. Depuis des années, on en pose partout dans la station parce qu'on est envahis par les rats. Ou ce qu'on prenait pour des rats. Et mes loyaux auditeurs se souviendront de la théorie de Zigler selon laquelle, sous les plumes, le pigeon et le rat sont le même animal. À l'heure qu'il est, le duvet sale et les plumes volent partout ; la seule chose à faire, c'est d'estourbir la bestiole une bonne fois pour toutes et d'en finir. Barbare, dites-vous, à quoi je réplique : non, c'est l'essence même de la civilisation. La volonté d'estourbir avant que la vermine ne morde vos enfants et ne contamine votre blé.

« Mais au moment où je lève ma chaussure, l'oiseau se jette vers les toilettes comme s'il devinait que la fin est proche. Il ne peut pas vraiment voler, parce qu'une aile est toujours collée au piège, et il pousse ce roucoulement, ce gémissement endeuillé de colombe, mais avec une nuance d'urgence absolue. Que suis-je censé faire ? Il ne doit pas rester plus de deux minutes sur le disque, il faut que je retourne dans le studio et je ne veux pas laisser la chose souffrir.

« Avez-vous déjà essayé de ramasser un pigeon ? Celui-là, en résumé, panique et me chie sur la main, alors je retourne la plaque à glu, en me souvenant que c'est un truc de fauconnerie, mais rien à faire. L'oiseau est étonnamment léger, or ces ailes sont capables de générer une force de tous les diables, et je suis sacrément secoué, mon instinct me commande de tenir la plaque avec précaution, mais je risque simplement de la faire tomber. Alors je la tiens à bout de bras en essayant d'éviter de me faire picorer à mort, je grimpe sur le siège branlant des toilettes et très lentement, quand les battements d'ailes se calment, je passe l'oiseau et la plaque, puis ma tête, par l'ouverture, où le soleil se lève, loués soient les Jési de tableaux de bord, matin rouge, rues qui s'articulent de nouveau, mais pas le temps de communier avec toi, New York, je dégage l'aile de la glu et après il faut que je m'occupe aussi des pattes, mais en douceur, pour ne rien arracher, ce qui entraîne un regain d'agitation, et brusquement je suis furieux de me voir dans cette situation, dans les toilettes ou dans la ville ou en tant qu'être humain ou quoi, je ne sais pas, mais je hurle : « Ne bouge plus, bordel de merde » – et tout ce que je vous ai raconté c'est du pipeau, si la bestiole ne devient pas complètement immobile, rache rache, les pattes se détachent, et sans penser, j'ouvre la main et… elle tombe dans le vide. Ma chaussure plonge dans les chiottes, ma chaussette est maintenant trempée, mais rien à foutre, parce que je viens de coûter la vie à un être vivant. Seulement voilà : quatre étages en dessous, à quelques centimètres du sol, cette saleté se souvient de ses ailes et en quelques coups elle s'échappe vers le ciel. Je n'ai pas le temps de traiter ça, comme on dit, le disque est à l'agonie, *Fondus lents*, celui-là, alors je cours avec ma chaussure trempée, je regagne la cabine et je me penche vers le micro, à bout de souffle, et c'est là que vous intervenez, qui que vous soyez, et pourquoi je suis là depuis maintenant au moins deux heures, à balancer tout ça à l'antenne.

« Ou OK, d'accord, vous m'avez eu, rien ne s'est probablement passé de cette façon. Ou est-ce une hallucination avec d'autres trucs – peu importe. Ce qui importe, c'est le signal que cette histoire envoie à mesure que nous approchons de la fin de l'heure, à savoir : le « Dr » Zig a posé le mauvais diagnostic, *Damen und Herren*. Attention, la plupart de mes faits sont exacts, mais le tableau que j'ai brossé est encore plein de trous, parce que je ne vous ai jamais crus capables de changer. Et en ce moment même ils réécrivent l'histoire et sauront trouver les mots pour vous dire que ce que vous venez de voir n'existe pas. La grande ville, mauvaise, anarchique, les pillards, ooga-booga. Mieux vaut croire les promoteurs et les flics. Mais ne laisse personne te dire que la nuit dernière, New York, tu n'étais pas devenue autre chose, même brièvement. Cela a suffi à me convaincre que je pouvais peut-être changer, moi aussi. Alors vous allez me rendre un service. Il est 5 h 58. Vous allez éteindre la radio. Je sais que je suis censé rester à l'antenne jusqu'à sept heures, mais si chacun d'entre vous voulait bien juste à l'instant tourner le bouton, je pourrai fermer ma gueule sans que personne le sache. Comme *Peter Pan*, mais à l'envers : si vous cessez d'applaudir, je peux me retirer. Peut-être nous croiserons-nous, là dehors, vous et moi. Inutile de nous reconnaître, du moment que nous ne parlons pas. Ce sera comme de repartir de zéro. Alors maintenant lève ton cul collectif, New York, et s'il te plaît, *s'il te plaît...*

WEST SIDE – 05 H 58

À cette heure de la matinée, les camions en provenance des dernières usines de Manhattan devraient s'entasser à l'entrée du Battery Tunnel, déviant la circulation vers les rues de surface, mais les itinéraires de délestage sont inutiles ; tous ceux qui cherchent à quitter la ville sont déjà partis. Ce qui dévie Pulaski, c'est plutôt l'idée de replonger dans le noir, alors que le soleil commence enfin à se lever. Après avoir éteint la radio, il choisit de couper par Chambers Street pour emprunter le pont, et il ne tarde pas à voler au-dessus du port et de là à s'engager sur une voie express qui pour une fois mérite bien son nom. Des passerelles destinées aux piétons se succèdent à toute vitesse. Des panneaux indiquant le pont Verrazano sont noircis mais lisibles. Dans la voiture, on n'entend que le bourdonnement de l'asphalte rythmé par les joints de dilatation. Partout ailleurs, sur l'eau, sur les vitres, sur les chaînes rouillées, ce n'est que lumière, lumière, lumière.

Et à l'instant où il atteint Port Richmond, les lampes cobra au-dessus de l'autoroute s'allument. Derrière elles, le ciel a la couleur d'une gomme à effacer – c'est souvent le cas en été, quelque chose à voir avec les gaz produits par les décharges – et donc la luminosité n'a rien d'extraordinaire. Et pourtant, il a la gorge serrée. La quille en néon à la devanture de BowlRight Lanes oscille dans son angle de chute. Des ampoules clignotent sur un de ces tableaux mobiles *OUVERTURE SEMA NE À 10 HEURES*, il peut s'agir du pub irlandais Shenanigans ou de l'église grecque orthodoxe voisine. Dans la station de lavage automatique, juste avant la bifurcation, deux éponges tourbillonnent comme des bobtails devenus fous dont les dreadlocks s'attaquent à une voiture absente.

Un fusible a dû sauter aussi sur la porte automatique de son garage, car au moment où il s'engage la porte remonte, redescend, puis remonte encore. Il voit la Thunderbird de Sherri à l'intérieur, ce qui est étrange, à moins que Patty ne soit venue hier de Philadelphie la chercher ? Il se gare dans l'allée. Le claquement de sa portière semble trop bruyant, même pour lui, et il effraie quelques roitelets derrière le grillage des voisins. Lui-même, peut-être, est un peu effrayé. Vous vous rappelez cette phrase : « Aujourd'hui est le premier jour du reste de ta vie » ? Elle a quelque chose de terrible. « Restez là », dit-il à travers la vitre à la forme encore silencieuse sur le siège passager. Il se redresse et regarde la porte du garage monter, descendre, monter, descendre, un certain temps avant de se décider à rentrer.

— Sherri ?

Il a le réflexe de vouloir ranger son arme de service dans le tiroir à clé de la table près de la porte d'entrée, mais il se ravise et vérifie la sûreté. Dans la cuisine, la plaque chauffante de la cafetière électrique s'est mise en route avec le rétablissement du courant, produisant cette odeur, particulière aux Deli, de café de la veille, mais il n'y a personne. Leur chambre est également vide, le lit est fait au carré. Il commence à monter, en s'appuyant lourdement sur la rampe, remarquant à peine un deuxième claquement de porte dehors. Leur chambre était encore là-haut il y a cinq ans, mais Sherri se plaignait qu'elle était trop grande – une manière de ne pas blesser son amour-propre – et ils avaient fait venir des déménageurs pour tout installer dans la chambre du bas, plus petite, qu'un fils ou une fille aurait occupée. Maintenant elle appelle l'ancienne chambre « la chambre à soi de Sherri ». Pendant les mois d'hiver quand la piscine est bâchée, elle aime s'asseoir dans son fauteuil papasan, enveloppée dans une couverture en crochet, en buvant son thé et en lisant un livre. Les rideaux qui ne sont jamais tirés sont tirés et la pièce sent la bougie, et c'est là, dans le fauteuil rond, que Pulaski trouve sa femme endormie, pelotonnée, l'écouteur de son petit transistor enfoncé dans l'oreille.

Il boite jusqu'à elle, les longs poils du tapis amortissent tous les sons, et une fois assez près, il retire l'écouteur. Il n'y a aucun bruit. Soit les piles sont mortes, soit elle l'a éteint. « Sherr ? » Il écarte l'un des rideaux. Le reflet de la piscine se répète sur le plafond, dessinant des lignes blanches ondoyantes, vagues de lumière à l'assaut de cette petite chambre. Il veut s'approcher encore, mais s'agenouiller maintenant lui est impossible. Il est obligé de baisser la tête, et il a le sentiment, pourtant, que c'est elle qui se dresse au-dessus de lui.

Elle ouvre les yeux. Leur bleu le fait toujours tressaillir.

— Tu es resté debout toute la nuit ? demande-t-elle.

La question n'exprime aucune colère, mais peut-être est-elle au-delà de la colère.

— J'ai appelé. J'ai cru que tu étais allée chez Patricia.

— Va plutôt te coucher, Larry. On parlera de toutes ces choses demain matin.

Mais il ne peut pas juste aller se coucher. Elle était ici, tout ce temps, à quinze kilomètres à peine du Building Hamilton-Sweeney.

— C'est le matin. Quelles choses?

— Tu sais bien quelles choses.

— Regarde-moi, chérie.

Il cherche ses mots.

— Elles vont changer désormais. Ça va changer.

— Larry, comment pourrais-je te croire?

Vient ensuite un long moment où ils se regardent. Mais il ne parvient toujours pas à déchiffrer son visage. Parce que cela, aussi, nécessite du travail; quand a-t-il oublié? Elle touche alors la manche de son manteau.

— Incroyable, tu le portes encore avec cette chaleur. Tu sais, tu as perdu un bouton.

Il veut qu'elle continue à lui tenir le bras, mais il est trop tard pour dire quoi que ce soit. Il boitille vers la fenêtre, retire son insigne de sa poche. Le soleil semble gourmand. À quoi on s'identifie: à une plaque de métal brillant. Il soulève la moustiquaire et d'un mouvement latéral lance l'insigne avec une aisance qui le surprend. La plaque décrit un arc ascendant, le rabat en cuir bat comme une aile blessée, jusqu'au moment où il cesse de le voir à cause de la lumière, et puis il tombe, avec un bruit rond, dans le petit bain de la piscine.

— Hé! crie une voix de fille dehors. J'ai failli le prendre sur la tête!

Elle est sous un catalpa en fleurs; tout ce qu'il voit à travers un entrelacs de vert, c'est le chatoiement d'un maillot des Rangers.

— Mec? crie-t-elle. C'est vous? Est-ce que je peux faire mon entrée?

Il se tourne vers Sherri.

— Chérie, tu te souviens, tu disais qu'on avait besoin de projets pour occuper le temps, si nous déménagions au nord? J'ai quelqu'un ici que je voudrais te présenter.

UNE AUTRE CÔTE – TROIS SEMAINES PLUS TARD

Curieusement, il avait toujours trouvé les aéroports réconfortants. Cet entredeux. Les corps si nombreux, à peine distincts, courant dans les terminaux. Après son précédent faux pas, au cours d'une décennie de semi-exil, il avait passé des mois dans ces endroits, presque autant de temps que dans les airs.

ATL. TGU. MIA. Intéressant, même dans l'exécrable Paris-Orly, de se sentir insoluble dans dix mille autres personnes, simplement en refusant la hâte. Et, le temps perdu étant la servante de la hâte sans but, il employait ces moments flottants non à glander mais à préparer son retour. Ses traits ne s'imprimaient pas dans les mémoires. Les verres de ses lunettes diluaient son regard. Un chapeau dissimulait sa tête vide. Ses valises étaient neutres et fonctionnelles comme seules peuvent l'être les valises et n'étaient pas marquées à son nom. Il s'asseyait parfois à une porte d'embarquement qui n'était pas la sienne et adoptait l'attitude d'un représentant en partance pour Cleveland, la mallette remplie d'échantillons de moquette. Ou d'un commissaire-priseur britannique. D'un boulanger de Spokane. Ou encore, à l'un de ces bars d'aéroport, engageait la conversation avec la personne qui lui paraissait plus seule que les autres, sans donner aucun poids à ses mots, sans que cela revête la moindre importance. Ce qui importait, c'était de se fixer un but, aussi arbitraire fût-il, juste à la périphérie de l'accessible : la cible, par exemple, lui paierait un verre, ou porterait ses bagages jusqu'à la porte d'embarquement. Et comment calibrait-il ces buts, comment parvenait-il au maximum disponible en évitant toujours de payer la lourde amende pour incompatibilité qu'il s'était imposée des années auparavant ? En évaluant avec précision les secrets de ses compagnons de voyage. C'étaient, il en avait la conviction, les secrets qui créaient les liens. Les secrets toujours accessibles. Tant de secrets différents, et en dessous, par la vertu même du secret, leurs scandaleuses similitudes. Celui-ci, le sexe, celui-là, l'alcool, cet autre une honte pitoyable.

Et cette similitude, couvrait-elle encore toutes choses, au regard de sa dernière défaite ? En arrivant à LAX pour l'étape suivante de son vol, Amory Gould commençait à se poser la question.

À sa descente du taxi, sur le trottoir ensoleillé devant le hall, des passagers accablés, pans de chemises flottants, carte d'embarquement à la main, étaient attroupés autour d'un comptoir. Il devait y en avoir des dizaines, de quoi remplir un avion. Il devina très vite que c'était le résultat d'autres aléas, en ces temps de dysfonction généralisée. Un ordinateur central en panne dans les Rocheuses, entraînant le retard de certaines correspondances, annulant d'autres. Un effet domino affectant tout le circuit. Comme il était habituellement très en avance sur l'heure d'enregistrement, et comme cette irruption offrait, par sa différence même, l'occasion d'examiner une espèce intéressante, il décida d'attendre ici, à la périphérie de la périphérie, pour ainsi dire, et d'étudier ce qui était pour lui plus déroutant que n'importe quel individu : la psychologie des foules. Mais quand il voulut aller s'asseoir sur une borne voisine, quelqu'un s'y trouvait déjà, observant la mêlée. Une femme de petite taille, d'origine asiatique. Sa valise était posée à ses pieds. Ses tennis touchaient à peine le sol. Et ce qui l'avait arrêté, ce n'était pas tant cela qu'un signe d'affinité, comme si elle existait juste à côté de lui, à l'extérieur. Au-dessus. Quand la plupart des gens ne l'auraient pas vu approcher, elle regarda vers lui, attentive. Mais oui, bien sûr. De son point de vue à elle, c'était sans doute lui qui semblait chercher de la compagnie. Il fit craquer une allumette. Se pencha pour aspirer une bouffée de la cigarette.

— Quel cirque !

— N'est-ce pas ?

On le voyait maintenant, sa vivacité était en partie due à l'épuisement.

— Oui, sûrement.

Quand elle déclina la cigarette qu'il lui offrait, il replaça les allumettes dans le paquet et le paquet dans la poche du gilet. Il aspira une longue bouffée brûlante. Et l'évalua de nouveau. Non, elle semblait un cobaye prometteur, s'il parvenait seulement à trouver à quoi elle pourrait servir.

— En voyage d'affaires ou d'agrément ?

Elle parut perplexe.

— Pardon ?

— Si je puis me permettre. Une petite diversion que j'ai imaginée pour passer le temps, avec tous les voyages que je dois faire pour mon travail. Je regarde un autre passager et j'essaie de deviner : est-il ici en voyage d'affaires ou d'agrément ? Et je vérifie si j'ai raison.

— Oh. Je suis seulement venue rendre visite à ma famille pour le week-end. Je ne sais plus si ça entre dans une catégorie ou l'autre.

— Les visites familiales peuvent être éprouvantes.

Elle eut l'air embarrassé.

— Nous avions tous un billet de retour pour New York hier sur un DC-10 qui, pour ce que j'en sais, se ravitaille encore en carburant à Wichita. C'est ma deuxième nuit blanche en un mois.

Il reprit une bouffée. Un tremblement nerveux. De quoi pouvait-il s'agir ? Hormis les échanges avec des serveuses ou devant des distributeurs de glaçons, il y avait longtemps qu'il n'avait pas parlé à un être humain en chair et en os. Ses réflexes étaient peut-être émoussés. Voilà bien pourquoi il fallait s'entraîner. Quoi qu'il en soit, les regrets qu'elle exprimait ne comptaient pas ; ce qui comptait, c'était comment il pouvait en tirer parti.

— Figurez-vous, dit-il, que je viens de New York, moi aussi. Enfin, je suis venu il y a quelques semaines. Juste après le blackout. Vous deviez y être aussi.

Elle le regarda.

— Vous voyez, il me semblait bien que vous aviez quelque chose, reprit-il. Je me demande vraiment pourquoi quelqu'un de votre âge, qui a toute la vie devant soi, voudrait y retourner. En fait, c'est ce qui m'a convaincu de plier bagage. Une ville entière, totalement irrécupérable.

— C'est drôle, parce qu'il n'y a pas si longtemps, j'ai cru que les bons allaient reprendre le dessus. Une petite colonie de lumière...

Elle se reprit. Mais était-ce la même mélancolie dans sa voix?

— De toute manière, je n'ai pas le choix, je dois rentrer. J'entame un deuxième cycle à la fin du mois. Et vous? En route vers de grandes et belles choses?

— Hong Kong, dit-il, ce qui était vrai quoique provisoire.

Comme avait été provisoire sa longue escale dans une ville qu'il détestait, terré dans cet horrible hôtel d'aéroport, en attendant qu'on frappe à la porte, c'est-à-dire les agents fédéraux, tout en se démenant au téléphone. Il était convaincu que sa nouvelle vie le conduirait vers le sud, dans l'ombre du sous-commandant. Mais il était de notoriété publique qu'Amory Gould avait été lâché par ses financiers. La banque d'affaires auprès de laquelle un ancien associé avait appuyé un curriculum vitae concocté à la hâte se trouvait en Asie. L'Asie, qu'il essayait de considérer d'un œil optimiste. Et peut-être était-ce plus d'optimisme, plus d'effort, mais il se rendait compte maintenant qu'il pourrait sans doute la convaincre et, ce faisant, se convaincre aussi.

— J'imagine que vous n'y êtes pas allée?

— Je ne suis jamais allée à l'ouest de Mendocino. Pas depuis l'âge de trois ans.

Son expression s'était un peu durcie. Peut-être s'était-il trompé sur les femmes, après tout. Elle était manifestement intelligente. Et était-ce une annonce, qui résonnait derrière la foule ingouvernable? Il se fit doux, intime.

— Vous savez, votre valise est prête, si vous préférez passer vos dernières semaines de liberté à vivre une véritable aventure plutôt que de retourner si vite dans une ville aussi dure.

Plus aucun retour possible; attention.

— On embarque, en ce moment même, sur des vols transpacifiques...

— Avez-vous déjà essayé de changer un billet en un délai aussi court?

— Appelez ça un caprice, mais je peux peut-être faire quelque chose.

— Vous avez raison, c'est un fameux caprice.

De nouveau, cette mélancolie. Cette hésitation. La pression de ce qui est retenu.

— Disons que je suis chanceux. Chanceux et déterminé. Rien ne me rend plus heureux que d'aider une jeune personne animée de la même détermination. Vous pourrez retourner à vos études cet automne avec au moins une autre corde à votre arc. Et nous avons traversé des épreuves, vous et moi. Cela crée une certaine camaraderie. De toute manière, ce ne serait pas tant un cadeau qu'un prêt, dit-il.

— Je ne saurais pas où envoyer le remboursement. Vous ne m'avez même pas dit votre nom.

— Ou je suis sûr qu'on pourrait acheter un billet open. Un billet open, n'est-ce pas ce que veulent les gens comme nous ?

Au-delà de l'assurance immédiate qu'il restait l'homme d'autrefois, il voyait déjà un avenir où dans cinq, dix ou quinze ans, cette faveur lui reviendrait, par l'intermédiaire du réseau de relations qu'il tisserait à travers les jungles et les plaines. On le forçait à se réinventer – à moins naturellement qu'on ne soit toujours en train de se réinventer – il lui faudrait semer des faveurs dans ce nouveau quadrant de planète, et des gens à même de l'aider à concrétiser ses ambitions. Sinon, à quoi bon tout ça ? Il veillait pourtant à ne pas lâcher son Exigente, la braise qui donnait le vertige. La périphérie de la périphérie de la périphérie…

— C'est une putain d'offre généreuse, vraiment, si spontanée, dit-elle.

Elle tripota le fermoir de son sac. Puis haussa les épaules.

— Mais nous ne sommes tout simplement pas pareils. Et si je dois le payer par de longs moments difficiles, il me reste encore des choses à découvrir là-bas. Alors merci encore, mais je vais aller acheter une viennoiserie et un magazine. J'ai l'impression que je vais devoir attendre encore un moment.

Et elle disparut de la borne avant qu'il ne puisse répondre, plongeant dans la masse des Manhattoes et des touristes harcelant l'employé aux abois qui n'avait le contrôle sur aucun avion. C'était comme si elle n'avait jamais été là. Amory se concentra. S'efforça de se projeter dans l'employé. Ou de passer à travers la foule pour se projeter dans la fille. Il devait avoir quelque chose qui clochait en fin de compte. Le long de son bras, à présent, il sentait les cercles durs sous le tissu blanc et doux, la petite cartographie de ses punitions, dont la plus récente ne datait pas d'un mois. Il n'aurait jamais imaginé en ajouter un si vite. Mais Amory Gould était d'une rigueur sans faille ; déjà il s'écartait légèrement de la foule et, sans baisser les yeux, il commençait à ôter le bouton de manchette de sa manche froissée, mais toujours élégante. Tout est permis, même à découvert, tant qu'on ne baisse pas les yeux.

HELL'S KITCHEN – POUR L'ÉTERNITÉ

Mais pour le moment il reste un peu de temps avant l'aube. William Hamilton-Sweeney, assis sur un futon encore indistinct, caresse le Nikkormat que le garçon a laissé dans la cuisine de Central Park Ouest. Il n'a pas touché un appareil photo depuis des années, mais il sait que le bouton ne fonctionnera pas tant qu'il n'aura pas d'abord actionné ce levier. Quand il exerce une pression du pouce, il produit un bruit de claquet. Clic, fait l'obturateur. Clac. Clic. Il aurait probablement dû vérifier qu'il ne gâchait pas une pellicule, mais parfois, quand il se lance comme il le fait là, il lui est presque impossible d'arrêter. C'est essentiellement pour échapper à la fascination du bouton qu'il lève le viseur à la hauteur de son œil. Depuis son retour, la fenêtre a donné assez de luminosité dans le loft pour lui permettre de reconnaître la chatte perchée sur le rebord, mais quand il l'appelle, elle ne daigne pas tourner la tête. Elle ne lui appartient plus, désormais, si elle lui a jamais appartenu. Panoramique sur le coussin noir du futon où la lettre de son père gît pliée en trois. Il est presque tenté de la brûler, mais à quoi bon ? Certaines lignes se sont déjà insinuées trop profondément dans son cerveau pour flamber sans détruire une part de lui-même. Chose que, il le découvre, il est peu enclin à faire. Clic.

Le danger est moindre... pour le monde intérieur... En réalité, le problème que pointent ces phrases, c'est un problème de perspective. Ce n'est pas tant qu'il se soit trompé sur ce que son père avait dans le cœur, mais plutôt que, chez lui, la sphère des sentiments ne cesse d'évincer ceux de tous les autres. C'est une lutte constante d'essayer de voir les autres comme des gens, et non pas comme des habitants d'un monde d'une dimension inférieure à celui dans lequel il est condamné à errer en empereur solitaire. Que quelqu'un de familier puisse en ce moment même se réveiller dans un autre quartier de la ville en souffrant d'un mal en tout point aussi réel que le sien… il parvient à le *penser*, mais pas, manifestement, à s'en souvenir. Et « se souvenir » est-il seulement le mot exact pour désigner une évidence dont l'expérience n'offre aucune preuve ? Le postuler, peut-être. L'imaginer. Il tourne le viseur vers la fenêtre, d'où la chatte n'a pas bougé. Sa queue tressaute. Une idée menace de prendre forme, mais se ravise.

Et puis il entend un vacarme dans l'escalier. Probablement un Angel en déroute. En montant, il en avait trouvé un certain nombre sur les paliers, inconscients, et à en juger par les liquides dans lesquels il avait pataugé et la puanteur alcoolisée de leurs ronflements, ils avaient dû être beaucoup,

beaucoup plus nombreux au cours de la nuit, venus ici faire ce que font les Angels. Mais, soudain, quand la serrure commence à grincer derrière le panneau en verre bosselé, il a peur. La lumière projetée par le vasistas dessine une silhouette d'homme avec une tête énorme. Il comprend au moment où la porte s'ouvre que ce sont des cheveux – que c'est Mercer – et il n'a qu'une fraction de seconde pour se donner une contenance normale. Et qu'y a-t-il de plus normal, à New York City, qu'une personne l'œil vissé à un appareil photo ? Le petit cercle de mise au point flotte sur des lunettes cassées. Un cocard. Une barbe. Une lèvre fendue. C'est un peu comme si William tenait l'objectif à l'envers ; c'est lui qui devrait être là, objet du regard et des questions. Mais il ne peut pas le dire.

— Eh bien, on dirait que quelqu'un a passé une nuit mémorable.

Il y a un temps de silence impossible. Et puis, comme si William n'était pas là, Mercer va jusqu'à la fenêtre pour caresser Eartha. Dans le viseur, la pièce avec toutes ses ombres lui semble trop vaste à traverser, mais William la traverse. Il sent l'odeur de sueur de Mercer et celle épicée de… c'est de l'herbe ? Il tend la main vers une épaule, s'efforce de ne pas s'emballer.

— Non, vraiment. Qu'est-il arrivé, Merce ?

Mercer se soustrait à son contact.

— Tu n'as aucun droit d'être ici.

— Mais je voulais te voir, dit William, ce qui a la vertu d'être vrai.

Ce serait plus facile s'ils pouvaient voir leurs visages. Plus facile ou plus difficile – l'un ou l'autre.

— Oh, pour une fois, William, est-ce qu'on pourrait cesser de faire comme si tu savais ce que tu voulais ? Tu n'obéis qu'à tes impulsions, voilà ce que tu fais. Et dès que l'envie de t'échapper se présentera, tu disparaîtras de nouveau.

Mercer ne cesse d'aller de gauche à droite pour pouvoir regagner la porte. Il finit par se dégager.

— Je vais ressortir. À mon retour, je veux que tu sois parti.

Il claque la porte si violemment qu'il semble que le verre va se briser. Mais dans l'escalier, au lieu de descendre, les pas montent vers le toit. Et William reste seul comme un idiot. Bizarrement, il y a de l'eau entre les carreaux de la fenêtre. Elle perle dans un coin, et a laissé ailleurs sur le verre des tigrures fantômes. Derrière, la jardinière-parpaing de Mercer est un cimetière. Le ciel est gris-pourpre, foncé, meurtri. Encore une fois l'idée menace de prendre forme. Quelque chose comme montrer par opposition à dire. Mais comment indiquer l'objet qui indique ? Café – ce serait ça, l'idée ?

Cinq minutes plus tard, ses Converse pataugent de nouveau sur les marches humides. Là-haut, la porte est à demi ouverte, les bouteilles entassées sur la dernière marche brûlent de l'imminence du matin. C'était là qu'il venait savourer son isolement. Comme toutes les grandes toiles, sa ville exigeait cela : assez de distance pour offrir du recul. Là-haut, il lui arrivait de tomber sur Bullet, il lui arrivait même de s'affaler avec lui, de boire deux ou trois bières, et de préserver son intériorité. Il était un fin connaisseur de cette intériorité. Il l'est toujours. Mais sa ville est en train de changer. Il viendra des vagues de nouveaux pionniers, pareils aux Angels étendus çà et là sur le papier goudronné, cuvant le blackout. Ou différents d'eux, qui sait ? Où est passé Mercer ? Il est assis sur le « O » géant de l'enseigne des Knickerbocker Mints. En tailleur, à plus de deux mètres de hauteur, punaise fixant le présent au passé. Il y a assez de lumière maintenant pour voir son air pensif, solitaire. Adulte.

William s'arrête en dessous.

— Hé, regarde-nous. On a fait une nuit blanche.

À son oreille, cette expression d'ici avait toujours eu un accent héroïque, mais jamais auparavant – même quand ils commençaient seulement à se voir – Mercer n'avait réussi à tenir jusqu'à l'aube. Et maintenant il ne dit rien.

— Tiens, je t'ai apporté quelque chose.

Sur la pointe des pieds, William parvient à poser à côté de Mercer la tasse de café qu'il a montée. Et puis, penché en avant pour assurer son équilibre, il grimpe sur la poutrelle qui soutient le O. Il s'installe à l'autre bout de la lettre, à peut-être un bras de distance, le café entre eux. C'est de l'instantané El Bandito, mais il sent si bon qu'il est tenté d'y goûter. Les N.A. l'ont habitué à une lavasse de la pire espèce, servie dans ces énormes percolateurs à l'odeur de brûlé. Il lui passe par la tête de parler à son amant impassible de ces réunions. Alors il se lance. Depuis qu'il a arrêté la méthadone, il y va presque tous les jours, il tient bon.

— C'est comme substituer des accoutumances à une autre. Mais je viens d'obtenir mon premier médaillon. Clean et sobre depuis trente jours. J'ai pensé que tu devrais le savoir avant de me dire mes quatre vérités.

Mercer regarde ailleurs. La lumière monte autour de lui, comme contrôlée par un curseur sur quelque tableau de mixage cosmique. Les objets acquièrent des ombres. Vers le sud s'élèvent les tours du World Trade Center, la plus éloignée cachée derrière la plus proche comme un enfant derrière sa mère. William lève l'appareil. Le baisse.

— Autre chose, aussi, j'ai vu mon père. Enfin, je ne l'ai pas seulement vu. Je suis resté auprès de lui presque toute la nuit dernière. Il perd un peu la boule.

À ces mots, Mercer se tourne pour le regarder. Un œil est tuméfié, presque fermé. L'autre est tellement marron qu'il paraît noir.

— En fait, ça rend les choses plus faciles. Le fait qu'il perde la boule, je veux dire, pas mon abstinence. Mais je suppose que cela a rendu Papa vulnérable aux gens qui ne lui veulent pas que du bien. Une catégorie dans laquelle je suis peut-être. De toute manière, il semble que nous allons nous voir plus souvent. C'est une bonne chose, non ?

Un flamboiement rouge est apparu au sommet gris de la tour nord.

— Heureusement que je parle si couramment le silence, Mercer.

— Que reste-t-il à dire, William ? Je ne sais pas quel effet cela fait d'être abruti de drogues, et tu n'as manifestement aucune idée de ce que cela fait d'attendre six mois que ton amant t'appelle.

William se demande s'il existe une vitesse d'obturation assez lente pour saisir l'éventail des regards que Mercer lui jette.

— Aide-moi à comprendre.

— Comprendre quoi ? Que mon cœur s'arrêtait dès que le téléphone sonnait ? Que j'ai presque souhaité qu'on te retrouve mort dans le caniveau quelque part ? Parce que je devais savoir, déjà, que les choses se passeraient plutôt comme maintenant. Que tu reviendrais frapper, frapper, et me travailler comme ça pour que je t'ouvre. Mais quand allais-tu enfin me laisser entrer, *moi*, William ?

Ah. Alors voilà : Mercer n'ignore plus la difficulté majeure. Il a découvert ses dimensions exactes – que son corps est un logis construit pour un seul être. Mais William sent à présent, dans son désir d'atteindre Mercer, qu'il se heurte à une porte. Une porte qui, tout ce temps, était fermée de l'intérieur. Clic.

— Je ne te racontais pas tout ça parce que j'espérais que tu me reprennes, Mercer. Je voulais juste que tu saches ce que tu m'as donné. J'ai peut-être été trop lent à le voir. Je savais qu'il y avait quelque chose que j'avais été trop lent à voir.

Le rougeoiement, qui scintille au loin, court le long de l'arête est du World Trade Center à la vitesse de la rotation terrestre. C'est comme si les tours étaient en feu. Photographique, pense-t-il. *Écrit en lumière.* Et puis, par association d'idées : Pornographie. *Écrit en porno.*

— Tu vas m'obliger à le dire, n'est-ce pas ?

— À dire quoi ?

— Non, tu as raison, ça ne fait sans doute aucune différence.

Il saisit la main brune et chaude posée sur le bord de l'oméga, mais elle s'échappe déjà et Mercer retombe sur le toit proprement dit, laissant le café intact. Il marche avec une telle détermination que William redoute qu'il ne continue à courir au-delà du vide comme le coyote des dessins animés. Ou (l'image se présente avec une clarté magrittienne) n'ouvre les bras et ne s'envole vers une autre vie. Dans celle-ci, bien sûr, rien de tel n'est possible – Mercer s'arrêtera au bord du parapet, aussi près qu'il le peut de son premier lever de soleil new-yorkais – mais William n'est pas encore prêt à se limiter à ce qui est seulement possible. Il veut saisir Mercer Goodman comme il est là, comme il est dans le viseur, contre la ville en train de disparaître. Derrière l'ossature de ses tours, une ligne rouge se dessine là-bas, le bord d'une courbe qui pourrait continuer à s'arrondir à l'infini. Les minuscules points noirs qui se détachent sont peut-être les premiers oiseaux du matin, ou les derniers de la nuit... ou les cendres d'un millier d'incinérateurs, ou un début de cécité, il ne le sait pas encore, mais assurément il y a là un message, il faut juste regarder avec assez d'attention. Un signe. Un sujet. Une fin ou un commencement. Il retarde le moment d'appuyer sur le bouton, une seconde, une autre seconde. Et une autre ensuite. Parce que, William le sent, s'il joue la bonne carte, s'il parvient seulement à ne plus hâter les choses, l'un de ces instants va se révéler décisif.

POST-SCRIPTUM

CETTE VILLE, NE PLUS LA REGARDER
SERAIT UNE FORME DE MORT

Rien ne meurt ; tout se transforme.

Balzac,
Pensées, sujets, fragments

À : reganlamplighter@hotmail.com
OBJET : Re : Disposition de la succession/Evidence III
27/8/03, 4:52
PIÈCE JOINTE : TCWNTLUWBLD.doc

D'abord, Maman, je voudrais dire que je te dois des excuses, notamment
pour cette réponse tardive à ton mail du 14/7. Pour tout te dire, tu avais
raison pratiquement de bout en bout, y compris à propos du fait que
tout cela prendrait beaucoup plus de temps que je ne l'avais estimé.
Pour pouvoir commencer une œuvre, je dois avoir besoin, me semble-t-il,
de croire qu'elle sera plus facile qu'en réalité. C'est doublement vrai en
l'occurrence puisque ce dont nous parlons concerne plus qu'un seul type
d'œuvre. Ces dernières semaines, je suis resté devant mon ordinateur
portable toute la journée et la moitié de la nuit rien que pour taper mes
notes. Mais la bonne nouvelle, c'est qu'à la fin de ce mail, ce sera fini,
je pense. Et j'ai finalement trouvé la manière de présenter la troisième
partie du triptyque qui respectera la vision d'Oncle William. Augenblick m'a
présenté un programmeur qu'il connaît à Murray Hill. Je dispose maintenant
d'un petit logiciel qui garde la trace de chaque frappe, y compris celles-ci.

Tu remarqueras que tout ce qui a trait au fait que l'URSS ne s'effondre
pas en 1989 et que Travolta devient le leader du monde libre a été éliminé
de la pièce jointe ; là encore, tu avais raison et je m'excuse de m'être
emporté après ta réaction à ce premier schéma farfelu. Je n'allais pas bien
à ce moment-là. J'avais l'impression que ton opposition de principe à des
expositions posthumes primait sur ta capacité à comprendre mes besoins.
Pour ma défense, artistiquement parlant, je crois que je m'efforçais vraiment
de démontrer la possibilité que les choses soient autres qu'elles ne sont.
Mais naturellement, j'ai appris qu'on ne peut pas prouver la plupart des
choses qui importent ; cela semble une violation des règles, qui exigent
plutôt de vous de rêver. Et puis, la nature de la vie sur terre est tellement
incroyablement non schématique. Pour finir, il est plus clair et plus honnête,
d'une certaine manière, de laisser ouverte la question de l'ontologie, de
préserver un espace de jeu. Je veux dire, toi et moi savons que tout cela
est réellement arrivé – j'ai la documentation ici – mais j'ai appris que, même
dans un tribunal, les documents tendent de moins en moins à persuader
ceux qui ne veulent pas se laisser persuader. Et pour des questions
d'assurance, sans parler de conséquences plus vastes, il vaut peut-être

mieux laisser de la place pour les gens qui ont encore besoin d'imaginer que « Evidence III » est une sorte de conte de fées. C'est, entre autres, ce que cela a représenté pour moi : un chemin vers un autre lieu que l'endroit horrible où je me trouvais l'hiver dernier.

J'ai conscience de retomber en ce moment même dans cette habitude que tu m'as fait remarquer. L'intelligence comme mécanisme de défense. L'« intellectualisation ». Ou oserais-je dire atermoiement ? La simple réalité dont j'évite de parler, c'est qu'après notre longue séparation de l'été Julia revient demain soir, c'est-à-dire ce soir. (Tu peux constater sur l'horodateur ci-dessus combien je dors, mais je suis heureux de ne signaler aucun cauchemar.) Et à la pensée de son avion qui se pose, de sa voix, du fait qu'elle a peut-être changé d'avis depuis notre dernière conversation et ne sera plus disposée à faire tout ce qu'il faudra – renoncer à moi pendant trois mois pour cette mitzvah – j'ai le trac. Mais parfois le trac peut s'avérer utile. J'espère que c'est le cas maintenant. La vérité, c'est qu'elle m'a terriblement manqué, Maman. Qu'elle me manque.

Mais quoi qu'il en soit, pour répondre à la première partie de ton mail, la proposition est la suivante : des vitrines. Des boîtes en Plexiglas comme pour l'installation de D. Hearst (Hurst ?) avec le requin. Augenblick en commande seize selon les mesures que je lui ai transmises, longues et basses avec des cadres en bois recyclé. Le matériel de « Evidence III » sera réparti entre elles et scellé à l'intérieur de façon permanente – toutes les archives de 1977, les fanzines et les manuscrits de Groskoph, etc., mais aussi la correspondance d'Oncle William et les retranscriptions d'interviews de l'automne 2001, alors qu'il renouait avec ce que son journal appelle (son degré de sarcasme étant difficile à évaluer sur la page) « la vieille clique ». Dans la perspective de laisser la place pour les New York des autres, on pourra voir dans ces vitrines le chemin de papier que j'ai suivi, mais pas en totalité. Elles tapisseront le premier mur de la galerie, celui qu'on franchit à l'entrée.

Dans l'autre pièce, plus grande, les murs resteront de grands vides. Au milieu, seront installées des rangées de chaises, disposées dans quatre directions, et quatre projecteurs. Le soir du vernissage, Augenblick appuiera sur le bouton « play » de son ordinateur et le petit logiciel dont je t'ai parlé fonctionnera comme un piano mécanique. Durant les dix jours suivants, les murs se rempliront des pages de la pièce jointe projetées, 230 et quelques feuillets par mur, comme rédigées par un fantôme. Et puis, à la moitié de l'exposition, c'est-à-dire quand tout le document aura été «tapé» sur le mur, le programme s'inversera et, au cours des dix derniers jours, lettre par lettre, page par page, l'ensemble disparaîtra.

Pendant tout ce temps, Augenblick a prévu d'ouvrir la galerie jour et nuit : les gens pourront aller et venir à n'importe quelle heure. Ensuite, je pense qu'il vendra les vitrines, à supposer que les agents fédéraux ne soient pas venus les confisquer et les placer au secret dans la Zone 51, là où ils enterrent les choses qu'ils veulent faire disparaître. Toutes les recettes, moins sa commission, viendront s'ajouter à la succession d'Oncle William et donc te reviendront. Mais j'ai déjà dit à Augenblick qu'il n'aura pas ma partie de la pièce, ci-jointe. (À laquelle, en espérant que tu seras d'accord, je joindrai également ce mail en tant que post-scriptum.) À partir du 30 septembre, ta boîte de réception en contiendra l'unique copie. Ce qui se passera ensuite, je le laisse à ton entière discrétion d'exécutrice. L'important pour moi, je veux le croire, c'est d'apaiser tous les fantômes. De sentir que c'est fini.

Quant à notre itinéraire, Julia nous a pris des billets de retour pour LAX le 12, le lendemain du vernissage. Je sais qu'elle a raison. Le moment est venu. Pourtant d'une certaine façon, autant je ressens maintenant une gratitude incroyable et totalement imprévisible à l'égard de la vie que j'ai – et autant j'ai l'intention de ne plus jamais la laisser partir – autant je regrette que nous ne restions pas à New York toute la durée de «Evidence III». Je suis curieux, surtout, de voir qui s'installera sur les chaises. Sûrement, en majorité, des disciples en jean noir d'Augenblick, et quelques journalistes. Mais aussi fou que cela paraisse, j'imagine que Mercer Goodman pourrait venir aussi. Je ne l'ai rencontré que cette fois-là à Thanksgiving, naturellement, mais au téléphone je l'ai trouvé incroyablement intelligent et avisé, et (mais tu le sais peut-être déjà) lui et son mari Rafe sont venus de Paris à la fin pour aider Oncle William, lui faire la cuisine, le ménage et de temps à autre l'aider à descendre dans le nouveau parc au bord de l'Hudson pour voir le coucher du soleil. Et j'ai invité les Pulaski, il y aura de la place pour son fauteuil roulant, j'ai insisté là-dessus. Et peut-être Charlie Weisbarger, s'il a finalement reçu mon mail, pourra-t-il s'absenter quelques jours de son travail auprès des délinquants juvéniles de Boston. J'aimerais le rencontrer en personne. Je n'aimerais rien tant, Maman, que de pouvoir vous présenter de nouveau l'un à l'autre.

Et cela m'amène à ce qui est peut-être le plus inattendu : les gens dont j'aimerais voir les visages pendant qu'ils regardent la chose se dérouler (sans compter celui de Julia), c'est le tien et celui de Papa. Peut-être as-tu deviné depuis le début à quoi aboutirait cet été – c'est peut-être pourquoi tu as fait en sorte que je puisse disposer de l'appartement – mais voilà, je ne suis plus en colère contre vous. Mes pensées, au contraire, ne cessent de vouloir pénétrer jusqu'à vous.

Je me rappelle, en particulier, le matin après le blackout où vous êtes rentrés tous les deux ensemble à Brooklyn Heights. Tu t'en souviens ? Cate ronflait dans le grand lit parental tout neuf, enveloppée, comme à son habitude, dans le cocon de la couverture. J'étais étendu au bout, et je faisais semblant de dormir. La lumière était partout. C'est Papa qui a aperçu sur le rebord de la fenêtre la bouteille de vin que j'avais vidée à moitié pendant la nuit (et que – soyons honnête – j'avais sans doute laissée là pour qu'on la trouve). Les yeux entrouverts, je l'ai vu se tourner vers toi en la tenant par le col. Et c'est toi qui as haussé les épaules. S'il te plaît, Keith, laisse-les dormir. Tu portais mes tennis. Tu avais cette façon particulière d'enlever tes chaussures, en repliant la jambe en arrière et en passant le bras dans le dos. Je t'ai regardée changer ton sweat-shirt pour un tee-shirt blanc à col en V qui appartenait à Papa, surpris de le reconnaître. Et puis tu as grimpé dans le lit, tu t'es glissée entre moi et Cate et tu as fermé les yeux. Je me demande aujourd'hui si c'était une manière de lui faire sentir qu'il s'agissait d'un test. Rester ou partir ? De toute façon, ce qu'il avait fait le poursuivrait toujours. De toute façon, il y aurait des contraintes. C'est ainsi, me semble-t-il aujourd'hui, que se définit véritablement l'âge adulte : quelles sont les contraintes auxquelles chacun accepte de se plier ?

Il restait, je m'en souviens, une étroite bande habitable au bord du lit, de l'autre côté de Cate. Il s'est accroupi pour retirer ses chaussures et s'est étendu là, sur le côté, avec précaution, comme si nous risquions à tout instant de nous réveiller et de le chasser. Et c'est alors que j'ai pensé à une histoire qu'il m'avait racontée quand j'avais neuf ou dix ans, un jour où je lui avais demandé s'il croyait vraiment en Dieu. L'histoire parlait de la naissance de Cate ; au début je n'ai pas vu le rapport. Tout s'était ralenti au cours des dernières étapes avant le passage de la tête, disait-il, et les médecins qui venaient périodiquement dans la salle d'attente exprimaient une certaine inquiétude. L'un d'eux évoquait une possible intervention chirurgicale, au cas où rien ne bougerait au cours des prochaines minutes.

Tu étais à bout de forces, je crois, et ils craignaient qu'un travail aussi long ne présente un danger pour le bébé. « Je ne savais pas si je croyais ou pas, a dit Papa, mais quand le médecin est sorti je suis allé aux toilettes, je me suis enfermé dans une cabine et je me suis agenouillé quand même. » Te l'a-t-il déjà raconté ? La prière, bien sûr, était une sorte de monnaie d'échange. « Préserve ce bébé, préserve Regan, et je n'aimerai plus rien d'autre. »

Dieu, mettons de côté la question de son existence, a manifestement exécuté Sa part du contrat, mais je crois que Papa, pendant de longues années, s'est senti plus ou moins déloyal. Je ne lui cherche pas d'excuses, comprends bien. Je dis seulement que je compatis. Mais en même temps, quel Dieu exigerait de lui qu'il n'aime plus personne – quel Dieu voudrait tout ? Ce que Papa a peut-être appris la nuit du blackout, c'est qu'effectivement il n'aimait rien d'autre, du moins pas comme il nous aimait moi et Cate. Et toi. Comme je pense qu'il nous aime encore. Ce que je sais, en tout cas, c'est que ce matin-là, pendant que je faisais semblant de dormir, je l'ai senti couché, le corps raide, s'efforçant physiquement de retrouver sa place parmi ceux qui étaient là, qui respiraient à côté de lui.

Et me voilà maintenant, dans la même situation, ou presque, dans ce trop bel appartement de la 16e Rue Ouest. Je cherche. Je tâtonne, alors que le soleil commence à éclairer le trottoir dehors. Je m'imagine dans la Galerie Bruno Augenblick, dans un troisième espace, observant, à travers une fente dans le mur, Papa lisant ces mots, et toi aussi. J'essaie de savoir ce que je veux leur faire dire ici, où la marée de lettres est montée jusqu'en haut des murs, avant que le blanc commence à les dévorer et que tout ce putain de projet se réduise à un rien vide de sens ou pas. Ou plutôt non ; je nous imagine tous là, dans ce troisième lieu, ensemble. C'est un espace intime, ou assez intime, mais de taille suffisante pour laisser la place à d'autres gens. Papa est là, et Julia et Cate, et Mercer et Samantha et le Prophète Charlie. Et tu es là, dans le noir juste à côté de moi, Maman, ta main dans la mienne. Attendant la fin. Nous connaissant comme nous nous connaissons, nous n'avons probablement pas besoin de parler. Mais ce que je souhaiterais laisser à chacun de vous pour finir – mettre en Evidence, à l'opposé d'une vie entière remplie de signes du contraire – tient, je crois, simplement à ceci : Vous êtes infinis. Je vous vois. Vous n'êtes pas seuls.

REMERCIEMENTS

Un livre est un travail d'équipe. Toute ma gratitude pour celui-ci va d'abord à Diana Tejerina Miller, son éditeur, et à Chris Parris-Lamb, son agent.

Un immense merci également à leurs collègues : Andy Kifer, Rebecca Gardner, Will Roberts et la Gernert Company ; Maggie Hinders, Chip Kidd, Paul Bogaards, Nicholas Latimer, Maggie Southard, Amy Ryan, Lydia Buechler, Andrew Miller, Carol Carson, Andy Hughes, Roméo Enriquez, Oliver Munday, Loriel Oliver, Betsy Sallee, Robin Desser, LuAnn Walther, Sonny Mehta, et toute l'équipe de Knopf ; en Grande-Bretagne, l'éditeur Alex Bowler, Joe Pickering et toute l'équipe de Cape.

M'ont également apporté leur soutien et leur inspiration : Naomi Lebowitz, la Dame Sagace de Saint-Louis ; les professeurs de l'université de Washington ; Brian Morton ; tous ceux de NYU/CWP ; la New York Foundation for the Arts ; Matthew Elblonk ; Scott Rudin, Eli Bush, Sylvie Rabineau ; C. Max Magee et *The Millions* ; mes premiers lecteurs : Buzz Poole, Janice Clark, Jordan Alport, Fridolin Schley et Jürgen Christian Kill ; Gary Sernovitz, Ron Hibshoosh et la New York Public Library (tout particulièrement David Smith et Jay Barksdale) pour une bonne part de l'assise factuelle ; Patti Smith, Lou Reed, the Clash, Springsteen, the Who, Talking Heads, Fugazi ; Woodley Road '96 (D.T., M.M., Walker Lambert, Chris Eichler, Barton Seaver, Nuria Ferrer, Daron Carreiro, Kevin Mullin, the Sports) ; MDG ; NYC ; Vicki et Claude Kennedy ; Bill et Christy Hallberg ; Rachel Coley ; Amos et Walter Hallberg.

Enfin, et toujours, je suis profondément redevable à Elise White.

À PROPOS DES SOURCES

Paige Harbert et Derek Teslik ont gracieusement accordé l'autorisation de remixer des éléments (images, choix éditoriaux, deux chroniques et un repas au *diner*) pris dans leurs 'zines respectifs, *Firefly Cupboard* et *Helter Skelter*, eux-mêmes des réalisations d'art populaire qui remontent jusqu'aux Yippies. Si des erreurs et des purs produits de l'imagination sont attribuables à Richard Groskoph et à son auteur, « Les Artificiers, partie 1 » est parsemé d'éléments pyrotechniques, légendes, taxonomie, *mise en scène** et emprunts tirés de *Fireworks*, l'ouvrage magnifique que George Plimpton a écrit sur le sujet. En particulier, les trois paragraphes sur la fabrication d'une « bombe » s'appuient sur la description de Plimpton. Les illustrations des pages 323 et 805 proviennent également de *Fireworks*. Certains incidents en arrière-plan et une phrase de dialogue du Livre VII ont été empruntés à *Blackout* de James Goodman. Le texte du roman s'inspire de livres, de chansons, de films et de gens trop nombreux pour les citer tous, mais parmi les sources principales comptent *The Streets Were Paved With Gold* de Ken Auletta, *Ladies and Gentlemen, the Bronx Is Burning* de Jonathan Mahler, *Please Kill Me* de Legs McNeil et Gillian McCain, *À froid* de Philip Gourevitch, les « Sentimental Journeys » de Joan Didion et les anthologies *New York Calling* (éditée par Marshall Berman et Brian Berger) et *Up Is Up, but So Is Down* (éditée par Brandon Stosuy) – ainsi que dans une veine différente, *Gödel, Escher, Bach* de Douglas R. Hofstadter et *Vers une écologie de l'esprit* de Gregory Bateson. Le kōan zen condense celui cité par Hofstadter. Quelques erreurs auditives, des oublis parfois peuvent trahir les paroles des chansons citées dans le roman ; certains passages de l'Écriture s'écartent subtilement des traductions existantes ; et le titre du troisième interlude (à quelques mots près) provient d'une œuvre de Damien Hirst. Enfin, ceux qui chercheraient le texte original de la chanson emblématique interprétée par Nina Simone, « In the Dark », peuvent retrouver la chanson de Lil Green sous son titre d'origine : « Romance in the Dark ».

CRÉDITS ET REMERCIEMENTS

CRÉDITS ICONOGRAPHIQUES

DANS LA MÊME COLLECTION

Svetlana Alexievitch, *Ensorcelés par la mort*. Traduit du russe par Sophie Benech.

Vladimir Arsenijević, *À fond de cale*. Traduit du serbo-croate par Mireille Robin.

Trezza Azzopardi, *La Cachette*. Traduit de l'anglais par Édith Soonckindt.

Trezza Azzopardi, *Ne m'oubliez pas*. Traduit de l'anglais par Édith Soonckindt.

Kirsten Bakis, *Les Chiens-Monstres*. Traduit de l'anglais (États-Unis) par Marc Cholodenko.

Sebastian Barry, *Les Tribulations d'Eneas McNulty*. Traduit de l'anglais (Irlande) par Robert Davreu.

Saul Bellow, *En souvenir de moi*. Traduit de l'anglais (États-Unis) par Pierre Grandjouan.

Saul Bellow, *Tout compte fait. Du passé indistinct à l'avenir incertain*. Traduit de l'anglais (États-Unis) par Philippe Delamare.

Alessandro Boffa, *Tu es une bête, Viskovitz*. Traduit de l'italien par Nathalie Bauer.

Joan Brady, *L'Enfant loué*. Traduit de l'anglais par Pierre Alien. Prix du Meilleur Livre Étranger 1995.

Joan Brady, *Peter Pan est mort*. Traduit de l'anglais par Marc Cholodenko.

Joan Brady, *L'Émigré*. Traduit de l'anglais par André Zavriew.

Lucy Caldwell, *Le Point de rencontre*. Traduit de l'anglais (Irlande) par Josée Kamoun.

Lucy Caldwell, *Des vies parallèles*. Traduit de l'anglais (Irlande) par Josée Kamoun.

Peter Carey, *Jack Maggs*. Traduit de l'anglais (Australie) par André Zavriew.

Peter Carey, *Oscar et Lucinda*. Traduit de l'anglais (Australie) par Michel Courtois-Fourcy.

Peter Carey, *L'Inspectrice*. Traduit de l'anglais (Australie) par Marc Cholodenko.

Peter Carey, *Un écornifleur (Illywhacker)*. Traduit de l'anglais (Australie) par Jean Guiloineau.

Peter Carey, *La Vie singulière de Tristan Smith*. Traduit de l'anglais (Australie) par André Zavriew.

Peter Carey, *Ma vie d'imposteur*. Traduit de l'anglais (Australie) par Élisabeth Peellaert.

Peter Carey, *Véritable histoire du Gang Kelly*. Traduit de l'anglais (Australie) par Élisabeth Peellaert. Prix du Meilleur Livre Étranger 2003.

Emma Chapman, *L'Épouse modèle*. Traduit de l'anglais par Amélie de Maupeou.

Sandra Cisneros, *Caramelo*. Traduit de l'anglais (États-Unis) par Rémy Lambrechts.

Kate Clanchy, *Crème anglaise*. Traduit de l'anglais par Cyrielle Ayakatsikas.

Martha Cooley, *L'Archiviste*. Traduit de l'anglais (États-Unis) par André Zavriew.

Fred D'Aguiar, *La Mémoire la plus longue*. Traduit de l'anglais (États-Unis) par Gilles Lergen.

Jonathan Dee, *Les Privilèges*. Traduit de l'anglais (États-Unis) par Élisabeth Peellaert.

Jonathan Dee, *La Fabrique des illusions*. Traduit de l'anglais (États-Unis) par Anouk Neuhoff.

Jonathan Dee, *Mille Excuses*. Traduit de l'anglais (États-Unis) par Élisabeth Peellaert.

Junot Díaz, *Comment sortir une Latina, une Black, une blonde ou une métisse*. Traduit de l'anglais (États-Unis) par Rémy Lambrechts.

Junot Díaz, *La Brève et Merveilleuse Vie d'Oscar Wao*. Traduit de l'anglais (États-Unis) par Laurence Viallet.

Junot Díaz, *Guide du loser amoureux*. Traduit de l'anglais (États-Unis) par Stéphane Roques.

Edward Docx, *Le Calligraphe*. Traduit de l'anglais par Marie-Claire Pasquier.

Albert Drach, *Voyage non sentimental*. Traduit de l'allemand par Colette Kowalski.

Stanley Elkin, *Le Royaume enchanté*. Traduit de l'anglais (États-Unis) par Claire Maniez et Marc Chénetier.

Nathan Englander, *Pour soulager d'irrésistibles appétits*. Traduit de l'anglais (États-Unis) par Élisabeth Peellaert.

Nathan Englander, *Le Ministère des Affaires spéciales*. Traduit de l'anglais (États-Unis) par Élisabeth Peellaert.

Nathan Englander, *Parlez-moi d'Anne Frank*. Traduit de l'anglais (États-Unis) par Élisabeth Peellaert.

Jeffrey Eugenides, *Les Vierges suicidées*. Traduit de l'anglais (États-Unis) par Marc Cholodenko.

Joshua Max Feldman, *La Prophétie de Jonas*. Traduit de l'anglais (États-Unis) par Marc Amfreville.

Kitty Fitzgerald, *Le Palais des cochons*. Traduit de l'anglais par Bernard Hœpffner.

Susan Fletcher, *Avis de tempête*. Traduit de l'anglais par Marie-Claire Pasquier.

Susan Fletcher, *La Fille de l'Irlandais*. Traduit de l'anglais par Marie-Claire Pasquier.

Susan Fletcher, *Un bûcher sous la neige*. Traduit de l'anglais par Suzanne Mayoux.

Susan Fletcher, *Les Reflets d'argent*. Traduit de l'anglais par Stéphane Roques.

Dario Fo, *Le Pays des Mezaràt*. Traduit de l'italien par Nathalie Bauer.

Erik Fosnes Hansen, *Cantique pour la fin du voyage*. Traduit du norvégien par Alain Gnaedig.

Erik Fosnes Hansen, *La Tour des faucons*. Traduit du norvégien par Johannes Kreisler.

Erik Fosnes Hansen, *Les Anges protecteurs*. Traduit du norvégien par Lena Grumbach et Hélène Hervieu.

William Gaddis, *JR*. Traduit de l'anglais (États-Unis) par Marc Cholodenko.

William Gaddis, *Le Dernier Acte*. Traduit de l'anglais (États-Unis) par Marc Cholodenko.

William Gaddis, *Agonie d'agapè*. Traduit de l'anglais par Claro.

Eduardo Galeano, *Mémoire du feu,* tome I, *Les Naissances.* Traduit de l'espagnol par Claude Couffon.

Eduardo Galeano, *Mémoire du feu,* tome II, *Les Visages et les Masques.* Traduit de l'espagnol par Véra Binard.

Eduardo Galeano, *Mémoire du feu,* tome III, *Le Siècle du vent.* Traduit de l'espagnol par Véra Binard.

Petina Gappah, *Les Racines déchirées.* Traduit de l'anglais par Anouk Neuhoff.

Natalia Ginzburg, *Nos années d'hier.* Traduit de l'italien par Adrienne Verdière Le Peletier. Nouvelle édition établie par Nathalie Bauer.

Paul Golding, *L'Abomination.* Traduit de l'anglais par Robert Davreu.

Nadine Gordimer, *Le Safari de votre vie.* Nouvelles traduites de l'anglais par Pierre Boyer, Julie Damour, Gabrielle Rolin, Antoinette Roubichou-Stretz et Claude Wauthier.

Nadine Gordimer, *Feu le monde bourgeois.* Traduit de l'anglais par Pierre Boyer.

Nadine Gordimer, *Personne pour m'accompagner.* Traduit de l'anglais par Pierre Boyer.

Nadine Gordimer, *L'Écriture et l'Existence.* Traduit de l'anglais par Claude Wauthier.

Nadine Gordimer, *L'Arme domestique.* Traduit de l'anglais par Claude Wauthier et Fabienne Teisseire.

Nadine Gordimer, *Vivre dans l'espoir et dans l'Histoire.* Traduit de l'anglais par Claude Wauthier et Fabienne Teisseire.

Nadine Gordimer, *La Voix douce du serpent.* Traduit de l'anglais par Pierre Boyer, Julie Damour, Dominique Dussidour, Claude Wauthier.

Nadine Gordimer, *Le Magicien africain.* Traduit de l'anglais par Pierre Boyer, Julie Damour, Fabienne Teisseire et Claude Wauthier.

Lauren Groff, *Les Monstres de Templeton.* Traduit de l'anglais (États-Unis) par Carine Chichereau.

Lauren Groff, *Fugues.* Traduit de l'anglais (États-Unis) par Carine Chichereau.

Lauren Groff, *Arcadia.* Traduit de l'anglais (États-Unis) par Carine Chichereau.

Nikolai Grozni, *Wunderkind.* Traduit de l'anglais par France Camus-Pichon.

Arnon Grunberg, *Douleur fantôme.* Traduit du néerlandais par Olivier Van Wersch-Cot.

Arnon Grunberg, *Lundis bleus.* Traduit du néerlandais par Tina Hegeman.

Allan Gurganus, *Bénie soit l'assurance.* Traduit de l'anglais (États-Unis) par Simone Manceau.

Allan Gurganus, *Et nous sommes à Lui.* Traduit de l'anglais (États-Unis) par Élisabeth Peellaert.

Allan Gurganus, *Lucy Marsden raconte tout.* Traduit de l'anglais (États-Unis) par Élisabeth Peellaert.

Allan Gurganus, *Les Blancs.* Traduit de l'anglais (États-Unis) par Simone Manceau et Élisabeth Peellaert.

Eve Harris, *Comment marier Chani Kaufman.* Traduit de l'anglais par Christine Rimoldy.

Oscar Hijuelos, *Les Mambo Kings.* Traduit de l'anglais (États-Unis) par Pierre Alien et Jean Clem.

Nick Hornby, *Slam.* Traduit de l'anglais par Francis Kerline.

Nick Hornby, *À propos d'un gamin.* Traduit de l'anglais par Christophe Mercier.

Nick Hornby, *Carton jaune.* Traduit de l'anglais par Gabrielle Rolin.

Nick Hornby, *Conversations avec l'ange.* Traduit de l'anglais par Marie-Claire Pasquier.

Nick Hornby, *Haute Fidélité.* Traduit de l'anglais par Gilles Lergen.

Nick Hornby, *La Bonté: mode d'emploi*. Traduit de l'anglais par Isabelle Chapman.

Nick Hornby, *Vous descendez ?* Traduit de l'anglais par Nicolas Richard.

Bronwen Hruska, *Les Meilleurs Élèves*. Traduit de l'anglais (États-Unis) par Laura Derajinski.

Aldous Huxley, *Le Meilleur des mondes*. Traduit de l'anglais par Jules Castier.

Aldous Huxley, *Temps futurs*. Traduit de l'anglais par Jules Castier et révisé par Hélène Cohen.

Aldous Huxley, *Retour au meilleur des mondes*. Traduit de l'anglais par Denise Meunier et révisé par Hélène Cohen.

Aldous Huxley, *Île*. Traduit de l'anglais par Mathilde Treger et révisé par Hélène Cohen.

Neil Jordan, *Lignes de fond*. Traduit de l'anglais (Irlande) par Gabrielle Rolin.

Nicholas Jose, *Pour l'amour d'une rose noire*. Traduit de l'anglais par Anne Rabinovitch.

Ken Kalfus, *Un désordre américain*. Traduit de l'anglais (États-Unis) par Marie-Hélène Dumas.

Ryszard Kapuściński, *Autoportrait d'un reporter*. Traduit du polonais par Véronique Patte.

Ryszard Kapuściński, *Cet Autre*. Traduit du polonais par Véronique Patte.

Ryszard Kapuściński, *Ébène*. Traduit du polonais par Véronique Patte.

Ryszard Kapuściński, *Imperium*. Traduit du polonais par Véronique Patte.

Ryszard Kapuściński, *La Guerre du foot*. Traduit du polonais par Véronique Patte.

Ryszard Kapuściński, *Mes voyages avec Hérodote*. Traduit du polonais par Véronique Patte.

Ryszard Kapuściński, *Le Christ à la carabine*. Traduit du polonais par Véronique Patte.

Francesca Kay, *Saison de lumière*. Traduit de l'anglais par Laurence Viallet.

Francesca Kay, *Le Temps de la Passion*. Traduit de l'anglais par Carine Chichereau.

Wolfgang Koeppen, *Pages du journal de Jacob Littner écrites dans un souterrain*. Traduit de l'allemand par André Maugé.

Jerzy Kosinski, *L'Ermite de la 69ᵉ Rue*. Traduit de l'anglais (États-Unis) par Fortunato Israël.

Hari Kunzru, *Mes révolutions*. Traduit de l'anglais par Marie-Hélène Dumas.

John Lanchester, *Chers voisins*. Traduit de l'anglais par Anouk Neuhoff avec la collaboration de Suzy Borello.

Harriet Lane, *Le Beau Monde*. Traduit de l'anglais par Amélie de Maupeou.

Harriet Lane, *Elle*. Traduit de l'anglais par Séverine Quelet.

Barry Lopez, *Les Dunes de Sonora*. Traduit de l'anglais (États-Unis) par Suzanne V. Mayoux.

James Lord, *Cinq Femmes exceptionnelles*. Traduit de l'anglais (États-Unis) par Pierre Leyris et Edmonde Blanc.

Audrey Magee, *Promesses aveugles*. Traduit de l'anglais (Irlande) par Laure Manceau.

Patrick McCabe, *Le Garçon boucher*. Traduit de l'anglais (Irlande) par Édith Soonckindt.

Norman Mailer, *L'Amérique*. Traduit de l'anglais (États-Unis) par Anne Rabinovitch.

Norman Mailer, *L'Évangile selon le fils*. Traduit de l'anglais (États-Unis) par Rémy Lambrechts.

Norman Mailer, *Oswald. Un mystère américain*. Traduit de l'anglais (États-Unis) par Pierre Grandjouan.

Norman Mailer, *Un château en forêt*. Traduit de l'anglais (États-Unis) par Gérard Meudal.

Salvatore Mannuzzu, *La Procédure*. Traduit de l'italien par André Maugé.

Salvatore Mannuzzu, *La Fille perdue*. Traduit de l'italien par Nathalie Bauer.

Valerie Martin, *Mary Reilly*. Traduit de l'anglais (États-Unis) par Annie Saumont.

Daniel Mason, *Un lointain pays*. Traduit de l'anglais (États-Unis) par Isabelle Chapman.

Paolo Maurensig, *Le Violoniste*. Traduit de l'italien par Nathalie Bauer.

Piero Meldini, *L'Antidote de la mélancolie*. Traduit de l'italien par François Maspero.

Lisa Moore, *Février*. Traduit de l'anglais (Canada) par Carole Hanna.

Brian Morton, *La Vie selon Florence Gordon*. Traduit de l'anglais (États-Unis) par Michèle Hechter.

Jess Mowry, *Hypercool*. Traduit de l'anglais (États-Unis) par Pierre Alien.

Péter Nádas, *Amour*. Traduit du hongrois par Georges Kassai et Gilles Bellamy.

Péter Nádas, *La Fin d'un roman de famille*. Traduit du hongrois par Georges Kassai.

Péter Nádas, *Le Livre des mémoires*. Traduit du hongrois par Georges Kassai. Prix du Meilleur Livre Étranger 1999.

Péter Nádas, *Minotaure*. Traduit du hongrois par Georges Kassai et Gilles Bellamy.

Péter Nádas, *Histoires parallèles*. Traduit du hongrois par Marc Martin (avec la collaboration de Sophie Aude).

V. S. Naipaul, *L'Inde. Un million de révoltes*. Traduit de l'anglais par Béatrice Vierne.

V. S. Naipaul, *La Traversée du milieu*. Traduit de l'anglais par Marc Cholodenko.

V. S. Naipaul, *Un chemin dans le monde*. Traduit de l'anglais par Suzanne V. Mayoux.

V. S. Naipaul, *La Perte de l'Eldorado*. Traduit de l'anglais par Philippe Delamare.

V. S. Naipaul, *Jusqu'au bout de la foi. Excursions islamiques chez les peuples convertis*. Traduit de l'anglais par Philippe Delamare.

V. S. Naipaul, *La Moitié d'une vie*. Traduit de l'anglais par Suzanne V. Mayoux.

V. S. Naipaul, *Semences magiques*. Traduit de l'anglais par Suzanne V. Mayoux.

Tim O'Brien, *À la poursuite de Cacciato*. Traduit de l'anglais (États-Unis) par Yvon Bouin.

Tim O'Brien, *À propos de courage*. Traduit de l'anglais (États-Unis) par Jean-Yves Prate. Prix du Meilleur Livre Étranger 1993.

Tim O'Brien, *Au lac des Bois*. Traduit de l'anglais (États-Unis) par Rémy Lambrechts.

Tim O'Brien, *Matou amoureux*. Traduit de l'anglais (États-Unis) par Rémy Lambrechts.

Jayne Anne Phillips, *Camp d'été*. Traduit de l'anglais (États-Unis) par André Zavriew.

David Plante, *American stranger*. Traduit de l'anglais par Laurence Viallet.

David Plante, *L'Amant pur. Mémoires de la douleur*. Traduit de l'anglais (États-Unis) par Amélie de Maupeou.

Salman Rushdie, *Est, Ouest*. Traduit de l'anglais par François et Danielle Marais.

Salman Rushdie, *Franchissez la ligne…* Traduit de l'anglais par Philippe Delamare.

Salman Rushdie, *Furie*. Traduit de l'anglais par Claro.

Salman Rushdie, *Haroun et la Mer des histoires*. Traduit de l'anglais par Jean-Michel Desbuis.

Salman Rushdie, *La Honte*. Traduit de l'anglais par Jean Guiloineau.

Salman Rushdie, *La Terre sous ses pieds*. Traduit de l'anglais par Danielle Marais.

Salman Rushdie, *Le Dernier Soupir du Maure*. Traduit de l'anglais par Danielle Marais.

Salman Rushdie, *L'Enchanteresse de Florence*. Traduit de l'anglais par Gérard Meudal.

Salman Rushdie, *Le Sourire du jaguar*. Traduit de l'anglais par Anne Rabinovitch.

Salman Rushdie, *Les Enfants de minuit*. Traduit de l'anglais par Jean Guiloineau.

Salman Rushdie, *Les Versets sataniques*. Traduit de l'anglais par A. Nasier.

Salman Rushdie, *Shalimar le clown*. Traduit de l'anglais par Claro.

Salman Rushdie, *Luka et le Feu de la Vie*. Traduit de l'anglais par Gérard Meudal.

Salman Rushdie, *Joseph Anton*. Traduit de l'anglais par Gérard Meudal.

Paul Sayer, *Le Confort de la folie*. Traduit de l'anglais par Bernard Hœpffner.

Francesca Segal, *Les Innocents*. Traduit de l'anglais par Christine Rimoldy.

Maria Semple, *Bernadette a disparu*. Traduit de l'anglais (États-Unis) par Carine Chichereau.

Diane Setterfield, *Le Treizième Conte*. Traduit de l'anglais par Claude et Jean Demanuelli.

Diane Setterfield, *L'Homme au manteau noir*. Traduit de l'anglais par Carine Chichereau.

Donna Tartt, *Le Maître des illusions*. Traduit de l'anglais (États-Unis) par Pierre Alien.

Donna Tartt, *Le Petit Copain*. Traduit de l'anglais (États-Unis) par Anne Rabinovitch.

Donna Tartt, *Le Chardonneret*. Traduit de l'anglais (États-Unis) par Édith Soonckindt.

Marcel Theroux, *Au nord du monde*. Traduit de l'anglais par Stéphane Roques.

Marcel Theroux, *Jeu de pistes*. Traduit de l'anglais par Stéphane Roques.

Marcel Theroux, *Corps variables*. Traduit de l'anglais par Stéphane Roques.

Mario Tobino, *Trois Amis*. Traduit de l'italien par Patrick Vighetti.

Pramoedya Ananta Toer, *Le Fugitif*. Traduit de l'indonésien par François-René Daillie.

Hasan Ali Toptaş, *Les Ombres disparues*. Traduit du turc par Noémi Cingöz.

Rose Tremain, *Les Ténèbres de Wallis Simpson*. Traduit de l'anglais par Claude et Jean Demanuelli.

Rose Tremain, *Retour au pays*. Traduit de l'anglais par Claude et Jean Demanuelli.

Joanna Trollope, *Les Vendredis d'Eleanor*. Traduit de l'anglais par Isabelle Chapman.

Joanna Trollope, *La Deuxième Lune de miel*. Traduit de l'anglais par Isabelle Chapman.

Dubravka Ugrešić, *L'Offensive du roman-fleuve*. Traduit du serbo-croate par Mireille Robin.

Dubravka Ugrešić, *Dans la gueule de la vie*. Traduit du serbo-croate par Mireille Robin.

Sandro Veronesi, *La Force du passé*. Traduit de l'italien par Nathalie Bauer.

Serena Vitale, *Le Bouton de Pouchkine*. Traduit de l'italien par Jacques Michaut-Paternò. Prix du Meilleur Livre Étranger 1998.

Edith Wharton, *Les Boucanières*. Traduit de l'anglais (États-Unis) par Gabrielle Rolin.

Edmund White, *City Boy*. Traduit de l'anglais (États-Unis) par Philippe Delamare.

Edmund White, *Écorché vif*. Traduit de l'anglais (États-Unis) par Élisabeth Peellaert et Marc Cholodenko.

Edmund White, *Fanny*. Traduit de l'anglais (États-Unis) par Anne Rabinovitch.

Edmund White, *La Bibliothèque qui brûle*. Traduit de l'anglais (États-Unis) par Philippe Delamare.

Edmund White, *La Symphonie des adieux*. Traduit de l'anglais (États-Unis) par Marc Cholodenko.

Edmund White, *L'Homme marié*. Traduit de l'anglais (États-Unis) par Anne Rabinovitch.

Edmund White, *Mes vies*. Traduit de l'anglais (États-Unis) par Philippe Delamare.

Edmund White, *Hotel de Dream*. Traduit de l'anglais (États-Unis) par André Zavriew.

Edmund White, *Jack Holmes et son ami*. Traduit de l'anglais (États-Unis) par Céline Leroy.

David Whitehouse, *Couché*. Traduit de l'anglais par Olivier Deparis.

Jeanette Winterson, *Écrit sur le corps*. Traduit de l'anglais par Suzanne Mayoux.

Jeanette Winterson, *Le Sexe des cerises*. Traduit de l'anglais par Isabelle Delors-Philippe.
Jeanette Winterson, *Art et Mensonges*. Traduit de l'anglais par Isabelle Delors-Philippe.
Tobias Wolff, *Un mauvais sujet*. Traduit de l'anglais (États-Unis) par Anouk Neuhoff.
Tobias Wolff, *Dans l'armée de Pharaon*. Traduit de l'anglais (États-Unis) par Rémy Lambrechts.
Tobias Wolff, *Portrait de classe*. Traduit de l'anglais (États-Unis) par Élisabeth Peellaert.
Tobias Wolff, *Retour au monde*. Traduit de l'anglais (États-Unis) par Rémy Lambrechts.
Pedro Zarraluki, *Un été à Cabrera*. Traduit de l'espagnol par Laurence Villaume.

*Cet ouvrage a été composé
par IGS-CP, à l'Isle-d'Espagnac*